Compiladores
Princípios, técnicas e ferramentas
2ª Edição

Alfred V. Aho   Monica S. Lam   Ravi Sethi   Jeffrey D. Ullman

Compiladores
Princípios, técnicas e ferramentas

2ª Edição

Tradução:
Daniel Vieira

Revisão Técnica:
Mariza Andrade da Silva Bigonha
Professora associado do Departamento de Ciência da Computação
Universidade Federal de Minas Gerais

© 2008, Pearson Education do Brasil
© 2007 Pearson Education, Inc.

Tradução autorizada a partir da edição original em inglês, publicada pela Pearson Education, Inc. sob o selo Addison Wesley. Todos os direitos reservados. Nenhuma parte desta publicação poderá ser reproduzida ou transmitida de qualquer modo ou por qualquer outro meio, eletrônico ou mecânico, incluindo fotocópia, gravação ou qualquer outro tipo de sistema de armazenamento e transmissão de informação, sem prévia autorização, por escrito, da Pearson Education do Brasil.

Gerente editorial: Roger Trimer
Editora sênior: Sabrina Cairo
Editor de desenvolvimento: Marco Pace
Editora de texto: Eugênia Pessotti
Preparação: Andrea Filatro
Revisão: Lucrécia Freitas e Sandra Scapin
Capa: Celso Blanes (sobre projeto original de S. D. Ullman – Strange Tonic Productions)
Composição Editorial: ERJ Composição Editorial e Artes Gráficas Ltda.

Dados Internacionais de Catalogação na Publicação (CIP)
(Câmara Brasileira do Livro, SP, Brasil)

Compiladores : princípios, técnicas e ferramentas / Alfred V. Aho...[et al.];
tradução Daniel Vieira; revisão técnica Mariza Bigonha. – 2. ed. – São Paulo: Pearson Addison-Wesley, 2008.

Outros autores: Monica S. Lam, Ravi Sethi, Jeffrey D. Ullman
Título original: Compilers: principles, techniques, and tools

Bibliografia
ISBN 978-85-88639-24-9

1. Compiladores (Programas de computador)
I. Aho, Alfred V.. II. Lam, Monica S.. III. Sethi, Ravi. IV. Ullman, Jeffrey D..

07-7541 CDD-005.453

Índices para catálogo sistemático:
1. Compiladores : Linguagens de programação :
Ciências da computação 005.453

Direitos exclusivos cedidos à
Pearson Education do Brasil Ltda.,
uma empresa do grupo Pearson Education
Av. Francisco Matarazzo, 1400,
7º andar, Edifício Milano
CEP 05033-070 - São Paulo - SP - Brasil
Fone: 19 3743-2155
pearsonuniversidades@pearson.com

Distribuição
Grupo A Educação
www.grupoa.com.br
Fone: 0800 703 3444

SUMÁRIO

Prefácio   IX

1 Introdução   1

1.1 Processadores de linguagem   1
1.2 A estrutura de um compilador   3
1.3 Evolução das linguagens de programação   8
1.4 A ciência da criação de um compilador   10
1.5 Aplicações da tecnologia de compiladores   11
1.6 Fundamentos da linguagem de programação   16
1.7 Resumo do Capítulo 1   23
1.8 Referências do Capítulo 1   24

2 Um tradutor simples dirigido por sintaxe   25

2.1 Introdução   25
2.2 Definição da sintaxe   27
2.3 Tradução dirigida por sintaxe   33
2.4 Análise sintática   39
2.5 Um tradutor para expressões simples   44
2.6 Análise léxica   49
2.7 Tabelas de símbolos   55
2.8 Geração de código intermediário   59
2.9 Resumo do Capítulo 2   68

3 Análise léxica   70

3.1 O papel do analisador léxico   70
3.2 Buffers de entrada   73
3.3 Especificação de tokens   75
3.4 Reconhecimento de tokens   81
3.5 O gerador de analisador léxico Lex   89
3.6 Autômatos finitos   93
3.7 De expressões regulares a autômatos   97
3.8 Projeto de um gerador de analisador léxico   106

3.9 Otimização de casadores de padrão baseado em DFA   110
3.10 Resumo do Capítulo 3   119
3.11 Referências do Capítulo 3   120

4 Análise sintática   122

4.1 Introdução   122
4.2 Gramáticas livres de contexto   125
4.3 Escrevendo uma gramática   133
4.4 Análise sintática descendente   138
4.5 Análise ascendente   149
4.6 Introdução à análise LR simples: SLR   154
4.7 Analisadores sintáticos LR mais poderosos   166
4.8 Usando gramáticas ambíguas   178
4.9 Geradores de analisadores sintáticos   183
4.10 Resumo do Capítulo 4   190
4.11 Referências do Capítulo 4   192

5 Tradução dirigida por sintaxe   194

5.1 Definições dirigidas por sintaxe   194
5.2 Ordens de avaliação para SDDs   198
5.3 Aplicações da tradução dirigida por sintaxe   203
5.4 Esquemas de tradução dirigidos por sintaxe   207
5.5 Implementando SDDs L-atribuídas   216
5.6 Resumo do Capítulo 5   226
5.7 Referências do Capítulo 5   227

6 Geração de código intermediário   228

6.1 Variantes das árvores de sintaxe   229
6.2 Código de três endereços   232
6.3 Tipos e declarações   236
6.4 Tradução de expressões   242
6.5 Verificação de tipo   247
6.6 Fluxo de controle   255
6.7 Remendos   262
6.8 Comandos switch   268
6.9 Código intermediário para procedimentos   270
6.10 Resumo do Capítulo 6   272
6.11 Referências do Capítulo 6   272

7 Ambientes de execução   274

7.1 Organização de memória   274
7.2 Alocação de espaço na pilha   276
7.3 Acesso a dados não locais na pilha   283

7.4	Gerenciamento de heap	289
7.5	Introdução à coleta de lixo	297
7.6	Introdução à coleta baseada em rastreamento	301
7.7	Coleta de lixo com pausa curta	309
7.8	Tópicos avançados sobre coleta de lixo	315
7.9	Resumo do Capítulo 7	318
7.10	Referências do Capítulo 7	319

8 Geração de código   321

8.1	Questões sobre o projeto de um gerador de código	322
8.2	A linguagem objeto	325
8.3	Endereços no código objeto	329
8.4	Blocos básicos e grafos de fluxo	333
8.5	Otimização de blocos básicos	338
8.6	Um gerador de código simples	344
8.7	Otimização peephole	348
8.8	Alocação e atribuição de registradores	350
8.9	Seleção de instrução por reescrita de árvore	353
8.10	Geração de código ótimo para expressões	359
8.11	Geração de código com programação dinâmica	363
8.12	Resumo do Capítulo 8	366
8.13	Referências do Capítulo 8	366

9 Otimizações independentes de máquina   368

9.1	As principais fontes de otimização	368
9.2	Introdução à análise de fluxo de dados	377
9.3	Fundamentos da análise de fluxo de dados	389
9.4	Propagação de constante	398
9.5	Eliminação de redundância parcial	402
9.6	*Loops* em grafos de fluxo	413
9.7	Análise baseada em região	422
9.8	Análise simbólica	431
9.9	Resumo do Capítulo 9	440
9.10	Referências do Capítulo 9	441

10 Paralelismo de instrução   443

10.1	Arquiteturas de processadores	443
10.2	Restrições no escalonamento de código	445
10.3	Escalonamento de bloco básico	452
10.4	Escalonamento global do código	455
10.5	Software Pipelining	462
10.6	Resumo do Capítulo 10	479
10.7	Referências do Capítulo 10	480

11 Otimização de paralelismo e localidade 482

- 11.1 Conceitos básicos 483
- 11.2 Multiplicação de matriz: um exemplo detalhado 490
- 11.3 Espaços de iteração 494
- 11.4 Índices de arranjo afins 502
- 11.5 Reúso de dados 503
- 11.6 Análise de dependência de dados de arranjo 510
- 11.7 Localizando o paralelismo sem sincronização 518
- 11.8 Sincronização entre *loops* paralelos 534
- 11.9 Pipelining 539
- 11.10 Otimizações de localidade 555
- 11.11 Outros usos das transformações de afins 561
- 11.12 Resumo do Capítulo 11 564
- 11.13 Referências do Capítulo 11 565

12 Análise interprocedimental 567

- 12.1 Conceitos básicos 567
- 12.2 Por que análise interprocedimental? 575
- 12.3 Uma representação lógica do fluxo de dados 578
- 12.4 Um algoritmo simples de análise de apontadores 585
- 12.5 Análise interprocedimental insensível ao contexto 590
- 12.6 Análise de apontador sensível ao contexto 593
- 12.7 Implementação em Datalog pelos BDDs 596
- 12.8 Resumo do Capítulo 12 601
- 12.9 Referências do Capítulo 12 602

A Um *front-end* completo 604

- A.1 A linguagem fonte 604
- A.2 Main 605
- A.3 Analisador léxico 605
- A.4 Tabelas de símbolos e tipos 608
- A.5 Código intermediário para expressões 609
- A.6 Código de desvio para expressões Booleanas 611
- A.7 Código intermediário para comandos 614
- A.8 Analisador sintático 617
- A.9 Criando o *front-end* 621

B Encontrando soluções linearmente independentes 623

Índice remissivo 625

Sobre os autores 635

PREFÁCIO

Desde a publicação da primeira edição deste livro, em 1986, o mundo do projeto de compiladores mudou significativamente. As linguagens de programação evoluíram a ponto de apresentarem novos problemas de compilação e as arquiteturas de computador passaram a oferecer diversos recursos dos quais o projetista de compilador simplesmente não pode abrir mão. Mais interessante, talvez, seja que a venerável tecnologia de otimização de código encontrou uso fora dos compiladores. Agora, ela é usada em ferramentas que encontram erros no *software* e, mais importante, encontram brechas de segurança no código existente. E grande parte da tecnologia de *front-end* — gramáticas, expressões regulares, analisadores sintáticos e tradutores dirigidos por sintaxe — ainda é muito usada.

Portanto, nossa filosofia, apresentada na edição anterior deste livro, não mudou. Reconhecemos que poucos leitores construirão, ou mesmo realização a manutenção de um compilador para qualquer uma das principais linguagens de programação. Ainda assim, os modelos, a teoria e os algoritmos associados a um compilador podem ser aplicados a uma grande gama de problemas no projeto e desenvolvimento de software. Portanto, enfatizamos problemas que são encontrados mais comumente no projeto de um processador de linguagem, independentemente da linguagem fonte ou da máquina alvo.

Uso do livro

São necessários pelo menos dois trimestres, ou até mesmo dois semestres, para estudar todo ou quase todo o conteúdo deste livro. É comum o uso da primeira metade em um curso de graduação e a segunda metade — enfatizando a otimização do código — em um segundo curso, no nível de pós-graduação. Veja a seguir um resumo de cada um dos capítulos.

Capítulo 1: contém material introdutório e apresenta uma visão geral sobre a arquitetura de computador e os princípios de linguagem de programação.

Capítulo 2: desenvolve um compilador em miniatura e introduz muito dos conceitos importantes, que posteriormente são desenvolvidos em outros capítulos. O compilador em si aparece no Apêndice.

Capítulo 3: abrange a análise léxica, expressões regulares, máquinas de estado finito e ferramentas geradoras de analisadores léxicos. Esse material é fundamental para o processamento de textos de todas as espécies.

Capítulo 4: cobre os principais métodos de análise sintática, descendente (descida recursiva, LL) e ascendente (LR e suas variantes).

Capítulo 5: introduz as principais idéias sobre definições dirigidas por sintaxe e traduções dirigidas por sintaxe.

Capítulo 6: baseia-se na teoria do Capítulo 5 e mostra como usá-la para gerar código intermediário para uma linguagem de programação típica.

Capítulo 7: cobre os ambientes em tempo de execução, especialmente o gerenciamento da pilha de execução e a coleta de lixo.

Capítulo 8: trata da geração de código objeto. Ele abrange a construção de blocos básicos, geração de código a partir de expressões e blocos básicos e técnicas de alocação de registradores.

Capítulo 9: introduz a tecnologia de otimização de código, incluindo grafo de fluxo, estruturas de fluxo de dados e algoritmos iterativos para solucionar essas estruturas.

Capítulo 10: abrange a otimização em nível de instrução. A ênfase é dada à extração do paralelismo a partir de pequenas seqüências de instruções e seu escalonamento em processadores individuais que podem efetuar mais de uma tarefa de uma só vez.

Capítulo 11: trata de detecção e exploração de paralelismo em escala maior. Neste capítulo, a ênfase é sobre códigos de aplicação numéricas que possuem muitos laços estreitos que iteram sobre arranjos multidimensionais.

Capítulo 12: apresenta a análise entre procedimentos. Ele aborda a análise de apontador, sinônimos e a análise de fluxo de dados que leva em consideração a seqüência de chamadas de procedimento que alcançam um determinado ponto no código.

Os cursos de compiladores das universidades de Columbia, Harvard e Stanford são baseados neste livro. Em Columbia, uma disciplina de fim de curso de graduação ou de primeiro ano de pós-graduação sobre linguagens de programação e tradutores tem sido oferecido regularmente, usando o material dos oito primeiros capítulos. Um destaque desse curso é um trabalho de um semestre no qual os alunos se reúnem em pequenas equipes para criar e implementar uma pequena linguagem com seu próprio projeto. As linguagens criadas pelos alunos têm incluído diversos domínios de aplicação, incluindo cálculo quântico, síntese musical, computação gráfica, jogos, operações com matriz e muitas outras áreas. Os alunos utilizam geradores de componente de compilador, como ANTLR, Lex e Yacc, e as técnicas de tradução dirigidas por sintaxe, discutidas nos capítulos 2 e 5, para criar seus compiladores. Um outro curso de graduação utilizou o material dos capítulos de 9 a 12, enfatizando a geração e otimização de código para máquinas contemporâneas, incluindo processadores em rede e arquiteturas de multiprocessadores.

Em Stanford, um curso introdutório de um trimestre abrange parte do material dos Capítulos de 1 a 8, embora exista uma introdução à otimização de código global do Capítulo 9. O segundo curso de compiladores abrange os capítulos de 9 a 12 e o material mais avançado sobre coleta de lixo, do Capítulo 7. Os alunos usam um sistema desenvolvido localmente, baseado em Java, chamado Joeq, para implementar os algoritmos de análise de fluxo de dados.

Pré-requisitos

O leitor deverá possuir alguma 'sofisticação em ciência da computação', incluindo pelo menos um segundo curso sobre programação, e cursos sobre estruturas de dados e matemática discreta. O conhecimento de diversas linguagens de programação diferentes é útil.

Exercícios

O livro contém muitos exercícios, em quase todas as seções. Indicamos os exercícios mais difíceis, ou as partes mais complexas de alguns, com um ponto de exclamação. Os exercícios ainda mais difíceis possuem um ponto de exclamação duplo.

Material de apoio do livro

No site www.grupoa.com.br professores e alunos podem acessar os seguintes materiais adicionais:

Agradecimentos

A arte da capa é de S. D. Ullman, da Strange Tonic Productions.

John Bentley nos forneceu muitos comentários sobre vários capítulos de um rascunho preliminar deste livro. Recebemos sugestões úteis e erratas da edição anterior das seguintes pessoas: Domenico Bianculli, Peter Bosch, Marcio Buss, Marc Eaddy, Stephen Edwards, Vibhav Garg, Kim Hazelwood, Gaurav Kc, Wei Li, Mike Smith, Art Stamness, Krysta Svore, Olivier Tardieu, e Jia Zeng. Agradecemos a ajuda de todas elas. Os erros que restaram são nossos, naturalmente.

Além disso, Monica gostaria de agradecer aos seus colegas da equipe de compiladores do SUIF por uma lição de 18 anos sobre compilação: Gerald Aigner, Dzintars Avots, Saman Amarasinghe, Jennifer Anderson, Michael Carbin, Gerald Cheong, Amer Diwan, Robert French, Anwar Ghuloum, Mary Hall, John Hennessy, David Heinem, Shih-Wei Liao, Amy Lim, Benjamin Livshits, Michael Martin, Dror Maydan, Todd Mowry, Brian Murphy, Jeffrey Oplinger, Karen Pieper, Martin Rinard, Olatunji Ruwase, Constantine Sapuntzakis, Patrick Sathyanathan, Michael Smith, Steven Tjiang, Chau-Wen Tseng, Christopher Unkel, John Whaley, Robert Wilson, Christopher Wilson e Michael Wolf.

A. V. A., Chatham NJ
M. S. L., Menlo Park CA
R. S., Far Hills NJ
J. D. U., Stanford CA
Junho de 2006.

Agradecimento dos editores brasileiros

Agradecemos aos professores Sandra Maria Aluíso, da Universidade de São Paulo, campus São Carlos, Hélio Aparecido Navarro, da Universidade Estadual de São Paulo e Pedro S. Nicolletti, da Universidade Federal de Campina Grande, por sua colaboração no processo de avaliação desta obra.

1 Introdução

Linguagens de programação são notações para se descrever computações para pessoas e para máquinas. O mundo conforme o conhecemos depende de linguagens de programação, pois todo o software executando em todos os computadores foi escrito em alguma linguagem de programação. Mas, antes que possa rodar, um programa primeiro precisa ser traduzido para um formato que lhe permita ser executado por um computador.

Os sistemas de software que fazem essa tradução são denominados *compiladores*.

Este livro ensina como projetar e implementar compiladores. Vamos descobrir que algumas poucas idéias básicas podem ser utilizadas na construção de tradutores para uma grande variedade de linguagens e máquinas. Além dos compiladores, os princípios e técnicas para o seu projeto se aplicam a vários outros domínios que provavelmente serão reutilizados muitas vezes na carreira de um cientista da computação. O estudo da escrita de compiladores abrange linguagens de programação, arquitetura de máquina, teoria de linguagem, algoritmos e engenharia de software.

Neste capítulo preliminar, introduzimos as diferentes formas de tradutores de linguagens, apresentamos uma visão de alto nível da estrutura de um compilador típico e discutimos as novas tendências das linguagens de programação e das arquiteturas de máquina que estão influenciando os compiladores. Incluímos algumas observações sobre o relacionamento entre o projeto de um compilador e a teoria da ciência da computação, além de um esboço das aplicações da tecnologia de compilador que ultrapassam a fronteira da compilação. Terminamos com uma rápida apresentação dos principais conceitos de linguagem de programação que serão necessários para o nosso estudo dos compiladores.

1.1 Processadores de linguagem

Colocando de uma forma bem simples, um compilador é um programa que recebe como entrada um programa em uma linguagem de programação - a linguagem *fonte* – e o traduz para um programa equivalente em outra linguagem – a linguagem *objeto*; ver Figura 1.1. Um papel importante do compilador é relatar quaisquer erros no programa fonte detectados durante esse processo de tradução.

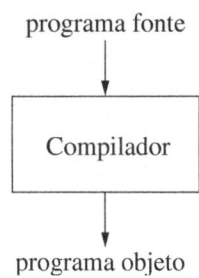

FIGURA 1.1   Um compilador.

Se o programa objeto for um programa em uma linguagem de máquina executável, poderá ser chamado pelo usuário para processar entradas e produzir saída; ver Figura 1.2.

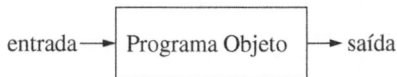

FIGURA 1.2   Executando o programa objeto.

Um *interpretador* é outro tipo comum de processador de linguagem. Em vez de produzir um programa objeto como resultado da tradução, um interpretador executa diretamente as operações especificadas no programa fonte sobre as entradas fornecidas pelo usuário, como mostra a Figura 1.3.

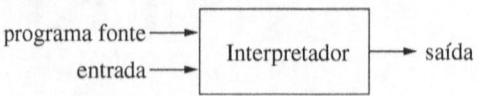

FIGURA 1.3   Um interpretador.

O programa objeto em linguagem de máquina produzido por um compilador normalmente é muito mais rápido no mapeamento de entradas para saídas do que um interpretador. Porém, um interpretador freqüentemente oferece um melhor diagnóstico de erro do que um compilador, pois executa o programa fonte instrução por instrução.

EXEMPLO 1.1: Os processadores da linguagem Java combinam compilação e interpretação, como mostrado na Figura 1.4. Um programa fonte em Java pode ser primeiro compilado para uma forma intermediária, chamada *bytecodes*. Os bytecodes (ou códigos de bytes) são então interpretados por uma máquina virtual. Como um benefício dessa combinação, os bytecodes compilados em uma máquina podem ser interpretados em outra máquina, talvez por meio de uma rede.

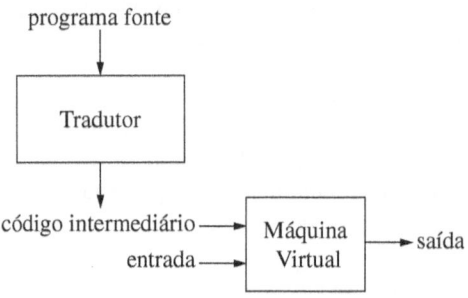

FIGURA 1.4   Um compilador híbrido.

A fim de conseguir um processamento mais rápido das entradas para as saídas, alguns compiladores Java, chamados compiladores *just-in-time*, traduzem os bytecodes para uma dada linguagem de máquina imediatamente antes de executarem o programa intermediário para processar a entrada.

Além de um compilador, vários outros programas podem ser necessários para a criação de um programa objeto executável, como mostra a Figura 1.5. Um programa fonte pode ser subdividido em módulos armazenados em arquivos separados. A tarefa de coletar o programa fonte às vezes é confiada a um programa separado, chamado *pré-processador*. O pré-processador também pode expandir *macros* em comandos na linguagem fonte.

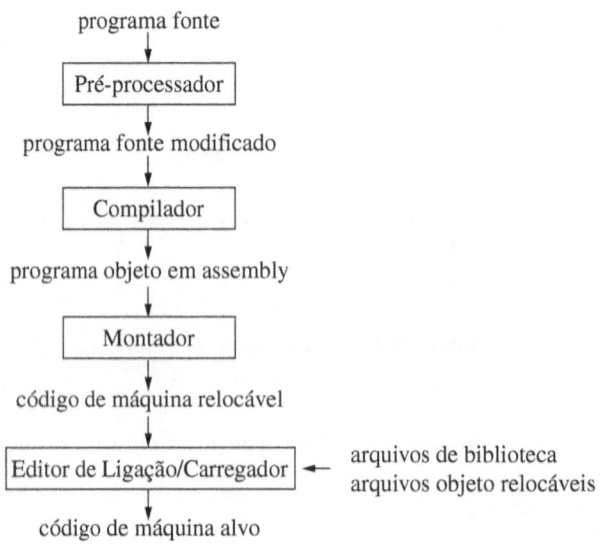

FIGURA 1.5   Um sistema de processamento de linguagem.

O compilador recebe na entrada o programa fonte modificado e pode produzir como saída um programa em uma linguagem simbólica, conhecida como *assembly*, considerada mais fácil de ser gerada como saída e mais fácil de depurar. A linguagem simbólica é então processada por um programa chamado *montador* (*assembler*), que produz código de máquina relocável como sua saída.

Programas grandes normalmente são compilados em partes, de modo que o código de máquina relocável pode ter de ser ligado a outros arquivos objeto relocáveis e a arquivos de biblioteca para formar o código que realmente é executado na máquina. O editor de ligação (*linker*) resolve os endereços de memória externos, onde o código em um arquivo pode referir-se a uma localização em outro arquivo. O carregador (*loader*) reúne então todos os arquivos objeto executáveis na memória para a execução.

1.1.1 Exercícios da Seção 1.1

Exercício 1.1.1: Qual é a diferença entre um compilador e um interpretador?

Exercício 1.1.2: Quais são as vantagens de (a) um compilador em relação a um interpretador e (b) um interpretador em relação a um compilador?

Exercício 1.1.3: Que vantagens existem em um sistema de processamento de linguagem no qual o compilador produz linguagem simbólica em vez de linguagem de máquina?

Exercício 1.1.4: Um compilador que traduz uma linguagem de alto nível para outra linguagem de alto nível é chamado de tradutor de *fonte para fonte*. Que vantagens existem em usar C como linguagem objeto para um compilador?

Exercício 1.1.5: Descreva algumas das tarefas que um programa montador precisa realizar.

1.2 A estrutura de um compilador

Até este ponto, tratamos um compilador como uma caixa-preta que mapeia um programa fonte para um programa objeto semanticamente equivalente. Se abrirmos um pouco essa caixa, veremos que existem duas partes nesse mapeamento: análise e síntese.

A parte de *análise* subdivide o programa fonte em partes constituintes e impõe uma estrutura gramatical sobre elas. Depois, usa essa estrutura para criar uma representação intermediária do programa fonte. Se a parte de análise detectar que o programa fonte está sintaticamente mal formado ou semanticamente incorreto, então ele precisa oferecer mensagens esclarecedoras, de modo que o usuário possa tomar a ação corretiva. A parte de análise também coleta informações sobre o programa fonte e as armazena em uma estrutura de dados chamada *tabela de símbolos*, que é passada adiante junto com a representação intermediária para a parte de síntese.

A parte de *síntese* constrói o programa objeto desejado a partir da representação intermediária e das informações na tabela de símbolos. A parte de análise normalmente é chamada de *front-end* do compilador; a parte de síntese é o *back-end*.

Se examinarmos o processo de compilação detalhadamente, veremos que ele é desenvolvido como uma seqüência de *fases*, cada uma transformando uma representação do programa fonte em outra. A Figura 1.6 exibe a decomposição típica de um compilador em fases. Na prática, várias fases podem ser agrupadas, e as representações intermediárias entre essas fases agrupadas não precisam ser construídas explicitamente. A tabela de símbolos, responsável pelo armazenamento das informações sobre todo o programa fonte, é utilizada por todas as fases do compilador.

Alguns compiladores possuem uma fase de otimização independente de máquina entre o *front-end* e o *back-end*. A finalidade dessa fase de otimização é realizar transformações na representação intermediária, de modo que o *back-end* possa produzir um programa objeto melhor do que teria produzido a partir de uma representação intermediária não otimizada. Como esta etapa é opcional, uma das duas fases de otimização mostradas na Figura 1.6 pode ser omitida.

1.2.1 Análise léxica

A primeira fase de um compilador é chamada de *análise léxica* ou *leitura* (*scanning*). O analisador léxico lê o fluxo de caracteres que compõem o programa fonte e os agrupa em seqüências significativas, chamadas *lexemas*. Para cada lexema, o analisador léxico produz como saída um token no formato:

⟨*nome-token, valor-atributo*⟩

que ele passa para a fase subseqüente, a análise sintática. Em um token, o primeiro componente, *nome-token*, é um símbolo abstrato que é usado durante a análise sintática, e o segundo componente, *valor-atributo*, aponta para uma entrada na tabela de símbolos referente a esse token. A informação da entrada da tabela de símbolos é necessária para a análise semântica e para a geração de código.

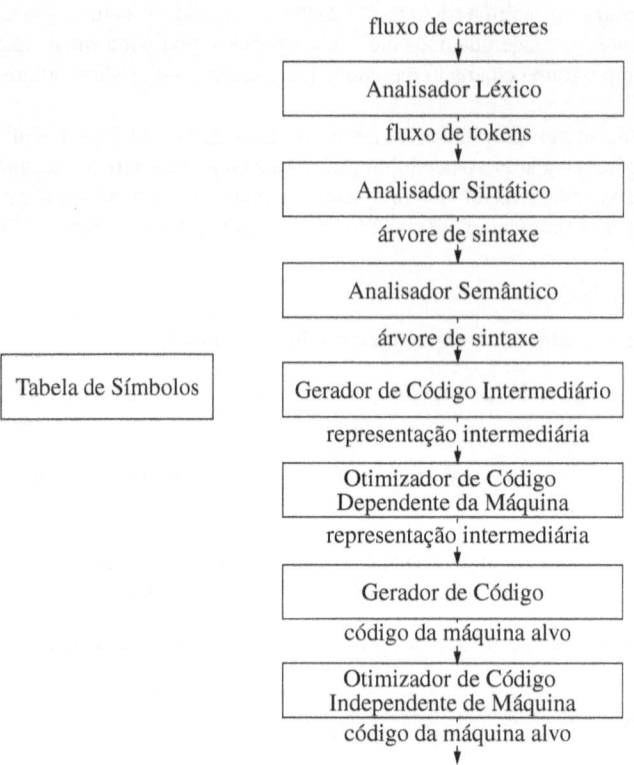

FIGURA 1.6 Fases de um compilador.

Por exemplo, suponha que um programa fonte contenha o comando de atribuição

$$\text{position = initial + rate * 60} \tag{1.1}$$

Os caracteres nessa atribuição poderiam ser agrupados nos seguintes lexemas e mapeados para os seguintes tokens passados ao analisador sintático:

1. `position` é um lexema mapeado em um token ⟨**id**, 1⟩, onde **id** é um símbolo abstrato que significa *identificador* e 1 aponta para a entrada da tabela de símbolos onde se encontra `position`. A entrada da tabela de símbolos para um identificador mantém informações sobre o identificador, como seu nome e tipo.

2. O símbolo de atribuição = é um lexema mapeado para o token ⟨**=**⟩. Como esse token não precisa de um valor de atributo, omitimos o segundo componente. Poderíamos ter usado qualquer símbolo abstrato, como **atribuir** para o nome do token, mas, por conveniência de notação, escolhemos usar o próprio lexema como nome do símbolo abstrato.

3. `initial` é um lexema mapeado para o token ⟨**id**, 2⟩, onde 2 aponta para a entrada da tabela de símbolos onde se encontra `initial`.

4. `+` é um lexema mapeado para o token ⟨**+**⟩.

5. `rate` é um lexema mapeado para o token ⟨**id**, 3⟩, onde o valor 3 aponta para a entrada da tabela de símbolos onde se encontra `rate`.

6. `*` é um lexema mapeado para o token ⟨*****⟩.

7. `60` é um lexema mapeado para o token ⟨60⟩[1].

Os espaços que separam os lexemas são descartados pelo analisador léxico.

A Figura 1.7 mostra a representação do comando de atribuição (1.1) após a análise léxica como uma seqüência de tokens

$$\langle \textbf{id}, 1\rangle \ \langle \textbf{=}\rangle \ \langle \textbf{id}, 2\rangle \ \langle \textbf{+}\rangle \ \langle \textbf{id}, 3\rangle \ \langle \textbf{*}\rangle \ \langle 60\rangle \tag{1.2}$$

---

[1] Tecnicamente falando, para o lexema 60, deveríamos ter um token como ⟨**número**, 4⟩, onde o valor 4 aponta para a tabela de símbolos, para a representação interna do inteiro 60. No Capítulo 2 discutimos sobre a representação dos tokens relacionados aos números. O Capítulo 3 discute a respeito das técnicas usadas na criação de analisadores léxicos.

Nessa representação, os nomes de token =, + e * são símbolos abstratos para os operadores de atribuição, adição e multiplicação, respectivamente.

1.2.2 Análise Sintática

A segunda fase do compilador é a *análise sintática*. O analisador sintático utiliza os primeiros componentes dos tokens produzidos pelo analisador léxico para criar uma representação intermediária tipo árvore, que mostra a estrutura gramatical da seqüência de tokens. Uma representação típica é uma *árvore de sintaxe* em que cada nó interior representa uma operação, e os filhos do nó representam os argumentos da operação. Uma árvore de sintaxe para o fluxo de tokens (1.2) aparece como saída do analisador sintático da Figura 1.7.

Essa árvore mostra a ordem em que as operações do comando de atribuição

```
position = initial + rate * 60
```

deve ser realizada. A árvore possui um nó interior rotulado com *, com ⟨id, 3⟩ como seu filho da esquerda e o inteiro 60 como seu filho da direita. O nó ⟨id, 3⟩ representa o identificador rate. O nó rotulado com * torna explícito que devemos primeiro multiplicar o valor de rate por 60. O nó rotulado com + indica que devemos somar o resultado dessa multiplicação com o valor de initial. A raiz da árvore, rotulada com =, indica que devemos armazenar o resultado dessa adição em uma localização associada ao identificador position. Essa ordem das operações é consistente com as convenções normais da aritmética, que nos dizem que a multiplicação tem maior precedência que a adição, e por isso a multiplicação deve ser realizada antes da adição.

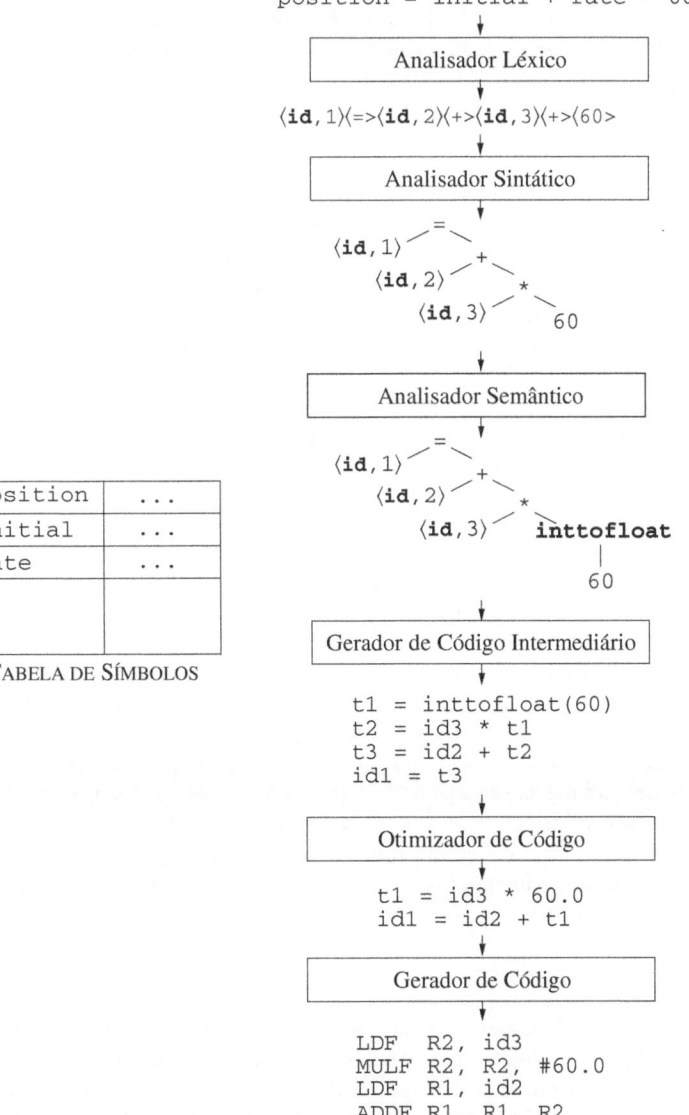

FIGURA 1.7 Tradução de uma instrução de atribuição.

As fases subseqüentes do compilador utilizam a estrutura gramatical para auxiliar na análise do programa fonte e para gerar o programa objeto. No Capítulo 4, usaremos as gramáticas livres de contexto para especificar a estrutura gramatical das linguagens de programação e discutiremos os algoritmos para a construção automática de analisadores sintáticos eficientes, a partir de certas classes de gramáticas. Nos capítulos 2 e 5, veremos que as definições dirigidas por sintaxe podem ajudar a especificar a tradução das construções das linguagens de programação.

1.2.3 Análise semântica

O *analisador semântico* utiliza a árvore de sintaxe e as informações na tabela de símbolos para verificar a consistência semântica do programa fonte com a definição da linguagem. Ele também reúne informações sobre os tipos e as salva na árvore de sintaxe ou na tabela de símbolos, para uso subseqüente durante a geração de código intermediário.

Uma parte importante da análise semântica é a *verificação de tipo*, em que o compilador verifica se cada operador possui operandos compatíveis. Por exemplo, muitas linguagens de programação exigem que um índice de arranjo seja um inteiro, portanto o compilador precisa informar um erro de tipo se um número de ponto flutuante for usado para indexar um arranjo.

A especificação da linguagem pode permitir algumas conversões de tipos chamadas de *coerções*. Por exemplo, um operador aritmético binário pode ser aplicado a um par de inteiros ou a um par de números de ponto flutuante. Se o operador for aplicado a um número de ponto flutuante e a um inteiro, o compilador pode converter ou coagir o inteiro para um número de ponto flutuante.

Essa coerção aparece na Figura 1.7. Suponha que `position`, `initial` e `rate` tenham sido declarados como números de ponto flutuante, e que o lexema 60 tenha a forma de um inteiro. O verificador de tipos no analisador semântico da Figura 1.7 descobre que o operador * é aplicado a um número de ponto flutuante `rate` e a um inteiro 60. Nesse caso, o inteiro pode ser convertido em um número de ponto flutuante. Na Figura 1.7, observe que a saída do analisador semântico tem um nó extra para o operador **inttofloat**, o qual converte explicitamente seu argumento inteiro em um número de ponto flutuante. A verificação de tipo e a análise semântica são discutidas no Capítulo 6.

1.2.4 Geração de código intermediário

No processo de traduzir um programa fonte para um código objeto, um compilador pode produzir uma ou mais representações intermediárias, as quais podem ter diversas formas. As árvores de sintaxe denotam uma forma de representação intermediária; elas normalmente são usadas durante as análises sintática e semântica.

Depois das análises sintática e semântica do programa fonte, muitos compiladores geram uma representação intermediária explícita de baixo nível ou do tipo linguagem de máquina, que podemos imaginar como um programa para uma máquina abstrata. Essa representação intermediária deve ter duas propriedades importantes: ser facilmente produzida e ser facilmente traduzida para a máquina alvo.

No Capítulo 6, consideramos uma forma intermediária, chamada *código de três endereços*, que consiste em uma seqüência de instruções do tipo assembler com três operandos por instrução. Cada operando pode atuar como um registrador. A saída do gerador de código intermediário na Figura 1.7 consiste em uma seqüência de instruções ou código de três endereços

$$\begin{aligned}&\texttt{t1 = inttofloat(60)}\\&\texttt{t2 = id3 * t1}\\&\texttt{t3 = id2 + t2}\\&\texttt{id1 = t3}\end{aligned} \qquad (1.3)$$

Vários pontos precisam ser observados em relação aos códigos de três endereços. Primeiro, cada instrução de atribuição de três endereços possui no máximo um operador do lado direito. Assim, essas instruções determinam a ordem em que as operações devem ser realizadas; a multiplicação precede a adição no programa fonte (1.1). Segundo, o compilador precisa gerar um nome temporário para guardar o valor computado por uma instrução de três endereços. Terceiro, algumas "instruções de três endereços", como a primeira e última na seqüência (1.3), possuem menos de três operandos.

No Capítulo 6, apresentamos as principais representações intermediárias usadas nos compiladores. O Capítulo 5 introduz as técnicas para a tradução dirigida por sintaxe, que são aplicadas no Capítulo 6 para a verificação de tipo e a geração de código intermediário de construções típicas das linguagens de programação, tais como expressões, construções de fluxo de controle e chamadas de procedimento.

1.2.5 Otimização de código

A fase de otimização de código independente das arquiteturas de máquina faz algumas transformações no código intermediário com o objetivo de produzir um código objeto melhor. Normalmente, melhor significa mais rápido, mas outros objetivos podem ser desejados, como um código menor ou um código objeto que consuma menos energia. Por exemplo, um algoritmo direto gera o código intermediário (1.3), usando uma instrução para cada um dos operadores da representação de árvore produzida pelo analisador semântico.

Uma boa estratégia para gerar um código aberto é usar um algoritmo simples de geração de código intermediário seguido de otimizações . Nesta abordagem, o otimizador pode deduzir que a conversão do valor inteiro 60 para ponto flutuante pode ser feita de uma vez por todas durante a compilação, de modo que a operação **inttofloat** pode ser eliminada do código substituindo-se o inteiro 60 pelo número de ponto flutuante 60.0. Além do mais, t3 é usado apenas uma vez na atribuição de seu valor para id1, portanto o otimizador pode eliminá-lo também transformando (1.3) em uma seqüência de código menor

$$
\begin{aligned}
&\text{t1 = id3 * 60.0} \\
&\text{id1 = id2 + t1}
\end{aligned}
\tag{1.4}
$$

O número de otimizações de código realizadas por diferentes compiladores varia muito. Aqueles que exploram ao máximo as oportunidades de otimizações são chamados "*compiladores otimizadores*". Quanto mais otimizações, mais tempo é gasto nessa fase. Mas existem otimizações simples que melhoram significativamente o tempo de execução do programa objeto sem atrasar muito a compilação. A partir do Capítulo 8 discutimos em detalhes as otimizações independentes e dependentes da arquitetura de máquina.

1.2.6 Geração de código

O gerador de código recebe como entrada uma representação intermediária do programa fonte e o mapeia em uma linguagem objeto. Se a linguagem objeto for código de máquina de alguma arquitetura, devem-se selecionar os registradores ou localizações de memória para cada uma das variáveis usadas pelo programa. Depois, os códigos intermediários são traduzidos em seqüências de instruções de máquina que realizam a mesma tarefa. Um aspecto crítico da geração de código está relacionado à cuidadosa atribuição dos registradores às variáveis do programa.

Por exemplo, usando os registradores R1 e R2, o código intermediário em (1.4) poderia ser traduzido para o código de máquina

$$
\begin{aligned}
&\text{LDF} \quad \text{R2,} \quad \text{id3} \\
&\text{MULF} \quad \text{R2,} \quad \text{R2, \#60.0} \\
&\text{LDF} \quad \text{R1,} \quad \text{id2} \\
&\text{ADDF} \quad \text{R1,} \quad \text{R1, R2} \\
&\text{STF} \quad \text{id1,} \quad \text{R1}
\end{aligned}
\tag{1.5}
$$

O primeiro operando de cada uma das instruções especifica um destino. O F em cada uma das instruções nos diz que ela manipula números de ponto flutuante. O código em (1.5) carrega o conteúdo do endereço id3 no registrador R2, depois o multiplica pela constante de ponto flutuante 60.0. O # significa que o valor 60.0 deve ser tratado como uma constante imediata. A terceira instrução move id2 para o registrador R1, e a quarta o soma com o valor previamente calculado no registrador R2. Finalmente, o valor no registrador R1 é armazenado no endereço de id1, portanto o código mostrado implementa corretamente o comando de atribuição (1.1). O Capítulo 8 aborda a geração de código.

Esta discussão sobre geração de código ignorou a importante questão relativa à alocação de espaço na memória para os identificadores do programa fonte. Conforme veremos no Capítulo 7, a organização de memória em tempo de execução depende da linguagem sendo compilada. Decisões sobre a alocação de espaço podem ser tomadas em dois momentos: durante a geração de código intermediário ou durante a geração do código.

1.2.7 Gerenciamento da tabela de símbolos

Uma função essencial de um compilador é registrar os nomes de variáveis usados no programa fonte e coletar informações sobre os diversos atributos de cada nome. Esses atributos podem prover informações sobre o espaço de memória alocado para um nome, seu tipo, seu escopo, ou seja, onde seu valor pode ser usado no programa, e, no caso de nomes de procedimento, informações sobre a quantidade e os tipos de seus argumentos, o tipo retornado e o método de passagem de cada argumento, por exemplo, por valor ou por referência.

A tabela de símbolos é uma estrutura de dados contendo um registro para cada nome de variável, com campos para os atributos do nome. A estrutura de dados deve ser projetada para permitir que o compilador encontre rapidamente o registro para cada nome e armazene ou recupere dados desse registro também rapidamente. As tabelas de símbolos são discutidas no Capítulo 2.

1.2.8 O agrupamento de fases em passos

A discussão sobre as fases de um compilador diz respeito à sua organização lógica. Em uma implementação, as atividades de várias fases podem ser agrupadas em um *passo* que lê um arquivo de entrada e o escreve em um arquivo de saída. Por exemplo, as fases de análise léxica, análise sintática, análise semântica e geração de código intermediário do *front-end* poderiam ser agrupadas em um passo. A fase de otimização do código poderia ser um passo opcional. Depois, poderia haver um passo para o *back-end*, consistindo na geração de código para determinada máquina alvo.

Algumas famílias de compiladores foram criadas em torno de representações intermediárias cuidadosamente projetadas, que permitem que o *front-end* para determinada linguagem fonte tenha uma interface com o *back-end* para uma arquitetura específica de máquina alvo. Com essas famílias, podemos produzir compiladores de diferentes linguagens fonte para uma determinada máquina alvo, combinando diferentes *front-ends* com um único *back-end* para essa máquina alvo. Da mesma forma, podemos produzir compiladores para diferentes máquinas alvo, combinando um único *front-end* com *back-end*s para diferentes máquinas alvo.

1.2.9 Ferramentas para construção de compilador

O projetista de compilador, como qualquer desenvolvedor de software, pode tirar proveito dos diversos ambientes de desenvolvimento de software modernos contendo ferramentas como editores de texto, depuradores, gerenciadores de versão, profilers, ferramentas de testes e assim por diante. Além dessas ferramentas gerais de desenvolvimento de software, outras ferramentas mais especializadas foram desenvolvidas para auxiliar na programação de diversas fases de um compilador.

Essas ferramentas utilizam linguagens especializadas para especificar e implementar componentes específicos, e muitas usam algoritmos bastante sofisticados. As ferramentas mais bem-sucedidas são aquelas que ocultam os detalhes de seus algoritmos e produzem componentes que podem ser facilmente integrados ao restante do compilador. Algumas das ferramentas mais utilizadas na construção de compiladores são

1. *Geradores de analisadores sintáticos*, que produzem automaticamente reconhecedores sintáticos a partir de uma descrição gramatical de uma linguagem de programação.
2. *Geradores de analisadores léxicos*, que produzem analisadores léxicos a partir de uma descrição dos tokens de uma linguagem em forma de expressão regular.
3. *Mecanismos de tradução dirigida por sintaxe*, que produzem coleções de rotinas para percorrer uma árvore de derivação e gerar código intermediário.
4. *Geradores de gerador de código*, que produzem um gerador de código a partir de uma coleção de regras para traduzir cada operação da linguagem intermediária na linguagem de máquina para uma máquina alvo.
5. *Mecanismos de análise de fluxo de dados*, que facilitam a coleta de informações sobre como os valores são transmitidos de parte de um programa para cada uma das outras partes. A análise de fluxo de dados é uma ferramenta essencial para a otimização do código.
6. *Conjuntos de ferramentas para a construção de compiladores*, que oferecem um conjunto integrado de rotinas para a construção das diversas fases de um compilador.

Descreveremos várias dessas ferramentas no decorrer deste livro.

1.3 Evolução das linguagens de programação

Os primeiros computadores eletrônicos apareceram na década de 1940 e eram programados em linguagem de máquina por seqüências de 0s e 1s que diziam explicitamente ao computador quais operações deveriam ser executadas e em que ordem. As operações em si eram de muito baixo nível: mover dados de um local para outro, somar o conteúdo de dois registradores, comparar valores e assim por diante. Nem é preciso dizer que esse tipo de programação era lento, cansativo e passível de erros. E, uma vez escritos, tais programas eram difíceis de entender e modificar.

1.3.1 Mudança para linguagens de alto nível

O primeiro passo para tornar as linguagens de programação mais inteligíveis às pessoas se deu no início da década de 1950 com o desenvolvimento das linguagens simbólicas ou assembly. Inicialmente, as instruções em uma linguagem simbólica eram apenas representações mnemônicas das instruções de máquina. Mais tarde, foram acrescentadas instruções de *macro* às linguagens simbólicas, para que um programador pudesse definir abreviaturas parametrizadas para seqüências de instruções de máquina usadas com freqüência.

Um passo importante em direção às linguagens de alto nível foi dado na segunda metade da década de 1950, com o desenvolvimento do Fortran para a computação científica, do *Cobol* para o processamento de dados comercial, e do *Lisp* para a computação simbólica. A filosofia por trás dessas linguagens era criar construções de alto nível a partir das quais os programadores poderiam escrever com mais facilidade cálculos numéricos, aplicações comerciais e programas simbólicos. Essas linguagens tiveram tanto sucesso que continuam sendo utilizadas até hoje.

Nas décadas seguintes, foram projetadas muitas linguagens com recursos inovadores para ajudar a tornar a programação mais fácil, mais natural e mais poderosa. A seguir, neste capítulo, discutiremos algumas das principais características comuns a muitas linguagens de programação modernas.

Atualmente, existem milhares de linguagens de programação. Elas podem ser classificadas de diversas maneiras. Uma classificação diz respeito à sua geração. *Linguagens de primeira geração* são as linguagens de máquina; de *segunda geração* são as linguagens simbólicas ou de montagem, também conhecidas como assembly; e as de *terceira geração* são linguagens de alto nível, procedimentais, como Fortran, Cobol, Lisp, C, C++, C# e Java. *Linguagens de quarta geração* são criadas para aplicações específicas, por exemplo, a linguagem NOMAD para geração de relatórios, SQL para consultas a banco de dados e Postscript para formatação de textos. O termo *linguagem de quinta geração* tem sido aplicado a linguagens baseadas em lógica com restrição, como Prolog e OPS5.

Outra classificação utilizada denomina *imperativas* as linguagens em que um programa especifica *como* uma computação deve ser feita e *declarativas* as linguagens em que um programa especifica *qual* computação deve ser feita. Linguagens como C, C++, C# e Java são linguagens imperativas. Nas linguagens imperativas, existe a noção de estado do programa e mudança do estado provocadas pela execução das instruções. Linguagens funcionais como ML e Haskell, e linguagens de lógica com restrição, como Prolog, normalmente são consideradas linguagens declarativas.

O termo *linguagem de von Neumann* é aplicado a linguagens de programação cujo modelo computacional se baseia na arquitetura de computador de *von Neumann*. Muitas das linguagens de hoje, como Fortran e C, são linguagens de *von Neumann*.

Uma *linguagem orientada por objeto* é aquela que admite a programação orientada por objeto, um estilo de programação no qual um programa consiste em uma coleção de objetos que interagem uns com os outros. Simula 67 e Smalltalk são as principais linguagens orientadas por objeto mais antigas. Linguagens como C++, C#, Java e Ruby são linguagens orientadas por objeto mais recentes.

Linguagens de scripting são linguagens interpretadas com operadores de alto nível projetados para "juntar" computações. Essas computações eram originalmente chamadas de *scripts*. Awk, JavaScript, Perl, PHP, Python, Ruby e Tcl são exemplos populares de linguagens de scripting. Programas escritos em linguagens de scripting normalmente são muitos menores do que os programas equivalentes escritos em linguagens como C.

1.3.2 Impactos nos compiladores

Como o projeto de linguagens de programação e os compiladores estão intimamente relacionados, os avanços nas linguagens de programação impõem novas demandas sobre os projetistas de compiladores. Eles têm de criar algoritmos e representações para traduzir e dar suporte aos novos recursos das linguagens. Desde a década de 1940, as arquiteturas de computadores também têm evoluído. Os desenvolvedores de compiladores tiveram não apenas de acompanhar os novos recursos das linguagens, mas também de projetar algoritmos de tradução que tirassem o máximo de proveito das novas capacidades do hardware.

Os compiladores podem ajudar a difundir o uso de linguagens de alto nível, minimizando o custo adicional da execução dos programas escritos nessas linguagens. Os compiladores também são responsáveis por efetivar o uso das arquiteturas de computador de alto desempenho nas aplicações dos usuários. De fato, o desempenho de um sistema de computação é tão dependente da tecnologia de compilação que os compiladores são usados como uma ferramenta na avaliação dos conceitos arquitetônicos antes que um computador seja montado.

O projeto de compiladores é desafiador. Um compilador por si só é um programa grande. Além do mais, muitos sistemas de processamento de linguagem modernos tratam de várias linguagens fonte e máquinas alvo dentro de um mesmo arcabouço (framework); ou seja, eles servem como famílias de compiladores, possivelmente consistindo em milhões de linhas de código. Por conseguinte, boas técnicas de engenharia de software são essenciais para a criação e evolução dos processadores de linguagem modernos.

Um compilador precisa traduzir corretamente um conjunto potencialmente infinito de programas que poderiam ser escritos na linguagem fonte. O problema de gerar código objeto ótimo a partir de um programa fonte é, em geral, indecidível; assim, os projetistas de compiladores precisam avaliar as escolhas sobre quais problemas enfrentar e quais heurísticas utilizar para resolver o problema de gerar um código eficiente.

Estudar compiladores também é estudar de que forma a teoria encontra a prática, conforme veremos na Seção 1.4.

A finalidade deste texto é ensinar a metodologia e as idéias fundamentais usadas no projeto de compiladores. Não é nossa intenção ensinar todos os algoritmos e técnicas que poderiam ser usados para a criação de um sistema de processamento de linguagem de última geração. Porém, os leitores deste texto poderão adquirir o conhecimento básico para entender como implementar um compilador de modo relativamente fácil.

1.3.3 Exercícios da Seção 1.3

Exercício 1.3.1: Indique quais dos seguintes termos:

- a) imperativa
- b) declarativa
- c) von Neumann
- d) orientada por objeto
- e) funcional
- f) terceira geração
- g) quarta geração
- h) de scripting

aplicam-se às seguintes linguagens

1) C	2) C++	3) Cobol	4) Fortran	5) Java
6) Lisp	7) ML	8) Perl	9) Python	10) VB.

1.4 A CIÊNCIA DA CRIAÇÃO DE UM COMPILADOR

O projeto de compilador é repleto de belos exemplos nos quais problemas complicados do mundo real são solucionados abstraindo-se matematicamente a essência do problema. Esses exemplos servem como excelentes ilustrações de como as abstrações podem ser usadas para solucionar problemas: dado um problema, formule uma abstração matemática que capture suas principais características e resolva-o usando técnicas matemáticas. A formulação do problema precisa ser baseada em um conhecimento sólido sobre as características dos programas de computador, e a solução precisa ser validada e refinada empiricamente.

Um compilador precisa aceitar todos os programas fonte que estão de acordo com a especificação da linguagem; o conjunto de programas fonte é infinito, e qualquer programa pode ser muito grande, consistindo em possivelmente milhões de linhas de código. Qualquer transformação realizada pelo compilador durante a tradução de um programa fonte precisa preservar a semântica do programa sendo compilado. Logo, os projetistas de compiladores têm influência não apenas sobre os compiladores que eles mesmos criam, mas sobre todos os programas que seus compiladores compilam. Essa influência torna a escrita de compiladores particularmente recompensadora; porém, também torna desafiador o desenvolvimento de compiladores.

1.4.1 Modelagem no projeto e implementação do compilador

O estudo dos compiladores é principalmente um estudo de como projetar os modelos matemáticos certos e escolher corretamente os algoritmos, mantendo-se o equilíbrio entre a necessidade de generalização e abrangência *versus* simplicidade e eficiência.

Entre os modelos mais importantes destacam-se as máquinas de estado finito e expressões regulares, as gramáticas livres de contexto e as árvores. As máquinas de estado finito e expressões regulares, que veremos no Capítulo 3, são úteis para descrever as unidades léxicas dos programas (palavras-chave, identificadores etc.) e os algoritmos usados pelo compilador para reconhecer essas unidades. As gramáticas livres de contexto são utilizadas para descrever a estrutura sintática das linguagens de programação, como o balanceamento dos parênteses ou construções de controle. Estudaremos as gramáticas no Capítulo 4. As árvores são consideradas um importante modelo para representar a estrutura dos programas e sua tradução para código objeto, conforme veremos no Capítulo 5.

1.4.2 A ciência da otimização do código

O termo "otimização" no projeto de compiladores refere-se às tentativas que um compilador faz para produzir um código que seja mais eficiente do que o código óbvio. "Otimização" é, portanto, um nome errado, pois não é possível garantir que um código produzido por um compilador seja tão ou mais rápido do que qualquer outro código que realiza a mesma tarefa.

A otimização de código vem-se tornando cada vez mais importante e também mais complexa no projeto de um compilador. Mais complexa porque as arquiteturas dos processadores se tornaram mais complexas, gerando mais oportunidades de melhorar a forma como o código é executado. E mais importante porque os computadores maciçamente paralelos exigem otimizações substanciais, ou seu desempenho é afetado por algumas ordens de grandeza. Com a provável predominância de arquiteturas de máquinas *multicore* (computadores com chips possuindo maiores quantidades de processadores), os compiladores enfrentarão mais um desafio para tirar proveito das máquinas multiprocessadoras.

É difícil, se não impossível, construir um compilador robusto a partir de "pedaços". Assim, uma extensa e útil teoria foi criada em torno do problema de otimização de código. O uso de uma base matemática rigorosa permite mostrar que uma otimização está correta e produz o efeito desejado para todas as entradas possíveis. A partir do Capítulo 9, veremos como os modelos baseados em gráficos, matrizes e programas lineares são necessários para auxiliar o compilador a produzir um código "ótimo".

Por outro lado, a teoria pura sozinha é insuficiente. Assim, como para muitos problemas do mundo real, não existem respostas perfeitas. Na verdade, quase todas as perguntas que fazemos a respeito da otimização de compiladores são indecidíveis. Uma das habilidades mais importantes no projeto de compiladores é a capacidade de formular corretamente o problema que se quer solucionar. Para começar, precisamos de um bom conhecimento do comportamento dos programas, experimentando-os e avaliando-os completamente, a fim de validar nossas intuições.

As otimizações de um compilador precisam atender os seguintes objetivos de projeto:

- A otimização precisa ser correta, ou seja, preservar a semântica do programa compilado.
- A otimização precisa melhorar o desempenho de muitos programas.
- O tempo de compilação precisa continuar razoável.
- O esforço de engenharia empregado precisa ser administrável.

Nunca é demais enfatizar a importância da exatidão. É trivial escrever um compilador que gera código rápido se este código não precisa estar correto! É tão difícil ter compiladores otimizadores corretos que ousamos dizer que nenhum compilador otimizador está completamente livre de erros! Assim, o objetivo mais importante no desenvolvimento de um compilador é que ele seja correto.

O segundo objetivo é que o compilador seja eficiente na melhoria do desempenho de muitos programas de entrada. Normalmente, desempenho diz respeito à velocidade de execução do programa. Especialmente em aplicações embutidas, também pode ser necessário diminuir o tamanho do código gerado. E, no caso de dispositivos móveis, também é desejável que o código gerado minimize o consumo de energia. Normalmente, as mesmas otimizações que diminuem o tempo de execução reduzem também a energia gasta. Além do desempenho, são importantes ainda os aspectos de usabilidade, como relatório de erros e depuração.

Terceiro, precisamos manter o tempo de compilação pequeno para dar suporte a um ciclo rápido de desenvolvimento e depuração. Fica mais fácil atender este requisito à medida que as máquinas se tornam mais rápidas. Normalmente, primeiro desenvolve-se e depura-se um programa sem otimizações. Usando esta estratégia, não apenas reduz-se o tempo de compilação, porém, mais importante, os programas não otimizados se tornam mais fáceis de depurar, pois as otimizações introduzidas por um compilador tendem a obscurecer o relacionamento entre o código fonte e o código objeto. A ativação de otimizações no compilador às vezes expõe novos problemas no programa fonte; assim, o teste precisa ser novamente realizado no código otimizado. A necessidade de teste adicional às vezes desencoraja o uso das otimizações nas aplicações, especialmente se seu desempenho não for crítico.

Finalmente, um compilador é um sistema complexo; temos de manter o sistema simples para garantir que os custos de engenharia e manutenção do compilador sejam viáveis. Poderíamos implementar um número infinito de otimizações de programa, e é necessário um esforço incomum para criar uma otimização correta e eficiente. Temos de priorizar as otimizações, implementando apenas aquelas que proporcionam maiores benefícios nos programas fonte encontrados na prática.

Assim, estudando os compiladores, aprendemos não apenas a construir um compilador, mas também a metodologia geral para solucionar problemas complexos e problemas abertos. A técnica usada no desenvolvimento de compilador envolve teoria e experimentação. Normalmente, começamos formulando o problema com base em nossas intuições sobre quais são os aspectos importantes.

1.5 APLICAÇÕES DA TECNOLOGIA DE COMPILADORES

O projeto de um compilador não diz respeito apenas a compiladores, e muitas pessoas usam a tecnologia aprendida pelo estudo de compiladores na escola, embora nunca tenham, estritamente falando, nem mesmo escrito parte de um compilador para uma linguagem de programação conhecida. A tecnologia de compiladores possui também outras aplicações importantes. Além do mais, o projeto de um compilador tem impacto em várias outras áreas da ciência da computação. Nesta seção, veremos as interações e aplicações mais importantes dessa tecnologia.

1.5.1 IMPLEMENTAÇÃO DE LINGUAGENS DE PROGRAMAÇÃO DE ALTO NÍVEL

Uma linguagem de programação de alto nível define uma abstração de programação: o programador escreve um algoritmo usando a linguagem, e o compilador deve traduzir esse programa para a linguagem objeto. Em geral, é mais fácil programar em linguagens de programação de alto nível, mas elas são menos eficientes, ou seja, os programas objetos são executados mais lentamente. Os programadores que usam uma linguagem de baixo nível têm mais controle sobre uma computação e podem, a princípio, produzir código mais eficiente. Infelizmente, os programas feitos desta forma são mais difíceis de escrever e – pior ainda – menos transportáveis para outras máquinas, mais passíveis de erros e mais difíceis de manter. Os compiladores otimizadores dispõem de técnicas para melhorar o desempenho do código gerado, afastando assim a ineficiência introduzida pelas abstrações de alto nível.

EXEMPLO 1.2: A palavra-chave ***register*** da linguagem de programação C é um velho exemplo da interação entre a tecnologia de compiladores e a evolução da linguagem. Quando a linguagem C foi criada em meados da década de 1970, considerou-se importante permitir o controle pelo programador de quais variáveis do programa residiam nos registradores. Esse controle tornou-se desnecessário quando foram desenvolvidas técnicas eficazes de alocação de registradores, e a maioria dos programas modernos não usa mais esse recurso da linguagem.

Na verdade, os programas que usam a palavra-chave **register** podem perder a eficiência, pois os programadores normalmente não são os melhores juízes em questões de muito baixo nível, como a alocação de registradores. A escolha de uma boa estratégia para a alocação de registradores depende muito de detalhes específicos de uma arquitetura de máquina. Tomar decisões sobre o gerenciamento de recursos de baixo nível, como a alocação de registradores, pode de fato prejudicar o desempenho, especialmente se o programa for executado em máquinas diferentes daquela para a qual ele foi escrito.

A adoção de novas linguagens de programação tem sido na direção daquelas que oferecem maior nível de abstração. Nos anos 80, C foi a linguagem de programação de sistemas predominante; muitos dos novos projetos iniciados nos anos 1990 escolheram C++; a linguagem Java, introduzida em 1995, rapidamente ganhou popularidade no final da década de 1990. Os novos recursos de linguagem de programação introduzidos a cada rodada incentivaram novas pesquisas sobre otimização de compilador. A seguir, apresentamos uma visão geral dos principais recursos de linguagens de programação que têm estimulado avanços significativos na tecnologia de compilação.

Praticamente todas as linguagens de programação comuns, incluindo C, Fortran e Cobol, admitem que os usuários definam tipos de dados compostos, como arranjo e estruturas, e fluxo de controle de alto nível, como *loops* e chamadas de procedimento. Se simplesmente traduzirmos diretamente para código de máquina cada construção de alto nível ou operação de acesso, o resultado será ineficaz. Um conjunto de otimizações, conhecido como *otimizações de fluxo de dados*, foi desenvolvido para analisar o fluxo de dados de um programa, e remover as redundâncias encontradas nessas construções. Essas otimizações têm-se revelado eficazes, e o código gerado se assemelha ao código escrito em um nível mais baixo por um programador habilidoso.

A orientação por objeto foi introduzida inicialmente na linguagem Simula em 1967, e incorporada em linguagens como Smalltalk, C++, C# e Java. As principais idéias por trás da orientação por objeto são

1. Abstração de dados e
2. Herança de propriedades,

ambas consideradas fundamentais para tornar os programas mais modulares e mais fáceis de manter. Os programas orientados por objeto são diferentes daqueles escritos em várias outras linguagens, pois possuem mais, porém menores, procedimentos (chamados *métodos* no contexto da orientação por objeto). Assim, as otimizações presentes no compilador precisam ser eficazes além dos limites de procedimento do programa fonte. A "expansão em linha" (do inglês, inlining) de procedimento, que corresponde à substituição de uma chamada de procedimento pelo seu corpo, é particularmente útil neste contexto. Também têm sido desenvolvidas otimizações para agilizar os disparos dos métodos virtuais.

A linguagem Java possui muitos recursos que tornam a programação mais fácil, e muitos deles foram introduzidos anteriormente em outras linguagens. A linguagem é segura em termos de tipo; ou seja, um objeto não pode ser usado como um objeto de um tipo não relacionado. Todos os acessos a arranjo são verificados para garantir que estejam dentro dos limites do arranjo. Java não possui apontadores nem permite aritmética de apontadores. Ela possui uma função primitiva (*built-in*) para a coleta de lixo, a qual libera automaticamente a memória das variáveis que não são mais usadas. Embora todos esses recursos facilitem a programação, eles geram um custo adicional no tempo de execução. Foram desenvolvidas otimizações no compilador para reduzir esse custo adicional, por exemplo, eliminando verificações de limites desnecessárias e alocando na pilha, ao invés de na heap, os objetos que não são acessíveis fora de um procedimento. Algoritmos eficientes também foram desenvolvidos para reduzir o custo adicional atribuído à coleta de lixo.

Além disso, a linguagem Java é projetada para prover código transportável e móvel. Os programas são distribuídos como bytecode Java, que precisa ser interpretado ou compilado para o código nativo dinamicamente, ou seja, em tempo de execução. A compilação dinâmica também tem sido estudada em outros contextos, nos quais a informação é extraída dinamicamente em tempo de execução e usada para produzir um código mais otimizado. Na otimização dinâmica, é importante minimizar o tempo de compilação, pois ele faz parte do custo adicional da execução. Uma técnica muito utilizada é compilar e otimizar apenas as partes do programa que serão executadas com mais freqüência.

1.5.2 Otimizações para arquiteturas de computador

A rápida evolução das arquiteturas de computador também gerou uma demanda insaciável por novas técnicas de compilação. Quase todos os sistemas de alto desempenho tiram proveito de duas técnicas básicas: o *paralelismo* e as *hierarquias de memória*. O paralelismo pode ser encontrado em diversos níveis: em *nível de instrução*, onde várias operações são executadas simultaneamente; e em *nível de processador*, onde diferentes threads da mesma aplicação são executadas em diferentes processadores. As hierarquias de memória são uma resposta à limitação básica de que podemos construir um dispositivo de armazenamento muito rápido ou muito grande, mas não um dispositivo de armazenamento que seja tanto rápido quanto grande.

Paralelismo

Todos os microprocessadores modernos exploram o paralelismo em nível de instrução. No entanto, esse paralelismo pode não ser visível ao programador. Os programas são escritos como se todas as instruções fossem executadas seqüencialmente; o hardware verifica dinamicamente se há dependências no fluxo seqüencial das instruções e, quando possível, as emite em paralelo. Em alguns casos, a máquina inclui no *hardware* um escalonador que pode alterar a ordem das instruções para aumentar o paralelismo do programa. Independentemente de o hardware reordenar as instruções ou não, os compiladores podem rearranjá-las para tornar mais eficiente o paralelismo em nível de instrução.

O paralelismo em nível de instrução também pode aparecer explicitamente no conjunto de instruções. Máquinas VLIW (Very Long Instruction Word) possuem instruções que podem emitir várias operações em paralelo. A máquina Intel IA64 é um exemplo bem conhecido desse tipo de arquitetura. Todos os microprocessadores de alto desempenho de uso geral também incluem instruções que podem operar sobre um vetor de dados ao mesmo tempo. Técnicas de compiladores têm sido desenvolvidas para gerar automaticamente código para essas máquinas a partir de programas seqüenciais.

Os multiprocessadores também se tornaram predominantes; até mesmo os computadores pessoais normalmente possuem múltiplos processadores. Os programadores podem escrever código multithreaded para multiprocessadores, ou o código paralelo pode ser gerado automaticamente por um compilador a partir de programas seqüenciais convencionais. Esse compilador esconde dos programadores os detalhes para localizar o paralelismo em um programa, distribuindo a computação pela máquina e minimizando a sincronização e a comunicação entre os processadores. Muitas aplicações de computação científica e engenharia fazem cálculos intensivos e podem beneficiar-se muito com o processamento paralelo. Técnicas de paralelismo têm sido desenvolvidas para traduzir automaticamente os programas científicos seqüenciais em código multiprocessável.

Hierarquias de memória

Uma hierarquia de memória consiste em vários níveis de armazenamento com diferentes velocidades e tamanhos, com o nível mais próximo do processador sendo o mais rápido, porém o menor. O tempo médio de acesso à memória de um programa é reduzido se a maior parte dos seus acessos for satisfeita pelos níveis mais rápidos da hierarquia. Tanto o paralelismo quanto a existência de uma hierarquia de memória melhoram o desempenho potencial de uma máquina, mas ambos precisam ser utilizados de modo eficaz pelo compilador, a fim de oferecer um desempenho real em uma aplicação.

As hierarquias de memória são encontradas em todas as máquinas. Um processador normalmente possui uma pequena quantidade de registradores consistindo em centenas de bytes, vários níveis de caches contendo kilobytes a megabytes, memória física contendo de megabytes a gigabytes, e finalmente uma memória secundária que contém gigabytes. Desta forma, a velocidade dos acessos entre os níveis adjacentes da hierarquia de memória pode diferir entre duas ou três ordens de grandeza. O desempenho de um sistema normalmente é limitado não pela velocidade do processador, mas pelo desempenho do subsistema de memória. Embora os compiladores tradicionalmente focalizem a otimização da execução do processador, a ênfase maior agora está em tornar a hierarquia de memória mais eficiente.

O uso eficaz dos registradores provavelmente é o problema mais importante na otimização de um programa. Ao contrário dos registradores que precisam ser gerenciados explicitamente no software, os *caches* e as memórias físicas não são visíveis no conjunto de instruções e, portanto são gerenciados pelo hardware. Descobriu-se que as políticas de gerenciamento de cache implementadas pelo hardware não são eficientes em alguns casos, especialmente em códigos científicos que possuem grandes estruturas de dados (normalmente, arranjos). É possível melhorar a eficácia da hierarquia de memória alterando o leiaute dos dados, ou alterando a ordem das instruções que acessam os dados. Também podemos alterar o leiaute do código para melhorar a eficácia dos caches de instrução.

1.5.3 Projeto de novas arquiteturas de computador

Nos primeiros projetos de arquiteturas de computadores, os compiladores só eram desenvolvidos após a construção das máquinas. Mas isso mudou. Como o usual é programar em linguagens de alto nível, o desempenho de um sistema de computação é determinado não somente por sua inerente velocidade, mas também pela forma como os compiladores podem explorar seus recursos. Assim, no desenvolvimento de arquiteturas de computadores modernas, os compiladores são desenvolvidos no estágio de projeto do processador, e o código compilado, executando em simuladores, é usado para avaliar os recursos arquitetônicos propostos.

RISC

Um dos exemplos mais conhecidos de como os compiladores influenciaram o projeto da arquitetura de computador foi a invenção da arquitetura RISC (Reduced Instruction-Set Computer – computador com um conjunto reduzido de instruções). Antes dessa invenção, a tendência era desenvolver gradativamente conjuntos de instruções cada vez mais complexos, com o objetivo de tornar a programação assembler mais fácil; essas arquiteturas eram conhecidas como CISC (Complex Instruction-Set Computer – computador com um conjunto de instruções complexas). Por exemplo, os conjuntos de instruções CISC incluem modos de endereçamento de memória complexos para dar suporte aos acessos a estruturas de dados e instruções de chamada de procedimento que salvam registradores e passam parâmetros na pilha.

Otimizações de compiladores normalmente podem reduzir essas instruções a um pequeno número de operações mais simples, eliminando as redundâncias das instruções complexas. Assim, é desejável construir conjuntos de instruções simples; os compiladores podem usá-las de forma mais eficiente e torna-se mais fácil otimizar o hardware.

A maioria das arquiteturas de processadores de uso geral, incluindo PowerPC, SPARC, MIPS, Alpha e PA-RISC, é baseada no conceito de RISC. Embora a arquitetura x86 – o microprocessador mais popular – possua um conjunto de instruções CISC, muitas das idéias desenvolvidas para máquinas RISC são usadas nas implementações do próprio processador. Além disso, o modo mais eficiente de usar uma máquina x86 de alto desempenho é usar apenas suas instruções mais simples.

Arquiteturas especializadas

Durante as três últimas décadas, foram propostos muitos conceitos arquitetônicos. Eles incluem máquinas de fluxo de dados, máquinas de vetor, máquinas VLIW (Very Long Instruction Word – palavra de instrução muito longa), arranjos de processadores SIMD (Single Instruction, Multiple Data – única instrução, múltiplos dados), arranjos sistólicos, multiprocessadores com memória compartilhada e multiprocessadores com memória distribuída. O desenvolvimento de cada um desses conceitos arquitetônicos foi acompanhado pela pesquisa e desenvolvimento de novas tecnologias de compilação.

Algumas dessas idéias deram origem aos projetos de máquinas embutidas. Uma vez que sistemas inteiros podem caber em um único chip, os processadores não precisam mais ser unidades tipo produto pré-empacotado, mas podem ser feitos sob medida para melhorar a relação custo-benefício de determinada aplicação. Assim, ao contrário dos processadores de uso geral, nos quais as economias de escala levaram à convergência das arquiteturas de computador, os processadores de aplicações específicas apresentam uma diversidade de arquiteturas de computador. A tecnologia de compiladores é necessária não apenas para dar suporte à programação para essas arquiteturas, mas também para avaliar os projetos arquitetônicos propostos.

1.5.4 Traduções de programa

Embora normalmente pensemos na compilação como uma tradução de uma linguagem de alto nível para o nível de máquina, a mesma tecnologia pode ser aplicada para traduzir entre diferentes tipos de linguagens. A seguir são apresentadas algumas aplicações importantes das técnicas de tradução de programa.

Tradução binária

A tecnologia de compiladores pode ser usada para traduzir o código binário de uma máquina para o de outra, permitindo que uma máquina execute programas compilados originalmente para outro conjunto de instruções. A tecnologia de tradução binária tem sido usada por diversas empresas de computadores para aumentar a disponibilidade do software para suas máquinas. Em particular, devido ao domínio do mercado de computadores pessoais x86, a maior parte dos títulos de software está disponível como código x86. Tradutores binários têm sido desenvolvidos para converter o código x86 em código Alpha e Sparc. A tradução binária também foi usada pela Transmeta Inc. em sua implementação do conjunto de instruções x86. Em vez de executar este complexo conjunto de instruções diretamente no hardware, o processador Transmeta Crusoe é um processador VLIW que usa a tradução binária para converter o código x86 em código VLIW nativo.

A tradução binária também pode ser usada para prover compatibilidade *para trás (backward compatibility)*. Por exemplo, quando o processador Motorola MC 68040 foi substituído pelo PowerPC no Apple Macintosh em 1994, usou-se a tradução binária para permitir que os processadores PowerPC executassem o código legado do MC 68040.

Síntese de hardware

Assim como a maioria do software é escrita em linguagens de programação de alto nível, os projetos de hardware também o são. Estes são especificados principalmente em linguagens de descrição de arquitetura de alto nível, como, por exemplo, Verilog e VHDL (Very high-speed integrated circuit Hardware Description Language – linguagem de descrição de hardware para circuito integrado de altíssima velocidade). Os projetos de hardware são tipicamente descritos em RTL (Register Transfer Level), onde as variáveis representam registradores e as expressões representam lógica combinatória. Ferramentas de síntese de hardware traduzem automaticamente descrições RTL para portas, que são então mapeadas para transistores e eventualmente para um leiaute físico. Diferentemente dos compiladores para linguagens de programação, essas ferramentas normalmente gastam horas otimizando o circuito. Também existem técnicas para traduzir projetos em níveis mais altos, como o nível de comportamento ou funcional.

Interpretadores de consulta de banco de dados

Além de especificar software e hardware, as linguagens de programação são úteis em muitas outras aplicações. Por exemplo, as linguagens de consulta, especialmente SQL (Structured Query Language – linguagem de consulta estruturada), são usadas para pesquisas em bancos de dados. As consultas em banco de dados consistem em predicados contendo operadores relacionais e booleanos, os quais podem ser interpretados ou compilados para comandos que consultam registros de um banco de dados satisfazendo esse predicado.

Simulação compilada

Simulação é uma técnica geral utilizada em muitas disciplinas científicas e de engenharia para compreender um fenômeno ou validar um projeto. As entradas de um simulador usualmente incluem a descrição do projeto e parâmetros de entrada específicos para que uma simulação em particular execute. As simulações podem ser muito dispendiosas. Normalmente, precisamos simular muitas das possíveis alternativas de projeto em vários conjuntos de entrada diferentes, e cada experimento pode levar dias para ser concluído em uma máquina de alto desempenho. Em vez de escrever um simulador que interprete o projeto, é mais rápido compilar o projeto para produzir código de máquina que simula esse projeto em particular nativamente. A simulação compilada pode ser executada muitas vezes mais rapidamente do que uma abordagem interpretada. A simulação compilada é usada em muitas ferramentas de última geração que simulam projetos escritos em Verilog ou VHDL.

1.5.5 Ferramentas de produtividade de software

Os programas são comprovadamente os artefatos de engenharia mais complicados já produzidos; eles consistem em muitos e muitos detalhes, cada um devendo estar correto antes que o programa funcione completamente. Como resultado, os erros são como rompantes nos programas; eles podem arruinar um sistema, produzir resultados errados, tornar um sistema vulnerável a ataques de segurança, ou, ainda, levar a falhas catastróficas em sistemas críticos. O teste é a principal técnica para localizar erros nos programas.

Uma técnica complementar interessante e promissora é usar a análise de fluxo de dados para localizar erros estaticamente, ou seja, antes que o programa seja executado. A análise de fluxo de dados pode localizar erros em todos os caminhos de execução possíveis, e não apenas aqueles exercidos pelos conjuntos de dados de entrada, como no caso do teste do programa. Muitas das técnicas de análise de fluxo de dados, originalmente desenvolvidas para otimizações de compilador, podem ser usadas para criar ferramentas que auxiliam os programadores em suas tarefas de engenharia de software.

O problema de localizar todos os erros de um programa é indeciso. Uma ferramenta para a análise de fluxo de dados pode ser criada para avisar aos programadores sobre todas as instruções que podem infringir determinada categoria de erros. Mas, se a maioria desses avisos forem alarmes falsos, os usuários não usarão a ferramenta. Assim, os detectores de erro práticos normalmente não são seguros nem completos. Ou seja, eles podem não encontrar todos os erros no programa, e não há garantias de que todos os erros relatados sejam erros reais. Apesar disso, diversas análises estáticas têm sido desenvolvidas e consideradas eficazes na localização de erros, tais como tentativas de acessos via apontadores nulos ou liberados, nos programas reais. O fato de os detectores de erro poderem ser inseguros os torna significativamente diferentes das otimizações de compiladores. Os otimizadores de código precisam ser conservadores e não podem alterar a semântica do programa sob circunstância alguma.

No fim desta seção, mencionaremos diversas maneiras pelas quais a análise do programa, baseada nas técnicas desenvolvidas originalmente para otimizar o código nos compiladores, melhorou a produtividade do software. Técnicas que detectam estaticamente quando um programa pode ter uma vulnerabilidade de segurança são de especial importância.

Verificação de tipos

A verificação de tipos é uma técnica eficaz e bastante estabelecida para identificar inconsistências nos programas. Ela pode ser usada para detectar erros, por exemplo, quando uma operação é aplicada ao tipo errado de objeto, ou se os parâmetros passados a um procedimento não casam com a assinatura do procedimento. A análise do programa pode ir além de encontrar erros de tipo, analisando o fluxo de dados ao longo de um programa. Por exemplo, se for atribuído um valor `null` ao apontador e depois ele for imediatamente utilizado para acesso, o programa conterá claramente um erro.

A mesma abordagem pode ser usada para identificar diversas brechas na segurança, em que um invasor fornece uma cadeia de caracteres ou outro dado que seja usado descuidadamente pelo programa. Uma cadeia de caracteres fornecida pelo usuário pode ser rotulada com um tipo "perigoso". Se essa cadeia de caracteres não tiver o formato correto verificado, ela permanece "perigosa", e, se uma cadeia de caracteres desse tipo for capaz de influenciar o fluxo de controle do código em algum ponto no programa, então existe uma falha de segurança potencial.

Verificação de limites

É mais fácil cometer erros ao programar em uma linguagem de baixo nível do que em uma linguagem de alto nível. Por exemplo, muitas brechas de segurança nos sistemas são causadas por estouros do buffer em programas escritos na linguagem C. Como C não possui verificação de limites de arranjos, fica a critério do usuário garantir que os arranjos não sejam acessados fora dos limites. Deixando de verificar se os dados fornecidos pelo usuário podem estourar um buffer, o programa pode ser enganado e armazenar dados do usuário fora do buffer. Um invasor pode manipular dados de entrada que causem um comportamento errôneo no programa e comprometer a segurança do sistema. Foram desenvolvidas técnicas para encontrar estouros de buffer nos programas, mas com um sucesso limitado.

Se o programa tivesse sido escrito em uma linguagem segura, que inclui verificação automática de limites de arranjo, esse problema não teria ocorrido. A mesma análise de fluxo de dados usada para eliminar verificações de limites redundantes também pode ser utilizada para localizar estouros de buffer. No entanto, a principal diferença é que deixar de eliminar uma verificação de limites só resulta em um pequeno custo em tempo de execução, enquanto deixar de identificar um estouro de buffer potencial pode comprometer a segurança do sistema. Assim, embora seja adequado usar técnicas simples para otimizar as verificações de limites, para conseguir resultados de alta qualidade nas ferramentas de detecção de erros são necessárias análises sofisticadas, tais como o rastreamento dos valores de apontadores entre procedimentos

Ferramentas de gerenciamento de memória

A coleta de lixo é outro exemplo excelente de compromisso entre a eficiência e uma combinação de facilidade de programação e confiabilidade de software. O gerenciamento automático da memória suprime todos os erros de gerenciamento de memória (por exemplo, "vazamento de memória"), que são uma grande fonte de problemas nos programas em C e C++. Diversas ferramentas foram desenvolvidas para auxiliar os programadores a encontrar erros de gerenciamento de memória. Por exemplo, Purify é uma ferramenta muito utilizada para detectar erros de gerenciamento de memória dinamicamente, à medida que acontecem. Também foram desenvolvidas ferramentas que ajudam a identificar alguns desses problemas estaticamente.

1.6 FUNDAMENTOS DA LINGUAGEM DE PROGRAMAÇÃO

Nesta seção, discutiremos a terminologia e as diferenças mais importantes que aparecem no estudo das linguagens de programação. Não é nossa intenção abordar todos os conceitos ou todas as linguagens de programação populares. Consideraremos que o leitor domina pelo menos uma dentre C, C++, C# ou Java, e pode ter visto outras linguagens também.

1.6.1 A DIFERENÇA ENTRE ESTÁTICO E DINÂMICO

Um dos aspectos mais importantes ao projetar um compilador para uma linguagem diz respeito às decisões que o compilador pode tomar sobre um programa. Se uma linguagem utiliza uma política que permite ao compilador decidir a respeito de uma questão, dizemos que a linguagem usa uma política *estática* ou que a questão pode ser decidida em *tempo de compilação*. Por outro lado, uma política que só permite que uma decisão seja tomada quando executamos o programa é considerada uma política *dinâmica*, ou que exige decisão em *tempo de execução*.

Uma questão na qual nos concentraremos é o escopo das declarações. O *escopo* de uma declaração de x é a região do programa em que os usos de x se referem a essa declaração. Uma linguagem usa *escopo estático* ou *escopo léxico* se for possível determinar o escopo de uma declaração examinando-se apenas o programa. Caso contrário, a linguagem utiliza *escopo dinâmico*. Com o escopo dinâmico, enquanto o programa é executado, o mesmo uso de x poderia referir-se a qualquer uma dentre as várias declarações diferentes de x.

A maioria das linguagens, como C e Java, utiliza escopo estático. Discutiremos sobre escopo estático na Seção 1.6.3.

EXEMPLO 1.3: Como outro exemplo da distinção entre estático e dinâmico, considere o uso do termo *static* aplicado aos dados em uma declaração de classe Java. Em Java, uma variável é um nome que designa uma localização de memória usada para armazenar o valor de um dado. Neste contexto, *static* refere-se não ao escopo da variável, mas sim à capacidade de o compilador determinar a localização na memória onde a variável declarada pode ser encontrada. Uma declaração como

```
public static int x;
```

torna x uma *variável de classe* e diz que existe apenas uma única cópia de x, não importa quantos objetos dessa classe sejam criados. Além disso, o compilador pode determinar uma localização na memória onde esse inteiro x será mantido. Ao contrário, se "static" fosse omitido dessa declaração, cada objeto da classe teria sua própria localização onde x seria mantido, e o compilador não poderia determinar todos esses lugares antes da execução do programa.

1.6.2 AMBIENTES E ESTADOS

Outra distinção importante que precisamos fazer ao discutir linguagens de programação é se as mudanças que ocorrem enquanto o programa é executado afetam os valores dos elementos de dados ou afetam a interpretação dos nomes para esses dados. Por exemplo, a execução de uma atribuição como x = y + 1 muda o valor denotado pelo nome x. Mais especificamente, a atribuição muda o valor em alguma localização designada para x.

Pode não ser tão claro que a localização denotada por x pode mudar durante a execução. Por exemplo, conforme discutimos no Exemplo 1.3, se x não for uma variável (ou "classe") estática, cada objeto da classe tem sua própria localização para uma instância da variável x. Nesse caso, a atribuição para x pode mudar qualquer uma dessas variáveis de "instância", dependendo do objeto ao qual é aplicado um método contendo essa atribuição.

A associação dos nomes às localizações na memória (o *armazenamento*) e depois aos valores pode ser descrita por dois mapeamentos que mudam à medida que o programa é executado (ver Figura 1.8):

1. O *ambiente* é um mapeamento de um nome para uma posição de memória. Como as variáveis se referem a localizações ("valores-l" ou "valores à esquerda", do inglês *left-value*, na terminologia da linguagem C), poderíamos como alternativa definir um ambiente como um mapeamento entre nomes e variáveis.
2. O *estado* é um mapeamento de uma posição de memória ao valor que ela contém. Ou seja, o estado mapeia os "valores-l" aos "valores-r" ("valores à direita", do inglês *right-value*, na terminologia da linguagem C) correspondentes.

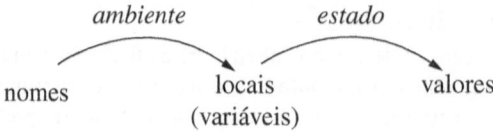

FIGURA 1.8 Mapeamento em dois estágios entre nomes e valores.

Os ambientes mudam de acordo com as regras de escopo de uma linguagem.

EXEMPLO 1.4: Considere o fragmento de programa em C que aparece na Figura 1.9. O inteiro *i* é declarado como uma variável global, e também é declarado como uma variável local à função *f*. Quando *f* está sendo executada, o ambiente se ajusta de modo que *i* se refira à localização reservada para *i* que é local a *f*, e qualquer uso de *i*, como a atribuição i = 3 mostrada explicitamente, se refira a essa localização. Normalmente, a variável local *i* é armazenada em uma localização na pilha em tempo de execução.

```
int i;              /* i global             */
...
void f(...) {
    int i;          /* i local              */
    ...
    i = 3;          /* uso do i local       */
    ...
}
...
        x = i + 1;  /* uso do i global      */
```

FIGURA 1.9 Duas declarações do nome *i*.

Sempre que uma função *g* diferente de *f* estiver sendo executada, os usos de *i* não poderão referir-se ao *i* que é local a *f*. Os usos do nome *i* em *g* precisam estar dentro do escopo de alguma outra declaração de *i*. Um exemplo é a instrução x = i+1 mostrada explicitamente, e que está dentro de algum procedimento cuja definição não é exibida. Presume-se que o *i* em *i* + 1 se refira ao *i* global. Assim como na maioria das linguagens, as declarações em C precisam preceder seu uso, de modo que uma função que vem antes do *i* global não pode referir-se a ele.

O ambiente e os mapeamentos de estado na Figura 1.8 são dinâmicos, mas existem algumas exceções:

1. *Vínculo estático* versus *dinâmico* dos nomes para as localizações. A maior parte do vínculo dos nomes para as localizações é dinâmica, e discutiremos várias abordagens para esse tipo de vínculo no decorrer da seção. Algumas declarações, como o *i* global da Figura 1.9, podem ser colocadas em uma localização de memória definitivamente, enquanto o compilador gera o código objeto.[2]
2. *Vínculo estático* versus *dinâmico* das localizações para os valores. O vínculo de localizações para valores (ver segundo estágio da Figura 1.8) geralmente também é dinâmico, pois não sabemos qual é o valor em uma localização até que o programa seja executado. As constantes declaradas são exceções à regra. Por exemplo, a definição na linguagem C,

```
#define ARRAYSIZE 1000
```

Nomes, identificadores e variáveis

Embora os termos "nome" e "variável" normalmente se refiram à mesma coisa, vamos usá-los cuidadosamente para distinguir entre os nomes usados em tempo de compilação e as localizações em tempo de execução denotadas pelos nomes.

Um *identificador* é uma cadeia de caracteres, normalmente letras ou dígitos, que se refere a (identifica) uma entidade, como um objeto de dados, um procedimento, uma classe ou um tipo. Todos os identificadores são nomes, mas nem todos os nomes são identificadores. Os nomes também podem ser expressões. Por exemplo, o nome *x.y* poderia designar o campo *y* de uma estrutura representada por *x*. Neste contexto, *x* e *y* são identificadores, enquanto *x.y* é um nome, mas não um identificador. Nomes compostos como *x.y* são chamados de nomes *qualificados*.

Uma *variável* refere-se a um endereço particular de memória. É comum que o mesmo identificador seja declarado mais de uma vez, sendo que cada declaração introduz uma nova variável. Mesmo que cada identificador seja declarado apenas uma vez, um identificador local a um procedimento recursivo continuará referindo-se a diferentes endereços de memória em diferentes momentos.

---

[2] Tecnicamente, o compilador C atribuirá um endereço na memória virtual para o *i* global, deixando para o carregador e para o sistema operacional determinar onde *i* estará localizado na memória física da máquina. No entanto, não devemos ficar preocupados com questões de "relocação" como estas, que não causam impacto na compilação. Em vez disso, vamos tratar o espaço de endereços que o compilador usa para o seu código de saída como se fosse localizações da memória física.

vincula estaticamente o nome ARRAYSIZE ao valor 1000. Podemos determinar esse vínculo examinando o comando, e sabemos que é impossível que esse vínculo mude quando o programa for executado.

1.6.3 Escopo estático e estrutura de blocos

A maioria das linguagens, incluindo C e sua família, utiliza escopo estático. As regras de escopo para C são baseadas na estrutura do programa; o escopo de uma declaração é determinado implicitamente pelo local onde a declaração aparece no programa. Outras linguagens mais modernas, como C++, Java e C#, também oferecem controle explícito sobre escopos, por meio de palavras-chave como **public**, **private** e **protected**.

Nesta seção, consideramos as regras de escopo estático para uma linguagem com blocos, onde um *bloco* é um agrupamento de declarações e comandos. C utiliza chaves { e } para delimitar um bloco; o uso alternativo de **begin** e **end** para a mesma finalidade teve origem na linguagem Algol.

EXEMPLO 1.5: Para uma primeira visão, a política de escopo estático de C é a seguinte:

1. Um programa C consiste em uma seqüência de declarações globais (*top-level*) de variáveis e funções.
2. As funções podem conter declarações de variável; estas variáveis incluem as variáveis locais e parâmetros. O escopo de cada declaração desse tipo é restrito à função em que ela aparece.

Procedimentos, funções e métodos

Para evitar dizer "procedimentos, funções ou métodos" toda vez que quisermos falar sobre um subprograma que pode ser chamado, normalmente nos referimos a todos eles como "procedimentos". A exceção é que, quando se fala explicitamente de programas em linguagens como C, que só possuem funções, nos referimos a eles como "funções". Ou, se estivermos discutindo sobre uma linguagem como Java, que possui apenas métodos, também usamos esse termo.

Uma função geralmente retorna um valor de algum tipo (o "tipo de retorno"), enquanto um procedimento não retorna nenhum valor. A linguagem C e outras semelhantes, que possuem apenas funções, tratam os procedimentos como funções, mas com um tipo de retorno especial "void", que significa nenhum valor de retorno. As linguagens orientadas por objeto, como Java e C++, utilizam o termo "métodos". Estes podem comportar-se como funções ou procedimentos, mas estão associados a uma classe em particular.

---

3. O escopo de uma declaração global de um nome x consiste de todo o programa que se segue, com a exceção dos comandos que estão dentro de uma função que também possui uma declaração de x.

O detalhe adicional em relação à política de escopo estático de C trata de declarações de variável dentro de comandos. Examinamos essas declarações em seguida e no Exemplo 1.6.

Em C, a sintaxe dos blocos é dada por:

1. Bloco é um tipo de comando. Os blocos podem aparecer em qualquer lugar em que outros tipos de comandos (como os comandos de atribuição) podem aparecer.
2. Um bloco é uma seqüência de declarações seguida por uma seqüência de comandos, todos entre chaves.

Observe que essa sintaxe permite que os blocos sejam aninhados um dentro do outro. Essa propriedade de encaixamento é chamada de *estrutura de bloco*. A família de linguagens C possui estrutura de bloco, exceto pelo fato de que uma função não pode ser definida dentro de outra função.

Dizemos que uma declaração D "pertence" a um bloco B se B for o bloco aninhado mais próximo contendo D; ou seja, D está localizada dentro de B, mas não dentro de qualquer bloco que esteja aninhado dentro de B.

A regra de escopo estático para declarações de variável em uma linguagem com estrutura de bloco é a seguinte: se a declaração D do nome x pertence ao bloco B, então o escopo de D é todo o B, exceto por quaisquer blocos B' aninhados em qualquer profundidade dentro de B, em que x é redeclarado. Aqui, x é redeclarado em B' se alguma outra declaração D' com o mesmo nome x pertencer a B'.

Uma forma equivalente de expressar essa regra é focar um uso de um nome x. Considere que $B_1, B_2,..., B_k$ sejam todos os blocos que envolvem esse uso de x, com B_k sendo o menor, aninhado dentro de B_{k-1}, que está aninhado dentro de B_{k-2}, e assim por diante. Procure o maior i de modo que haja uma declaração de x pertencente a B_i. Esse uso de x refere-se à declaração B_i. Alternativamente, esse uso de x está dentro do escopo da declaração em B_i.

```
main () {
    int a = 1;                          B₁
    int b = 1;
    {
        int b = 2;                      B₂
        {
            int a = 3;
            cout << a << b;    B₃
        }
        {
            int b = 4;         B₄
            cout << a << b;
        }
        cout << a << b;
    }
    cout << a << b;
}
```

FIGURA 1.10 Blocos em um programa C++.

EXEMPLO 1.6: O programa C++ na Figura 1.10 tem quatro blocos, com várias definições das variáveis *a* e *b*. Para facilitar, cada declaração inicia a sua variável com o número do bloco ao qual ela pertence.

Por exemplo, considere a declaração `int a = 1` no bloco B_1. Seu escopo é todo o B_1, exceto por aqueles blocos aninhados (talvez profundamente) dentro de B_1 que têm sua própria declaração de *a*. B_2, aninhado imediatamente dentro de B_1, não possui uma declaração de *a*, mas B_3 possui. B_4 não possui uma declaração de *a*, de modo que o bloco B_3 é o único local no programa inteiro que está fora do escopo da declaração do nome *a* que pertence a B_1. Ou seja, esse escopo inclui B_4 e todo o B_2, exceto pela parte de B_2 que está dentro de B_3. Os escopos de todas as cinco declarações são resumidos na Figura 1.11.

Declaração	Escopo
`int a = 1;`	$B_1 - B_3$
`int b = 1;`	$B_1 - B_2$
`int b = 2;`	$B_2 - B_4$
`int a = 3;`	B_3
`int b = 4;`	B_4

FIGURA 1.11 Escopos das declarações no Exemplo 1.6.

Olhando por outro ângulo, vamos considerar o comando de saída no bloco B_4 e vincular as variáveis *a* e *b* usadas lá às declarações apropriadas. A lista de blocos envolventes, em ordem crescente de tamanho, é B_4, B_2, B_1. Observe que B_3 não envolve o ponto em questão. B_4 contém uma declaração de *B*, portanto é a essa declaração que esse uso de *B* se refere, e o valor de *B* impresso é 4. No entanto, B_4 não possui uma declaração de *a*, de modo que em seguida examinamos B_2. Esse bloco também não tem uma declaração de *a*, então prosseguimos para B_1. Felizmente, existe uma declaração `int a = 1` pertencente a esse bloco, portanto o valor impresso de *a* é 1. Se não houvesse tal declaração, o programa apresentaria um erro.

1.6.4 Controle de acesso explícito

Classes e estruturas introduzem um novo escopo para seus membros. Se *p* é um objeto de uma classe com um campo (membro) *x*, então o uso de *x* em *p.x* refere-se ao campo *x* na definição da classe. Em analogia com a estrutura de blocos, o escopo de uma declaração do membro *x* em uma classe *C* se estende a qualquer subclasse *C'*, exceto se *C'* tiver uma declaração local com o mesmo nome *x*.

Com o uso de palavras-chave como **public**, **private** e **protected**, as linguagens orientadas por objeto, como C++ ou Java, oferecem controle explícito sobre o acesso aos nomes de membro em uma superclasse. Essas palavras-chave admitem a *encapsulação* pela restrição do acesso. Assim, nomes privados recebem propositadamente um escopo que inclui apenas as declarações e definições de método associadas a essa classe e a quaisquer classes "amigas" (ou "*friend*", o termo da C++). Os nomes protegidos são acessíveis às subclasses. Os nomes públicos são acessíveis de fora da classe.

Em C++, uma definição de uma classe pode estar separada das definições de alguns ou de todos os seus métodos. Portanto, um nome *x* associado à classe *C* pode ter uma região do código que está fora do seu escopo, seguida por outra região (uma definição de método) que está dentro do seu escopo. De fato, as regiões dentro e fora do escopo podem alternar-se, até que todos os métodos tenham sido definidos.

Declarações e definições

Os termos aparentemente semelhantes "declaração" e "definição" para conceitos da linguagem de programação são, na realidade, bem diferentes. As declarações dizem respeito aos tipos das construções, enquanto definições se referem aos seus valores. Definições têm o efeito de criar uma associação. Assim, `int i` é uma declaração de *i*, enquanto `i = 1` é uma definição de *i*.

A diferença é mais significativa quando tratamos de métodos ou outros procedimentos. Em C++, um método é declarado em uma definição de classe, dando os tipos dos argumentos e resultado do método (normalmente chamado de *assinatura* do método). O método é então definido, ou seja, o código para executar o método é dado em outro local. De modo semelhante, é comum definir uma função C em um arquivo e declará-la em outros arquivos, onde a função é usada.

1.6.5 ESCOPO DINÂMICO

Tecnicamente, qualquer política de escopo é dinâmica se for baseada em fatores que possam ser conhecidos apenas quando o programa é executado. O termo *escopo dinâmico*, porém, normalmente se refere à seguinte política: um uso de um nome *x* se refere à declaração de *x* no procedimento chamado mais recentemente com tal declaração. O escopo dinâmico desse tipo aparece apenas em situações especiais. Vamos considerar dois exemplos de políticas dinâmicas: expansão de macro no pré-processador C e resolução de método na programação orientada por objeto.

EXEMPLO 1.7: No programa C da Figura 1.12, o identificador *a* é uma macro composta pela expressão (*x* + 1). Mas o que é *x*? Não podemos resolver *x* estaticamente, ou seja, em termos do texto do programa.

```
#define a (x+1)
int x = 2;
void b() { int x = 1; printf("%d\n", a); }
void c() { printf("%d\n", a); }
void main() { b(); c(); }
```

FIGURA 1.12 Uma *macro* cujos nomes precisam ter escopo dinâmico.

Na verdade, para interpretar *x*, temos de usar a regra usual de escopo dinâmico. Examinamos todas as chamadas de função que estão atualmente ativas e pegamos a função chamada mais recentemente que tenha uma declaração de *x*. É a essa declaração que o uso de *x* se refere.

No exemplo da Figura 1.12, a função *main* chama primeiramente a função *b*. Quando *b* executa, ela imprime o valor da macro *a*. Como (*x* + 1) precisa ser substituído por *a*, resolvemos esse uso de *x* para a declaração `int x = 1` na função *b*. O motivo é que *b* possui uma declaração de *x*, de modo que o (*x* + 1) no `printf` de *b* se refere a esse *x*. Assim, o valor impresso é 1.

Depois que *b* termina e *c* é chamada, precisamos novamente imprimir o valor da macro *a*. Porém, o único *x* acessível a *c* é o *x* global. A instrução `printf` em *c*, portanto, refere-se a essa declaração de *x*, e o valor 2 é impresso.

Analogia entre escopo estático e dinâmico

Embora possa haver diversas políticas para o escopo estático ou dinâmico, existe um relacionamento interessante entre a regra de escopo estático normal (estruturado em bloco) e a política dinâmica normal. De certa forma, a regra dinâmica está para o tempo assim como a regra estática está para o espaço. Enquanto a regra estática nos pede para encontrar a declaração cuja unidade (bloco) cerca mais de perto a localização física do uso, a regra dinâmica nos pede para encontrar a declaração cuja unidade (chamada de procedimento) cerca mais de perto o tempo do uso.

A resolução do escopo dinâmico também é essencial para procedimentos polimórficos, aqueles que possuem duas ou mais definições para o mesmo nome, dependendo apenas dos tipos dos argumentos. Em algumas linguagens, como ML (ver Seção 7.3.3), é possível determinar estaticamente os tipos para todos os usos dos nomes, nos quais o compilador pode substituir cada uso de um procedimento de nome p por uma referência ao código para o procedimento apropriado. Porém, em outras linguagens, como Java e C++, há ocasiões em que o compilador não pode fazer essa determinação.

EXEMPLO 1.8: Um recurso que distingue a programação orientada por objeto é a capacidade de cada objeto invocar o método apropriado em resposta a uma mensagem. Em outras palavras, o procedimento chamado quando $x.m(\ )$ é executado depende da classe de objeto denotada por x naquele momento. Um exemplo típico é o seguinte:

1. Existe uma classe C com um método chamado $m()$.
2. D é uma subclasse de C, e D tem seu próprio método chamado $m()$.
3. Existe um uso de m na forma $x.m()$, onde x é um objeto da classe C.

Normalmente, é impossível saber durante a compilação se x será da classe C ou da subclasse D. Se a aplicação do método ocorre várias vezes, é altamente provável que algumas sejam sobre objetos indicados por x que estão na classe C, mas não D, enquanto outras estarão na classe D. Somente no momento da execução é que pode ser decidida qual definição de m é a correta. Assim, o código gerado pelo compilador precisa determinar a classe do objeto x e chamar um ou outro método denominado m.

1.6.6 MECANISMOS DE PASSAGEM DE PARÂMETROS

Todas as linguagens de programação possuem a noção de procedimento, mas elas podem diferir no modo como esses procedimentos recebem seus argumentos. Nesta seção, vamos considerar como os *parâmetros reais* (os parâmetros usados na chamada de um procedimento) estão associados aos *parâmetros formais* (aqueles usados na definição do procedimento). O mecanismo utilizado determina como o código na seqüência de chamada trata os parâmetros. A grande maioria das linguagens utiliza "chamada por valor", ou a "chamada por referência", ou ambas. Vamos explicar esses termos, além de outro método, conhecido como "chamada por nome", cujo principal interesse é histórico.

Chamada por valor

Na *chamada por valor*, o parâmetro real é avaliado (se for uma expressão) ou copiado (se for uma variável). O valor é armazenado em uma localização pertencente ao parâmetro formal correspondente do procedimento chamado. Esse método é usado em C e Java, e é uma opção comum em C++, bem como na maioria das outras linguagens. A chamada por valor tem o efeito de que toda a computação envolvendo os parâmetros formais feita pelo procedimento chamado é local a esse procedimento, e os próprios parâmetros reais não podem ser alterados.

Observe, porém, que em C podemos passar um apontador a uma variável para permitir que a variável seja alterada pelo procedimento chamado. De forma semelhante, os nomes de arranjos passados como parâmetros em C, C++ ou Java dão ao procedimento chamado o que é de fato um apontador ou uma referência para o próprio arranjo. Assim, se a é o nome de um arranjo do procedimento que chama, e ele é passado por valor ao parâmetro formal x correspondente, então uma atribuição como $x[i] = 2$ na realidade muda o elemento do arranjo $a[2]$. A razão para isso é que, embora x receba uma cópia do valor de a, esse valor na realidade é um apontador para o início da área de armazenamento onde está localizado o arranjo chamado a.

De forma semelhante, em Java, muitas variáveis são na realidade referências (ou apontadores) para as construções que elas representam. Essa observação se aplica a arranjos, cadeias de caracteres e objetos de todas as classes. Embora Java utilize exclusivamente a chamada por valor, sempre que passamos o nome de um objeto a um procedimento chamado, o valor recebido por esse procedimento é na verdade um apontador para o objeto. Assim, o procedimento chamado é capaz de afetar o valor do próprio objeto.

Chamada por referência

Na *chamada por referência*, o endereço do parâmetro real é passado ao procedimento chamado como o valor do parâmetro formal correspondente. Os usos do parâmetro formal no código chamado são implementados seguindo-se esse apontador para o local indicado por quem chamou. As mudanças no parâmetro formal, portanto, aparecem como mudanças no parâmetro real.

Porém, se o parâmetro real for uma expressão, então a expressão é avaliada antes da chamada, e seu valor é armazenado em um local próprio. As mudanças no parâmetro formal mudam essa localização, mas podem não ter efeito algum sobre os dados de quem chamou.

A chamada por referência é usada para parâmetros "*ref*" em C++ e é uma opção em muitas outras linguagens. Ela é quase essencial quando o parâmetro formal é um objeto, um arranjo ou uma estrutura grande. A razão para isso é que a chamada por valor estrita exige que quem chama copie o parâmetro real inteiro para o espaço pertencente ao parâmetro formal correspondente. Essa cópia é dispendiosa quando o parâmetro é grande. Conforme observamos ao discutir sobre a chamada por valor, linguagens como Java solucionam o problema passando arranjos, strings ou outros objetos copiando apenas uma referência a esses objetos. O efeito é que Java se comporta como se usasse a chamada por referência para qualquer coisa fora um tipo básico, como um número inteiro ou real.

Chamada por nome

Um terceiro mecanismo – a chamada por nome – era usado na antiga linguagem de programação Algol 60. Ele exige que o procedimento chamado seja executado como se o parâmetro formal fosse substituído literalmente pelo parâmetro real no código chamado, como se o parâmetro formal fosse uma macro significando o parâmetro real (renomeando nomes locais no procedimento chamado, para mantê-los distintos). Quando o parâmetro real é uma expressão, em vez de uma variável, ocorrem alguns comportamentos não intuitivos, motivo pelo qual esse mecanismo não tem a preferência da maioria atualmente.

1.6.7 Sinônimos

Existe uma conseqüência interessante da passagem de parâmetros na chamada por referência ou sua simulação, como em Java, onde as referências a objetos são passadas por valor. É possível que dois parâmetros formais se refiram ao mesmo local; tais variáveis são consideradas sinônimos (*aliases*) uma da outra. Como resultado, duas variáveis quaisquer, que correspondem a dois parâmetros formais distintos, também podem tornar-se sinônimos uma da outra.

Exemplo 1.9: Suponha que *a* seja um arranjo pertencente a um procedimento *p*, e *p* chama outro procedimento $q(x, y)$ com uma chamada $q(a, a)$. Suponha também que os parâmetros sejam passados por valor, mas que os nomes de arranjo sejam na realidade referências às localizações onde o arranjo está armazenado, como em C ou em linguagens semelhantes. Agora, *x* e *y* se tornaram sinônimos um do outro. O ponto importante é que, se dentro de *q* houver uma atribuição do tipo x[10] = 2, então o valor de y[10] também se torna 2.

Acontece que entender os sinônimos e os mecanismos que o criam é essencial se um compilador tiver de otimizar um programa. Conforme veremos a partir do Capítulo 9, existem muitas situações em que só podemos otimizar o código se tivermos certeza de que certas variáveis não são sinônimos uma da outra. Por exemplo, poderíamos determinar que x = 2 é o único local em que a variável *x* é atribuída. Nesse caso, podemos substituir um uso de *x* por um uso de 2; por exemplo, substituir a = x+3 pela atribuição mais simples a = 5. Mas suponha que existisse outra variável *y* que fosse um alias de *x*. Então a atribuição y = 4 poderia ter um efeito inesperado ao alterar *x*. Isso também poderia significar que a substituição de a = x+3 por a = 5 seria um erro; o valor apropriado de *a* poderia ser 7 nesse caso.

1.6.8 Exercícios da Seção 1.6

Exercício 1.6.1: Para o código C estruturado em bloco da Figura 1.13(a), indique os valores atribuídos a *w*, *x*, *y* e *z*.

Exercício 1.6.2: Repita o Exercício 1.6.1 para o código da Figura 1.13(b).

```
int w, x, y, z;
int i = 4; int j = 5;
{   int j = 7;
    i = 6;
    w = i + j;
}
x = i + j;
{   int i = 8;
    y = i + j;
}
z = i + j;
```

(a) Código para o Exercício 1.6.1.

```
int w, x, y, z;
int i = 3; int j = 4;
{   int i = 5;
    w = i + j;
}
x = i + j;
{   int j = 6;
    i = 7;
    y = i + j;
}
z = i + j;
```

(a) Código para o Exercício 1.6.2.

Figura 1.13 Código estruturado em bloco.

Exercício 1.6.3: Para o código estruturado em bloco da Figura 1.14, considerando o escopo estático usual das declarações, dê o escopo para cada uma das doze declarações.

```
{   int w, x, y, z;      /* Bloco B1 */
    {   int x, z;        /* Bloco B2 */
        {   int w, x;    /* Bloco B3 */ }
    }
    {   int w, x;        /* Bloco B4 */
        {   int y, z;    /* Bloco B5 */ }
    }
}
```

FIGURA 1.14   Código estruturado em bloco para o Exercício 1.6.3.

Exercício 1.6.4: O que é impresso pelo seguinte código em C?

```
#define a (x+1)
int x = 2;
void b() { x = a; printf("%d\n", x); }
void c() { int x = 1; printf("%d\n"), a; }
void main() { b(); c(); }
```

1.7 Resumo do Capítulo 1

- *Processadores de linguagem.* Um ambiente de desenvolvimento de software integrado inclui muitos tipos diferentes de processadores de linguagem, como compiladores, interpretadores, montadores, editores de ligação, carregadores, depuradores e profilers.
- *Fases do compilador.* Um compilador opera como uma seqüência de fases, cada uma transformando o programa fonte de uma representação intermediária para outra.
- *Linguagens de máquina e linguagem simbólica.* As linguagens de máquina foram as linguagens de programação da primeira geração, seguidas pelas linguagens simbólicas. A programação nessas linguagens era demorada e passível de erro.
- *Modelagem no projeto do compilador.* O projeto do compilador é uma das áreas em que a teoria teve mais impacto na prática. Os modelos mais importantes incluem gramáticas, expressões regulares, árvores e muitos outros.
- *Otimização de código.* Embora o código não possa ser realmente "otimizado", a ciência de melhorar a eficiência do código é complexa e muito importante. Ela é uma parte importante do estudo da compilação.
- *Linguagens de alto nível.* Com o passar do tempo, as linguagens de programação assumem cada vez mais tarefas que anteriormente eram responsabilidade do programador, como o gerenciamento de memória, a verificação de consistência de tipo ou a execução paralela do código.
- *Compiladores e arquitetura de computador.* A tecnologia de compiladores influencia a arquitetura de computadores, além de ser influenciada pelos avanços na arquitetura. Muitas inovações modernas na arquitetura dependem da capacidade de os compiladores extraírem dos programas fonte as oportunidades de usar as capacidades do hardware de modo eficaz.
- *Produtividade e segurança do software.* A mesma tecnologia que permite aos compiladores otimizar seu código pode ser usada para diversas tarefas de análise de programa, desde detectar erros comuns em programas até descobrir que um programa é vulnerável a um dos muitos tipos de intrusões descobertas pelos hackers.
- *Regras de escopo.* O *escopo* de uma declaração de x é o contexto em que os usos de x se referem a essa declaração, ou seja, é o fragmento do programa em que a declaração tem efeito. Uma linguagem usa *escopo estático* ou *escopo léxico* se for possível determinar o escopo de uma declaração examinando apenas o programa. Caso contrário, a linguagem usa o *escopo dinâmico*.
- *Ambiente.* O *ambiente* mapeia um nome para uma localização de memória, enquanto o *estado* mapeia uma posição de memória ao valor que ela contém.
- *Estrutura de bloco.* As linguagens que permitem que os blocos sejam encaixados são consideradas como tendo uma *estrutura de bloco.* Um nome x em um bloco aninhado B está no escopo de uma declaração D de x em um bloco delimitado se não houver outra declaração de x em um bloco entre eles.
- *Passagem de parâmetros.* Os parâmetros são passados por valor ou por referência de um procedimento chamador para o procedimento chamado. Quando grandes objetos são passados por valor, os valores passados são, na realidade, referências aos próprios objetos, resultando em uma efetiva chamada por referência.
- *Sinônimo.* Quando os parâmetros são (efetivamente) passados por referência, dois parâmetros formais podem referir-se ao mesmo objeto. Essa possibilidade permite que a alteração em uma variável mude outra variável.

1.8 Referências do Capítulo 1

Para saber mais sobre o desenvolvimento das linguagens de programação que foram criadas e estiveram em uso por volta de 1967, incluindo Fortran, Algol, Lisp e Simula, ver [7]. Para estudar sobre as linguagens que foram criadas por volta de 1982, incluindo C, C++, Pascal e Smalltalk, ver [1].

A GNU Compiler Collection, gcc, é uma ferramenta popular de código-fonte aberto de compiladores para C, C++, Fortran, Java e outras linguagens [2]. Phoenix é um kit de ferramentas de construção de compiladores que oferece uma estrutura integrada para a construção das fases de análise, geração e otimização de código dos compiladores discutidos neste livro [3].

Para obter mais informações sobre conceitos de linguagem de programação, recomendamos [5 e 6]. Para ver mais sobre arquitetura de computadores e seu impacto sobre a compilação, sugerimos [4].

1. BERGIN, T. J. e GIBSON R. G. *History of programming languages.* Nova York: ACM Press, 1996.
2. http://gcc.gnu.org/.
3. http://research.microsoft.com/phoenix/default.aspx.
4. HENNESSY, J. L. e PATTERSON D. A. *Computer organization and design:* the hardware/software interface, San Francisco: Morgan-Kaufmann, 2004.
5. SCOTT, M. L. *Programming language pragmatics.* 2ed. São Francisco: Morgan-Kaufmann, 2006.
6. SETHI, R. *Programming languages:* concepts and constructs, Addison-Wesley, 1996.
7. WEXELBLAT, R. L. *History of programming languages.* Nova York: Academic Press, 1981.

2 UM TRADUTOR SIMPLES DIRIGIDO POR SINTAXE

Este capítulo é uma introdução às técnicas de compilação dos capítulos 3 a 6 deste livro. Ele ilustra essas técnicas desenvolvendo um programa Java completo que traduz instruções de uma linguagem de programação representativa para código de três endereços, uma representação intermediária. Neste capítulo, a ênfase é dada ao *front-end* de um compilador, em particular, à análise léxica, à análise sintática e à geração de código intermediário. Os capítulos 7 e 8 mostram como gerar instruções de máquina a partir do código de três endereços.

Começamos criando um tradutor dirigido por sintaxe que mapeia expressões aritméticas infixadas em expressões posfixadas. Depois, estendemos esse tradutor para mapear os fragmentos de código mostrados na Figura 2.1 para o código de três endereços da forma ilustrados na Figura 2.2.

```
{
    int i; int j; float[100] a; float v; float x;
    while ( true ) {
        do i = i+1; while ( a[i] < v );
        do j = j-1; while ( a[j] > v );
        if ( i >= j ) break;
        x = a[i]; a[i] = a[j]; a[j] = x;
    }
}
```

FIGURA 2.1 Um fragmento de código a ser traduzido.

```
 1:    i = i + 1
 2:    t1 = a [ i ]
 3:    if t1 < v goto 1
 4:    j = j - 1
 5:    t2 = a [ j ]
 6:    if t2 > v goto 4
 7:    ifFalse i >= j goto 9
 8:    goto 14
 9:    x = a [ i ]
10:    t3 = a [ j ]
11:    a [ i ] = t3
12:    a [ j ] = x
13:    goto 1
14:
```

FIGURA 2.2 Código intermediário simplificado para o fragmento de programa na Figura 2.1.

O tradutor completo em Java aparece no Apêndice A. O uso da linguagem Java é conveniente, mas não essencial. De fato, as idéias deste capítulo são anteriores à criação tanto de Java quanto de C.

2.1 INTRODUÇÃO

A fase de análise de um compilador subdivide um programa fonte em partes constituintes e produz uma representação interna para ele, chamada código intermediário. A fase de síntese traduz o código intermediário para o programa objeto.

A análise é organizada em torno da "sintaxe" da linguagem a ser compilada. A *sintaxe* de uma linguagem de programação descreve a forma apropriada dos seus programas, enquanto a *semântica* da linguagem define o que seus programas significam; ou seja, o que cada programa faz quando é executado. Para especificar a sintaxe, apresentamos uma notação bastante utilizada, chamada gramáticas livre de contexto ou Backus-Naur Form (BNF), na Seção 2.2. Com as notações atualmente disponíveis, é muito mais difícil descrever a semântica de uma linguagem do que a sintaxe. Portanto, para especificar a semântica, usaremos descrições informais e exemplos sugestivos.

Além de especificar a sintaxe de uma linguagem, uma gramática livre de contexto pode ser usada para auxiliar na tradução dos programas. Na Seção 2.3, apresentamos uma técnica de compilação orientada para gramática, conhecida como *tradução dirigida por sintaxe*. A análise sintática (ou *parsing*) é apresentada na Seção 2.4.

O restante deste capítulo é um passeio rápido pelo modelo de um *front-end* de compilador apresentado na Figura 2.3. Começamos com o analisador sintático. Para simplificar, consideramos a tradução dirigida por sintaxe de expressões infixadas para a forma pós-fixada, uma notação em que os operadores aparecem após seus operandos. Por exemplo, a forma pós-fixada da expressão 9 − 5 + 2 é 95 − 2+. A tradução para a forma pós-fixada é rica o suficiente para ilustrar a análise sintática, embora simples o bastante para permitir a apresentação de seu tradutor completo na Seção 2.5. O tradutor trata expressões do tipo 9 − 5 + 2, consistindo em dígitos separados pelos operadores de adição e subtração. Uma das razões para começarmos com essas expressões simples é permitir ao analisador sintático trabalhar diretamente com os caracteres individuais para operadores e operandos.

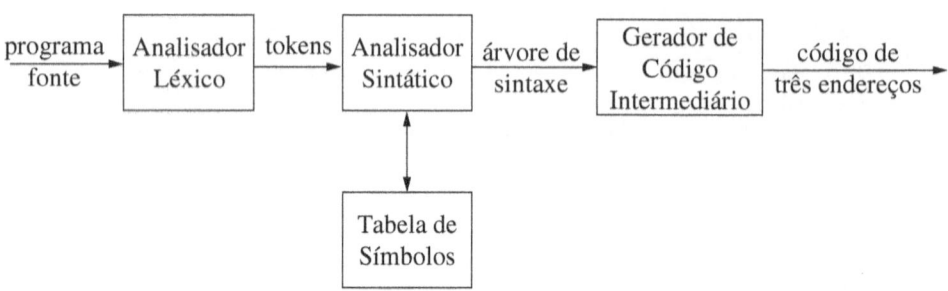

FIGURA 2.3 Um modelo de *front-end* de compiladores.

Um analisador léxico permite que um tradutor trate as construções de múltiplos caracteres como identificadores, que são escritos como seqüências de caracteres, mas são tratados como unidades chamadas *tokens* durante a análise sintática. Por exemplo, na expressão `count + 1`, o identificador `count` é tratado como uma unidade. O analisador léxico da Seção 2.6 permite que números, identificadores e "espaço em branco" (espaços, tabulações e quebras de linha) apareçam dentro das expressões.

Em seguida, consideramos a geração do código intermediário. Duas formas de código intermediário são ilustradas na Figura 2.4. Uma forma, chamada *árvores sintáticas abstratas*, ou simplesmente *árvores sintáticas*, representa a estrutura sintática hierárquica do programa fonte. No modelo da Figura 2.3, o analisador sintático produz uma árvore sintática, que é depois traduzida em um código de três endereços. Alguns compiladores combinam a análise sintática e a geração do código intermediário em um único módulo.

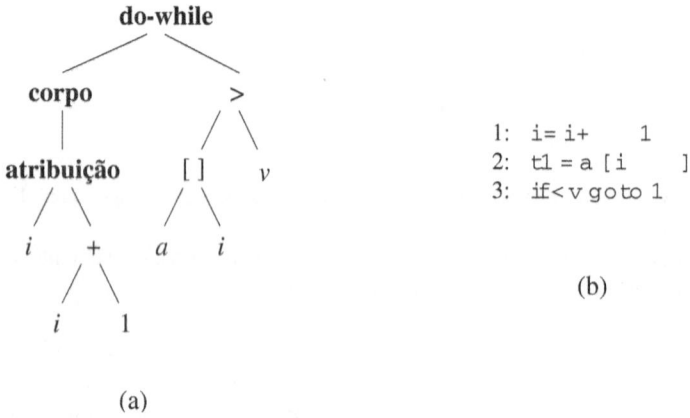

FIGURA 2.4 Código intermediário para "`do i = i + 1; while ( a[i] < v);`".

A raiz da árvore sintática abstrata da Figura 2.4(a) representa um *loop* do-while completo. O filho à esquerda da raiz representa o corpo do *loop*, que consiste apenas na atribuição i = i + 1;. O filho à direita da raiz representa a condição a[i] < v. Uma implementação de árvores sintáticas aparece na Seção 2.8.2.

Outra forma de representação intermediária muito comum, mostrada na Figura 2.4(b), é uma seqüência de instruções de "três endereços"; um exemplo mais completo aparece na Figura 2.2. A razão para o nome "três endereços" dessa forma de código intermediário advém de instruções no formato $x = y$ **op** z, onde **op** é um operador binário, y e z são os endereços para os operandos, e x é o endereço para o resultado da operação. Uma instrução de três endereços executa no máximo uma operação, normalmente um cálculo, uma comparação ou um desvio.

No Apêndice A, reunimos as técnicas descritas neste capítulo para construir um *front-end* de um compilador usando Java. O front-end traduz os comandos do programa fonte para as instruções de uma linguagem simbólica.

2.2 Definição da sintaxe

Nesta seção, introduzimos uma notação — a "gramática livre de contexto", ou "gramática" para abreviar — que é usada para especificar a sintaxe de uma linguagem. As gramáticas serão usadas em todo este livro para organizar os *front-ends* de um compilador.

Uma gramática descreve naturalmente a estrutura hierárquica da maioria das construções de linguagens de programação. Por exemplo, um comando if-else em Java pode ter a forma

if (expression) statement **else** statement

Ou seja, um comando if-else é a concatenação da palavra-chave **if**, um parêntese de abertura, uma expressão, um parêntese de fechamento, um comando, a palavra-chave **else** e outro comando. Usando a variável *expr* para representar uma expressão e a variável *stmt* para denotar um comando, essa regra de estruturação pode ser expressa como

stmt → **if** (*expr*) *stmt* **else** *stmt*

onde a seta pode ser lida como "pode ter a forma". Essa regra é chamada de *produção*. Em uma produção, os elementos léxicos como a palavra-chave **if** e os parênteses são chamados de *terminais*. Variáveis como *expr* e *stmt* representam seqüências de terminais e são chamadas de *não-terminais*.

Tokens e terminais

Em um compilador, o analisador léxico lê os caracteres do programa fonte, agrupa-os em unidades lexicamente significativas, chamadas lexemas, e produz como saída tokens representando esses lexemas. Um token consiste em dois componentes, um nome de token e um valor de atributo. Os nomes de token são símbolos abstratos usados pelo analisador para fazer o reconhecimento sintático. Freqüentemente, chamamos esses nomes de token de *terminais*, uma vez que eles aparecem como *símbolos terminais* na gramática para uma linguagem de programação. O valor do atributo, se houver, é um apontador para a tabela de símbolos que contém informações adicionais sobre o token. Essas informações adicionais não fazem parte da gramática, de modo que, em nossa discussão sobre análise sintática, normalmente nos referimos aos tokens e aos terminais como sinônimos.

2.2.1 Definição de gramáticas

Uma *gramática livre de contexto* possui quatro componentes:

1. Um conjunto de símbolos *terminais*, às vezes chamados de "tokens". Os terminais são os símbolos elementares da linguagem, definidos pela gramática.
2. Um conjunto de *não-terminais*, às vezes chamados de "variáveis sintáticas". Cada não-terminal representa um conjunto de cadeias de terminais, de uma maneira que descreveremos.
3. Um conjunto de *produções*, em que cada produção consiste em um não-terminal, chamado de *cabeça* ou *lado esquerdo* da produção, uma seta e uma seqüência de terminais e/ou não-terminais, chamados de *corpo* ou *lado direito* da produção. Intuitivamente, o objetivo de uma produção é especificar uma das formas escritas de uma construção; se o não-terminal da cabeça representar uma construção, então o corpo representa uma forma escrita desta construção.
4. Uma designação de um dos não-terminais como o símbolo *inicial* da gramática.

Especificamos as gramáticas listando suas produções, com as produções para o símbolo inicial listadas primeiro. Consideramos que os dígitos, os sinais como < e <= e as cadeias de caracteres em negrito como **while** são terminais. Um nome em itálico é um não-terminal, e qualquer nome ou símbolo não em itálico pode ser considerado um terminal.[1] Por conveniência de notação, as produções com o mesmo não-terminal como cabeça podem ter seus corpos agrupados, com os corpos alternativos separados pelo símbolo |, que lemos como "ou".

EXEMPLO 2.1: Vários exemplos deste capítulo utilizam expressões consistindo em dígitos e sinais de adição e subtração; por exemplo, cadeias como 9-5+2, 3-1 ou 7. Como um sinal de adição ou subtração precisa aparecer entre dois dígitos, nos referimos a essas expressões como "listas de dígitos separadas por sinais de adição ou subtração". A gramática a seguir descreve a sintaxe dessas expressões. As produções são:

$$list \rightarrow list + digit \tag{2.1}$$
$$list \rightarrow list - digit \tag{2.2}$$
$$list \rightarrow digit \tag{2.3}$$
$$digit \rightarrow 0 \mid 1 \mid 2 \mid 3 \mid 4 \mid 5 \mid 6 \mid 7 \mid 8 \mid 9 \tag{2.4}$$

Os corpos das três produções com o não-terminal *list* como cabeça podem ser agrupados de forma equivalente como:

$$list \rightarrow list + digit \mid list - digit \mid digit$$

De acordo com nossas convenções, os terminais dessa gramática são os símbolos

$$+ \; - \; 0 \; 1 \; 2 \; 3 \; 4 \; 5 \; 6 \; 7 \; 8 \; 9$$

Os não-terminais são os nomes em itálico *list* e *digit*, com *list* sendo o símbolo inicial, pois suas produções são dadas primeiro.

Dizemos que uma produção está *para* um não-terminal se o não-terminal for a cabeça da produção. Uma cadeia de terminais é uma seqüência de zero ou mais terminais. A cadeia de zero terminal, escrita como ∈, é chamada de cadeia *vazia*.[2]

2.2.2 Derivações

Uma gramática deriva cadeias começando com o símbolo inicial e substituindo repetidamente um não-terminal pelo corpo de uma produção para esse não-terminal. As cadeias de terminais que podem ser derivadas do símbolo inicial formam a *linguagem* definida pela gramática.

EXEMPLO 2.2: A linguagem definida pela gramática do Exemplo 2.1 consiste em listas (*list*) de dígitos (*digit*) separados por sinais de adição e subtração. As dez produções para o não-terminal *digit* permitem que ele represente qualquer um dos terminais 0, 1,..., 9. Pela produção (2.3), um único dígito por si só é uma lista. As produções (2.1) e (2.2) expressam a regra de que qualquer lista seguida por um sinal de adição ou subtração e depois de outro dígito compõe uma nova lista.

As produções de (2.1) a (2.4) são tudo aquilo de que precisamos para definir a linguagem desejada. Por exemplo, podemos deduzir que 9-5+2 é uma lista da seguinte maneira:
a) 9 é uma *lista* pela produção (2.3), pois 9 é um *dígito*.
b) 9-5 é uma *lista* pela produção (2.2), pois 9 é uma *lista* e 5 é um *dígito*.
c) 9-5+2 é uma *lista* pela produção (2.1), pois 9-5 é uma *lista* e 2 é um *dígito*.

EXEMPLO 2.3: Um tipo diferente de lista é a lista de parâmetros em uma chamada de função. Em Java, os parâmetros são delimitados por parênteses, como na chamada max(x,y) da função max com os parâmetros x e y. Uma nuança dessas listas é que uma lista vazia de parâmetros pode ser encontrada entre os terminais (e). Podemos começar a desenvolver uma gramática para essas seqüências com as produções:

$$\begin{aligned} call &\rightarrow \textbf{id} \; (\, optparams \,) \\ optparams &\rightarrow params \mid \in \\ params &\rightarrow params \, , param \mid param \end{aligned}$$

Observe que o segundo corpo possível para *optparams* ("lista de parâmetros opcionais") é ∈, que representa a cadeia de símbolos vazia. Ou seja, *optparams* pode ser substituída pela cadeia vazia, de modo que uma chamada de função, *call*,

---

1 As letras individuais em itálico serão usadas para outros propósitos, especialmente quando as gramáticas forem estudadas em detalhes no Capítulo 4. Por exemplo, usaremos X, Y e Z para designar um símbolo terminal ou um não-terminal. Porém, qualquer nome em itálico contendo dois ou mais caracteres continuarão a representar um não-terminal.

2 Tecnicamente, ∈ pode ser uma cadeia de zero símbolo de qualquer alfabeto (coleção de símbolos).

pode consistir em um nome de função seguido pelos dois símbolos terminais ( ). Observe que as produções para *params* são semelhantes àquelas para *list* no Exemplo 2.1, com a vírgula no lugar do operador aritmético + ou -, e *param* no lugar de *digit*. Não mostramos as produções para *param*, pois os parâmetros na realidade são expressões arbitrárias. Discutiremos rapidamente as produções apropriadas para as diversas construções das linguagens, como expressões, comandos e assim por diante.

A *análise sintática* consiste em, a partir de uma cadeia de terminais, tentar descobrir como derivá-la a partir do símbolo inicial da gramática, e, se não for possível, informar os erros de sintaxe dentro dessa cadeia. A análise sintática é um dos problemas mais importantes em toda a compilação; as principais técnicas para o reconhecimento sintático são discutidas no Capítulo 4. Neste capítulo, a bem da simplicidade, começamos com programas fonte como 9-5+2, em que cada caractere é um terminal; em geral, um programa fonte possui lexemas de múltiplos caracteres, que são agrupados pelo analisador léxico em tokens, cujos primeiros componentes são os terminais processados pelo analisador sintático.

Terminologia de árvore

As estruturas de dados de árvore têm destaque na compilação.
- Uma árvore consiste em um ou mais *nós*. Os nós podem ter *rótulos*, que neste livro normalmente serão símbolos da gramática. Quando desenhamos uma árvore, geralmente representamos os nós apenas por esses rótulos.
- Um nó é exatamente a *raiz*. Todos os nós, exceto a raiz, possuem um único *pai*; a raiz não tem pai. Quando desenhamos árvores, colocamos o pai de um nó acima desse nó e desenhamos uma aresta entre eles. A raiz, então, é o nó mais alto (do topo).
- Se o nó N é o pai do nó M, então M é um *filho* de N. Os filhos de um nó são chamados de *irmãos*. Eles têm uma ordem, *a partir da esquerda*, e, quando desenhamos árvores, ordenamos os filhos de determinado nó dessa maneira.
- Um nó sem filhos é chamado de *folha*. Outros nós — aqueles com um ou mais filhos — são *nós interiores*.
- Um *descendente* de um nó N é o próprio N, um filho de N, um filho de um filho de N, e assim por diante, para qualquer número de níveis. Dizemos que o nó N é um *ancestral* do nó M se M for um descendente de N.

2.2.3 ÁRVORES DE DERIVAÇÃO

Uma árvore de derivação mostra de forma representativa como o símbolo inicial de uma gramática deriva uma cadeia na linguagem. Se o não-terminal A possui uma produção $A \rightarrow XYZ$, uma árvore de derivação pode ter um nó interior rotulado com A, com três filhos chamados X, Y e Z, da esquerda para a direita:

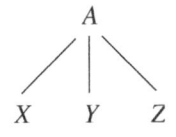

$$\begin{array}{c} A \\ / \mid \backslash \\ X \quad Y \quad Z \end{array}$$

Formalmente, dada uma gramática livre de contexto, uma *árvore de derivação* de acordo com a gramática é uma árvore com as seguintes propriedades:

1. A raiz é rotulada pelo símbolo inicial.
2. Cada folha é rotulada por um terminal ou por ϵ.
3. Cada nó interior é rotulado por um não-terminal.
4. Se A é o não-terminal rotulando algum nó interior e $X_1, X_2, ..., X_n$ são os rótulos dos filhos desse nó da esquerda para a direita, deve haver uma produção $A \rightarrow X_1, X_2, ..., X_n$. Cada $X_1, X_2, ..., X_n$ representa um símbolo que é um terminal ou um não-terminal. Como um caso especial, se $A \rightarrow \epsilon$ é uma produção, um nó rotulado com A pode ter um único filho rotulado com ϵ.

EXEMPLO 2.4: A derivação de 9-5+2 no Exemplo 2.2 é ilustrada pela árvore na Figura 2.5. Cada nó na árvore é rotulado por um símbolo da gramática. Um nó interior e seus filhos correspondem a uma produção; o nó interior corresponde à cabeça da produção, e os filhos ao seu corpo.

Na Figura 2.5, a raiz é rotulada com *list*, o símbolo inicial da gramática no Exemplo 2.1. Os filhos da raiz são rotulados, da esquerda para a direita, com *list*, + e *digit*. Observe que

$$list \rightarrow list + digit$$

```
                        list
                       / | \
                   list  |  digit
                  / | \  |   |
               list digit|   |
                |    |   |   |
              digit  |   |   |
                |    |   |   |
                9  - 5   +   2
```

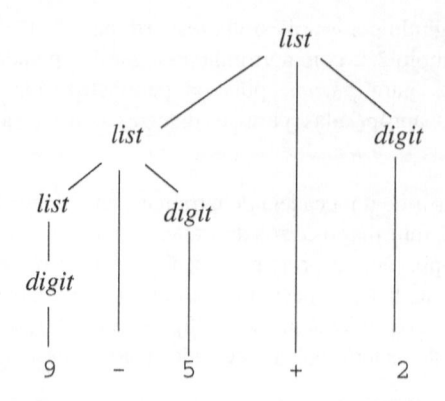

FIGURA 2.5   A árvore de derivação para 9-5+2 de acordo com a gramática no Exemplo 2.1.

é uma produção na gramática do Exemplo 2.1. O filho esquerdo da raiz é semelhante à raiz, com um filho rotulado com - ao invés de +. Os três nós rotulados com *digit* possuem um filho que é rotulado por um dígito.

Da esquerda para a direita, as folhas de uma árvore de derivação formam o *resultado* (*yield*) da árvore, que é a cadeia *gerada* ou *derivada* do não-terminal na raiz da árvore de derivação. Na Figura 2.5, o resultado é 9-5+2; por conveniência, todas as folhas aparecem no nível inferior. Daqui por diante, não alinharemos as folhas necessariamente dessa maneira. Qualquer árvore impõe uma ordem da esquerda para a direita naturalmente às suas folhas, com base na idéia de que se *X* e *Y* são dois filhos do mesmo pai, e *X* está à esquerda de *Y*, então todos os descendentes de *X* estão à esquerda dos descendentes de *Y*.

Outra definição da linguagem gerada por uma gramática é o conjunto de cadeias de terminais que podem ser geradas por alguma árvore de derivação. O processo de encontrar uma árvore de derivação para determinada cadeia de terminais é chamado de *análise* ou *reconhecimento* dessa cadeia.

2.2.4 AMBIGÜIDADE

Precisamos ter cuidado ao falar sobre *a* estrutura de uma cadeia estar de acordo com uma gramática. Uma gramática pode ter mais de uma árvore de derivação gerando determinada cadeia de terminais. Essa gramática é considerada *ambígua*. Para mostrar que uma gramática é ambígua, tudo o que precisamos fazer é encontrar uma cadeia de terminais que seja o resultado de mais de uma árvore de derivação. Como uma cadeia com mais de uma árvore de derivação normalmente possui mais de um significado, temos de projetar gramáticas não ambíguas para compilar aplicações, ou usar gramáticas ambíguas com regras adicionais para solucionar as ambigüidades.

EXEMPLO 2.5: Suponha que usemos um único não-terminal *string* e que não façamos distinção entre dígitos e listas, como no Exemplo 2.1. Poderíamos então escrever a gramática

   string → *string* + *string* | *string* - *string* | 0 | 1 | 2 | 3 | 4 | 5 | 6 | 7 | 8 | 9

Combinar a noção de *dígito* e lista em um não-terminal *string* faz sentido superficialmente, pois um único dígito é um caso especial de uma lista.

A Figura 2.6, contudo, mostra que uma expressão como 9-5+2 tem mais de uma árvore de derivação para essa gramática. As duas árvores para 9-5+2 correspondem às duas maneiras de colocar parênteses na expressão: (9-5)+2 e 9-(5+2). No primeiro caso, o valor da expressão é 6, enquanto o segundo uso de parênteses dá à expressão o valor inesperado de 2 em vez do valor 6. A gramática do Exemplo 2.1 não permite essa interpretação.

```
              string                              string
             / | \                               / | \
        string + string                     string - string
        / | \      |                          |    / | \
   string - string 2                          9  string + string
     |      |                                       |      |
     9      5                                       5      2
```

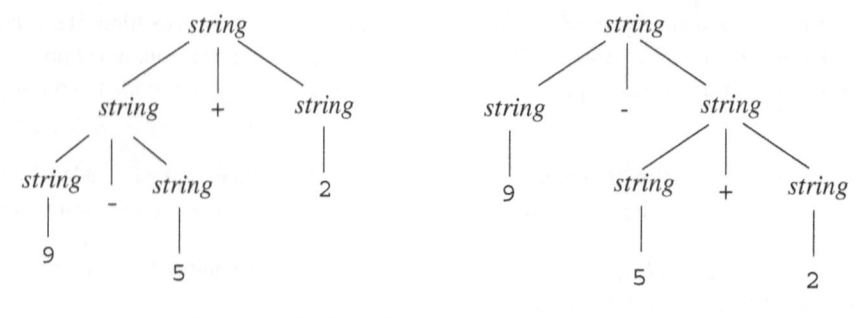

FIGURA 2.6   Duas árvores de derivação para 9-5+2.

2.2.5 Associatividade de operadores

Por convenção, 9+5+2 é equivalente a (9+5)+2 e 9-5-2 é equivalente a (9-5)-2. Quando um operando como o 5 possui operadores à sua esquerda e direita, são necessárias convenções para decidir qual operador se aplica a esse operando. Dizemos que o operador + *se associa* à esquerda, porque um operando com os sinais de adição nos seus dois lados pertence ao operador à sua esquerda. Na maioria das linguagens de programação, os quatro operadores aritméticos, adição, subtração, multiplicação e divisão, são associativos à esquerda.

Alguns operadores comuns, como exponenciação, são associativos à direita. Como outro exemplo, o operador de atribuição = em C e seus descendentes são associativos à direita; ou seja, a expressão a=b=c é tratada da mesma forma que a expressão a=(b=c).

Cadeias como a=b=c com um operador associativo à direita são geradas pela gramática a seguir:

$$\begin{align}
\textit{right} &\rightarrow \textit{letter} = \textit{right} \mid \textit{letter} \\
\textit{letter} &\rightarrow a \mid b \mid \ldots \mid z
\end{align}$$

O contraste entre uma árvore de derivação para um operador associativo à esquerda como - e uma árvore de derivação para um operador associativo à direita como = é mostrado pela Figura 2.7. Observe que a árvore de derivação para 9-5-2 cresce para baixo e à esquerda, enquanto a árvore de derivação para a=b=c cresce para baixo e à direita.

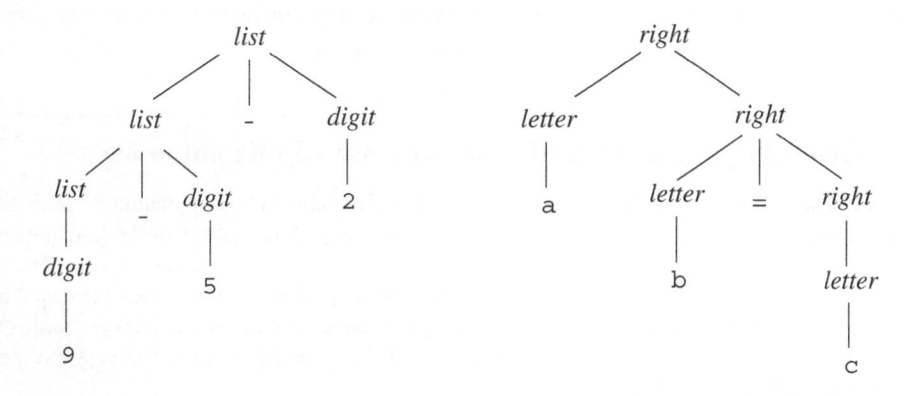

Figura 2.7 Árvores de derivação para as gramáticas associativas à esquerda e à direita.

2.2.6 Precedência de operadores

Considere a expressão 9+5*2. Há duas interpretações possíveis para essa expressão: (9+5)*2 ou 9+(5*2). As regras de associatividade para + e * se aplicam a ocorrências do mesmo operador, de modo que não resolvem essa ambigüidade. As regras que definem a precedência relativa dos operadores são necessárias quando mais de um tipo de operador estiver presente.

Dizemos que * tem *precedência maior* do que + se * capturar seus operandos antes de +. Na aritmética comum, a multiplicação e a divisão possuem uma precedência maior do que a adição e a subtração. Portanto, 5 é pego por * em 9+5*2 e 9*5+2; ou seja, as expressões são equivalentes a 9+(5*2) e (9*5)+2, respectivamente.

Exemplo 2.6: Uma gramática para expressões aritméticas pode ser construída a partir de uma tabela mostrando a associatividade e a precedência de operadores. Começamos com os quatro operadores aritméticos mais comuns e uma tabela de precedência, mostrando os operadores em ordem de precedência crescente. Os operadores na mesma linha possuem a mesma associatividade e precedência:

associativo à esquerda: + −
associativo à esquerda: * /

Criamos dois não-terminais *expr* e *term* para os dois níveis de precedência, e um não-terminal extra *factor* para gerar as unidades básicas nas expressões. As unidades básicas nas expressões são atualmente dígitos e expressões entre parênteses.

$$\textit{factor} \rightarrow \mathbf{digit} \mid (\textit{expr})$$

Considere agora os operadores binários * e /, que possuem a precedência mais alta. Como esses operadores associam-se à esquerda, as produções são semelhantes àquelas para listas que associam à esquerda.

$$term \rightarrow term * factor$$
$$| \quad term \,/\, factor$$
$$| \quad factor$$

Da mesma forma, *expr* gera listas de termos separados pelos operadores de adição.

$$expr \rightarrow expr + term$$
$$| \quad expr - term$$
$$| \quad term$$

A gramática resultante é, portanto,

$$expr \rightarrow expr + term \mid expr - term \mid term$$
$$term \rightarrow term * factor \mid term \,/\, factor \mid factor$$
$$factor \rightarrow \mathbf{digit} \mid (\, expr \,)$$

Com essa gramática, uma expressão é uma lista de termos separados pelos operadores + ou –, e um termo é uma lista de fatores separados pelos operadores * ou /. Observe que qualquer expressão entre parênteses é um fator, de modo que, com os parênteses, podemos desenvolver expressões que possuem um aninhamento arbitrariamente profundo (e árvores arbitrariamente profundas).

Generalizando a gramática da expressão do Exemplo 2.6

Podemos pensar em um fator como uma expressão que não pode ser "desmembrada" por nenhum operador. Por "desmembrada", queremos dizer que colocar um operador perto de qualquer fator, em qualquer lado, não faz com que nenhuma parte do fator, que não seja o todo, se torne um operando desse operador. Se o fator for uma expressão entre parênteses, os parênteses o protegem contra esse "desmembramento"; se o fator for um único operando, ele não pode ser desmembrado.

Um termo (que não seja também um fator) é uma expressão que pode ser desmembrada por operadores da precedência mais alta: * e /, mas não pelos operadores de menor precedência. Uma expressão (que não seja um termo ou fator) pode ser desmembrada por qualquer operador.

Podemos generalizar essa idéia para qualquer número n de níveis de precedência. Precisamos de $n + 1$ não-terminais. O primeiro, como *factor* no Exemplo 2.6, nunca pode ser desmembrado. Normalmente, os corpos da produção para esse não-terminal são apenas operandos unitários e expressões entre parênteses. Depois, para cada nível de precedência, existe um não-terminal representando expressões que podem ser desmembradas apenas pelos operadores nesse nível ou mais alto. Em geral, as produções para esse não-terminal possuem corpos representando usos dos operadores nesse nível, mais um corpo que é apenas o não-terminal para o próximo nível superior.

Exemplo 2.7: As palavras-chave nos permitem reconhecer comandos, pois a maioria deles começa com uma palavra-chave ou um caractere especial. As exceções a essa regra incluem as atribuições e as chamadas de procedimento. Os comandos definidos pela gramática ambígua na Figura 2.8 são válidos em Java.

$$stmt \rightarrow \mathbf{id} = expression \,;$$
$$| \quad \mathbf{if} \,(\, expression \,)\, stmt$$
$$| \quad \mathbf{if} \,(\, expression \,)\, stmt \,\mathbf{else}\, stmt$$
$$| \quad \mathbf{while} \,(\, expression \,)\, stmt$$
$$| \quad \mathbf{do}\, stmt \,\mathbf{while} \,(\, expression \,) \,;$$
$$| \quad \{\, stmts \,\}$$

$$stmts \rightarrow stmts \; stmt$$
$$| \quad \epsilon$$

Figura 2.8 Uma gramática para um subconjunto dos comandos Java.

Na primeira produção para *stmt*, o terminal **id** representa qualquer identificador. As produções para *expression* não aparecem. Os comandos de atribuição especificados pela primeira produção são válidos em Java, muito embora a linguagem trate

= como um operador de atribuição que pode aparecer dentro de uma expressão. Por exemplo, Java permite a = b = c, mas esta gramática não o permite.

O não-terminal *stmts* gera uma lista de comandos possivelmente vazia. A segunda produção para *stmts* gera a lista vazia ∈. A primeira produção gera uma lista possivelmente vazia de comandos seguida por um comando.

O posicionamento dos ponto-e-vírgulas é sutil; eles aparecem no fim de cada corpo que não termina em *stmt*. Esta técnica impede o acúmulo de ponto-e-vírgulas após comandos como if e while, que terminam com subcomandos aninhados. Quando o subcomando aninhado é uma atribuição ou um do-while, um ponto-e-vírgula é gerado como parte do subcomando.

2.2.7 Exercícios da Seção 2.2

Exercício 2.2.1: Considere a gramática livre de contexto

$$S \rightarrow S S + \mid S S * \mid \mathbf{a}$$

a) Mostre como a cadeia aa+a* pode ser gerada por essa gramática.
b) Construa uma árvore de derivação para essa cadeia.
c) Que linguagem essa gramática gera? Justifique sua resposta.

Exercício 2.2.2: Que linguagem é gerada pelas gramáticas a seguir? Em cada caso, justifique sua resposta.

a) $S \rightarrow 0 S 1 \mid 0 1$
b) $S \rightarrow + S S \mid - S S \mid \mathbf{a}$
c) $S \rightarrow S (S) S \mid \epsilon$
d) $S \rightarrow \mathbf{a} S \mathbf{b} S \mid \mathbf{b} S \mathbf{a} S \mid \epsilon$
!e) $S \rightarrow \mathbf{a} \mid S + S \mid S S \mid S * \mid (S)$

Exercício 2.2.3: Quais das gramáticas no Exercício 2.2.2 são ambíguas?

Exercício 2.2.4: Construa gramáticas livres de contexto não ambíguas para cada uma das linguagens a seguir. Em cada caso, mostre que sua gramática está correta.
    a) Expressões aritméticas na notação pós-fixada.
    b) Listas associativas à esquerda de identificadores separados por vírgulas.
    c) Listas associativas à direita de identificadores separados por vírgulas.
    d) Expressões aritméticas de inteiros e identificadores com os quatro operadores binários +, -, *, /.
    e) Inclua o operador de adição e de subtração unário aos operadores aritméticos de (d).

Exercício 2.2.5:
    a) Mostre que todas as cadeias binárias geradas pela gramática a seguir possuem valores divisíveis por 3. *Dica:* Use a indução no número de nós em uma árvore de derivação.

$$num \rightarrow 11 \mid 1001 \mid num\ 0 \mid num\ num$$

    b) A gramática gera todas as cadeias binárias com valores divisíveis por 3?

Exercício 2.2.6: Construa uma gramática livre de contexto para números romanos.

2.3 Tradução dirigida por sintaxe

A tradução dirigida por sintaxe é feita anexando-se regras ou fragmentos de programa às produções de uma gramática. Por exemplo, considere uma expressão *expr* gerada pela produção

$$expr \rightarrow expr_1 + term$$

Neste contexto, *expr* é a soma das duas subexpressões $expr_1$ e *term*. (O subscrito em $expr_1$ é usado apenas para distinguir a instância de *expr* que aparece no corpo de produção daquela que aparece no lado esquerdo da produção.) Podemos traduzir *expr* explorando sua estrutura, como no pseudocódigo a seguir:

    traduz $expr_1$;
    traduz *term*;
    trata +;

Usando uma variante desse pseudocódigo, construiremos uma árvore sintática para *expr* na Seção 2.8 criando árvores sintáticas para $expr_1$ e *term* e depois tratando do + construindo um nó para ele. Por conveniência, o exemplo nesta seção representa a tradução de expressões infixadas para a notação pós-fixada.

Esta seção apresenta dois conceitos relacionados à tradução dirigida por sintaxe:

- *Atributos*. Um *atributo* é qualquer valor associado a uma construção de programação. Os exemplos de atributos são tipos de dados de expressões, o número de instruções no código gerado, ou o endereço da primeira instrução no código gerado para uma construção, entre muitas outras possibilidades. Como usamos símbolos da gramática (não-terminais e terminais) para representar as construções de programação, estendemos a noção dos atributos das construções aos símbolos que eles representam.
- *Esquemas de tradução (dirigidos por sintaxe)*. Um *esquema de tradução* é uma notação para conectar fragmentos de programa às produções de uma gramática. Os fragmentos de programa são executados quando a produção é usada durante a análise sintática. A combinação do resultado da execução de todos esses fragmentos, na ordem induzida pela análise sintática, produz a tradução do programa para o qual esse processo de análise e síntese é aplicado.

A tradução dirigida por sintaxe será usada no decorrer deste capítulo para traduzir as expressões infixadas na notação pós-fixada, para avaliar as expressões e para criar árvores sintáticas para as construções de programação. Uma discussão mais detalhada dos formalismos dirigidos por sintaxe aparece no Capítulo 5.

2.3.1 Notação pós-fixada

Os exemplos nesta seção tratam da tradução para a notação pós-fixada. A *notação pós-fixada* para uma expressão E pode ser definida indutivamente da seguinte forma:

1. Se E é uma variável ou constante, então a notação pós-fixada para E é a própria E.
2. Se E é uma expressão da forma E_1 **op** E_2, onde **op** é qualquer operador binário, então a notação pós-fixada para E é $E_1' E_2'$ **op**, onde E_1' e E_2' são as notações pós-fixadas para E_1 e E_2, respectivamente.
3. Se E é uma expressão entre parênteses da forma (E_1), então a notação pós-fixada para E é a mesma que a notação pós-fixada para E_1.

Exemplo 2.8: A notação pós-fixada para (9-5)+2 é 95-2+. Ou seja, as traduções de 9, 5 e 2 são as próprias constantes, pela regra (1). Depois, a tradução de 9-5 é 95- pela regra (2). A tradução de (9-5) é a mesma pela regra (3). Tendo traduzido a subexpressão entre parênteses, podemos aplicar a regra (2) à expressão toda, com (9-5) no papel de E_1 e 2 no papel de E_2, para obter o resultado 95-2+.

Em outro exemplo, a notação pós-fixada para 9-(5+2) é 952+-. Ou seja, 5+2 é primeiro traduzido para 52+, e essa expressão se torna o segundo argumento do sinal de subtração.

Nenhum parêntese é necessário na notação pós-fixada, pois a posição e a *aridade* (número de argumentos) dos operadores permitem apenas uma decodificação de uma expressão pós-fixada. O "truque" é ler repetidamente a cadeia de terminais pós-fixada a partir da esquerda, até encontrar um operador. Depois, examine à esquerda pelo número apropriado de operandos e agrupe esse operador com seus operandos. Avalie o operador nos operandos e substitua-os pelo resultado. Depois, repita o processo, continuando para a direita e procurando outro operador.

Exemplo 2.9: Considere a expressão pós-fixada 952+-3*. Lendo a partir da esquerda, primeiro encontramos o sinal de adição. Examinando à sua esquerda, encontramos os operandos 5 e 2. Sua soma, 7, substitui 52+, e temos a cadeia 97-3*. Agora, o operador mais à esquerda é o sinal de subtração, e seus operandos são 9 e 7. Substituindo-os pelo resultado da subtração, temos 23*. Por fim, o sinal de multiplicação se aplica a 2 e 3, gerando o resultado 6.

2.3.2 Atributos sintetizados

A idéia de associar quantidades a construções de programação – por exemplo, valores e tipos com expressões – pode ser expressa em termos de gramáticas. Associamos atributos a não-terminais e terminais. Depois, anexamos regras às produções da gramática; essas regras descrevem como os atributos são calculados nesses nós da árvore de derivação nos quais a produção em questão é usada para relacionar um nó aos seus filhos.

Uma definição dirigida por sintaxe associa

1. A cada símbolo da gramática um conjunto de atributos; e
2. A cada produção um conjunto de *regras semânticas* para calcular os valores dos atributos associados aos símbolos que aparecem na produção.

Os atributos podem ser avaliados da seguinte maneira. Para determinada cadeia de entrada *x*, construa uma árvore de derivação para *x*. Depois, aplique as regras semânticas para avaliar os atributos em cada nó da árvore de derivação, como segue.

Suponha que um nó *N* em uma árvore de derivação seja rotulado pelo símbolo da gramática *X*. Escrevemos *X.a* para denotar o valor do atributo *a* de *X* nesse nó. Uma árvore de derivação mostrando os valores dos atributos em cada nó é chamada de *árvore de derivação anotada*. Por exemplo, a Figura 2.9 mostra uma árvore de derivação anotada para 9-5+2 com um atributo *t* associado aos não-terminais *expr* e *term*. O valor 95-2+ do atributo na raiz é a notação pós-fixada para 9-5+2. Veremos em breve como essas expressões são calculadas.

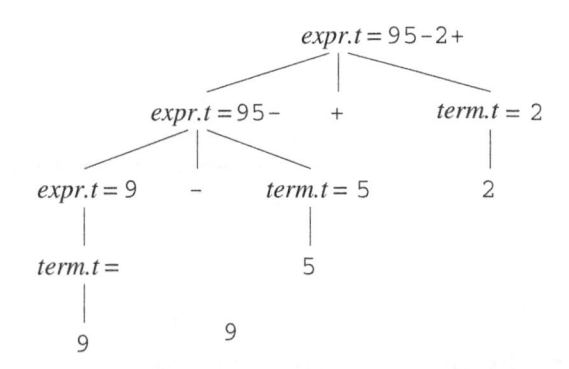

$$expr.t = 95-2+$$

```
            expr.t = 95-2+
           /      |      \
    expr.t = 95-  +    term.t = 2
    /    |    \              |
expr.t=9  -  term.t = 5      2
   |           |
term.t =       5
   |
   9
   9
```

FIGURA 2.9 Valores dos atributos nos nós em uma árvore de derivação anotada.

Um atributo é considerado *sintetizado* se o seu valor no nó da árvore de derivação *N* for determinado a partir dos valores dos atributos nos filhos de *N* e no próprio *N*. Os atributos sintetizados têm a propriedade desejável de poderem ser avaliados durante uma única travessia de baixo para cima, na árvore de derivação. Na Seção 5.1.1, discutiremos outro tipo importante de atributo: o atributo "herdado". Informalmente, os atributos herdados têm seu valor determinado em um nó da árvore de derivação a partir dos valores dos atributos no próprio nó, no seu pai, e em seus irmãos na árvore de derivação.

EXEMPLO 2.10: A árvore de derivação anotada na Figura 2.9 é baseada na definição dirigida por sintaxe da Figura 2.10 para traduzir expressões, consistindo em dígitos separados por sinais de adição ou subtração em notação pós-fixada. Cada não-terminal possui um atributo *t* com valor string, que representa a notação pós-fixada para a expressão gerada por esse não-terminal em uma árvore de derivação. O símbolo ‖ na regra semântica é o operador para concatenação das cadeias.

PRODUÇÃO	REGRAS SEMÂNTICAS
$expr \rightarrow expr_1 + term$	$expr.t = expr_1.t \parallel term.t \parallel$ '+'
$expr \rightarrow expr_1 - term$	$expr.t = expr_1.t \parallel term.t \parallel$ '–'
$expr \rightarrow term$	$expr = term.t$
$term \rightarrow 0$	$term.t =$ '0'
$term \rightarrow 1$	$term.t =$ '1'
...	...
$term \rightarrow 9$	$term.t =$ '9'

FIGURA 2.10 Definição dirigida por sintaxe para a tradução de expressão infixada para pós-fixada.

A forma pós-fixada de um dígito é o próprio dígito; por exemplo, a regra semântica associada à produção *term* → 9 define *term.t* como sendo o próprio 9 sempre que essa produção for usada em um nó na árvore de derivação. Os outros dígitos são traduzidos de modo semelhante. Como outro exemplo, quando a produção *expr* → *term* é aplicada, o valor de *term.t* se torna o valor de *expr.t*.

A produção $expr \rightarrow expr_1 + term$ deriva uma expressão contendo um operador de adição.[3] O operando esquerdo do operador de adição é dado por $expr_1$ e o operando da direita por *term*. A regra semântica

$$expr.t = expr_1.t \parallel term.t \parallel \text{'+'}$$

---

3 Nesta e em muitas outras regras, o mesmo não-terminal (neste caso, *expr*) aparece diversas vezes. A finalidade do subscrito 1 em $expr_1$ é distinguir as duas ocorrências de *expr* na produção; o "1" não faz parte do não-terminal. Veja mais detalhes no quadro "Convenção Distinguindo os Usos de um Não-terminal", na página a seguir.

associada a essa produção produz o valor do atributo *expr.t* concatenando as formas pós-fixadas $expr_1.t$ e *term.t* dos operandos esquerdo e direito, respectivamente, e depois acrescentando o sinal de adição. Essa regra é uma formalização da definição de "expressão pós-fixada".

Convenção distinguindo os usos de um não-terminal

Nas regras, normalmente precisamos distinguir entre os vários usos do mesmo não-terminal na cabeça e/ou no corpo de uma produção; como ilustração, ver Exemplo 2.10. O motivo é que, na árvore de derivação, diferentes nós rotulados pelo mesmo não-terminal normalmente possuem diferentes valores para suas traduções. Adotaremos a seguinte convenção: o não-terminal aparece sem subscrito na cabeça ou no lado esquerdo e com subscritos distintos no corpo ou no lado direito da produção. Estas são todas as ocorrências do mesmo não-terminal, e o subscrito não faz parte do seu nome. Porém, o leitor deve estar alerta para a diferença entre os exemplos de traduções específicas, em que essa convenção é usada, e produções genéricas, como $A \rightarrow X_1 X_2, ..., X_n$, onde os *Xs* com subscritos representam uma lista qualquer de símbolos da gramática, e *não* são instâncias de um não-terminal em particular, chamado *X*.

2.3.3 Definições dirigidas por sintaxe simples

A definição dirigida por sintaxe no Exemplo 2.10 possui uma propriedade importante: a cadeia que representa a tradução do não-terminal na cabeça de cada produção é a concatenação das traduções dos não-terminais no corpo da produção, na mesma ordem que na produção, com algumas outras cadeias opcionais intercaladas. Uma definição dirigida por sintaxe com essa propriedade é chamada de *simples*.

Exemplo 2.11: Considere a primeira produção e regra semântica da Figura 2.10:

$$\text{Produção} \qquad\qquad \text{Regra Semântica}$$
$$expr \rightarrow expr_1 + term \qquad\qquad expr.t = expr_1.t \parallel term.t \parallel \; ' + ' \qquad (2.5)$$

Neste exemplo, a tradução de *expr.t* é a concatenação das traduções de $expr_1$ e *term*, seguida pelo símbolo +. Observe que $expr_1$ e *term* aparecem na mesma ordem no corpo da produção e na regra semântica. Não existem símbolos adicionais antes ou entre suas traduções. Neste exemplo, o único símbolo extra aparece no final.

Quando esquemas de tradução forem discutidos, veremos que uma definição dirigida por sintaxe simples pode ser implementada imprimindo-se apenas as cadeias adicionais, na ordem em que elas aparecem na definição.

2.3.4 Caminhamento em árvore

Os caminhamentos ou travessias em árvore serão usados para descrever a avaliação de atributos e para especificar a execução dos fragmentos de código em um esquema de tradução. A *travessia* de uma árvore começa na raiz e visita cada nó da árvore em alguma ordem.

Uma busca em *profundidade (depth-first)* começa na raiz e visita recursivamente os filhos de cada nó em qualquer ordem, não necessariamente da esquerda para a direita. Ela é chamada "busca em profundidade" porque visita um filho não visitado de um nó sempre que puder, de modo que visita os nós mais distantes da raiz (mais "profundos") o mais rapidamente que puder.

O procedimento *visit(N)* na Figura 2.11 é uma busca em profundidade, que visita os filhos de um nó da esquerda para a direita, como mostra a Figura 2.12. Nesse caminhamento, incluímos uma ação para avaliar as traduções em cada nó, logo antes de terminarmos com o nó, ou seja, depois que as traduções nos filhos tiverem sido seguramente calculadas. Em geral, as ações associadas a uma travessia podem ser o que escolhermos, ou nenhuma.

```
procedure  visit(node N) {
    for ( cada filho C de N, da esquerda para direita ) {
        visit(C);
    }
    avalia as regras semânticas no nó N;
}
```

Figura 2.11 Uma busca em profundidade em uma árvore.

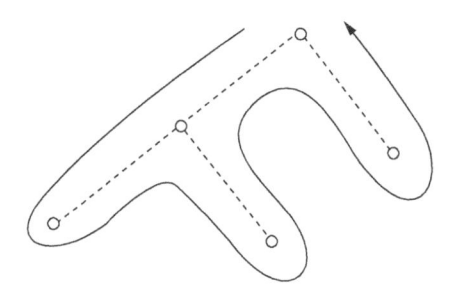

FIGURA 2.12 Exemplo de busca em profundidade em uma árvore.

Uma definição dirigida por sintaxe não impõe nenhuma ordem específica para a avaliação dos atributos em uma árvore de derivação; qualquer ordem de avaliação que calcule um atributo *a* depois de todos os outros atributos dos quais *a* depende é aceitável. Os atributos sintetizados podem ser avaliados durante qualquer travessia *ascendente*, ou seja, uma travessia que avalia os atributos em um nó depois de ter avaliado os atributos em seus filhos. Em geral, com os atributos sintetizados e herdados, a questão da ordem de avaliação é bastante complexa; ver Seção 5.2.

Caminhamentos pré-ordem e pós-ordem

Os caminhamentos pré-ordem e pós-ordem são dois casos especiais muito importantes de busca em profundidade, em que visitamos os filhos de cada nó da esquerda para a direita.

Freqüentemente, percorremos uma árvore para realizar alguma ação particular em cada nó. Se a ação for efetuada quando visitarmos um nó pela primeira vez, então podemos nos referir à travessia como uma *travessia ou caminhamento em pré-ordem*. De forma semelhante, se a ação for feita imediatamente antes de sairmos de um nó pela última vez, dizemos que essa é uma *travessia* ou *caminhamento pós-ordem* da árvore. O procedimento *visit(N)* na Figura 2.11 é um exemplo de caminhamento em pós-ordem.

Os encaminhamentos pré-ordem e pós-ordem definem a ordenação correspondente entre os nós, baseada no momento em que a ação em um nó é realizada. A *pré-ordem* de uma (sub)árvore com raiz no nó N consiste em N, seguido pelas pré-ordens das subárvores de cada um de seus filhos, se houver, a partir da esquerda. A *pós-ordem* de uma (sub)árvore com raiz em N consiste nas pós-ordens de cada uma das subárvores para os filhos de N, se houver, a partir da esquerda, seguido pelo próprio N.

2.3.5 Esquemas de tradução

A definição dirigida por sintaxe na Figura 2.10 faz uma tradução anexando uma seqüência de caracteres como atributos dos nós na árvore de derivação. Vamos considerar agora uma técnica alternativa que não precisa manipular seqüências de caracteres; ela produz a mesma tradução de forma incremental, executando fragmentos de programa.

Um *esquema de tradução dirigido por sintaxe* é uma notação para especificar uma tradução conectando fragmentos de programação a produções em uma gramática. Um esquema de tradução é como uma definição dirigida por sintaxe, exceto pelo fato de que a ordem de avaliação das regras semânticas é especificada explicitamente.

Fragmentos de programa embutidos nos corpos das produções são chamados de *ações semânticas*. O ponto em que uma ação deve ser executada é mostrado delimitando-a entre chaves e escrevendo-a dentro do corpo da produção, como em

$$rest \rightarrow + \; term \; \{\text{print}('+')\} \; rest_1$$

Veremos essas regras quando considerarmos uma forma alternativa de gramática para as expressões, onde o não-terminal *rest* representa "tudo exceto o primeiro termo de uma expressão". Essa forma de gramática é discutida na Seção 2.4.5. Novamente, o subscrito em $rest_1$ distingue essa instância do não-terminal *rest* no corpo da produção da instância de *rest* que aparece no lado esquerdo, ou cabeça da produção.

Indicamos uma ação em uma árvore de derivação para um esquema de tradução, construindo um filho extra para ela, conectado por uma aresta tracejada ao nó que corresponde à cabeça da produção. Por exemplo, a parte da árvore de derivação para a produção e ação anterior aparece na Figura 2.13. O nó para uma ação semântica não possui filhos, portanto a ação é realizada quando esse nó é visto.

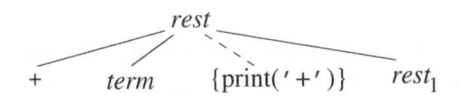

FIGURA 2.13 Uma folha extra é construída para uma ação semântica.

Exemplo 2.12: A árvore de derivação na Figura 2.14 possui comandos de impressão, *print*, em folhas extras, que estão ligadas por arestas tracejadas aos nós interiores da árvore de derivação. O esquema de tradução aparece na Figura 2.15. A gramática mostrada gera expressões consistindo em dígitos separados pelos operadores de adição e subtração. As ações embutidas nos corpos das produções traduzem essas expressões para a notação pós-fixada, desde que realizemos uma busca em profundidade, da esquerda para a direita, e executemos cada comando *print* quando visitarmos sua folha.

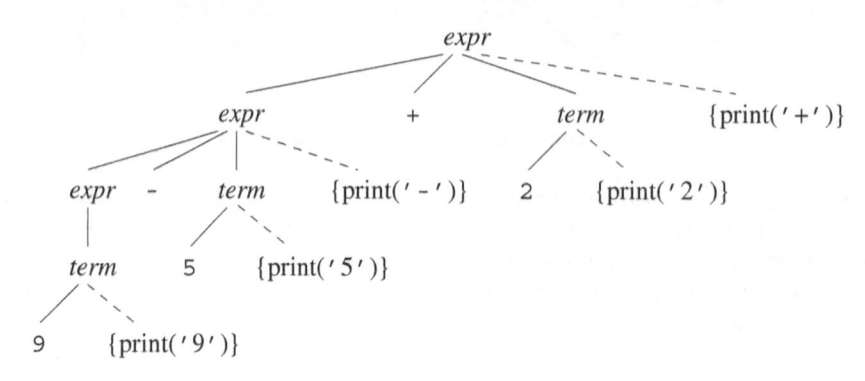

```
                        expr
           ┌─────────────┼─────────┬──────────────┐
         expr            +        term       {print('+')}
      ┌────┼────┬──────────────┐   │
    expr   -   term    {print('-')} 2    {print('2')}
      │    ┌────┼──────────────┐
    term   5        {print('5')}
      │
      9    {print('9')}
```

FIGURA 2.14   Ações traduzindo 9-5+2 para 95-2+.

$$
\begin{array}{lll}
expr & \rightarrow & expr_1 + term \quad \{\text{print}(`+`)\} \\
expr & \rightarrow & expr_1 - term \quad \{\text{print}(`-`)\} \\
expr & \rightarrow & term \\
term & \rightarrow & 0 \quad \{\text{print}(`0`)\} \\
term & \rightarrow & 1 \quad \{\text{print}(`1`)\} \\
     &   & \ldots \\
term & \rightarrow & 9 \quad \{\text{print}(`9`)\}
\end{array}
$$

FIGURA 2.15   Ações de tradução para notação pós-fixada.

A raiz da Figura 2.14 representa a primeira produção na Figura 2.15. Usando o caminhamento pós-ordem, primeiro realizamos todas as ações na subárvore mais à esquerda da raiz, para o operando da esquerda, também rotulado com *expr* como a raiz. Depois, visitamos a folha + em que não existe ação. Em seguida, efetuamos as ações na subárvore para o operando da direita *term* e, finalmente, a ação semântica {print('+')} no nó extra.

Como as produções para *term* têm apenas um dígito no lado direito, esse dígito é impresso pelas ações das produções. Nenhuma saída é necessária para a produção *expr* → *term*, e somente o operador precisa ser impresso na ação para cada uma das duas primeiras produções. As ações na Figura 2.14 imprimem 95-2+ quando são executadas durante uma travessia pós-ordem da árvore de derivação.

Observe que, embora os esquemas apresentados na Figura 2.10 e na Figura 2.15 produzam a mesma tradução, eles o fazem de formas diferentes; a Figura 2.10 conecta seqüências de caracteres como atributos para os nós na árvore de derivação, enquanto o esquema na Figura 2.15 imprime a tradução de forma incremental, por meio de ações semânticas.

As ações semânticas na árvore de derivação da Figura 2.14 traduzem a expressão infixada 9-5+2 para 95-2+, imprimindo cada caractere em 9-5+2 exatamente uma vez, sem usar nenhum armazenamento para a tradução das subexpressões. Quando a saída é criada de forma incremental nesse padrão, a ordem em que os caracteres são impressos é significativa.

A implementação de um esquema de tradução precisa garantir que as ações semânticas sejam executadas na mesma ordem em que aparecem durante uma travessia pós-ordem de uma árvore de derivação. A implementação não precisa efetivamente construir uma árvore de derivação (normalmente, não a constrói), desde que garanta que as ações semânticas sejam realizadas como se as tivéssemos construído e depois as executássemos durante uma travessia pós-ordem.

2.3.6 Exercícios da Seção 2.3

Exercício 2.3.1: Construa um esquema de tradução dirigido por sintaxe que traduza expressões aritméticas da notação infixada para a notação pré-fixada, em que um operador aparece antes dos seus operandos; por exemplo, $-xy$ é a notação pré-fixada para $x - y$. Dê árvores de derivações anotadas para as entradas 9-5+2 e 9-5*2.

Exercício 2.3.2: Construa um esquema de tradução dirigido por sintaxe que traduza expressões aritméticas da notação pós-fixada para a notação infixada. Dê árvores de análise anotadas para as entradas `95-2*` e `952*-`.

Exercício 2.3.3: Construa um esquema de tradução dirigido por sintaxe que traduza de números inteiros para romanos.

Exercício 2.3.4: Construa um esquema de tradução dirigido por sintaxe que traduza de números romanos para inteiros.

Exercício 2.3.5: Construa um esquema de tradução dirigido por sintaxe que traduza expressões aritméticas pós-fixadas para expressões aritméticas infixadas equivalentes.

2.4 ANÁLISE SINTÁTICA

A análise sintática é o processo para determinar como uma cadeia de terminais pode ser gerada por uma gramática. Na discussão desse problema, é conveniente pensarmos em uma árvore de derivação sendo construída, embora, na prática, um compilador não precise construí-la. No entanto, um analisador sintático precisa, em princípio, ser capaz de construir a árvore, do contrário a tradução não terá garantias de ser correta.

Esta seção introduz um método de análise sintática chamado "descida recursiva", que pode ser usado tanto para fazer a análise quanto para implementar tradutores dirigidos por sintaxe. A seção seguinte mostra um programa Java completo, implementando o esquema de tradução da Figura 2.15. Uma alternativa viável é usar uma ferramenta de software para gerar um tradutor diretamente de um esquema de tradução. A Seção 4.9 descreve essa ferramenta, Yacc, que pode implementar o esquema de tradução da Figura 2.15 sem modificação.

Para qualquer gramática livre de contexto, existe um analisador que gasta no máximo $O(n^3)$ para analisar uma cadeia de n terminais. Mas o tempo cúbico geralmente é muito dispendioso. Felizmente, para as linguagens de programação reais, em geral podemos projetar uma gramática que pode ser analisada rapidamente. Os algoritmos de tempo linear são suficientes para analisar basicamente todas as linguagens usadas na prática. Os reconhecedores sintáticos de linguagem de programação quase sempre fazem uma única leitura da esquerda para a direita sobre a entrada, examinando à frente um símbolo terminal de cada vez, e construindo partes da árvore de derivação enquanto prosseguem.

As maiorias dos métodos de análise sintática estão em uma de duas classes, chamadas métodos *descendentes* e *ascendentes*. Esses termos se referem à ordem em que os nós na árvore de derivação são construídos. Nos analisadores descendentes, a árvore é construída de cima para baixo, ou seja, da raiz para as folhas. A popularidade dos analisadores descendentes se deve ao fato de que analisadores eficientes podem ser construídos mais facilmente à mão usando esses métodos. Contudo, a análise ascendente pode tratar de uma classe maior de gramáticas e esquemas de tradução, de modo que as ferramentas de software para gerar analisadores diretamente a partir de gramáticas normalmente utilizam métodos ascendentes.

2.4.1 ANÁLISE SINTÁTICA DESCENDENTE

Introduzimos a análise descendente apresentando uma gramática que é bem simples, além de adequada, para essa classe de métodos. Mais adiante nesta seção, consideramos a construção de analisadores sintáticos descendentes em geral. A gramática na Figura 2.16 gera um subconjunto dos comandos de C ou Java. Usamos os terminais em negrito **if** e **for** para as palavras-chave "if" e "for", respectivamente, a fim de enfatizar que essas seqüências de caracteres são tratadas como unidades, ou seja, como símbolos terminais. Além do mais, o terminal **expr** representa expressões; uma gramática mais elaborada usaria um não-terminal *expr* e teria produções para esse não-terminal. Da mesma forma, **other** é um terminal representando outros comandos.

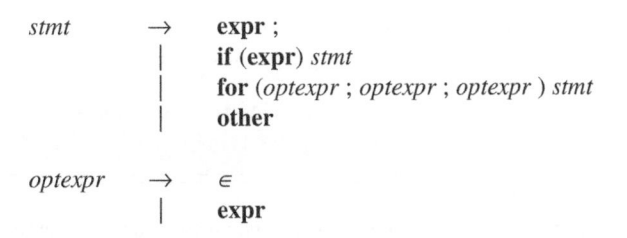

$$
\begin{aligned}
stmt \quad &\rightarrow \quad \textbf{expr}\;; \\
&\mid \quad \textbf{if}\;(\textbf{expr})\;stmt \\
&\mid \quad \textbf{for}\;(optexpr\;;\;optexpr\;;\;optexpr\;)\;stmt \\
&\mid \quad \textbf{other} \\
\\
optexpr \quad &\rightarrow \quad \epsilon \\
&\mid \quad \textbf{expr}
\end{aligned}
$$

FIGURA 2.16 Uma gramática para alguns comandos em C e Java.

A construção descendente de uma árvore de derivação como a da Figura 2.17 é feita iniciando-se na raiz, rotulada com o não-terminal inicial *stmt*, e realizando repetidamente os dois passos a seguir.

1. No nó *N*, rotulado com o não-terminal *A*, selecione uma das produções para *A* e construa filhos em *N* para os símbolos no corpo da produção.

2. Encontre o próximo nó em que uma subárvore deve ser construída, normalmente o não-terminal não expandido mais à esquerda da árvore.

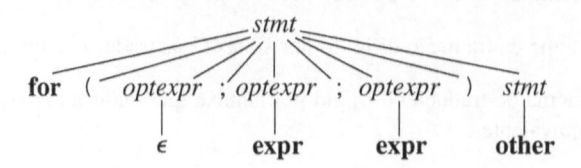

```
             stmt
   ┌──────┬───┬───┬───┬───┬────┬────┐
   for  (  optexpr ; optexpr ; optexpr )  stmt
            │           │         │         │
            ε          expr      expr     other
```

Figura 2.17 Uma árvore de derivação de acordo com a gramática na Figura 2.16.

Para algumas gramáticas, os passos anteriores podem ser implementados durante uma única leitura da esquerda para a direita da cadeia da entrada. O terminal corrente sendo lido na entrada é freqüentemente referenciado como o símbolo *lookahead*. Inicialmente, o símbolo *lookahead* é o primeiro terminal, ou seja, o mais à esquerda, da seqüência de entrada. A Figura 2.18 mostra a construção da árvore de derivação da Figura 2.17 para a cadeia de terminais da entrada

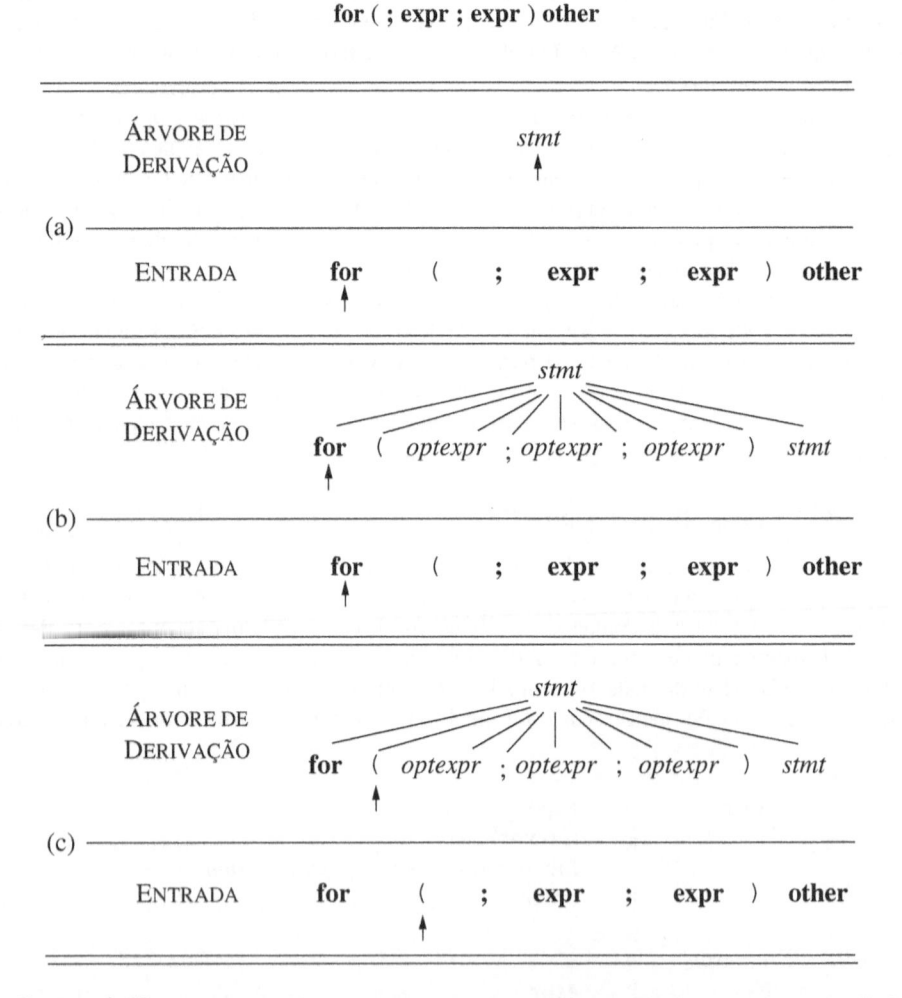

for (; expr ; expr) other

	Árvore de Derivação	
(a)		stmt ↑
	Entrada	**for** ↑ (; expr ; expr) other
(b)	Árvore de Derivação	stmt — **for** (optexpr ; optexpr ; optexpr) stmt ↑ (sob for)
	Entrada	**for** ↑ (; expr ; expr) other
(c)	Árvore de Derivação	stmt — **for** (optexpr ; optexpr ; optexpr) stmt ↑ (sob ( )
	Entrada	**for** (↑ ; expr ; expr) other

Figura 2.18 Análise sintática descendente processando a entrada da esquerda para a direita.

Inicialmente, o terminal **for** é o símbolo *lookahead*, e a parte conhecida da árvore de derivação consiste na raiz, rotulada com o não-terminal inicial *stmt* na Figura 2.18(a). O objetivo é construir o restante da árvore de derivação de modo que a seqüência de terminais gerada pela árvore de derivação case com a seqüência da entrada.

Para que haja um casamento, o não-terminal *stmt* na Figura 2.18(a) precisa derivar uma cadeia que comece com o símbolo *lookahead* **for**. Na gramática da Figura 2.16, existe apenas uma produção para *stmt* que pode derivar tal cadeia, portanto a selecionamos e construímos os filhos da raiz rotulados com os símbolos no corpo da produção. Essa expansão da árvore de derivação aparece na Figura 2.18(b).

Cada um dos três instantâneos da Figura 2.18 possui setas identificando o símbolo *lookahead* na entrada e o nó na árvore de derivação que está sendo considerado. Quando os filhos são construídos em um nó, em seguida consideramos o filho mais à esquerda. Na Figura 2.18(b), os filhos foram construídos na raiz, e o filho mais à esquerda, rotulado com **for**, está sendo analisado.

Quando o nó sendo considerado na árvore de derivação se refere a um terminal, e o terminal casa com o símbolo *lookahead*, avançamos na árvore de derivação e na entrada. O próximo terminal na entrada se torna o novo símbolo *lookahead*, e o próximo filho na árvore de derivação é considerado. Na Figura 2.18(c), a seta na árvore de derivação avançou para o próximo filho da raiz, e a seta na entrada avançou para o próximo terminal, que é (. Outro avanço levará a seta na árvore de derivação para o filho rotulado com o não-terminal *optexpr* e leva a seta na entrada para o terminal ; .

No nó não-terminal rotulado com *optexpr*, repetimos o processo de seleção de uma produção para um não-terminal. As produções com ∈ como corpo ("produções-∈") exigem tratamento especial. Por enquanto, nós as usamos como um padrão (default) quando nenhuma outra produção puder ser usada; retornaremos a elas na Seção 2.4.3. Com o não-terminal *optexpr* e o *lookahead* ; , a produção-∈ é usada, pois ; não casa com a única outra produção para *optexpr*, que possui o terminal **expr** como seu corpo.

Em geral, a seleção de uma produção para um não-terminal pode envolver tentativa-e-erro; ou seja, podemos ter de tentar uma produção e recuar para tentar outra produção se a primeira não for adequada. Uma produção não é adequada se, depois de usar a produção, não pudermos completar a árvore para casar com a seqüência de terminais da entrada. Entretanto, o recuo não é necessário em um caso especial importante, chamado de reconhecedor sintático preditivo, que discutiremos a seguir.

2.4.2 Analisador sintático preditivo

Análise de descida recursiva é um método de análise sintática descendente em que um conjunto de procedimentos recursivos é usado para processar a entrada. Um procedimento é associado a cada não-terminal de uma gramática. Nesta seção, consideramos uma forma simples de análise de descida recursiva, conhecida como *reconhecedores preditivos*, em que o símbolo *lookahead* determina de forma não ambígua o fluxo de controle através do corpo do procedimento para cada não-terminal. A seqüência de chamadas de procedimento durante a análise de uma cadeia de entrada define implicitamente a árvore de derivação para a entrada e pode ser usada para construir uma árvore de derivação explícita, se desejado.

O analisador preditivo na Figura 2.19 mostra os procedimentos para os não-terminais *stmt* e *optexpr* da gramática da Figura 2.16 e um procedimento adicional *match*, usado para simplificar o código para *stmt* e *optexpr*. O procedimento *match(t)* compara seu argumento *t* com o símbolo *lookahead* e avança para o próximo terminal de entrada se eles casarem. Assim, *match* muda o valor da variável *lookahead*, uma variável global que mantém o terminal de entrada atualmente sendo lido.

```
void stmt() {
    switch (lookahead) {
    case expr:
        match(expr); match(';'); break;
    case if:
        match (if); match ('('); match (expr); match (')'); stmt();
        break;
    case for:
        match (for); match ('(');
        optexpr(); match(';'); optexpr (); match(';'); optexpr ();
        match(')'); stmt(); break;
    case other:
        match(other); break;
    default:
        report("syntax error");
    }
}
void optexpr () {
    if (lookahead == expr ) match(expr);
}
void match(terminal t) {
    if (lookahead == t) lookahead = nextTerminal;
    else report("syntax error");
}
```

Figura 2.19 Pseudocódigo para um analisador preditivo.

A análise começa com uma chamada do procedimento para o não-terminal inicial *stmt*. Com a mesma entrada da Figura 2.18, o *lookahead* é inicialmente o primeiro terminal **for**. O procedimento *stmt* executa o código correspondente à produção

stmt → **for** (*optexpr* ; *optexpr* ; *optexpr*) *stmt*

No código para o corpo da produção — ou seja, na opção do comando *case* para **for** no procedimento *stmt* —, cada terminal corresponde ao símbolo *lookahead*, e cada não-terminal leva a uma chamada de seu procedimento, na seguinte seqüência de chamadas:

match(**for**); match('(');
optexpr(); match(';'); optexpr (); match(';'); optexpr ();
match(')'); stmt();

O reconhecedor preditivo conta com as informações sobre os primeiros símbolos que podem ser gerados pelo corpo de uma produção. Mais precisamente, considere α como uma cadeia de símbolos da gramática (terminais e/ou não-terminais). Definimos FIRST(α) como sendo o conjunto de símbolos terminais que aparecem como primeiros símbolos de uma ou mais cadeias de terminais gerados a partir de α. Se α for ∈ ou puder gerar ∈, então ∈ também está em FIRST(α).

Os detalhes de como calcular FIRST(α) estão na Seção 4.4.2. Neste capítulo, apenas usaremos um raciocínio *ad hoc* para deduzir os símbolos em FIRST(α); normalmente, α começa com um terminal, e, portanto é o único símbolo em FIRST(α), ou α começa com um não-terminal cujos corpos da produção começam com terminais, e, neste caso, esses terminais são os únicos membros de FIRST(α).

Por exemplo, em relação à gramática da Figura 2.16, os seguintes são cálculos corretos de FIRST.

FIRST(*stmt*)   =   {**expr, if, for, other**}
FIRST(**expr** ;) =   {**expr**}

Os conjuntos FIRST precisam ser considerados se houver duas produções A → α e A → β. Ignorando as produções-∈ por enquanto, o analisador preditivo exige que FIRST(α) e FIRST (β) sejam disjuntos. O símbolo *lookahead* pode, então, ser usado para decidir qual produção utilizar; se o símbolo *lookahead* estiver em FIRST(α), então α é usado. Caso contrário, se o símbolo *lookahead* estiver em FIRST(β), então β é usado.

2.4.3 Quando usar produções-∈

Nosso analisador preditivo utiliza uma produção-∈ como padrão quando nenhuma outra produção puder ser usada. Com a entrada da Figura 2.18, depois que os terminais **for** e (forem casados, o símbolo *lookahead* é ; . Nesse ponto, o procedimento *optexpr* é chamado, e o código

if (*lookahead* == **expr**) *match*(**expr**);

em seu corpo é executado. O não-terminal *optexpr* possui duas produções, com corpos **expr** e ∈. O símbolo *lookahead* ";" não casa com o terminal **expr**, de modo que a produção com corpo **expr** não pode ser aplicada. Na verdade, o procedimento retorna sem alterar o símbolo *lookahead* ou sem fazer alguma outra ação. Não fazer nada corresponde a aplicar uma produção-∈.

Considere uma variante das produções na Figura 2.16, onde *optexpr* gera um não-terminal *expr* em vez do terminal **expr**:

optexpr   →   *expr*
            | ∈

Assim, *optexpr* ou gera uma expressão usando o não-terminal *expr* ou gera ∈. Enquanto analisa *optexpr*, se o símbolo *lookahead* não estiver em FIRST(*expr*), então a produção-∈ é usada.

Para obter mais informações sobre quando usar produções-∈, veja a discussão sobre gramáticas LL(1) na Seção 4.4.3.

2.4.4 Projetando um analisador preditivo

Podemos generalizar a técnica introduzida informalmente na Seção 2.4.2 para que ela se aplique a qualquer gramática que tenha conjuntos FIRST disjuntos para os corpos de produção pertencentes a qualquer não-terminal. Também veremos que, quando temos um esquema de tradução - ou seja, uma gramática com ações embutidas –, é possível executar essas ações como parte dos procedimentos projetados para o analisador.

Lembre-se de que um *analisador preditivo* é um programa consistindo em um procedimento para cada não-terminal. O procedimento para o não-terminal A efetua duas ações.

1. Ele declara qual produção-*A* deve ser usada examinando o símbolo *lookahead*. A produção com corpo (onde α não seja ∈, a cadeia vazia) é usada se o símbolo *lookahead* estiver em FIRST(α). Se houver um conflito entre dois corpos não vazios para qualquer símbolo *lookahead*, não podemos usar esse método de análise para essa gramática. Além do mais, a produção-∈ para *A*, se existir, é usada se o símbolo *lookahead* não estiver no conjunto FIRST para qualquer outro corpo de produção para *A*.
2. O procedimento em seguida imita o corpo da produção escolhida. Ou seja, os símbolos do corpo são "executados", a partir da esquerda. Um não-terminal é "executado" por uma chamada ao procedimento para esse não-terminal, e um terminal casando com o símbolo *lookahead* é "executado" pela leitura do próximo símbolo da entrada. Se, em algum ponto, o terminal no corpo não casar com o símbolo *lookahead*, um erro de sintaxe é informado.

A Figura 2.19 mostra o resultado da aplicação dessas regras à gramática na Figura 2.16.

Assim como o esquema de tradução é formado estendendo-se uma gramática, um tradutor dirigido por sintaxe pode ser formado estendendo-se um analisador preditivo. Um algoritmo para essa finalidade é apresentado na Seção 5.4. A construção limitada a seguir basta para o momento:

1. Construa um analisador preditivo, ignorando as ações nas produções.
2. Copie as ações do esquema de tradução para o analisador. Se uma ação aparecer depois do símbolo gramatical *X* na produção *p*, então ela é copiada após a implementação de *X* no código para *p*. Caso contrário, se ela aparecer no início da produção, é copiada imediatamente antes do código para o corpo da produção.

Construiremos um tradutor desse tipo na Seção 2.5.

2.4.5 Recursão à esquerda

É possível que um analisador de descida recursiva fique em um *loop* para sempre. Este problema surge devido às produções "recursivas à esquerda" do tipo

$$expr \rightarrow expr + term$$

onde o símbolo mais à esquerda do lado direito da produção é igual ao não-terminal do lado esquerdo da produção. Suponha que o procedimento para *expr* decida aplicar essa produção. O corpo começa com *expr*, de modo que o procedimento para *expr* é chamado recursivamente. Como o símbolo *lookahead* muda apenas quando um terminal no corpo é casado, nenhuma mudança na entrada ocorre entre as chamadas recursivas de *expr*. Como resultado, a segunda chamada a *expr* faz exatamente o que a primeira chamada faz, o que significa uma terceira chamada a *expr*, e assim por diante, indefinidamente.

Uma produção recursiva à esquerda pode ser eliminada pela reescrita da produção problemática. Considere um não-terminal *A* com duas produções

$$A \rightarrow A\alpha \mid \beta$$

onde α e β são seqüências de terminais e não-terminais que não começam com *A*. Por exemplo, em

$$expr \rightarrow expr + term \mid term$$

o não-terminal *A* = *expr*, α = + *term*, e β = *term*.

O não-terminal *A* e sua produção são considerados *recursivos à esquerda*, pois a produção $A \rightarrow A\alpha$ tem o próprio *A* como símbolo mais à esquerda no lado direito.[4] A aplicação repetida dessa produção acumula uma seqüência de αs à direita de *A*, como na Figura 2.20(a). Quando *A* é finalmente substituído por β, temos um β seguido por uma seqüência de zero ou mais αs.

O mesmo efeito pode ser conseguido, como na Figura 2.20(b), reescrevendo-se as produções para *A*, usando um novo não-terminal *R* da seguinte maneira:

$$A \rightarrow \beta R$$
$$R \rightarrow \alpha R \mid \epsilon$$

O não-terminal *R* e sua produção $R \rightarrow \alpha R$ são recursivos à direita, pois essa produção para *R* tem o próprio *R* como último símbolo no lado direito da produção. As produções recursivas à direita produzem árvores que crescem para baixo e para a direita, como na Figura 2.20(b). As árvores que crescem dessa forma dificultam a tradução de expressões contendo operadores associativos à esquerda, como o operador de subtração. Na Seção 2.5.2, porém, veremos que a tradução apropriada de expressões para a notação pós-fixada ainda pode ser obtida com um projeto cuidadoso do esquema de tradução.

---

4 Em uma gramática recursiva à esquerda mais geral, em vez de uma produção $A \rightarrow A\alpha$, o não-terminal *A* pode derivar $A\alpha$ por meio de produções intermediárias.

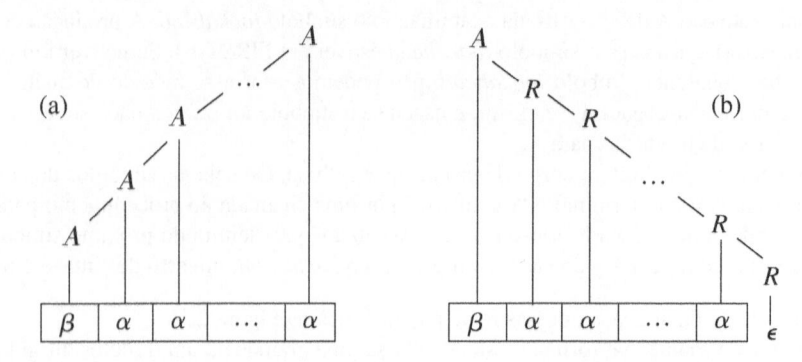

Figura 2.20 Formas recursivas à esquerda e à direita para gerar uma seqüência de símbolos.

Na Seção 4.3.3, vamos considerar formas mais gerais de recursão à esquerda e mostrar como toda a recursão à esquerda pode ser eliminada de uma gramática.

2.4.6 Exercícios da Seção 2.4

Exercício 2.4.1: Construa analisadores de descida recursiva, começando com as seguintes gramáticas:
a) $S \rightarrow + S S \mid - S S \mid \mathbf{a}$
b) $S \rightarrow S (S) S \mid \epsilon$
c) $S \rightarrow 0 S 1 \mid 0 1$

2.5 Um tradutor para expressões simples

Usando as técnicas das três últimas seções, vamos construir agora um tradutor dirigido por sintaxe, na forma de um programa Java completo, que traduz expressões aritméticas para a forma pós-fixada. Para manter o programa inicial pequeno, começamos com expressões consistindo em dígitos separados pelos operadores binários de adição e de subtração. Estendemos o programa na Seção 2.6 para traduzir expressões que incluem números e outros operadores. Vale a pena estudar a tradução de expressões em detalhes, pois elas aparecem como uma construção em muitas linguagens.

Um esquema de tradução dirigido por sintaxe normalmente serve como a especificação para um tradutor. O esquema na Figura 2.21 (repetido da Figura 2.15) define a tradução a ser realizada nesta seção.

expr	$\rightarrow$	$expr_1 + term$	{print('+')}
		$expr_1 - term$	{print('-')}
		term	
term	$\rightarrow$	0	{print('0')}
		1	{print('1')}
		...	
		9	{print('9')}

Figura 2.21 Ações de tradução para notação pós-fixada.

Normalmente, a gramática básica de determinado esquema precisa ser modificada antes que possa ser reconhecida com um analisador preditivo. Em particular, a gramática na Figura 2.21 é recursiva à esquerda e, como vimos na seção anterior, um analisador preditivo não pode tratar uma gramática recursiva à esquerda.

Parece que temos um conflito: por um lado, precisamos de uma gramática que facilite a tradução e, por outro, precisamos de uma gramática significativamente diferente que facilite a análise sintática. A solução é começar com a gramática para tradução fácil e transformá-la cuidadosamente para facilitar a análise. Eliminando a recursão à esquerda na Figura 2.21, podemos obter uma gramática adequada para uso em um tradutor de descida recursiva preditivo.

2.5.1 Sintaxe abstrata e concreta

Um ponto de partida útil para projetar um tradutor é uma estrutura de dados chamada árvore sintática abstrata. Em uma *árvore sintática abstrata*, para uma expressão, cada nó interior representa um operador; os filhos do nó representam os operandos do operador. De modo geral, qualquer construção de linguagem de programação pode ser tratada criando um operador para a construção e tratando como operandos os componentes semanticamente significativos dessa construção.

Na árvore sintática abstrata para 9-5+2 na Figura 2.22, a raiz representa o operador +. As subárvores da raiz representam as subexpressões 9-5 e 2. O agrupamento de 9-5 como um operando reflete a avaliação da esquerda para a direita dos operadores no mesmo nível de precedência. Como - e + têm a mesma precedência, 9-5+2 é equivalente a (9-5)+2.

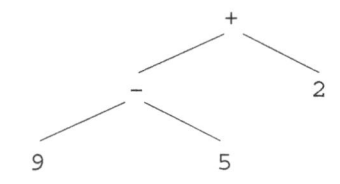

```
        +
       / \
      -   2
     / \
    9   5
```

FIGURA 2.22 Árvore sintática para 9-5+2.

Árvores sintáticas abstratas, ou simplesmente *árvores sintáticas*, são até certo ponto semelhantes a árvores de derivação. Porém, na árvore sintática, os nós interiores representam construções de programação, enquanto na árvore de derivação os nós interiores representam não-terminais. Muitos não-terminais de uma gramática representam construções de programação, mas outros são "auxiliares" de um tipo ou de outro, como aqueles que representam termos, fatores ou outras variações de expressões. Na árvore sintática não-terminais, esses auxiliares normalmente não são necessários e, portanto, são removidos. Para enfatizar o contraste, uma árvore de derivação às vezes é chamada de *árvore sintática concreta*, e a gramática básica é chamada de *sintaxe concreta* para a linguagem.

Na árvore sintática da Figura 2.22, cada nó interior é associado a um operador, sem nós "auxiliares" para *produções unitárias* (produções cujo corpo consiste em um único não-terminal, e nada mais), como *expr* → *term*, ou para produções-ϵ como *rest* → ϵ.

É desejável que um esquema de tradução seja baseado em uma gramática cujas árvores de derivação sejam o mais próximo possível das árvores de sintaxe abstrata. O agrupamento de subexpressões pela gramática da Figura 2.21 é semelhante ao seu agrupamento nas árvores sintáticas. Por exemplo, as subexpressões do operador de adição são dadas por *expr* e *term* no corpo de produção *expr* + *term*.

2.5.2 ADAPTANDO O ESQUEMA DE TRADUÇÃO

A técnica de eliminação da recursão à esquerda esboçada na Figura 2.20 também pode ser aplicada a produções contendo ações semânticas. Primeiro, a técnica se estende para múltiplas produções para *A*. Em nosso exemplo, *A* é *expr*, e existem duas produções recursivas à esquerda para *expr* e uma que não é recursiva à esquerda. A técnica transforma as produções $A \rightarrow A\alpha \mid A\beta \mid \gamma$ em

$$
\begin{aligned}
A &\rightarrow \gamma R \\
R &\rightarrow \alpha R \mid \beta R \mid \epsilon
\end{aligned}
$$

Em segundo lugar, precisamos transformar produções que possuem ações embutidas, não apenas terminais e não-terminais. Ações semânticas embutidas nas produções são simplesmente executadas ao longo da transformação, como se fossem terminais.

EXEMPLO 2.13: Considere o esquema de tradução da Figura 2.21. Seja

$$
\begin{aligned}
A &= expr \\
\alpha &= + \; term \; \{ \; print(`+') \; \} \\
\beta &= - \; term \; \{ \; print(`-') \; \} \\
\gamma &= term
\end{aligned}
$$

Então, a transformação para a eliminação da recursão à esquerda produz o esquema de tradução da Figura 2.23. As produções *expr* na Figura 2.21 foram transformadas para as produções de *expr*, e um novo não-terminal *rest* desempenha o papel de *R*. As produções para *term* são repetidas da Figura 2.21. A Figura 2.24 mostra como 9-5+2 é traduzido usando a gramática da Figura 2.23.

A eliminação da recursão à esquerda precisa ser feita cuidadosamente, para garantir que preservaremos a ordenação das ações semânticas. Por exemplo, o esquema de tradução na Figura 2.23 tem as ações { print(`+') } e { print(`-') } no meio de um corpo de produção, em cada caso entre os não-terminais *term* e *rest*. Se as ações tivessem de ser movidas para o final, depois de *rest*, as traduções se tornariam incorretas. Deixamos para o leitor mostrar que 9-5+2 seria então traduzido incorretamente para 952+-, a notação pós-fixada para 9-(5+2), em vez do desejado 95-2+, a notação pós-fixada para (9-5)+2.

$$
\begin{array}{rcl}
expr & \to & term\ rest \\
rest & \to & +\ term\ \{\ print('+')\ \}\ rest \\
& | & -\ term\ \{\ print('-')\ \}\ rest \\
& | & \epsilon \\
term & \to & 0\ \{\ print('0')\ \} \\
& | & 1\ \{\ print('1')\ \} \\
& & \ldots \\
& | & 9\ \{\ print('9')\ \}
\end{array}
$$

Figura 2.23 Esquema de tradução após a eliminação da recursão à esquerda.

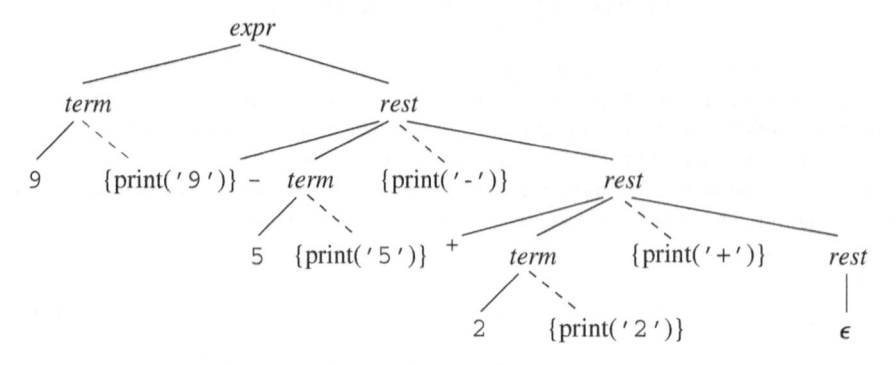

Figura 2.24 Tradução de 9-5+2 para 95-2+.

2.5.3 Procedimentos para os não-terminais

As funções *expr*, *rest* e *term* na Figura 2.25 implementam o esquema de tradução dirigido por sintaxe da Figura 2.23. Essas funções imitam os corpos das produções dos não-terminais correspondentes. A função *expr* implementa a produção *expr* → *term rest* pelas chamadas *term*() seguida por *rest*().

```
void expr() {
    term(); rest();
}
void rest() {
    if (lookahead == '+' ) {
        match('+');  term();  print('+');  rest();
    }
    else if (lookahead == '-' ) {
        match('-');  term();  print('-');  rest();
    }
    else{ } /* não faz nada com a entrada */ ;
}
void term() {
    if (lookahead é um dígito) {
        t = lookahead;  match(lookahead);  print(t);
    }
    else report("syntax error");
}
```

Figura 2.25 Pseudocódigo para os não-terminais *expr*, *rest* e *term*.

A função *rest* implementa as três produções para o não-terminal *rest* na Figura 2.23. Ela aplica a primeira produção se o símbolo *lookahead* for um sinal de adição, a segunda produção se o símbolo *lookahead* for um sinal de subtração, e a produção *rest* → ϵ em todos os outros casos. As duas primeiras produções para *rest* são implementadas pelos dois primeiros desvios do comando if no procedimento *rest*. Se o símbolo *lookahead* for +, o sinal de adição é casado pela chamada *match*('+'). Depois da chamada *term*(), a ação semântica é implementada escrevendo o caractere de mais. A segunda produção é semelhante, com - no lugar de +. Como a terceira produção para *rest* possui ϵ como seu lado direito, a última cláusula *else* na função *rest* não faz nada.

As dez produções para *term* geram os dez dígitos. Como cada uma dessas produções gera um dígito e o imprime, o mesmo código na Figura 2.25 implementa todas elas. Se o teste tiver sucesso, a variável *t* salva o dígito representado pelo *lookahead*, de modo que ele possa ser escrito após a chamada a *match*. Observe que *match* muda o símbolo *lookahead*, portanto o dígito precisa ser salvo para impressão posterior.[5]

2.5.4 Simplificando o tradutor

Antes de mostrar um programa completo, faremos duas transformações de simplificação no código da Figura 2.25. As simplificações integrarão o procedimento *rest* com o procedimento *expr*. Quando as expressões com múltiplos níveis de precedência são traduzidas, essas simplificações reduzem o número de procedimentos necessários.

Primeiro, certas chamadas recursivas podem ser substituídas por iterações. Quando a última instrução executada em um corpo de procedimento é uma chamada recursiva para o mesmo procedimento, a chamada é considerada como sendo *recursiva na cauda*. Por exemplo, na função *rest*, as chamadas de *rest*() com *lookahead* + e – são recursivas na cauda porque, em cada um desses desvios, a chamada recursiva para *rest* é o último comando executado pela chamada indicada em *rest*.

Para um procedimento sem parâmetros, uma chamada recursiva na cauda pode ser substituída simplesmente por um desvio para o início do procedimento. O código para *rest* pode ser reescrito como o pseudocódigo da Figura 2.26. Desde que o símbolo *lookahead* seja um sinal de adição ou de subtração, o procedimento *rest* casa com o sinal, chama *term* para casar um dígito e continua o processo. Caso contrário, ele sai do *loop* while e retorna de *rest*.

```
void rest() {
    while( true ) {
        if( lookahead == '+' ) {
            match('+'); term(); print('+'); continue;
        }
        else if (lookahead == '-' ) {
            match('-'); term(); print('-'); continue;
        }
        break ;
    }
}
```

Figura 2.26 Eliminando a recursão da cauda no procedimento *rest* da Figura 2.25.

Em segundo lugar, o programa Java completo incluirá mais uma mudança. Na Figura 2.25, quando as chamadas recursivas de cauda para *rest* são substituídas por iterações, a única chamada restante para *rest* é de dentro do procedimento *expr*. Os dois procedimentos podem, portanto, ser integrados em um, substituindo a chamada de *rest*() pelo corpo do procedimento *rest*.

2.5.5 O programa completo

O programa Java completo para o nosso tradutor aparece na Figura 2.27. A primeira linha da Figura 2.27, começando com `import`, fornece acesso ao pacote `java.io` para a entrada e saída do sistema. O restante do código consiste em duas classes `Parser` e `Postfix`. A classe `Parser` contém a variável `lookahead` e as funções `Parser`, `expr`, `term` e `match`.

A execução começa com a função `main`, que é definida na classe `Postfix`. A função `main` cria uma instância `parse` da classe `Parser` e chama sua função `expr` para analisar uma expressão.

A função `Parser`, com o mesmo nome de sua classe, é uma *construtora*; ela é chamada automaticamente quando um objeto da classe é criado. Observe, por sua definição no início da classe `Parser`, que a construtora `Parser` inicia a variável `lookahead` lendo um token. Os tokens, consistindo em caracteres unitários, são fornecidos pela rotina de entrada do sistema `read`, que lê o próximo caractere do arquivo de entrada. Observe que `lookahead` é declarado como sendo um inteiro, em vez de um caractere, para antecipar o fato de que tokens adicionais que não sejam caracteres unitários serão introduzidos em outras seções.

A função `expr` é o resultado das simplificações discutidas na Seção 2.5.4; ela implementa os não-terminais *expr* e *rest* da Figura 2.23. O código para `expr` na Figura 2.27 chama `term` e depois tem um *loop* while que testa para sempre se `lookahead` casa com '+' ou '-'. O controle sai desse *loop* while quando ele alcança a instrução `return`. Dentro do *loop*, as facilidades de entrada/saída da classe `System` são usadas para escrever um caractere.

---

[5] Como uma pequena otimização, poderíamos imprimir antes de chamar a função *match*, para evitar a necessidade de salvar o dígito. Em geral, mudar a ordem das ações e dos símbolos da gramática é arriscado, pois poderia mudar o que a tradução faz.

```java
import java.io.*;
class Parser {
    static int lookahead;

    public Parser() throws IOException {
        lookahead = System.in.read();
    }

    void expr() throws IOException {
        term();
        while(true) {
            if( lookahead == '+' ) {
                match('+'); term(); System.out.write('+');
            }
            else if( lookahead == '-' ) {
                match('-'); term(); System.out.write('-');
            }
            else return;
        }
    }

    void term() throws IOException {
        if( Character.isDigit((char)lookahead) ) {
            System.out.write((char)lookahead); match(lookahead);
        }
        else throw new Error("syntax error");
    }

    void match(int t) throws IOException {
        if( lookahead == t ) lookahead = System.in.read();
        else throw new Error("syntax error");
    }
}
public class Postfix {
    public static void main(String[] args) throws IOException {
        Parser parse = new Parser();
        parse.expr(); System.out.write('\n');
    }
}
```

FIGURA 2.27 Programa Java para traduzir expressões infixadas para a forma pós-fixada.

Alguns recursos importantes da linguagem Java

Os que não estão acostumados com Java podem achar úteis as notas sobre Java na leitura do código da Figura 2.27:

- Uma classe em Java consiste em uma seqüência de variável e definições de função.
- Os parênteses delimitando listas de parâmetro de função são necessários mesmo que não haja parâmetros; daí escrevermos `expr()` e `term()`. Usualmente, essas funções são procedimentos, pois não retornam valores, indicados pela palavra-chave `void` antes do nome da função.
- As funções se comunicam passando parâmetros "por valor" ou acessando dados compartilhados. Por exemplo, as funções `expr()` e `term()` examinam o símbolo *lookahead* usando a variável de classe `lookahead` que elas podem acessar porque pertencem à mesma classe `Parser`.
- Assim como C, Java usa = para atribuição, == para igualdade e != para desigualdade.
- A cláusula "`throws IOException`" na definição de `term()` declara que uma exceção chamada `IOException` pode ocorrer. Essa exceção ocorre se não existir entrada para ser lida quando a função `match` usa a rotina `read`. Qualquer função que chama `match` também precisa declarar que uma `IOException` pode ocorrer durante sua própria execução.

A função `term` usa a rotina `isDigit` da classe Java `Character` para testar se o símbolo *lookahead* é um dígito. A rotina `isDigit` espera ser aplicada a um caractere; porém, `lookahead` é declarado como sendo um inteiro, antecipando futuras extensões. A construção `(char)lookahead` *converte* `lookahead` para um caractere. Em uma pequena mudança da Figura 2.25, a ação semântica para escrever o caractere de *lookahead* ocorre antes da chamada a `match`.

A função `match` verifica os terminais; ela lê o próximo terminal de entrada se o símbolo *lookahead* casar e, caso contrário, sinaliza um erro executando

```
throw new Error("syntax error");
```

Este código cria uma nova exceção da classe `Error` e lhe fornece a seqüência de caracteres `syntax error` como uma mensagem de erro. Java não exige que exceções `Error` sejam declaradas em uma cláusula `throws`, pois elas são usadas apenas para eventos anormais, que nunca deveriam ocorrer.[6]

2.6 Análise léxica

Um analisador léxico lê caracteres da entrada e os agrupa em "objetos do tipo token". Junto com um símbolo terminal que é usado durante a análise sintática, um objeto token carrega informações adicionais na forma de valores de atributo. Até aqui, não houve necessidade de distinguir entre os termos "token" e "terminal", pois o analisador sintático ignora os valores de atributo que fazem parte de um token. Nesta seção, um token é um terminal junto com informações adicionais.

Uma seqüência de caracteres de entrada compreendendo um único token é chamada de *lexema*. Assim, podemos dizer que o analisador léxico isola do analisador sintático a representação do lexema dos tokens.

O analisador léxico nesta seção permite que números, identificadores e "espaço em branco" (espaços, tabulações e quebras de linha) apareçam dentro das expressões. Ele pode ser usado para estender o tradutor de expressões da seção anterior. Como a gramática de expressão na Figura 2.21 precisa ser estendida para permitir números e identificadores, usaremos esta oportunidade para permitir também multiplicação e divisão. O esquema de tradução estendido aparece na Figura 2.28.

$$
\begin{array}{rcll}
expr & \rightarrow & expr + term & \{ \text{print}(`+`) \} \\
& | & expr - term & \{ \text{print}(`-`) \} \\
& | & term & \\
\\
term & \rightarrow & term * factor & \{ \text{print}(`*`) \} \\
& | & term\ /\ factor & \{ \text{print}(`/`) \} \\
& | & factor & \\
\\
factor & \rightarrow & (expr) & \\
& | & \textbf{num} & \{ \text{print}(\textbf{num}.valor) \} \\
& | & \textbf{id} & \{ \text{print}(\textbf{id}.lexeme) \} \\
\end{array}
$$

Figura 2.28 Ações para traduzir para a notação pós-fixada.

Na Figura 2.28, o terminal **num** é considerado como tendo um atributo **num**.*valor*, que dá o valor inteiro correspondente a essa ocorrência de **num**. O terminal **id** possui um atributo com valor de uma seqüência de caracteres escrito como **id**.*lexeme*; consideramos que essa seqüência de caracteres é o lexema real compreendendo essa instância do token **id**.

Os fragmentos de pseudocódigo usados para ilustrar o funcionamento de um analisador léxico serão construídos no código Java no final desta seção. A técnica nesta seção é adequada para analisadores léxicos escritos à mão. A Seção 3.5 descreve uma ferramenta chamada Lex, que gera um analisador léxico a partir de uma especificação. As tabelas de símbolos ou estruturas de dados para manter informações sobre os identificadores serão consideradas na Seção 2.7.

2.6.1 Remoção de espaço em branco e comentários

O tradutor de expressões da Seção 2.5 vê cada caractere na entrada, de modo que caracteres estranhos, como espaços em branco, causarão um erro. A maioria das linguagens permite que qualquer quantidade de espaço em branco apareça entre os

---

[6] O tratamento de erros pode ser agilizado por meio das facilidades de tratamento de exceção de Java. Uma técnica é definir uma nova exceção, digamos `SyntaxError`, que estenda a classe do sistema `Exception`. Depois, gere `SyntaxError` em vez de `Error` quando um erro for detectado em `term` ou `match`. Além do mais, trate a exceção em `main` delimitando a chamada `parse.expr()` dentro de uma instrução `try` que apanhe a exceção `SyntaxError`, escreva uma mensagem e termine. Precisaríamos incluir uma classe `SyntaxError` ao programa da Figura 2.27. Para completar a extensão, além de `IOException`, as funções `match` e `term` agora precisam declarar que podem gerar `SyntaxError`. A função `expr`, que as chama, também precisa declarar que pode gerar `SyntaxError`.

tokens. Os comentários, da mesma forma, são ignorados durante a análise, de modo que também podem ser tratados como espaços em branco.

Se o espaço em branco for eliminado pelo analisador léxico, o analisador sintático nunca precisará considerá-lo. A alternativa de modificar a gramática para incorporar o espaço em branco à sintaxe não é tão fácil de implementar.

O pseudocódigo da Figura 2.29 ignora o espaço em branco, lendo os caracteres de entrada enquanto houver um espaço em branco, uma tabulação ou uma quebra de linha. A variável *peek* mantém o próximo caractere da entrada. Os números de linha e o contexto são úteis dentro das mensagens de erro para auxiliar a localizar os erros; o código usa a variável *line* para contar os caracteres de quebra de linha na entrada.

```
for ( ; ; peek = próximo caractere de entrada ) {
    if ( peek é espaço ou tabulação ) não faz nada;
    else if ( peek é quebra de linha ) line = line+1;
    else break;
}
```

FIGURA 2.29 Ignorando espaço em branco.

2.6.2 LENDO ADIANTE

Um analisador léxico talvez precise ler alguns caracteres adiante antes de poder decidir sobre o token a ser retornado ao analisador sintático. Por exemplo, um analisador léxico para C ou Java precisa ler adiante depois de ver o caractere >. Se o caractere seguinte for =, então > faz parte da seqüência de caracteres >=, o lexema do token para o operador "maior ou igual a". Caso contrário, o próprio > forma o operador "maior que", e o analisador léxico terá lido um caractere a mais.

Uma técnica geral para ler adiante na entrada é manter um buffer de entrada, do qual o analisador léxico pode ler e colocar caracteres de volta. Os buffers de entrada podem ser justificados apenas com base na eficiência, pois ler um bloco de caracteres normalmente é mais eficiente do que ler um caractere de cada vez. Um apontador registra a parte da entrada que está sendo analisada; para voltar um caractere, move-se o apontador para trás. As técnicas para uso de buffers de entrada são discutidas na Seção 3.2.

A leitura de um caractere adiante normalmente é suficiente, de modo que uma solução simples é usar uma variável, digamos *peek*, para tratar o próximo caractere da entrada. O analisador léxico nesta seção lê um caractere adiante enquanto coleta dígitos para formar os números ou caracteres para formar os identificadores; por exemplo, após 1 ele lê mais um caractere para distinguir entre 1 e 10, e após t ele lê mais um caractere para distinguir entre t e true.

O analisador léxico lê adiante apenas quando necessário. Um operador como * pode ser identificado sem leitura adiante. Nesses casos, *peek* é definido como um espaço em branco, que será ignorado quando o analisador léxico for chamado para encontrar o próximo token. A assertiva invariante nesta seção é que, quando o analisador léxico retorna um token, a variável *peek* contém ou o caractere além do lexema para o token corrente ou um espaço em branco.

2.6.3 CONSTANTES

Sempre que um único dígito aparece em uma gramática para expressões, é razoável permitir qualquer constante inteira em seu lugar. Existem duas formas de definir constantes inteiras: criar um símbolo terminal, digamos **num**, para tais constantes, ou incorporar a sintaxe das constantes inteiras na gramática. A tarefa de coletar caracteres em inteiros e calcular seu valor numérico geralmente é atribuída a um analisador léxico, de modo que os números podem ser tratados como uma única unidade durante a análise sintática e a tradução.

Quando uma seqüência de dígitos aparece no fluxo de entrada, o analisador léxico passa para o analisador sintático um token consistindo no terminal **num** junto com um atributo de valor inteiro calculado a partir dos dígitos lidos. Se escrevermos os tokens como tuplas delimitadas por ⟨ ⟩, a entrada 31+28+59 será transformada na seqüência

⟨**num**, 31⟩ ⟨+⟩ ⟨**num**, 28⟩ ⟨+⟩ ⟨**num**, 59⟩

```
if ( peek mantém um dígito ) {
    v = 0;
    do {
        v = v * 10 + valor inteiro do dígito peek;
        peek = próximo caractere de entrada;
    } while ( peek contém um dígito );
    return token ⟨num, v⟩;
}
```

FIGURA 2.30 Agrupando dígitos em inteiros.

Neste exemplo, o símbolo terminal + não possui atributos, portanto sua tupla é simplesmente ⟨+⟩. O pseudocódigo na Figura 2.30 lê os dígitos em um inteiro e calcula o valor do inteiro usando a variável *v*.

2.6.4 Reconhecendo palavras-chave e identificadores

A maioria das linguagens utiliza seqüências de caracteres fixos como for, do e if como marcas de pontuação ou para identificar suas construções. Essas seqüências de caracteres são chamadas *palavras-chave*.

As seqüências de caracteres também são usadas como identificadores para nomes de variáveis, arranjos, funções e outras construções desse tipo. As gramáticas normalmente tratam os identificadores como terminais para simplificar o reconhecedor sintático, que pode então esperar o mesmo terminal, digamos **id**, toda vez que algum identificador aparecer na sua entrada. Por exemplo, para a entrada

$$\text{count = count + increment;} \quad (2.6)$$

o analisador sintático trabalha com o fluxo de terminais **id** = **id** + **id**. O token para **id** possui um atributo que contém o lexema. Escrevendo tokens como tuplas, vemos que as tuplas para o fluxo de entrada (2.6) são

⟨ **id**, "count"⟩ ⟨=⟩ ⟨ **id**, "count"⟩ ⟨+⟩ ⟨ **id**, "increment"⟩ ⟨;⟩

As palavras-chave geralmente satisfazem as regras para formar identificadores, portanto é necessário haver um mecanismo para decidir quando um lexema forma uma palavra-chave e quando ele forma um identificador. O problema é mais fácil de resolver se as palavras-chave forem *reservadas*; ou seja, se não puderem ser usadas como identificadores. Neste caso, uma seqüência de caracteres forma um identificador apenas se não for uma palavra-chave.

O analisador léxico apresentado nesta seção soluciona dois problemas usando uma tabela para manter as seqüências de caracteres:

- *Representação única*. Uma tabela com seqüências de caracteres pode isolar o resto do compilador da representação das seqüências de caracteres, pois as fases do compilador podem trabalhar com referências ou apontadores para a seqüência de caracteres na tabela. As referências também podem ser manipuladas com mais eficiência do que as próprias seqüências de caracteres.
- *Palavras reservadas*. As palavras reservadas podem ser implementadas inicializando a tabela de seqüências de caracteres com as seqüências de caracteres reservadas e seus tokens. Quando o analisador léxico lê uma seqüência de caracteres ou lexema que possa formar um identificador, ele primeiro verifica se o lexema está na tabela de seqüências de caracteres. Se estiver, retorna o token da tabela; caso contrário, retorna um token cujo primeiro componente é o terminal **id**.

Em Java, uma tabela de seqüências de caracteres pode ser implementada como uma tabela *hash* usando uma classe chamada *Hashtable*. A declaração

Hashtable words = **new** *Hashtable*();

configura *words* como uma tabela *hash* padrão, que faz o mapeamento entre chaves e valores. Vamos usar essa tabela para mapear os lexemas para os tokens. O pseudocódigo da Figura 2.31 usa a operação *get* para pesquisar as palavras reservadas.

```
if ( peek contém uma letra ) {
    junta letras ou dígitos em um buffer b;
    s = seqüência de caracteres formada pelos caracteres em b;
    w = token retornado por words.get(s);
    if (w is not null) return w;
    else {
        Entra com par chave-valor (s, ⟨id, s⟩) em words
        return token ⟨id, s⟩;
    }
}
```

Figura 2.31 Distinguindo palavras-chave de identificadores.

Esse pseudocódigo coleta da entrada uma seqüência de caracteres *s* consistindo em letras e dígitos começando com uma letra. Consideramos que *s* é a seqüência mais longa possível; ou seja, enquanto houver letras e dígitos na entrada, o analisador léxico continuará lendo. Quando for encontrado algo diferente de uma letra ou dígito (por exemplo, espaços em branco), o lexema é copiado para um buffer *b*. Se a tabela tiver uma entrada para *s*, então o token identificado por *words.get* é retornado. Neste ponto, *s* poderia ser uma palavra-chave, com a qual a tabela *words* foi iniciada, ou poderia ser um identificador inserido anteriormente na tabela. Caso contrário, o token **id** e o atributo *s* são instalados na tabela e retornados.

2.6.5 Um analisador léxico

Os fragmentos de pseudocódigo apresentados nas seções anteriores são reunidos para formar uma função *scan*, que retorna os objetos token, da seguinte forma:

> *Token scan()* {
>   ignora os espaços em branco, como na Seção 2.6.1;
>   trata os números, como na Seção 2.6.3;
>   trata as palavras reservadas e identificadores, como na Seção 2.6.4;
>   /* se chegamos aqui, trata o caractere lido adiante *peek* como *token* */
>   *Token t* = **new** *Token(peek)*;
>   *peek* = espaço /* inicialização, conforme discutido na Seção 2.6.2 */ ;
>   **return** *t;*
> }

O restante desta seção implementa a função *scan* como parte de um pacote Java para a análise léxica. O pacote, chamado `lexer`, possui classes para tokens e uma classe `Lexer` contendo a função `scan`.

As classes para tokens e seus campos são ilustrados na Figura 2.32; os seus métodos não são mostrados. A classe `Token` possui um campo `tag` que é usado na análise sintática para tomar algumas decisões. A subclasse `Num` acrescenta um campo `value` a um valor inteiro. A subclasse `Word` adiciona um campo `lexeme` que é usado para palavras reservadas e identificadores.

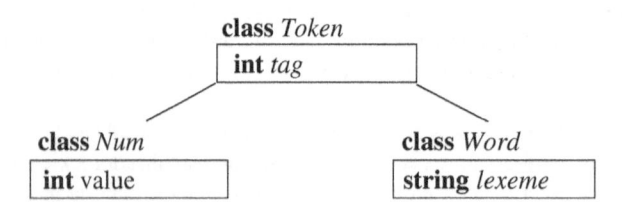

Figura 2.32 Classe *Token* e as subclasses *Num* e *Word*.

Cada classe está em um arquivo separado. O arquivo para a classe `Token` é o seguinte:

```
1)  package lexer;                          // Arquivo Token.java
2)  public class Token {
3)      public final int tag;
4)      public Token(int t) { tag = t; }
5)  }
```

A linha 1 identifica o pacote `lexer`. O campo `tag` é declarado na linha 3 para ser `final`, de modo que não pode ser alterado uma vez definido. O construtor `Token` na linha 4 é usado para criar os objetos token, como em

> **new** Token('+')

que cria um novo objeto da classe `Token` e define seu campo `tag` como uma representação inteira de '+'. (Para abreviar, omitimos o método `toString`, que retornaria uma seqüência de caracteres apropriada para impressão.)

Onde o pseudocódigo tinha símbolos terminais como **num** e **id**, o código Java usa constantes inteiras. A classe `Tag` implementa essas constantes:

```
1)  package lexer;                          // Arquivo Tag.java
2)  public class Tag {
3)      public final static int
4)          NUM = 256, ID = 257, TRUE = 258, FALSE = 259;
5)  }
```

Além dos campos para valores inteiros NUM e ID, esta classe define dois campos adicionais, TRUE e FALSE, para uso futuro; eles serão usados para ilustrar o tratamento de palavras-chave reservadas.[7]

Os campos na classe Tag são public, de modo que podem ser usados fora dos pacotes. Eles são static, portanto há apenas uma instância ou cópia desses campos. Os campos são final, de modo que só podem ser definidos uma vez. De fato, esses campos representam constantes. Um efeito semelhante é obtido em C com o uso do comando define para permitir que nomes como NUM sejam usados como constantes simbólicas, por exemplo:

```
#define NUM 256
```

O código Java refere-se a Tag.NUM e Tag.ID em lugares onde o pseudocódigo se referiria aos terminais **num** e **id**. O único requisito é que Tag.NUM e Tag.ID sejam inicializados com valores distintos, que diferem um do outro e das constantes representando os tokens de um único caractere, como '+' ou '*'.

```
1) package lexer;                              // Arquivo Num.java
2) public class Num extends Token {
3)     public final int value;
4)     public Num(int v) { super(Tag.NUM); value = v; }
5) }

1) package lexer;                              // Arquivo Word.java
2) public class Word extends Token {
3)     public final String lexeme;
4)     public Word(int t, String s) {
5)         super(t); lexeme = new String(s);
6)     }
7) }
```

FIGURA 2.33 Subclasses Num e Word de Token.

As classes Num e Word aparecem na Figura 2.33. A classe Num estende Token declarando um campo inteiro value na linha 3. O construtor Num na linha 4 chama super(Tag.NUM), que define o campo tag na superclasse Token como Tag.NUM.

```
1)  package lexer;                             // Arquivo Lexer.java
2)  import java.io.*; import java.util.*;
3)  public class Lexer {
4)      public int line = 1;
5)      private char peek =' ';
6)      private Hashtable words = new Hashtable();
7)      void reserve(Word t) { words.put(t.lexeme, t); }
8)      public Lexer() {}
9)          reserve( new Word(Tag.TRUE,  "true")  );
10)         reserve( new Word(Tag.FALSE, "false") );
11)     }
12)     public Token scan() throws IOException {
13)         for( ; ; peek = (char)System.in.read() ) {
14)             if( peek ==' ' || peek =='\t' ) continue;
15)             else if( peek =='\n' ) line = line + 1;
16)             else break;
17)         }
            /* continua na Figura 2.35 */
```

FIGURA 2.34 Código para um analisador léxico, parte 1 de 2.

---

[7] Os caracteres ASCII normalmente são convertidos em inteiros entre 0 e 255. Portanto, usamos inteiros maiores que 255 para representar os símbolos terminais.

A classe Word é usada para palavras reservadas e identificadores, de modo que o construtor Word na linha 4 espera dois parâmetros: um lexema e um valor inteiro correspondente para tag. Um objeto para a palavra reservada true pode ser criado executando-se

```
new Word(Tag.TRUE,  "true")
```

que cria um novo objeto com o campo tag definido como Tag.TRUE e o campo lexeme definido como a seqüência de caracteres "true".

A classe Lexer para a análise léxica aparece nas figuras 2.34 e 2.35. A variável inteira line na linha 4 conta as linhas de entrada, e a variável de caractere peek na linha 5 contém o próximo caractere de entrada.

As palavras reservadas são tratadas nas linhas 6 a 11. A tabela words é declarada na linha 6. A função auxiliar reserve na linha 7 coloca um par *string-word* na tabela. As linhas 9 e 10 do construtor Lexer inicializam a tabela. Elas usam o construtor Word para criar objetos *word*, que são passados à função auxiliar reserve. A tabela é, portanto, iniciada com as palavras reservadas "true" e "false" antes da primeira ativação de scan.

O código para scan nas figuras 2.34 e 2.35 implementa os fragmentos de pseudocódigo nesta seção. O comando **for** nas linhas 13 a 17 ignoram caracteres em branco, tabulações e quebras de linha. O controle deixa o comando **for** com peek contendo um caractere diferente de espaço em branco.

```
18)         if( Character.isDigit(peek) ) {
19)             int v = 0;
20)             do {
21)                 v = 10*v + Character.digit(peek, 10);
22)                 peek = (char)System.in.read();
23)             } while( Character.isDigit(peek) );
24)             return new Num(v);
25)         }
26)         if( Character.isLetter(peek) ) {
27)             StringBuffer b = new StringBuffer();
28)             do {
29)                 b.append(peek);
30)                 peek = (char)System.in.read();
31)             } while( Character.isLetterOrDigit(peek) );
32)             String s = b.toString();
33)             Word w = (Word)words.get(s);
34)             if( w != null ) return w;
35)             w = new Word(Tag.ID, s);
36)             words.put(s, w);
37)             return w;
38)         }
39)         Token t = new Token(peek);
40)         peek =' ';
41)         return t;
42)     }
43) }
```

FIGURA 2.35 Código para um analisador léxico, parte 2 de 2.

O código para ler uma seqüência de dígitos está nas linhas 18 a 25. A função isDigit é da classe *built-in* Java Character. Ela é usada na linha 18 para verificar se peek é um dígito. Se for, o código nas linhas 19 a 24 acumula o valor inteiro da seqüência de dígitos na entrada e retorna um novo objeto Num.

As linhas 26 a 38 analisam as palavras reservadas e os identificadores. As palavras-chave **true** e **false** já foram reservadas nas linhas 9 e 10. Portanto, a linha 35 é alcançada se a seqüência s não for reservada, de modo que precisa ser o lexema para um identificador. A linha 35, portanto, retorna um novo objeto *word* com lexeme definido como s e tag definido como Tag.ID. Finalmente, as linhas 39 a 41 retornam o caractere corrente como um token e definem peek como um espaço que será retirado da próxima vez que scan for ativada.

2.6.6 Exercícios da Seção 2.6

Exercício 2.6.1: Estenda o analisador léxico da Seção 2.6.5 para remover comentários, definidos da seguinte forma:

a) Um comentário começa com // e inclui todos os caracteres até o final dessa linha.
b) Um comentário começa com /* e inclui todos os caracteres até a próxima ocorrência da seqüência de caracteres */.

Exercício 2.6.2: Estenda o analisador léxico da Seção 2.6.5 para reconhecer os operadores relacionais <, <=, ==, !=, >=, >.

Exercício 2.6.3: Estenda o analisador léxico da Seção 2.6.5 para reconhecer números de ponto flutuante como 2., 3.14 e .5.

2.7 TABELAS DE SÍMBOLOS

Tabelas de símbolos são estruturas de dados usadas pelos compiladores para conter informações sobre as construções do programa fonte. As informações são coletadas de modo incremental pelas fases de análise de um compilador e usadas pelas fases de síntese para gerar o código objeto. As entradas na tabela de símbolos contêm informações sobre um identificador, como seu nome ou lexema, seu tipo, seu endereço na memória e qualquer outra informação relevante. As tabelas de símbolos normalmente precisam dar suporte a múltiplas declarações do mesmo identificador dentro de um programa.

De acordo com a Seção 1.6.1, o escopo de uma declaração é a parte de um programa à qual a declaração se aplica. Implementaremos os escopos definindo uma tabela de símbolos separada para cada um deles. Um bloco de programa com declarações[8] terá sua própria tabela de símbolos com uma entrada para cada declaração no bloco. Essa técnica também funciona para outras construções que usam escopos, por exemplo, uma classe teria sua própria tabela, com uma entrada para cada campo e método.

Esta seção contém um módulo de tabela de símbolos adequado para ser usado com os fragmentos do tradutor Java deste capítulo. O módulo será usado em sua íntegra quando juntarmos o tradutor no Apêndice A. Enquanto isso, por simplicidade, o exemplo principal desta seção é uma linguagem reduzida, apenas com as principais construções que usam as tabelas de símbolos; a saber, blocos, declarações e fatores. Todas as demais construções para comandos e expressões são omitidas, para podermos focalizar nas operações oferecidas pela tabela de símbolos. Um programa nesta linguagem consiste em blocos com declarações opcionais e "comandos" consistindo unicamente em identificadores. Cada comando desse tipo representa um uso do identificador. Aqui está um exemplo de um programa nessa linguagem:

$$\{ \text{ int x; char y; } \{ \text{ bool y; x; y; } \} \text{ x; y; } \} \quad (2.7)$$

Os exemplos de estruturas de blocos da Seção 1.6.3 trataram das definições e usos dos nomes; a entrada (2.7) consiste unicamente em definições e usos dos nomes.

Nossa tarefa é imprimir um programa revisado, no qual as declarações foram removidas e cada "comando" é composto por seu identificador seguido por um símbolo de dois-pontos e seu tipo.

EXEMPLO 2.14: Na entrada (2.7), o objetivo é produzir:

$$\{ \{ \text{ x:int; y:bool; } \} \text{ x:int; y:char; } \}$$

Os primeiros x e y são do bloco interno da entrada (2.7). Como esse uso de x se refere à declaração de x no bloco externo, ele é seguido por int, o tipo dessa declaração. O uso de y no bloco interno refere-se à declaração de y nesse próprio bloco e, portanto, tem o tipo booliano. Também vemos os usos de x e y no bloco externo, com seus tipos, conforme dado pelas declarações do bloco externo: inteiros e caracteres, respectivamente.

Quem cria entradas na tabela de símbolos?

As entradas na tabela de símbolos são criadas e usadas durante a fase de análise pelo analisador léxico, pelo analisador sintático e pelo analisador semântico. Neste capítulo, o analisador sintático criou as entradas. Com o seu conhecimento da estrutura sintática de um programa, um reconhecedor sintático normalmente está em melhor posição que o analisador léxico para distinguir entre diferentes declarações de um identificador.

Em alguns casos, o analisador léxico pode criar uma entrada na tabela de símbolos assim que ler os caracteres que compõem um lexema. Normalmente, o analisador léxico só retorna ao analisador sintático um token, digamos, **id**, junto com um apontador para o lexema. Porém, somente o reconhecedor sintático pode decidir se usará uma entrada na tabela de símbolos criada anteriormente ou criará uma nova para o identificador.

---

[8] Em C, por exemplo, os blocos do programa são funções ou seções de funções que são separadas por chaves e possuem uma ou mais declarações dentro delas.

2.7.1 Tabela de símbolos por escopo

O termo "escopo do identificador x" na realidade se refere ao escopo de uma declaração particular de x. O termo *escopo* por si só refere-se a uma parte de um programa que é o escopo de uma ou mais declarações.

Os escopos são importantes, pois o mesmo identificador pode ser declarado para diferentes finalidades em diferentes partes de um programa. Nomes comuns como i e x têm usualmente múltiplos usos. Outro exemplo, as subclasses podem redeclarar um nome de método que redefine um método de uma superclasse.

Se os blocos puderem ser aninhados, várias declarações do mesmo identificador podem aparecer dentro de um único bloco. A sintaxe a seguir resulta em blocos aninhados, quando *stmts* podem gerar um bloco:

$$block \rightarrow \text{`\{'} \; decls \; stmts \; \text{`\}'}$$

(Colocamos as chaves entre aspas na sintaxe para distingui-las das chaves para as ações semânticas.) Com a gramática da Figura 2.38, *decls* gera uma seqüência opcional de declarações e *stmts* gera uma seqüência opcional de comandos. Além disso, um comando pode ser um bloco, de modo que nossa linguagem permite blocos aninhados, onde um identificador pode ser redeclarado.

A regra de *aninhamento mais interno* para blocos é que um identificador x está no escopo da declaração aninhada mais interna de x; ou seja, a declaração de x é encontrada examinando-se os blocos de dentro para fora, começando com o bloco em que x aparece.

Otimização das tabelas de símbolos para blocos

As implementações das tabelas de símbolos para blocos podem tirar proveito da regra de aninhamento mais interno. O aninhamento garante que a cadeia de tabelas de símbolos aplicáveis forme uma pilha. No topo da pilha está a tabela para o bloco corrente. Abaixo dela na pilha estão tabelas para os blocos envolventes. Assim, as tabelas de símbolos podem ser alocadas e liberadas em um padrão tipo pilha.

Alguns compiladores mantêm uma única tabela hash com entradas acessíveis; ou seja, com entradas que não estão escondidas por uma declaração em um bloco aninhado. Essa tabela hash admite basicamente pesquisas de tempo constante, à custa da inserção e exclusão de entradas na entrada e saída do bloco. Após a saída de um bloco B, o compilador precisa desfazer quaisquer mudanças ocorridas na tabela hash devido às declarações do bloco B. Ele pode fazer isso usando uma pilha auxiliar para registrar as mudanças na tabela hash enquanto o bloco B é processado.

Exemplo 2.15: O pseudocódigo a seguir usa subscrito para distinguir entre as declarações de um mesmo identificador:

```
1)  {   int x₁;   int y₁;
2)      {   int w₂;   bool y₂;   int z₂;
3)          ... w₂ ...,  ... x₁ ...,  ... y₂ ...;  ... z₂ ...;
4)      }
5)      ... w₀ ...;  ... x₁ ...;  ... y₁ ...;
6)  }
```

O subscrito não faz parte de um identificador; ele na verdade é o número da linha da declaração que se aplica ao identificador. Assim, todas as ocorrências de x estão dentro do escopo da declaração na linha 1. A ocorrência de y na linha 3 está no escopo da declaração de y na linha 2, pois y é redeclarado dentro do bloco mais interno. A ocorrência de y na linha 5, porém, está dentro do escopo da declaração de y na linha 1.

A ocorrência de w na linha 5 está provavelmente dentro do escopo de uma declaração de w fora desse fragmento de programa; seu subscrito 0 indica uma declaração que é global ou externa a esse bloco.

Finalmente, o identificador z é declarado e usado dentro do bloco aninhado, mas não pode ser usado na linha 5, pois a declaração aninhada se aplica apenas ao bloco aninhado.

A regra de aninhamento mais interno para os blocos pode ser implementada pelo encadeamento de tabelas de símbolos. Ou seja, a tabela de um bloco aninhado aponta para a tabela do bloco que o envolve.

Exemplo 2.16: A Figura 2.36 mostra as tabelas de símbolos para o pseudocódigo no Exemplo 2.15. B_1 é para o bloco começando na linha 1 e B_2 é para o bloco começando na linha 2. No topo da figura há uma tabela de símbolos adicional B_0 para quaisquer declarações globais ou *default* fornecidas pela linguagem. Enquanto estamos analisando as linhas 2 a 4, o ambiente é representado por uma referência à tabela de símbolos mais interna – aquela para B_2. Quando passamos para a linha 5, a tabela de símbolos para B_2 torna-se inacessível, e o ambiente se refere à tabela de símbolos para B_1, da qual podemos alcançar a tabela de símbolos global, mas não a tabela para B_2.

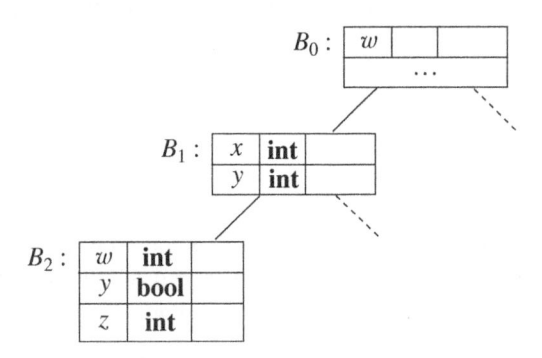

B_0 : | w | |
| --- | --- |
| ... | |

B_1 : | x | int |
| --- | --- |
| y | int |

B_2 : | w | int |
| --- | --- |
| y | bool |
| z | int |

FIGURA 2.36 Encadeamento das tabelas de símbolos para o Exemplo 2.15.

A implementação Java das tabelas de símbolos encadeadas na Figura 2.37 define uma classe Env, abreviação de *ambiente*[9]. A classe Env admite três operações:

```
1) package symbols;                          // Arquivo Env.java
2) import java.util.*;
3) public class Env {
4)     private Hashtable table;
5)     protected Env prev;

6)     public Env(Env p) {
7)         table = new Hashtable(); prev = p;
8)     }

9)     public void put(String s, Symbol sym) {
10)        table.put(s, sym);
11)    }

12)    public Symbol get(String s) {
13)        for( Env e = this; e != null; e = e.prev ) {
14)            Symbol found = (Symbol)(e.table.get(s));
15)            if( found != null ) return found;
16)        }
17)        return null;
18)    }
19) }
```

FIGURA 2.37 A classe Env implementa tabelas de símbolos encadeadas.

- *Criar uma nova tabela de símbolos*. O construtor Env(p) nas linhas 6 a 8 da Figura 2.37 cria um objeto Env com uma tabela hash chamada table. O objeto é encadeado ao parâmetro com valor de ambiente p definindo-se o campo next como p. Embora sejam os objetos Env que formam uma cadeia, é conveniente falar das tabelas sendo encadeadas.
- *Colocar* uma nova entrada na tabela corrente. A tabela *hash* contém pares chave e valor, onde:
  - A *chave* é uma seqüência de caracteres, ou então uma referência a uma seqüência de caracteres. Poderíamos alternativamente usar referências a objetos de token para identificadores como chaves.
  - O *valor* é uma entrada da classe Symbol. O código nas linhas 9 a 11 não precisa conhecer a estrutura de uma entrada; ou seja, o código é independente dos campos e métodos na classe Symbol.

---

9 "Ambiente" (do inglês *environment*) é outro termo para a coleção de tabelas de símbolos que são relevantes em determinado ponto no programa.

- *Recuperar* uma entrada para um identificador pesquisando a cadeia de tabelas, começando com a tabela para o bloco corrente. O código para essa operação nas linhas 12 a 18 retorna uma entrada da tabela de símbolos ou `null`.

O encadeamento de tabelas de símbolos resulta em uma estrutura de árvore, pois mais de um bloco pode estar aninhado dentro de um bloco que o envolve. As linhas pontilhadas na Figura 2.36 são um lembrete de que as tabelas de símbolos encadeadas podem formar uma árvore.

2.7.2 O uso de tabelas de símbolos

Com efeito, o papel de uma tabela de símbolos é passar informações de declarações para usos. Uma ação semântica "entra" com informações sobre o identificador x na tabela de símbolos, quando a declaração de x é analisada. Subseqüentemente, uma ação semântica associada a uma produção como *factor* → **id** "recupera" a informação sobre o identificador da tabela de símbolos. Como a tradução de uma expressão E_1 **op** E_2, para um operador **op** típico, depende apenas das traduções de E_1 e E_2, e não depende diretamente da tabela de símbolos, podemos acrescentar qualquer quantidade de operadores sem alterar o fluxo básico de informações de declarações para usos, por meio da tabela de símbolos.

Exemplo 2.17: O esquema de tradução na Figura 2.38 ilustra como a classe *Env* pode ser usada. O esquema de tradução se concentra em escopos, declarações e usos. Ele implementa a tradução descrita no Exemplo 2.14. Conforme observamos anteriormente, na entrada

```
{ int x; char y; { bool y; x; y; } x; y; }
```

o esquema de tradução retira as declarações e produz

```
{ { x:int; y:bool; } x:int; y:char; }
```

program	→	*block*	{*top* = **null**;}
block	→	`'{'`	{*saved* = *top*; *top* = **new** *Env*(*top*); print("{");}
		decls stmts `'}'`	{*top* = *saved*; print("}");}
decls	→	*decls decl*	
	|	ϵ	
decl	→	**type id**;	{s = **new** *Symbol*; *s.type* = **type**.*lexeme* *top.put*(**id**.*lexeme,s*);}
stmts	→	*stmts stmt*	
	|	ϵ	
stmt	→	*block*	
	|	*factor*;	{print(";");}

factor	→	**id**	{*s=top.get*(**id**.*lexeme*);
			print(**id**.*lexeme*);
			print(":");}
			print(s.type);

Figura 2.38 Uso de tabelas de símbolos para traduzir uma linguagem com blocos.

Observe que os corpos das produções foram alinhados na Figura 2.38, de modo que todos os símbolos da gramática aparecem em uma coluna, e todas as ações em uma segunda coluna. Como resultado, os componentes do corpo normalmente são espalhados por várias linhas.

Agora, considere as ações semânticas. O esquema de tradução cria e libera tabelas de símbolos na entrada e saída do bloco, respectivamente. A variável *top* indica a tabela do topo, na cabeça de uma cadeia de tabelas. A primeira produção desta gramática é *program* → *block*. A ação semântica antes de *block* inicia *top* com **null**, sem entradas.

A segunda produção, *block* → '**{**' *decls stmts* '**{**', possui ações na entrada e saída do bloco. Na entrada do bloco, antes de *decls*, uma ação semântica salva uma referência à tabela corrente usando uma variável local *saved*. Cada uso dessa produção tem sua própria variável local *saved* distinta da variável local para qualquer outro uso dessa produção. Em um analisador com descida recursiva, *saved* seria local ao procedimento para *block*. O tratamento das variáveis locais de uma função recursiva é discutido na Seção 7.2. O comando

$$top = \textbf{new } Env(top);$$

define a variável *top* como uma nova e também recém-criada tabela que é encadeada com o valor anterior de *top* imediatamente antes da entrada do bloco. A variável *top* é um objeto da classe *Env*; o código para o construtor *Env* aparece na Figura 2.37.

Na saída do bloco, depois de '}', uma ação semântica restaura *top* com seu valor salvo na entrada do bloco. Com efeito, as tabelas formam uma pilha; restaurar *top* com seu valor salvo retira o efeito das declarações no bloco.[10] Assim, as declarações no bloco não são visíveis fora do bloco.

Uma declaração, *decls* → **type id**, resulta em uma nova entrada para o identificador declarado. Consideramos que cada um dos tokens **type** e **id** possui um atributo associado, que é o tipo e o lexema, respectivamente, do identificador declarado. Não examinaremos todos os campos do objeto *s*, mas consideramos que existe um campo *type* que indica o tipo do símbolo terminal. Criamos um novo objeto *s* e atribuímos seu tipo corretamente em s.*type* = **type**.*lexeme*. A entrada completa é colocada na tabela de símbolos do topo com *top.put*(**id**.*lexeme*, *s*).

A ação semântica na produção *factor* → **id** usa a tabela de símbolos para recuperar a entrada para o identificador. A operação *get* procura a primeira entrada na cadeia de tabelas, começando com *top*. A entrada recuperada contém qualquer informação necessária sobre o identificador, como, por exemplo, seu tipo.

2.8 Geração de código intermediário

O *front-end* de um compilador constrói uma representação intermediária do programa fonte, da qual o *back-end* gera o programa objeto. Nesta seção, vamos considerar as representações intermediárias para expressões e comandos, dando exemplos para explicar como produzir essas representações.

2.8.1 Dois tipos de representações intermediárias

Conforme sugerimos na Seção 2.1 e especialmente na Figura 2.4, as duas representações intermediárias mais importantes são:

- Árvores, incluindo árvores de derivação e árvores sintáticas (abstratas).
- Representações lineares, especialmente o "código de três endereços".

As árvores sintáticas abstratas, ou simplesmente árvores sintáticas, foram apresentadas na Seção 2.5.1, e na Seção 5.3.1 elas serão reexaminadas mais formalmente. Durante a análise sintática, nós da árvore sintática são criados para representar construções de programação significativas. À medida que a análise prossegue, informação é acrescentada aos nós na forma de atributos associados aos nós. A escolha dos atributos depende da tradução a ser realizada.

O código de três endereços, por outro lado, é uma seqüência de etapas elementares do programa, como a adição de dois valores. Diferentemente da árvore, não existe uma estrutura hierárquica. Conforme veremos no Capítulo 9, precisamos dessa representação se tivermos de realizar qualquer otimização significativa do código. Nesse caso, dividimos a seqüência longa de comandos de três endereços, que forma um programa, em "blocos básicos", que são seqüências de comandos sempre executados um após o outro, sem desvio.

Além de criar uma representação intermediária, um *front-end* de compilador verifica se o programa fonte segue as regras sintáticas e semânticas da linguagem fonte. Essa verificação é chamada de *verificação estática*; em geral, "estática" significa "feita pelo compilador".[11] A verificação estática garante que certos tipos de erros de programação, incluindo incompatibilidade de tipo, são detectados e relatados durante a compilação.

---

10 Em vez de salvar e restaurar tabelas explicitamente, poderíamos alternativamente acrescentar operações estáticas *push* e *pop* à classe `Env`.
11 Seu oposto, a verificação "dinâmica", significa "enquanto o programa está sendo executado". Muitas linguagens também fazem certas verificações dinâmicas. Por exemplo, uma linguagem orientada por objeto, como Java, às vezes precisa verificar os tipos durante a execução do programa, pois o método aplicado a um objeto pode depender da subclasse específica do objeto.

É possível que um compilador construa uma árvore sintática ao mesmo tempo que emite trechos do código de três endereços. Contudo, é comum que os compiladores emitam o código de três endereços enquanto o analisador "se movimenta" construindo uma árvore sintática, sem realmente construir a estrutura de dados completa da árvore. Em vez disso, o compilador armazena nós e seus atributos necessários para a verificação semântica ou outras finalidades, junto com a estrutura de dados usada para análise. Fazendo isso, as partes da árvore sintática necessárias para construir o código de três endereços estão disponíveis quando necessárias, mas desaparecem quando não são mais necessárias. Vamos estudar os detalhes desse processo no Capítulo 5.

2.8.2 Construção de árvores sintáticas

Primeiro, mostraremos um esquema de tradução que constrói árvores sintáticas, e depois, na Seção 2.8.4, mostraremos como o esquema pode ser modificado para emitir o código de três endereços, junto com a árvore sintática ou no lugar dela.

Lembre-se, pela Seção 2.5.1, de que uma árvore sintática

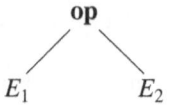

$$
\begin{array}{c}
\mathbf{op} \\
/ \quad \backslash \\
E_1 \quad E_2
\end{array}
$$

representa uma expressão formada pela aplicação do operador **op** às subexpressões representadas por E_1 e E_2. As árvores de sintaxe podem ser criadas para qualquer construção, não apenas expressões. Cada construção é representada por um nó, com filhos para os componentes semanticamente significativos da construção. Por exemplo, os componentes semanticamente significativos de uma instrução while da linguagem C:

while (*expr*) *stmt*

são a expressão *expr* e a instrução *stmt*.[12] O nó da árvore sintática para essa instrução while tem um operador, que chamamos de **while**, e dois filhos – as árvores sintáticas para *expr* e *stmt*.

O esquema de tradução da Figura 2.39 constrói árvores sintáticas para uma linguagem representativa, porém muito limitada, de expressões e comandos. Todos os não-terminais no esquema de tradução possuem um atributo *n*, que é um nó da árvore sintática. Os nós são implementados como objetos da classe *Node*.

A classe *Node* possui duas subclasses imediatas: *Expr* para todos os tipos de expressões, e *Stmt* para todos os tipos de comandos. Cada tipo de comando possui uma correspondente subclasse de *Stmt*; por exemplo, o operador **while** corresponde à subclasse *While*. Um nó da árvore sintática para o operador **while** com as folhas *x* e *y* é criado pelo pseudocódigo

new *While* (x, y)

que cria um objeto da classe *While* chamando a função construtora *While*, com o mesmo nome da classe. Assim como os construtores correspondem aos operadores, os parâmetros do construtor correspondem aos operandos na sintaxe abstrata.

Quando estudarmos o código detalhado no Apêndice A, veremos como os métodos são colocados onde eles pertencem nessa hierarquia de classes. Nesta seção, discutiremos apenas alguns dos métodos, informalmente.

Vamos considerar cada uma das produções e regras da Figura 2.39, uma por vez. Primeiro, são explicadas as produções definindo diferentes tipos de comandos, seguidas pelas produções que definem nossos tipos limitados de expressões.

Árvores sintáticas para comandos

Para cada construção comando, definimos um operador na sintaxe abstrata. Para as construções que começam com uma palavra-chave, devemos usar a palavra-chave como operador. Assim, existe um operador **while** para comandos while e um operador **do** para comandos do-while. Os comandos condicionais podem ser tratados definindo-se dois operadores, **ifelse** e **if**, para comandos if com ou sem a parte do else, respectivamente. Em nossa linguagem de exemplo simples, não usamos **else**, e por isso temos apenas um comando if. A inclusão de **else** gera alguns problemas no reconhecimento sintático, que discutiremos na Seção 4.8.2.

Cada operador de comando possui uma classe correspondente com o mesmo nome, com uma letra inicial maiúscula; por exemplo, a classe *If* corresponde a **if**. Além disso, definimos a subclasse *Seq*, que representa uma seqüência de comandos. Essa subclasse corresponde ao não-terminal *stmts* da gramática. Cada uma dessas classes são subclasses de *Stmt*, que, por sua vez, é uma subclasse de *Node*.

O esquema de tradução da Figura 2.39 ilustra a construção dos nós da árvore sintática. Uma regra típica é aquela para comandos if:

stmt → **if** (*expr*) *stmt*$_1$ { *stmt.n* = **new** *If* (*expr.n*, *stmt*$_1$.*n*); }

---

[12] O parêntese da direita serve apenas para separar a expressão da instrução. O parêntese da esquerda realmente não tem significado; ele foi incluído apenas para fins estéticos, pois, sem ele, a linguagem C permitiria parênteses não balanceados.

program	→	*block*	{ return *block.n*; }
block	→	`{` *stmts* `}`	{ *block.n* = *stmts.n*; }
stmts	→	*stmts$_1$* stmt	{ stmt.n = **new** *Seq* (*stmts$_1$.n*, *stmt.n*); }
	|	ε	{ *stmts.n* = **null**; }
stmt	→	*expr* ;	{ *stmt.n* = **new** *Eval* (*expr.n*); }
	|	**if** (*expr*) *stmt$_1$*	
			{ *stmt.n* = **new** *If* (*expr.n*, *stmt$_1$.n*); }
	|	**while** (*expr*) *stmt$_1$*	
			{ *stmt.n* = **new** *While* (*expr.n*, *stmt$_1$.n*); }
	|	**do** *stmt$_1$* **while** (*expr*);	
			{ *stmt.n* = **new** *Do* (*stmt$_1$.n*, *expr.n*); }
	|	*block*	{ *stmt.n* = *block.n*; }
expr	→	*rel* = *expr$_1$*	{ *expr.n* = **new** *Assign* (`=`, *rel.n*, *expr$_1$.n*);}
	|	*rel*	{ *expr.n* = *rel.n*; }
rel	→	*rel$_1$* < *add*	{ *rel.n* = **new** *Rel* (`<`, *rel$_1$.n*, *add.n*); }
	|	*rel$_1$* <= *add*	{ *rel.n* = **new** *Rel* (`≤`, *rel$_1$.n*, *add.n*); }
	|	*add*	{ *rel.n* = *add.n*; }
add	→	*add$_1$* + *term*	{ *add.n* = **new** *Op* (`+`, *add$_1$.n*, *term.n*); }
	|	*term*	{ *add.n* = *term.n*; }
term	→	*term$_1$* * *factor*	{ *term.n* = **new** *Op* (`*`, *term$_1$.n*, *factor.n*); }
	|	*factor*	{ *term.n* = *factor.n*; }
factor	→	(*expr*)	{ *factor.n* = *expr.n*; }
	|	**num**	{ *factor.n* = **new** Num (**num**.*value*); }

FIGURA 2.39 Construção de árvores sintáticas para expressões e comandos.

Os componentes significativos do comando if são *expr* e *stmt$_1$*. A ação semântica define o nó *stmt.n* como um novo objeto da subclasse *If*. O código para o construtor *If* não aparece. Ele cria um novo nó, rotulado com **if**, com os nós *expr.n* e *stmt$_1$.n* como filhos.

Comandos de expressão não começam com uma palavra-chave, de modo que definimos um novo operador **eval** e a classe *Eval*, que é uma subclasse de *Stmt*, para representar expressões que são comandos. A regra relevante é:

$$stmt \to expr \; ; \quad \{ \; stmt.n = \textbf{new} \; Eval \; (expr.n); \; \}$$

Representando blocos nas árvores sintáticas

Na Figura 2.39, a construção de comando restante é o bloco, consistindo em uma seqüência de comandos. Considere as regras:

$$stmt \to block \quad \{ \; stmt.n = block.n; \; \}$$
$$block \to \text{`\{`} \; stmts \; \text{`\}`} \quad \{ \; block.n = stmts.n; \; \}$$

A primeira diz que, quando um comando é um bloco, ele tem a mesma árvore sintática do bloco. A segunda regra diz que a árvore sintática para o não-terminal *block* é simplesmente a árvore sintática para a seqüência de comandos no bloco.

Para simplificar, a linguagem na Figura 2.39 não inclui declarações. Mesmo quando as declarações forem incluídas no Apêndice A, veremos que a árvore sintática para um bloco ainda é a árvore sintática para os comandos no bloco. Como as informações das declarações são incorporadas na tabela de símbolos, elas não são necessárias na árvore sintática. Portanto, os blocos, com ou sem declarações, parecem ser apenas outra construção de comando no código intermediário.

Uma seqüência de comandos é representada por uma folha **null** para um comando vazio e um operador **seq** para uma seqüência de comandos, como em

$$stmts \to stmts_1 \; stmt \quad \{ \; stmts.n = \textbf{new} \; Seq(stmts_1.n, stmt.n); \; \}$$

EXEMPLO 2.18: Na Figura 2.40, vemos parte de uma árvore sintática representando um bloco ou lista de comandos. Existem dois comandos na lista, o primeiro sendo um comando if e o segundo um comando while. Não mostramos a parte da árvore acima dessa lista de comandos, e mostramos apenas como um triângulo cada uma das subárvores necessárias: duas árvores de expressões para as condições dos comandos if e while, e duas árvores de comandos para seus subcomandos.

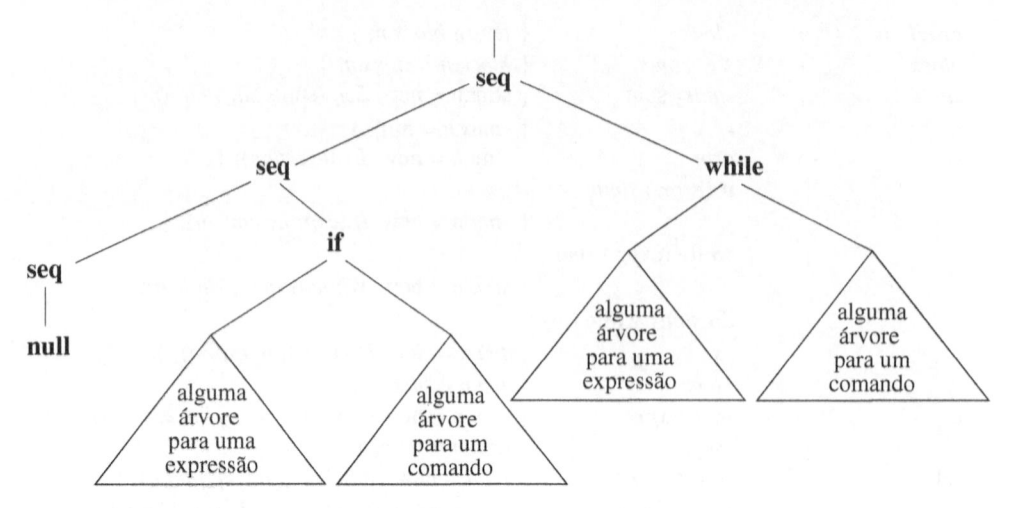

FIGURA 2.40 Parte de uma árvore sintática para uma lista de comandos consistindo em um comando if e um comando while.

Árvores sintáticas para expressões

Anteriormente, tratamos da precedência mais alta de * sobre + usando três não-terminais *expr*, *term* e *factor*. O número de não-terminais é exatamente um mais o número de níveis de precedência nas expressões, conforme sugerimos na Seção 2.2.6. Na Figura 2.39, temos dois operadores de comparação (< e <=) em um nível de precedência, além dos operadores normais + e *, de modo que acrescentamos um não-terminal adicional, chamado *add*.

A sintaxe abstrata nos permite agrupar operadores "semelhantes" para reduzir o número de casos e subclasses dos nós em uma implementação das expressões. Neste capítulo, "semelhante" significa que as regras de verificação de tipo e geração de código para os operadores são semelhantes. Por exemplo, normalmente os operadores + e * podem ser agrupados, uma vez que eles podem ser tratados da mesma maneira – seus requisitos em relação aos tipos dos operandos são iguais, e cada um deles resulta em uma única instrução de três endereços, que aplica um operador a dois valores. Em geral, o agrupamento de operadores na sintaxe abstrata é baseado nas necessidades das fases posteriores do compilador. A tabela na Figura 2.41 especifica a correspondência entre a sintaxe concreta e abstrata para vários dos operadores Java.

Sintaxe Concreta	Sintaxe Abstrata
=	**assign**
||	**cond**
&&	**cond**
== !=	**rel**
< <= >= >	**rel**
+ -	**op**
* / %	**op**
!	**not**
−$_{unário}$	**minus**
[ ]	**access**

FIGURA 2.41 Sintaxe concreta e abstrata para vários operadores Java.

Na sintaxe concreta, todos os operadores são associativos à esquerda, exceto o operador de atribuição =, que é associativo à direita. Os operadores em uma linha possuem a mesma precedência; ou seja, == e != têm a mesma precedência. As linhas estão em ordem de precedência crescente; por exemplo, == possui maior precedência do que os operadores && e =. O subscrito *unário* em −$_{unário}$ serve apenas para distinguir um sinal de subtração unário no início, como em -2, de um sinal de subtração binário, como em 2-a. O operador [ ] representa o acesso a arranjo, como em a[i].

A coluna de sintaxe abstrata especifica o agrupamento de operadores. O operador de atribuição = está em um grupo isolado. O grupo **cond** contém os operadores condicionais booleanos && e ||. O grupo **rel** contém os operadores de comparação relacionais nas linhas para == e <. O grupo **op** contém os operadores aritméticos como + e *. O operador de adição unário, a negação booleana e o acesso ao arranjo estão em grupos separados.

O mapeamento entre a sintaxe concreta e a abstrata, na Figura 2.41, pode ser implementado escrevendo-se um esquema de tradução. As produções para os não-terminais *expr*, *rel*, *add*, *term* e *factor* na Figura 2.39 especificam a sintaxe concreta para um subconjunto representativo dos operadores na Figura 2.41. As ações semânticas nessas produções criam nós de árvore sintática. Por exemplo, a regra

$$term \rightarrow term_1 * factor \qquad \{ term.n = \textbf{new}\ Op\ (\ '*',\ term_1.n, factor.n);\ \}$$

cria um nó da classe *Op*, que implementa os operadores agrupados sob **op** na Figura 2.41. O construtor *Op* tem um parâmetro '*' para identificar o operador real, além dos nós $term_1.n$ e *factor.n* para as subexpressões.

2.8.3 Verificação Estática

As verificações estáticas são verificações de consistência que são feitas durante a compilação. Elas não apenas garantem que um programa possa ser compilado com sucesso, mas também têm o poder de detectar os erros de programação mais cedo, antes que um programa seja executado. A verificação estática inclui:

- *Verificação sintática*. Existe mais na sintaxe do que nas gramáticas. Por exemplo, as restrições, como um identificador ser declarado no máximo uma vez em um escopo, ou um comando *break* precisar ter uma instrução *loop* ou switch envolvendo-o, são sintáticas, embora não estejam codificadas ou impostas por uma gramática usada para o reconhecimento sintático.
- *Verificação de tipo*. As regras de tipo associadas aos tipos de uma linguagem garantem que um operador ou função seja aplicado ao número e ao tipo correto de operandos. Se uma conversão entre tipos for necessária, por exemplo, em uma adição entre um inteiro e um float, o verificador de tipo pode inserir um operador na árvore sintática para representar essa conversão. A seguir, discutiremos a conversão de tipo usando um termo comum, "coerção".

Valores-L e valores-R

Agora, vamos considerar algumas verificações estáticas simples que podem ser feitas durante a construção de uma árvore sintática para um programa fonte. Em geral, as verificações estáticas complexas podem precisar ser feitas primeiro construindo uma representação intermediária e depois analisando-a.

Existe uma distinção entre o significado dos identificadores que aparecem no lado esquerdo e direito de uma atribuição. Em cada uma das atribuições

```
i = 5;
i = i + 1;
```

o lado direito especifica um valor inteiro, enquanto o lado esquerdo especifica onde o valor deve ser armazenado. Os termos *valor-l* e *valor-r* referem-se aos valores que são apropriados no lado esquerdo (*left*) e direito (*right*) de uma atribuição, respectivamente. Ou seja, valores-*r* são aqueles que normalmente pensamos como "valores", enquanto os valores-*l* são endereços.

A verificação estática precisa garantir que o lado esquerdo de uma atribuição indica um valor-*l*. Um identificador como i tem um valor-*l*, semelhante ao acesso a um arranjo, como a[2]. Mas uma constante como 2 não é apropriada para o lado esquerdo de uma atribuição, pois possui um valor-*r*, mas não um valor-*l*.

Verificação de tipo

A verificação de tipo garante que o tipo de uma construção case com aquele esperado por seu contexto. Por exemplo, no comando if

if (*expr*) *stmt*

espera-se que a expressão *expr* tenha o tipo **boolean**.

As regras de verificação de tipo seguem a estrutura operador/operando da sintaxe abstrata. Considere que o operador **rel** represente operadores relacionais, como <=. A regra de tipo para o grupo de operadores **rel** é que seus dois operandos devam ter o mesmo tipo, e o resultado tem o tipo booliano. Usando o atributo *type* para o tipo de uma expressão, considere que E consiste em **rel** aplicado a E_1 e E_2. O tipo de E pode ser verificado quando seu nó é construído, executando o seguinte código:

if ($E_1.type == E_2.type$) *E.type = boolean*;

    else error;

A idéia de casar o tipo real com o esperado continua aplicável, até mesmo nas seguintes situações:

- *Coerções*. Uma *coerção* ocorre se o tipo de um operando for convertido automaticamente para o tipo esperado pelo operador. Em uma expressão como 2*3.14, a transformação usual é converter o inteiro 2 em um número de ponto flutuante equivalente, 2.0, e depois realizar uma operação de ponto flutuante sobre o par resultante de operandos de ponto flutuante. A definição da linguagem especifica as coerções permitidas. Por exemplo, a regra para **rel** discutida anteriormente poderia ser que $E_1.type$ e $E_2.type$ são convertidos para o mesmo tipo. Nesse caso, seria válido comparar, digamos, um inteiro com um float.

- *Sobrecarga*. O operador + em Java representa a adição quando aplicada a inteiros; ele significa concatenação quando aplicado a *strings*. Um símbolo é considerado *sobrecarregado* se tiver diferentes significados, cada um deles dependendo do seu contexto. Assim, + é sobrecarregado em Java. O significado de um operador sobrecarregado é determinado considerando-se os tipos conhecidos de seus operandos e resultados. Por exemplo, sabemos que o + em z = x + y é uma concatenação se soubermos que qualquer um dentre x, y ou z são do tipo string. Porém, se soubermos também que um deles é do tipo inteiro, então temos um erro de tipo, e não existe significado nesse uso de +.

2.8.4 Código de três endereços

Uma vez que as árvores sintáticas estão construídas, análise e síntese poderão ser feitas avaliando-se os atributos e executando-se os fragmentos de códigos nos nós da árvore. Ilustramos as possibilidades percorrendo as árvores sintáticas para gerar o código de três operandos. Especificamente, mostramos como escrever funções que processam a árvore sintática e, como efeito colateral, emitem o código necessário de três endereços.

Instruções de três endereços

O código de três endereços é uma seqüência de instruções na forma

$$x = y \text{ op } z$$

onde *x*, *y* e *z* são nomes, restrições ou temporários gerados pelo compilador; e **op** significa um operador.

Os arranjos são tratados usando as duas variantes de instruções a seguir:

$$x[\,y\,] = z$$
$$x = y[\,z\,]$$

A primeira coloca o valor de *z* no endereço *x[y]*, e a segunda coloca o valor de *y[z]* no endereço *x*.

As instruções de três endereços são executadas em seqüência numérica, a menos que sejam forçadas a fazer de outra forma por um desvio condicional ou incondicional. Escolhemos as seguintes instruções para fluxo de controle:

```
ifFalse x goto L    se x é falso, execute em seguida a instrução rotulada com L
ifTrue  x goto L    se x é verdadeiro, execute em seguida a instrução rotulada com L
goto L              execute em seguida a instrução rotulada com L
```

Um rótulo L pode ser conectado a qualquer instrução iniciando-a com um prefixo L:. Uma instrução pode ter mais de um rótulo.

Finalmente, precisamos de instruções que copiam um valor. A instrução de três endereços a seguir copia o valor de y para x:

$$x = y$$

Tradução de comandos

Os comandos são traduzidos para código de três endereços usando instruções de desvio para implementar o fluxo de controle através do comando. O leiaute da Figura 2.42 ilustra a tradução de **if** *expr* **then** $stmt_1$. O comando de desvio no leiaute

ifFalse *x* goto *after*

```
┌─────────────────────────┐
│   código para calcular  │
│        expr em x        │
├─────────────────────────┤
│  ifFalse x goto after   │
├─────────────────────────┤
│    código para stmt₁    │
└─────────────────────────┘
after ──▶
```

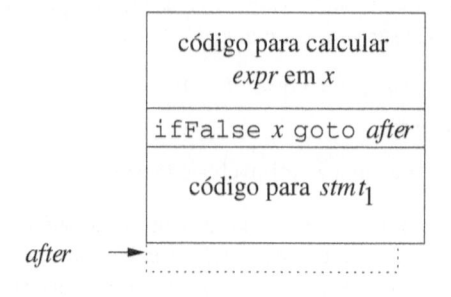

FIGURA 2.42 Leiaute de código para o comando if.

pula a tradução de $stmt_1$ se *expr* for avaliado como **false**. Outras construções de comandos são semelhantemente traduzidas usando saltos apropriados para transferir o controle ao redor do código de seus constituintes.

Para concretizar, mostramos o pseudocódigo para a classe *If* na Figura 2.43. A classe *If* é uma subclasse de *Stmt*, assim como as classes para as outras construções de comandos. Cada subclasse de *Stmt* possui um construtor – *If*, neste caso – e uma função *gen* que é ativada para gerar código de três endereços para esse tipo de comando.

```
class If extends Stmt {
    Expr E; Stmt S;
    public If( Expr x, Stmt y){ E = x; S = y; after = newlabel(); }
    public void gen() {
        Expr n = E.rvalue();
        emit( "ifFalse " + n.toString() + " goto " + after);
        S.gen();
        emit(after + ":");
    }
}
```

FIGURA 2.43 A função *gen* na classe *If* gera código de três endereços.

O construtor *If* na Figura 2.43 cria nós de árvore sintática para comandos *if*. Ele é chamado com dois parâmetros, um nó de expressão *x* e um nó de comando *y*, que ele salva como atributos *E* e *S*. O construtor também atribui o atributo *after* a um único novo rótulo, ativando a função *newlabel*(). O rótulo será usado de acordo com o leiaute da Figura 2.42.

Uma vez que a árvore sintática completa é construída para um programa fonte, a função *gen* é chamada na raiz da árvore sintática. Como um programa é um bloco em nossa linguagem simples, a raiz da árvore sintática representa a seqüência de comandos no bloco. Todas as classes de comandos contêm uma função *gen*.

O pseudocódigo para a função *gen* da classe *If* na Figura 2.43 é representativo. Ele chama *E.rvalue*() para traduzir a expressão *E* (a expressão de valor booliano que faz parte dos comandos if) e salva o nó de resultado retornado por *E*. A tradução das expressões será discutida em breve. A função *gen*, então, emite um desvio condicional e chama *S.gen*() para traduzir o subcomando *S*.

Tradução de expressões

Agora, ilustraremos a tradução de expressões considerando as expressões contendo operadores binários **op**, acessos a arranjos e atribuições, além de constantes e identificadores. Para simplificar, em um acesso a arranjo *y[z]*, exigimos que *y* seja um identificador.[13] Para uma discussão detalhada da geração de código intermediária para expressões, consulte a Seção 6.4.

Usaremos a técnica simples de gerar uma instrução de três endereços para cada nó operador na árvore sintática para uma expressão. Nenhum código é gerado para identificadores e constantes, pois eles podem aparecer como endereços nas instruções. Se um nó *x* da classe *Expr* tiver operador **op**, então uma instrução é emitida para calcular o valor no nó *x* para um nome "temporário" gerado pelo compilador, digamos, *t*. Assim, i-j+k é traduzido para duas instruções

```
t1 = i - j
t2 = t1 + k
```

Com os acessos a arranjos e atribuições, é necessário distinguir entre *valores-l* e *valores-r*. Por exemplo, 2*a[i] pode ser traduzido calculando o valor-*r* de a[i] em um temporário, como em

```
t1 = a [ i ]
t2 = 2 * t1
```

No entanto, não podemos simplesmente usar um temporário no lugar de a[i], se a[i] aparecer do lado esquerdo de uma atribuição.

A técnica mais simples usa duas funções *lvalue* e *rvalue*, que aparecem nas figuras 2.44 e 2.45, respectivamente. Quando a função *rvalue* é aplicada a um nó não folha *x*, ela gera instruções para calcular *x* em um temporário e retorna um novo nó representando o temporário. Quando a função *lvalue* é aplicada a uma não folha, ela também gera instruções para calcular as subárvores abaixo de *x* e retorna um nó representando o "endereço" para *x*.

Descrevemos a função *lvalue* primeiro, pois ela tem menos casos. Quando aplicada a um nó *x*, a função *lvalue* simplesmente retorna *x* se for o nó para um identificador (ou seja, se *x* for da classe *Id*). Em nossa linguagem simples, o único outro

---

13 Essa linguagem simples admite a[a[n]], mas não a[m][n]. Observe que a[a[n]] tem a forma a[E], onde *E* é a[n].

caso em que uma expressão tem um valor-*l* ocorre quando *x* representa um acesso a arranjo, como a[i]. Nesse caso, *x* terá a forma *Access(y,z)*, onde a classe *Access* é uma subclasse de *Expr*, *y* representa o nome do arranjo acessado, e *z* representa o *offset* (índice) do elemento escolhido nesse arranjo. Pelo pseudocódigo da Figura 2.44, a função *lvalue* ativa *rvalue*(z) para gerar instruções, se for preciso, a fim de calcular o valor-*r* de *z*. Depois, ela constrói e retorna um novo nó *Access* com filhos para o arranjo de nome *y* e o valor-*r* de *z*.

Expr lvalue(*x* : *Expr*) {
    if (*x* é um nó *Id*) **return** *x*;
    else if (*x* é um nó *Access* (*y*, *z*) e *y* é um nó *Id*) {
        return new *Access* (*y*, *rvalue*(*z*));
    }
    else error;
}

FIGURA 2.44 Pseudocódigo para a função *lvalue*.

EXEMPLO 2.19: Quando o nó *x* representa o acesso a arranjo a[2*k], a chamada *lvalue*(*x*) gera uma instrução

t = 2 * k

e retorna um novo nó *x'* representando o *valor-l* a[t], onde t é um novo nome temporário.

Detalhando, o fragmento de código

return new *Access*(*y*, *rvalue*(*z*));

é alcançado com *y* sendo o nó para a e *z* sendo o nó para a expressão 2*k. A chamada *rvalue*(*z*) gera código para a expressão 2*k (ou seja, o comando de três endereços t = 2 * k) e retorna o novo nó *z'* representando o nome temporário t. Esse nó *z'* torna-se o valor do segundo campo no novo nó *Access x'* que é criado.

Expr rvalue(*x* : *Expr*) {
    if (*x* é um *Id* ou um nó *Constant*) **return** *x*;
    else if (*x* é um nó *Op* (**op**, *y*, *z*) ou um nó *Rel* (**op**, *y*, *z*)) {
        t = novo temporário;
        emite string para *t* = *rvalue*(y) **op** *rvalue*(z);
        return um novo nó para *t*;
    }
    else if (*x* é um nó *Access* (*y*, *z*)) {
        t = novo temporário;
        call *lvalue*(x), que retorna *Access* (*y*, *z'*);
        emite string para *t* = *Access* (*y*, *z'*);
        return um novo nó para *t*;
    }
    else if (*x* é um nó *Assign* (*y*, *z*)) {
        z' = *rvalue*(z);
        emite string para *lvalue*(y) = *z'*;
        return *z'*;
    }
}

FIGURA 2.45 Pseudocódigo para a função *rvalue*.

A função *rvalue* na Figura 2.45 gera instruções e retorna um nó possivelmente novo. Quando *x* representa um identificador ou uma constante, *rvalue* retorna o próprio *x*. Em todos os outros casos, ela retorna um nó *Id* para um novo temporário *t*. Os casos são os seguintes:

- Quando *x* representa *y* **op** *z*, o código primeiro calcula *y'* = *rvalue*(y) e *z'* = *rvalue*(z). Ele cria um novo temporário *t* e gera uma instrução *t* = *y'* **op** *z'* (mais precisamente, uma instrução formada das representações de *t*, *y'*, **op**, e *z'*). Ele retorna um nó para o identificador *t*.
- Quando *x* representa um acesso a arranjo *y*[*z*], podemos reutilizar a função *lvalue*. A chamada *lvalue*(*x*) retorna um acesso *y*[*z'*], onde *z'* representa um identificador mantendo o deslocamento para o acesso ao arranjo. O código cria um novo temporário *t*, gera uma instrução baseada em *t* = *y*[*z'*], e retorna um nó para *t*.

- Quando *x* representa *y* = *z*, então o código primeiro calcula *z'* = *rvalue*(*z*). Ele gera uma instrução com base em *lvalue*(*y*) = *z'* e retorna o nó *z'*.

EXEMPLO 2.20: Quando aplicada à árvore sintática para

```
a[i] = 2*a[j-k]
```

a função *rvalue* gera

```
t3 = j - k
t2 = a [ t3 ]
t1 = 2 * t2
a [ i ] = t1
```

Ou seja, a raiz é um nó *Assign* com o primeiro argumento a[i] e o segundo argumento 2*a[j-k]. Assim, o terceiro caso se aplica, e a função *rvalue* avalia recursivamente 2*a[j-k]. A raiz dessa subárvore é o nó *Op* para *, que faz com que um novo temporário t1 seja criado, antes que o operando da esquerda, 2, seja avaliado, e depois o operando da direita. A constante 2 não gera código de três endereços, e seu valor-*r* é retornado como um nó *Constant* com valor 2.

O operando da direita a[j-k] é um nó *Access*, que faz com que um novo temporário t2 seja criado, antes que a função *lvalue* seja chamada nesse nó. Recursivamente, *rvalue* é chamado na expressão j-k. Como um efeito colateral dessa chamada, o comando de três endereços t3 = j - k é gerado, após o novo temporário t3 ser criado. Depois, retornando à chamada de *lvalue* sobre a[j-k], o temporário t2 é atribuído ao valor-*r* da expressão de acesso inteira, ou seja, t2 = a [t3].

Agora, retornamos à chamada de *rvalue* no nó *Op* 2*a[j-k], que criou anteriormente o temporário t1. Uma instrução de três endereços t1 = 2 * t2 é gerada como um efeito colateral, para avaliar essa expressão de multiplicação. Por fim, a chamada a *rvalue* na expressão toda termina chamando *lvalue* no lado esquerdo a[i] e depois gerando uma instrução de três endereços a[i] = t1, em que o lado direito da atribuição é atribuído ao lado esquerdo.

Código melhor para expressões

Podemos melhorar a função *rvalue* da Figura 2.45 e gerar menos instruções de três endereços, de várias maneiras:

- Reduza o número de instruções de cópia em uma fase de otimização subseqüente. Por exemplo, o par de instruções t = i+1 e i = t pode ser combinado em i = i+1, se não houver usos subseqüentes de t.
- Gere menos instruções em primeiro lugar levando em consideração o contexto. Por exemplo, se o efeito colateral de uma atribuição de três endereços for um acesso a arranjo a[t], então o lado direito precisa ser um nome, uma constante ou um temporário, todos usando apenas um endereço. Mas, se o lado esquerdo for um nome x, então o lado direito pode ser uma operação y **op** z que use dois endereços.

Podemos evitar algumas instruções de cópia modificando as funções de tradução para gerar uma instrução parcial que calcule, digamos j+k, mas não conforme onde o resultado deve ser colocado, indicado por um endereço **null** para o resultado:

$$\text{\textbf{null}} = j + k \tag{2.8}$$

O endereço de resultado nulo mais adiante é substituído por um identificador ou um temporário, conforme apropriado. Ele é substituído por um identificador se j+k estiver no lado direito de uma atribuição, como em i=j+k;, quando (2.8) se torna

$$i = j + k$$

Mas, se j+k for uma subexpressão, como em j+k+1, então o endereço de resultado nulo em (2.8) é substituído por um novo temporário t, e uma nova instrução parcial é gerada

$$t = j + k$$
$$\textbf{null} = t + 1$$

Muitos compiladores fazem o máximo de esforço para gerar código tão bom quanto ou melhor que o código em linguagem simbólica, escrito à mão por especialistas. Se forem usadas técnicas de otimização de código, como aquelas apresentadas no Capítulo 9, então uma estratégia efetiva pode muito bem ser usar uma técnica simples para a geração de código intermediário e contar com o otimizador de código para eliminar instruções desnecessárias.

2.8.5 EXERCÍCIOS DA SEÇÃO 2.8

Exercício 2.8.1: Comando for em C e Java têm o formato:

for ($expr_1$; $expr_2$; $expr_3$) stmt

A primeira expressão é executada antes do *loop*; ela normalmente é usada para inicializar o índice do *loop*. A segunda expressão é um teste feito antes de cada iteração do *loop*; o *loop* termina se a expressão se tornar 0. O próprio *loop* pode ser considerado o comando *{stmt expr₃;}*. A terceira expressão é executada ao final de cada iteração; ela normalmente é usada para incrementar o índice do *loop*. O significado do comando for é semelhante a

$expr_1$; while (*$expr_2$*) { *stmt $expr_3$;* }

Defina uma classe *For* para o comando for, semelhante à classe *If* na Figura 2.43.

Exercício 2.8.2: A linguagem de programação C não tem um tipo booliano. Mostre como um compilador C poderia traduzir uma instrução if em código de três endereços.

2.9 Resumo do Capítulo 2

As técnicas dirigidas por sintaxe neste capítulo podem ser usadas para construir *front-ends* de compilador, como aqueles ilustrados na Figura 2.46.

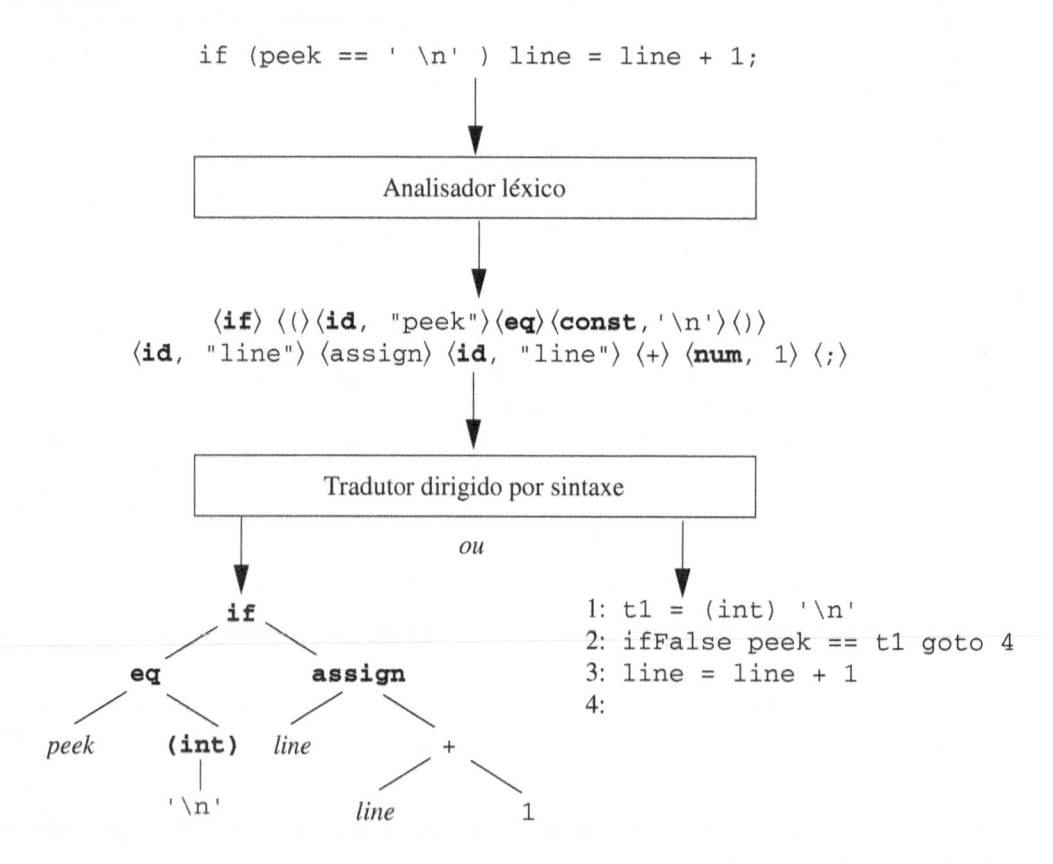

FIGURA 2.46 Duas traduções possíveis de um comando.

- O ponto de partida para um tradutor dirigido por sintaxe é uma gramática para a linguagem fonte. Uma *gramática* descreve a estrutura hierárquica dos programas. Ela é definida em termos dos símbolos elementares chamados símbolos *terminais* e variáveis chamadas *não-terminais*. Esses símbolos representam construções da linguagem. As regras ou *produções* de uma gramática consistem em um não-terminal chamado *cabeça* ou *lado esquerdo* de uma produção e uma seqüência e terminais e não-terminais, chamados de *corpo* ou *lado direito* da produção. Um não-terminal é designado como o símbolo *inicial*.
- Na especificação de um tradutor, é útil conectar atributos às construções de programação, onde um *atributo* é qualquer quantidade associada a uma construção. Como as construções são representadas por símbolos de gramática, o conceito de atributos se estende para símbolos da gramática. Exemplos de atributos incluem um valor inteiro associado a um

terminal **num** representando números, e uma seqüência de caracteres associada a um símbolo terminal **id** representando identificadores.
* Um *analisador léxico* lê da entrada um caractere de cada vez e produz como saída um fluxo de tokens, onde um token consiste em um símbolo de terminal junto com informações adicionais na forma de valores de atributo. Na Figura 2.46, os tokens são escritos como tuplas delimitadas por ⟨ ⟩. O token ⟨**id**, "peek"⟩ consiste no terminal **id** e um apontador para a entrada da tabela de símbolos contendo a seqüência de caracteres "peek". O tradutor usa a tabela para registrar palavras reservadas e identificadores que já foram vistos.
* A *análise* sintática consiste em descobrir como uma seqüência de terminais pode ser derivada do símbolo inicial da gramática, substituindo repetidamente um não-terminal pelo corpo de uma de suas produções. Conceitualmente, um analisador constrói uma árvore de derivação em que a raiz é rotulada com o símbolo inicial, cada não folha corresponde a uma produção, e cada folha é rotulada com um terminal ou com a cadeia vazia ϵ. A árvore de derivação deriva a seqüência de terminais nas folhas, lida da esquerda para a direita.
* Analisadores sintáticos eficientes podem ser desenvolvidos à mão, usando um método descendente (da raiz até as folhas de uma árvore de derivação), chamado analisador sintático preditivo. Um *analisador preditivo* contém um procedimento para cada não-terminal; os corpos do procedimento imitam as produções para não-terminais; e o fluxo de controle através do corpo do procedimento pode ser determinado de forma não ambígua examinando um símbolo adiante no fluxo de entrada. Ver outras técnicas de análise sintática no Capítulo 4.
* A tradução dirigida por sintaxe é feita conectando-se regras ou fragmentos de programa a produções em uma gramática. Neste capítulo, consideramos apenas atributos *sintetizados* – o valor de um atributo sintetizado em cada nó x só pode depender dos atributos nos filhos de x, se houver. Uma *definição dirigida por sintaxe* conecta regras a produções; as regras calculam valores de atributo. Um *esquema de tradução* incorpora fragmentos de programa chamados *ações semânticas* nos corpos de produção. As ações são executadas na ordem em que as produções são usadas durante a análise sintática.
* O resultado da análise sintática é uma representação do programa fonte, chamada *código intermediário*. Duas formas principais de código intermediário são ilustradas na Figura 2.46. Uma *árvore sintática abstrata* possui nós para construções de programação; os filhos de um nó geram as subconstruções significativas. Como alternativa, o *código de três endereços* é uma seqüência de instruções em que cada instrução executa uma única operação.
* *Tabelas de símbolos* são estruturas de dados que mantêm informações sobre identificadores. As informações são colocadas na tabela de símbolos quando a declaração de um identificador é analisada. Uma ação semântica obtém informações da tabela de símbolos sempre que o identificador for usado subseqüentemente, por exemplo, como um fator em uma expressão.

3 ANÁLISE LÉXICA

Neste capítulo, mostramos como construir um analisador léxico. Para implementar um analisador léxico à mão, é importante começar com um diagrama ou outra descrição para os lexemas de cada token. Podemos, então, escrever código para identificar a ocorrência de cada lexema na entrada e retornar informações sobre o token identificado.

Também podemos produzir um analisador léxico automaticamente especificando os padrões dos lexemas para um *gerador de analisador léxico* e compilando esses padrões em código que funciona como um analisador léxico. Essa técnica facilita a modificação de um analisador léxico, pois só temos de reescrever os padrões afetados, e não o programa todo. Esta abordagem também acelera o processo de implementação do analisador léxico, pois o programador especifica os padrões do software em bem alto nível e conta com o gerador para produzir o código detalhado. Na Seção 3.5, apresentamos um gerador de analisador léxico chamado *Lex* (ou *Flex*, em uma versão mais recente).

Começamos o estudo dos geradores de analisador léxico apresentando as expressões regulares, uma notação conveniente para especificar os padrões dos lexemas. Mostramos como essa notação pode ser transformada, primeiro em autômatos não deterministas e depois em autômatos deterministas. Essas duas notações podem ser usadas como entrada para um "driver", ou seja, um código que simula esses autômatos e os utiliza como guia para determinar o próximo token. Esse driver e a especificação na forma de autômato formam o núcleo do analisador léxico.

3.1 O PAPEL DO ANALISADOR LÉXICO

Como a primeira fase de um compilador, a tarefa principal do analisador léxico é ler os caracteres da entrada do programa fonte, agrupá-los em lexemas e produzir como saída uma seqüência de tokens para cada lexema no programa fonte. O fluxo de tokens é enviado ao analisador sintático para que a análise seja efetuada. É comum que o analisador léxico interaja com a tabela de símbolos também. Por exemplo, quando o analisador léxico descobre que um lexema é um identificador, precisa inserir esse lexema na tabela de símbolos. Em alguns casos, as informações referentes ao identificador devem ser lidas da tabela de símbolos pelo analisador léxico para ajudá-lo a determinar o token apropriado que ele precisa passar ao analisador sintático.

Essas interações são mostradas na Figura 3.1. Normalmente, a interação é implementada fazendo-se com que o analisador sintático chame o analisador léxico. A chamada, sugerida pelo comando *getNextToken*, faz com que o analisador léxico leia caracteres de sua entrada até que ele possa identificar o próximo lexema e produza para ele o próximo token, que retorna ao analisador sintático.

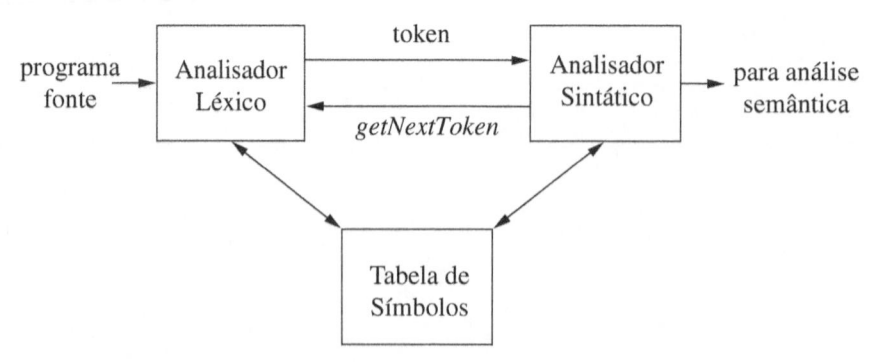

FIGURA 3.1 Interações entre o analisador léxico e o analisador sintático.

Como o analisador léxico é a parte do compilador que lê o texto fonte, ele pode realizar outras tarefas além da identificação de lexemas. Uma dessas tarefas é remover os comentários e o *espaço em branco* (espaço, quebra de linha, tabulação e talvez outros caracteres que são usados para separar os tokens na entrada). Outra tarefa é correlacionar as mensagens de erro geradas pelo compilador com o programa fonte. Por exemplo, o analisador léxico pode registrar o número de caracteres de quebra de linha vistos, de modo que possa associar um número de linha a cada mensagem de erro. Em alguns compiladores, o analisador léxico faz uma cópia do programa fonte com as mensagens de erro inseridas nas posições apropriadas. Se o programa fonte utilizar um pré-processador de macro, a expansão de macros também pode ser realizada pelo analisador léxico.

Às vezes, os analisadores léxicos são divididos em uma cascata de dois processos:

a) O *escandimento* consiste no processo simples de varredura da entrada sem se preocupar, por exemplo, com a remoção de comentários e a compactação de caracteres de espaço em branco consecutivos em apenas um caractere.

b) A *análise léxica* propriamente dita é a parte mais complexa, onde o analisador léxico produz a seqüência de tokens como saída.

3.1.1 ANÁLISE LÉXICA *VERSUS* ANÁLISE SINTÁTICA

Existem vários motivos pelos quais a parte de análise de um compilador normalmente é separada em fases de análise léxica e análise sintática.

1. Simplicidade de projeto é a consideração mais importante. A separação das análises léxica e sintática normalmente nos permite simplificar pelo menos uma dessas tarefas. Por exemplo, um analisador sintático que tivesse de lidar com comentários e espaço em branco como unidades sintáticas seria muito mais complexo do que um que pudesse assumir que comentários e espaço em branco já foram removidos pelo analisador léxico. Se estivermos projetando uma nova linguagem, a separação dos aspectos léxico e sintático pode em geral levar a um projeto de linguagem mais limpo.

2. A eficiência do compilador é melhorada. Um analisador léxico separado nos permite aplicar técnicas especializadas, que servem apenas à tarefa léxica, e não à tarefa de análise sintática. Além disso, as técnicas especializadas de *buffering* para a leitura dos caracteres da entrada podem acelerar o compilador significativamente.

3. A portabilidade do compilador é melhorada. As peculiaridades específicas do dispositivo de entrada podem ser restringidas ao analisador léxico.

3.1.2 TOKENS, PADRÕES E LEXEMAS

Ao discutir a análise léxica, usamos três termos relacionados, porém distintos:

- Um *token* é um par consistindo em um nome e um valor de atributo opcional. O nome do token é um símbolo abstrato que representa um tipo de unidade léxica, por exemplo, uma palavra-chave em particular, ou uma seqüência de caracteres da entrada denotando um identificador. Os nomes de token são os símbolos da entrada que o analisador sintático processa. No texto a seguir, geralmente escrevemos o nome de um token em negrito. Vamos freqüentemente nos referir a um token por seu nome de token.
- Um *padrão* é uma descrição da forma que os lexemas de um token podem assumir. No caso de uma palavra-chave como um token, o padrão é apenas uma seqüência de caracteres que formam uma palavra-chave. Para identificadores e alguns outros tokens, o padrão é uma estrutura mais complexa, que é *casada* por muitas seqüências de caracteres.
- Um *lexema* é uma seqüência de caracteres no programa fonte que casa com o padrão para um token e é identificado pelo analisador léxico como uma instância desse token.

EXEMPLO 3.1: A Figura 3.2 mostra alguns tokens típicos, seus padrões descritos informalmente, e alguns exemplos de lexemas. Para ver como esses conceitos são usados na prática, no comando em *C*

```
printf("Total = %d\n", score);
```

tanto printf quanto score são lexemas casando com o padrão para o token **id**, e "Total = \%d{*n"} é um lexema casando com **literal**.

TOKEN	DESCRIÇÃO INFORMAL	EXEMPLOS DE LEXEMAS
if	caracteres i, f	if
else	caracteres e, l, s, e	else
comparison	< or > ou <= ou >= ou == ou !=	<=, !=
id	letra seguida por letras e dígitos	pi, score, D2
number	qualquer constante numérica	3.14159, 0, 6.02e23
literal	qualquer caractere diferente de ", cercado por "s	"core dumped"

FIGURA 3.2 Exemplos de tokens.

Em muitas linguagens de programação, as classes a seguir abrangem a maioria ou todos os tokens:

1. Um token para cada palavra-chave. O padrão para uma palavra-chave é o mesmo que a própria palavra-chave.
2. Tokens para os operadores, seja individualmente ou em classes, como o token `comparison` mencionado na Figura 3.2.
3. Um token representando todos os identificadores.
4. Um ou mais tokens representando constantes, como números e cadeias literais.
5. Tokens para cada símbolo de pontuação, como parênteses esquerdo e direito, vírgula e ponto-e-vírgula.

3.1.3 Atributos de tokens

Quando mais de um lexema casar com um padrão, o analisador léxico precisa oferecer às fases subseqüentes do compilador informações adicionais sobre qual foi o lexema em particular casado. Por exemplo, o padrão para o token **number** casa com 0 e 1, mas é extremamente importante para o gerador de código saber qual lexema foi encontrado no programa fonte. Assim, em muitos casos, o analisador léxico retorna ao analisador sintático não apenas um nome de token, mas um valor de atributo que descreve o lexema representado pelo token; o nome do token influencia as decisões durante a análise sintática, enquanto o valor do atributo influencia a tradução dos tokens após o reconhecimento sintático.

Vamos considerar que os tokens possuem no máximo um atributo associado, embora esse atributo possa ter uma estrutura que combine com várias peças da informação. O exemplo mais importante é o token **id**, onde precisamos associar muitas informações ao token. Normalmente, as informações sobre um identificador — por exemplo, seu lexema, seu tipo, e sua localização na entrada (caso seja preciso emitir uma mensagem de erro sobre esse identificador) — são mantidas na tabela de símbolos. Assim, o valor de atributo apropriado para um identificador é um apontador para a sua entrada na tabela de símbolos.

Dificuldades com o reconhecimento de tokens

Usualmente, dado o padrão de descrição para os lexemas de um token, é relativamente simples reconhecer os lexemas correspondentes quando eles ocorrem na entrada. Em algumas linguagens, porém, ele não está imediatamente evidente quando vemos instância de um lexema correspondente a um token. O exemplo a seguir é retirado do Fortran, no formato fixo ainda permitido no Fortran 90. No comando

```
DO 5 I = 1.25
```

não é evidente que o primeiro lexema é `DO5I`, uma instância do token identificador, até que vejamos o ponto após o 1. Observe que os espaços no Fortran de formato fixo são ignorados (uma convenção arcaica). Se tivéssemos visto uma vírgula no lugar do ponto, teríamos um comando **do**.

```
DO 5 I = 1,25
```

onde o primeiro lexema é a palavra-chave `DO`.

Exemplo 3.2: Os nomes de token e valores de atributo associados para a instrução Fortran

```
E = M * C ** 2
```

são escritos a seguir como uma seqüência de pares.

> < **id**, apontador para entrada da tabela de símbolos de E>
> < **assign_op**>
> < **id**, apontador para entrada da tabela de símbolos de M>
> < **mult_op**>
> < **id**, apontador para entrada da tabela de símbolos de C>
> < **exp_op**>
> <**number**, valor inteiro 2>

Observe que, em certos pares, especialmente operadores, pontuação e palavras-chave, não há necessidade de um valor de atributo. Neste exemplo, o token **number** recebeu um atributo de valor inteiro. Na prática, um compilador típico armazenaria em vez disso uma cadeia de caracteres representando a constante e usaria como valor de atributo para **number** um apontador para essa cadeia. ∎

3.1.4 Erros léxicos

É difícil para um analisador léxico saber, sem o auxílio de outros componentes, que existe um erro no código fonte. Por exemplo, se a cadeia de caracteres `fi` for encontrada pela primeira vez em um programa C no contexto:
```
fi ( a == f(x)) ...
```

um analisador léxico não tem como saber se `fi` é a palavra-chave `if` escrita errada ou um identificador de função não declarada. Como `fi` é um lexema válido para o token **id**, o analisador léxico precisa retornar o token **id** ao analisador sintático e deixar que alguma outra fase do compilador — provavelmente o analisador sintático, neste caso — trate do erro devido à transposição das letras.

Suponha, porém, que ocorra uma situação na qual o analisador léxico seja incapaz de prosseguir porque nenhum dos padrões para tokens casa com nenhum prefixo da entrada restante. A estratégia de recuperação mais simples é a recuperação no "modo de pânico". Removemos os caracteres seguintes da entrada restante, até que o analisador léxico possa encontrar um token bem formado no início da entrada que resta. Essa técnica de recuperação pode confundir o analisador sintático, mas, em um ambiente de computação interativo, pode ser bastante adequada.

Outras ações de recuperação de erro possíveis são:

1. Remover um caractere da entrada restante.
2. Inserir um caractere que falta na entrada restante.
3. Substituir um caractere por outro caractere.
4. Transpor dois caracteres adjacentes.

Transformações como estas podem ser experimentadas em uma tentativa de reparar a entrada. A estratégia mais simples desse tipo é ver se um prefixo da entrada restante pode ser transformado em um lexema válido por uma única transformação. Essa estratégia faz sentido, pois, na prática, a maior parte dos erros léxicos envolve um único caractere. Uma estratégia de correção mais geral é encontrar o menor número de transformações necessárias para converter o programa fonte em um que consista apenas em lexemas válidos, mas, na prática, essa técnica é considerada muito dispendiosa para compensar o esforço.

3.1.5 Exercícios da Seção 3.1

Divida o seguinte programa em C++:

```
float limitedSquare(x) float x {
    /* retorna x ao quadrado, mas nunca mais do que 100 */
    return (x<=-10.0||x>=10.0)?100:x*x;
}
```

em lexemas apropriados, usando a discussão da Seção 3.1.2 como um guia. Quais lexemas devem ter valores léxicos associados? Quais deverão ser esses valores?

! **Exercício 3.1.2:** As linguagens de marcação, como HTML ou XML, são diferentes das linguagens de programação convencionais porque as marcas de pontuação (tags) são muito numerosas (como em HTML) ou um conjunto definido pelo usuário (como em XML). Além do mais, as tags normalmente podem ter parâmetros. Sugira como dividir o documento HTML a seguir:

```
Here is a photo of <B>my house</B>:
<P><IMG SRC = "house.gif"><BR>
Veja <A HREF = "morePix.html">More Pictures</A> if you
liked that one.<P>
```

em lexemas apropriados. Quais lexemas devem ter valores léxicos associados, e quais deverão ser esses valores?

3.2 Bufferes de entrada

Antes de discutirmos o problema de reconhecer os lexemas da entrada, vamos examinar as maneiras pelas quais a simples porém importante tarefa de ler o programa fonte pode ser acelerada. Essa tarefa se torna difícil pelo fato de com freqüência precisarmos examinar um ou mais caracteres além do próximo lexema para certificar-nos de ter o lexema correto. O quadro "Dificuldades com o Reconhecimento de Tokens", na Seção 3.1, mostrou um exemplo extremo, mas existem muitas situações em que precisamos examinar pelo menos um caractere adicional à frente. Por exemplo, não podemos ter certeza de que chegamos ao fim de um identificador até que vejamos um caractere que não é uma letra ou um dígito, e, portanto não faz parte do lexema para **id**. Em C, operadores com um único caractere como -, = ou < também podem ser o início de um operador de dois caracteres, como ->, == ou <=. Assim, apresentamos um esquema de dois buffers que trata lookaheads grandes com segurança. Depois, consideramos uma melhoria envolvendo "sentinelas", que economizam tempo na verificação do fim dos buffers.

3.2.1 Pares de buferes

Devido à quantidade de tempo necessária para processar caracteres e o grande número de caracteres que precisam ser processados durante a compilação de um programa fonte grande, foram desenvolvidas técnicas especializadas de *buffering* para reduzir o custo exigido no processamento de um único caractere de entrada. Um esquema importante envolve dois buferes que são recarregados alternadamente, conforme sugerido na Figura 3.3.

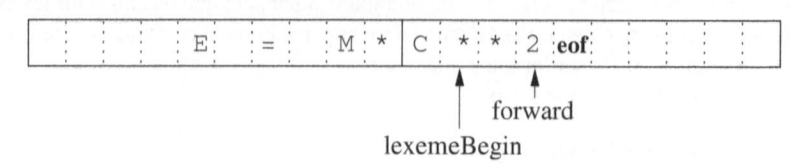

```
| | | | E | = | M | * | C | * | * | 2 |eof| | | |
                            ↑       ↑
                            |       forward
                        lexemeBegin
```

Figura 3.3 Usando um par de buferes de entrada.

Cada buffer possui o mesmo tamanho N, e N normalmente corresponde ao tamanho de um bloco de disco, por exemplo, 4096 *bytes*. Usando um comando de leitura do sistema, podemos ler N caracteres para um buffer, em vez de fazer uma chamada do sistema para cada caractere. Se restarem menos de N caracteres no arquivo de entrada, então um caractere especial, representado por **eof**, marca o fim do arquivo fonte e é diferente de qualquer caractere possível do programa fonte.

São mantidos dois apontadores para a entrada:

1. O apontador lexemeBegin marca o início do lexema corrente, cuja extensão estamos tentando determinar.
2. O apontador forward lê adiante, até que haja um casamento de padrão; a estratégia exata de como isso é determinado será explicada no restante deste capítulo.

Uma vez que o próximo lexema é determinado, forward é configurado para apontar para o seu último caractere à direita. Em seguida, após o lexema ser registrado como um valor de atributo de um token retornado ao analisador sintático, lexemeBegin é configurado para apontar para o caractere imediatamente após o lexema recém-encontrado. Na Figura 3.3, vemos que o apontador forward passou do fim do próximo lexema, ** (o operador de exponenciação em Fortran), e precisa ser recuado uma posição à sua esquerda.

Avançar o apontador forward exige que primeiro testemos se chegamos ao fim de um dos buferes e, nesse caso, precisamos recarregar o outro buffer da entrada e mover o apontador forward para o início do buffer recém-carregado. Se nunca precisarmos examinar tão adiante do lexema corrente que a soma do tamanho do lexema com a distância que examinamos adiante é maior do que N, nunca sobrescreveremos o lexema no buffer antes de determiná-lo.

Podemos esgotar o espaço em buffer?

Na maioria das linguagens modernas, os lexemas são pequenos, e um ou dois caracteres de lookahead são suficientes. Assim, um buffer de tamanho N na casa dos milhares é suficiente, e o esquema de buffer duplo da Seção 3.2.1 funciona sem problemas. Existem, porém, alguns riscos. Por exemplo, se as cadeias de caracteres puderem ser muito grandes, estendendo-se por muitas linhas, talvez nos depararemos com a possibilidade de um lexema ser maior do que N. Para evitar problemas com cadeias de caracteres longas, podemos tratá-las como uma concatenação de componentes, um de cada linha na qual a cadeia de caracteres é escrita. Por exemplo, Java adota a convenção de representar cadeias de caracteres longas escrevendo uma parte em cada linha e concatenando-as com um operador + ao final de cada parte.

Um problema mais difícil ocorre quando é necessário olhar à frente um número de caracteres arbitrariamente longo. Por exemplo, algumas linguagens, como PL/I, não tratam palavras-chave como *reservadas*; ou seja, você pode usar identificadores com o mesmo nome que uma palavra-chave como DECLARE. Se o analisador léxico receber um texto de um programa PL/I que começa com DECLARE (ARG1, ARG2, ..., ele não pode ter certeza se DECLARE é uma palavra-chave e ARG1 etc. são variáveis sendo declaradas, ou se DECLARE é um nome de procedimento com seus argumentos. Por esse motivo, as linguagens modernas costumam reservar suas palavras-chave. Porém, se as palavras-chave não forem reservadas, pode-se tratar uma palavra-chave do tipo DECLARE como um identificador ambíguo, e deixar que o analisador sintático resolva a questão, talvez em conjunto com uma pesquisa na tabela de símbolos.

3.2.2 Sentinelas

Se usarmos o esquema da Seção 3.2.1 conforme descrito, precisaremos verificar, sempre que avançarmos o apontador forward, se o movemos para fora de um dos buferes; nesse caso, também precisaremos recarregar o outro buffer. Assim, para cada caractere lido, fazemos dois testes: um para o fim do buffer e o outro para determinar qual caractere foi lido (o último pode ser um desvio de caminhos múltiplos). Podemos combinar o teste do fim do buffer com o teste do caractere corrente se estendermos cada buffer para conter um caractere de *sentinela* no fim. Sentinela é um caractere especial que não pode fazer parte do programa fonte, e uma escolha natural é o caractere de fim de arquivo, **eof**.

A Figura 3.4 mostra o mesmo arranjo da Figura 3.3, mas com sentinelas acrescentadas. Observe que **eof** retém seu uso como um marcador para o fim da entrada toda. Portanto, qualquer **eof** que apareça em outro lugar que não seja o fim de um buffer significa que a entrada chegou ao fim. A Figura 3.5 resume o algoritmo para avançar o apontador forward. Observe como o primeiro teste, que pode fazer parte de um desvio com múltiplos caminhos com base no caractere apontado por forward, é o único teste que fazemos, exceto quando realmente estivermos no fim de um buffer ou no fim da entrada toda.

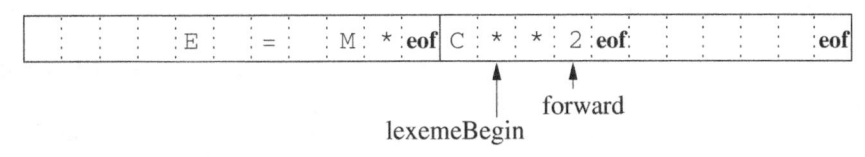

| | | | | E | | = | | M | * | eof | C | * | * | 2 | eof | | | | eof |

lexemeBegin   forward

FIGURA 3.4   Sentinelas no fim de cada buffer.

```
switch ( *forward++ ) {
    case eof:
        if (forward está no fim do primeiro buffer ) {
            recarrega segundo buffer;
            forward = início do segundo buffer;
        }
        else if (forward está no fim do segundo buffer ) {
            recarrega primeiro buffer;
            forward = início do primeiro buffer;
        }
        else /* eof dentro de um buffer marca o fim da entrada */
            termina análise léxica;
        break;
    Casos para os outros caracteres
}
```

FIGURA 3.5   Código de lookahead com sentinelas.

Implementando desvios de múltiplos caminhos

Poderíamos imaginar que o comando switch na Figura 3.5 exige muitos passos para ser executado, e que a inclusão em primeiro lugar do case **eof** não é uma escolha sensata. Mas, na realidade, não importa em que ordem colocamos os casos para cada caractere. Na prática, um desvio de múltiplos caminhos dependendo do caractere de entrada deve ser feito em um passo desviando-se para um endereço encontrado em um arranjo de endereços, indexado por caracteres.

3.3 Especificação de tokens

As expressões regulares são uma importante notação para especificar os padrões de lexemas. Embora não possam expressar todos os padrões possíveis, elas são muito eficientes na especificação dos tipos de padrões de que realmente precisamos para os tokens. Nesta seção, estudamos a notação formal para as expressões regulares, e, na Seção 3.5, vemos como essas expressões são usadas em um gerador de analisador léxico. Depois, a Seção 3.7 mostra como construir o analisador léxico convertendo expressões regulares em autômatos que realizam o reconhecimento dos tokens especificados.

3.3.1 Cadeias e linguagens

Um *alfabeto* é qualquer conjunto finito de símbolos. Os exemplos típicos de símbolos são letras, dígitos e sinais de pontuação. O conjunto {0,1} é o *alfabeto binário*. ASCII é um importante exemplo de alfabeto; ele é usado em muitos sistemas de software. Unicode, que inclui aproximadamente 100.000 caracteres de alfabetos do mundo inteiro, é outro importante exemplo.

Uma *cadeia* (*string*) em um alfabeto é uma seqüência finita de símbolos retirada desse alfabeto. Em teoria de linguagem, os termos "sentença" e "palavra" são freqüentemente usados como sinônimos para "cadeia". O tamanho de uma cadeia *s*, normalmente escrito como |s|, é o número de ocorrências de símbolos em *s*. Por exemplo, banana é uma cadeia de tamanho seis. A cadeia vazia, indicada por ϵ, é uma cadeia de tamanho zero.

Termos para partes da cadeia

Os seguintes termos relacionados à cadeia normalmente são utilizados:

1. Um *prefixo* da cadeia *s* é qualquer cadeia obtida pela remoção de zero ou mais símbolos no final de *s*. Por exemplo, ban, banana e ϵ são prefixos de banana.
2. Uma forma *pós-fixada* da cadeia *s* é qualquer cadeia obtida pela remoção de zero ou mais símbolos do início de *s*. Por exemplo, nana, banana e ϵ são formas pós-fixadas de banana.
3. Uma *subcadeia* de *s* é obtida excluindo-se qualquer prefixo e qualquer sufixo de *s*. Por exemplo, banana, nan e ϵ são subcadeias de banana.
4. Os prefixos, as formas pós-fixadas e as subcadeias *próprios* de uma cadeia *s* são aqueles prefixos, formas pós-fixadas e subcadeias de *s*, respectivamente, que não são ϵ ou não são iguais ao próprio *s*.
5. Uma *subseqüência* de *s* é qualquer cadeia formada excluindo-se zero ou mais posições não necessariamente consecutivas de *s*. Por exemplo, baan é uma subcadeia de banana.

Uma *linguagem* é qualquer conjunto contável de cadeias de algum alfabeto fixo. Essa definição é muito ampla. Linguagens abstratas como Ø, o *conjunto vazio*, ou $\{\epsilon\}$, o conjunto contendo apenas a cadeia vazia, são linguagens sob essa definição. Também o são o conjunto de todos os programas C sintaticamente bem formados e o conjunto de todas as sentenças inglesas gramaticamente corretas, embora estas duas últimas linguagens sejam difíceis de especificar exatamente. Observe que a definição de "linguagem" não exige nenhum significado atribuído às cadeias na linguagem. Os métodos para definir o "significado" das cadeias são discutidos no Capítulo 5.

Se *x* e *y* são cadeias, a *concatenação* de *x* e *y*, indicada por *xy*, é a cadeia formada pelo acréscimo de *y* a *x*. Por exemplo, se *x* = mal e *y* = tratar, então *xy* = maltratar. A cadeia vazia é a identidade sob concatenação; ou seja, para qualquer cadeia *s*, $\epsilon s = s\epsilon = s$.

Se pensarmos na concatenação como um produto, podemos definir a "exponenciação" de seqüências de símbolos da seguinte maneira. Defina s^0 como sendo ϵ, e para todo $i > 0$, defina s^i como sendo s^{i-1}s. Como $\epsilon s = s$, segue-se que $s^1 = s$. Então $s^2 = ss$, $s^3 = sss$, e assim por diante.

3.3.2 Operações sobre linguagens

Na análise léxica, as operações mais importantes sobre as linguagens são união, concatenação e fechamento, definidas formalmente na Figura 3.6. A união é a conhecida operação sobre conjuntos. A concatenação de linguagens são todas as cadeias formadas a partir de uma cadeia da primeira linguagem e uma cadeia da segunda linguagem, em todas as formas possíveis, e concatenando-as. O *fecho* (*Kleene*) de uma linguagem *L*, indicado por L^*, é o conjunto de cadeias obtidas concatenando *L* zero ou mais vezes. Observe que L^0, a "concatenação de *L* zero vezes", é definida como sendo $\{\epsilon\}$, e, por indução, L^i é $L^{i-1}L$. Finalmente, o fechamento positivo, indicado por L^+, é o mesmo que o fecho *Kleene*, mas sem o termo L^0. Ou seja, ϵ não está em L^+ a menos que seja o próprio *L*.

Operação	Definição e notação
União de *L* e *M*	$L \cup M = \{s \mid s \text{ está em } L \text{ ou } s \text{ está em } M\}$
Concatenação de *L* e *M*	$LM = \{st \mid s \text{ está em } L \text{ e } t \text{ está em } M\}$
Fecho Kleene de *L*	$L^* = \bigcup_{i=0}^{\infty} L^i$

Figura 3.6 Definições de operações sobre linguagens.

Exemplo 3.3: Considere que *L* seja o conjunto de letras {A, B,..., Z, a, b, z} e *D* seja o conjunto de dígitos {0, 1,... 9}. Podemos pensar em *L* e *D* de duas maneiras essencialmente equivalentes. Uma delas é que *L* e *D* são, respectivamente, os alfabetos de letras maiúsculas e minúsculas e de dígitos. A segunda maneira é que *L* e *D* são linguagens, ambas com todas as cadeias de tamanho um. Aqui estão algumas outras linguagens que podem ser construídas a partir das linguagens *L* e *D*, usando os operadores da Figura 3.6:

1. $L \cup D$ é o conjunto de letras e dígitos — estritamente falando, a linguagem com 62 cadeias de tamanho um, cada uma tendo uma letra ou um dígito.
2. LD é o conjunto de 520 cadeias de tamanho dois, cada uma consistindo em uma letra seguida por um dígito.
3. L^4 é o conjunto de todas as cadeias de 4 letras.
4. L^* é o conjunto de todas as cadeias de letras, incluindo ϵ, a cadeia vazia.
5. $L(L \cup D)^*$ é o conjunto de todas as cadeias de letras e dígitos começando com uma letra.
6. D^+ é o conjunto de todas as cadeias de um ou mais dígitos.

3.3.3 Expressões regulares

Suponha que quiséssemos descrever o conjunto de identificadores válidos em C. Essa é quase exatamente a linguagem descrita no item (5) anteriormente; a única diferença é que o caractere sublinhado (*underscore*) está incluído entre as letras.

No Exemplo 3.3, pudemos descrever identificadores dando nomes a conjuntos de letras e dígitos, e usando os operadores da linguagem união, concatenação e fechamento. Esse processo é tão importante que uma notação chamada *expressões regulares* foi criada para descrever todas as linguagens que podem ser formadas a partir desses operadores aplicados aos símbolos de algum alfabeto.

Nesta notação, se estabelecermos que *letra_* significa qualquer letra ou o sublinhado, e que *dígito_* significa qualquer dígito, então poderíamos descrever os identificadores da linguagem C por:

$$letra\_ \ (letra\_ \ | \ dígito\ )^*$$

A barra vertical anterior significa união, os parênteses são usados para agrupar subexpressões, o asterisco significa "zero ou mais ocorrências de", e a justaposição de *letra* com o restante da expressão significa concatenação.

As expressões regulares são construídas recursivamente a partir de expressões regulares menores, usando as regras descritas a seguir. Cada expressão regular r denota uma linguagem $L(r)$, que também é definida recursivamente a partir das linguagens indicadas pelas subexpressões de r. Aqui estão as regras que definem as expressões regulares para algum alfabeto Σ e as linguagens que essas expressões denotam.

BASE: Existem duas regras que formam a base:

1. ϵ é uma expressão regular, e $L(\epsilon)$ é $\{\epsilon\}$, ou seja, a linguagem cujo único membro é a cadeia vazia.
2. Se a é um símbolo pertencente a Σ, então **a** é uma expressão regular, e $L(\mathbf{a}) = \{a\}$, ou seja, a linguagem com uma cadeia, de tamanho um, com a em sua única posição. Observe que, por convenção, usamos itálico para símbolos e negrito para sua expressão regular correspondente.[1]

INDUÇÃO: Existem quatro partes na indução, por meio das quais expressões regulares maiores são construídas a partir das menores. Suponha que r e s sejam expressões regulares denotando as linguagens $L(r)$ e $L(s)$, respectivamente.

1. $(r)|(s)$ é uma expressão regular denotando a linguagem $L(r) \cup L(s)$.
2. $(r)(s)$ é uma expressão regular denotando a linguagem $L(r)L(s)$.
3. $(r)^*$ é uma expressão regular denotando $(L(r))^*$.
4. (r) é uma expressão regular denotando $L(r)$. Essa última regra diz que podemos acrescentar pares de parênteses adicionais em torno das expressões sem alterar a linguagem que elas denotam.

Conforme definido, as expressões regulares normalmente contêm pares de parênteses desnecessários. Podemos retirar certos pares de parênteses se adotarmos as convenções que:

a) O operador unário * possui precedência mais alta e é associativo à esquerda.
b) A concatenação tem a segunda maior precedência, e é associativa à esquerda.
c) | tem a precedência mais baixa, e é associativa à esquerda.

Com essas convenções, por exemplo, podemos substituir a expressão regular **(a)|((b)*(c))** por **a|b*c**. As duas expressões denotam o conjunto de cadeias que são um único a ou são zero ou mais b seguidos por um c.

Exemplo 3.4: Considere $\Sigma = \{a, b\}$.

1. A expressão regular **a|b** denota a linguagem $\{a, b\}$.
2. **(a|b)(a|b)** denota $\{aa, ab, ba, bb\}$, a linguagem de todas as cadeias de tamanho dois sob o alfabeto Σ. Outra expressão regular para a mesma linguagem é **aa|ab|ba|bb**.

---

[1] No entanto, falando a respeito de caracteres específicos do conjunto de caracteres ASCII, geralmente usamos uma fonte diferente para o caractere e sua expressão regular.

3. **a*** idenota a linguagem consistindo em todas as cadeias de zero ou mais *a*s, ou seja, {ε,a,aa,aaa,...}.
4. (**a|b**)* denota o conjunto de todas as cadeias consistindo em zero ou mais instâncias de *a* ou *b*, ou seja, todas as cadeias de *a*s e *b*s: {ε,a,b,aa,ab,ba,bb,aaa,...}. Outra expressão regular para a mesma linguagem é (**a*****b***)*.
5. **a|a*b** denota a linguagem {a,b,ab,aab,aaab,...}, ou seja, a cadeia *a* e todas as cadeias consistindo em zero ou mais *a*s e terminando em *b*.

Uma linguagem que pode ser definida por uma expressão regular é chamada de *conjunto regular*. Se duas expressões regulares *r* e *s* denotam o mesmo conjunto regular, dizemos que elas são *equivalentes* e escrevemos *r = s*. Por exemplo, (**a|b**) = (**b|a**). Existem diversas leis algébricas para as expressões regulares; cada lei estabelece que expressões de duas formas diferentes são equivalentes. A Figura 3.7 mostra algumas das leis algébricas que são verdadeiras para quaisquer expressões regulares *r*, *s* e *t*.

Lei	Descrição
$r\|s = s\|r$	| é comutativo
$r\|(s\|t) = (r\|s)\|t$	| é associativo
$r(st) = (rs)t$	A concatenação é associativa
$r(s\|t) = rs\|rt;\ (s\|t)r = sr\|tr$	A concatenação distribui entre |
$\epsilon r = r\epsilon = r$	ε é o elemento identidade para concatenação
$r^* = (r\|\epsilon)^*$	ε é garantido em um fechamento
$r^{**} = r^*$	* é igual potência

Figura 3.7 Leis algébricas para expressões regulares.

3.3.4 Definições regulares

Por conveniência de notação, podemos dar nomes a certas expressões regulares e usar esses nomes em expressões subseqüentes, como se os nomes fossem os próprios símbolos. Se Σ é um alfabeto de símbolos básicos, então uma *definição regular* é uma seqüência de definições da forma:

$$d_1 \rightarrow r_1$$
$$d_2 \rightarrow r_2$$
$$...$$
$$d_n \rightarrow r_n$$

onde:

1. Cada d_i é um novo símbolo, não em Σ e não o mesmo que qualquer outro dos *d*'s, e
2. Cada r_i é uma expressão regular envolvendo símbolos no alfabeto $\Sigma \cup \{d_1, d_2, ..., d_{i-1}\}$.

restringindo r_i a Σ e os *d*'s anteriormente definidos, evitamos definições recursivas, e podemos construir uma expressão regular apenas sob Σ, para cada r_i. Fazemos isso substituindo primeiro os usos de d_1 em r_2 (que não pode usar qualquer um dos *d*'s, exceto por d_1), depois substituindo os usos de d_1 e d_2 por r_1 e r_2 (o substituído), e assim por diante. Finalmente, em r_n, substituímos cada d_i, para $i = 1, 2,..., n - 1$, pela versão substituída de r_i, cada uma tendo apenas os símbolos de Σ.

Exemplo 3.5: Os identificadores de C são cadeias de letras, dígitos e sublinhados. Aqui está uma definição regular para os identificadores da linguagem C. Por convenção, vamos usar itálico para os símbolos definidos em definições regulares.

$$letter\_ \rightarrow A\ |\ B\ |...|\ Z\ |\ a\ |\ b\ |...|\ z\ |\ \_$$
$$digit \rightarrow 0\ |\ 1\ |...|\ 9$$
$$id \rightarrow lettter\_\ (\ letter\_\ |\ digit\ )^*$$

Exemplo 3.6: Números sem sinal (inteiros ou ponto flutuante) são cadeias como `5280`, `0.01234`, `6.336E4` ou `1.89E-4`. A definição regular

$$digit \rightarrow 0\ |\ 1\ |...|\ 9$$
$$digits \rightarrow digit\ digit^*$$

$$optionalFraction \rightarrow \;\; . \;digits \;|\; \epsilon$$
$$optionalExponent \rightarrow \;\; (\text{E} \;(+|-|\; \epsilon\;) \;digits \;) \;|\; \epsilon$$
$$number \rightarrow \;\; digits \;optionalFraction \;optionalExponent$$

é uma especificação precisa para esse conjunto de cadeias. Ou seja, uma *optionalFraction* é um ponto decimal seguido por um ou mais dígitos ou não existe (a cadeia vazia). Um *optionalExponent*, se não estiver faltando, é a letra E seguida por um sinal de + ou − opcional, seguido por um ou mais dígitos. Observe que pelo menos um dígito precisa vir após o ponto, de modo que um *número* não casa com `1.`, mas casa com `1.0`.

3.3.5 EXTENSÕES DE EXPRESSÕES REGULARES

Desde que *Kleene* introduziu as expressões regulares com os operadores básicos para união, concatenação e fecho de *Kleene*, na década de 1950, muitas extensões foram acrescentadas às expressões regulares para melhorar sua capacidade de especificar os padrões da cadeia. Nesta seção, mencionamos algumas extensões importantes que foram incorporadas inicialmente em utilitários do Unix, como Lex, que são particularmente úteis na especificação de analisadores léxicos. As referências para este capítulo contêm uma discussão de algumas variantes de expressão regular em uso atualmente.

1. *Uma ou mais instâncias.* O operador unário pós-fixado + representa o fechamento positivo de uma expressão regular e sua linguagem. Ou seja, se r é uma expressão regular, então $(r)+$ denota a linguagem $(L(r))^+$. O operador + tem a mesma precedência e associatividade do operador *. Duas leis algébricas úteis, $r^* = r^+|\epsilon$ e $r^+ = rr^* = r^*r$, se relacionam ao fecho e ao fechar positivo de *Kleene*, respectivamente.
2. *Zero ou uma instância.* O operador unário pós-fixado ? significa "zero ou uma ocorrência". Ou seja, $r?$ é equivalente a $r|\epsilon$ ou, de outra maneira, $L(r?) = L(r) \cup \{\epsilon\}$. O operador ? tem a mesma precedência e associatividade de * e +.
3. *Classes de caracteres.* Uma expressão regular $a_1|a_2|...|a_n$, onde os a_i's são cada um dos símbolos do alfabeto, pode ser substituída pela abreviação $[a_1a_2...a_n]$. Mais importante, quando $a_1,a_2,...,a_n$ formam uma seqüência lógica, por exemplo, letras maiúsculas consecutivas, letras minúsculas ou dígitos, podemos substituí-las por a_1-a_n, ou seja, apenas a primeira e a última separadas por um hífen. Assim, **[abc]** é a abreviação de **a|b|c**, e **[a-z]** é a abreviação de **a|b|...|z**.

EXEMPLO 3.7: Usando essas abreviações, podemos reescrever a definição regular do Exemplo 3.5 como:

$$letter\_ \rightarrow \;\; [\text{A-Za-z\_}]$$
$$digit \rightarrow \;\; [\text{0-9}]$$
$$id \rightarrow \;\; letter\_ \;(\;letter\;|\;digit\;)^*$$

A definição regular do Exemplo 3.6 também pode ser simplificada para:

$$digit \rightarrow \;\; [\text{0-9}]$$
$$digits \rightarrow \;\; digit^+$$
$$number \rightarrow \;\; digits \;(.\;digits)? \;(\text{E}\;[+-]? \;digits\;)?$$

3.3.6 EXERCÍCIOS DA SEÇÃO 3.3

Exercício 3.3.1: Consulte os manuais de referência da linguagem para determinar (*i*) os conjuntos de caracteres que formam o alfabeto de entrada (excluindo aqueles que só podem aparecer nas cadeias de caracteres ou comentários), (*ii*) a forma léxica de constantes numéricas, e (*iii*) a forma léxica de identificadores, para cada uma das seguintes linguagens: (a) C; (b) C++; (c) C#; (d) Fortran; (e) Java; (f) Lisp e (g) SQL.

!Exercício 3.3.2: Descreva as linguagens denotadas pelas seguintes expressões regulares:

    a) **a(a|b)*a**.
    b) **((ϵ|a)b*)***.
    c) **(a|b)*a(a|b)(a|b)**.
    d) **a*ba*ba*ba***.
    !!e) **(aa|bb)*((ab|ba)(aa|bb)*(ab|ba)(aa|bb)*)***.

Exercício 3.3.3: Em uma cadeia de tamanho n, quantos dos seguintes existem?

a) Prefixos.
b) Sufixos.
c) Prefixos próprios.
!d) Subcadeias.
!e) Subseqüências.

Exercício 3.3.4: A maioria das linguagens *diferencia* maiúsculas de minúsculas, de modo que as palavras-chave podem ser escritas apenas de uma maneira, e as expressões regulares descrevendo seu lexema são muito simples. Entretanto, algumas linguagens, como SQL, *não* fazem essa diferenciação, de modo que uma palavra-chave pode ser escrita em minúsculas ou em maiúsculas, ou em qualquer mistura de letras. Assim, a palavra-chave SQL SELECT também pode ser escrita como select, Select ou sElEcT, por exemplo. Mostre como escrever uma expressão regular para uma palavra-chave em uma linguagem que não diferencie maiúsculo de minúsculo. Ilustre a idéia escrevendo a expressão para "select" em SQL.

! Exercício 3.3.5: Escreva definições regulares para as seguintes linguagens:
a) Todas as cadeias de letras minúsculas que contêm as cinco vogais em ordem.
b) Todas as cadeias de letras minúsculas em que as letras estão em ordem lexicográfica crescente.
c) Comentários, consistindo em uma cadeia cercada por /* e */, sem um */ intercalado, a menos que esteja dentro de aspas (").
!!d) Todas as cadeias de dígitos sem dígitos repetidos. *Dica:* Experimente este problema primeiro com poucos dígitos, como {0,1,2}.
!!e) Todas as cadeias de dígitos com no máximo um dígito repetido.
!!f) Todas as cadeias de *a*s e *b*s com um número par de *a*s e um número ímpar de *b*s.
g) O conjunto de lances do xadrez, na notação informal, como p-k4 ou kbp x qn.
!!h) Todas as cadeias de *a*s e *b*s que não contêm a subcadeia *abb*.
i) Todas as cadeias de *a*s e *b*s que não contêm a subseqüência *abb*.

Exercício 3.3.6: Escreva classes de caracteres para os seguintes conjuntos de caracteres:
a) As dez primeiras letras (até "j") em maiúsculas ou minúsculas.
b) As consoantes minúsculas.
c) Os "dígitos" em um número hexadecimal (escolha maiúsculas ou minúsculas para os "dígitos" acima de 9).
d) Os caracteres que podem aparecer no fim de uma sentença legítima em português (por exemplo, ponto de exclamação).

Os exercícios a seguir, até o Exercício 3.3.10, inclusive, discutem a notação de expressão regular estendida do Lex (o gerador de analisador léxico que apresentamos com detalhes na Seção 3.5). A notação estendida é listada na Figura 3.8.

EXPRESSÃO	CASA COM	EXEMPLO
c	o único caractere não operador c	a
\c	o caractere C literalmente	*
"s"	a cadeia s literalmente	"**"
.	qualquer caractere menos quebra de linha	a.*b
^	o início de uma linha	^abc
$	o fim de uma linha	abc$
[s]	qualquer um dos caracteres na cadeia s	[abc]
[^s]	qualquer caractere não presente na cadeia s	[^abc]
$r*$	zero ou mais cadeias casando com r	a*
$r+$	uma ou mais cadeias casando com r	a+
$r?$	zero ou um r	a?
$r\{m,n\}$	entre m e n ocorrências de r	a[1,5]
$r_1 r_2$	um r_1 seguido por um r_2	ab
$r_1 \mid r_2$	um r_1 ou um r_2	a|b
(r)	o mesmo que r	(a|b)
r_1/r_2	R_1 quando seguido por r_2	abc/123

Figura 3.8 Expressões regulares do Lex.

Exercício 3.3.7: Observe que estas expressões regulares dão a todos os seguintes símbolos (*caracteres operadores*) um significado especial:

\ " . ^ [ ] * + ? { } | /

Seu significado especial precisa ser desativado se eles forem necessários para representar a si mesmos em uma cadeia de caracteres. Podemos fazer isso colocando o caractere dentro de uma cadeia de tamanho um ou mais; por exemplo, a expressão regular "**" casa com a cadeia **. Também podemos obter o significado literal de um caractere operador precedendo-o com uma barra invertida. Assim, a expressão regular ** também casa com a cadeia **. Escreva uma expressão regular que case com a cadeia " \.

Exercício 3.3.8: Em Lex, uma *classe de caractere complementada* representa qualquer caractere, exceto aqueles listados na classe de caractere. Indicamos uma classe complementada usando ^ como primeiro caractere; esse símbolo (circunflexo) por si só não faz parte da classe sendo complementada, a menos que seja listado dentro da própria classe. Assim, [^A-Za-z] casa com qualquer caractere que não seja uma letra maiúscula ou minúscula, e [^\^] representa qualquer caractere fora o circunflexo (ou quebra de linha, pois esta não pode estar em qualquer classe de caractere). Mostre que, para cada expressão regular com classes de caractere complementadas, existe uma expressão regular equivalente sem classes de caractere complementadas.

! Exercício 3.3.9: A expressão regular $r\{m,n\}$ casa a partir de m até n ocorrências do padrão r. Por exemplo, a[1,5] casa com uma cadeia de um a cinco as. Mostre que, para toda expressão regular contendo operadores de repetição dessa forma, existe uma expressão regular equivalente sem operadores de repetição.

! Exercício 3.3.10: O operador ^ casa com o extremo esquerdo de uma linha, e $ casa com o extremo direito de uma linha. O operador ^ também é usado para introduzir classes de caractere complementares, mas o contexto sempre deixa claro qual é o significado em cada caso. Por exemplo, ^[^aeiou]*$ casa com qualquer linha completa que não contenha uma vogal minúscula.
   a) Como você pode dizer qual é o significado pretendido para ^?
   b) Você sempre pode substituir uma expressão regular usando os operadores ^ e $ por uma expressão equivalente que não use nenhum desses operadores?

! Exercício 3.3.11: O comando *shell* do UNIX sh usa os operadores da Figura 3.9 nas expressões de nome de arquivo para descrever conjuntos de nomes de arquivos. Por exemplo, a expressão de nome de arquivo *.o casa com todos os nomes de arquivo terminando com .o; sort1.? casa com todos os nomes de arquivo na forma sort.c, onde c é qualquer caractere. Mostre como as expressões de nome de arquivo do sh podem ser substituídas por expressões regulares equivalentes usando apenas os operadores básicos de união, concatenação e fechamento.

Expressão	Casa com	Exemplo
'*s*'	a cadeia *s* literal	'\'
c	o caractere *c* literal	\'
*	qualquer cadeia	*.o
?	qualquer caractere	sort1.?
[*s*]	qualquer caractere em *s*	sort1.[cso]

FIGURA 3.9 Expressões de nome de arquivo usadas pelo comando *shell* sh.

! Exercício 3.3.12: SQL permite uma forma rudimentar de padrões na qual dois caracteres possuem significado especial: o sublinhado (_) representa qualquer caractere, e o sinal de porcentagem (%) representa qualquer cadeia de 0 ou mais caracteres. Além disso, o programador pode definir qualquer caractere, digamos *e*, para ser o caractere de escape, de modo que *e* precedendo um *e* precedendo _, \%, ou outro *e* dá o caractere que segue seu significado literal. Mostre como expressar qualquer padrão SQL como uma expressão regular, uma vez que sabemos qual caractere é o caractere de escape.

3.4 RECONHECIMENTO DE TOKENS

Na seção anterior, aprendemos a expressar padrões usando expressões regulares. Agora, temos de estudar os padrões para todos os tokens necessários e construir um trecho de código que examina a cadeia de entrada e encontra um prefixo que seja um lexema casando com um dos padrões. Nossa discussão utilizará o seguinte exemplo:

EXEMPLO 3.8: O fragmento de gramática da Figura 3.10 descreve uma forma simples de comandos de desvio e expressões condicionais. Esta sintaxe é semelhante à da linguagem Pascal, pois **then** aparece explicitamente após as condições. Para **relop**, usamos os operadores de comparação de linguagens como Pascal ou SQL, onde = é "igual" e <> é "não igual", pois apresenta uma estrutura interessante de lexemas.

$$
\begin{aligned}
stmt &\rightarrow \textbf{if } expr \textbf{ then } stmt \\
&\mid \textbf{if } expr \textbf{ then } stmt \textbf{ else } stmt \\
&\mid \epsilon \\
expr &\rightarrow term \textbf{ relop } term \\
&\mid term \\
term &\rightarrow \textbf{id} \\
&\mid \textbf{number}
\end{aligned}
$$

FIGURA 3.10 Uma gramática para comandos de desvio.

Os terminais da gramática, que são **if, then, else, relop, id** e **number**, são os nomes dos tokens no que se refere ao analisador léxico. Os padrões para esses tokens são descritos por meio de definições regulares, como na Figura 3.11. Os padrões para *id* e *number* são semelhantes aos que vimos no Exemplo 3.7.

$$
\begin{aligned}
digit &\rightarrow \texttt{[0-9]} \\
digits &\rightarrow digit^+ \\
number &\rightarrow digits\,(.\,digits)?\,(\,\mathrm{E}\,\texttt{[+-]}?\,digits\,)? \\
lettter &\rightarrow \texttt{[A-Za-z]} \\
id &\rightarrow letter\,(\,letter \mid digit\,)^* \\
if &\rightarrow \texttt{if} \\
then &\rightarrow \texttt{then} \\
else &\rightarrow \texttt{else} \\
relop &\rightarrow \texttt{<} \mid \texttt{>} \mid \texttt{<=} \mid \texttt{>=} \mid \texttt{=} \mid \texttt{<>}
\end{aligned}
$$

FIGURA 3.11 Padrões para os tokens do Exemplo 3.8.

Para esta linguagem, o analisador léxico reconhecerá as palavras-chave `if`, `then` e `else`, além dos lexemas que casam com os padrões para *relop*, *id* e *number*. Para simplificar, vamos supor que as palavras-chave também são *palavras reservadas*: ou seja, elas não são identificadores, embora seus lexemas casem com o padrão para identificadores.

Além disso, atribuímos ao analisador léxico a tarefa de remover espaços em branco, reconhecendo o "token" *ws* definido por:

$$ws \rightarrow (\textbf{blank} \mid \textbf{tab} \mid \textbf{newline})^+$$

Aqui, **blank**, **tab** e **newline** são símbolos abstratos que usamos para expressar os caracteres ASCII com os mesmos nomes. O token *ws* é diferente dos demais tokens porque, quando o reconhecemos, não o retornamos ao analisador sintático, mas reiniciamos a análise léxica a partir do caractere seguinte ao espaço em branco. É o token seguinte que é retornado ao analisador sintático.

Nosso objetivo para o analisador léxico é resumido na Figura 3.12. Essa tabela mostra, para cada lexema ou família de lexemas, qual nome de token é retornado ao analisador sintático e, conforme discutido na Seção 3.1.3, qual valor de atributo é retornado. Observe que, para os seis operadores relacionais, as constantes simbólicas LT, LE e assim por diante são usadas como valor de atributo, a fim de indicar qual instância do token **relop** encontramos. O operador em particular encontrado influenciará o código que é gerado pelo compilador.

LEXEMAS	NOME DO TOKEN	VALOR DO ATRIBUTO
Qualquer *ws*	–	–
`if`	**if**	–
`then`	**then**	–
`else`	**else**	–
Qualquer *id*	**id**	Apontador para entrada de tabela
Qualquer *number*	**number**	Apontador para entrada de tabela
`<`	**relop**	LT
`<=`	**relop**	LE
`=`	**relop**	EQ
`<>`	**relop**	NE
`>`	**relop**	GT
`>=`	**relop**	GE

FIGURA 3.12 Tokens, seus padrões e valores de atributo.

3.4.1 Diagramas de transição

Como um passo intermediário na construção de um analisador léxico, primeiro convertemos padrões em fluxogramas estilizados, chamados "diagramas de transição". Nesta seção, realizamos manualmente a conversão dos padrões de expressão regular para diagramas de transição, mas, na Seção 3.6, vemos que existe um modo mecânico de construir esses diagramas a partir de coleções de expressões regulares.

Diagramas de transição possuem uma coleção de nós ou círculos, denominados *estados*. Cada estado representa uma condição que poderia ocorrer durante o processo de escandimento da entrada procurando por um lexema que case um dos vários padrões. Podemos pensar em um estado como resumindo tudo aquilo de que precisamos saber sobre quais caracteres vimos entre o apontador *lexemeBegin* e o apontador *forward* (como na situação da Figura 3.3).

Arestas são direcionadas de um estado do diagrama de transição para outro. Cada aresta é *rotulada* por um símbolo ou conjunto de símbolos. Se estivermos em algum estado *s*, e o próximo símbolo de entrada for *a*, procuramos por uma aresta saindo do estado *s* rotulada por *a* (e talvez por outros símbolos também). Se encontrarmos tal aresta, avançamos o apontador *forward* e entramos no estado do diagrama de transição ao qual essa aresta leva. Vamos considerar que todos os nossos diagramas de transição são *deterministas*, significando que nunca existe mais de uma aresta saindo de determinado estado com determinado símbolo entre seus rótulos. A partir da Seção 3.5, relaxamos a condição do determinismo, tornando a vida muito mais fácil para o projetista de um analisador léxico, embora mais complicada para o implementador. Algumas convenções importantes sobre os diagramas de transição são:

1. Certos estados são considerados estados de *aceitação*, ou *finais*. Esses estados indicam que um lexema foi encontrado, embora o lexema corrente possa não consistir em todas as posições entre os apontadores *lexemeBegin* e *forward*. Sempre indicamos um estado de aceitação pelo círculo duplo e, se houver uma ação a ser tomada - normalmente retornando um token e um valor de atributo ao analisador sintático — conectaremos essa ação ao estado de aceitação.
2. Além disso, se for necessário recuar o apontador *forward* uma posição (ou seja, o lexema não inclui o símbolo que nos levou ao estado de aceitação), então incluiremos um * ao lado desse estado de aceitação. Em nosso exemplo, nunca é necessário recuar o apontador *forward* por mais de uma posição, mas, se fosse, poderíamos conectar qualquer quantidade de *s ao estado de aceitação.
3. Um estado é designado como o *estado inicial*; ele é indicado por uma aresta, rotulada como "início", e não há arestas chegando ao estado inicial. O diagrama de transição sempre começa no estado inicial antes que qualquer símbolo de entrada tenha sido lido.

Exemplo 3.9: A Figura 3.13 é um diagrama de transição que reconhece os lexemas casando com o token **relop**. Começamos no estado 0, o estado inicial. Se encontrarmos < como o primeiro símbolo de entrada, então entre os lexemas que casam com o padrão para **relop**, só podemos estar procurando <, <> ou <=. Portanto, vamos para o estado 1 e examinamos o caractere seguinte. Se ele for =, então reconhecemos o lexema <=, entramos no estado 2 e retornamos o token **relop** com o atributo LE, a constante simbólica representando esse operador de comparação em particular. Se, no estado 1, o caractere seguinte for >, então temos o lexema <>, e entramos no estado 3 para retornar uma indicação de que o operador não-igual foi encontrado. Com qualquer outro caractere, o lexema é <, e entramos no estado 4 para retornar essa informação. Observe, porém, que o estado 4 tem um * para indicar que devemos recuar na entrada uma posição.

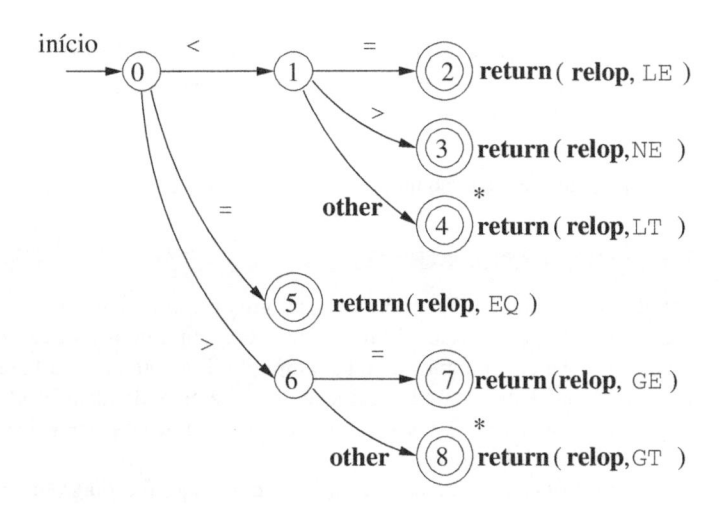

FIGURA 3.13 Diagrama de transição para **relop**.

Por outro lado, se no estado 0 o primeiro caractere que vemos for =, então esse único caractere precisa ser o lexema. Imediatamente retornamos esse fato do estado 5. A possibilidade restante é que o primeiro caractere seja >. Depois, temos de entrar no estado 6 e decidir, com base no próximo caractere, se o lexema é >= (se em seguida virmos o sinal =) ou apenas > (com qualquer outro caractere). Observe que se, no estado 0, virmos qualquer caractere além de <, = ou >, possivelmente não podemos estar vendo um lexema `relop`, de modo que esse diagrama de transição não será usado.

3.4.2 Reconhecimento de palavras reservadas e identificadores

Reconhecer palavras-chave e identificadores implica um problema. Usualmente, palavras-chave como `if` ou `then` são reservadas (assim como em nosso exemplo em andamento), de modo que as palavras-chave não são identificadores embora se *pareçam* com eles. Portanto, muito embora usemos um diagrama de transição como o da Figura 3.14 para procurar lexemas identificadores, esse diagrama também reconhecerá as palavras-chave `if`, `then` e `else` do nosso exemplo em andamento.

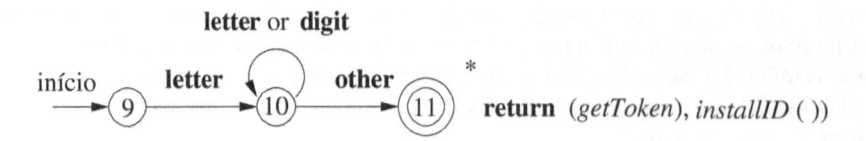

Figura 3.14 Um diagrama de transição para id's e palavras-chave.

Podemos lidar com palavras reservadas que se parecem com identificadores de duas formas:

1. Instale inicialmente as palavras reservadas na tabela de símbolos. Um campo da entrada da tabela de símbolos indica que essas cadeias de caracteres nunca são identificadores comuns, e diz qual token elas representam. Consideramos que esse método esteja em uso na Figura 3.14. Quando encontramos um identificador, uma chamada a *installID* o coloca na tabela de símbolos caso ele ainda não esteja lá, e retorna um apontador para a entrada da tabela de símbolos referente ao lexema encontrado. Naturalmente, qualquer identificador que não esteja na tabela de símbolos durante a análise léxica não pode ser uma palavra reservada, portanto seu token é **id**. A função *getToken* examina a entrada da tabela de símbolos em busca do lexema encontrado e retorna qualquer que seja o nome de token que a tabela de símbolos diz que esse lexema representa — ou **id** ou um dos tokens de palavra-chave que foi inicialmente instalado na tabela.
2. Crie diagramas de transição separados para cada palavra-chave; um exemplo para a palavra-chave `then` aparece na Figura 3.15. Observe que esse diagrama de transição consiste nos estados representando a situação logo após cada letra sucessiva da palavra-chave ser vista, seguido por um teste para uma "não-letra-ou-dígito", ou seja, qualquer caractere que não possa ser a continuação de um identificador. É preciso verificar se o identificador terminou, ou, do contrário, retornaríamos o token **then** em situações nas quais o token correto é **id**, com um lexema como `thenextvalue` que possui `then` como prefixo próprio. Se adotarmos essa técnica, temos de priorizar os tokens de modo que os tokens de palavra reservada sejam reconhecidos em preferência a **id**, quando o lexema casa com os dois padrões. *Não* usamos essa técnica em nosso exemplo, por este motivo os estados na Figura 3.15 não são numerados.

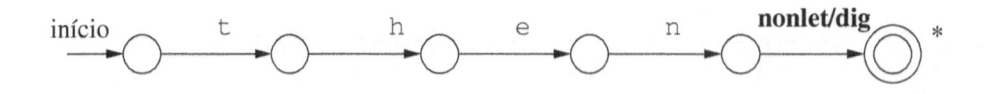

Figura 3.15 Diagrama de transição hipotético para a palavra-chave `then`.

3.4.3 Término do exemplo em andamento

O diagrama de transição para os **id**'s que vimos na Figura 3.14 possui uma estrutura simples. A partir do estado 9, ele verifica se o lexema começa com uma letra e vai para o estado 10 nesse caso. Permanecemos no estado 10 enquanto a entrada tiver letras e dígitos. A partir do momento que encontrarmos qualquer símbolo diferente de uma letra ou dígito, passamos para o estado 11 e aceitamos o lexema encontrado. Como o último caractere não faz parte do identificador, temos de recuar na entrada uma posição e, conforme discutimos na Seção 3.4.2, inserimos o que encontramos na tabela de símbolos e determinamos se temos uma palavra-chave ou um verdadeiro identificador.

O diagrama de transição para o token **number** aparece na Figura 3.16, e até aqui é o diagrama mais complexo que já vimos. A partir do estado 12, se encontrarmos um dígito, vamos para o estado 13. Nesse estado, podemos ler qualquer quantidade de dígitos adicionais. Porém, se encontrarmos qualquer símbolo diferente de um dígito ou um ponto, então vemos um número na forma de um inteiro; 123 é um exemplo. Esse caso é tratado pela entrada no estado 20, em que retornamos o token **number** e um apontador para uma tabela de constantes na qual o lexema encontrado é inserido. Essa parte não aparece no diagrama, mas é semelhante ao modo como tratamos os identificadores.

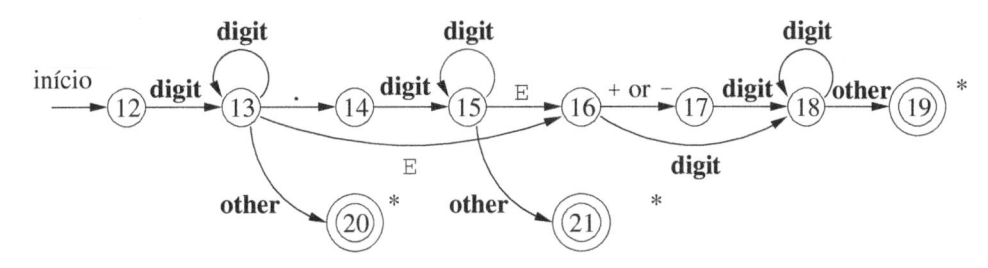

FIGURA 3.16 Um diagrama de transição para números sem sinal.

Se, em vez disso, virmos um ponto no estado 13, então temos uma "optionalFraction". Entramos no estado 14 e procuramos um ou mais dígitos adicionais; o estado 15 é usado para essa finalidade. Se encontrarmos um E, então temos um "optionalExponent", cujo reconhecimento é tarefa dos estados de 16 até 19. Se, no estado 15, em vez disso encontrarmos algo diferente de E ou um dígito, então chegamos ao fim da fração, não existe expoente e retornamos o lexema encontrado por meio do estado 21.

O último diagrama de transição, mostrado na Figura 3.17, é para espaços em branco. Nesse diagrama, procuramos por um ou mais caracteres de "espaço em branco", representado por **delim** nesse diagrama — tipicamente, esses caracteres são espaços em branco, tabulações, quebras de linha e talvez outros caracteres que não são considerados pelo projeto da linguagem como parte de um token.

FIGURA 3.17 Um diagrama de transição para espaços em branco.

Observe que, no estado 24, encontramos um bloco de caracteres de espaço em branco consecutivos, seguidos por um caractere diferente de espaço em branco. Recuamos na entrada para começar em um símbolo que não seja espaço em branco, mas não retornamos ao analisador sintático. Em vez disso, temos de reiniciar o processo de análise léxica após o espaço em branco.

3.4.4 ARQUITETURA DE UM ANALISADOR LÉXICO BASEADO EM DIAGRAMA DE TRANSIÇÃO

Existem várias formas de usar uma coleção de diagramas de transição para construir um analisador léxico. Independentemente da estratégia geral adotada, cada estado é representado por um trecho de código. Podemos imaginar uma variável `state` contendo o número do estado corrente para um diagrama de transição. Um comando *switch* baseado no valor de `state` nos leva ao código para cada um dos possíveis estados, onde encontramos a ação desse estado. Normalmente, o código para um estado é, ele mesmo, um comando *switch* ou um desvio de múltiplos caminhos que determina o próximo estado lendo e examinando o próximo caractere da entrada.

EXEMPLO 3.10: Na Figura 3.18, vemos um esboço de uma função em C++ `getRelop()`, cuja tarefa é simular o diagrama de transição da Figura 3.13 e retornar um objeto do tipo TOKEN, ou seja, um par consistindo no nome do token (que precisa ser **relop** neste caso) e um valor de atributo (o código para um dos seis operadores de comparação neste caso). A função `getRelop()` primeiro cria um novo objeto `retToken` e inicia seu primeiro componente como RELOP, o código simbólico para o token **relop**.

Vemos o comportamento típico de um estado em *case 0*, uma situação na qual o estado corrente é 0. Uma função `nextChar()` obtém o próximo caractere da entrada e o atribui à variável local *c*. Depois, verificamos se a variável *c* casa com um dos três caracteres que esperamos encontrar, fazendo a transição de estado especificada pelo diagrama da Figura 3.13 em cada caso. Por exemplo, se o próximo caractere da entrada for =, vamos para o estado 5.

```
         TOKEN getRelop()
         {
             TOKEN retToken = new(RELOP);
             while(1) { /* repete o processamento de caractere até que ocorra
                          um retorno ou uma falha */
                 switch(state) {
                     case 0: c = nextChar();
                             if ( c == '<' ) state = 1;
                             else if ( c == '=' ) state = 5;
                             else if ( c == '>' ) state = 6;
                             else fail(); /* lexema não é um relop */
                             break;
                     case 1: ...
                     ...
                     case 8: retract();
                             retToken.attribute = GT;
                             return(retToken);
                 }
             }
         }
```

FIGURA 3.18 Esboço da implementação do diagrama de transição de **relop**.

Se o próximo caractere da entrada não for um que possa iniciar um operador de comparação, então uma função `fail()` é chamada. O que `fail()` faz depende da estratégia global de recuperação de erro do analisador léxico. Ele deverá reiniciar o apontador `forward` para `lexemeBegin`, a fim de permitir que outro diagrama de transição seja aplicado ao verdadeiro início da entrada não processada. Ele poderia, então, mudar o valor de `state` para ser o estado inicial para outro diagrama de transição, que pesquisará outro token. Alternativamente, se não houver outro diagrama de transição que permaneça não utilizado, `fail()` poderia iniciar uma fase de correção de erro que tentará reparar a entrada e encontrar um lexema, conforme discutimos na Seção 3.1.4.

Também mostramos a ação para o estado 8 na Figura 3.18. Como o estado 8 contém um *, temos de recuar o apontador da entrada uma posição (ou seja, colocar *c* de volta no fluxo de entrada). Essa tarefa é feita pela função `retract()`. Como o estado 8 representa o reconhecimento do lexema >=, atribuímos o segundo componente do objeto retornado, que supomos ser chamado `attribute`, para `GT`, o código para esse operador.

Para exemplificar a simulação de um diagrama de transição, vamos considerar as formas pelas quais o código da Figura 3.18 poderia encaixar-se em um analisador léxico completo.

1. Poderíamos arrumar os diagramas de transição para cada token ser testado seqüencialmente. Depois, a função `fail()` do Exemplo 3.10 reinicia o apontador `forward` e inicia o próximo diagrama de transição, cada vez que for chamada. Esse método nos permite usar diagramas de transição para cada uma das palavras-chave, como aquele sugerido na Figura 3.15. A única restrição é que temos de utilizá-los antes de usarmos o diagrama para **id**, a fim de que as palavras-chave sejam palavras reservadas.
2. Poderíamos executar os diversos diagramas de transição "em paralelo", alimentando o próximo caractere de entrada em todos eles e permitindo que cada um faça quaisquer transições necessárias. Se usarmos essa estratégia, precisamos estar atentos para resolver a situação em que um diagrama encontra um lexema que casa com seu padrão, enquanto um ou mais diagramas ainda são capazes de processar a entrada. A estratégia normal é pegar o prefixo mais longo da entrada que casa com qualquer padrão. Essa regra nos permite, por exemplo, preferir o identificador `thenext` à palavra-chave `then`, ou o operador `->` ao operador `-`.
3. A técnica preferida, e a que adotaremos nas seções seguintes, é combinar todos os diagramas de transição em um único. Permitimos que o diagrama de transição leia a entrada até que não haja mais estado seguinte possível, e depois pegamos o lexema mais longo que casou com qualquer padrão, conforme discutimos anteriormente no item (2). Em nosso exemplo em andamento, essa combinação é fácil, pois dois tokens não podem começar com o mesmo caractere; ou seja, o primeiro caractere nos diz imediatamente qual token estamos procurando. Assim, podemos simplesmente combinar os estados 0, 9, 12 e 22 em um único estado inicial, deixando as outras transições intactas. Em geral, contudo, o problema de combinar os diagramas de transição para vários tokens é mais complexo, conforme veremos em breve.

3.4.5 Exercícios da Seção 3.4

Exercício 3.4.1: Faça diagramas de transição para reconhecer as mesmas linguagens como cada uma das expressões regulares no Exercício 3.3.2.

Exercício 3.4.2: Faça diagramas de transição para reconhecer as mesmas linguagens como cada uma das expressões regulares no Exercício 3.3.5.

Os exercícios a seguir, até o Exercício 3.4.12, introduzem o algoritmo Aho-Corasick para reconhecer uma coleção de palavras-chave em um texto em tempo proporcional ao tamanho do texto e à soma do tamanho das palavras-chave. Esse algoritmo utiliza uma forma especial de diagrama de transição, chamada *trie*. Uma *trie* é um diagrama de transição estruturado na forma de árvore, com rótulos distintos nas arestas que levam de um nó aos seus filhos. As folhas da *trie* representam palavras-chave reconhecidas.

Knuth, Morris e Pratt apresentaram um algoritmo para reconhecer uma única palavra-chave $b_1 b_2 \ldots b_n$ em um texto. Aqui, a *trie* é um diagrama de transição com n estados, de 0 até n. O estado 0 é o estado inicial, e o estado n é o estado de aceitação, ou seja, a descoberta da palavra-chave. A partir de cada estado s de 0 até $n-1$, existe uma transição para o estado $s+1$, rotulada pelo símbolo b_{s+1}. Por exemplo, a *trie* para a palavra-chave `ababaa` é:

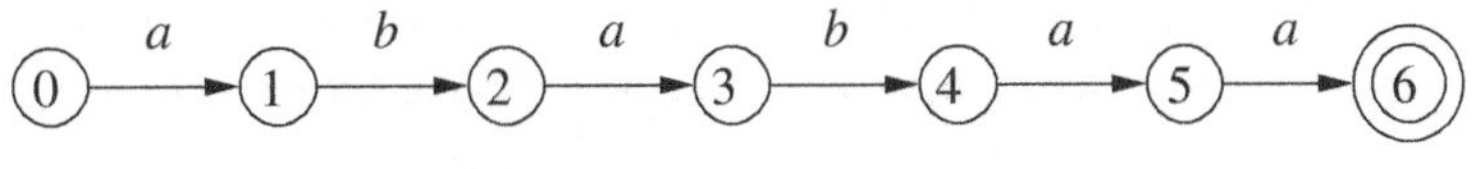

```
(0) --a--> (1) --b--> (2) --a--> (3) --b--> (4) --a--> (5) --a--> ((6))
```

Para processar um texto rapidamente e procurar as cadeias de caracteres em busca de uma palavra-chave, é útil definir, para a palavra-chave $b_1 b_2 \ldots b_n$ e a posição s nessa palavra-chave (correspondendo ao estado s de sua *trie*), uma *função de falha*, $f(s)$, calculada como na Figura 3.19. O objetivo é que $b_1 b_2 \ldots b_{f(s)}$ seja o prefixo próprio mais longo de $b_1 b_2 \ldots b_s$ que é também uma forma pós-fixada de $b_1 b_2 \ldots b_s$. O motivo pelo qual $f(s)$ é importante é que, se estivermos tentando casar uma cadeia de caracteres do texto com $b_1 b_2 \ldots b_n$, e tivermos casado as primeiras s posições, mas depois falharmos (ou seja, a próxima posição do texto não contiver b_{s+1}), então $f(s)$ é o prefixo mais longo de $b_1 b_2 \ldots b_n$ que poderia possivelmente casar com o texto até o ponto em que estamos. Naturalmente, o próximo caractere da cadeia de caracteres do texto precisa ser $b_{f(s)+1}$, ou então ainda temos problemas e precisamos considerar um prefixo ainda menor, que será $b_{f(f(s))}$.

```
1)    t = 0;
2)    f(1) = 0;
3)    for (s = 1; s < n; s++) {
4)        while (t > 0 && b_{s+1} != b_{t+1}) t = f(t);
5)        if (b_{s+1} == b_{t+1}) {
6)            t = t + 1;
7)            f(s + 1) = t;
          }
8)        else f(s + 1) = 0;
      }
```

Figura 3.19 Algoritmo para calcular a função de falha para a palavra-chave $b_1 b_2 \ldots b_n$.

Como um exemplo, a função de falha para a *trie* construída anteriormente para `ababaa` é:

s	1	2	3	4	5	6
$f(s)$	0	0	1	2	3	1

Por exemplo, os estados 3 e 1 representam os prefixos `aba` e `a`, respectivamente. $f(3) = 1$ porque `a` é o mais longo prefixo próprio de `aba` que também é uma forma pós-fixada de `aba`. Além disso, $f(2) = 0$, pois o prefixo próprio mais longo de `ab`, que também é um sufixo, é a cadeia vazia.

Exercício 3.4.3: Construa a função de falha para a cadeia de caracteres:
  a) `abababaab`.
  b) `aaaaaa`.
  c) `abbaabb`.

! Exercício 3.4.4: Prove, por indução em s, que o algoritmo da Figura 3.19 calcula corretamente a função de falha.

!! **Exercício 3.4.5:** Mostre que a atribuição $t = f(t)$ na linha (4) da Figura 3.19 é executada no máximo n vezes. Mostre que, portanto, o algoritmo todo gasta apenas o tempo $O(n)$ para uma palavra-chave de tamanho n.

Tendo calculado a função de falha para uma palavra-chave $b_1b_2...b_n$, podemos escandir uma cadeia de caracteres $a_1a_2...a_m$ em tempo $O(m)$ para saber se nela ocorre a palavra-chave. O algoritmo, mostrado na Figura 3.20, desloca a palavra-chave ao longo do texto, tentando progredir ao casar o próximo caractere da palavra-chave com o caractere seguinte do texto. Se ele não puder fazer isso depois de casar s caracteres, então "desloca" a palavra-chave para a direita $s - f(s)$ posições, de modo que somente os primeiros $f(s)$ caracteres da palavra-chave sejam considerados casados com o texto.

```
1)  s = 0;
2)  for (i = 1; i <= m; i++) {
3)      while (s > 0 && a_i != b_{s+1}) s = f(s);
4)      if (a_i == b_{s+1}) s = s + 1;
5)      if (s == n) return "yes";
    }
```

FIGURA 3.20 O algoritmo KMP testa se a cadeia de caracteres $a_1a_2...a_m$ contém uma única palavra-chave $b_1b_2...b_n$ como uma subcadeia em tempo $O(m+n)$.

Exercício 3.4.6: Aplique o algoritmo KMP para testar se a palavra-chave ababaa é uma subcadeia de:

  a) abababaab.
  b) ababbbaa.

!! **Exercício 3.4.7:** Mostre que o algoritmo da Figura 3.20 diz corretamente se a palavra-chave é uma subcadeia de determinado texto. *Dica:* Mostre por indução em i. Mostre que, para todo i, o valor de s após a linha (4) é o tamanho do prefixo mais longo da palavra-chave que é uma forma pós-fixada de $a_1a_2...a_i$.

!! **Exercício 3.4.8:** Mostre que o algoritmo da Figura 3.20 é executado em tempo $O(m+n)$, considerando que a função f já esteja calculada e seus valores armazenados em um arranjo indexado por s.

Exercício 3.4.9: As *cadeias de caracteres de Fibonacci* são definidas da seguinte maneira:

1. $s_1 = $ b.
2. $s_2 = $ a.
3. $s_k = s_{k-1}s_{k-2}$ para $k > 2$.

Por exemplo, $s_3 = $ ab, $s_4 = $ aba e $s_5 = $ abaab.

  a) Qual é o tamanho de s_n?
  b) Construa a função de falha para s_6.
  c) Construa a função de falha para s_7.
  !!d) Mostre que a função de falha para qualquer s_n pode ser expressa por $f(1) = f(2) = 0$, e para $2 < j \leq |s_n|$, $f(j)$ é $j - |s_{k-1}|$, onde k é o maior inteiro tal que $|s_k| \leq j + 1$.
  !!e) No algoritmo KMP, qual é o maior número de aplicações consecutivas da função de falha, quando tentamos determinar se a palavra-chave s_k aparece no texto s_{k+1}?

Aho e Corasick generalizaram o algoritmo KMP para reconhecer qualquer conjunto de palavras-chave em um texto. Nesse caso, a *trie* é uma árvore verdadeira, com ramificações a partir da raiz. Existe um estado para cada cadeia que é um prefixo (não necessariamente próprio) de qualquer palavra-chave. O pai de um estado correspondente à cadeia $b_1b_2...b_k$ é o estado que corresponde a $b_1b_2... b_{k-1}$. Um estado é de aceitação se ele corresponder a uma palavra-chave completa. Por exemplo, a Figura 3.21 mostra a *trie* para as palavras-chave he, she, his e hers.

A função de falha para a *trie* geral é definida da seguinte maneira. Suponha que s seja o estado que corresponde à cadeia $b_1b_2... b_n$. Então, $f(s)$ é o estado que corresponde ao sufixo próprio mais longo de $b_1b_2...b_n$ que também é um prefixo de *alguma* palavra-chave. Por exemplo, a função de falha para a *trie* da Figura 3.21 é:

s	1	2	3	4	5	6	7	8	9
$f(s)$	0	0	0	1	2	0	3	0	3

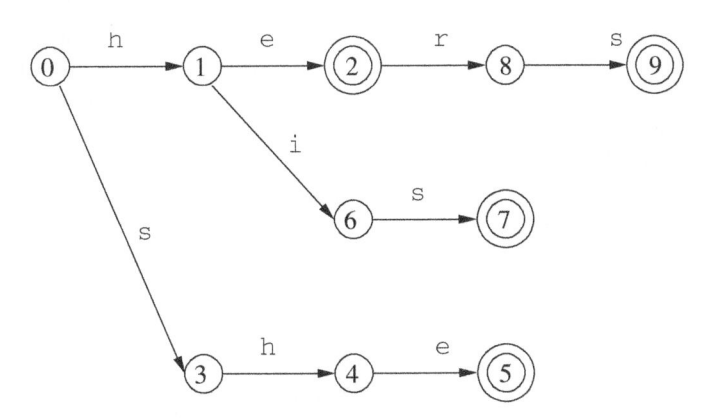

FIGURA 3.21 *Trie* para palavras-chave he, she, his, hers.

! Exercício 3.4.10: Modifique o algoritmo da Figura 3.19 para calcular a função de falha para *tries* gerais. *Dica:* A principal diferença é que não podemos simplesmente testar a igualdade ou desigualdade de b_{s+1} e b_{t+1} nas linhas (4) e (5) da Figura 3.19. Em vez disso, de qualquer estado pode haver várias transições para vários caracteres, assim como existem transições para e e i a partir do estado 1 na Figura 3.21. Qualquer uma dessas transições poderia levar a um estado que representa o sufixo mais longo que também é um prefixo.

Exercício 3.4.11: Construa as *tries* e calcule a função de falha para os seguintes conjuntos de palavras-chave:
  a) aaa, abaaa e ababaaa.
  b) all, fall, fatal, llama e lame.
  c) pipe, pet, item, temper e perpetual.

! Exercício 3.4.12: Mostre que seu algoritmo do Exercício 3.4.10 ainda é executado em um tempo que é linear na soma dos tamanhos das palavras-chave.

3.5 O gerador de analisador léxico Lex

Nesta seção, apresentamos uma ferramenta chamada Lex ou, em uma implementação mais recente, Flex, que permite especificar um analisador léxico definindo expressões regulares para descrever padrões para os tokens. A notação de entrada para a ferramenta Lex é chamada de *linguagem Lex*, e a ferramenta em si é o *compilador Lex*. Internamente, o compilador Lex transforma os padrões de entrada em um diagrama de transição e gera código em um arquivo chamado lex.yy.c, que simula esse diagrama de transição. A mecânica de como ocorre a tradução das expressões regulares para os diagramas de transição é o assunto das seções seguintes; neste momento, estamos interessados apenas em aprender sobre a linguagem *Lex*.

3.5.1 Uso do Lex

A Figura 3.22 ilustra como o Lex é usado. Um arquivo de entrada, que chamamos de lex.l, é escrito na linguagem *Lex* e descreve o analisador léxico a ser gerado. O compilador *Lex* transforma lex.l em um programa C, e o armazena em um arquivo que sempre se chama lex.yy.c. Esse último arquivo é compilado pelo compilador C em um arquivo sempre chamado a.out. A saída do compilador C é o analisador léxico gerado, que pode receber como entrada um fluxo de caracteres e produzir como saída um fluxo de tokens.

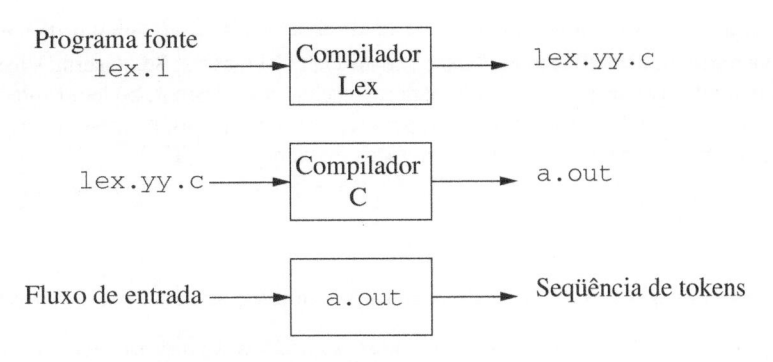

FIGURA 3.22 Criando um analisador léxico com o Lex.

Normalmente, usa-se o programa C compilado, chamado a.out, na Figura 3.22, como uma sub-rotina do analisador sintático. Essa é uma função em C que retorna um inteiro, representando o código para um dos possíveis nomes de token. O valor do atributo, seja ele outro código numérico, um apontador para a tabela de símbolos ou nenhum, é colocado em uma variável global yylval,[2] que é compartilhada entre o analisador léxico e o analisador sintático, tornando mais simples o retorno de ambos, o nome e um valor de atributo de um token.

3.5.2 Estrutura de programas Lex

Um programa Lex possui o seguinte formato:

> declarações
> %%
> regras de tradução
> %%
> funções auxiliares

A seção de declarações inclui declarações de variáveis, *constantes manifestas* (identificadores declarados para significar uma constante, por exemplo, o nome de um token) e definições regulares, no estilo da Seção 3.3.4.

Cada uma das regras de tradução possui o formato

> Padrão { Ação }

Cada padrão é uma expressão regular, que pode usar as definições regulares da seção de declaração. As ações são fragmentos de código, normalmente escritos em C, embora tenham sido criadas muitas variantes do Lex usando outras linguagens.

A terceira seção contém quaisquer funções adicionais usadas nas ações. Alternativamente, essas funções podem ser compiladas separadamente e carregadas com o analisador léxico.

O analisador léxico criado pelo Lex se comporta em consonância com o analisador sintático como segue. Quando chamado pelo analisador sintático, o analisador léxico começa a ler sua entrada restante, um caractere de cada vez, até encontrar o maior prefixo da entrada que case com um dos padrões P_i. Depois, ele executa a ação associada A_i. Normalmente, A_i retorna ao analisador sintático, mas, se não retornar (por exemplo, porque P_i descreve um espaço em branco ou comentários), então o analisador léxico prossegue a leitura para encontrar lexemas adicionais, até que uma das ações correspondentes cause um retorno ao analisador sintático. O analisador léxico retorna um único valor, o nome do token, ao analisador sintático, mas usa a variável compartilhada inteira yylval para passar informações adicionais sobre o lexema encontrado, se necessário.

Exemplo 3.11: A Figura 3.23 é um programa Lex que reconhece os tokens da Figura 3.12 e retorna o token encontrado. Algumas observações sobre esse código nos levam a muitos dos recursos importantes do Lex.

Na seção de declarações, vemos um par de delimitadores especiais, %{ e %}. Qualquer informação dentro desses delimitadores é copiada diretamente para o arquivo lex.yy.c e não é tratada como uma definição regular. É comum colocar lá as definições das constantes manifestas, usando comandos #define da linguagem C para associar um único código inteiro a cada uma das constantes manifestas. Em nosso exemplo, listamos em um comentário os nomes das constantes manifestas, LT, IF e assim por diante, mas não as mostramos definidas para serem inteiros em particular.[3]

Também na seção de declarações está a seqüência de definições regulares que utilizam a notação estendida para as expressões regulares descritas na Seção 3.3.5. As definições regulares usadas em outras definições ou nos padrões das regras de tradução aparecem entre chaves. Por exemplo, *delim* é definido como uma abreviação para a classe de caracteres consistindo em espaço em branco, tabulação e quebra de linha; os dois últimos são representados, como em todos os comandos do UNIX, pela barra invertida seguida por t ou n, respectivamente. Então, *ws* é definido como sendo um ou mais delimitadores pela expressão regular {delim}+.

Observe que, na definição de *id* e *number*, os parênteses são usados como metassímbolos de agrupamento e não representam a si mesmos. Ao contrário, E, na definição de *number*, representa a si mesmo. Se quisermos usar um dos metassímbolos do Lex, como qualquer um dos parênteses, +, * ou ?, para representar a si mesmos, podemos precedê-los com uma barra invertida. Por exemplo, vemos \., na definição de *number*, para representar o ponto, pois esse caractere é um metassímbolo representando "qualquer caractere", como é comum nas expressões regulares do UNIX.

---

[2] A propósito, o yy que aparece em yylval e lex.yy.c se refere ao gerador de analisador sintático Yacc, que descrevemos na Seção 4.9, e normalmente é usado em conjunto com o Lex.

[3] Se o Lex for usado junto com o Yacc, então seria normal definir as constantes manifestas no programa Yacc e usá-las sem definição no programa Lex. Como lex.yy.c é compilado junto com a saída Yacc, as constantes estarão assim disponíveis às ações no programa Lex.

```
%{
    /* definições de constantes manifestas
    LT, LE, EQ, NE, GT, GE,
    IF, THEN, ELSE, ID, NUMBER, RELOP */
%}

/* definições regulares */
delim       [ \t\n]
ws          {delim}+
letter      [A-Za-z]
digit       [0-9]
id          {letter}({letter}|{digit})*
number      {digit}+(\.{digit}+)?(E[+-]?{digit}+)?

%%

{ws}        {/* nenhuma ação e nenhum retorno */}
if          {return(IF);}
then        {return(THEN);}
else        {return(ELSE);}
{id}        {yylval = (int) installID(); return(ID);}
{number}    {yylval = (int) installNum(); return(NUMBER);}
"<"         {yylval = LT; return(RELOP);}
"<="        {yylval = LE; return(RELOP);}
"="         {yylval = EQ; return(RELOP);}
"<>"        {yylval = NE; return(RELOP);}
">"         {yylval = GT; return(RELOP);}
">="        {yylval = GE; return(RELOP);}

%%

int installID() {/* função para instalar o lexema, cujo
                    primeiro caractere é apontado por yytext,
                    e cujo tamanho é yyleng, na tabela de
                    símbolos, e retorna um apontador para lá */
}

int installNum() {/* semelhante a installID, mas coloca constantes
                    numéricas em uma tabela separada */
}
```

FIGURA 3.23 Programa Lex para os tokens da Figura 3.12.

Na seção de função auxiliar, vemos duas dessas funções, `installID()` e `installNum()`. Assim como a parte da seção de declaração que aparece entre `%{...%}`, tudo na seção auxiliar é copiado diretamente para o arquivo `lex.yy.c`, mas pode ser usado nas ações.

Finalmente, vamos examinar alguns dos padrões e regras na seção do meio da Figura 3.23. Primeiro, *ws*, um identificador declarado na primeira seção, tem uma ação vazia associada. Se encontrarmos um espaço em branco, não retornamos ao analisador sintático, mas procuramos outro lexema. O segundo token tem o padrão de expressão regular simples `if`. Se virmos as duas letras `if` na entrada, e elas não forem seguidas por outra letra ou dígito (que faria o analisador léxico encontrar um prefixo maior da entrada casando com o padrão para **id**), então o analisador léxico consome essas duas letras da entrada e retorna o nome de token `IF`, ou seja, o inteiro que a constante manifesta `IF` representa. As palavras-chave `then` e `else` são tratadas de modo semelhante.

O quinto token tem o padrão definido por *id*. Observe que, embora as palavras-chave como `if` casem com esse padrão e também com um padrão anterior, o Lex escolhe qualquer padrão que esteja listado primeiro em situações nas quais o prefixo mais longo casa com dois ou mais padrões. A ação tomada quando um *id* é casado é tripla:

1. A função `installID()` é chamada para colocar o lexema encontrado na tabela de símbolos.

2. Essa função retorna um apontador para a tabela de símbolos, que é colocado na variável global `yylval` para ser usado pelo analisador sintático ou por outro componente posterior do compilador. Observe que estão disponíveis para `installID()` duas variáveis que são definidas automaticamente pelo analisador léxico que Lex gera:
   a) `yytext` é um apontador para o início do lexema, semelhante a `lexemeBegin` na Figura 3.3.
   b) `yyleng` é o tamanho do lexema encontrado.
3. O nome de token ID é retornado ao analisador sintático.

A ação tomada quando um lexema casa com o padrão *number* é semelhante, usando a função auxiliar `installNum()`.

3.5.3 Solução de conflito no Lex

Fizemos menção a duas regras usadas pelo Lex para decidir sobre a seleção do lexema apropriado, quando vários prefixos da entrada casam com um ou mais padrões:

1. Sempre prefira um prefixo mais longo a um prefixo mais curto.
2. Se for possível casar o prefixo mais longo com dois ou mais padrões, prefira o padrão listado primeiro no programa Lex.

Exemplo 3.12: A primeira regra nos diz para continuar lendo letras e dígitos a fim de encontrar o prefixo mais longo desses caracteres e agrupá-lo como um identificador. Ela também nos diz para tratar <= como um único lexema, em vez de selecionar < como um lexema e = como o lexema seguinte. A segunda regra torna as palavras-chave reservadas, se as listarmos antes de **id** no programa. Por exemplo, se `then` for determinado para ser o prefixo mais longo da entrada que casa com qualquer padrão, e o padrão `then` preceder `{id}`, como na Figura 3.23, então o token THEN é retornado, em vez de ID.

3.5.4 O operador lookahead

O Lex lê automaticamente um caractere após o último caractere que forma o lexema selecionado, e depois recua a entrada de modo que apenas o próprio lexema seja consumido. Porém, às vezes, queremos que certo padrão seja casado com a entrada somente se for seguido por certos outros caracteres. Nesse caso, podemos usar a barra em um padrão para indicar o fim da parte do padrão que casa com o lexema. O que aparece após a / é um padrão adicional, que precisa ser casado antes de podermos decidir que o token em questão foi visto, mas o que casa com esse segundo padrão não faz parte do lexema.

Exemplo 3.13: Em Fortran e em algumas outras linguagens, as palavras-chave não são reservadas. Essa situação cria problemas, como no comando

```
IF(I,J) = 3
```

onde IF é o nome de um arranjo, e não uma palavra-chave. Esse comando difere de comandos na forma

```
IF( condition ) THEN ...
```

onde IF é uma palavra-chave. Felizmente, podemos estar certos de que a palavra-chave IF sempre é seguida por um parêntese esquerdo, algum texto — a condição (*condition*) — que pode conter parênteses, um parêntese direito e uma letra. Assim, poderíamos escrever uma regra do Lex para a palavra-chave IF da seguinte forma:

```
IF / \( .* \) {letter}
```

Essa regra diz que o padrão que o lexema casa são apenas as duas letras IF. A barra diz que um padrão adicional vem em seguida, mas não casa com o lexema. Nesse padrão, o primeiro caractere é o parêntese esquerdo. Como esse caractere é um metassímbolo do Lex, ele precisa ser precedido por uma barra invertida para indicar que possui seu significado literal. O ponto e o asterisco casam com "qualquer cadeia de caracteres sem uma quebra de linha". Observe que o ponto é um metassímbolo do Lex significando "qualquer caractere exceto quebra de linha". Ele é seguido por um parêntese direito, novamente com uma barra invertida para dar a esse caractere seu significado literal. O padrão adicional é seguido pelo símbolo *letter*, que é uma definição regular representando a classe de caracteres de todas as letras.

Observe que, para esse padrão ser infalível, devemos pré-processar a entrada para remover o espaço em branco. No padrão, não temos provisão para espaço em branco nem podemos lidar com a possibilidade de que a condição se estenda por várias linhas, pois o ponto não casa com um caractere de quebra de linha.

Por exemplo, suponha que esse padrão seja solicitado para casar com um prefixo de entrada:

```
IF(A<(B+C)*D)THEN...
```

Os dois primeiros caracteres casam com IF, o próximo caractere casa com \ (, os nove caracteres seguintes casam com . *, e os dois seguintes casam com \ ) e *letter*. Observe o fato de que o primeiro parêntese direito (depois de C) não ser seguido por uma letra é irrelevante; só precisamos encontrar alguma maneira de casar a entrada com o padrão. Concluímos que as letras IF constituem o lexema, e elas são uma instância do token **if**.

3.5.5 Exercícios da Seção 3.5

Exercício 3.5.1: Descreva como fazer as seguintes modificações no programa Lex da Figura 3.23:
  a) Inclua a palavra-chave while.
  b) Mude os operadores de comparação para serem os operadores C desse tipo.
  c) Permita o sublinhado (_) como uma letra adicional.
  ! d) Inclua um novo padrão com o token STRING. O padrão consiste em um sinal de aspas ("), qualquer cadeia de caracteres e aspas no final. Porém, se o sinal de aspas aparecer na cadeia de caracteres, ele terá de ser precedido por uma barra invertida (\) e, similarmente, uma barra invertida na cadeia precisa ser representada por duas barras. O valor léxico é a cadeia sem as aspas que a englobam e removidas as barras invertidas usadas como caractere de escape. As cadeias devem ser instaladas em uma tabela de cadeias de caracteres.

Exercício 3.5.2: Escreva um programa em Lex que copie um arquivo, substituindo cada seqüência não vazia de espaço em branco por um único espaço.

Exercício 3.5.3: Escreva um programa em Lex que copie um programa C, substituindo cada instância da palavra-chave float por double.

!Exercício 3.5.4: Escreva um programa em Lex que converta um arquivo para "Pig latin". Especificamente, considere que o arquivo é uma seqüência de palavras (grupos de letras) separadas por espaço em branco. Toda vez que você encontra uma palavra:

  1. Se a primeira letra for uma consoante, mova-a para o fim da palavra e depois inclua ay.
  2. Se a primeira letra for uma vogal, basta inserir ay ao fim da palavra.

Todas as não letras são copiadas intactas para a saída.

Exercício 3.5.5: Em SQL, palavras-chave e identificadores não diferenciam maiúsculas de minúsculas. Escreva um programa em Lex que reconhece as palavras-chave SELECT, FROM e WHERE (em qualquer combinação de letras maiúsculas e minúsculas), e o token ID, que, para fins deste exercício, você pode considerar como sendo qualquer seqüência de letras e dígitos, começando com uma letra. Você não precisa instalar identificadores em uma tabela de símbolos, mas diga como a função "install" seria diferente daquela descrita para identificadores que diferenciam maiúsculas de minúsculas, como na Figura 3.23.

3.6 Autômatos finitos

Agora, vamos descobrir como o Lex transforma seu programa de entrada em um analisador léxico. A idéia central está no formalismo conhecido como *autômatos finitos*. Estes são basicamente grafos, tais como os diagramas de transição, com algumas diferenças:

  1. Os autômatos finitos são *reconhecedores*; eles simplesmente dizem "sim" ou "não" sobre cada possível cadeia de caracteres da entrada.
  2. os autômatos finitos podem ser de dois tipos:
      (a) *Autômatos finitos não deterministas (Nondeterministic Finite Automata — NFA)* não têm restrições sobre os rótulos de suas arestas. Um símbolo pode rotular várias arestas saindo do mesmo estado, e ϵ, a cadeia vazia, é um rótulo possível.
      (b) *Autômatos finitos deterministas (Deterministic Finite Automata — DFA)* possuem, para cada estado e para cada símbolo de seu alfabeto de entrada, exatamente uma aresta com esse símbolo saindo desse estado.

Os autômatos finitos deterministas e os não deterministas são capazes de reconhecer as mesmas linguagens. De fato, essas linguagens são exatamente as mesmas, chamadas *linguagens regulares*, que expressões regulares podem descrever.[4]

---
[4] Existe uma pequena lacuna: como as definimos, as expressões regulares não podem descrever a linguagem vazia, pois nunca desejaríamos usar esse padrão na prática. Porém, os autômatos finitos *podem* definir a linguagem vazia. Na teoria, ∅ é tratado como uma expressão regular adicional com a única finalidade de definir a linguagem vazia.

3.6.1 Autômatos finitos não deterministas

Um *autômato finito não determinista* (NFA) consiste em:

1. Um conjunto finito de estados S.
2. Um conjunto de símbolos de entrada, Σ, o *alfabeto de entrada*. Consideramos que ϵ, representando a cadeia vazia, nunca é um membro de Σ.
3. Uma *função de transição* que dá, para cada estado e para cada símbolo em $\Sigma \cup \{\epsilon\}$, um conjunto de *estados seguintes*.
4. Um estado s_0 de S é distinguido como o *estado de partida* (ou *estado inicial*).
5. Um conjunto de estados F, um subconjunto de S, que é distinguido como os *estados de aceitação* (ou *estados finais*).

Podemos representar um NFA ou DFA por um *grafo de transição*, onde os nós são estados e as arestas rotuladas representam a função de transição. Existe uma aresta rotulada a do estado s para o estado t, se e somente se t for um dos estados seguintes ao estado s e à entrada a. Esse grafo é muito parecido com um diagrama de transição, exceto pelo fato de que:

a) O mesmo símbolo pode rotular arestas de um estado para vários estados diferentes, e
b) Uma aresta pode ser rotulada por ϵ, a cadeia vazia, em vez de (ou além de) símbolos do alfabeto de entrada.

Exemplo 3.14: O grafo de transição para um NFA reconhecendo a linguagem da expressão regular (**a**|**b**)*__**abb**__ é mostrado na Figura 3.24. Esse exemplo abstrato, descrevendo todas as cadeias de *a*s e *b*s terminando com a cadeias *abb*, será usado em toda esta seção. No entanto, ele é semelhante às expressões regulares que descrevem linguagens de interesse real. Por exemplo, uma expressão descrevendo todos os arquivos cujo nome termina com .o é **any***.o, onde **any** representa qualquer caractere imprimível.

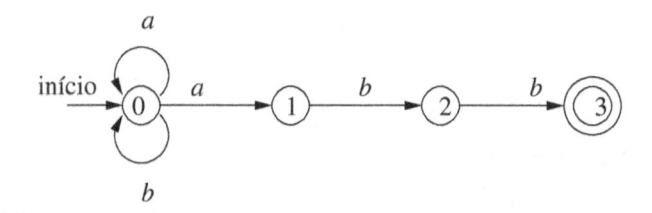

Figura 3.24 Um autômato finito não determinista.

Seguindo nossa convenção para diagramas de transição, o círculo duplo ao redor do estado 3 indica que esse estado é um estado de aceitação. Observe que a única maneira de chegar ao estado de aceitação a partir do estado inicial 0 é seguir algum caminho que permaneça no estado 0 por algum tempo, depois passar pelos estados 1, 2 e 3, lendo *abb* da entrada. Assim, as únicas cadeias que chegam ao estado de aceitação são aquelas que terminam com *abb*.

3.6.2 Tabelas de transição

Também podemos representar um NFA por uma *tabela de transição*, cujas linhas correspondem a estados, e cujas colunas correspondem aos símbolos de entrada e ϵ. A entrada da tabela para um determinado estado e um símbolo de entrada representa o valor da função de transição aplicada a esses argumentos. Se a função de transição não tiver informações sobre esse par *estado-entrada*, colocamos $\emptyset$ na tabela para o par.

Exemplo 3.15: A tabela de transição para o NFA da Figura 3.24 aparece na Figura 3.25.

Estado	a	b	ϵ
0	{0,1}	{0}	$\emptyset$
1	$\emptyset$	{2}	$\emptyset$
2	$\emptyset$	{3}	$\emptyset$
3	$\emptyset$	$\emptyset$	$\emptyset$

Figura 3.25 Tabela de transição para o NFA da Figura 3.24.

A tabela de transição tem a vantagem de que as transições para um determinado estado e entrada podem ser facilmente encontradas. Entretanto, sua desvantagem está no fato de que ela ocupa muito espaço quando o alfabeto de entrada é grande, mesmo que muitos estados não tenham nenhum movimento para a maioria dos símbolos da entrada.

3.6.3 Aceitação das cadeias de entrada pelos autômatos

Um NFA *aceita* a cadeia de entrada x se e somente se houver algum caminho no grafo de transição do estado inicial para um dos estados finais, de modo que os símbolos ao longo do caminho componham x. Observe que rótulos ϵ ao longo do caminho são efetivamente ignorados, pois a cadeia vazia não contribui para a cadeia construída ao longo do caminho.

Exemplo 3.16: A cadeia *aabb* é aceita pelo NFA da Figura 3.24. O caminho rotulado por *aabb* a partir do estado 0 até o estado 3 demonstrando esse fato é:

$$0 \xrightarrow{a} 0 \xrightarrow{a} 1 \xrightarrow{b} 2 \xrightarrow{b} 3$$

Observe que vários caminhos rotulados pela mesma cadeia podem levar a diferentes estados. Por exemplo,

$$0 \xrightarrow{a} 0 \xrightarrow{a} 0 \xrightarrow{b} 0 \xrightarrow{b} 0$$

é outro caminho a partir do estado 0 rotulado pela cadeia *aabb*. Esse caminho leva ao estado 0, que não é de aceitação. Lembre-se, porém, de que um NFA aceita uma cadeia desde que *algum* caminho rotulado por essa cadeia leve do estado inicial para um estado de aceitação. A existência de outros caminhos levando a um estado de não aceitação é irrelevante.

A *linguagem definida* (ou *aceita*) por um NFA é o conjunto de cadeias rotulando algum caminho a partir do estado inicial até um estado de aceitação. Conforme mencionamos, o NFA da Figura 3.24 define a mesma linguagem que a expressão regular (**a**|**b**)*****abb**, ou seja, todas as cadeias do alfabeto $\{a,b\}$ que terminam com *abb*. Podemos usar $L(A)$ para representar a linguagem aceita pelo autômato A.

Exemplo 3.17: A Figura 3.26 é um NFA aceitando $L(\mathbf{aa}^*|\mathbf{bb}^*)$. A cadeia *aaa* é aceita devido ao caminho

$$0 \xrightarrow{\epsilon} 1 \xrightarrow{a} 2 \xrightarrow{a} 2 \xrightarrow{a} 2$$

Observe que as cadeias vazias "desaparecem" em uma concatenação, de modo que o rótulo do caminho é *aaa*.

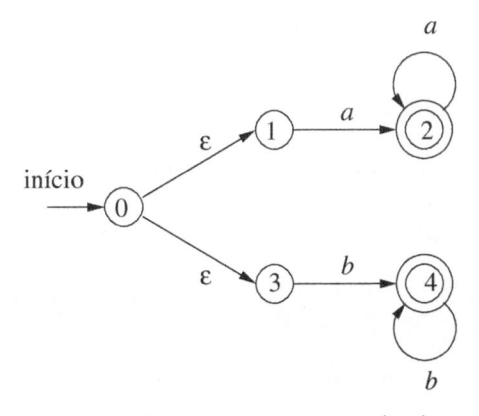

Figura 3.26 NFA aceitando $\mathbf{aa}^*|\mathbf{bb}^*$.

3.6.4 Autômatos finitos deterministas

Um *autômato finito determinista* (DFA) é um caso especial de um NFA, onde:

1. Não existem movimentos sob a entrada ϵ, e
2. Para cada estado s e símbolo de entrada a, existe exatamente uma aresta saindo de s, rotulada com a.

Se estivermos usando uma tabela de transição para representar um DFA, então cada entrada na tabela é um único estado. Podemos, portanto, representar esse estado sem as chaves que usamos para formar conjuntos.

Enquanto o NFA é uma representação abstrata de um algoritmo para reconhecer as cadeias de determinada linguagem, o DFA é um algoritmo simples, concreto, para reconhecer cadeias. É realmente propício que cada expressão regular e cada NFA possam ser convertidas para um DFA aceitando a mesma linguagem, pois é o DFA que realmente implementamos ou simulamos quando construímos analisadores léxicos. O algoritmo a seguir mostra como aplicar um DFA a uma cadeia.

ALGORITMO 3.18: Simulando um DFA.

ENTRADA: Uma cadeia de entrada *x*, terminada com um caractere de fim de arquivo **eof**. Um DFA *D* com estado inicial s_0, estados de aceitação *F* e a função de transição *move*.

SAÍDA: Resposta "sim" se *D* aceitar *x*; caso contrário, "não".

MÉTODO: Aplique o algoritmo da Figura 3.27 à cadeia de entrada *x*. A função *move(s,c)* fornece o estado para o qual existe uma aresta do estado *s* sob a entrada *c*. A função *nextChar* retorna o próximo caractere da cadeia de entrada *x*.

EXEMPLO 3.19: Na Figura 3.28, vemos o grafo de transição de um DFA aceitando a linguagem (**a**|**b**)*__abb__, a mesma que foi aceita pelo NFA da Figura 3.24. Dada a cadeia de entrada *ababb*, esse DFA entra na seqüência de estados 0, 1, 2, 1, 2, 3 e retorna "sim".

```
s = s₀;
c = nextChar();
while ( c != eof ) {
        s = move(s,c);
        c = nextChar();
}
if ( s está em F ) return "sim";
else return "não";
```

FIGURA 3.27 Simulando um DFA.

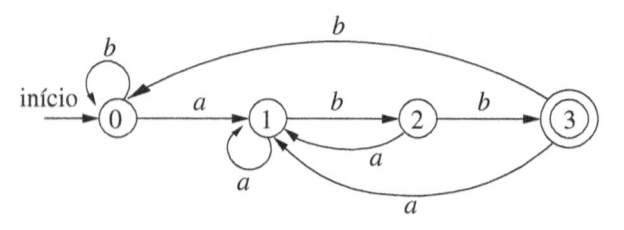

FIGURA 3.28 DFA aceitando (**a**|**b**)*__abb__.

3.6.5 Exercícios da Seção 3.6

! Exercício 3.6.1: A Figura 3.19 nos exercícios da Seção 3.4 calcula a função de falha para o algoritmo KMP. Mostre como, dada essa função de falha, podemos construir, a partir da palavra-chave $b_1b_2\cdots b_n$, um DFA com $n+1$ estados que reconheça $.^*b_1b_2\cdots b_n$, onde o ponto representa "qualquer caractere". Mais ainda, esse DFA pode ser construído em tempo $O(n)$.

Exercício 3.6.2: Faça os autômatos finitos (deterministas ou não deterministas) para cada uma das linguagens do Exercício 3.3.5.

Exercício 3.6.3: Para o NFA da Figura 3.29, indique todos os caminhos rotulados com *aabb*. O NFA aceita *aabb*?

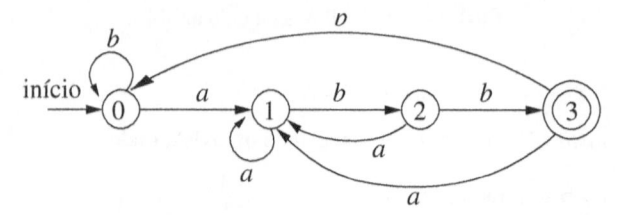

FIGURA 3.29 NFA para o Exercício 3.6.3.

Exercício 3.6.4: Repita o Exercício 3.6.3 para o NFA da Figura 3.30.

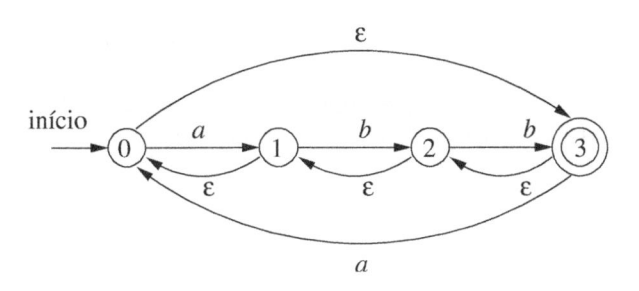

FIGURA 3.30 NFA para o Exercício 3.6.4.

Exercício 3.6.5: Dê as tabelas de transição para o NFA de:
   a) Exercício 3.6.3.
   b) Exercício 3.6.4.
   c) Figura 3.26.

3.7 DE EXPRESSÕES REGULARES PARA OS AUTÔMATOS

A expressão regular é a notação escolhida para descrever analisadores léxicos e outros tipos de software que fazem processamento de padrão, conforme mostrado na Seção 3.5. No entanto, a implementação desse software requer a simulação de um DFA, como no Algoritmo 3.18, ou talvez a simulação de um NFA. Como um NFA geralmente pode escolher fazer um movimento sob um símbolo de entrada (como a Figura 3.24 faz sob a entrada a a partir do estado 0) ou sob ϵ (como a Figura 3.26 faz a partir do estado 0), ou mesmo escolher entre fazer uma transição sob ϵ ou sob um símbolo de entrada real, sua simulação não é tão fácil como a de um DFA. Assim, freqüentemente é importante converter um NFA para um DFA que aceite a mesma linguagem.

Nesta seção, primeiro mostramos como converter de um NFA para um DFA. Depois, usamos essa técnica, conhecida como "*construção de subconjuntos*" (*subset constructions*), para apresentar um algoritmo importante para a simulação de um NFA diretamente, em situações (que não sejam a análise léxica) nas quais a conversão de um NFA para um DFA leva mais tempo do que a sua simulação direta. Em seguida, mostramos como converter expressões regulares para um NFA, a partir dos quais um DFA pode ser construído se desejado. Concluímos com uma discussão sobre os compromissos tempo-espaço inerentes aos diversos métodos para implementar expressões regulares, e mostramos como escolher o método mais apropriado para a sua aplicação.

3.7.1 Conversão de um NFA em um DFA

A idéia geral por trás da *construção de subconjuntos* é que cada estado do DFA construído corresponde a um conjunto de estados do NFA. Após ler a entrada $a_1 a_2 \cdots a_n$, o DFA estará no estado que corresponde ao conjunto de estados que o NFA pode alcançar, a partir do seu estado inicial, seguindo os caminhos rotulados com $a_1 a_2 \cdots a_n$.

É possível que o número de estados DFA seja exponencial no número de estados NFA, o que poderia gerar dificuldades quando tentássemos implementar esse DFA. No entanto, parte do poder da técnica baseada em autômatos para a análise léxica é que, para linguagens reais, o NFA e o DFA possuem aproximadamente o mesmo número de estados, e o comportamento exponencial não é visto.

ALGORITMO 3.20: A *construção de subconjuntos* de um DFA a partir de um NFA.

ENTRADA: Um NFA N.

SAÍDA: Um DFA D aceitando a mesma linguagem que N.

MÉTODO: Nosso algoritmo constrói uma tabela de transição *Dtran* para D. Cada estado em D é um conjunto de estados do NFA, e construímos *Dtran* de modo que D simule "em paralelo" todos os movimentos possíveis que N pode fazer sob determinada cadeia de entrada. Nosso primeiro problema é lidar com as transições vazias (ϵ-transições) de N corretamente. Na Figura 3.31, apresentamos as definições de várias funções que descrevem as computações básicas sobre os estados de N e que são necessárias no algoritmo. Observe que s representa um único estado de N, enquanto T representa um conjunto de estados de N.

Precisamos explorar aqueles conjuntos de estados em que N pode estar depois de ver alguma cadeia da entrada. Como base, antes de ler o primeiro símbolo de entrada, N pode estar em qualquer um dos estados de $\epsilon\text{-}closure(s_0)$, onde s_0 é o seu estado inicial. Para a indução, suponha que N possa estar no conjunto de estados T depois de ler a cadeia de entrada x. Se, em seguida, ele ler a entrada a, então N pode imediatamente ir para qualquer um dos estados em $move(T, a)$. Porém, depois de ler a,

OPERAÇÃO	DESCRIÇÃO
$\epsilon\text{-}closure(s)$[5]	Conjunto de estados do NFA que podem ser alcançados a partir do estado s do NFA apenas sob ϵ-transições.
$\epsilon\text{-}closure(T)$	Conjunto de estados do NFA que podem ser alcançados a partir de algum estado s do NFA no conjunto T apenas sob ϵ-transações; $= \bigcup_{s \text{ em } T} \epsilon\text{-}closure(s)$.
$move(T,a)$	Conjunto de estados do NFA para os quais existe uma transição sob o símbolo de entrada a a partir de algum estado s em T.

FIGURA 3.31 Operações sobre estados do NFA.

ele também pode fazer várias ϵ-transições; assim, N poderia estar em qualquer estado de $\epsilon\text{-}closure(move(T,a))$ depois de ler a entrada xa. Seguindo essas idéias, a construção do conjunto de estados D, $Dstates$, e sua função de transição $Dtran$ aparecem na Figura 3.32.

```
inicialmente, ε-closure(s₀) é o único estado em Dstates, e não está marcado;
while ( existe um estado não marcado T em Dstates ) {
    marca T;
    for ( cada símbolo de entrada a ) {
        U = ε-closure(move(T,a));
        if ( U não está em Dstates )
            inclua U como um estado não marcado em Dstates;
        Dtran[T,a] = U;
    }
}
```

FIGURA 3.32 A construção de subconjuntos.

O estado inicial de D é $\epsilon\text{-}closure(s_0)$, e os estados de aceitação de D são todos aqueles conjuntos de estados de N que incluem pelo menos um estado de aceitação de N. Para completar nossa descrição da construção de subconjuntos, só precisamos mostrar como $\epsilon\text{-}closure(T)$ é calculado para qualquer conjunto de estados T de NFA. Esse processo, mostrado na Figura 3.33, é uma busca direta em um grafo a partir de um conjunto de estados. Nesse caso, imagine que somente as arestas rotuladas com ϵ estão disponíveis no grafo.

```
empilhe todos os estados de T na pilha;
inicialize ε-closure(T) para T;
while (pilha não está vazia ) {
    desempilhe t, o elemento do topo, da pilha;
    for ( cada estado u com uma aresta de t para u rotulado com ε )
        if ( u não está em ε-closure(T) ) {
            inclua u em ε-closure(T);
            empilhe u na pilha;
        }
}
```

FIGURA 3.33 Calculando $\epsilon\text{-}closure(T)$.

EXEMPLO 3.21: A Figura 3.34 mostra outro NFA aceitando (**a**|**b**)*****abb**. Construiremos este mesmo diagrama na Seção 3.7 diretamente a partir dessa expressão regular. Vamos aplicar o Algoritmo 3.20 à Figura 3.29.

O estado inicial A do DFA equivalente é $\epsilon\text{-}closure(0)$, ou $A = \{0,1,2,4,7\}$, pois esses são exatamente os estados alcançáveis a partir do estado 0 via um caminho em que todas as arestas possuem rótulo ϵ. Observe que um caminho pode ter zero arestas, portanto o estado 0 é alcançável a partir de si mesmo por um caminho rotulado com ϵ.

O alfabeto de entrada é $\{a,b\}$. Assim, nosso primeiro passo é marcar A e calcular $Dtran[A,a] = \epsilon\text{-}closure(move(A,a))$ e $Dtran[A,b] = \epsilon\text{-}closure(move(A,b))$. Entre os estados 0, 1, 2, 4 e 7, somente 2 e 7 possuem transições sob a, para 3 e 8, respectivamente. Assim, $move(A,a) = \{3,8\}$. Além disso, $\epsilon\text{-}closure(\{3,8\}) = \{1,2,3,4,6,7,8\}$, assim concluímos

---

[5] $\epsilon\text{-}closure$ também é conhecido como *fecho-ϵ*.

$$Dtran[A,a] = \epsilon\text{-}closure(move(A,a)) = \epsilon\text{-}closure(\{3,8\}) = \{1,2,3,4,6,7,8\}$$

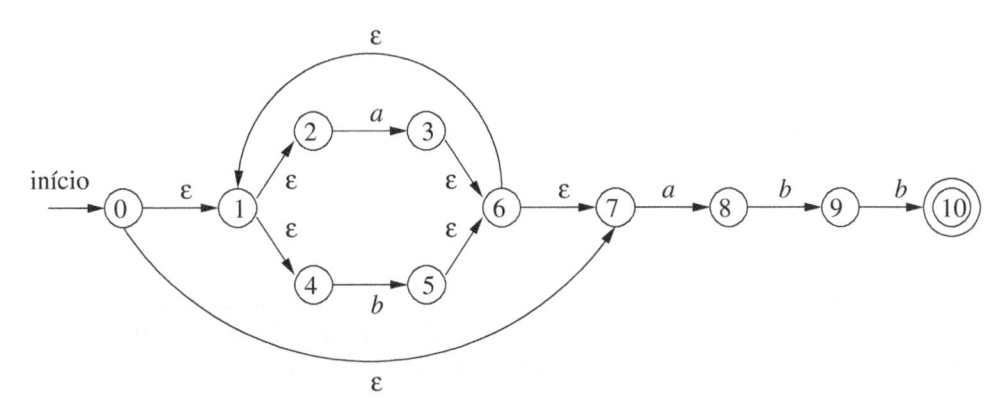

FIGURA 3.34 NFA *N* para (a|b)*abb.

Vamos chamar esse conjunto de *B*, de modo que *Dtran*[*A*,*a*] = *B*.

Agora, precisamos calcular *Dtran*[*A*,*b*]. Entre os estados em *A*, somente 4 possui uma transição sob *b*, e ele vai para 5. Assim,

$$Dtran[A,b] = \epsilon\text{-}closure(\{5\}) = \{1,2,4,5,6,7\}$$

Vamos chamar o conjunto anterior de *C*, de modo que *Dtran*[*A*,*b*] = C.

Estado do NFA	Estado do DFA	A	B
{0,1,2,4,7}	A	B	C
{1,2,3,4,6,7,8}	B	B	D
{1,2,4,5,6,7}	C	B	C
{1,2,4,5,6,7,9}	D	B	E
{1,2,3,5,6,7,10}	E	B	C

FIGURA 3.35 Tabela de transição *Dtran* para o DFA *D*.

Se continuarmos esse processo com os conjuntos não marcados *B* e *C*, alcançaremos por fim um ponto no qual todos os estados do DFA estão marcados. Essa conclusão é garantida, pois existem "apenas" 2^{11} subconjuntos diferentes de um conjunto de onze estados NFA. Os cinco diferentes estados que realmente construímos para o DFA com seus conjuntos de estados correspondentes ao NFA e a tabela de transição para o DFA *D* são ilustrados na Figura 3.35, e o grafo de transição para *D* aparece na Figura 3.36. O estado *A* é o estado inicial, e o estado *E*, que contém o estado 10 do NFA, é o único estado de aceitação.

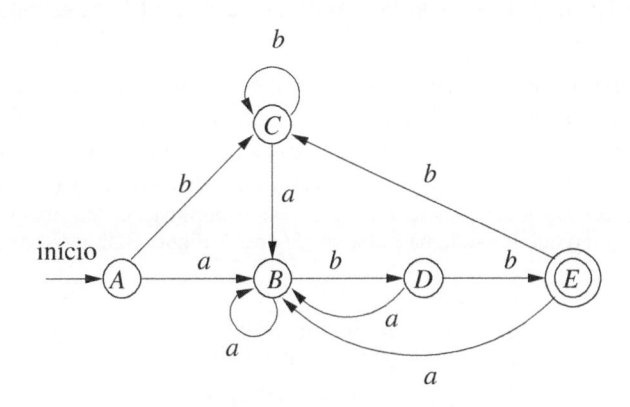

FIGURA 3.36 Resultado da aplicação da construção de subconjuntos à Figura 3.34.

Observe que *D* possui um estado a mais do que o DFA da Figura 3.28 para a mesma linguagem. Os estados *A* e *C* possuem a mesma função *move*, e, por isso, podem ser unidos. Discutimos a questão de minimizar o número de estados de um DFA na Seção 3.9.6.

3.7.2 Simulação de um NFA

Uma estratégia usada em diversos programas de edição de textos é construir um NFA a partir de uma expressão regular e depois simular o NFA usando algo como uma construção de subconjunto durante a execução. A simulação é esboçada a seguir.

Algoritmo 3.22: Simulando um NFA.

ENTRADA: Uma cadeia de entrada x terminada com um caractere de fim de arquivo **eof**. Um NFA N com estado inicial s_0, estados de aceitação F, e a função de transição *move*.

SAÍDA: Resposta "sim" se M aceita x; caso contrário, "não".

MÉTODO: O algoritmo guarda um conjunto de estados correntes S, que são aqueles alcançados a partir de s_0 seguindo um caminho rotulado pelas entradas lidas até o momento. Se c for o próximo caractere de entrada, lido pela função *nextChar*(), então primeiro calculamos $move(S,c)$ e depois fazemos o fechamento desse conjunto usando ϵ-*closure*(). O algoritmo é esboçado na Figura 3.37.

```
1)   S = ε-closure(s₀);
2)   c = nextChar();
3)   while ( c != eof ) {
4)       S = ε-closure(move(S,c));
5)       c = nextChar();
6)   }
7)   if ( S ∩ F != ∅ ) return "sim";
8)   else return "não";
```

Figura 3.37 Simulando um NFA.

3.7.3 Eficiência na simulação do NFA

Se for cuidadosamente implementado, o Algoritmo 3.22 pode ser muito eficiente. Como as idéias expressas são importantes para diversos algoritmos semelhantes envolvendo pesquisa em grafos, examinaremos esta implementação mais detalhadamente. As estruturas de dados de que precisamos são:

1. Duas pilhas, cada uma contendo um conjunto de estados NFA. Uma dessas pilhas, *oldStates*, contém o conjunto "corrente" de estados, ou seja, o valor do S que aparece no lado direito da linha (4) da Figura 3.37. A segunda, *newStates*, contém o "próximo" conjunto de estados — S do lado esquerdo da linha (4). Não é mostrada uma etapa do processo na qual, enquanto percorremos o *loop* das linhas (3) a (6), *newStates* é transferido para *oldStates*.
2. Um arranjo booliano *alreadyOn*, indexado pelos estados do NFA, para indicar quais estados estão em *newStates*. Embora o arranjo e a pilha contenham a mesma informação, é muito mais rápido interrogar *alreadyOn*[s] do que pesquisar pelo estado s na pilha *newStates*. É por essa eficiência que mantemos as duas representações.
3. Um arranjo bidimensional *move*[s,a] contendo a tabela de transição do NFA. As entradas nessa tabela, que são conjuntos de estados, são representadas por listas encadeadas.

Para implementar a linha (1) da Figura 3.37, precisamos definir cada entrada no arranjo *alreadyOn* como FALSE, depois para cada estado s em ϵ-*closure*(s_0) empilhe s em *oldStates* e defina *alreadyOn*[s] como TRUE. Essa operação sob o estado s e também a implementação da linha (4) são facilitadas por uma função que chamaremos de *addState*(s). Essa função empilha o estado s em *newStates*, define *alreadyOn*[s] como TRUE e chama a si mesma recursivamente sob os estados em *move*[s,ϵ], a fim de avançar a computação de ϵ-*closure*(s). Entretanto, para evitar duplicação de trabalho, precisamos ter o cuidado de nunca chamar *addState* sob um estado que já esteja na pilha *newStates*. A Figura 3.38 mostra essa função.

```
9)   addState(s) {
10)      push s em newStates;
11)      alreadyOn[s] = TRUE;
12)      for ( t em move[s,ε] )
13)          if ( !alreadyOn(t) )
14)              addState(t);
15)  }
```

Figura 3.38 Incluindo um novo estado s, que se sabe não estar em *newStates*.

Implementamos a linha (4) da Figura 3.37 examinando cada estado *s* em *oldStates*. Primeiro, encontramos o conjunto de estados *move*[*s*,*c*], onde *c* é a próxima entrada, e, para cada um desses estados que ainda não esteja em *newStates*, aplicamos *addState* a ele. Observe que *addState* tem o efeito de calcular o ϵ-*closure* e incluir todos esses estados também em *newStates*, caso eles ainda não estejam lá. Essa seqüência de passos é resumida na Figura 3.39.

```
16)     for ( s em oldStates ) {
17)         for ( t em move[s,c] )
18)             if ( !alreadyOn[t] )
19)                 addState(t);
20)         desempilha s de oldStates;
21)     }

22)     for ( s em newStates ) {
23)         desempilha s de newStates;
24)         empilha s em oldStates;
25)         alreadyOn[s] = FALSE;
26)     }
```

FIGURA 3.39 Implementação do passo (4) da Figura 3.37.

Agora, suponha que o NFA *N* tenha *n* estados e *m* transições; ou seja, *m* é a soma, considerando todos os estados do número de símbolos sob os quais há uma transição de saída.

Sem contar a chamada para *addState* na linha (19) da Figura 3.39, o tempo gasto no *loop* das linhas de (16) até (21) é $O(n)$. Ou seja, podemos percorrer o *loop* quase *n* vezes, e cada passo do *loop* exige trabalho constante, exceto pelo tempo gasto em *addState*. O mesmo acontece para o *loop* das linhas de (22) até (26).

Notação Grande-Oh

Uma expressão como $O(n)$ é uma abreviação para "no máximo alguma constante vezes *n*". Tecnicamente, dizemos que uma função $f(n)$, talvez representando o tempo de execução de algum passo de um algoritmo, é $O(g(n))$ se existirem as constantes *c* e n_0, tais que sempre que $n \geq n_0$, é verdade que $f(n) \leq cg(n)$. Um caso particularmente útil é "$O(1)$", que significa "alguma constante". O uso dessa *notação grande-oh* faz-nos evitar entrar em muitos detalhes sobre o que contamos como uma unidade de tempo de execução e permite-nos expressar a taxa com que o tempo de execução de um algoritmo cresce.

Durante uma execução da Figura 3.39, ou seja, do passo (4) da Figura 3.37, só é possível chamar *addState* em determinado estado uma vez. O motivo é que, sempre que chamamos *addState*(*s*), definimos *alreadyOn*[*s*] como TRUE na linha (11) da Figura 3.39. Quando *alreadyOn*[*s*] é TRUE, os testes na linha (13) da Figura 3.38 e na linha (18) da Figura 3.39 impedem outra chamada.

O tempo gasto em uma chamada a *addState*, excluindo o tempo gasto nas chamadas recursivas na linha (14), é $O(1)$ para as linhas (10) e (11). Para as linhas (12) e (13), o tempo depende de quantas ϵ-transições existem saindo do estado *s*. Não conhecemos esse número para determinado estado, mas sabemos que existem no máximo *m* transições no total, saindo de todos os estados. Como resultado, o tempo total gasto na linha (11) sob todas as chamadas a *addState* durante uma execução do código da Figura 3.39 é $O(m)$. A agregação para o restante das etapas de *addState* é $O(n)$, pois é uma constante por chamada, e existem no máximo *n* chamadas.

Concluímos que, se implementado corretamente, o tempo para executar a linha (4) da Figura 3.37 é $O(n + m)$. O restante do *loop while* das linhas de (3) até (6) gasta $O(1)$ por iteração. Se a entrada *x* tiver tamanho *k*, então o trabalho total desse *loop* é $O(k(n + m))$. A linha (1) da Figura 3.37 pode ser executada em tempo $O(n + m)$, pois é composta basicamente dos passos da Figura 3.39 com *oldStates* contendo apenas o estado s_0. As linhas (2), (7) e (8) gastam cada uma $O(1)$. Assim, o tempo de execução do Algoritmo 3.22, corretamente implementado, é $O(k(n + m))$. Ou seja, o tempo gasto é proporcional ao tamanho da entrada vezes o tamanho (nós mais arestas) do grafo de transição.

3.7.4 Construção de um NFA a partir de uma expressão regular

Agora veremos o algoritmo para converter qualquer expressão regular em um NFA que define a mesma linguagem. O algoritmo é dirigido por sintaxe, no sentido de que ele produz recursivamente a árvore de derivação para as expressões regulares. Para cada subexpressão, o algoritmo constrói um NFA com um único estado de aceitação.

ALGORITMO 3.23: O algoritmo McNaughton-Yamada-Thompson para converter uma expressão regular em um NFA.

ENTRADA: Uma expressão regular *r* sob o alfabeto Σ.

SAÍDA: Um NFA N aceitando $L(r)$.

MÉTODO: Comece desmembrando r em suas subexpressões constituintes. As regras para a construção de um NFA consistem em regras básicas para tratar subexpressões sem operadores, e regras de indução para construir os NFA maiores a partir dos NFA para as subexpressões intermediárias de determinada expressão.

BASE: Para a expressão ϵ, construa o NFA

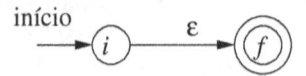

início → (i) —ε→ (f)

Aqui, i é um novo estado, o estado inicial desse NFA, e f é outro novo estado, o estado de aceitação para esse NFA.

Para qualquer subexpressão a em Σ, construa o NFA

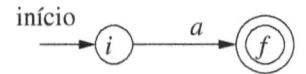

início → (i) —a→ (f)

onde novamente i e f são estados novos, os estados inicial e de aceitação, respectivamente. Observe que, em ambas as construções de base, construímos um NFA distinto, com novos estados, para cada ocorrência de ϵ ou algum a como uma subexpressão de r.

INDUÇÃO: Suponha que $N(s)$ e $N(t)$ sejam NFAs para as expressões regulares s e t, respectivamente.

a) Considere $r = s|t$. Então $N(r)$, o NFA para r, é construído como na Figura 3.40. Aqui, i e f são estados novos, os estados inicial e de aceitação de $N(r)$, respectivamente. Existem ϵ-transições de i para os estados iniciais de $N(s)$ e $N(t)$, e cada um de seus estados de aceitação possui ϵ-transições para o estado de aceitação f. Observe que os estados de aceitação de $N(s)$ e $N(t)$ não são finais em $N(r)$. Como qualquer caminho de i para f precisa passar por $N(s)$ ou $N(t)$ exclusivamente, e como o rótulo desse caminho não é mudado pelos ϵs saindo de i ou chegando em f, concluímos que $N(r)$ aceita $L(s) \cup L(t)$, que é o mesmo que $L(r)$. Ou seja, a Figura 3.40 é uma construção correta para o operador de união.

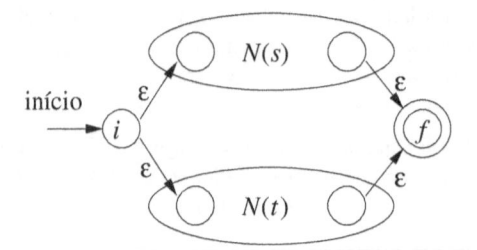

FIGURA 3.40 NFA para a união de duas expressões regulares.

b) Considere $r = st$. Então, construa $N(r)$ como na Figura 3.41. O estado inicial de $N(s)$ torna-se o estado inicial de $N(r)$, e o estado de aceitação de $N(t)$ é o único estado de aceitação de $N(r)$. O estado de aceitação de $N(s)$ e o estado inicial de $N(t)$ são unidos em um único estado, com todas as transições chegando ou saindo de ambos os estados. Um caminho de i para f na Figura 3.41 precisa passar primeiro por $N(s)$, e portanto seu rótulo começará com alguma cadeia em $L(s)$. O caminho então continua via $N(t)$, assim o rótulo do caminho termina com uma cadeia em $L(t)$. Como logo explicaremos, estados de aceitação nunca possuem arestas saindo deles, e estados iniciais nunca possuem arestas chegando a eles, de modo que não é possível para um caminho entrar novamente em $N(s)$ depois de sair dele. Assim, $N(r)$ aceita exatamente $L(s)L(t)$, e é um NFA correto para $r = st$.

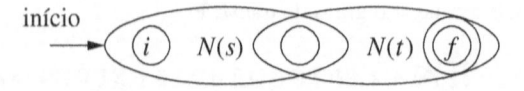

FIGURA 3.41 NFA para a concatenação de duas expressões regulares.

c) Considere $r = s^*$. Então, para r, construímos o NFA $N(r)$ mostrado na Figura 3.42. Aqui, i e f são novos estados, o estado inicial e o único estado de aceitação para $N(r)$, respectivamente. Para ir de i até f, podemos seguir o caminho apresentado, rotulado com ϵ, que cuida da única cadeia em $L(s)^0$, ou podemos ir para o estado inicial de $N(s)$, através desse

NFA, e depois do seu estado de aceitação de volta ao seu estado inicial zero ou mais vezes. Essas opções permitem que $N(r)$ aceite todas as cadeias em $L(s)^1$, $L(s)^2$, e assim por diante, de modo que o conjunto inteiro de cadeias aceito por $N(r)$ seja $L(s^*)$.

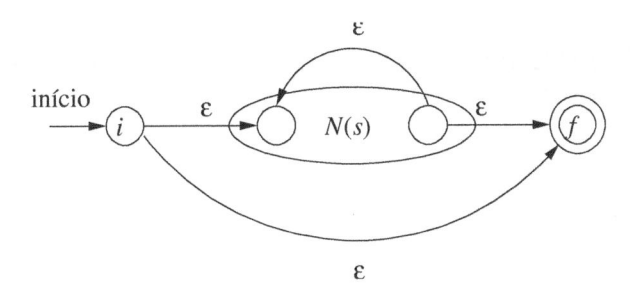

FIGURA 3.42 NFA para o fechamento de uma expressão regular.

d) Finalmente, considere $r = (s)$. Então, $L(r) = L(s)$, e podemos usar o NFA $N(s)$ como $N(r)$.

O método descrito no Algoritmo 3.23 apresenta dicas sobre por que a construção por indução funciona como deveria. Não daremos uma prova de exatidão formal, mas listaremos diversas propriedades dos NFAs construídos, além do importantíssimo fato de que $N(r)$ aceita a linguagem $L(r)$. Essas propriedades são interessantes por si só, e úteis na elaboração de uma prova formal.

1. $N(r)$ tem no máximo o dobro de estados em relação ao número de operadores e operandos em r. Esse limite vem do fato de que cada passo do algoritmo cria no máximo dois novos estados.
2. $N(r)$ tem um estado inicial e um estado de aceitação. O estado de aceitação não possui transições de saída, e o estado inicial não possui transições de entrada.
3. Cada estado de $N(r)$ excluindo o estado de aceitação possui uma transição de saída em um símbolo em Σ ou duas transições de saída, ambas em ϵ.

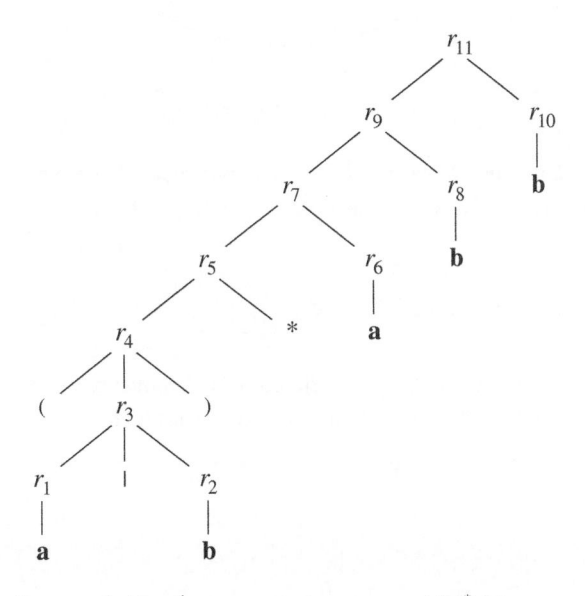

FIGURA 3.43 Árvore de derivação para $(a|b)^*abb$.

EXEMPLO 3.24: Vamos usar o Algoritmo 3.23 para construir um NFA para $r = (a|b)^*abb$. A Figura 3.43 mostra uma árvore de derivação para r que é semelhante às árvores de derivação construídas para expressões aritméticas na Seção 2.2.3. Para a subexpressão r_1, o primeiro **a**, construímos o NFA:

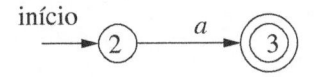

Números de estado foram escolhidos para ser consistentes com o que vem em seguida. Para r_2, construímos:

Agora, podemos combinar $N(r_1)$ e $N(r_2)$, usando a construção da Figura 3.40 para obter o NFA para $r_3 = r_1|r_2$; esse NFA aparece na Figura 3.44.

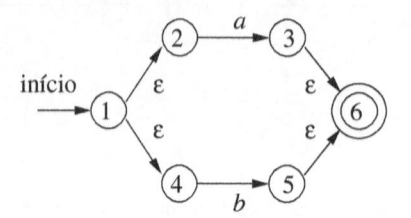

FIGURA 3.44 NFA para r_3.

O NFA para $r_4 = (r_3)$ é igual ao de r_3. O NFA para $r_5 = (r_3)^*$ fica, então, conforme mostra a Figura 3.45. Usamos a construção na Figura 3.42 para construir esse NFA a partir do NFA da Figura 3.44.

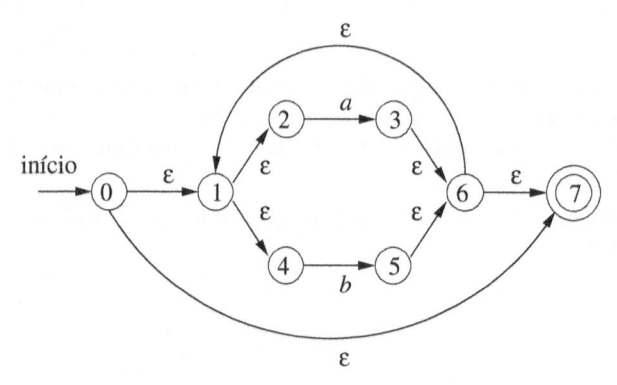

FIGURA 3.45 NFA para r_5.

Agora, considere a subexpressão r_6, que é outro **a**. Usamos a construção de base para a novamente, mas temos de usar novos estados. Não é permitido reutilizar o NFA que construímos para r_1, embora r_1 e r_6 sejam a mesma expressão. O NFA para r_6 é:

Para obter o NFA para $r_7 = r_5 r_6$, aplicamos a construção da Figura 3.41. Unimos os estados 7 e 7', gerando o NFA da Figura 3.46. Continuando nesse padrão com novos NFA para as duas subexpressões **b** chamadas r_8 e r_{10}, por fim construímos o NFA para **(a|b)*abb** que apresentamos inicialmente na Figura 3.34.

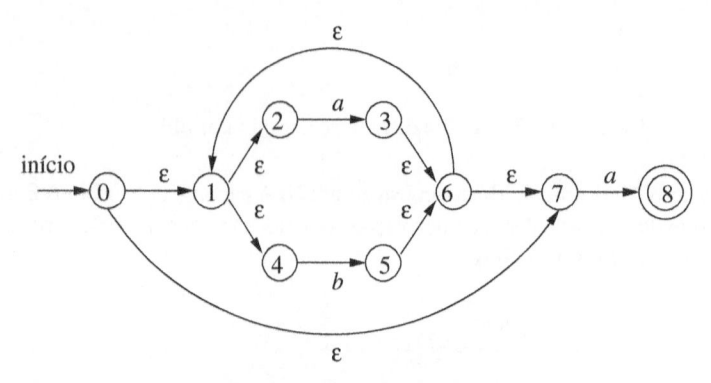

FIGURA 3.46 NFA para r_7.

3.7.5 Eficiência dos algoritmos para processamento de cadeias

Observamos que o Algoritmo 3.18 processa uma cadeia x em tempo $O(|x|)$, enquanto na Seção 3.7.3 concluímos que poderíamos simular um NFA em um tempo proporcional ao produto de $|x|$ pelo tamanho do grafo de transição do NFA. Obviamente, é mais rápido ter um DFA para simular do que um NFA, e por isso poderíamos questionar se faz algum sentido simular um NFA.

Uma questão que pode favorecer um NFA é que a construção de subconjuntos, no pior caso, pode produzir um número exponencial de estados. Embora, em princípio, o número de estados do DFA não influencie no tempo de execução do Algoritmo 3.18, se o número de estados se tornar tão grande que a tabela de transição não caiba na memória principal, então o verdadeiro tempo de execução teria de incluir a E/S de disco e, portanto, aumentaria significativamente.

Exemplo 3.25: Considere a família de linguagens descritas por expressões regulares da forma $L_n = (\mathbf{a}|\mathbf{b})^*\mathbf{a}(\mathbf{a}|\mathbf{b})^{n-1}$, ou seja, cada linguagem L_n consiste em cadeias de as e bs tais que o enésimo caractere à esquerda da ponta direita contenha a. Um NFA com $n + 1$ estados é fácil de construir. Ele permanece em seu estado inicial sob qualquer entrada, mas também tem a opção, sob a entrada a, de passar para o estado 1. Do estado 1, ele vai para o estado 2 sob qualquer entrada, e assim por diante, até que no estado n ele seja aceito. A Figura 3.47 sugere esse NFA.

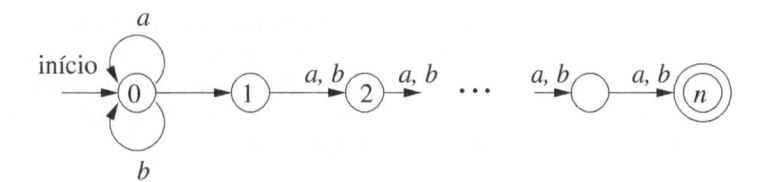

Figura 3.47 Um NFA que possui muito menos estados do que o menor DFA equivalente.

Contudo, qualquer DFA para a linguagem L_n precisa ter pelo menos 2^n estados. Não provaremos esse fato, mas a idéia é que, se duas cadeias de tamanho n puderem colocar o DFA no mesmo estado, então podemos explorar a última posição em que as cadeias diferem (e, portanto, uma deverá conter a, e a outra b) para que elas continuem de forma idêntica, até que sejam iguais nas últimas $n - 1$ posições. O DFA, então, estará em um estado em que precisa aceitar ou não aceitar. Felizmente, como dissemos, é raro que a análise léxica envolva padrões desse tipo, e, na prática, esperamos não encontrar um DFA com um número exagerado de estados.

Contudo, os geradores de analisador léxico e de outros sistemas de processamento de cadeias normalmente começam com uma expressão regular. Podemos escolher entre converter a expressão regular para um NFA ou para um DFA. O custo adicional de ir para um DFA é, portanto, o custo de executar o Algoritmo 3.23 sobre o NFA (pode-se ir diretamente de uma expressão regular para um DFA, mas o trabalho é basicamente o mesmo). Se o processador de cadeias for executado muitas vezes, como acontece com a análise léxica, então qualquer custo de conversão para um DFA compensa. Porém, em outras aplicações de processamento de cadeias, como `grep`, nas quais o usuário especifica uma expressão regular e um ou vários arquivos para serem pesquisados em busca de um padrão dessa expressão, pode ser mais eficiente ignorar o passo de construção de um DFA e simular o NFA diretamente.

Vamos considerar o custo de conversão de uma expressão regular r para um NFA usando o Algoritmo 3.23. Um passo fundamental é a construção da árvore de derivação para r. No Capítulo 4, são apresentados vários métodos capazes de construir essa árvore de derivação em tempo linear, ou seja, em tempo $O(|r|)$, onde $|r|$ representa o *tamanho* de r — a soma do número de operadores e operandos de r. Também é fácil verificar que cada uma das construções base e indutiva do Algoritmo 3.23 leva um tempo constante, de modo que o tempo total gasto pela conversão para um NFA seja $O(|r|)$.

Além disso, conforme observamos na Seção 3.7.4, o NFA que construímos tem no máximo $|r|$ estados e no máximo $2|r|$ transições. Ou seja, em termos da análise na Seção 3.7.3, temos $n \le |r|$ e $m \le 2|r|$. Portanto, simulando esse NFA com uma cadeia de entrada x gasta o tempo $O(|r| \times |x|)$. Esse tempo domina o tempo gasto pela construção do NFA, que é $O(|r|)$ e, portanto, concluímos que é possível, dada uma expressão regular r e uma cadeia x, dizer se x está em $L(r)$ em tempo $O(|r| \times |x|)$.

O tempo gasto pela construção de subconjuntos é altamente dependente do número de estados que o DFA resultante possui. Para começar, observe que, na construção de subconjuntos da Figura 3.32, o passo-chave, a construção de um conjunto de estados U a partir de um conjunto de estados T e um símbolo de entrada a, é muito semelhante à construção de um novo conjunto de estados a partir do antigo conjunto de estados na simulação do NFA do Algoritmo 3.22. Já concluímos que, corretamente implementado, esse passo gasta tempo no máximo proporcional ao número de estados e transições do NFA.

Suponha que comecemos com uma expressão regular r e a convertamos para um NFA. Esse NFA possui no máximo $|r|$ estados e no máximo $2|r|$ transições. Além do mais, existem no máximo $|r|$ símbolos de entrada. Assim, para cada estado do DFA construído, temos de construir no máximo $|r|$ novos estados, e cada um gasta no máximo $O(|r| + 2|r|)$ tempo. O tempo para construir um DFA de s estados é, portanto, $O(|r|^2 s)$.

No caso comum em que s é aproximadamente $|r|$, a construção de subconjuntos gasta um tempo $O(|r|^3)$. Porém, no pior caso, como no Exemplo 3.25, esse tempo é $O(|r|^2 2^{|r|})$. A Figura 3.48 resume as opções quando se recebe uma expressão regular r e se deseja produzir um reconhecedor que dirá se uma ou mais cadeias x estão em $L(r)$.

Autômato	Custo Inicial	Custo Por Cadeias
NFA	$O(|r|)$	$O(|r| \times |x|)$
Caso típico do DFA	$O(|r|^3)$	$O(|x|)$
Pior caso do DFA	$O(|r|^2 2^{|r|})$	$O(|x|)$

Figura 3.48 Custo inicial e custo por cadeia em vários métodos de reconhecimento da linguagem de uma expressão regular.

Se o custo por cadeia dominar, como acontece quando construímos um analisador léxico, preferimos claramente o DFA. Porém, em comandos como grep, em que executamos o autômato apenas sob uma cadeia, geralmente preferimos o NFA. Somente quando $|x|$ se aproxima de $|r|^3$ é que chegaríamos a pensar em converter para um DFA.

Existe, contudo, uma estratégia mista que é tão boa quanto a melhor estratégia do NFA e o DFA para cada expressão r e cadeia x. Comece simulando o NFA, mas lembre-se dos conjuntos de estados do NFA (ou seja, os estados do DFA) e suas transições, enquanto os computamos. Antes de processar o conjunto corrente de estados do NFA e o símbolo de entrada corrente, verifique se essa transição já foi computada e, nesse caso, use essa informação.

3.7.6 Exercícios da Seção 3.7

Exercício 3.7.1: Converta para o DFA os NFAs de:
  a) Figura 3.26.
  b) Figura 3.29.
  c) Figura 3.30.

Exercício 3.7.2: Use o Algoritmo 3.22 para simular os NFAs:
  a) Figura 3.29.
  b) Figura 3.30.
sob a entrada *aabb*.

Exercício 3.7.3: Converta as seguintes expressões regulares para autômatos finitos deterministas, usando os algoritmos 3.23 e 3.20:
  a) (a|b)*.
  b) (a*|b*)*.
  c) ((ε|a)b*)*.
  d) (a|b)*abb(a|b)*.

3.8 Projeto de um gerador de analisador léxico

Nesta seção, aplicamos as técnicas apresentadas na Seção 3.7 para verificar como é construído um gerador de analisador léxico, tipo Lex. Discutimos duas técnicas, baseadas em NFA e DFA; a segunda é basicamente a implementação do Lex.

3.8.1 A estrutura do analisador gerado

A Figura 3.49 apresenta uma visão da arquitetura de um analisador léxico gerado pelo Lex. O programa que se apresenta como analisador léxico inclui um programa fixo que simula um autômato; nesse ponto, deixamos aberta a questão de se esse autômato é determinístico ou não determinístico. O restante do analisador léxico consiste em componentes que são criados a partir do programa Lex pelo próprio Lex.

Estes componentes são:

1. Uma tabela de transição para o autômato.
2. As funções que são passadas diretamente pelo Lex para a saída (ver Seção 3.5.2).
3. As ações do programa de entrada, que aparecem como trechos de código a serem invocados no tempo apropriado pelo simulador de autômato.

CAPÍTULO 3: ANÁLISE LÉXICA

FIGURA 3.49 Um programa Lex é transformado em uma tabela de transição e ações, que são usadas por um simulador de autômato finito.

Para construir o autômato, começamos pegando cada padrão de expressão regular no programa Lex e o convertemos, usando o Algoritmo 3.23, para um NFA. Precisamos de um único autômato que reconhece os lexemas que casam com qualquer um dos padrões no programa, de modo que combinamos todos os NFAs em um único, introduzindo um novo estado inicial com ϵ-transições para cada um dos estados iniciais dos NFA N_i para o padrão p_i. Essa construção aparece na Figura 3.50.

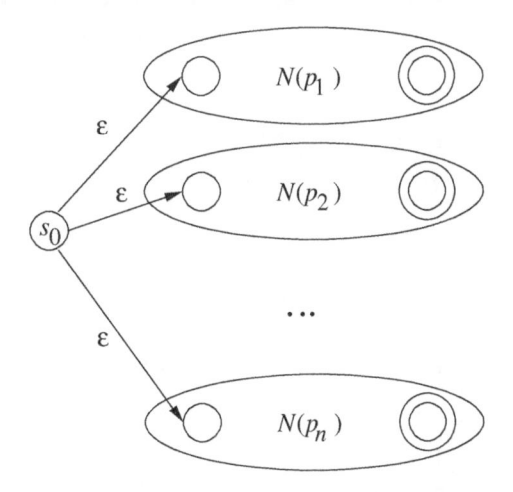

FIGURA 3.50 Um NFA construído a partir de um programa Lex.

EXEMPLO 3.26: Vamos ilustrar as idéias desta seção com o seguinte exemplo simples, abstrato:

a	{ ação A_1 para padrão p_1 }
abb	{ ação A_2 para padrão p_2 }
a*b$^+$	{ ação A_3 para padrão p_3 }

Observe que esses três padrões apresentam alguns conflitos do tipo discutido na Seção 3.5.3. Em particular, a cadeia *abb* casa com o segundo e o terceiro padrões, mas vamos considerá-la um lexema para o padrão p_2, pois esse padrão é listado primeiro no programa Lex anteriormente. Depois, as cadeias de entrada como *aabbb...* possuem muitos prefixos que casam com o terceiro padrão. A regra do Lex é reconhecer o mais longo, de modo que continuamos lendo *b*s, até que outro *a* seja encontrado, quando informamos o lexema como sendo os *a*s iniciais seguidos por tantos *b*s quantos existam.

A Figura 3.51 mostra três NFAs que reconhecem os três padrões. O terceiro é uma simplificação do que seria produzido pelo Algoritmo 3.23. Depois, a Figura 3.52 mostra esses três NFA combinados em um único NFA pelo acréscimo do estado inicial 0 e três ϵ-transições.

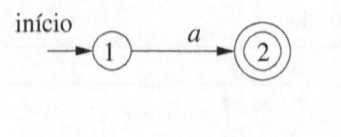

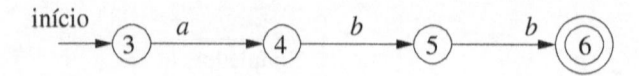

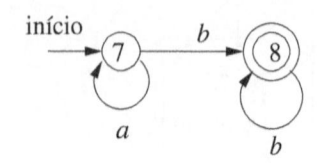

FIGURA 3.51 Três NFAs para **a**, **abb** e **a*b+**.

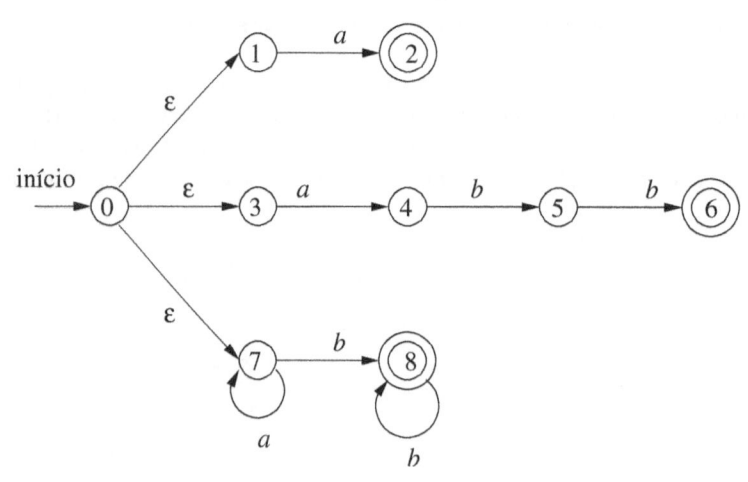

FIGURA 3.52 NFA combinado.

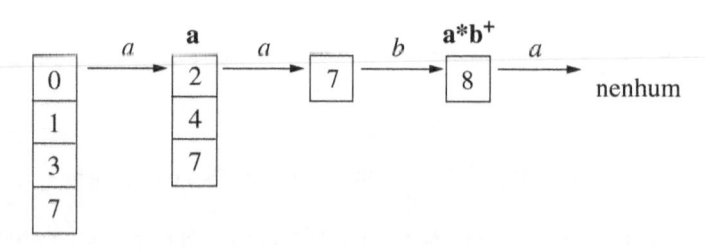

FIGURA 3.53 Seqüência de conjuntos de estados passados durante o processamento da entrada *aaba*.

3.8.2 Casamento de padrão baseado em NFAs

Se o analisador léxico simular um NFA como o da Figura 3.52, então ele precisa ler a entrada começando no ponto da entrada ao qual nos referimos como *lexemeBegin*. À medida que ele move adiante na entrada o apontador chamado *forward*, também calcula o conjunto de estados em que ele se encontra a cada ponto, seguindo o Algoritmo 3.22.

Por fim, a simulação do NFA alcança um ponto na entrada onde não existem estados seguintes. Nesse ponto, não existe esperança de que qualquer prefixo maior da entrada leve o NFA a um estado de aceitação; em vez disso, o conjunto de estados sempre será vazio. Assim, estamos prontos para decidir sobre o prefixo mais longo que é um lexema casando com algum padrão.

Olhamos para trás na seqüência de conjuntos de estados, até encontrarmos um conjunto que inclua um ou mais estados de aceitação. Se houver vários estados de aceitação nesse conjunto, pegamos aquele associado ao padrão mais antigo p_i na lista do programa Lex. Movemos o apontador *forward* de volta ao fim do lexema e realizamos a ação A_i associada ao padrão p_i.

EXEMPLO 3.27: Suponha que tenhamos os padrões do Exemplo 3.26 e a entrada comece com *aaba*. A Figura 3.53 mostra os conjuntos de estados do NFA da Figura 3.52 que entramos, começando com o fechamento de ϵ do estado inicial 0, que é {0,1,3,7}, e prosseguindo a partir de lá. Depois de ler o quarto símbolo da entrada, estamos em um conjunto vazio de estados, pois, na Figura 3.52, não existem transições deixando o estado 8 sob a entrada *a*.

Assim, precisamos recuar, procurando um conjunto de estados que inclua um estado de aceitação. Observe que, conforme indicado na Figura 3.53, após ler *a*, estamos em um conjunto que inclui o estado 2 e, portanto, indica que o padrão *a* foi casado. Porém, depois de ler *aab*, estamos no estado 8, que indica que **a*b**$^+$ foi casado; o prefixo *aab* é o prefixo mais longo que nos leva a um estado de aceitação. Portanto, selecionamos *aab* como lexema, e executamos a ação A_3, que deve incluir um retorno ao analisador sintático indicando que o token cujo padrão é $p_3 = $ **a*b**$^+$ foi encontrado.

3.8.3 DFAs PARA ANALISADORES LÉXICOS

Outra arquitetura, semelhante à saída do Lex, é converter o NFA de todos os padrões para um DFA equivalente, usando a construção de subconjuntos do Algoritmo 3.20. Dentro de cada estado DFA, se houver um ou mais estados NFA de aceitação, determine o primeiro padrão cujo estado de aceitação é representado, e torne esse padrão a saída do estado DFA.

EXEMPLO 3.28: A Figura 3.54 mostra um diagrama de transição baseado no DFA que é construído pela construção de subconjuntos do NFA na Figura 3.52. Os estados de aceitação são rotulados pelo padrão que é identificado por esse estado. Por exemplo, o estado {6,8} tem dois estados de aceitação, correspondentes aos padrões **abb** e **a*b**$^+$. Como o primeiro é listado em primeiro lugar, esse é o padrão associado ao estado {6,8}.

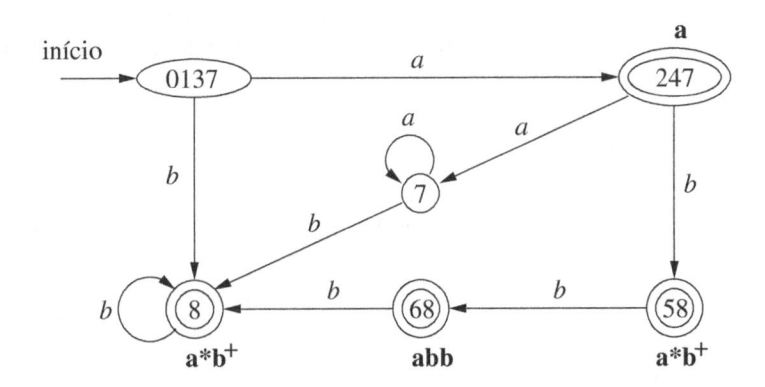

FIGURA 3.54 Grafo de transição para o DFA tratando dos padrões **a**, **abb** e **a*b**$^+$.

Usamos o DFA em um analisador léxico de modo semelhante ao que usamos com o NFA. Simulamos o DFA até algum ponto onde não exista estado seguinte (ou, estritamente falando, o próximo estado é Ø, o *estado morto* correspondente ao conjunto vazio de estados do NFA). Nesse ponto, recuamos pela seqüência de estados que entramos e, assim que encontrarmos um estado DFA de aceitação, realizamos a ação associada ao padrão para esse estado.

Estados mortos nos DFA

Tecnicamente, o autômato na Figura 3.54 não é bem um DFA. O motivo é que um DFA possui uma transição de todo estado sob todo símbolo de entrada em seu alfabeto de entrada. Aqui, omitimos as transições para o estado morto Ø, e, portanto, omitimos as transições do estado morto para si mesmo sob toda entrada. Os exemplos anteriores de conversão de NFA para DFA não tinham um meio de passar do estado inicial para Ø, mas o NFA da Figura 3.52 tem.

Porém, quando construímos um DFA para ser usado em um analisador léxico, é importante que tratemos o estado morto de modo diferente, pois precisamos saber quando não existe mais possibilidade alguma de reconhecer um lexema maior. Assim, sugerimos sempre omitir as transições para o estado morto e eliminar o próprio estado morto. De fato, o problema é mais difícil do que parece, pois uma construção *NFA para DFA* pode gerar vários estados que não podem alcançar nenhum estado de aceitação, e precisamos saber quando algum desses estados foi alcançado. A Seção 3.9.6 discute como combinar todos esses estados em um único estado morto, de modo que sua identificação se torne fácil. Também é interessante observar que, se construirmos um DFA a partir de uma expressão regular usando os algoritmos 3.20 e 3.23, então o DFA não terá nenhum estado além de Ø que não possa levar a um estado de aceitação.

Exemplo 3.29: Suponha que o DFA da Figura 3.54 receba a entrada *abba*. A seqüência de estados visitados é 0137,247,58,68, e no *a* final não existe transição saindo do estado 68. Assim, consideramos a seqüência a partir do fim e, nesse caso, o próprio 68 é um estado de aceitação que informa o padrão $p_2 =$ **abb**.

3.8.4 Implementando o operador lookahead

Lembre-se, da Seção 3.5.4, de que o operador lookahead do Lex / em um padrão do Lex r_1/r_2 às vezes é necessário, pois o padrão r_1 para determinado token pode precisar descrever algum contexto final r_2 a fim de identificar corretamente o lexema corrente. Ao converter o padrão r_1/r_2 para um NFA, tratamos o / como se fosse ϵ, de modo que não procuramos realmente um / na saída. Porém, se o NFA reconhecer o prefixo *xy* do buffer de entrada como casando com essa expressão regular, o fim do lexema não é onde o NFA entrou em seu estado de aceitação. Em vez disso, o fim ocorre quando o NFA entra em um estado *s* tal que

1. *s* tem uma ϵ-transição sob o / (imaginário).
2. Existe um caminho a partir do estado inicial do NFA para o estado *s* soletrado como *x*.
3. Existe um caminho a partir do estado *s* para o estado de aceitação soletrado como *y*.
4. *x* é o mais longo possível para qualquer *xy* satisfazendo as condições 1-3.

Se houver apenas um estado ϵ-transição sob o / imaginário no NFA, então o fim do lexema ocorre quando esse estado é entrado pela última vez, conforme ilustra o exemplo a seguir. Se o NFA tiver mais de um estado ϵ-transição sob o / imaginário, então o problema de encontrar o estado *s* correto é muito mais difícil.

Exemplo 30.30: Um NFA para o padrão IF do Fortran com lookahead, a partir do Exemplo 3.13, aparece na Figura 3.55. Observe que a ϵ-transição do estado 2 para o estado 3 representa o operador lookahead. O estado 6 indica a presença da palavra-chave IF. Localizamos, porém, o lexema IF lendo para trás até a última ocorrência do estado 2, ocasião em que se entra no estado 6.

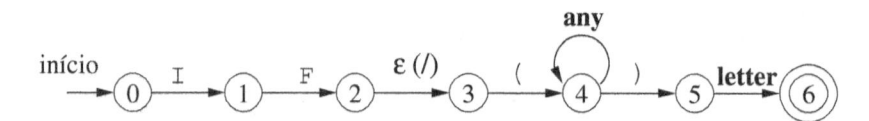

Figura 3.55 NFA reconhecendo a palavra-chave IF.

3.8.5 Exercícios da Seção 3.8

Exercício 3.8.1: Suponha que tenhamos dois tokens: (1) a palavra-chave if, e (2) identificadores, que são cadeias de letras diferentes de if. Mostre:
   a) O NFA para esses tokens, e
   b) O DFA para esses tokens.

Exercício 3.8.2: Repita o Exercício 3.8.1 para os tokens consistindo em (1) a palavra-chave while, (2) a palavra-chave when, e (3) identificadores consistindo em seqüências de letras e dígitos, começando com uma letra.

! Exercício 3.8.3: Suponha que tivéssemos de revisar a definição de um DFA para permitir zero ou uma transição saindo de cada estado sob cada símbolo de entrada (em vez de exatamente uma transição, como na definição padrão do DFA). Algumas expressões regulares, então, teriam "DFAs" menores do que teriam sob a definição padrão de um DFA. Dê um exemplo de uma expressão regular desse tipo.

!! Exercício 3.8.4: Projete um algoritmo para reconhecer padrões de lookahead do Lex na forma r_1/r_2, onde r_1 e r_2 são expressões regulares. Mostre como o seu algoritmo funciona com as seguintes entradas:
   a) (*abcd*|*abc*)/*d*
   b) (*a*|*ab*)/*ba*
   c) *aa*/a**

3.9 Otimização de casadores de padrão baseado em DFA

Nesta seção, apresentamos três algoritmos usados para implementar e otimizar os casadores de padrão construídos a partir de expressões regulares.

1. O primeiro algoritmo é útil em um compilador Lex, pois constrói um DFA diretamente de uma expressão regular, sem construir um NFA intermediário. O DFA resultante também pode ter menos estados do que o DFA construído por meio de um NFA.
2. O segundo algoritmo minimiza o número de estados de qualquer DFA, combinando os estados que têm o mesmo comportamento futuro. O próprio algoritmo é bastante eficiente, executando em tempo $O(n \log n)$, onde n é o número de estados do DFA.
3. O terceiro algoritmo produz representações mais compactas das tabelas de transição do que a tabela padrão, bidimensional.

3.9.1 Estados importantes de um NFA

Para iniciar nossa discussão de como ir diretamente de uma expressão regular para um DFA, precisamos primeiro dissecar a construção do NFA do Algoritmo 3.23 e considerar os papéis desempenhados por vários estados. Chamamos um estado de um NFA de *importante* se tiver uma transição saindo dele não-ϵ. Observe que a construção de subconjuntos (Algoritmo 3.20) usa apenas os estados importantes em um conjunto T quando ele calcula ϵ-*closure*(*move*(T,a)), o conjunto de estados alcançáveis a partir de T sob a entrada a. Ou seja, o conjunto de estados *move*(s,a) é não vazio somente se o estado s for importante. Durante a construção de subconjuntos, dois conjuntos de estados de NFA podem ser identificados (tratados como se fossem o mesmo conjunto) se:

1. Eles tiverem os mesmos estados importantes, e
2. Os dois tiverem ou nenhum deles tiver estados de aceitação.

Quando o NFA é construído a partir de uma expressão regular pelo Algoritmo 3.23, podemos dizer mais sobre os estados importantes. Os únicos estados importantes são aqueles introduzidos como estados iniciais na parte da base para uma posição de símbolo específica na expressão regular. Ou seja, cada estado importante corresponde a um operando em particular na expressão regular.

O NFA construído tem apenas um estado de aceitação, mas esse estado, não tendo transições saindo dele, não é um estado importante. Concatenando um único marcador # no fim de uma expressão regular r, damos ao estado de aceitação para r uma transição sob #, tornando-o um estado importante do NFA para (r)#. Em outras palavras, usando a expressão regular *aumentada* (r)#, podemos esquecer os estados de aceitação enquanto a construção de subconjuntos prossegue; quando a construção termina, qualquer estado com uma transição em # precisa ser um estado de aceitação.

Os estados importantes do NFA correspondem diretamente às posições na expressão regular que contêm símbolos do alfabeto. É conveniente, conforme veremos, mostrar a expressão regular por meio de sua *árvore sintática*, na qual as folhas correspondem aos operandos e os nós interiores correspondem aos operadores. Um nó interior é chamado de *nó-concatenação*, *nó-união* ou *nó-asterisco* se for rotulado pelo operador de concatenação (ponto), pelo operador de união | ou pelo operador de asterisco *, respectivamente. Podemos construir uma árvore sintática para uma expressão regular assim como fizemos para as expressões aritméticas na Seção 2.5.1.

Exemplo 3.31: A Figura 3.56 mostra a árvore de sintaxe para a expressão regular do nosso exemplo em andamento. Os nós-*concatenação* são representados por círculos.

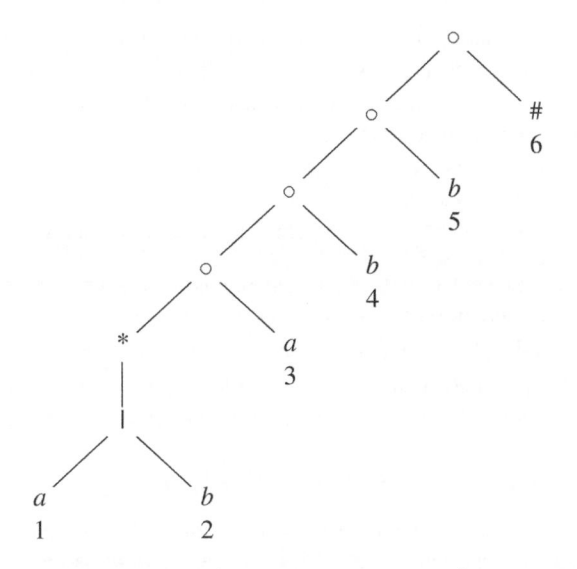

Figura 3.56 Árvore sintática para (a|b)*abb#.

As folhas em uma árvore sintática são rotuladas com ϵ ou por um símbolo do alfabeto. A cada folha não rotulada ϵ, anexamos um único inteiro. Vamos nos referir a esse inteiro como a *posição* da folha e também como uma posição de seu símbolo. Observe que um símbolo pode ter várias posições; por exemplo, *a* possui as posições 1 e 3 na Figura 3.56. As posições na árvore sintática correspondem aos estados importantes do NFA construído.

EXEMPLO 3.32: A Figura 3.57 mostra o NFA para a mesma expressão regular da Figura 3.56, com os estados importantes numerados e outros estados representados por letras. Os estados numerados no NFA e as posições na árvore sintática correspondem de uma maneira que veremos em breve.

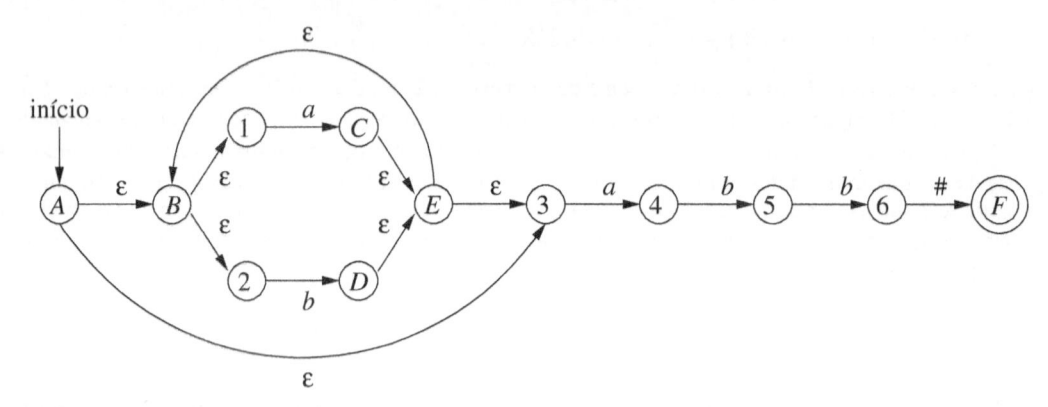

FIGURA 3.57 NFA construído pelo Algoritmo 3.23 para (**a**|**b**)*****abb#.

3.9.2 FUNÇÕES CALCULADAS A PARTIR DA ÁRVORE SINTÁTICA

Para construir um DFA diretamente a partir de uma expressão regular, construímos sua árvore sintática e depois calculamos quatro funções: *nullable*, *firstpos*, *lastpos* e *followpos*, definidas como segue. Cada definição refere-se à árvore sintática para determinada expressão regular aumentada (*r*)#.

1. *nullable*(*n*) é verdadeira para um nó da árvore sintática *n* se e somente se a subexpressão representada por *n* tiver ϵ em sua linguagem. Ou seja, a subexpressão pode ser "tornada nula" ou a cadeia vazia, embora ainda possa haver outras cadeias que ela também pode representar.
2. *firstpos*(*n*) é o conjunto de posições na subárvore com raiz em *n* que corresponde ao primeiro símbolo de pelo menos uma cadeia na linguagem da subexpressão cuja raiz é *n*.
3. *lastpos*(*n*) é o conjunto de posições na subárvore, cuja raiz é *n*, que corresponde ao último símbolo de pelo menos uma cadeia na linguagem da subexpressão cuja raiz é *n*.
4. *followpos*(*p*), para uma posição *p*, é o conjunto de posições *q* em uma árvore sintática completa tal que existe alguma cadeia $x = a_1 a_2 \cdots a_n$ em $L((r)\#)$, tal que, para algum *i*, existe um meio de explicar a inclusão de *x* como membro de $L((r)\#)$ casando a_i com a posição *p* da árvore sintática e a_{i+1} com a posição *q*.

EXEMPLO 3.33: Considere o nó-concatenação *n* da Figura 3.56 que corresponde à expressão (**a**|**b**)*****a. Afirmamos que *nullable*(*n*) é falso, pois esse nó gera todas as cadeias de *a*s e *b*s terminando em um *a*; ele não gera ϵ. Por outro lado, o nó-asterisco abaixo dele é *nullable*; ele gera ϵ junto com todas as outras cadeias de *a*s e *b*s.

firstpos(*n*) = {1,2,3}. Em uma típica cadeia de caracteres gerada, como *aa*, a primeira posição da cadeia corresponde à posição 1 da árvore, e, em uma cadeia como *ba*, a primeira posição da cadeia vem da posição 2 da árvore. Porém, quando a cadeia gerada pela expressão do nó *n* é apenas *a*, então esse *a* vem da posição 3.

lastpos(*n*) = {3}. Ou seja, não importa que cadeia seja gerada pela expressão do nó *n*, a última posição é o *a* da posição 3 da árvore.

followpos é mais complicado de se calcular, mas veremos as regras para fazer isso em breve. Aqui está um exemplo do raciocínio: *followpos*(1) = {1,2,3}. Considere uma cadeia ...*ac*..., onde o *c* é *a* ou *b*, e o *a* vem da posição 1. Ou seja, esse *a* é um daqueles gerados pelo **a** na expressão (**a**|**b**)*****. Esse *a* poderia ser seguido por outro *a* ou *b* vindo da mesma subexpressão, e, neste caso, *c* vem da posição 1 ou 2. Também é possível que esse *a* seja o último na cadeia gerada por (**a**|**b**)*****, nesse caso o símbolo *c* precisa ser o *a* que vem da posição 3. Assim, 1, 2 e 3 são exatamente as posições que podem vir após a posição 1.

3.9.3 CALCULANDO *NULLABLE*, *FIRSTPOS* E *LASTPOS*

Podemos calcular *nullable*, *firstpos* e *lastpos* por uma recursão direta sobre a altura da árvore. A base e as regras de indução para *nullable* e *firstpos* são resumidas na Figura 3.58. As regras para *lastpos* são essencialmente as mesmas de *firstpos*, mas os papéis dos filhos c_1 e c_2 precisam ser trocados na regra para um nó-concatenação.

EXEMPLO 3.34: De todos os nós na Figura 3.56, somente o nó-asterisco é *nullable*. Pela tabela da Figura 3.58, observamos que nenhuma das folhas é *nullable*, pois cada uma delas corresponde a operandos não-ϵ. O nó-união não é *nullable*, pois nenhum de seus filhos o é. O nó-asterisco é *nullable*, pois cada nó-asterisco é *nullable*. Finalmente, cada um dos nós-concatenação, tendo pelo menos um filho não *nullable*, não é *nullable*.

Nó n	*nullable*(n)	*firstpos*(n)
Uma folha rotulada com ϵ	**true**	$\emptyset$
Uma folha com posição i	**false**	$\{i\}$
Um nó-união $n = c_1 \mid c_2$	*nullable*(c_1) **or** *nullable*(c_2)	*firstpos*(c_1) $\cup$ *firstpos*(c_2)
Um nó-concatenação $n = c_1 c_2$	*nullable*(c_1) **and** *nullable*(c_2)	**if** (*nullable*(c_1)) *firstpos*(c_1) $\cup$ *firstpos*(c_2) **else** *firstpos*(c_1)
Um nó-asterisco $n = c_1^*$	**true**	*firstpos*(c_1)

FIGURA 3.58 Regras para calcular *nullable* e *firstpos*.

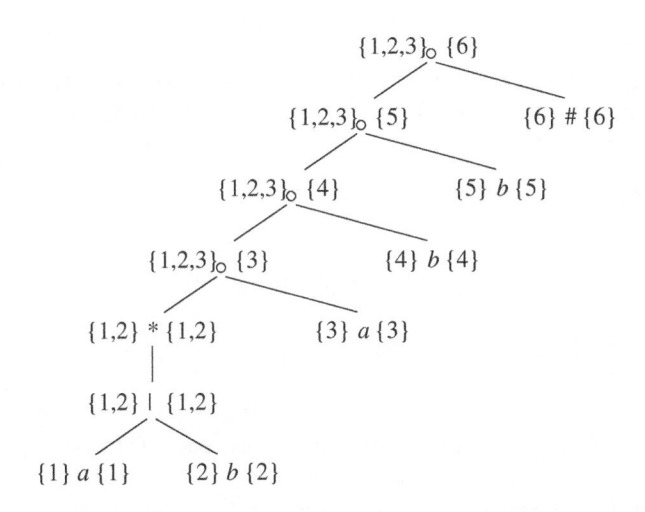

FIGURA 3.59 *firstpos* e *lastpos* para os nós na árvore sintática de (**a**|**b**)*****abb#.

O cálculo de *firstpos* e *lastpos* para cada um dos nós aparece na Figura 3.59, com *firstpos*(n) à esquerda do nó n, e *lastpos*(n) à sua direita. Cada uma das folhas tem apenas a si mesma para *firstpos* e *lastpos*, conforme exigido pela regra para folhas não-ϵ na Figura 3.58. Para o nó-união, pegamos a união de *firstpos* nos filhos e fazemos o mesmo para *lastpos*. A regra para o nó-asterisco diz que pegamos o valor de *firstpos* ou *lastpos* no único filho desse nó.

Agora, considere o nó-concatenação mais baixo, que chamaremos de n. Para calcular *firstpos*(n), primeiro consideramos se o operando da esquerda é *nullable*, que neste caso é. Portanto, *firstpos* para n é a união de *firstpos* para cada um de seus filhos, ou seja, $\{1,2\} \cup \{3\} = \{1,2,3\}$. A regra para *lastpos* não aparece explicitamente na Figura 3.58, mas, como mencionamos, as regras são iguais para *firstpos*, com os filhos trocados. Ou seja, para calcular *lastpos*(n), temos de perguntar se seu filho da direita (a folha com posição 3) é *nullable*, o que ele não é. Portanto, *lastpos*(n) é igual ao *lastpos* do filho da direita, ou $\{3\}$.

3.9.4 Calculando *FOLLOWPOS*

Finalmente, precisamos ver como calcular *followpos*. Existem apenas duas maneiras pelas quais uma posição de uma expressão regular pode ser criada para vir após outra.

1. Se n é um nó-concatenação com filho esquerdo c_1 e filho direito c_2, então, para cada posição i em *lastpos*(c_1), todas as posições em *firstpos*(c_2) estão em *followpos*(i).
2. Se n é um nó-asterisco, e i é uma posição em *lastpos*(n), então todas as posições em *firstpos*(n) estão em *followpos*(i).

EXEMPLO 3.35: Vamos continuar com nosso exemplo em andamento; lembre-se de que *firstpos* e *lastpos* foram calculados na Figura 3.59. A regra 1 para *followpos* exige que olhemos em cada nó-concatenação e coloquemos cada posição em *firstpos* do seu filho direito no *followpos* para cada posição em *lastpos* de seu filho esquerdo. Para o nó-concatenação mais baixo na Figura 3.59, essa regra diz que a posição 3 está em *followpos*(1) e *followpos*(2). O próximo nó-concatenação acima diz que 4 está em *followpos*(3), e os dois nós-concatenação restantes nos dão 5 em *followpos*(4) e 6 em *followpos*(5).

Também precisamos aplicar a regra 2 ao nó-asterisco. Essa regra nos diz que as posições 1 e 2 estão em ambos *followpos*(1) e *followpos*(2), pois tanto *firstpos* quanto *lastpos* para esse nó são {1,2}. Os conjuntos completos de *followpos* são resumidos na Figura 3.60.

Nó n	*followpos*(n)
1	{1,2,3}
2	{1,2,3}
3	{4}
4	{5}
5	{6}
6	∅

FIGURA 3.60   A função *followpos*.

Podemos representar a função *followpos* criando um grafo direcionado com um nó para cada posição e um arco da posição i para a posição j se e somente se j estiver em *followpos*(i). A Figura 3.61 mostra esse grafo para a função da Figura 3.60.

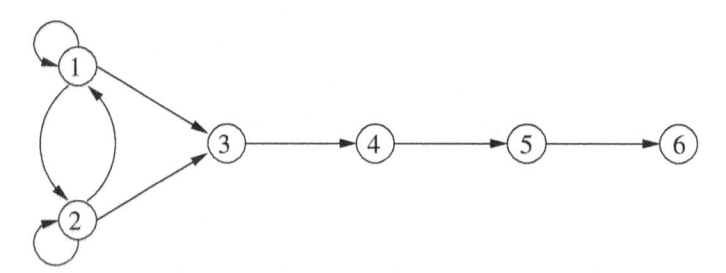

FIGURA 3.61   Grafo direcionado para a função *followpos*.

Não deverá ser surpresa que o grafo para *followpos* seja quase um NFA sem ϵ-transições s para a expressão regular examinada, e se tornaria um se nós:

1. Fizéssemos com que todas as posições em *firstpos* da raiz fossem estados iniciais,
2. Rotulássemos cada arco de i para j com o símbolo na posição i, e
3. Fizéssemos com que a posição associada ao marcador de fim # fosse o único estado de aceitação.

3.9.5 Convertendo uma expressão regular diretamente para um DFA

ALGORITMO 3.36: A construção de um DFA a partir de uma expressão regular r.

ENTRADA: Uma expressão regular r.

SAÍDA: Um DFA D que reconhece $L(r)$.

MÉTODO:

1. Construa uma árvore sintática T a partir da expressão regular aumentada (r)#.
2. Calcule *nullable*, *firstpos*, *lastpos* e *followpos* para T, usando os métodos das seções 3.9.3 e 3.9.4.
3. Construa *Dstates*, o conjunto de estados do DFA D, e *Dtran*, a função de transição para D, pelo procedimento da Figura 3.62. Os estados de D são conjuntos de posições em T. Inicialmente, cada estado está "desmarcado", e um estado se torna "marcado" imediatamente antes de considerarmos suas transições de saída. O estado inicial de D é *firstpos*(n_0), onde o nó n_0 é a raiz de T. Os estados de aceitação são aqueles contendo a posição para o símbolo marcador de fim #.

EXEMPLO 3.37: Podemos agora reunir os passos do nosso exemplo em andamento para construir um DFA para a expressão regular $r = (\mathbf{a}|\mathbf{b})^*\mathbf{abb}$. A árvore sintática para $(r)\#$ foi mostrada na Figura 3.56. Observamos que, para essa árvore, *nullable* é verdadeiro apenas para o nó-asterisco, e exibimos *firstpos* e *lastpos* na Figura 3.59. Os valores de *followpos* aparecem na Figura 3.60.

```
        inicialize Dstates para conter somente o estado não marcado firstpos(n₀),
            onde n₀ é a raiz da árvore sintática T para (r)#;
    while ( existe um estado não marcado S em Dstates ) {
        marca S;
        for ( cada símbolo de entrada a ) {
            seja U a união de followpos(p) para todo p
                em S que corresponde a a;
            if ( U não está em Dstates )
                inclua U como estado não marcado em Dstates;
            Dtran[S,a] = U;
        }
    }
```

FIGURA 3.62 Construção de um DFA diretamente a partir de uma expressão regular.

O valor de *firstpos* para a raiz da árvore é {1,2,3}, de modo que esse conjunto é o estado inicial de *D*. Chame esse conjunto de estados *A*. Temos de calcular *Dtran*[*A*,*a*] e *Dtran*[*A*,*b*]. Entre as posições de *A*, 1 e 3 correspondem a *a*, enquanto 2 corresponde a *b*. Assim, *Dtran*[*A*,*a*] = *followpos*(1) ∪ *followpos*(3) = {1,2,3,4} e *Dtran*[*A*,*b*] = *followpos*(2) = {1,2,3}. O último é o estado *A*, e por isso não precisa ser acrescentado em *Dstates*, mas o primeiro, *B* = {1,2,3,4}, é novo, e por isso o incluímos em *Dstates* e prosseguimos para calcular suas transições. O DFA completo é ilustrado na Figura 3.63.

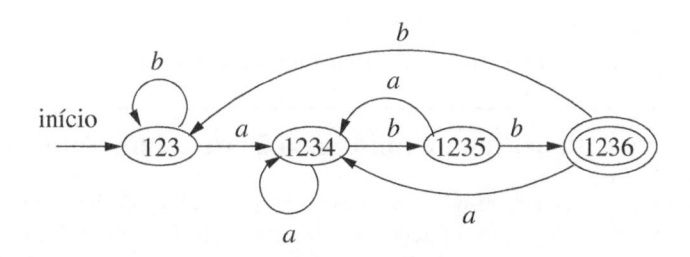

FIGURA 3.63 DFA construído a partir da Figura 3.57.

3.9.6 MINIMIZANDO O NÚMERO DE ESTADOS DO DFA

Pode haver muitos DFAs que reconhecem a mesma linguagem. Por exemplo, observe que os DFAs das figuras 3.36 e 3.63 reconhecem a linguagem $L((\mathbf{a}|\mathbf{b})^*\mathbf{abb})$. Não apenas esses autômatos possuem estados com nomes diferentes, mas eles nem sequer têm o mesmo número de estados. Se implementássemos um analisador léxico como um DFA, geralmente preferiríamos um DFA com o mínimo de estados possível, pois cada estado exige entradas na tabela que descreve o analisador léxico.

A questão dos nomes de estados é secundária. Diremos que dois autômatos são *iguais, exceto por nomes de estado* se um puder ser transformado no outro apenas alterando os nomes dos estados. As figuras 3.36 e 3.63 não são iguais até os nomes de estado. Porém, existe um relacionamento muito próximo entre os estados de cada uma. Os estados *A* e *C* da Figura 3.36 são realmente equivalentes, no sentido de que nenhum é um estado de aceitação, e, em qualquer entrada, eles transferem para o mesmo estado — para *B* sob a entrada *a* e para *C* sob a entrada *b*. Além disso, os dois estados *A* e *C* se comportam como o estado 123 da Figura 3.63. De modo semelhante, o estado *B* da Figura 3.36 se comporta como o estado 1234 da Figura 3.63, o estado *D* se comporta como o estado 1235 e o estado *E* se comporta como o estado 1236.

Acontece que sempre existe um DFA com um número mínimo de estado único (a menos dos nomes de estado) para qualquer linguagem regular. Além disso, esse DFA com um número mínimo de estado pode ser construído a partir de qualquer DFA para a mesma linguagem, agrupando-se conjuntos de estados equivalentes. No caso de $L((\mathbf{a}|\mathbf{b})^*\mathbf{abb})$, a Figura 3.63 é o DFA com um número mínimo de estado, e pode ser construído particionando-se os estados da Figura 3.36 como {*A,C*}{*B*}{*D*}{*E*}.

Para entender o algoritmo para a criação da partição de estados que converte qualquer DFA em um DFA equivalente com o mínimo de estado, precisamos ver como as cadeias de entrada distinguem os estados uns dos outros. Dizemos que a cadeia *x distingue* o estado *s* do estado *t* se exatamente um dos estados atingidos a partir de *s* e *t* seguindo o caminho com rótulo *x* for um estado de aceitação. O estado *s* é *distinguível* do estado *t* se houver alguma cadeia que os distinga.

EXEMPLO 3.38: A cadeia vazia distingue qualquer estado de aceitação de qualquer estado de não aceitação. Na Figura 3.36, a cadeia *bb* distingue o estado *A* do estado *B*, pois *bb* leva *a* para um estado de não aceitação *C*, mas leva *B* para o estado de aceitação *E*.

O algoritmo de minimização de estado funciona particionando os estados de um DFA em grupos de estados que não podem ser distinguidos. Cada grupo de estados é, então, unido em um único estado do DFA de estado mínimo. O algoritmo funciona mantendo uma partição, cujos grupos são conjuntos de estados que ainda não foram distinguidos, enquanto dois estados quaisquer de grupos diferentes são conhecidos como sendo distinguíveis. Quando a partição não pode ser mais refinada pelo desmembramento de qualquer grupo em grupos menores, temos o DFA de estado mínimo.

Inicialmente, a partição consiste em dois grupos: os estados de aceitação e os estados de não aceitação. O passo fundamental é pegar algum grupo da partição corrente, digamos, $A = \{s_1, s_2, ..., s_k\}$, e algum símbolo de entrada *a*, e ver se *a* pode ser usado para distinguir entre quaisquer estados no grupo *A*. Examinamos as transições de cada um de $s_1, s_2, ..., s_k$ sob a entrada *a*, e, se os estados alcançados caírem em dois ou mais grupos da partição corrente, dividimos *A* em uma coleção de grupos, de modo que s_i e s_j estejam no mesmo grupo se e somente se eles forem para o mesmo grupo na entrada *a*. Repetimos esse processo de divisão de grupos até que, para nenhum grupo e nenhum símbolo de entrada, o grupo possa continuar sendo dividido. A idéia é formalizada no próximo algoritmo.

ALGORITMO 3.39: Minimizando o número de estados de um DFA.

ENTRADA: Um DFA *D* com um conjunto de estados *S*, alfabeto de entrada Σ, estado inicial s_0 e um conjunto de estados de aceitação *F*.

SAÍDA: Um DFD *D'* aceitando a mesma linguagem como *D* e tendo o mínimo de estados possível.

MÉTODO:
1. Comece com uma partição inicial Π com dois grupos, *F* e *S* − *F*, os estados de aceitação e os de não aceitação de *D*.
2. Aplique o procedimento da Figura 3.64 para construir uma nova partição Π_{nova}.

Por que o algoritmo de minimização de estado funciona

Precisamos provar dois pontos: que os estados restantes no mesmo grupo de Π_{final} são indistinguíveis por qualquer cadeia, e que os estados que acabam ficando em grupos diferentes são distinguíveis. O primeiro é uma indução sob *i* de que, se depois da iésima iteração do passo (2) do Algoritmo 3.39, *s* e *t* estiverem no mesmo grupo, então não existe cadeia de tamanho *i* ou menor que os distinga. Deixaremos os detalhes da indução para você.

O segundo é uma indução sob *i* de que, se os estados *s* e *t* são colocados em grupos diferentes na iésima iteração do passo (2), então existe uma cadeia que os distingue. A base, quando *s* e *t* são colocados em diferentes grupos da partição inicial, é fácil: um precisa ser de aceitação e o outro não, de modo que ϵ os distingue. Para a indução, é preciso haver uma entrada *a* e estados *p* e *q* tais que *s* e *t* sigam para os estados *p* e *q*, respectivamente, sob a entrada *a*. Além disso, *p* e *q* já precisam ter sido colocados em diferentes grupos. Depois, pela hipótese de indução, existe alguma cadeia *x* que distingue *p* de *q*. Portanto, *ax* distingue *s* de *t*.

```
inicialmente, seja Π_nova = Π;
for ( cada grupo G de Π ) {
        particione G em subgrupos tais que dois estados s e t
                estejam no mesmo subgrupo se e somente se para todos os
                símbolos de entrada a, os estados s e t tenham transições sob a
                para os estados no mesmo grupo de Π;
        /* no pior caso, um estado estará em um subgrupo isolado */
        substitua G em Π_nova pelo conjunto de todos os subgrupos formados;
```

FIGURA 3.64 Construção de Π_{nova}.

3. Se $\Pi_{nova} = \Pi$, considere $\Pi_{final} = \Pi$ e continue com o passo (4). Caso contrário, repita o passo (2) com Π_{nova} no lugar de Π.

4. Escolha um estado em cada grupo de Π_{final} como o *representante* para esse grupo. Os representantes serão os estados do DFA de estado mínimo *D'*. Os outros componentes de *D'* são construídos da seguinte forma:

   (a) O estado inicial de *D'* é o representante do grupo contendo o estado inicial de *D*.
   (b) Os estados de aceitação de *D'* são os representantes daqueles grupos que contêm um estado de aceitação de *D*. Observe que cada grupo contém apenas estados de aceitação, ou apenas estados de não aceitação, pois começamos separando aquelas duas classes de estados, e o procedimento da Figura 3.64 sempre forma novos grupos que são subgrupos de grupos previamente construídos.
   (c) Seja *s* o representante de algum grupo *G* de Π_{final}, e seja a transição de *D* a partir de *s* sob a entrada *a* como sendo para o estado *t*. Seja *r* o representante do grupo *H* de *t*. Então, em *D'*, existe uma transição de *s* para *r* sob a entrada *a*. Observe que, em *D*, cada estado no grupo *G* deve ir para algum estado do grupo *H* sob a entrada *a*; do contrário, o grupo G teria sido dividido de acordo com a Figura 3.64.

Eliminando o estado morto

O algoritmo de minimização às vezes produz um DFA com um estado morto — um que não seja de aceitação e transfere para si mesmo a cada símbolo da entrada. Esse estado é tecnicamente necessário, pois um DFA precisa ter uma transição de cada estado sob cada símbolo. Porém, conforme discutimos na Seção 3.8.3, freqüentemente queremos saber quando não existe mais nenhuma possibilidade de aceitação, de modo que possamos estabelecer que o lexema já foi visto. Assim, podemos querer eliminar o estado morto e usar um autômato do qual faltam algumas transições. Esse autômato tem um estado a menos que o DFA do estado mínimo, mas, estritamente falando, esse não é um DFA, devido às transições que faltam para o estado morto.

EXEMPLO 3.40: Vamos considerar o DFA da Figura 3.36. A partição inicial consiste nos dois grupos {*A,B,C,D*}{*E*}, que são respectivamente os estados de não aceitação e os estados de aceitação. Para construir Π_{nova}, o procedimento da Figura 3.64 considera os dois grupos e as entradas *a* e *b*. O grupo {*E*} não pode ser dividido, pois tem apenas um estado, de modo que {*E*} permanecerá intacto em Π_{nova}.

O outro grupo {*A,B,C,D*} pode ser dividido, de modo que devemos considerar o efeito de cada símbolo da entrada. Na entrada *a*, cada um desses estados vai para o estado *B*, de modo que não há como distinguir esses estados usando cadeias que começam com *a*. Na entrada *b*, os estados *A*, *B* e *C* vão para membros do grupo {*A,B,C,D*}, enquanto o estado *D* vai para *E*, um membro de outro grupo. Assim, em Π_{nova}, o grupo {*A,B,C,D*} é dividido em {*A,B,C*}{*D*}, e Π_{nova} para essa rodada é {*A,B,C*}{*D*}{*E*}.

Na próxima rodada, podemos dividir {*A,B,C*} em {*A,C*}{*B*}, pois *A* e *C* vão para um membro de {*A,B,C*} sob a entrada *b*, enquanto *B* vai para um membro de outro grupo, {*D*}. Assim, depois da segunda rodada, Π_{nova} = {*A,C*}{*B*}{*D*}{*E*}. Para a terceira rodada, não podemos dividir o único grupo restante com mais de um estado, pois *A* e *C* vão cada um para o mesmo estado (e, portanto, para o mesmo grupo) sob cada entrada. Concluímos que Π_{final} = {*A,C*}{*B*}{*D*}{*E*}.

Agora, vamos construir o DFA de estado mínimo. Ele possui quatro estados, correspondentes aos quatro grupos de Π_{final}, e vamos selecionar *A*, *B*, *D* e *E* como os representantes desses grupos. O estado inicial é *A*, e o único estado de aceitação é *E*. A Figura 3.65 mostra a função de transição para o DFA. Por exemplo, a transição do estado *E* sob a entrada *b* é para *A*, pois, no DFA original, *E* vai para *C* sob a entrada *b*, e *A* é o representante do grupo *C*. Pelo mesmo motivo, a transição em *b* do estado *A* é para o próprio *A*, enquanto todas as outras transições são como na Figura 3.36.

Estado	a	b
A	B	A
B	B	D
D	B	E
E	B	A

FIGURA 3.65 Tabela de transição do DFA de estado mínimo.

3.9.7 Minimização de estado nos analisadores léxicos

Para aplicar o procedimento de minimização de estado aos DFAs gerados na Seção 3.8.3, temos de iniciar o Algoritmo 3.39 com a partição que agrupa todos os estados que reconhecem um token em particular, e também coloca em um grupo todos aqueles estados que não denotam nenhum token. Um exemplo deverá deixar a extensão clara.

EXEMPLO 3.41: Para o DFA da Figura 3.54, a partição inicial é

{0137,7}{247}{8,58}{7}{68}{∅}

Ou seja, os estados 0137 e 7 estão juntos porque nenhum deles anuncia token algum. Os estados 8 e 58 estão juntos porque ambos anunciam o token a^*b^+. Observe que incluímos um estado morto ∅, que supomos ter transições para si mesmo sob as entradas a e b. O estado morto também é o destino das transições faltantes sob a a partir dos estados 8, 58 e 68.

Temos de separar 0137 de 7, pois eles vão para grupos diferentes sob a entrada a. Também separamos 8 de 58, pois vão para grupos diferentes sob b. Assim, todos os estados estão em grupos por si mesmos, e a Figura 3.54 é um DFA de estado mínimo reconhecendo seus três tokens. Lembre-se de que um DFA servindo como analisador léxico normalmente retirará o estado morto, enquanto tratamos as transições que faltam como um sinal para terminar o reconhecimento de token.

3.9.8 Trocando tempo por espaço na simulação do DFA

O modo mais simples e mais rápido de representar a função de transição de um DFA é via uma tabela bidimensional indexada por estados e caracteres. Dado um estado e o próximo caractere da entrada, acessamos o arranjo para encontrar o próximo estado e qualquer ação especial que precisamos tomar, por exemplo, retornando um token ao analisador sintático. Como um analisador léxico típico possui várias centenas de estados em seu DFA e envolve o alfabeto ASCII de 128 caracteres de entrada, o arranjo consome menos do que um megabyte.

Entretanto, os compiladores também estão aparecendo em dispositivos muito pequenos, onde até mesmo um megabyte de armazenamento pode ser demais. Para essas situações, muitos métodos podem ser usados para compactar a tabela de transição. Por exemplo, podemos representar cada estado por uma lista de transições — ou seja, pares de caractere-estado — terminadas por um estado default que deve ser escolhido para qualquer caractere de entrada não na lista. Se escolhermos como default o estado seguinte que ocorre com mais freqüência, normalmente podemos reduzir a quantidade de armazenamento necessário por um grande fator.

Existe uma estrutura de dados mais sutil que nos permite combinar a velocidade do acesso ao arranjo com a compactação de listas com defaults. Podemos pensar nessa estrutura como quatro arranjos, conforme sugerimos na Figura 3.66.[6] O arranjo de *base* é usado para determinar o endereço de base das entradas para o estado s, que estão localizadas nos arranjos *next* e *check*. O arranjo *default* é usado para determinar um endereço de base alternativo se o arranjo *check* nos disser que aquele dado por *base*[*s*] é inválido.

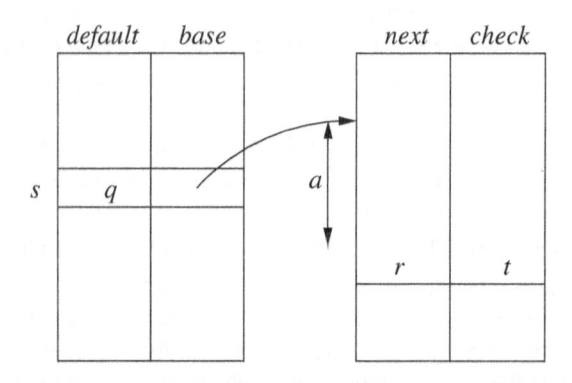

FIGURA 3.66 Estrutura de dados para representar tabelas de transição.

Para calcular *nextState*(*s*, *a*), a transição para o estado s sob a entrada a, examinamos as entradas *next* e *check* no endereço $l = base[s] + a$, onde o caractere a é tratado como um inteiro, presumidamente no intervalo de 0 a 127. Se $check[l] = s$, então essa entrada é válida, e o estado seguinte para o estado s sob a entrada a é $next[l]$. Se $check[l] \neq s$, então determinamos outro estado $t = default[s]$ e repetimos o processo como se t fosse o estado corrente. Mais formalmente, a função *nextState* é definida da seguinte forma:

```
int nextState(s, a) {
    if ( check[base[s] + a] = s ) return next[ base[s]+ a];
    else return nextState(default[s], a);
}
```

---

6 Na prática, haveria outro arranjo indexado pelos estados para dar a ação associada a esse estado, se houver.

A finalidade da estrutura da Figura 3.66 é tornar os arranjos *next-check* pequenos, tirando proveito das semelhanças entre os estados. Por exemplo, o estado *t*, o default para o estado *s*, poderia ser o estado que diz "estamos trabalhando em um identificador", como o estado 10 na Figura 3.14. Talvez o estado *s* seja entrado após vermos as letras th, que são um prefixo da palavra-chave then, além de potencialmente ser o prefixo de algum lexema para um identificador. No caractere de entrada e, precisamos ir do estado *s* para um estado especial que lembra que vimos the, mas, caso contrário, o estado *s* se comporta como *t*. Assim, fazemos *check*[*base*[*s*] + e] igual a *s* (para confirmar que essa entrada é válida para *s*) e fazemos *next*[*base*[*s*] + e] igual ao estado que lembra the. Além disso, *default*[*s*] é feito igual a *t*.

Embora possamos não ser capazes de escolher valores de *base* de modo que nenhuma entrada *next-check* permaneça não utilizada, a experiência tem mostrado que a estratégia simples de atribuir valores de *base* aos estados um por vez, e atribuir cada valor de *base*[*s*] ao menor inteiro, de modo que as entradas especiais para o estado *s* não estejam previamente ocupadas, utiliza pouco mais espaço do que o mínimo possível.

3.9.9 Exercícios da Seção 3.9

Exercício 3.9.1: Estenda a tabela da Figura 3.58 para incluir os operadores (a) ? e (b) $^+$.

Exercício 3.9.2: Use o Algoritmo 3.36 para converter as expressões regulares do Exercício 3.7.3 diretamente para autômatos finitos deterministas.

! Exercício 3.9.3: Podemos provar que duas expressões regulares são equivalentes mostrando que seus DFAs com um número mínimo de estados são iguais a menos de renomeação dos estados. Mostre dessa maneira que as seguintes expressões regulares: $(a|b)^*$, $(a^*|b^*)^*$ e $(((\epsilon|a)b^*)^*$ são todas equivalentes. *Nota:* Você pode ter construído os DFAs para essas expressões em resposta ao Exercício 3.7.3.

! Exercício 3.9.4: Construa os DFAs de estado mínimo para as seguintes expressões regulares:

a) $(a|b)^*a(a|b)$.

b) $(a|b)^*a(a|b)(a|b)$.

c) $(a|b)^*a(a|b)(a|b)(a|b)$.

Você consegue ver um padrão?

!! Exercício 3.9.5: Para tornar formal a afirmação informal do Exemplo 3.25, mostre que qualquer autômato finito determinista para a expressão regular

$$(a|b)^*a(a|b)(a|b)\cdots(a|b)$$

onde (a|b) aparece $n - 1$ vezes no fim, precisa ter pelo menos 2^n estados. *Dica:* Observe o padrão no Exercício 3.9.4. Que condição referente à história das entradas cada estado representa?

3.10 Resumo do Capítulo 3

- *Tokens*. O analisador léxico lê o programa fonte e produz, como saída, uma seqüência de tokens que normalmente são passados, um de cada vez, para o analisador sintático. Alguns tokens podem consistir apenas em um nome de token, enquanto outros também podem ter um valor léxico associado que dê informações sobre a instância em particular do token que foi encontrado na entrada.

- *Lexemas*. Toda vez que o analisador léxico retorna um token ao analisador sintático, ele possui um lexema associado — a seqüência de caracteres de entrada que o token representa.

- *Buffering*. Como normalmente é necessário ler adiante na entrada a fim de ver onde o próximo lexema termina, em geral é necessário que o analisador léxico coloque sua entrada em buffer. Usar um par de buffers ciclicamente e terminar o conteúdo de cada buffer com uma sentinela que o advirta do seu fim são duas técnicas que aceleram o processo de leitura da entrada.

- *Padrões*. Cada token possui um padrão que descreve quais seqüências de caracteres podem formar os lexemas correspondentes a esse token. O conjunto de palavras, ou cadeias de caracteres, que casam com determinado padrão é chamado de linguagem.

- *Expressões regulares*. Essas expressões normalmente são usadas para descrever padrões. Expressões regulares são construídas a partir de caracteres unitários, usando os operadores de união, concatenação e o de fechamento *Kleene*, ou qualquer-número-de-.

- *Definições regulares*. Coleções complexas de linguagens, como os padrões que descrevem os tokens de uma linguagem de programação, normalmente são definidos por uma definição regular, que é uma seqüência de comandos que

definem, cada um, uma variável para representar alguma expressão regular. A expressão regular para uma variável pode usar variáveis previamente definidas em sua expressão regular.
- *Notação de expressão regular estendida.* Diversos operadores adicionais podem aparecer como abreviações em expressões regulares, para facilitar a expressão de padrões. Alguns exemplos incluem o operador + (um-ou-mais), ? (zero-ou-um) e classes de caracteres (a união das cadeias, cada uma consistindo em um caractere).
- *Diagramas de transição.* O comportamento de um analisador léxico normalmente pode ser descrito por um diagrama de transição. Esses diagramas possuem estados, cada um representando algo sobre a história dos caracteres vistos durante a pesquisa corrente por um lexema que casa com um dos possíveis padrões. Existem setas, ou transições, de um estado para outro, cada uma indicando os próximos caracteres possíveis da entrada que fazem com que o analisador léxico mude de estado.
- *Autômatos finitos.* Estes são uma formalização dos diagramas de transição que incluem uma designação de um estado inicial e um ou mais estados de aceitação, além do conjunto de estados, caracteres de entrada e transições entre estados. Os estados de aceitação indicam que o lexema para algum token foi encontrado. Diferente dos diagramas de transição, os autômatos finitos podem fazer transições sob a entrada vazia e também sob os caracteres da entrada.
- *Autômatos finitos deterministas.* Um DFA é um tipo especial de autômato finito que tem exatamente uma transição saindo de cada estado para cada símbolo da entrada. Além disso, as transições sob a entrada vazia não são permitidas. O DFA é facilmente simulado e permite uma boa implementação de um analisador léxico, semelhante a um diagrama de transição.
- *Autômatos finitos não deterministas.* Autômatos que não são DFAs são chamados de não deterministas. Os NFAs normalmente são mais fáceis de projetar do que os DFAs. Outra arquitetura possível para um analisador léxico é tabular todos os estados em que os NFAs para cada um dos padrões possíveis podem estar, na medida em que lemos os caracteres da entrada.
- *Conversão entre representações de padrões.* É possível converter qualquer expressão regular para um NFA aproximadamente do mesmo tamanho, reconhecendo a mesma linguagem que a expressão regular define. Além do mais, qualquer NFA pode ser convertido para um DFA para o mesmo padrão, embora, no pior caso (nunca encontrado nas linguagens de programação comuns), o tamanho do autômato pode crescer exponencialmente. Também é possível converter qualquer autômato finito não determinista ou determinista em uma expressão regular que define a mesma linguagem reconhecida pelo autômato finito.
- *Lex.* Existe uma família de sistemas de software, incluindo Lex e Flex, que são geradores de analisador léxico. O usuário especifica os padrões para os tokens usando uma notação de expressão regular estendida. O Lex converte essas expressões para um analisador léxico que é essencialmente um autômato finito determinista que reconhece qualquer um dos padrões.
- *Minimização dos autômatos finitos.* Para cada DFA, existe um DFA de estado mínimo aceitando a mesma linguagem. Além disso, o DFA de estado mínimo para determinada linguagem é único, exceto para os nomes dados aos diversos estados.

3.11 Referências do Capítulo 3

As expressões regulares foram desenvolvidas inicialmente por Kleene na década de 1950 [9]. Kleene estava interessado em descrever os eventos que poderiam ser representados pelo modelo de autômato finito da atividade neural de McCullough e Pitts [12]. Desde essa época, expressões regulares e autômatos finitos foram bastante usados na ciência da computação.

As expressões regulares de várias formas foram usadas desde o início em muitos utilitários Unix populares, como awk, ed, egrep, grep, lex, sed, sh e vi. Os padrões IEEE 1003 e ISO/IEC 9945 para a *Portable Operating System Interface* (POSIX) definem as expressões regulares estendidas por POSIX, que são semelhantes às expressões regulares originais do Unix, com algumas exceções, como representações mnemônicas para as classes de caractere. Muitas linguagens de scripting, como Perl, Python e Tcl, adotaram expressões regulares, mas normalmente com extensões incompatíveis.

O conhecido modelo de autômato finito e a minimização de autômatos finitos, como no Algoritmo 3.39, vêm de Huffman [6] e Moore [4]. Os autômatos finitos não deterministas foram propostos inicialmente por Rabin e Scott [15]; a construção de subconjuntos do Algoritmo 3.20, mostrando a equivalência de autômatos finitos deterministas e não deterministas, vem daí.

McNaughton e Yamada [13] propuseram inicialmente um algoritmo para converter expressões regulares diretamente para autômatos finitos deterministas. O Algoritmo 3.36 descrito na Seção 3.9 foi usado inicialmente por Aho na criação da ferramenta de casamento de expressão regular do Unix egrep. Esse algoritmo também foi usado nas rotinas de casamento de padrão de expressão regular no awk [3]. A técnica de usar autômatos não deterministas como um passo intermediário é creditada a Thompson [17]. O último artigo também contém o algoritmo para a simulação direta de autômatos finitos não deterministas (Algoritmo 3.22), que foi usado por Thompson no editor de textos QED.

Lesk desenvolveu a primeira versão do Lex e depois Lesk e Schmidt criaram uma segunda versão usando o Algoritmo 3.36 [10]. Muitas variantes do Lex foram subseqüentemente implementadas. A versão GNU, Flex, pode ser baixada, junto com a documentação em [4]. Versões populares em Java do Lex incluem JFlex [7] e JLex [8].

O algoritmo KMP, discutido nos exercícios da Seção 3.4, imediatamente antes do Exercício 3.4.3, é de [11]. Sua generalização para muitas palavras-chave aparece em [2] e foi usada por Aho na primeira implementação do utilitário fgrep do Unix.

A *teoria* dos autômatos finitos e expressões regulares são cobertas em [5]. Um estudo das técnicas de casamento de cadeias está em [1].

1. AHO, A. V. Algorithms for finding patterns in strings. In Van LEEUWEN, J. (Editor) *Handbook of Theoretical Computer Science.* vol. A, chap. 5. Cambridge: MIT Press, 1990.
2. ___e CORASICK, M. J. Efficient string matching: an aid to bibliographic search. *Communications of the ACM* {\bfk8}:6, p. 333-334,.1975.
3. ___; KERNIGHAN, B. W. e WEINBERGER, P. J. *The AWK programming language.* Boston: Addison-Wesley, 1988.
4. Home page do Flex. Disponível em: <http://www.gnu.org/software/flex>, Free Software Foundation.
5. HOPCROFT, J. E.; MOTWANI, R. e ULLMAN, J. D. *Introduction to automata theory, languages, and computation.* Boston: Addison-Wesley, 2006.
6. HUFFMAN, D. A. The synthesis of sequential machines. *J. Franklin Institute,* n. 257, p. 3-4, 161, 190, 275-303, 1954.
7. Home page do Flex. Disponível em: <http://jflex.de/>.
8. <http://www.cs.princeton.edu/ appel/modern/java/Jlex>.
9. KLEENE, S. C. Representation of events in nerve nets. In [16], p. 3-40.
10. LESK, M. E. Lex — A lexical analyzer generator. *Computer Science Tech. Report 39.* Bell Laboratories, Murray Hill, NJ, 1975. Um texto similar, com o mesmo título, mas com E. Schmidt como co-autor, aparece no volume 2 de *Unix programmer's manual,* Bell Laboratories: Murray Hill, NJ, 1975. Veja também material disponível em: <http://dinosaur.compilertools.net/lex/index.html>.
11. KNUTH, D. E.; MORRIS J. H. e PRATT V. R. Fast pattern matching in strings. *SIAM J. Computing* 6:2, p. 323-350, 1977.
12. McCULLOUGH, W. S. e PITTS, W. A logical calculus of the ideas immanent in nervous activity. *Bull. Math. Biophysics* 5, p. 115-133, 1943.
13. McNAUGHTON, R. e YAMADA, H. Regular expressions and state graphs for automata, *IRE Trans. on Electronic Computers,* EC-9:1, p. 38-47, 1960.
14. MOORE, E. F., Gedanken experiments on sequential machines. In [16], p. 129-153.
15. RABIN, M. O. e SCOTT, D. Finite automata and their decision problems. *IBMJ Res. and Devel* 3:2, p. 114-125, 1959.
16. SHANNON, C. e McCARTHY (Editores). *Automata Studies.* Princeton Univ. Press, 1956.
17. THOMPSON, K. Regular expression search algorithm. *Comm ACM,* 11:6, p. 419-422, 1968.

4 ANÁLISE SINTÁTICA

Este capítulo é dedicado aos métodos de reconhecimento sintático tipicamente usados nos compiladores. Inicialmente, apresentamos os conceitos básicos, as técnicas apropriadas para a sua implementação manual, e finalmente os algoritmos que têm sido usados nas ferramentas automatizadas. Como os programas podem conter erros sintáticos, discutimos também as extensões propostas aos métodos de análise para a recuperação dos erros mais comuns.

Por definição, as linguagens de programação possuem regras precisas para descrever a estrutura sintática de programas bem formados. Em C, por exemplo, um programa é composto de funções, uma função é composta de declarações e comandos, um comando é formado a partir de expressões, e assim por diante. A estrutura sintática das construções de uma linguagem de programação é especificada pelas regras gramaticais de uma gramática livre de contexto ou notação Backus-Naur Form (BNF), introduzida na Seção 2.2. As gramáticas oferecem benefícios significativos para projetistas de linguagens e de compiladores:

- Uma gramática provê uma especificação sintática precisa e fácil de entender para as linguagens de programação.
- A partir de determinadas classes de gramáticas, podemos construir automaticamente um analisador sintático eficiente, que descreve a estrutura sintática de um programa fonte. Como benefício adicional, durante o processo de construção do analisador, podem ser detectadas ambigüidades sintáticas, bem como outros problemas não identificados na fase inicial do projeto de uma linguagem.
- A estrutura imposta a uma linguagem por uma gramática devidamente projetada facilita a tradução de programas fonte para código objeto correto e a detecção de erros.
- Uma gramática permite o desenvolvimento de uma linguagem iterativamente, possibilitando lhe acrescentar novas construções para realizar novas tarefas. Essas novas construções podem ser integradas mais facilmente em implementações que seguem a estrutura gramatical da linguagem.

4.1 Introdução

Nesta seção examinamos como o analisador sintático se integra às demais fases de um compilador. Depois, examinamos as gramáticas típicas para representar expressões aritméticas. Essas gramáticas são suficientes para ilustrar a essência da análise sintática, pois as técnicas de análise para expressões se aplicam à maioria das construções de linguagens de programação. Esta seção termina com uma discussão sobre tratamento de erro, pois é desejável que o analisador sintático responda corretamente ao descobrir que a sua entrada não pode ser sintaticamente reconhecida de acordo com a gramática dada.

4.1.1 O papel do analisador sintático

Em nosso modelo de compilador, o analisador sintático recebe do analisador léxico uma cadeia de tokens representando o programa fonte, como mostra a Figura 4.1, e verifica se essa cadeia de tokens pertence à linguagem gerada pela gramática. O analisador deve ser projetado para emitir mensagens para quaisquer erros de sintaxe encontrados no programa fonte em uma forma inteligível e também para se recuperar desses erros, a fim de continuar processando o restante do programa. Conceitualmente, para programas bem formados, o analisador sintático constrói uma árvore de derivação e a passa ao restante do *front-end* do compilador para mais processamento. Na prática, não é necessário construir a árvore de derivação explicitamente, pois as ações de verificação e tradução podem ser entremeadas com a análise, conforme veremos. Assim, o analisador sintático e o restante do *front-end* podem ser implementados em um único módulo.

Existem três estratégias gerais de análise sintática para o processamento de gramáticas: universal, descendente e ascendente. Os métodos de análise baseados na estratégia universal como o algoritmo Cocke-Younger-Kasami e o algoritmo de Earley podem analisar qualquer gramática (veja as notas bibliográficas). No entanto, esses métodos são muito ineficientes para serem usados em compiladores de produção.

Os métodos geralmente usados em compiladores são baseados nas estratégias descendente ou ascendente. Conforme sugerido por seus nomes, os métodos de análise descendentes constroem as árvores de derivação de cima (raiz) para baixo (folhas), enquanto os métodos ascendentes fazem a análise no sentido inverso, começam nas folhas e avançam até a raiz construindo a árvore. Em ambas as estratégias, a entrada do analisador sintático é consumida da esquerda para a direita, um símbolo de cada vez.

Os métodos ascendentes e descendentes mais eficientes funcionam apenas para subclasses de gramáticas, mas várias dessas subclasses, particularmente as gramáticas LL e LR, são expressivas o suficiente para descrever a maioria das construções sintáticas das linguagens de programação modernas. Os analisadores implementados à mão normalmente utilizam gramáticas LL; por exemplo, a técnica de reconhecimento sintático preditivo da Seção 2.4.2 funciona para gramáticas LL. Os analisadores sintáticos para a maior classe de gramáticas LR geralmente são construídos usando ferramentas automatizadas.

Neste capítulo, consideramos que a saída do analisador sintático é alguma representação da árvore de derivação para a cadeia de tokens reconhecidos pelo analisador léxico. Na prática, existem diversas tarefas que poderiam ser conduzidas durante a análise sintática, como a coleta de informações sobre os tokens na tabela de símbolos, a realização da verificação de tipo e outros tipos de análise semântica, e a geração de código intermediário. Reunimos todas essas atividades na caixa denominada "Restante do Front-End", da Figura 4.1. Essas atividades são explicadas em detalhes nos capítulos subseqüentes.

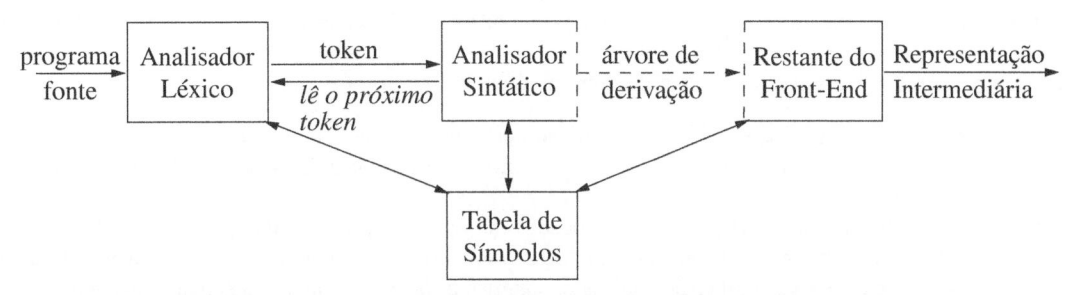

FIGURA 4.1 Posição do analisador sintático no modelo de compilador.

4.1.2 GRAMÁTICAS REPRESENTATIVAS

Algumas das gramáticas examinadas neste capítulo são apresentadas nesta seção para facilitar a sua referência. As construções sintáticas que começam com palavras-chave como, por exemplo, **while** ou **int** são relativamente fáceis de analisar, pois a palavra-chave guia na escolha da produção da gramática que deve ser aplicada para casá-la com a entrada. Portanto, vamos nos concentrar em expressões, que apresentam um desafio maior, devido à associatividade e precedência dos operadores.

Associatividade e precedência são capturadas na gramática a seguir, a qual é semelhante àquelas usadas no Capítulo 2 para descrever expressões, termos e fatores. O não-terminal E representa expressões consistindo em termos separados pelo operador +, T representa termos consistindo em fatores separados pelo operador ∗ e F representa fatores que podem ser expressões entre parênteses ou identificadores.

$$\begin{aligned} E &\rightarrow E+T \mid T \\ T &\rightarrow T*F \mid F \\ F &\rightarrow (E) \mid \textbf{id} \end{aligned} \qquad (4.1)$$

A gramática de expressão (4.1) pertence à classe de gramáticas LR que são adequadas para a análise sintática ascendente. Essa gramática pode ser adaptada para incorporar novos operadores e novos níveis de precedência. No entanto, ela não pode ser usada com o método de análise descendente, pois é recursiva[1] à esquerda.

Uma variação da gramática de expressão (4.1) sem recursão à esquerda será usada para a análise sintática descendente:

$$\begin{aligned} E &\rightarrow T\,E' \\ E' &\rightarrow +T\,E' \mid \epsilon \\ T &\rightarrow F\,T' \\ T' &\rightarrow *F\,T' \mid \epsilon \\ f &\rightarrow (E) \mid \textbf{id} \end{aligned} \qquad (4.2)$$

A gramática a seguir trata os operadores + e ∗ da mesma forma, de modo que é útil para ilustrar as técnicas para o tratamento de ambigüidades durante a análise sintática:

$$E \rightarrow E+E \mid E*E \mid (E) \mid \textbf{id} \qquad (4.3)$$

Neste exemplo, E representa expressões de todos os tipos. A gramática (4.3) permite mais de uma árvore de derivação para expressões como $a+b*c$.

---

[1] Os termos "recursivo" e "recursividade", embora não-dicionarizados, têm uso consagrado em ciências exatas.

4.1.3 Tratamento de erro de sintaxe

O restante desta seção considera a natureza dos erros sintáticos e as estratégias gerais utilizadas para a recuperação de erro. Duas dessas estratégias, chamadas *modo pânico* e *recuperação em nível de frase*, são discutidas com mais detalhes em conexão com os métodos de análise específicos.

Se um compilador tivesse de processar apenas programas corretos, o seu projeto e sua implementação seriam muito simplificados. Porém, espera-se que um compilador auxilie o programador na localização e rastreamento de erros que inevitavelmente surgem nos programas, apesar de esforços do programador. É impressionante que poucas linguagens tenham sido projetadas com o tratamento de erro em mente, embora os erros sejam tão comuns. Nossa civilização seria radicalmente diferente se as linguagens faladas tivessem os mesmos requisitos de precisão sintática das linguagens de computador. A maioria das especificações de linguagem de programação não descreve como um compilador deve responder a erros; o tratamento de erros é deixado para o projetista do compilador. Planejar o tratamento de erros logo no início pode simplificar a estrutura de um compilador e melhorar seu tratamento dos erros.

Os erros de programação mais comuns podem ocorrer em diferentes níveis.

- Erros *léxicos* incluem ortografias erradas de identificadores, palavras-chave ou operadores — por exemplo, o uso de um identificador `elipseSize` no lugar de `ellipseSize` — e a ausência de aspas ao redor do texto definido como uma cadeia de caracteres.
- Erros *sintáticos* incluem ponto-e-vírgulas mal colocados ou chaves extras ou faltando; ou seja, "{" ou "}". Outro exemplo: em C ou Java, a definição de um comando `case` sem um `switch` delimitando-o é um erro sintático, porém essa situação normalmente é permitida pelo analisador sintático e somente é identificada mais adiante no processamento, no momento da geração de código pelo compilador.
- Erros *semânticos* incluem divergências de tipo entre operadores e operandos. Por exemplo, um comando `return` em um método Java com tipo de resultado `void`.
- Erros *lógicos* incluem desde o raciocínio incorreto por parte do programador ao uso, em um programa C, do operador de atribuição = em vez do operador de comparação ==. O programa contendo = pode estar bem formado; porém, pode não refletir a intenção do programador.

A precisão dos métodos de análise permite que erros sintáticos sejam detectados eficientemente. Vários métodos de análise, como os métodos LL e LR, detectam um erro o mais cedo possível; ou seja, quando a cadeia de tokens retornados pelo analisador léxico não puder mais ser analisada de acordo com a gramática para a linguagem. Mais precisamente, esses métodos possuem a *propriedade de prefixo viável*, significando que detectam a ocorrência de um erro assim que encontram um prefixo da entrada que não pode ser completado para formar uma cadeia na linguagem.

Outro motivo para enfatizar a recuperação de erros durante a análise é que muitos erros parecem ser sintáticos, qualquer que seja sua causa, e são expostos quando a análise não pode continuar. Alguns erros semânticos, como a incompatibilidade de tipo, também podem ser detectados eficientemente; porém, a detecção precisa dos erros semânticos e lógicos é em geral uma tarefa difícil de ser resolvida em tempo de compilação.

O recuperador de erros em um analisador sintático possui objetivos simples, mas desafiadores em sua implementação:

- Informar a presença de erros de forma clara e precisa.
- Recuperar-se de cada erro com rapidez suficiente para detectar erros subseqüentes.
- Acrescentar um custo mínimo no processamento de programas corretos.

Felizmente, os erros comuns não são complicados, portanto um mecanismo de tratamento de erros relativamente simples muitas vezes é suficiente.

Como um recuperador de erro deve informar a presença de um erro? No mínimo, ele precisa informar o local no programa fonte onde o erro foi detectado, pois existe uma boa chance de que o local exato do erro seja em um dos tokens anteriores. Uma estratégia comum é a impressão da linha problemática com um apontador para a posição em que o erro foi detectado.

4.1.4 Estratégias de recuperação de erro

Quando um erro é detectado, como o analisador sintático deve recuperar-se? Embora não exista uma única estratégia aceita universalmente, alguns métodos possuem ampla aplicabilidade. A técnica mais simples é interromper a análise sintática e emitir uma mensagem de erro informativa assim que o primeiro erro for detectado. Erros adicionais muitas vezes não são tratados se o analisador sintático puder restaurar-se para um estado no qual o processamento da entrada pode prosseguir na esperança de que o processamento posterior fornecerá informações de diagnóstico significativas. Se os erros se acumularem, é melhor o compilador desistir depois de ultrapassar algum limite de erros do que produzir uma incômoda avalanche de "falsos" erros.

O restante desta seção apresenta as seguintes estratégias de recuperação de erro: modo pânico, nível de frase, produções de erro e correção global.

Recuperação no modo pânico

Com esse método, ao detectar um erro, o analisador sintático descarta um símbolo da entrada de cada vez até que um dentre um conjunto de *tokens de sincronismo* seja encontrado. Os tokens de sincronismo normalmente são delimitadores, como o ponto-e-vírgula ou }, cujo papel no programa fonte é claro e não ambíguo. O projetista do compilador deve selecionar os tokens de sincronismo de acordo com a linguagem fonte. Embora a correção no modo pânico normalmente ignore uma quantidade considerável de símbolos terminais do programa fonte sem se preocupar com a busca de erros adicionais, ele tem a vantagem da simplicidade e, diferentemente de alguns métodos que serão considerados mais tarde, tem-se a garantia de não entrar em um *loop* infinito.

Recuperação em nível de frase

Ao detectar um erro, um analisador sintático pode realizar a correção local sobre o restante da entrada; ou seja, pode substituir o prefixo da entrada restante por alguma cadeia que permita a continuação da análise. Uma correção local típica compreende a substituição de uma vírgula por um ponto-e-vírgula, a exclusão de um ponto-e-vírgula desnecessário, ou a inserção de um ponto-e-vírgula. A escolha da correção local fica a critério do projetista do compilador. Naturalmente, precisamos ter cuidado para que as substituições não provoquem *loops* infinitos, como aconteceria, por exemplo, se sempre inseríssemos algo na frente do símbolo da entrada corrente.

A substituição em nível de frase tem sido usada em diversos compiladores com recuperação de erro, pois pode corrigir qualquer cadeia da entrada. Sua principal desvantagem é a dificuldade de lidar com situações em que o erro real ocorreu antes do ponto de detecção.

Produções de erro

Nesta estratégia de recuperação de erro podemos estender a gramática da linguagem em mãos com produções que geram construções erradas, antecipando assim os erros mais comuns que poderiam ser encontrados em um programa. Um analisador sintático construído a partir de uma gramática estendida por essas produções de erro detecta os erros antecipadamente quando uma produção de erro é usada durante a análise. O analisador sintático pode, então, gerar um diagnóstico de erro apropriado sobre a construção errônea que foi reconhecida na entrada.

Correção global

Idealmente, gostaríamos que um compilador fizesse o mínimo de mudanças possível no processamento de uma cadeia de entrada incorreta. Existem algoritmos que auxiliam na escolha de uma seqüência mínima de mudanças a fim de obter uma correção com um custo global menor. Dada uma cadeia incorreta x na entrada e uma gramática G, esses algoritmos encontram uma árvore de derivação para uma cadeia relacionada y, tal que o número de inserções, exclusões e substituições de tokens necessários para transformar x em y seja o menor possível. Infelizmente, esses métodos em geral são muito caros em termos de tempo e espaço de implementação, de modo que essas técnicas têm atualmente interesse meramente teórico.

Observe que o programa mais próximo do correto pode não ser aquele que o programador tinha em mente. Apesar disso, a noção de correção menos dispendiosa oferece uma medida para avaliar as técnicas de recuperação de erro, e tem sido usada para encontrar cadeias de substituição ideais para a recuperação em nível de frase.

4.2 GRAMÁTICAS LIVRES DE CONTEXTO

As gramáticas foram introduzidas na Seção 2.2 para descrever sistematicamente a sintaxe das construções de linguagem de programação como expressões e comandos. Usando uma variável sintática *stmt* para representar comandos e a variável *expr* para representar expressões, a produção

$$stmt \rightarrow \textbf{if} \ (expr) \ stmt \ \textbf{else} \ stmt \tag{4.4}$$

especifica a estrutura dessa forma de comando condicional. Outras produções definem exatamente o que é uma *expr* e o que mais um *stmt* pode ser.

Esta seção revê a definição de uma gramática livre de contexto e apresenta a terminologia adequada para falarmos sobre a análise sintática. Em particular, a noção de derivações é muito útil para discutirmos a ordem em que as produções são aplicadas durante o reconhecimento sintático.

4.2.1 A DEFINIÇÃO FORMAL DE UMA GRAMÁTICA LIVRE DE CONTEXTO

De acordo com a Seção 2.2, uma gramática livre de contexto (gramática, para abreviar) consiste em terminais, não-terminais, um símbolo inicial e produções.

1. *Terminais* são os símbolos básicos a partir dos quais as cadeias são formadas. O termo "nome de token" é um sinônimo para "terminal" e freqüentemente usaremos a palavra "token" em vez de terminal quando estiver claro que estamos

falando apenas sobre o nome do token. Assumimos que os terminais são os primeiros componentes dos tokens gerados pelo analisador léxico. Em (4.4), os terminais são as palavras-chave **if** e **else**, e os símbolos " (" e ") ".

2. *Não-terminais* são variáveis sintáticas que representam conjuntos de cadeias. Em (4.4), *stmt* e *expr* são não-terminais. Os conjuntos de cadeias denotando não-terminais auxiliam na definição da linguagem gerada pela gramática. Os não-terminais impõem uma estrutura hierárquica sobre a linguagem que é a chave para a análise sintática e tradução.

3. Em uma gramática, um não-terminal é distinguido como o *símbolo inicial*, e o conjunto de cadeias que ele representa é a linguagem gerada pela gramática. Por convenção, as produções para o símbolo inicial são listadas primeiro.

4. As produções de uma gramática especificam a forma como os terminais e os não-terminais podem ser combinados para formar cadeias. Cada *produção* consiste em:

    (a) Um não-terminal chamado de *cabeça* ou *lado esquerdo* da produção; essa produção define algumas das cadeias representadas pela cabeça.

    (b) O símbolo →. Às vezes, : : = é usado no lugar da seta.

    (c) Um *corpo* ou *lado direito da produção* consiste em zero ou mais terminais e não-terminais. Os componentes do corpo descrevem uma forma como as cadeias do não-terminal do lado esquerdo da produção podem ser construídas.

EXEMPLO 4.5: A gramática na Figura 4.2 define expressões aritméticas simples. Nessa gramática, os símbolos terminais são

$$\text{id} \quad + \quad - \quad * \quad / \quad (\quad)$$

Os símbolos não-terminais são *expression*, *term* e *factor*, e *expression* é o símbolo inicial da gramática.

$$
\begin{align*}
expression &\rightarrow expression + term \\
expression &\rightarrow expression - term \\
expression &\rightarrow term \\
term &\rightarrow term * factor \\
term &\rightarrow term \,/\, factor \\
term &\rightarrow factor \\
factor &\rightarrow (\, expression \,) \\
factor &\rightarrow \textbf{id}
\end{align*}
$$

FIGURA 4.2 Gramática para expressões aritméticas simples.

4.2.2 CONVENÇÕES DE NOTAÇÃO

Para evitar ter de dizer sempre "estes são os terminais", "estes são os não-terminais" etc., adotaremos as seguintes convenções de notação para as gramáticas no restante deste livro.

1. Estes símbolos são terminais:

    (a) Letras minúsculas do início do alfabeto, como a, b, c.

    (b) Símbolos operadores como +, ∗ e assim por diante.

    (c) Símbolos de pontuação como parênteses, vírgula e assim por diante.

    (d) Os dígitos 0,1,...,9.

    (e) Cadeias em negrito como **id** ou **if**, cada um representando um único símbolo terminal.

2. Estes símbolos são não-terminais:

    (a) Letras maiúsculas do início do alfabeto, como A, B, C.

    (b) A letra S, que, quando aparece, normalmente é o símbolo inicial da gramática.

    (c) Nomes em minúsculas e itálico, como *expr* ou *stmt*.

    (d) Nas construções das linguagens de programação, letras maiúsculas podem ser usadas para representar não-terminais. Por exemplo, os não-terminais para expressões, termos e fatores normalmente são representados por E, T e F, respectivamente.

3. Letras maiúsculas do fim do alfabeto, como X, Y, Z, representam símbolos da gramática, ou seja, não-terminais ou terminais.

4. Letras minúsculas do fim do alfabeto, principalmente u, v,..., z, representam cadeias de terminais, possivelmente vazias.

5. Letras gregas minúsculas, por exemplo α, β, γ, representam cadeias de símbolos da gramática, possivelmente vazias. Assim, uma produção genérica pode ser escrita como $A \rightarrow \alpha$, onde A é o lado esquerdo da produção ou a cabeça, e α representa o corpo ou lado direito da produção.

6. Um conjunto de produções $A \to \alpha_1, A \to \alpha_2,..., A \to \alpha_k$, com um lado esquerdo comum A, denominadas *produções-A*, pode ser escrito como $A \to \alpha_1 \mid \alpha_2 \mid ... \mid \alpha_k$. Chame $\alpha_1, \alpha_2,...,\alpha_k$ de *alternativas* para A.
7. A menos que indicado de outra forma, o lado esquerdo da primeira produção é o símbolo inicial.

EXEMPLO 4.6: Usando essas convenções, a gramática do Exemplo 4.5 pode ser reescrita concisamente como

$$E \to E + T \mid E - T \mid T$$
$$T \to T * F \mid T / F \mid F$$
$$F \to (E) \mid \textbf{id}$$

As convenções de notação nos dizem que E, T e F são não-terminais, e E é o símbolo inicial. Os símbolos restantes são terminais.

4.2.3 DERIVAÇÕES

A construção de uma árvore de derivação pode tornar-se precisa pela adoção de uma abordagem derivativa, em que as produções são tratadas como regras de reescrita. A partir do símbolo inicial, a cada passo de reescrita substitui-se um não-terminal pelo corpo de uma de suas produções. Este processo de aplicação de regras de reescrita é conhecido como derivação. Esta abordagem corresponde à construção de cima para baixo de uma árvore de derivação, mas a precisão das derivações será especialmente importante durante a discussão da análise ascendente. Conforme veremos, a análise ascendente está relacionada a uma classe de derivações conhecida como derivações "mais à direita" (*rightmost derivation*), em que o não-terminal mais à direita é reescrito a cada passo.

Por exemplo, considere a gramática a seguir, com um único não-terminal E, que acrescenta a produção $E \to -E$ à gramática (4.3):

$$E \to E + E \mid E * E \mid -E \mid (E) \mid \textbf{id} \tag{4.7}$$

A produção $E \to -E$ nos diz que, se E representa uma expressão, então $-E$ também deve representar uma expressão. A substituição de um único E por $-E$ é descrita por

$$E \Rightarrow -E$$

que é lido como "E deriva $-E$". A produção $E \to (E)$ pode ser aplicada para substituir qualquer instância de E em qualquer cadeia de símbolos da gramática por (E), por exemplo, $E * E \Rightarrow (E) * E$ ou $E * E \Rightarrow E * (E)$. A partir de um único E, podemos aplicar as produções repetidamente em qualquer ordem para obter uma seqüência de substituições. Por exemplo,

$$E \Rightarrow -E \Rightarrow -(E) \Rightarrow -(\textbf{id})$$

Chamamos essa seqüência de substituições de uma *derivação* de $-(\textbf{id})$ a partir de E. Essa derivação oferece uma prova de que a cadeia $-(\textbf{id})$ é uma instância em particular de uma expressão.

Para uma definição geral de derivação, considere um não-terminal A no meio de uma seqüência de símbolos da gramática, como em $\alpha A \beta$, onde α e β são arbitrariamente cadeias de símbolos da gramática. Suponha que $A \to \gamma$ seja uma produção. Então, escrevemos $\alpha A \beta \Rightarrow \alpha \gamma \beta$. O símbolo $\Rightarrow$ significa "deriva em um passo". Quando uma seqüência de passos de derivação $\alpha_1 \Rightarrow \alpha_2 \Rightarrow ... \Rightarrow \alpha_n$ reescreve α_1 para α_n, dizemos que α_1 *deriva* α_n. Muitas vezes, queremos dizer "deriva em zero ou mais passos". Para essa finalidade, podemos usar o símbolo $\stackrel{*}{\Rightarrow}$. Assim,

1. $\alpha \stackrel{*}{\Rightarrow} \alpha$, para qualquer cadeia α, e
2. Se $\alpha \stackrel{*}{\Rightarrow} \beta$ e $\beta \Rightarrow \gamma$, então $\alpha \stackrel{*}{\Rightarrow} \gamma$.

Da mesma forma, $\stackrel{+}{\Rightarrow}$ significa "deriva em um ou mais passos".

Se $S \stackrel{*}{\Rightarrow} \alpha$, onde S é o símbolo inicial de uma gramática G, dizemos que α é uma *forma sentencial* de G. Observe que uma forma sentencial pode conter terminais e não-terminais, e pode ser vazia. Uma *sentença* de G é uma forma sentencial sem não-terminais. A *linguagem gerada por* uma gramática é o seu conjunto de sentenças. Assim, uma cadeia de terminais w está em $L(G)$, a linguagem gerada por G, se e somente se w for uma sentença de G (ou $S \stackrel{*}{\Rightarrow} w$). Uma linguagem que pode ser gerada por uma gramática é considerada uma *linguagem livre de contexto*. Se duas gramáticas geram a mesma linguagem, as gramáticas são consideradas *equivalentes*.

A cadeia $-(\textbf{id} + \textbf{id})$ é uma sentença da gramática (4.7), pois existe uma derivação

$$E \Rightarrow -E \Rightarrow -(E) \Rightarrow -(E + E) \Rightarrow -(\textbf{id} + E) \Rightarrow -(\textbf{id} + \textbf{id}) \tag{4.8}$$

As cadeias $E, -E, -(E), \ldots, -(\mathbf{id} + \mathbf{id})$ são todas formas sentenciais dessa gramática. Escrevemos $E \stackrel{*}{\Rightarrow} -(\mathbf{id} + \mathbf{id})$ para indicar que $-(\mathbf{id} + \mathbf{id})$ pode ser derivado de E.

Em cada passo de uma derivação, existem duas escolhas a serem feitas. Precisamos escolher qual não-terminal substituir e, tendo feito essa escolha, devemos selecionar uma produção com esse não-terminal como cabeça. Por exemplo, a derivação alternativa de $-(\mathbf{id} + \mathbf{id})$ a seguir difere da derivação (4.8) nos dois últimos passos:

$$E \Rightarrow -E \Rightarrow -(E) \Rightarrow -(E + E) \Rightarrow -(E + \mathbf{id}) \Rightarrow -(\mathbf{id} + \mathbf{id}) \tag{4.9}$$

Cada não-terminal é substituído pelo mesmo corpo nas duas derivações, mas a ordem das substituições é diferente.

Para entender como os analisadores sintáticos funcionam, vamos considerar as derivações em que o não-terminal a ser substituído em cada passo é escolhido da seguinte maneira:

1. Em derivações *mais à esquerda*, o não-terminal mais à esquerda em cada forma sentencial sempre é escolhido. Se $\alpha \Rightarrow \beta$ é um passo em que o não-terminal mais à esquerda em α é substituído, escrevemos $\alpha \underset{lm}{\Rightarrow} \beta$.
2. Em derivações *mais à direita*, o não-terminal mais à direita sempre é escolhido; escrevemos $\alpha \underset{rm}{\Rightarrow} \beta$ nesse caso.

A derivação (4.8) corresponde à derivação mais à esquerda, e por isso pode ser reescrita como

$$E \underset{lm}{\Rightarrow} -E \underset{lm}{\Rightarrow} -(E) \underset{lm}{\Rightarrow} -(E + E) \underset{lm}{\Rightarrow} -(\mathbf{id} + E) \underset{lm}{\Rightarrow} -(\mathbf{id} + \mathbf{id})$$

Observe que (4.9) é uma derivação mais à direita.

Usando nossas convenções de notação, cada passo mais à esquerda pode ser escrito como $wA\gamma \underset{lm}{\Rightarrow} w\delta\gamma$, onde w consiste apenas em terminais, $A \to \delta$ é a produção aplicada, e γ é uma cadeia de símbolos da gramática. Para enfatizar que α deriva β usando uma derivação mais à esquerda, escrevemos $\alpha \underset{lm}{\stackrel{*}{\Rightarrow}} \beta$. Se $S \underset{lm}{\stackrel{*}{\Rightarrow}} \alpha$, então dizemos que α é uma *forma seqüencial mais à esquerda* da gramática dada.

Definições semelhantes são mantidas para derivações mais à direita. As derivações mais à direita às vezes são chamadas de derivações *canônicas*.

4.2.4 Árvores de derivação e derivações

Uma árvore de derivação é uma representação gráfica de uma derivação que filtra a ordem na qual as produções são aplicadas para substituir não-terminais. Cada nó interior de uma árvore de derivação representa a aplicação de uma produção. O nó interior é rotulado com o não-terminal A do lado esquerdo da produção; os filhos do nó são rotulados, da esquerda para a direita, pelos símbolos do corpo da produção pelo qual esse A foi substituído durante a derivação.

Por exemplo, a árvore de derivação para $-(\mathbf{id} + \mathbf{id})$, na Figura 4.3, resulta da derivação (4.8), bem como da derivação (4.9).

As folhas de uma árvore de derivação são rotuladas pelos não-terminais ou terminais e, lidas da esquerda para a direita, constituem uma forma sentencial, chamada *yield* ou *fronteira* da árvore.

Para ver o relacionamento entre derivações e árvores de derivação, considere qualquer derivação $\alpha_1 \Rightarrow \alpha_2 \Rightarrow \cdots \Rightarrow \alpha_n$, onde α_1 é um único não-terminal A. Para cada forma sentencial α_i da derivação, é possível construir uma árvore de derivação cuja *yield* seja α_i. O processo é uma indução em i.

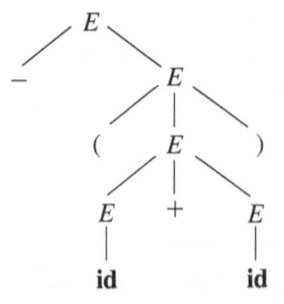

FIGURA 4.3 Árvore de derivação para $-(\mathbf{id} + \mathbf{id})$.

BASE: A árvore para $\alpha_1 = A$ é um único nó rotulado com A.

INDUÇÃO: Suponha que já tenhamos construído uma árvore de derivação com *yield* $\alpha_{i-1} = X_1 X_2 \cdots X_k$ (observe que, de acordo com nossas convenções de notação, cada símbolo da gramática X_i é um não-terminal ou um terminal). Suponha que α_i seja derivado de α_{i-1} substituindo X_j, um não-terminal, por $\beta = Y_1 Y_2 \cdots Y_m$. Ou seja, no i-ésimo passo da derivação, a produção $X_j \to \beta$ é aplicada a α_{i-1} para derivar $\alpha_i = X_1 X_2 \cdots X_{j-1} \beta X_{j+1} \cdots X_k$.

Para modelar esse passo da derivação, encontre a *j*-ésima folha a partir da esquerda na árvore de derivação corrente. Essa folha é rotulada com X_j. Dê a essa folha *m* filhos, rotulados como $Y_1, Y_2,..., Y_m$, a partir da esquerda. Como um caso especial, se *m* = 0, então $\beta = \epsilon$, e atribuímos à *j*-ésima folha um filho rotulado com ϵ.

EXEMPLO 4.10: A seqüência de árvores de derivação construída a partir da derivação (4.8) é mostrada na Figura 4.4. No primeiro passo da derivação, $E \Rightarrow -E$. Para modelar esse passo, acrescente dois filhos, rotulados com − e *E*, à raiz *E* da árvore inicial. O resultado é a segunda árvore.

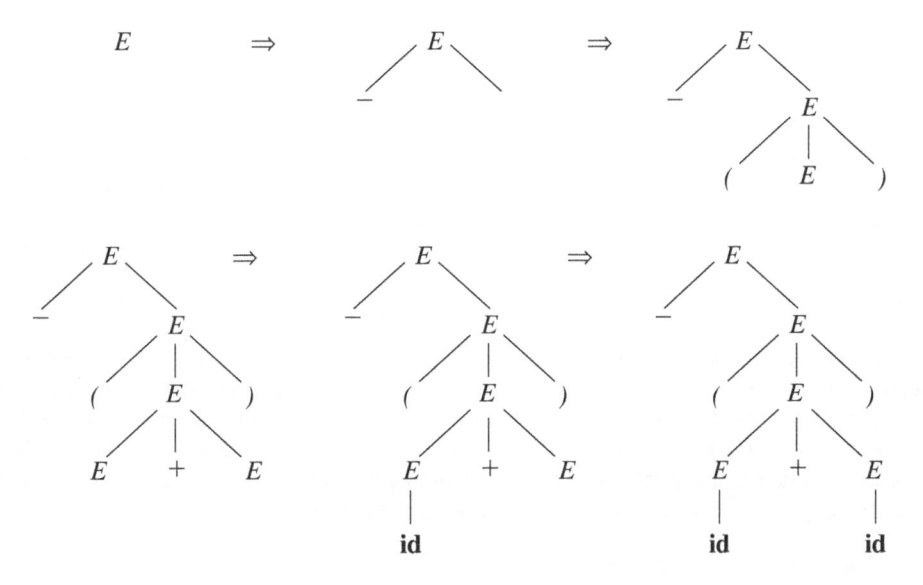

FIGURA 4.4 Seqüência de árvores de derivação para a derivação (4.8).

No segundo passo da derivação, $-E \Rightarrow -(E)$. Conseqüentemente, inclua três filhos, rotulados com (, *E* e), à folha rotulada com *E* da segunda árvore, para obter a terceira árvore com fronteira $-(E)$. Continuando dessa forma, obtemos a árvore de derivação completa como a sexta árvore.

Como uma árvore de derivação ignora variações na ordem em que os símbolos nas formas sentenciais são substituídos, existe um relacionamento *muitos-para-um* entre as derivações e as árvores de derivações. Por exemplo, as derivações (4.8) e (4.9) são associadas à mesma árvore de derivação final ilustrada na Figura 4.4.

No texto a seguir, freqüentemente faremos a análise sintática utilizando uma derivação mais à esquerda ou mais à direita, uma vez que há um relacionamento *um-para-um* entre as árvores de derivação e as derivações mais à esquerda ou mais à direita. Ambas as derivações escolhem uma ordem particular para substituir os símbolos nas formas sentenciais, de modo que também filtram variações na ordem. Não é difícil mostrar que toda árvore de derivação possui associada a ela uma única derivação mais à esquerda e uma única derivação mais à direita.

4.2.5 AMBIGÜIDADE

De acordo com a Seção 2.2.4, uma gramática que produz mais de uma árvore de derivação para alguma sentença é considerada *ambígua*. Colocando de outra forma, uma gramática livre de contexto é ambígua se permitir a construção de mais de uma derivação mais à esquerda ou mais de uma derivação mais à direita para a mesma sentença.

EXEMPLO 4.11: A gramática de expressão aritmética (4.3) permite duas derivações mais à esquerda distintas para a sentença **id** + **id** * **id**:

$$
\begin{array}{ll}
E \Rightarrow E + E & E \Rightarrow E * E \\
\Rightarrow \mathbf{id} + E & \Rightarrow E + E * E \\
\Rightarrow \mathbf{id} + E * E & \Rightarrow \mathbf{id} + E * E \\
\Rightarrow \mathbf{id} + \mathbf{id} * E & \Rightarrow \mathbf{id} + \mathbf{id} * E \\
\Rightarrow \mathbf{id} + \mathbf{id} * \mathbf{id} & \Rightarrow \mathbf{id} + \mathbf{id} * \mathbf{id}
\end{array}
$$

A Figura 4.5 mostra as duas árvores de derivação correspondentes.

Observe que a árvore de derivação da Figura 4.5(a) reflete a precedência normalmente assumida dos operadores **+** e *****, o que não acontece na árvore da Figura 4.5(b). Ou seja, é comum tratar o operador * como tendo maior precedência do que +, o que corresponde à avaliação de uma expressão do tipo $a + b * c$ como $a + (b * c)$, em vez de $(a + b) * c$.

```
        E                              E
      / | \                         /  |  \
     E  +  E                       E   *   E
     |    /|\                     /|\      |
     id  E * E                   E + E     id
         |   |                   |   |
         id  id                  id  id
         a)                         b)
```

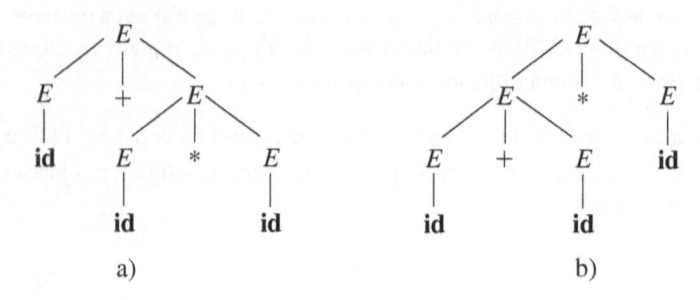

FIGURA 4.5 Duas árvores de derivação para **id** + **id** * **id**.

Para a maioria dos analisadores sintáticos, é desejável que a gramática seja não, ambígua, pois, do contrário, não podemos determinar univocamente qual árvore de derivação selecionar para uma dada sentença. Por outro lado, em algumas situações, é conveniente usar gramáticas ambíguas cuidadosamente escolhidas, juntamente com *regras para torná-las não-ambíguas,* de forma que a árvore de derivação construída seja a única árvore possível para a sentença dada, "descartando" assim árvores de derivação indesejáveis.

4.2.6 Verificando a linguagem gerada por uma gramática

Embora os projetistas de compiladores raramente façam isso para uma gramática completa de determinada linguagem de programação, é importante poder raciocinar que um determinado conjunto de produções gera uma linguagem em particular. Por exemplo, construções problemáticas podem ser entendidas escrevendo-se uma gramática abstrata concisa, e em seguida analisando-se a linguagem gerada por ela. Vamos construir essa gramática para comandos condicionais mais à frente.

Uma prova de que uma gramática G gera uma linguagem L possui duas partes: mostra que cada cadeia gerada por G está em L e, reciprocamente, que cada cadeia em L pode realmente ser gerada por G.

Exemplo 4.12: Considere a seguinte gramática:

$$S \rightarrow (S)S \mid \epsilon \qquad (4.13)$$

Essa gramática simples, embora inicialmente possa não ser aparente, gera todas as cadeias de parênteses balanceados, e somente tais cadeias. Para provar, primeiro mostraremos que toda sentença derivável de S está balanceada, e, depois, que toda cadeia balanceada é derivável de S. Para mostrar que cada sentença derivável de S é balanceada, usamos uma prova indutiva baseada no número de passos n em uma derivação.

BASE: A base é $n = 1$. A única cadeia de terminais deriváveis de S em um passo é a cadeia vazia, que com certeza é balanceada.

INDUÇÃO: Considere que todas as derivações com menos que n passos produz sentenças balanceadas, e considere uma derivação mais à esquerda com exatamente n passos. Essa derivação deve ser da forma

$$S \underset{lm}{\Rightarrow} (S)S \underset{lm}{\overset{*}{\Rightarrow}} (x)S \underset{lm}{\overset{*}{\Rightarrow}} (x)y$$

As derivações de x e y a partir de S são produzidas em menos de n passos, de modo que, pela hipótese indutiva, x e y são balanceados. Portanto, a cadeia $(x)y$ deve estar balanceada. Ou seja, ela possui o mesmo número de parênteses à esquerda e à direita de x, e cada prefixo tem pelo menos tantos parênteses esquerdo quanto direito.

Após mostrar que qualquer cadeia derivável de S é balanceada, passamos à segunda parte da prova, e provamos que toda cadeia balanceada é derivável de S. Para essa etapa, usamos a indução sobre o tamanho de uma cadeia.

BASE: Se a cadeia tem tamanho 0, ela precisa ser ϵ, que é balanceada.

INDUÇÃO: Inicialmente, observe que toda cadeia balanceada possui tamanho par. Considere que toda cadeia balanceada de tamanho menor que $2n$ é derivável de S, e considere uma cadeia balanceada w de tamanho $2n$, $n \geq 1$. Com certeza, w começa com um parêntese esquerdo. Seja (x) o menor prefixo não-vazio de w, tendo um número igual de parênteses esquerdo e direito. Então, w pode ser escrito como $w = (x)y$, onde x e y são balanceados. Como x e y são de tamanho menor que $2n$, eles são deriváveis de S pela hipótese indutiva. Então, podemos encontrar uma derivação da forma

$$S \Rightarrow (S)S \overset{*}{\Rightarrow} (x)S \overset{*}{\Rightarrow} (x)y$$

provando que $w = (x)y$ também é derivável de S.

4.2.7 Gramáticas livres de contexto *versus* expressões regulares

Antes de deixar a seção sobre gramáticas e suas propriedades, mostraremos que as gramáticas livres de contexto são consideradas uma notação mais poderosa que as expressões regulares. Toda construção que pode ser descrita por uma expressão regular também pode ser descrita por uma gramática, mas não vice-versa. Alternativamente, toda linguagem regular é uma linguagem livre de contexto, mas não vice-versa.

Por exemplo, a expressão regular $(\mathbf{a}|\mathbf{b})^*\mathbf{abb}$ e a gramática livre de contexto

$$\begin{aligned} A_0 &\to aA_0 \mid bA_0 \mid aA_1 \\ A_1 &\to bA_2 \\ A_2 &\to bA_3 \\ A_3 &\to \epsilon \end{aligned}$$

descrevem a mesma linguagem, o conjunto de cadeias de as e bs terminando com abb.

Podemos construir mecanicamente uma gramática para reconhecer a mesma linguagem que um autômato finito não determinista (NFA). A gramática anterior foi definida a partir do NFA da Figura 3.24, usando a seguinte abordagem:

1. Para cada estado i do NFA, crie um não-terminal A_i.
2. Se o estado i possuir uma transição para o estado j lendo a, inclua a produção $A_i \to aA_j$. Se o estado i vai para o estado j lendo a entrada ϵ, inclua a produção $A_i \to A_j$.
3. Se i é um estado de aceitação, inclua $A_i \to \epsilon$.
4. Se i é o estado inicial, faça A_i ser o símbolo inicial da gramática.

Por outro lado, a linguagem $L = \{a^n b^n \mid n \geq 1\}$ com um número igual de as e bs é um exemplo típico de uma linguagem que pode ser descrita por uma gramática livre de contexto, mas não por uma expressão regular. Para ver por quê, suponha que L seja uma linguagem definida por alguma expressão regular. Suponha também que possamos construir um DFA D para aceitar L com um número finito de estados, digamos k. Como D tem apenas k estados, para uma entrada começando com mais do que k as, D deve entrar em algum estado duas vezes, digamos s_i, como na Figura 4.6. Suponha que o caminho de s_i de volta para si mesmo seja rotulado com uma seqüência a^{j-i}. Como $a^i b^i$ está na linguagem, deve haver um caminho rotulado com b^i a partir de s_i para um estado de aceitação f. Mas há também um caminho a partir do estado inicial s_0 passando por s_i para f, rotulado com $a^j b^i$, como mostra a Figura 4.6. Portanto, D também aceita $a^j b^i$, que não está na linguagem, contradizendo a suposição de que L é a linguagem aceita por D.

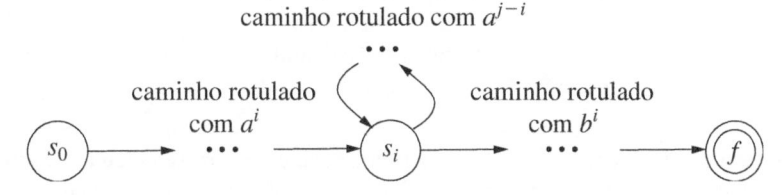

FIGURA 4.6 DFA D aceitando ambos $a^i b^i$ e $a^j b^i$.

Coloquialmente, dizemos que "autômatos finitos não sabem contar", significando que um autômato finito não pode aceitar uma linguagem como $\{a^n b^n \mid n \geq 1\}$, que exigiria que ele mantivesse a contagem do número de as antes de ver os bs. Do mesmo modo, "uma gramática pode contar dois itens, mas não três", conforme veremos quando considerarmos construções de linguagem dependente de contexto (ou sensível ao contexto), na Seção 4.3.5.

4.2.8 Exercícios da Seção 4.2

Exercício 4.2.1: Considere a gramática livre de contexto:

$$S \to S S + \mid S S * \mid a \text{ e a cadeia } aa + a*.$$

a) Dê uma derivação mais à esquerda para a cadeia.
b) Dê uma derivação mais à direita para a cadeia.
c) Dê uma árvore de derivação para a cadeia.
! d) A gramática é ambígua ou não ambígua? Justifique sua resposta.
! e) Descreva a linguagem gerada por essa gramática.

Exercício 4.2.2: Repita o Exercício 4.2.1 para cada uma das seguintes gramáticas e cadeias:

a) $S \to 0 S 1 \mid 0 1$ com cadeia 000111.
b) $S \to + S S \mid * S S \mid a$ com a cadeia $+ * aaa$.
! c) $S \to S (S) S \mid \epsilon$ com a cadeia $(()())$.
! d) $S \to S + S \mid SS \mid (S) \mid S * \mid a$ com a cadeia $(a + a) * a$.

! e) $S \rightarrow (L) \mid a$ e $L \rightarrow L, S \mid S$ com a cadeia $((a,a),a,(a))$.
!! f) $S \rightarrow aSbS \mid bSaS \mid \epsilon$ com a cadeia *aabbab*.
! g) A gramática a seguir para expressões booleanas:

$$\begin{aligned}
bexpr &\rightarrow bexpr \textbf{ or } bterm \mid bterm \\
bterm &\rightarrow bterm \textbf{ and } bfactor \mid bfactor \\
bfactor &\rightarrow \textbf{not } bfactor \mid (bexpr) \mid \textbf{true} \mid \textbf{false}
\end{aligned}$$

Exercício 4.2.3: Defina gramáticas para as seguintes linguagens:
  a) O conjunto de todas as cadeias de 0s e 1s tais que cada 0 seja imediatamente seguido por pelo menos um 1.
  ! b) O conjunto de todas as cadeias de 0s e 1s que sejam *palíndromos*, ou seja, a cadeia pode ser lida da mesma forma de trás para frente.
  ! c) O conjunto de todas as cadeias de 0s e 1s com um número igual de 0s e 1s.
  !! d) O conjunto de todas as cadeias de 0s e 1s com um número diferente de 0s e 1s.
  ! e) O conjunto de todas as cadeias de 0s e 1s em que 011 não apareça como uma subcadeia.
  !! f) O conjunto de todas as cadeias de 0s e 1s na forma xy, onde $x \neq y$ e x e y têm o mesmo tamanho.

!Exercício 4.2.4: Existe uma notação de gramática estendida muito usada na literatura. Nessa notação, colchetes e chaves ocorrendo do lado direito de uma produção são meta-símbolos (como → ou |) com os seguintes significados:
  i) Colchetes em torno de um símbolo ou símbolos da gramática indicam que essas construções são opcionais. Assim, a produção $A \rightarrow X [Y] Z$ tem o mesmo efeito das produções $A \rightarrow X Y Z$ e $A \rightarrow X Z$.
  ii) Chaves ao redor de um símbolo ou símbolos da gramática dizem que esses símbolos podem ser repetidos qualquer número de vezes, incluindo zero vez. Assim, $A \rightarrow X \{Y Z\}$ tem o mesmo efeito que a seqüência infinita de produções- $A \rightarrow X$, $A \rightarrow X Y Z$, $A \rightarrow X Y Z Y Z$, e assim por diante.

Mostre que essas duas extensões não aumentam o poder das gramáticas; ou seja, qualquer linguagem que possa ser gerada por uma gramática com essas extensões também pode ser gerada por uma gramática sem as extensões.

Exercício 4.2.5: Use as chaves e os colchetes descritos no Exercício 4.2.4 para simplificar a gramática a seguir para blocos de comandos e comandos condicionais:

$$\begin{aligned}
stmt &\rightarrow \textbf{if } expr \textbf{ then } stmt \textbf{ else } stmt \\
&\mid \textbf{if } stmt \textbf{ then } stmt \\
&\mid \textbf{begin } stmtList \textbf{ end} \\
stmtList &\rightarrow stmt \textbf{ ; } stmtList \mid stmt
\end{aligned}$$

! Exercício 4.2.6: Estenda a idéia do Exercício 4.2.4 para permitir qualquer expressão regular de símbolos da gramática no corpo de uma produção. Mostre que essa extensão não permite que as gramáticas definam nenhuma nova linguagem.

! Exercício 4.2.7: Um símbolo da gramática X (terminal ou não) é *inútil* se não houver derivações da forma $S \stackrel{*}{\Rightarrow} wXy \stackrel{*}{\Rightarrow} wxy$. Ou seja, X nunca aparecerá na derivação de nenhuma sentença.

  a) Dê um algoritmo para eliminar de uma gramática todas as produções contendo símbolos inúteis.
  b) Aplique seu algoritmo à gramática:

$$\begin{aligned}
S &\rightarrow 0 \mid A \\
A &\rightarrow AB \\
B &\rightarrow 1
\end{aligned}$$

Exercício 4.2.8: A gramática da Figura 4.7 gera declarações para um único identificador numérico; essas declarações envolvem quatro propriedades diferentes e independentes de números.

$$\begin{aligned}
stmt &\rightarrow \textbf{declare id } optionList \\
optionList &\rightarrow optionList \, option \mid \epsilon \\
option &\rightarrow mode \mid scale \mid precision \mid base \\
mode &\rightarrow \textbf{real} \mid \textbf{complex} \\
scale &\rightarrow \textbf{fixed} \mid \textbf{floating} \\
precision &\rightarrow \textbf{single} \mid \textbf{double} \\
base &\rightarrow \textbf{binary} \mid \textbf{decimal}
\end{aligned}$$

FIGURA 4.7 Uma gramática para declarações de múltiplos atributos.

a) Generalize a gramática da Figura 4.7 permitindo n opções A_i, para algum n fixo e para $i = 1,2...,n$, onde A_i pode ser a_i ou b_i. Sua gramática deverá usar apenas $O(n)$ símbolos da gramática e possuir um número máximo de produções que seja $O(n)$.

! b) A gramática da Figura 4.7 e sua generalização na parte (a) permitem declarações que são contraditórias e/ou redundantes, como:

```
declare foo real fixed real floating
```

Poderíamos insistir que a sintaxe da linguagem proíbe tais declarações; ou seja, cada declaração gerada pela gramática possui exatamente um valor para cada uma das n opções. Se fizermos isso, então, para qualquer n fixo, existe apenas um número finito de declarações válidas. A linguagem de declarações válidas, assim, possui uma gramática (e também uma expressão regular), como qualquer linguagem finita. A gramática óbvia, em que o símbolo inicial tem uma produção para cada declaração válida, possui $n!$ produções e um número total de produção de $O(n \times n!)$. Você deve fazer melhor: dê um número de produção total que seja $O(n2^n)$.

!! c) Mostre que qualquer gramática para a parte (b) deve ter um número total de produção de pelo menos 2^n.

d) O que a parte (c) diz sobre a viabilidade de impor não-redundância e não-contradição entre as opções nas declarações por meio da sintaxe da linguagem de programação?

4.3 Escrevendo uma gramática

As gramáticas são capazes de descrever a maior parte, mas não toda a sintaxe das linguagens de programação. Por exemplo, o fato de os identificadores serem declarados antes de seu uso não pode ser descrito por uma gramática livre de contexto. Portanto, as seqüências de tokens aceitos por um analisador sintático formam um superconjunto da linguagem de programação; as fases subseqüentes do compilador devem analisar a saída do analisador sintático para garantir compatibilidade com as regras que não são verificadas durante a análise.

Esta seção começa com uma discussão sobre como dividir o trabalho entre um analisador léxico e um analisador sintático. Depois, são considerados várias técnicas de transformação que podem ser aplicadas às gramáticas a fim de adequá-las aos diversos métodos de reconhecimento sintático. Uma técnica pode eliminar a ambigüidade da gramática, e outras técnicas, por exemplo — a eliminação da recursão à esquerda e fatoração à esquerda — são importantes para reescrever as gramáticas, tornando-as adequadas para a análise descendente. Concluímos esta seção mostrando algumas construções de linguagens de programação que não podem ser descritas por qualquer gramática.

4.3.1 Análise léxica versus análise sintática

Conforme observamos na Seção 4.2.7, tudo o que pode ser descrito por uma expressão regular também pode ser descrito por uma gramática livre de contexto. Podemos, portanto, perguntar: "Por que usar expressões regulares para definir a sintaxe léxica de uma linguagem?". Existem diversos motivos.

1. Separar a estrutura sintática de uma linguagem em partes léxica e não-léxica provê uma forma conveniente de particionar o *front-end* de um compilador em dois módulos de tamanho administrável.
2. As regras léxicas de uma linguagem são freqüentemente muito simples e, para descrevê-las, não precisamos de uma notação tão poderosa quanto as gramáticas livres de contexto.
3. As expressões regulares geralmente oferecem uma notação mais fácil de entender e mais concisa para tokens do que as gramáticas.
4. Analisadores léxicos mais eficientes podem ser construídos automaticamente a partir de expressões regulares do que por meio de gramáticas arbitrárias.

Não existem diretrizes consolidadas quanto ao que colocar nas regras léxicas, ao contrário do que ocorre com as regras sintáticas. As expressões regulares são mais adequadas para descrever a estrutura de construções como identificadores, constantes, palavras-chave e espaço em branco. As gramáticas, por outro lado, são mais úteis para descrever estruturas aninhadas como parênteses balanceados, a combinação das construções *begin-end*, os *if-then-else* correspondentes, e assim por diante. Essas estruturas aninhadas não podem ser descritas por expressões regulares.

4.3.2 Eliminando a ambigüidade

Às vezes, uma gramática ambígua pode ser reescrita para eliminar a ambigüidade. Por exemplo, vamos eliminar a ambigüidade da seguinte gramática com "else vazio":

$$stmt \rightarrow \textbf{if } expr \textbf{ then } stmt$$
$$| \textbf{ if } expr \textbf{ then } stmt \textbf{ else } stmt$$
$$| \textbf{ other} \qquad (4.14)$$

Neste exemplo, "**other**" representa qualquer outro comando. De acordo com essa gramática, o comando condicional composto

$$\textbf{if } E_1 \textbf{ then } S_1 \textbf{ else if } E_2 \textbf{ then } S_2 \textbf{ else } S_3$$

possui a árvore de derivação mostrada na Figura 4.8.[2] A gramática (4.14) é ambígua, pois a cadeia

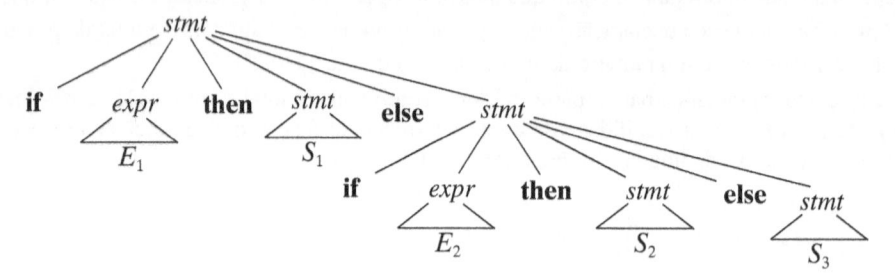

$$\textbf{if } E_1 \textbf{ then if } E_2 \textbf{ then } S_1 \textbf{ else } S_2 \qquad (4.15)$$

FIGURA 4.8 Árvore de derivação para um comando condicional composto.

possui as duas árvores de derivação apresentadas na Figura 4.9.

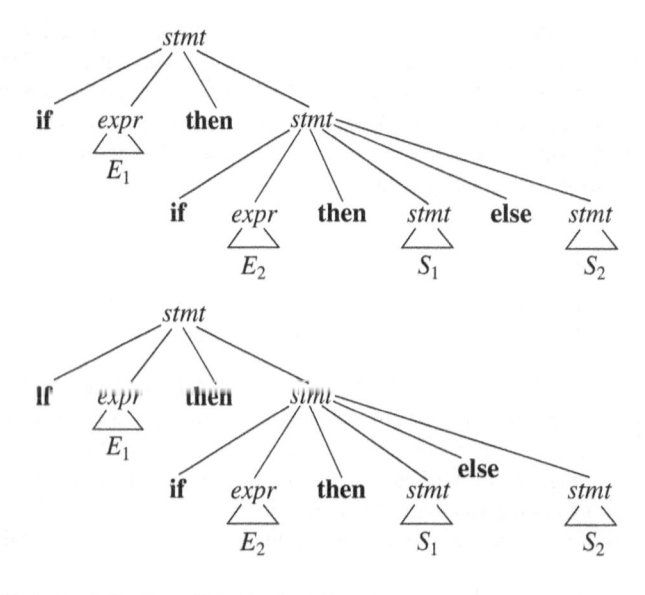

FIGURA 4.9 Duas árvores de derivação para uma sentença ambígua.

Em todas as linguagens de programação com comandos condicionais dessa forma, a primeira árvore de derivação é a preferida. A regra geral é "casar cada **else** com o **then** não casado mais próximo"[3]. Essa regra de remoção de ambigüidade teoricamente pode ser incorporada diretamente em uma gramática, mas na prática raramente aparece nas produções.

EXEMPLO 4.16: Podemos reescrever a gramática do else vazio (4.14) definindo a gramática não-ambígua apresentada a seguir. A idéia é que um comando, *stmt*, entre um **then** e um **else**, precisa ser "casado"; ou seja, o comando interno não pode terminar com um **then** ainda não-casado ou aberto seguido por qualquer outro comando, pois o **else** seria forçado a casar com

---

2 Os subscritos em E e S são usados apenas para distinguir diferentes ocorrências do mesmo não-terminal, e não implicam não-terminais distintos.
3 Observe que C e suas derivações estão incluídas nessa classe. Embora a família de linguagens C não use a palavra-chave **then**, seu papel é desempenhado pelo par de parênteses que aparece após a condição **if**.

esse **then** não-casado. Um comando casado é um comando **if-then-else** contendo somente comandos casados ou é qualquer outro tipo de comando incondicional. Portanto, podemos usar a gramática da Figura 4.10. Essa gramática reconhece as mesmas cadeias geradas pela gramática do else vazio (4.14), mas só permite uma análise para a cadeia (4.15); a saber, aquela que associa cada **else** ao **then** anterior mais próximo não-casado.

$$
\begin{aligned}
stmt \quad &\rightarrow \quad matched\_stmt \\
&\quad | \quad open\_stmt \\
matched\_stmt \quad &\rightarrow \quad \textbf{if}\ expr\ \textbf{then}\ matched\_stmt\ \textbf{else}\ matched\_stmt \\
&\quad | \quad other \\
open\_stmt \quad &\rightarrow \quad \textbf{if}\ expr\ \textbf{then}\ stmt \\
&\quad | \quad \textbf{if}\ expr\ \textbf{then}\ matched\_stmt\ \textbf{else}\ open\_stmt
\end{aligned}
$$

FIGURA 4.10 Gramática não-ambígua para comandos if-then-else.

4.3.3 ELIMINAÇÃO DA RECURSÃO À ESQUERDA

Uma gramática possui *recursão à esquerda* se ela tiver um não-terminal A tal que exista uma derivação $A \stackrel{+}{\Rightarrow} A\alpha$ para alguma cadeia α. Os métodos de análise descendentes não podem tratar gramáticas com recursão à esquerda, de modo que uma transformação é necessária para eliminar essa recursão. Na Seção 2.4.5, discutimos a *recursão à esquerda imediata*, onde existe uma produção na forma $A \rightarrow A\alpha$. Nesta seção estudaremos o caso geral. Na Seção 2.4.5, mostraremos como o par de produções com recursão à esquerda $A \rightarrow A\alpha \mid \beta$ poderia ser substituído por produções sem recursão à esquerda:

$$
\begin{aligned}
A &\rightarrow \beta A' \\
A' &\rightarrow \alpha A' \mid \epsilon
\end{aligned}
$$

sem alterar as cadeias deriváveis de A. Essa regra, por si só, é suficiente para muitas gramáticas.

EXEMPLO 4.17: A gramática de expressão não-recursiva à esquerda (4.2), repetida aqui,

$$
\begin{aligned}
E &\rightarrow T\ E' \\
E' &\rightarrow +\ T\ E' \\
T &\rightarrow F\ T' \\
T' &\rightarrow *\ F\ T' \\
F &\rightarrow (\ E\ )\ |\ \textbf{id}
\end{aligned}
$$

é obtida eliminando-se a recursão à esquerda imediata da gramática da expressão (4.1). O par de produções com recursão à esquerda $E \rightarrow E + T \mid T$ é substituído por $E \rightarrow T\ E'$ e $E' \rightarrow +\ T\ E' \mid \epsilon$. As novas produções para T e T' são obtidas de forma semelhante eliminando-se a recursão à esquerda imediata.

A recursão à esquerda imediata pode ser eliminada pela técnica a seguir, que funciona para qualquer quantidade de produções A. Primeiro, agrupe as produções

$$A \rightarrow A\alpha_1 \mid A\alpha_2 \mid \cdots \mid A\alpha_m \mid \beta_1 \mid \beta_2 \mid \cdots \mid \beta_n$$

onde nenhum β_i começa com um A. Depois, substitua as produções-A por

$$
\begin{aligned}
A &\rightarrow \beta_1 A' \mid \beta_2 A' \mid \cdots \mid \beta_n A' \\
A' &\rightarrow \alpha_1 A' \mid \alpha_2 A' \mid \cdots \mid \alpha_m A' \mid \epsilon
\end{aligned}
$$

O não-terminal A gera as mesmas cadeias de antes, contudo sem recursão à esquerda. Esse procedimento elimina toda recursão à esquerda das produções A e A' (desde que nenhum α_i seja ϵ), mas não elimina a recursão à esquerda envolvendo derivações em dois ou mais passos. Por exemplo, considere a gramática

$$
\begin{aligned}
S &\rightarrow A\ a \mid b \\
A &\rightarrow A\ c \mid S\ d \mid \epsilon
\end{aligned}
\tag{4.18}
$$

O não-terminal S é recursivo à esquerda porque $S \Rightarrow Aa \Rightarrow Sda$, mas não possui recursão imediata à esquerda.

O algoritmo 4.19, a seguir, elimina sistematicamente a recursão à esquerda de uma gramática. Há garantia de que ele funciona se a gramática não contiver ciclos (derivações da forma $A \stackrel{+}{\Rightarrow} A$) ou produções-$\epsilon$ (produções da forma $A \rightarrow \epsilon$). Os ciclos podem ser eliminados sistematicamente de uma gramática, assim como as produções-ϵ (veja os exercícios 4.4.6 e 4.4.7).

ALGORITMO 4.19: Eliminando a recursão à esquerda.

ENTRADA: Gramática G sem ciclos ou produções-ϵ.

SAÍDA: Uma gramática equivalente a G sem recursão à esquerda.

MÉTODO: Aplique o algoritmo da Figura 4.11 a G. Observe que a gramática resultante sem recursão à esquerda pode ter produções-ϵ.

1) arrume os não-terminais em uma ordem crescente qualquer $A_1, A_2, ..., A_n$.
2) **for** (cada i de 1 até n) {
3)   **for** (cada j de 1 até $i-1$) {
4)   substitua cada produção da forma $A_i \to A_j \gamma$ pelas

        produções $A_i \to \delta_1 \gamma \mid \delta_2 \gamma \mid ... \mid \delta_k \gamma$, onde

        $A_j \to \delta_1 \mid \delta_2 \mid \cdots \mid \delta_k$ são produções-A_j
5)   }
6)   elimine as recursões esquerdas imediatas nas produções-A_i
7) }

FIGURA 4.11 Algoritmo para eliminar a recursão à esquerda de uma gramática.

O procedimento na Figura 4.11 funciona da seguinte forma: na primeira iteração para $i = 1$, o *loop* **for** externo das linhas de (2) a (7) elimina qualquer recursão à esquerda imediata das produções-A_1. Quaisquer produções-A_1 restantes da forma $A_1 \to A_l \alpha$ devem, portanto, ter $l > 1$. Após a iteração $i-1$ do *loop* **for** externo, todos os não-terminais A_k, onde $k < i$, são "descartados"; ou seja, qualquer produção $A_k \to A_{l\alpha}$ deve ter $l > k$. Como resultado, na iteração i, o *loop* interno das linhas de (3) a (5) progressivamente aumenta o limite inferior em qualquer produção $A_i \to A_m \alpha$, até que tenhamos $m \geq i$. Então, eliminar a recursão à esquerda imediata das produções-A_i na linha (6) força m a ser maior do que i.

EXEMPLO 4.20: Vamos aplicar o Algoritmo 4.19 à gramática (4.18). Tecnicamente, não há garantia de que o algoritmo funcione, devido à produção-ϵ, mas, nesse exemplo em particular, a produção-$A \to \epsilon$ é inofensiva.

Ordenamos os não-terminais S, A. Como não há recursão à esquerda imediata entre as produções-S, nada acontece durante o *loop* externo para $i = 1$. Para $i = 2$, substituímos o S em $A \to S d$ para obter as produções-A a seguir.

$$A \to A c \mid A a d \mid b d \mid \epsilon$$

A eliminação da recursão à esquerda imediata entre essas produções-A gera a gramática a seguir.

$$\begin{aligned} S &\to A a \mid b \\ A &\to b d A' \mid A' \\ A' &\to c A' \mid a d A' \mid \epsilon \end{aligned}$$

4.3.4 Fatoração à esquerda

A fatoração à esquerda é uma transformação da gramática útil na produção de gramáticas adequadas para um reconhecedor sintático preditivo, ou descendente. Quando a escolha entre duas ou mais alternativas das produções-A não é clara, ou seja, elas começam com a mesma forma sentencial, podemos reescrever essas produções para adiar a decisão até que tenhamos lido uma cadeia da entrada longa o suficiente para tomarmos a decisão correta.

Por exemplo, se tivermos as duas produções

$$\begin{aligned} stmt \to \;& \textbf{if } expr \textbf{ then } stmt \textbf{ else } stmt \\ \mid \;& \textbf{if } expr \textbf{ then } stmt \end{aligned}$$

ao ler **if** na entrada, não sabemos imediatamente qual produção escolher para expandir *stmt*. Em geral, se $A \to \alpha\beta_1 \mid \alpha\beta_2$ forem duas produções-A, e a entrada começar com uma cadeia não-vazia derivada de α, não sabemos se A deve ser expandido para $\alpha\beta_1$ ou $\alpha\beta_2$. Contudo, podemos adiar a decisão expandindo A para $\alpha A'$ em então, após ler a entrada derivada de α, expandimos A' para β_1 ou para β_2. Ou seja, depois de fatoradas à esquerda, as produções originais se tornam

$$\begin{aligned} A &\to \alpha A' \\ A' &\to \beta_1 \mid \beta_2 \end{aligned}$$

ALGORITMO 4.21: Fatoração à esquerda de uma gramática.

ENTRADA: Gramática G.

SAÍDA: Uma gramática equivalente a G, fatorada à esquerda.

MÉTODO: Para cada não-terminal A, encontre o prefixo α mais longo, comum a duas ou mais de suas alternativas. Se $\alpha \neq \epsilon$ — ou seja, existe um prefixo comum não-trivial —, substitua todas as produções-A, $A \to \alpha\beta_1|\alpha\beta_2|...|\alpha\beta_n|\gamma$, onde γ representa todas as alternativas que não começam com um α, por

$$A \to \alpha A' \mid \gamma$$
$$A' \to \beta_1 \mid \beta_2 \mid \cdots \mid \beta_n$$

A' representa um novo não-terminal. Aplique repetidamente essa transformação até que não haja duas alternativas para um não-terminal com um prefixo comum.

EXEMPLO 4.22: A gramática a seguir abstrai o problema do "else vazio":

$$\begin{aligned} S &\to iEtS \mid iEtSeS \mid a \\ E &\to b \end{aligned} \qquad (4.23)$$

Neste exemplo, i, t e e representam **if**, **then** e **else**; E e S representam respectivamente "expressão condicional" e "comando". Após fatorar à esquerda, essa gramática se torna:

$$\begin{aligned} S &\to iEtSS' \mid a \\ S' &\to eS \mid \epsilon \\ E &\to b \end{aligned} \qquad (4.24)$$

Assim, podemos expandir S para $iEtSS'$ com a entrada i, e esperar até que $iEtS$ tenha sido lido para decidir se expandimos S' para eS ou para ϵ. Naturalmente, como ambas as gramáticas são ambíguas, com a entrada e, não ficará claro qual alternativa para S' deve ser escolhida. O Exemplo 4.33 discute uma forma de resolvermos este problema.

4.3.5 CONSTRUÇÕES DE LINGUAGENS NÃO-LIVRES DE CONTEXTO

Algumas construções sintáticas encontradas em linguagens de programação típicas não podem ser especificadas usando apenas gramáticas livres de contexto. Nesta seção consideramos duas dessas construções e as apresentamos usando linguagens abstratas simples para ilustrar as dificuldades.

EXEMPLO 4.25: A linguagem neste exemplo é uma abstração do problema de verificar se os identificadores foram declarados antes de serem usados em um programa. A linguagem consiste em cadeias da forma *wcw*, onde o primeiro *w* representa a declaração de um identificador *w*, *c* representa um trecho de programa, e o segundo *w* representa o uso do identificador.

A linguagem abstrata é $L_1 = \{wcw \mid w$ está em $(\mathbf{a} \mid \mathbf{b})^*\}$. L_1 consiste em todas as palavras compostas de uma cadeia de *as* e *bs* separados por *c*, como em *aabcaab*. Embora provar isso esteja fora do escopo deste livro, a dependência de contexto de L_1 implica diretamente a dependência de contexto de linguagens de programação como C e Java, que exigem a declaração dos identificadores antes de seus usos e permitem identificadores de qualquer tamanho.

Por esse motivo, uma gramática para C ou Java não distingue entre identificadores que possuem cadeias de caracteres diferentes. Em vez disso, todos os identificadores são representados na gramática por um token como **id**. Em um compilador para tais linguagens, a fase de análise semântica verifica se os identificadores são declarados antes de serem usados.

EXEMPLO 4.26: Neste exemplo, a linguagem não-livre de contexto (também conhecida como gramática sensível ao contexto ou dependente do contexto) é uma abstração do problema de verificar se o número de parâmetros formais na declaração de uma função casa com o número de parâmetros reais em uma ativação da função. A linguagem consiste em cadeias da forma $a^n b^m c^n d^m$. (Lembre-se de que a^n significa a escrita de a n vezes.) Neste exemplo, a^n e b^m poderiam representar as listas de parâmetros formais de duas funções declaradas respectivamente com n e m argumentos, enquanto c^n e d^m representam as listas de parâmetros reais nas chamadas para essas duas funções.

A linguagem abstrata é $L_2 = \{a^n b^m c^n d^m \mid n \geq 1$ e $m \geq 1\}$. Ou seja, L_2 consiste em cadeias da linguagem geradas pela expressão regular $\mathbf{a}^*\mathbf{b}^*\mathbf{c}^*\mathbf{d}^*$ tais que o número de *as* e *cs* são iguais e o número de *bs* e *ds* são iguais. Essa linguagem não é livre de contexto.

Novamente, a sintaxe típica das declarações e dos usos de função não se preocupa em contar o número de parâmetros. Por exemplo, uma chamada de função em uma linguagem tipo C poderia ser especificada por

$$\begin{aligned} stmt &\rightarrow \textbf{id} \, (\, expr\_list \,) \\ expr\_list &\rightarrow expr\_list \,,\, expr \\ &\mid expr \end{aligned}$$

com produções adequadas para *expr*. Verificar se o número de parâmetros em uma chamada está correto normalmente é feito durante a fase de análise semântica.

4.3.6 Exercícios da Seção 4.3

Exercício 4.3.1: A gramática a seguir define expressões regulares sob os símbolos *a* e *b*, usando o operador + no lugar do operador | para a união, a fim de evitar conflito com a barra vertical usada como um meta-símbolo nas gramáticas:

$$\begin{aligned} rexpr &\rightarrow rexpr + rterm \mid rterm \\ rterm &\rightarrow rterm \; rfactor \mid rfactor \\ rfactor &\rightarrow rfactor * \mid rprimary \\ rprimary &\rightarrow \textbf{a} \mid \textbf{b} \end{aligned}$$

a) Fatore esta gramática à esquerda.
b) A fatoração à esquerda torna a gramática adequada para a análise sintática descendente?
c) Além da fatoração à esquerda, elimine a recursão à esquerda da gramática original.
d) A gramática resultante é adequada para a análise sintática descendente?

Exercício 4.3.2: Repita o Exercício 4.3.1 para as seguintes gramáticas:
a) A gramática do Exercício 4.2.1.
b) A gramática do Exercício 4.2.2(a).
c) A gramática do Exercício 4.2.2(c).
d) A gramática do Exercício 4.2.2(e).
e) A gramática do Exercício 4.2.2(g).

! Exercício 4.3.3: A gramática a seguir é proposta para remover a "ambigüidade do else vazio", discutida na Seção 4.3.2:

$$\begin{aligned} stmt &\rightarrow \textbf{if} \; expr \; \textbf{then} \; stmt \\ &\mid matchedStmt \\ matchedStmt &\rightarrow \textbf{if} \; expr \; \textbf{then} \; matchedStmt \; \textbf{else} \; stmt \\ &\mid \textbf{other} \end{aligned}$$

Mostre que essa gramática ainda é ambígua.

4.4 Análise sintática descendente

O método de análise sintática descendente constrói a árvore de derivação para a cadeia de entrada de cima para baixo, ou seja, da raiz para as folhas, criando os nós da árvore em pré-ordem (busca em profundidade, conforme discutimos na Seção 2.3.4). Neste processo, a análise sintática descendente pode ser vista como o método que produz uma derivação mais à esquerda para uma cadeia da entrada.

Exemplo 4.27: A seqüência de árvores de derivação da Figura 4.12 para a entrada **id**+**id**∗**id** representa uma análise sintática descendente de acordo com a gramática (4.2), repetida aqui:

$$\begin{aligned} E &\rightarrow T E' \\ E' &\rightarrow + T E' \mid \epsilon \\ T &\rightarrow F T' \\ T' &\rightarrow * F T' \mid \epsilon \\ F &\rightarrow (E) \mid \textbf{id} \end{aligned} \quad (4.28)$$

Esta seqüência de árvores corresponde a uma derivação mais à esquerda da entrada.

A cada passo de uma análise sintática descendente, o problema principal é determinar a produção a ser aplicada para um não-terminal, digamos *A*. Quando uma produção-*A* é escolhida, o restante do processo de análise consiste em "casar" os símbolos terminais do corpo da produção com a cadeia de entrada.

Nesta seção estudaremos dois tipos de analisadores sintáticos descendentes. Inicialmente apresentamos uma forma geral, denominada análise sintática de descida recursiva, que pode exigir o retrocesso para encontrar a produção-*A* correta a ser aplicada.

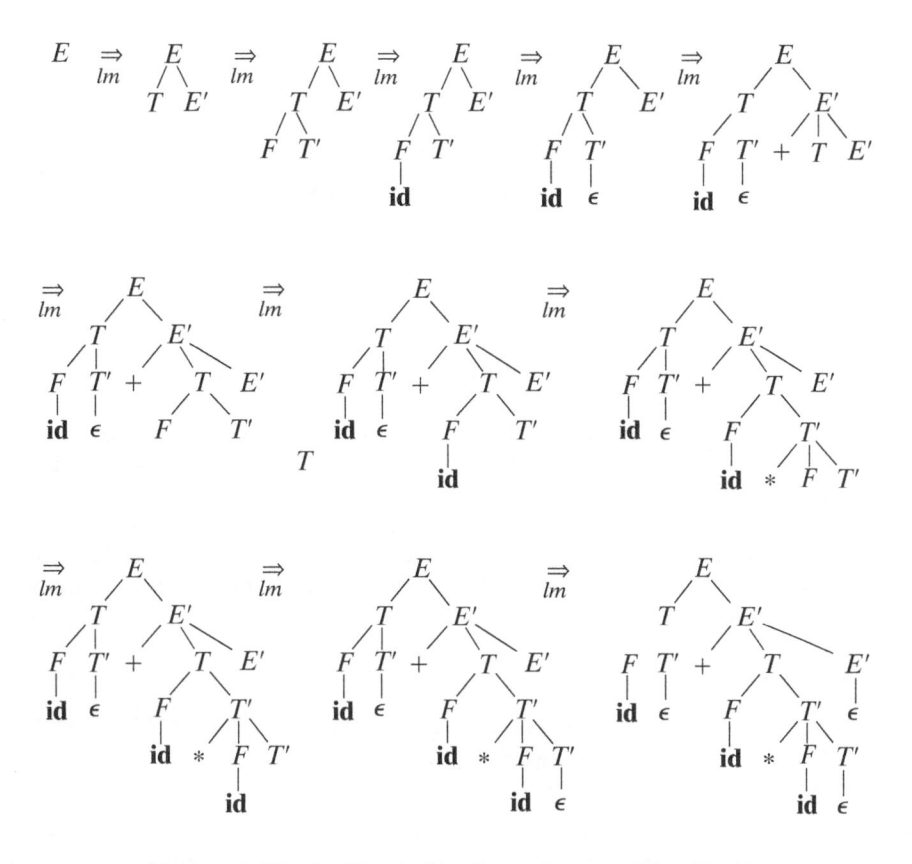

FIGURA 4.12 Análise sintática descendente para **id** + **id** * **id**.

A Seção 2.4.2 introduziu o método de reconhecimento sintático preditivo, um caso especial de análise de descida recursiva, em que nenhum retrocesso é necessário. O reconhecedor sintático preditivo escolhe a produção-A correta examinando adiante na entrada um número fixo de símbolos; na prática, tipicamente examina-se apenas um, ou seja, o próximo símbolo da entrada.

Por exemplo, considere a análise sintática descendente da Figura 4.12, que constrói uma árvore com dois nós rotulados com E'. No primeiro nó E' (em pré-ordem), a produção $E' \rightarrow + TE'$ é a escolhida; no segundo nó E', a produção $E' \rightarrow \epsilon$ é escolhida. Um analisador preditivo pode escolher entre as produções-E' examinando o próximo símbolo da entrada.

A classe de gramáticas para as quais podemos construir analisadores preditivos examinando k símbolos adiante na entrada às vezes é chamada de classe $LL(k)$. Antes de discutir a classe LL(1) na Seção 4.4.3, introduzimos na Seção 4.4.2 duas funções chamadas FIRST e FOLLOW. A partir dos conjuntos FIRST e FOLLOW para uma gramática, construiremos "tabelas de reconhecimento preditivo", as quais tornam explícita a escolha da produção durante a análise descendente. Esses conjuntos também são úteis durante a análise ascendente.

Na Seção 4.4.4, apresentamos um algoritmo de análise sintática descendente não-recursivo que mantém uma pilha explicitamente, em vez de implicitamente, por meio de chamadas recursivas. Finalmente, na Seção 4.4.5, discutimos as abordagens de recuperação de erro para os métodos de análise descendente.

4.4.1 Análise sintática de descida recursiva

Um método de análise sintática de descida recursiva consiste em um conjunto de procedimentos, um para cada não-terminal da gramática. A execução começa com a ativação do procedimento referente ao símbolo inicial da gramática, que pára e anuncia sucesso se o seu corpo conseguir escandir toda a cadeia da entrada. O pseudocódigo para um não-terminal típico aparece na Figura 4.13. Observe que esse pseudocódigo é não determinista, pois começa escolhendo a produção-A a ser aplicada de uma maneira arbitrária.

O método geral de análise sintática de descida recursiva pode exigir retrocesso; ou seja, pode demandar voltar atrás no reconhecimento, fazendo repetidas leituras sobre a entrada. As construções presentes nas linguagem de programação raramente necessitam do retrocesso durante suas análises, de modo que os analisadores com retrocesso não são usados com freqüência. Até mesmo para situações que envolvem o reconhecimento de linguagem natural, o retrocesso não é muito eficiente, e os métodos baseados em tabelas, como o algoritmo de programação dinâmica do Exercício 4.4.9 ou o método de Earley (veja as notas bibliográficas), são os preferidos.

```
           void A() {
1)              Escolha uma produção-A, A → X₁ X₂ ··· Xₖ;
2)              for ( i = 1 até k ) {
3)                   if ( Xᵢ é um não-terminal )
4)                        ativa procedimento Xᵢ();
5)                   else if ( Xᵢ igual ao símbolo de entrada a )
6)                        avance na entrada para o próximo símbolo terminal;
7)                   else /* ocorreu um erro */;
                }
           }
```

FIGURA 4.13 Um procedimento típico para um não-terminal em um analisador descendente.

Para permitir o retrocesso, o código da Figura 4.13 precisa ser modificado. Primeiro, não podemos escolher uma única produção-A na linha (1); devemos tentar cada uma das várias alternativas da produção-A em alguma ordem. Segundo, um erro na linha (7) não é uma falha definitiva; apenas sugere que precisamos retornar à linha (1) e tentar outra opção da produção-A. Somente quando não houver mais produções-A a serem tentadas é que declaramos que foi encontrado um erro na entrada. Terceiro, para tentar outra opção da produção-A, é necessário colocar o apontador da entrada onde ele estava quando atingimos a linha (1) pela primeira vez. Assim, é necessária a declaração de uma variável local a fim de armazenar esse apontador para uso futuro.

EXEMPLO 4.29: Considere a gramática

$$S \rightarrow cAd$$
$$A \rightarrow ab \mid a$$

Para construir uma árvore de derivação descendente para a cadeia de entrada $w = cad$, comece com uma árvore consistindo em um único nó rotulado com S, e com o apontador de entrada apontando para c, o primeiro símbolo de w. Como S possui apenas uma produção, nós a expandimos para obter a árvore da Figura 4.14(a). A folha mais à esquerda, rotulada com c, casa com o primeiro símbolo da entrada w, de modo que avançamos o apontador para a, o segundo símbolo de w, e consideramos a próxima folha, rotulada com A.

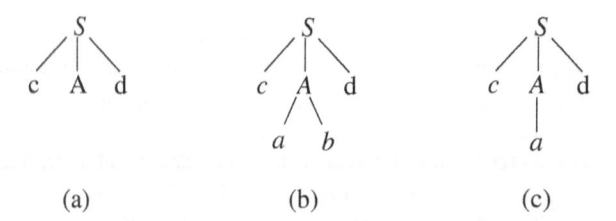

FIGURA 4.14 Passos de uma análise sintática descendente.

Agora, expandimos A usando a primeira alternativa $A \rightarrow ab$ e obtemos a árvore da Figura 4.14(b). Como temos um casamento com o segundo símbolo de entrada, a, avançamos o apontador para d, o terceiro símbolo de entrada, e comparamos d com a próxima folha da árvore, rotulada com b. Como b não casa com d, informamos a falha e voltamos para A na tentativa de encontrar uma alternativa de A ainda não explorada, mas que poderia produzir um casamento.

Ao voltar em A, é necessário reiniciar o apontador da entrada para a posição 2, que corresponde à posição em que ele estava quando atingimos a primeira alternativa de A. Isto significa que o procedimento para A precisa armazenar o apontador da cadeia de entrada em uma variável local.

A segunda alternativa para A produz a árvore da Figura 4.14(c). A folha a casa com o segundo símbolo de w, e a folha d casa com o terceiro símbolo da entrada. Como produzimos uma árvore de derivação para w, paramos e anunciamos o sucesso da análise.

Uma gramática recursiva à esquerda pode fazer com que um analisador de descida recursiva, até mesmo aquele com retrocesso, entre em um *loop* infinito. Ou seja, ao tentar expandir um não-terminal A, podemos eventualmente nos encontrar novamente tentando expandir A sem ter consumido nenhuma entrada.

4.4.2 FIRST e FOLLOW

A construção de analisadores descendentes e ascendentes é auxiliada por duas funções, FIRST e FOLLOW, associadas a uma gramática G. Durante a análise descendente, FIRST e FOLLOW nos permitem escolher qual produção aplicar, com base no próximo símbolo da entrada. Durante a recuperação de erro no modo pânico, conjuntos de tokens produzidos por FOLLOW podem ser usados como tokens de sincronismo.

Defina $FIRST(\alpha)$, onde α é qualquer cadeia de símbolos da gramática, como sendo o conjunto de símbolos terminais que iniciam as cadeias derivadas de α. Se $\alpha \stackrel{*}{\Rightarrow} \epsilon$, então ϵ também está em FIRST(α). Por exemplo, na Figura 4.15, $A \stackrel{*}{\Rightarrow} c\gamma$, portanto c está em FIRST(A).

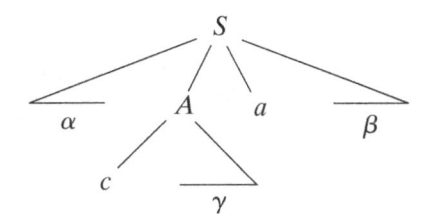

Figura 4.15 O símbolo terminal c está em FIRST(A) e o símbolo terminal a está em FOLLOW(A).

Para ter uma idéia de como FIRST pode ser usado durante o reconhecimento preditivo, considere as duas produções-A, $A \to \alpha \mid \beta$, onde FIRST(α) e FIRST(β) são conjuntos disjuntos. Podemos, então, escolher uma dessas alternativas de A examinando o próximo símbolo de entrada a, desde que a só possa estar em FIRST(α) ou FIRST(β), mas nunca em ambos. Por exemplo, se a estiver em FIRST(β), escolha a produção-$A \to \beta$. Essa idéia será explorada quando as gramáticas LL(1) forem definidas na Seção 4.4.3.

Defina FOLLOW(A), para o não-terminal A, como sendo o conjunto de terminais a que podem aparecer imediatamente à direita de A em alguma forma sentencial; ou seja, o conjunto de terminais a tais que exista uma derivação na forma $S \Rightarrow \alpha A a \beta$, para algum α e β, como na Figura 4.15. Observe que pode haver símbolos entre A e a, em algum momento durante a derivação, mas, nesse caso, eles derivaram ϵ e desapareceram. Além disso, se A for o símbolo não-terminal mais à direita em alguma forma sentencial, então \$ estará em FOLLOW(A); lembre-se de que \$ é um símbolo "marcador de fim da cadeia de entrada", e, como tal, não faz parte de nenhuma gramática.

Para calcular o FIRST(X) de todos os símbolos X da gramática, aplique as seguintes regras até que não haja mais terminais ou ϵ que possam ser acrescentados a algum dos conjuntos FIRST.

1. Se X é um símbolo terminal, então FIRST(X) = \{X\}.
2. Se X é um símbolo não-terminal e $X \to Y_1 Y_2 \cdots Y_k$ é uma produção para algum $k \geq 1$, então acrescente a a FIRST(X) se, para algum i, a estiver em FIRST(Y_i), e ϵ estiver em todos os FIRST(Y_1),...,FIRST(Y_{i-1}); ou seja, $Y_1 \cdots Y_{i-1} \Rightarrow \epsilon$. Se ϵ está em FIRST(Y_j) para todo $j = 1, 2, ..., k$, então adicione ϵ a FIRST(X). Por exemplo, tudo em FIRST(Y_1) certamente está em FIRST(X). Se Y_1 não derivar ϵ, então não acrescentamos mais nada a FIRST(X), mas se $Y_1 \Rightarrow \epsilon$, então adicionamos FIRST(Y_2), e assim por diante.
3. Se $X \to \epsilon$ é uma produção, então acrescente ϵ a FIRST(X).

Agora, podemos calcular FIRST para qualquer cadeia $X_1 X_2 ... X_n$ da forma a seguir. Adicione a FIRST($X_1 X_2 ... X_n$) todos os símbolos não-ϵ de FIRST(X_1). Inclua também os símbolos não-ϵ de FIRST(X_2), se ϵ estiver em FIRST(X_1); os símbolos não-ϵ de FIRST(X_3), se ϵ estiver em FIRST(X_1) e em FIRST(X_2); e assim por diante. Finalmente, acrescente ϵ a FIRST($X_1 X_2 ... X_n$) se, para todo i, ϵ estiver em FIRST(X_i).

Para calcular o FOLLOW(A) para todos os não-terminais A, aplique as seguintes regras até que nada mais possa ser acrescentado a nenhum dos conjuntos FOLLOW.

1. Coloque \$ em FOLLOW(S), onde S é o símbolo inicial da gramática, e \$ é o marcador de fim da entrada ou fim de arquivo.
2. Se houver uma produção $A \to \alpha B \beta$, então tudo em FIRST(β) exceto ϵ está em FOLLOW(B).
3. Se houver uma produção $A \to \alpha B$, ou uma produção $A \to \alpha B \beta$, onde o FIRST(β) contém ϵ, então inclua o FOLLOW(A) em FOLLOW(B).

Exemplo 4.30: Considere novamente a gramática sem recursão à esquerda (4.28). Então:

1. FIRST(F) = FIRST(T) = FIRST(E) = \{(,**id**\}. Para entender, observe que as duas produções para F possuem corpos que se iniciam com esses dois símbolos terminais, **id** e o parêntese esquerdo. T possui somente uma produção, e seu

corpo começa com F. Como F não deriva ϵ, o FIRST(T) deve ser igual ao FIRST(F). O mesmo argumento se aplica ao FIRST(E).
2. FIRST(E') = $\{+,\epsilon\}$. O motivo é que uma das duas produções para E' tem um corpo que começa com o terminal +, e o corpo da outra é ϵ. Sempre que um não-terminal deriva ϵ, incluímos ϵ em FIRST para esse não-terminal.
3. FIRST(T') = $\{*,\epsilon\}$. O raciocínio é semelhante àquele usado no FIRST(E').
4. FOLLOW(E) = FOLLOW(E') = $\{),\$\}$. Como E é o símbolo inicial da gramática, FOLLOW(E) deve incluir $\$$. O corpo (E) da produção-F explica por que o parêntese direito está em FOLLOW(E). Para E', observe que esse não-terminal aparece apenas nas extremidades dos corpos das produções-E. Assim, FOLLOW(E') deve ser o mesmo que FOLLOW(E).
5. FOLLOW(T) = FOLLOW(T') = $\{+,),\$\}$. Observe que T aparece do lado direito das produções-E apenas seguido por E'. Assim, tudo exceto ϵ que está em FIRST(E') deve ser incluído em FOLLOW(T); isso explica o símbolo +. Contudo, como FIRST(E') contém ϵ (ou seja, $E' \stackrel{*}{\Rightarrow} \epsilon$), e E' é a cadeia inteira seguindo T nos corpos das produções-E, tudo em FOLLOW(E) também deve ser incluído em FOLLOW(T). Isso explica os símbolos $\$$ e o parêntese direito. Quanto a T', por aparecer apenas nas extremidades das produções-T, é necessário fazer o FOLLOW(T') = FOLLOW(T).
6. FOLLOW(F) = $\{+,*,),\$\}$. O raciocínio é semelhante àquele para T no ponto (5).

4.4.3 Gramáticas LL(1)

Os analisadores sintáticos preditivos, ou seja, os analisadores de descida recursiva que não precisam de retrocesso, podem ser construídos para uma classe de gramáticas chamada LL(1). O primeiro "L" em LL(1) significa que a cadeia de entrada é escandida da esquerda para a direita (L = *Left-to-right*); o segundo "L" representa uma derivação mais à esquerda (L = *Leftmost*); e o "1" pelo uso de um símbolo à frente na entrada utilizado em cada passo para tomar as decisões quanto à ação de análise.

Diagramas de transição para analisadores sintáticos preditivos

Os diagramas de transição são úteis para visualizar analisadores preditivos. Por exemplo, os diagramas de transição para os não-terminais E e E' da gramática (4.28) são ilustrados na Figura 4.16(a). Para construir o diagrama de transição de uma gramática, primeiro elimine a recursão à esquerda e depois fatore a gramática à esquerda. Então, para cada não-terminal A:

1. Crie os estados inicial e final (retorno).
2. Para cada produção-$A \rightarrow X_1 X_2 \ldots X_k$, crie um caminho do estado inicial para o estado final, com as arestas rotuladas com $X_1, X_2, \ldots, X_k$. Se $A \rightarrow \epsilon$, o caminho é uma aresta rotulada com ϵ.

Os diagramas de transição para analisadores preditivos diferem daqueles para os analisadores léxicos. Os analisadores sintáticos possuem um diagrama para cada não-terminal. Os rótulos das arestas podem ser tokens ou não-terminais. Uma transição sob um token (terminal) significa que efetuaremos essa transição se esse token for o próximo símbolo de entrada. Uma transição sob um não-terminal A representa a ativação do procedimento A.

Com uma gramática LL(1), a ambigüidade de seguir ou não uma aresta ϵ pode ser resolvida tornando as transições-ϵ a escolha *default*.

Os diagramas de transição podem ser simplificados, desde que a seqüência de símbolos da gramática ao longo dos caminhos seja preservada. Também podemos substituir o diagrama de um não-terminal A por uma aresta rotulada com A. Os diagramas da Figura 4.16(a) e (b) são equivalentes: se traçarmos caminhos de E para um estado de aceitação com E' substituído, então, nos dois conjuntos de diagramas, os símbolos da gramática ao longo dos caminhos compõem cadeias da forma $T + T + \ldots + T$. O diagrama em (b) pode ser obtido de (a) pelas transformações semelhantes àquelas na Seção 2.5.4, onde usamos a remoção da recursão de cauda e a substituição dos corpos dos procedimentos para otimizar o procedimento para um não-terminal.

A classe de gramáticas LL(1) é rica o suficiente para reconhecer a maioria das construções presentes nas linguagens de programação, mas escrever uma gramática adequada para a linguagem fonte não é uma tarefa simples. Por exemplo, nenhuma gramática com recursão à esquerda ou ambígua pode ser LL(1).

Uma gramática G é LL(1) se e somente se, sempre que $A \rightarrow \alpha|\beta$ forem duas produções distintas de G, as seguintes condições forem verdadeiras:

1. Para um terminal a, tanto α quanto β não derivam cadeias começando com a.
2. No máximo um dos dois, α ou β, pode derivar a cadeia vazia.

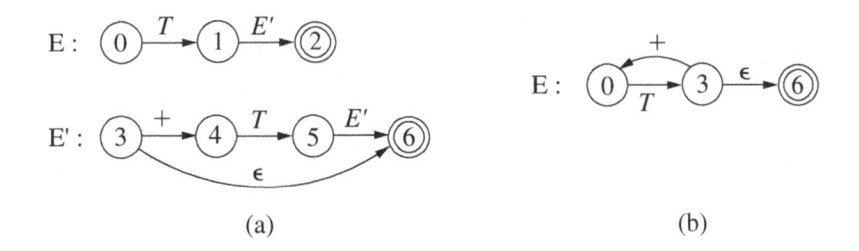

FIGURA 4.16 Diagramas de transição para os não-terminais E e E' da gramática 4.28.

3. Se $\beta \stackrel{*}{\Rightarrow} \epsilon$, então α não deriva nenhuma cadeia começando com um terminal em FOLLOW(A). De modo semelhante, se $\alpha \stackrel{*}{\Rightarrow} \epsilon$, então β não deriva qualquer cadeia começando com um terminal em FOLLOW(A).

As duas primeiras condições são equivalentes à declaração de que FIRST(α) e FIRST(β) são conjuntos disjuntos. A interseção dos conjuntos FIRST(β) e FIRST(α) é vazia. A terceira condição é equivalente a afirmar que, se ϵ está em FIRST(β), então FIRST(α) e FOLLOW(A) são conjuntos disjuntos, e, da mesma forma, se ϵ estiver em FIRST(α), ou seja, a interseção de FIRST(α) com FOLLOW(A) é vazia. Da mesma forma FIRST(β) com FOLLOW(A) também é vazia.

Os analisadores preditivos podem ser construídos para as gramáticas LL(1), pois é possível selecionar a produção apropriada a ser aplicada para um não-terminal examinando-se apenas o símbolo corrente da entrada restante. Construções de fluxo de controle, com suas distintas palavras-chave, geralmente satisfazem as restrições das gramáticas LL(1). Por exemplo, se tivermos as produções

$$stmt \rightarrow \textbf{if} \ (\ expr \ ) \ stmt \ \textbf{else} \ stmt$$
$$| \ \textbf{while} \ (\ expr \ ) \ stmt$$
$$| \ \textbf{\{} \ stmt\_list \ \textbf{\}}$$

então as palavras-chave **if, while** e o símbolo **{** nos dizem qual é a única alternativa que possivelmente poderia ser bem-sucedida se estivermos procurando por um *stmt*.

O próximo algoritmo coleta as informações dos conjuntos FIRST e FOLLOW em uma tabela de reconhecimento sintático preditivo $M[A,a]$, um arranjo bidimensional, onde A é um não-terminal e a é um terminal ou o símbolo $, o marcador de fim de entrada. O algoritmo é baseado na idéia a seguir: a produção $A \rightarrow \alpha$ é escolhida se o próximo símbolo de entrada a estiver em FIRST(α). A única complicação ocorre quando $\alpha = \epsilon$ ou, generalizando, $\alpha \stackrel{*}{\Rightarrow} \epsilon$. Nesse caso, devemos novamente escolher $A \rightarrow \alpha$, se o símbolo corrente da entrada estiver em FOLLOW(A), ou se o $ foi alcançado e $ está em FOLLOW(A).

ALGORITMO 4.31: Construção da tabela para o reconhecedor sintático preditivo.

ENTRADA: Gramática G.

SAÍDA: Tabela de análise M.

MÉTODO: Para cada produção $A \rightarrow \alpha$ da gramática, faça o seguinte:

1. Para cada terminal a em FIRST(A), inclua $A \rightarrow \alpha$ em $M[A,a]$.
2. Se ϵ pertence a FIRST(α), inclua $A \rightarrow \alpha$ em $M[A,b]$ para cada terminal b em FOLLOW(A). Se ϵ pertence a FIRST(α) e $ pertence a FOLLOW(A), acrescente também $A \rightarrow \alpha$ em $M[A,$]$.

Se, depois de realizar esses passos, não houver produção alguma em $M[A,a]$, então defina $M[A,a]$ como **error** (que normalmente representamos por uma entrada vazia na tabela).

EXEMPLO 4.32: Para a gramática da expressão (4.28), o Algoritmo 4.31 produz a tabela de análise da Figura 4.17. Entradas em branco associadas aos símbolos da gramática representam erro nesta tabela, as demais entradas indicam a produção usada para expandir um não-terminal.

Considere a produção $E \rightarrow TE'$. Visto que

$$\text{FIRST}(TE') = \text{FIRST}(T) = \{(, \textbf{i d}\}$$

essa produção é incluída em $M[E,(]$ e $M[E,\textbf{id}]$. A produção $E' \rightarrow + TE'$ é incluída em $M[E',+]$, desde que FIRST($+TE'$) = $\{+\}$. Visto que o FOLLOW(E') = $\{),$\}$, a produção $E' \rightarrow \epsilon$ é incluída em $M[E',)]$ e em $M[E',$]$.

Não Terminal	Símbolo de Entrada					
	id	+	*	(	)	$
E	$E \to TE'$			$E \to TE'$		
E'		$E' \to +TE'$			$E' \to \epsilon$	$E' \to \epsilon$
T	$T \to FT'$			$T \to FT'$		
T'		$T' \to \epsilon$	$T' \to * FT'$		$T' \to \epsilon$	$T' \to \epsilon$
F	$F \to \mathbf{id}$			$F \to (E)$		

FIGURA 4.17 Tabela M de análise para o Exemplo 4.32.

O Algoritmo 4.31 pode ser aplicado a qualquer gramática G para produzir a tabela M de análise correspondente a G. Para toda gramática LL(1), cada entrada na tabela de análise identifica no máximo uma produção ou sinaliza um erro. Para algumas gramáticas, contudo, M pode conter algumas entradas que possuem definição múltipla. Por exemplo, se G possuir recursão à esquerda ou for ambígua, então M terá pelo menos uma entrada com definição múltipla. Embora a eliminação da recursão à esquerda e a fatoração à esquerda sejam fáceis de fazer, devemos observar que algumas gramáticas livres de contexto não têm gramáticas equivalentes LL(1), e nesse caso nenhuma alteração produzirá uma gramática LL(1).

A linguagem no exemplo a seguir não possui uma gramática LL(1) para ela.

EXEMPLO 4.33: A gramática a seguir, que representa uma abstração do else vazio, é repetida aqui a partir do Exemplo 4.22:

$$S \to iEtSS' \mid a$$
$$S' \to eS \mid \epsilon$$
$$E \to b$$

A tabela de análise para esta gramática aparece na Figura 4.18. A entrada para $M[S', e]$ contém duas produções $S' \to eS$ e $S' \to \epsilon$.

Não Terminal	Símbolo de Entrada					
	a	b	e	i	t	$$
S	$S \to a$			$S \to iEtSS'$		
S'			$S' \to \epsilon$			$S' \to \epsilon$
			$S' \to e\epsilon$			
E		$e \to b$	$S' \to e\epsilon$			

FIGURA 4.18 A tabela M de análise para o Exemplo 4.33.

A gramática é ambígua e a ambigüidade se manifesta pela escolha sobre que produção usar quando um e (**else**) é visto. Podemos resolver essa ambigüidade escolhendo $S' \to eS$. Essa escolha corresponde à associação de um **else** com o **then** anterior mais próximo. Observe que a escolha $S' \to \epsilon$ impede que e seja até mesmo colocado na pilha ou removido da entrada, e com certeza está errada.

4.4.4 Analisador preditivo sem recursão

Um analisador sintático preditivo sem recursão pode ser construído mantendo uma pilha explicitamente, em vez de implicitamente, via chamadas recursivas. O analisador simula uma derivação mais à esquerda. Se w representa a entrada que foi reconhecida até o momento, então a pilha contém uma seqüência de símbolos da gramática α tal que

$$S \underset{lm}{\overset{*}{\Rightarrow}} w\alpha$$

O analisador sintático dirigido por tabela da Figura 4.19 possui um buffer de entrada, uma pilha contendo uma seqüência de símbolos da gramática, uma tabela de análise construída pelo Algoritmo 4.31 e um fluxo de saída. O buffer de entrada contém a cadeia a ser reconhecida, seguida pelo marcador de fim de entrada $. Reutilizamos o símbolo $ para marcar o fundo da pilha, a qual inicialmente contém o símbolo inicial da gramática no topo de $.

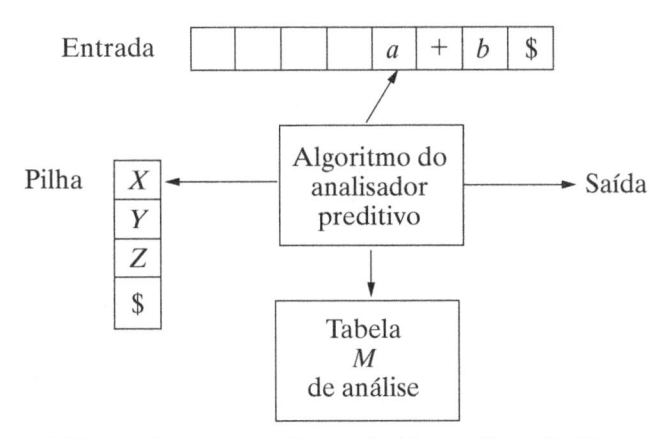

```
                    Entrada  [ ][ ][ ][ a | + | b | $ ]
                                              ↗
                                    ┌─────────────┐
         Pilha  ┌───┐              │ Algoritmo do │
                │ X │ ◄────────────│  analisador  │──────► Saída
                │ Y │               │   preditivo  │
                │ Z │               └──────┬──────┘
                │ $ │                      │
                └───┘                      ▼
                                    ┌─────────────┐
                                    │   Tabela    │
                                    │      M      │
                                    │  de análise │
                                    └─────────────┘
```

FIGURA 4.19 Modelo de um analisador sintático preditivo ditigido por tabela.

O analisador é dirigido por um programa que considera X, o símbolo no topo da pilha, e a, o símbolo corrente da entrada. Se X é um não-terminal, o analisador escolhe uma produção-X consultando a entrada $M[X, a]$ da tabela M de análise. (Códigos adicionais poderiam ser executados neste ponto, por exemplo, o código para construir um nó em uma árvore de derivação.) Por outro lado, ele tenta fazer um casamento entre o terminal X no topo da pilha e o símbolo corrente a da entrada.

O comportamento do analisador pode ser descrito em termos de suas *configurações*, que mostram em cada passo o conteúdo da pilha e a entrada restante. O próximo algoritmo descreve como essas configurações são manipuladas.

ALGORITMO 4.34: Reconhecimento preditivo dirigido por tabela.

ENTRADA: Uma cadeia w de entrada e uma tabela M de análise para a gramática G.

SAÍDA: A derivação mais à esquerda de w, se w estiver em $L(G)$; caso contrário, uma indicação de erro.

MÉTODO: Inicialmente, o analisador está em uma configuração com $w\$$ no buffer de entrada e o símbolo inicial S de G no topo da pilha, acima de $\$$. O programa da Figura 4.20 usa a tabela M de análise para produzir um analisador preditivo para a entrada.

```
define ip para que aponte para o primeiro símbolo de w;
define X para ser o símbolo no topo da pilha;
while ( X ≠ $ ){ /* pilha não está vazia */
    if ( X é a ) desempilha e avança ip;
    else if ( X é um terminal ) error();
    else if ( M[X, a] é uma entrada de erro ) error();
    else if ( M[X, a] = X → Y₁ Y₂ ⋯ Yₖ ) {
            imprime a produção X → Y₁ Y₂ ⋯ Yₖ;
            desempilha X;
            empilha Yₖ , Yₖ₋₁ ,... , Y₁ na pilha, com Y₁ no topo;
    }
    define X como o símbolo no topo da pilha;
}
```

FIGURA 4.20 Algoritmo do analisador preditivo.

EXEMPLO 4.35: Considere a gramática (4.28); já vimos sua tabela de análise na Figura 4.17. Para a entrada **id** + **id** ∗ **id**, o analisador preditivo não-recursivo do Algoritmo 4.34 efetua a seqüência de movimentos ilustrados na Figura 4.21. Esses movimentos correspondem a uma derivação mais à esquerda (veja a derivação completa na Figura 4.12).

$$E \underset{lm}{\Rightarrow} TE' \underset{lm}{\Rightarrow} FT'E' \underset{lm}{\Rightarrow} \mathbf{id}T'E' \underset{lm}{\Rightarrow} \mathbf{id}E' \underset{lm}{\Rightarrow} \mathbf{id} + TE' \underset{lm}{\Rightarrow} ...$$

Observe que as formas sentenciais nessa derivação correspondem à entrada que já foi casada (na coluna CASAMENTO) seguida pelo conteúdo da pilha. A entrada casada aparece apenas para realçar a correspondência. Pelo mesmo motivo, o topo da pilha está à esquerda; quando considerarmos a análise ascendente, será mais natural mostrar o topo da pilha à direita. O apontador de entrada aponta para o símbolo mais à esquerda da cadeia na coluna ENTRADA.

Casamento	Pilha	Entrada	Ação
	$E\$$	id + id * id$\$$	
	$TE'\$$	id + id * id$\$$	imprime $E \to TE'$
	$FT'E'\$$	id + id * id$\$$	imprime $T \to FT'$
	id $T'E'\$$	id + id * id$\$$	imprime $F \to$ id
id	$T'E'\$$	+ id * id$\$$	casa id
id	$E'\$$	+ id * id$\$$	imprime $T' \to \epsilon$
id	+ $TE'\$$	+ id * id$\$$	imprime $E' \to +TE$
id +	$TE'\$$	id * id$\$$	casa +
id +	$FT'E'\$$	id * id$\$$	imprime $T \to FT'$
id +	id $T'E'\$$	id * id$\$$	imprime $F \to$ id
id+id	$T'E'\$$	* id$\$$	casa id
id+id	* $FT'E'\$$	* id$\$$	imprime $T' \to *FT'$
id+id *	$FT'E'\$$	id$\$$	casa *
id+id *	id $T'E'\$$	id$\$$	imprime $F \to$ id
id+id * id	$T'E'\$$	$\$$	casa id
id+id * id	$E'\$$	$\$$	imprime $T' \to \epsilon$
id+id* id	$\$$	$\$$	imprime $E' \to \epsilon$

4.4.5 Recuperação de erros em analisador sintático preditivo

Esta discussão sobre recuperação de erros refere-se à pilha de um analisador sintático preditivo dirigido por tabela, pois ela torna explícitos os terminais e não-terminais que o analisador espera casar com o restante da entrada; as técnicas também podem ser usadas com a análise de descida recursiva.

Um erro é detectado durante o reconhecimento preditivo quando o terminal no topo da pilha não casa com o próximo símbolo de entrada ou quando o não-terminal A está no topo da pilha, a é o próximo símbolo da entrada, e $M[A, a]$ é uma entrada de erro (ou seja, a entrada da tabela de análise está vazia).

Modo pânico

A recuperação de erro no modo pânico baseia-se na idéia de ignorar símbolos da entrada até encontrar um token no conjunto de tokens de sincronismo. Sua eficácia depende da escolha do conjunto de sincronismo. Os conjuntos devem ser escolhidos de modo que o analisador se recupere rapidamente dos erros que ocorrem na prática. Algumas heurísticas são descritas a seguir:

1. Inicialmente, inclua todos os símbolos do FOLLOW(A) no conjunto de sincronização para o não-terminal A. Em caso de erro, desempilhe A e ignore os tokens até que um elemento de FOLLOW(A) seja visto. É provável que a análise possa continuar.
2. Apenas o uso do FOLLOW(A) como conjunto de sincronização para A pode não ser suficiente para a recuperação de erro. Por exemplo, se os ponto-e-vírgulas terminarem os comandos, como em C, então as palavras-chave que iniciam os comandos podem não aparecer no conjunto FOLLOW do não-terminal representando expressões. A ausência de um ponto-e-vírgula após uma atribuição pode, portanto, fazer com que a palavra-chave que inicia o próximo comando seja ignorada. Freqüentemente, existe uma estrutura hierárquica nas construções de uma linguagem de programação; por exemplo, as expressões aparecem dentro de comandos, que aparecem dentro de blocos, e assim por diante. Podemos então acrescentar ao conjunto de sincronização de uma construção de nível inferior os símbolos que iniciam construções de nível superior. Por exemplo, poderíamos adicionar palavras-chave que iniciam os comandos da linguagem aos conjuntos de sincronização para os não-terminais que geram expressões.
3. Se incluirmos os símbolos em FIRST(A) no conjunto de sincronização do não-terminal A, então pode ser possível retomar a análise de acordo com A se um símbolo em FIRST(A) aparecer na entrada.
4. Se um não-terminal gerar a cadeia vazia, então a produção derivando ϵ pode ser usada como "*default*". Isso pode adiar a detecção de erro, mas não faz com que um erro se perca. Essa técnica reduz o número de não-terminais que precisam ser considerados durante a recuperação de erros.
5. Se um terminal no topo da pilha não puder casar com o terminal da entrada, uma solução simples é desempilhar o terminal, emitir uma mensagem de erro dizendo que o terminal foi inserido, e continuar a análise. Com efeito, essa abordagem considera o conjunto de sincronização de um token como sendo todos os outros tokens.

Exemplo 4.36: Usar os símbolos de FIRST e FOLLOW como tokens de sincronismo funciona razoavelmente bem quando as expressões são analisadas de acordo com uma gramática do tipo daquela proposta em (4.28). A tabela de análise para essa gramática, ilustrada na Figura 4.17, é repetida na Figura 4.22, com "synch" indicando os tokens de sincronização obtidos do conjunto FOLLOW do não-terminal em questão. Os conjuntos do FOLLOW para os não-terminais são obtidos do Exemplo 4.30.

A tabela da Figura 4.22 deve ser usada da forma a seguir. Se o analisador sintático olhar a entrada $M[A, a]$ e descobrir que ela está em branco, então o símbolo a da entrada é ignorado. Se a entrada é "synch", então o não-terminal do topo da pilha é desempilhado na tentativa de retomar a análise. Se um token no topo da pilha não casar com o símbolo da entrada, então desempilhamos o token da pilha, conforme mencionamos anteriormente.

Não Terminal	Símbolo de Entrada					
	id	+	*	(	)	$
E	$E \to TE'$			$E \to TE'$	synch	synch
E'		$E \to +TE'$			$E \to \epsilon$	$E \to \epsilon$
T	$T \to FT'$	synch		$T \to FT'$	synch	synch
T'		$T' \to \epsilon$	$T' \to *FT'$		$T' \to \epsilon$	$T' \to \epsilon$
F	$F \to$ **id**	synch	synch	$F \to (E)$	synch	synch

Figura 4.22 Tokens de sincronização incluídos à tabela de análise da Figura 4.17.

Para a entrada errônea) **id** * + **id**, o analisador sintático e a abordagem de recuperação de erro da Figura 4.22 se comportam como na Figura 4.23.

Pilha	Entrada	Comentário
E $	) **id** * + **id** $	erro, pula)
E $	**id** * + **id** $	**id** está em FIRST(E)
TE' $	**id** * + **id** $	
$FT'E'$ $	**id** * + **id** $	
id $T'E'$ $	**id** * + **id** $	
$T'E'$ $	* + **id** $	
* $FT'E'$ $	* + **id** $	
$FT'E'$ $	+ **id** $	erro, $M[F, +] =$ synch
$T'E'$ $	+ **id** $	F foi desempilhado
E' $	+ **id** $	
+ TE' $	+ **id** $	
TE' $	**id** $	
$FT'E'$ $	**id** $	
id $T'E'$ $	**id** $	
$T'E'$ $	$	
E' $	$	
$	$	

Figura 4.23 Movimentos da análise e recuperação de erro efetuados por um analisador sintático preditivo.

A discussão anterior sobre recuperação de erro no modo pânico não resolve a importante questão das mensagens de erro. O projetista do compilador precisa disponibilizar mensagens de erro precisas, que não apenas descrevam o erro, mas chamem a atenção para o local em que o erro foi descoberto.

Recuperação em nível de frase

A recuperação de erros em nível de frase é implementada preenchendo-se as entradas em branco da tabela do analisador preditivo com apontadores para rotinas de erro. Essas rotinas podem substituir, inserir ou excluir símbolos da entrada e emitir mensagens de erro apropriadas. Elas também podem remover símbolos da pilha. A alteração dos símbolos de pilha ou o empilhamento de novos símbolos é questionável por vários motivos. Primeiro, os passos executados pelo analisador poderiam não corresponder à derivação de nenhuma construção da linguagem. Segundo, temos de garantir que não haverá possibilidade de um *loop* infinito. Uma ótima maneira de se proteger contra esses *loops* é verificar se alguma ação de recuperação consome um símbolo de entrada (ou se a pilha se tornou menor quando o fim da entrada foi alcançado).

4.4.6 Exercícios da Seção 4.4

Exercício 4.4.1: Para cada uma das gramáticas a seguir, projete analisadores preditivos e mostre as tabelas de análise correspondentes. Você pode primeiramente fatorar à esquerda e/ou eliminar a recursão à esquerda de suas gramáticas.

a) A gramática do Exercício 4.2.2 (a).

b) A gramática do Exercício 4.2.2 (b).

c) A gramática do Exercício 4.2.2 (c).

d) A gramática do Exercício 4.2.2 (d).

e) A gramática do Exercício 4.2.2 (e).

f) A gramática do Exercício 4.2.2 (g).

!! Exercício 4.4.2: É possível, modificando a gramática de alguma maneira, construir um analisador preditivo para a linguagem do Exercício 4.2.1 (expressões pós-fixadas com operando a)?

Exercício 4.4.3: Calcule o FIRST e o FOLLOW para a gramática do Exercício 4.2.1.

Exercício 4.4.4: Calcule o FIRST e o FOLLOW para cada uma das gramáticas do Exercício 4.2.2.

Exercício 4.4.5: A gramática $S \rightarrow a\,S\,a \mid aa$ gera todas as cadeias de comprimento par. Podemos projetar um analisador de descida recursiva com retrocesso para essa gramática. Se escolhermos expandir a produção $S \rightarrow a\,a$ primeiro, então só reconheceremos a cadeia aa. Assim, qualquer analisador de descida recursiva razoável tentará primeiro $S \rightarrow a\,S\,a$.

a) Mostre que esse analisador de descida recursiva reconhece as entradas aa, $aaaa$ e $aaaaaaaa$, mas não $aaaaaa$.

!!b) Que linguagem esse analisador de descida recursiva reconhece?

Os exercícios a seguir são etapas úteis na construção de uma gramática na "Forma Normal de Chomsky" (CNF) a partir de gramáticas arbitrárias, conforme definido no Exercício 4.4.8.

! Exercício 4.4.6: Uma gramática é livre-de-ϵ se nenhum lado direito de suas produções contiver a cadeia vazia ϵ (chamada *produção-ϵ*).

a) Dê um algoritmo para converter qualquer gramática em uma gramática livre-de-ϵ, que gere a mesma linguagem (com a possível exceção da cadeia vazia — nenhuma gramática livre-de-ϵ pode gerar ϵ).

b) Aplique seu algoritmo à gramática $\{S \rightarrow aSbS \mid bSaS \mid \epsilon\}$. *Dica:* Primeiro, encontre todos os não-terminais que são *nulos*, significando que podem gerar ϵ, talvez por uma derivação longa.

! Exercício 4.4.7: Uma *produção unitária* é uma produção cujo corpo é um único não-terminal, ou seja, uma produção da forma $A \rightarrow A$.

a) Dê um algoritmo para converter qualquer gramática em uma gramática livre-de-ϵ, sem produções unitárias, que gere a mesma linguagem (com a possível exceção da cadeia vazia). *Dica:* Primeiro, elimine as produções-ϵ, e depois descubra quais pares de não-terminais, A e B, fazem $A \overset{*}{\Rightarrow} B$ por uma seqüência de produções unitárias.

b) Aplique o seu algoritmo à gramática (4.1) na Seção 4.1.2.

c) Mostre que, como conseqüência da parte (a), podemos converter uma gramática em uma gramática equivalente, que não tenha *ciclos* (derivações em um ou mais passos nas quais $A \Rightarrow s\,A$ para algum não-terminal A).

!! Exercício 4.4.8: Uma gramática está na *Forma Normal de Chomsky* (CNF) se cada produção estiver em um dos formatos $A \rightarrow BC$ ou $A \rightarrow a$, onde A, B e C são não-terminais, e a é um terminal. Mostre como converter qualquer gramática em uma gramática CNF para a mesma linguagem (com a possível exceção da cadeia vazia — nenhuma gramática CNF pode gerar ϵ).

! Exercício 4.4.9: Toda linguagem que possui uma gramática livre de contexto pode ser reconhecida no máximo em $O(n^3)$ para cadeias de tamanho n. Uma forma simples de fazer isso, chamada de algoritmo *Cocke-Younger-Kasami* (ou CYK), é baseada na programação dinâmica. Ou seja, dada uma cadeia $a_1 a_2 \cdots a_n$, construímos uma tabela T n-por-n, tal que T_{ij} seja o conjunto de não-terminais que gere a subcadeia $a_i a_{i+1} \cdots a_j$. Se a gramática subjacente for CNF (veja o Exercício 4.4.8), então uma entrada da tabela pode ser preenchida em $O(n)$, desde que preenchamos as entradas na ordem correta: primeiramente o valor mais baixo de $j - i$. Escreva um algoritmo que preencha corretamente as entradas da tabela, e mostre que seu algoritmo gasta $O(n^3)$. Tendo preenchido a tabela, como você determina se $a_1 a_2 \cdots a_n$ está na linguagem?

! Exercício 4.4.10: Mostre como, tendo preenchido a tabela como no Exercício 4.4.9, podemos em $O(n)$ recuperar uma árvore de derivação para $a_1 a_2 \cdots a_n$. *Dica:* Modifique a tabela de modo que ela registre, para cada não-terminal A em cada entrada da tabela T_{ij}, algum par de não-terminais em outras entradas da tabela que justifiquem colocar A em T_{ij}.

! **Exercício 4.4.11:** Modifique o seu algoritmo do Exercício 4.4.9 de modo que ele encontre, para qualquer cadeia, o menor número de erros de inserção, exclusão e mutação (cada erro com um único caractere) necessários para transformar a cadeia em uma cadeia na linguagem da gramática subjacente.

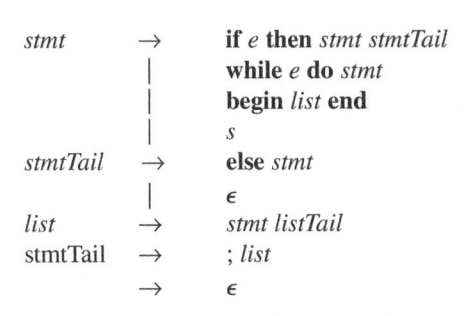

$$
\begin{aligned}
stmt \quad &\rightarrow \quad \textbf{if } e \textbf{ then } stmt\ stmtTail \\
&\mid \quad \textbf{while } e \textbf{ do } stmt \\
&\mid \quad \textbf{begin } list \textbf{ end} \\
&\mid \quad s \\
stmtTail \quad &\rightarrow \quad \textbf{else } stmt \\
&\mid \quad \epsilon \\
list \quad &\rightarrow \quad stmt\ listTail \\
stmtTail \quad &\rightarrow \quad ;\ list \\
&\rightarrow \quad \epsilon
\end{aligned}
$$

FIGURA 4.24   Uma gramática para certos tipos de comandos.

! **Exercício 4.4.12:** A Figura 4.24 mostra uma gramática para alguns comandos. Considere *e* e *s* como sendo terminais representando expressões condicionais e "outros comandos", respectivamente. Se resolvermos o conflito considerando a expansão do "else" opcional (não-terminal *stmtTail*) preferindo consumir um **else** da entrada sempre que virmos um, podemos construir um analisador preditivo para essa gramática. Usando a idéia dos símbolos de sincronização descrita na Seção 4.4.5:

a) Construa uma tabela do reconhecedor preditivo com correção de erro para a gramática.
b) Mostre o comportamento do seu analisador nas seguintes entradas:

(*i*) **if** *e* **then** *s* ; **if** *e* **then** *s* **end**
(*ii*) **while** *e* **do begin** *s* ; **if** *e* **then** *s* ; **end**

4.5   ANÁLISE ASCENDENTE

A análise sintática ascendente corresponde à construção de uma árvore de derivação para uma cadeia de entrada a partir das folhas (a parte de baixo) em direção à raiz (o topo) da árvore. Embora a árvore de derivação seja utilizada para descrever os métodos de análise, um *front-end* pode executar uma tradução diretamente, portanto, na prática, ela nunca é efetivamente construída. A seqüência de instantâneos de árvore na Figura 4.25 ilustra o reconhecimento ascendente da seqüência de tokens **id** * **id**, com respeito à gramática de expressão (4.1).

FIGURA 4.25   Uma análise ascendente para **id** * **id**.

Esta seção apresenta um método geral de análise ascendente conhecido como análise shift-reduce. A maior classe de gramáticas para a qual os analisadores sintáticos shift-reduce podem ser construídos, as gramáticas LR, será discutida nas seções 4.6 e 4.7. Embora seja muito trabalhoso construir um analisador sintático LR à mão, ferramentas chamadas geradores automáticos de analisadores sintáticos facilitam a construção de analisadores LR eficientes a partir de gramáticas adequadas. Nesta seção introduzimos alguns conceitos importantes para a definição de gramáticas apropriadas para fazer uso efetivo de um gerador de analisadores LR. A Seção 4.7 descreve os algoritmos usados para implementar geradores de analisadores sintáticos.

4.5.1   REDUÇÕES

Podemos pensar na análise ascendente como o processo de "reduzir" uma cadeia *w* para o símbolo inicial da gramática. Em cada passo da *redução*, uma subcadeia específica, casando com o lado direito de uma produção, é substituída pelo não-terminal na cabeça dessa produção.

As principais decisões relacionadas com a análise ascendente em cada passo do reconhecimento são: determinar quando reduzir e determinar a produção a ser usada para que a análise prossiga.

EXEMPLO 4.37: Os instantâneos da Figura 4.25 ilustram uma seqüência de reduções usando a gramática de expressão (4.1). As reduções serão discutidas a partir da seguinte seqüência de cadeias

id ∗ **id**, F ∗ **id**, T ∗ **id**, T ∗ F, T, E

As cadeias nessa seqüência são formadas a partir das raízes de todas as subárvores nos instantâneos. A seqüência começa com a cadeia de entrada **id** ∗ **id**. A primeira redução produz F ∗ **id**, reduzindo o **id** mais à esquerda para F, usando a produção $F \rightarrow$ **id**. A segunda redução produz T ∗ **id**, reduzindo F para T.

Neste ponto temos duas opções de redução: podemos reduzir a cadeia T para E, segundo a produção $E \rightarrow T$, e a cadeia consistindo no segundo **id**, que representa o lado direito de $F \rightarrow$ **id**. Escolhemos a segunda opção e reduzimos **id** para F, produzindo a cadeia $T * F$. Essa cadeia é então reduzida para T. A análise termina com a redução de T para o símbolo inicial E.

Por definição, uma redução é o inverso de um passo em uma derivação (lembre-se de que, em uma derivação, um não-terminal em uma forma sentencial é substituído pelo lado direito de uma de suas produções). O objetivo do método de análise ascendente é, portanto, construir uma derivação ao reverso. A derivação a seguir corresponde à análise da Figura 4.25:

$$E \Rightarrow T \Rightarrow T * F \Rightarrow T * \textbf{id} \Rightarrow F * \textbf{id} \Rightarrow \textbf{id} * \textbf{id}$$

Essa derivação é, na verdade, uma derivação mais à direita.

4.5.2 Poda do handle

A análise sintática ascendente ao ler a entrada, da esquerda para a direita, constrói uma derivação mais à direita ao inverso. Informalmente, um "handle" de uma cadeia de símbolos é uma subcadeia que casa com o corpo de uma produção, e cuja redução para o não-terminal do lado esquerdo representa um passo da derivação à direita ao inverso.

Por exemplo, incluindo subscritos aos tokens **id** por clareza, os handles durante a análise de $\textbf{id}_1 * \textbf{id}_2$ de acordo com a gramática da expressão (4.1) são ilustrados na Figura 4.26. Embora T seja o lado direito da produção $E \rightarrow T$, o símbolo T não é um handle na forma sentencial $T * \textbf{id}_2$. Se T fosse realmente substituído por E, obteríamos a cadeia $E * \textbf{id}_2$, a qual não pode ser derivada a partir do símbolo inicial E. Assim, a subcadeia mais à esquerda que casa com o corpo de alguma produção não precisa necessariamente ser um handle.

Forma Sentencial à Direita	Handle	Produção de redução
$\textbf{id}_1 * \textbf{id}_2$	$\textbf{id}_1$	$F \rightarrow \textbf{id}$
$F * \textbf{id}_2$	F	$T \rightarrow F$
$T * \textbf{id}_2$	$\textbf{id}_2$	$F \rightarrow \textbf{id}$
$T * F$	$T * F$	$E \rightarrow T * F$

Figura 4.26 Handles durante a análise de $\textbf{id}_1 * \textbf{id}_2$.

Formalmente, se $S \underset{rm}{\overset{*}{\Rightarrow}} \alpha A w \underset{r}{\Rightarrow} \alpha \beta w$, como na Figura 4.27, então a produção $A \rightarrow \beta$ na posição seguindo α é um handle de $\alpha \beta w$. Alternativamente, um handle de uma forma sentencial à direita γ é uma produção $A \rightarrow \beta$ e uma posição em γ onde a cadeia β pode ser localizada, de modo que a substituição de β nessa posição por A produz a forma sentencial à direita anterior em uma derivação mais à direita de γ.

Observe que a cadeia w à direita do handle deve conter apenas símbolos terminais. Por conveniência, nós nos referimos ao lado direito β em vez de $A \rightarrow \beta$ como um handle. Observe que dizemos "um handle", em vez "o handle", pois a gramática pode ser ambígua, com mais de uma derivação mais à direita para $\alpha \beta w$. Se uma gramática não for ambígua, então cada forma sentencial à direita da gramática tem exatamente um handle.

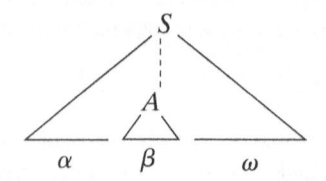

Figura 4.27 Um handle $A \rightarrow \beta$ na árvore de derivação para $\alpha \beta w$.

Uma derivação mais à direita ao reverso pode ser obtida pela "poda do handle". Ou seja, começamos com uma cadeia de terminais w a ser analisada. Se w for uma sentença da gramática dada, então considere $w = \gamma_n$, onde γ_n é a e-nésima forma sentencial mais à direita de alguma derivação mais à direita ainda desconhecida.

$$S = \gamma_0 \underset{rm}{\Rightarrow} \gamma_1 \underset{rm}{\Rightarrow} \gamma_2 \underset{rm}{\Rightarrow} \ldots \underset{rm}{\Rightarrow} \gamma_{n-1} \underset{rm}{\Rightarrow} \gamma_n = w$$

Para reconstruir essa derivação em ordem reversa, localizamos o handle β_n em γ_n e substituímos β_n pelo lado esquerdo de alguma produção relevante $A_n \to \beta_n$ para obter a forma sentencial anterior mais à direita γ_{n-1}. Observe que ainda não sabemos como encontrar os handles, mas veremos métodos para reconhecê-los em breve.

Repetimos esse processo, ou seja, localizamos o handle β_{n-1} em γ_{n-1} e reduzimos esse handle para obter a forma sentencial mais à direita γ_{n-2}. Se continuarmos esse processo e conseguirmos alcançar o símbolo inicial da gramática, paramos e anunciamos sucesso no reconhecimento. O reverso da seqüência de produções usadas nas reduções é uma derivação mais à direita para a cadeia da entrada.

4.5.3 ANALISADOR SINTÁTICO SHIFT-REDUCE

O analisador sintático shift-reduce é uma forma de análise ascendente em que uma pilha contém símbolos da gramática e um buffer de entrada contém o restante da cadeia a ser reconhecida sintaticamente. Conforme veremos, o handle sempre aparece no topo da pilha, imediatamente antes de ser identificado como handle.

Usamos o símbolo $ para marcar o fundo da pilha e também o extremo direito da entrada. Adotaremos a seguinte convenção ao discutirmos a análise ascendente: mostramos o topo da pilha à direita, em vez de à esquerda, como fizemos para a análise descendente. Inicialmente, a pilha está vazia, e a cadeia w representa a entrada, da seguinte forma:

PILHA	ENTRADA
$	w $

Durante uma escansão da esquerda para a direita da cadeia de entrada, o analisador sintático transfere[4] zero ou mais símbolos da entrada para a pilha, até que uma cadeia β de símbolos da gramática presente no topo da pilha possa ser reduzida para o lado esquerdo da produção apropriada. O analisador repete esse ciclo até detectar um erro na entrada ou até que a pilha contenha apenas o símbolo inicial da gramática e a entrada esteja vazia:

PILHA	ENTRADA
$ S	$

Ao entrar nessa configuração, o analisador pára e anuncia sucesso no reconhecimento sintático. A Figura 4.28 mostra as ações do analisador shift-reduce durante o reconhecimento da cadeia de entrada $\mathbf{id}_1 * \mathbf{id}_2$ de acordo com a gramática da expressão (4.1).

PILHA	ENTRADA	AÇÃO
$	$\mathbf{id}_1 * \mathbf{id}_2$ $	transfere
$ $\mathbf{id}_1$	$* \mathbf{id}_2$ $	reduz segundo $F \to \mathbf{id}$
$ F	$* \mathbf{id}_2$ $	reduz segundo $T \to F$
$ T	$* \mathbf{id}_2$ $	transfere
$ $T *$	$\mathbf{id}_2$ $	transfere
$ $T * \mathbf{id}_2$	$	reduz segundo $F \to \mathbf{id}$
$ $T * F$	$	reduz segundo $T \to T * F$
$ T	$	reduz segundo $E \to T$
$ E	$	aceita

FIGURA 4.28 Configurações de um analisador shift-reduce sob a entrada $\mathbf{id}_1 * \mathbf{id}_2$.

Embora as principais operações sejam shift e reduce, na realidade existem quatro ações possíveis que um analisador shift-reduce pode realizar: (1) shift, (2) reduce, (3) accept e (4) error.

1. *Shift*. Transfere o próximo símbolo da entrada para o topo da pilha.
2. *Reduce*. O extremo direito da cadeia a ser reduzida deve estar no topo da pilha. Localize o extremo esquerdo da cadeia no interior da pilha e decida por qual não-terminal esta cadeia será substituída.

---

4 N. do R.T.: Do inglês *shift*, que significa "empilha e avança".

3. *Accept.* Anuncia o término bem-sucedido da análise.
4. *Error.* Ao descobrir um erro de sintaxe chame uma rotina de recuperação de erro.

O uso de uma pilha durante a análise shift-reduce é justificado por um fato importante: o handle sempre aparece do topo para baixo na pilha do reconhecedor, nunca em seu interior. Esse fato pode ser mostrado considerando-se as formas possíveis de dois passos sucessivos em qualquer derivação mais à direita. A Figura 4.29 ilustra os dois casos possíveis. No caso (1), A é substituído por βBy, e então o não-terminal mais à direita B no corpo βBy é substituído por γ. No caso (2), novamente A é derivado primeiro, mas, dessa vez, o corpo é uma cadeia y contendo apenas terminais. O próximo não-terminal mais à direita B estará em algum ponto à esquerda de y.

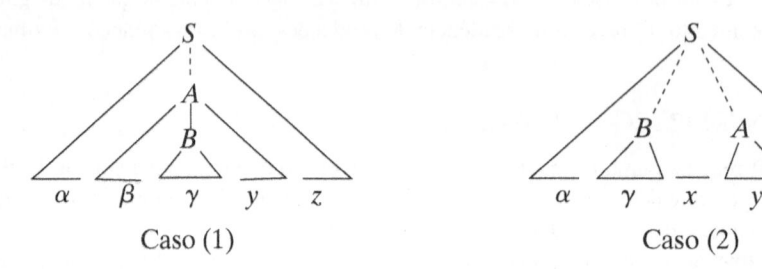

FIGURA 4.29 Casos para dois passos sucessivos de uma derivação mais à direita.

Em outras palavras:

(1) $S \stackrel{*}{\underset{rm}{\Rightarrow}} \alpha Az \underset{rm}{\Rightarrow} \alpha\beta Byz \underset{rm}{\Rightarrow} \alpha\beta\gamma yz$

(2) $S \stackrel{*}{\underset{rm}{\Rightarrow}} \alpha BxAz \underset{rm}{\Rightarrow} \alpha Bxyz \underset{rm}{\Rightarrow} \alpha\gamma xyz$

Considere o caso (1) ao inverso, onde o analisador shift-reduce acabou de atingir a configuração.

PILHA	ENTRADA
$\$\alpha\beta\gamma$	$yz\$$

O analisador reduz o handle γ para B para atingir a configuração

| $\$\alpha\beta B$ | $z\$$ |

O analisador sintático agora pode transferir a cadeia y para a pilha em uma seqüência de zero ou mais movimentos de transferência para atingir a configuração

| $\$\alpha\beta By$ | $z\$$ |

com o handle βBy no topo da pilha, ele é reduzido para A.

Agora considere o caso (2). Na configuração

| $\$\alpha\gamma$ | $xyz\$$ |

o handle γ está no topo da pilha. Após reduzi-lo para B, o analisador pode transferir a cadeia xy a fim de deixar o próximo handle y no topo da pilha, pronto para ser reduzido para A:

| $\$\alpha Bxy$ | $z\$$ |

Em ambos os casos, após uma redução, o analisador sintático teve de transferir zero ou mais símbolos a fim de deixar o próximo handle no topo da pilha, mas nunca teve de verificar o interior da pilha para encontrar o handle.

4.5.4 Conflitos durante a análise sintática shift-reduce

Existem gramáticas livres de contexto para as quais a análise shift-reduce não pode ser aplicada. Todo analisador sintático shift-reduce para tais gramáticas pode alcançar uma configuração na qual, conhecendo todo o conteúdo da pilha e o próximo símbolo da entrada, o analisador não é capaz de decidir se empilha e avança ou reduz, caracterizando um conflito conhecido como *conflito shift/reduce*, ou não consegue decidir qual das várias reduções disponíveis deverá ser aplicada, caracterizando um *conflito reduce/reduce*. A seguir são apresentados alguns exemplos de construções sintáticas que dão origem a tais gramáticas. Tecnicamente, essas gramáticas não pertencem à classe de gramáticas LR(*k*) definida na Seção 4.7; nós nos referimos a elas como gramáticas não-LR. O *k* em LR(*k*) refere-se ao número de símbolos à frente na entrada ainda não lidos, conhecidos como *lookaheads*. As gramáticas usadas na compilação usualmente pertencem à classe LR(1), e na prática apenas um símbolo à frente na entrada é suficiente.

EXEMPLO 4.38: Uma gramática ambígua nunca pode ser LR. Por exemplo, considere a gramática do else vazio (4.14) da Seção 4.3:

$$\begin{aligned} stmt \quad \rightarrow \quad & \textbf{if } expr \textbf{ then } stmt \\ \mid \quad & \textbf{if } expr \textbf{ then } stmt \textbf{ else } stmt \\ \mid \quad & \textbf{other} \end{aligned}$$

Se um analisador sintático shift-reduce em um momento tiver a configuração

PILHA	ENTRADA
··· **if** *expr* **then** *stmt*	**else** ··· $

não há como saber se **if** *expr* **then** *stmt* é um handle, não importa o que apareça abaixo dele na pilha. Essa configuração da pilha ilustra um conflito shift/reduce. Dependendo do que segue o **else** na entrada, pode ser correto reduzir **if** *expr* **then** *stmt* para *stmt*, ou pode ser correto transferir o **else** para a pilha e então procurar outro *stmt* para completar a alternativa **if** *expr* **then** *stmt* **else** *stmt*.

Observe que a análise shift-reduce pode ser adaptada para reconhecer certas gramáticas ambíguas, como a gramática para o **if-then-else** mostrada. Se resolvermos o conflito shift/reduce do **else** em favor da transferência, o analisador se comportará conforme esperado, associando cada **else** com o **then** anterior mais próximo, ainda não casado. Discutimos os analisadores sintáticos para essas gramáticas ambíguas na Seção 4.8.

Outro cenário comum para conflitos ocorre quando sabemos que temos um handle, mas o conteúdo da pilha e o próximo símbolo da entrada são insuficientes para determinar qual produção deve ser usada em uma redução. O exemplo a seguir ilustra essa situação.

EXEMPLO 4.39: Suponha que um analisador léxico retorne **id** como o nome do token para todos os nomes, independentemente do seu tipo. Suponha também que nossa linguagem invoque procedimentos dando seus nomes, com parâmetros entre parênteses, e que os arranjos sejam referenciados com a mesma sintaxe. Como a tradução dos índices referenciados em arranjos e parâmetros nas chamadas de procedimento são diferentes, usamos produções diferentes para gerar as listas de parâmetros atuais e para os índices. Portanto, nossa gramática pode ter, entre outras, as produções apresentadas na Figura 4.30.

(1)	*stmt*	→	**id** (*parameter-list*)
(2)	*stmt*	→	*expr* := *expr*
(3)	*parameter_list*	→	*parameter_list* , *parameter*
(4)	*parameter_list*	→	*parameter*
(5)	*parameter*	→	**id**
(6)	*expr*	→	**id** (*expr_list*)
(7)	*expr*	→	**id**
(8)	*expr_list*	→	*expr_list* , *expr*
(9)	*expr_list*	→	*expr*

FIGURA 4.30 Produções envolvendo chamadas de procedimento e referências a índices de arranjos.

Um comando começando com `p(i,j)` é representado internamente pela seqüência de tokens **id(id,id)** durante a análise sintática. Após transferir os três primeiros tokens para a pilha, um analisador shift-reduce estaria na configuração

PILHA	ENTRADA
··· **id** (**id**	, **id**) ···

É evidente que o **id** no topo da pilha precisa ser reduzido, mas por qual produção? A escolha correta é a produção (5) se p for um procedimento, mas é a produção (7) se p for um arranjo. Uma simples inspeção na pilha não é suficiente para nos dizer qual produção escolher; é necessário utilizar as informações da tabela de símbolos obtida a partir da declaração de p.

Uma solução é substituir o token **id** da produção (1) para **procid** e usar um analisador léxico mais sofisticado, que retorna o nome do token **procid** quando ele reconhecer um lexema que seja o nome de um procedimento. Para fazer isso, é preciso que o analisador léxico consulte a tabela de símbolos antes de retornar um token.

Se fizermos essa modificação, então, no processamento de p(i,j), o analisador estaria na configuração

Pilha	Entrada
··· **procid** (**id**	, **id**) ···

ou na configuração anterior. No segundo caso, escolhemos a redução segundo a produção (5); e, no primeiro caso, reduzimos segundo a produção (7). Observe como o terceiro símbolo a partir do topo da pilha para baixo determina a redução a ser feita, embora não esteja envolvido na redução. A análise shift-reduce pode utilizar informações mais abaixo na pilha para auxiliar o reconhecimento da cadeia de entrada.

4.5.5 Exercícios da Seção 4.5

Exercício 4.5.1 Para a gramática $S \rightarrow 0\ S\ 1\ |\ 0\ 1$ do Exercício 4.2.2(a), indique o handle em cada uma das seguintes formas sentenciais à direita:

a) 000111.

b) 00S11.

Exercício 4.5.2: Repita o Exercício 4.5.1 para a gramática $S \rightarrow SS+\ |\ SS*\ |\ a$ do Exercício 4.2.1 e as seguintes formas sentenciais à direita:

a) $SSS + a * +$.

b) $SS + a * a +$.

c) $aaa * a + +$.

Exercício 4.5.3: Mostre os passos de reconhecimento, considerando os analisadores sintáticos ascendentes para as seguintes cadeias da entrada e gramáticas:

a) A entrada 000111 de acordo com a gramática do Exercício 4.5.1.

b) A entrada $aaa * a + +$ de acordo com a gramática do Exercício 4.5.2.

4.6 Introdução à análise LR simples: SLR

Atualmente, o tipo mais prevalente de analisadores sintáticos ascendentes é baseado em um conceito chamado reconhecedores LR(k)[5]; o "L" representa a escansão da entrada da esquerda para a direita, o "R" representa a construção das derivações mais à direita ao reverso, e o "k" representa os símbolos à frente no fluxo de entrada que auxiliam nas decisões de análise. Na prática, $k = 0$ ou $k = 1$ é suficiente, e só vamos considerar analisadores sintáticos LR com $k \leq 1$ neste texto. Quando (k) é omitido, k é considerado como sendo 1.

Esta seção apresenta os conceitos básicos da análise LR e a variante mais simples dos métodos usados para construir analisadores shift-reduce, chamado "LR Simples" (ou, abreviando, SLR — *Simple LR*). É importante para o entendimento dos métodos alguma familiaridade com os conceitos básicos, mesmo que o analisador LR seja construído usando um gerador de analisador sintático automático. Inicialmente introduzimos os conceitos de "itens" e "estados do analisador"; a saída de um gerador de reconhecedores LR tipicamente inclui estados do analisador, que podem ser usados para diagnosticar e isolar as fontes de conflitos detectadas durante a análise.

A Seção 4.7 apresenta dois métodos mais complexos — LR canônico e LALR — que são usados na maioria dos reconhecedores sintáticos LR.

4.6.1 Por que analisadores sintáticos LR?

Os analisadores LR são controlados por uma tabela, de modo muito parecido com os analisadores LL não-recursivos da Seção 4.4.4. Uma gramática para a qual é possível construir uma tabela de análise usando um dos métodos desta e da próxima seção é considerada uma *gramática LR*. Intuitivamente, para uma gramática ser LR, é suficiente que um analisador shift-reduce seja capaz de reconhecer o handle quando este aparecer no topo da pilha. Os reconhecedores sintáticos LR são atraentes por diversos motivos:

---

[5] N. do R. T.: *Left to right with Rightmost derivation*.

- Os analisadores LR são capazes de reconhecer praticamente todas as construções sintáticas definidas por gramáticas livres de contexto da maioria das linguagens de programação. Existem gramáticas livres de contexto que não são LR, mas geralmente elas podem ser evitadas para construções típicas das linguagens de programação.
- O LR, além de ser o método de análise shift-reduce sem retrocesso mais geral, pode ser implementado com o mesmo grau de eficiência, espaço e tempo, que outros métodos shift-reduce (Vejas as Referências do Capítulo 4, no final).
- Um analisador sintático LR detecta um erro sintático tão logo ele aparece na cadeia de entrada em uma escansão da entrada da esquerda para a direita.
- A classe de gramáticas que podem ser reconhecidas usando os métodos LR é um superconjunto próprio da classe de gramáticas que podem ser reconhecidas com os métodos preditivos ou LL. Para uma gramática ser LR(k), ela deve ser capaz de reconhecer a ocorrência do lado direito de uma produção em uma forma sentencial mais à direita, com k símbolos à frente na entrada. Esse requisito é muito menos rigoroso do que aquele para as gramáticas LL(k), onde, para reconhecer o uso de uma produção o analisador vê apenas os k primeiros símbolos que o seu lado direito deriva. Assim, não é surpresa que as gramáticas LR possam descrever mais linguagens do que as gramáticas LL.

A principal desvantagem do método LR está relacionada com a geração do analisador: sua construção à mão, para uma gramática de linguagem de programação típica, é muito trabalhosa. Portanto, é necessário o uso de uma ferramenta especializada, um gerador de analisadores LR. Felizmente, muitos desses geradores estão disponíveis, e discutiremos um dos mais utilizados, Yacc, na Seção 4.9. Tal gerador recebe como entrada uma gramática livre de contexto e produz automaticamente como saída um analisador sintático para essa gramática. Se a gramática possui ambigüidades ou outras construções difíceis de analisar em uma escansão da esquerda para a direita, então o gerador de analisador sintático localiza essas construções e disponibiliza mensagens com diagnósticos detalhados.

4.6.2 Itens e o autômato LR(0)

Como um analisador sintático shift-reduce sabe quando transferir para a pilha e quando reduzir? Por exemplo, dado o conteúdo de pilha \$$T$ e o próximo símbolo da entrada $*$ na Figura 4.28, como o analisador sabe que T no topo da pilha não é um handle, de modo que a ação apropriada seja transferir o "$*$" para a pilha e não reduzir de T para E?

Um analisador sintático LR decide sobre as ações shift-reduce mantendo estados para acompanhar onde se encontra a análise. Os estados representam conjuntos de "itens". Um *item LR(0)* (*item*, para abreviar) de uma gramática G é uma produção de G com um ponto em alguma posição do seu lado direito. A produção $A \to XYZ$ gera os quatro itens a seguir

$$A \to \cdot XYZ$$
$$A \to X \cdot YZ$$
$$A \to XY \cdot Z$$
$$A \to XYZ \cdot$$

A produção $A \to \epsilon$ gera apenas um item, $A \to \cdot$.

Representação dos conjuntos de itens

Um gerador de analisadores sintáticos que produz um analisador ascendente precisa representar os itens e conjuntos de itens convenientemente. Observe que um item pode ser representado por um par de inteiros, onde o primeiro componente do par representa o número de uma das produções da gramática subjacente, e o segundo indica a posição do ponto. Conjuntos de itens podem ser representados por uma lista desses pares. Entretanto, conforme veremos, os conjuntos de itens necessários freqüentemente incluem itens de "fechamento" ("*closure*"), onde o ponto está no início do corpo. Esses itens sempre podem ser reconstruídos a partir dos outros itens no conjunto, e não temos de incluí-los na lista.

Intuitivamente, um item indica quanto de uma produção já foi visto em determinado ponto no processo de reconhecimento sintático. Por exemplo, o item $A \to \cdot XYZ$ indica o início da busca por uma cadeia derivável de XYZ na entrada. O item $A \to X \cdot YZ$ indica que no ponto atual onde se encontra a análise uma cadeia derivável de X já foi encontrada e que esperamos em seguida ver uma cadeia derivável de YZ. O item $A \to XYZ \cdot$ indica o fim da busca, ou seja, já derivamos o lado direito XYZ de A e que pode ser o momento de reduzir XYZ para A.

Uma coleção de conjuntos de itens LR(0), chamada *coleção LR(0) canônica*, oferece a base para a construção de um autômato finito determinista, que é usado para dirigir as decisões durante a análise. Esse autômato é chamado de *autômato LR(0)*.[5] Em particular, cada estado do autômato LR(0) representa um conjunto de itens na coleção LR(0) canônica. O autômato para a

---

[5] Tecnicamente, o autômato deixa de ser determinista, de acordo com a definição da Seção 3.6.4, pois não temos um estado morto, correspondente ao conjunto vazio de itens. Como resultado, existem alguns pares estado-entrada para os quais não há um estado seguinte.

gramática da expressão (4.1), mostrada na Figura 4.31, é usado como exemplo para a discussão sobre a construção da coleção LR(0) canônica para uma gramática.

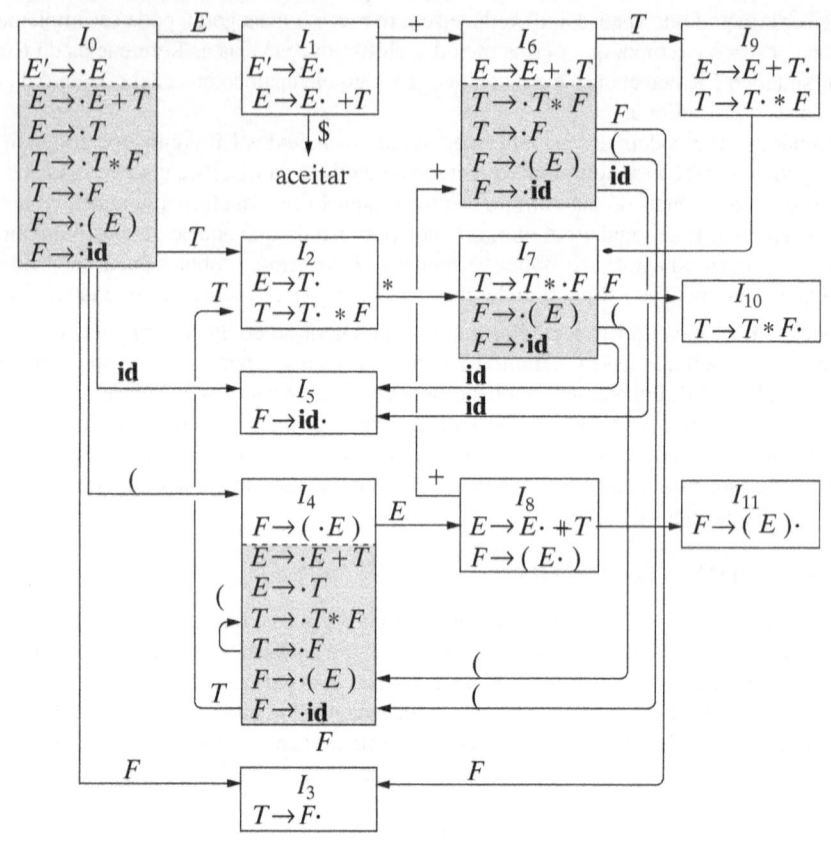

FIGURA 4.31 Autômato LR(0) para a gramática da expressão (4.1).

Para construir a coleção LR(0) canônica para uma gramática, definimos uma gramática estendida e duas funções, a função de fechamento (function ou função CLOSURE) e a função de transição (function ou função GOTO). Se G é uma gramática com símbolo inicial S, então G', é uma gramática *estendida* para G com um novo símbolo inicial S' e a produção $S' \to S$. O objetivo dessa nova produção inicial é simplificar a identificação de quando o reconhecedor sintático deve parar e anunciar a aceitação da cadeia de entrada. Ou seja, a aceitação ocorre se e somente se o analisador estiver para reduzir por $S' \to S$.

Fechamento de conjuntos de itens

Se I é um conjunto de itens para uma gramática G, então CLOSURE(I) é o conjunto de itens construídos a partir de I pelas duas regras:

1. Inicialmente, acrescente todo item de I no CLOSURE(I).
2. Se $A \to \alpha \cdot B\beta$ está em CLOSURE(I) e B $\to \gamma$ é uma produção, então adicione o item $B \to \cdot \gamma$ em CLOSURE(I), se ele ainda não está lá. Aplique essa regra até que nenhum outro item possa ser incluído no CLOSURE(I).

Intuitivamente, $A \to \alpha \cdot B\beta$ em CLOSURE(I) indica que, em algum ponto no processo de reconhecimento, os itens correspondentes às produções-B devem ser acrescentados para dirigir a busca por B. A subcadeia derivável de $B\beta$ na entrada terá um prefixo derivável de B aplicando uma das produções-B. Portanto, incluímos itens para todas as produções-B; ou seja, se $B \to \gamma$ é uma produção, também incluímos $B \to \cdot \gamma$ em CLOSURE(I), este processo é conhecido como *fechamento do estado*.

EXEMPLO 4.40: Considere a gramática estendida das expressões:

$$\begin{aligned} E' &\to E \\ E &\to E + T \mid T \\ T &\to T * F \mid F \\ E &\to (E) \mid \mathbf{id} \end{aligned}$$

Se I é o conjunto de um item $\{[E' \to \cdot E]\}$, então CLOSURE(I) contém o conjunto de itens I_0 da Figura 4.31.

Para ver como o fechamento do estado é computado, $E' \to \cdot E$ é colocado em CLOSURE(I) pela regra (1). Como existe um não-terminal E imediatamente à direita de um ponto, acrescentamos as produções-E com pontos mais à esquerda do lado direito dos itens, por exemplo: $E \to \cdot E + T$ e $E \to \cdot T$. Agora, existe um não-terminal T imediatamente à direita de um ponto no segundo item incluído, de modo que acrescentamos as produções-T, $T \to \cdot T * F$ e $T \to \cdot F$. Em seguida, o não-terminal F à direita de um ponto nos força a incluir os itens $F \to \cdot (E)$ e $F \to \cdot \mathbf{id}$, mas nenhum outro item precisa ser acrescentado.

O fechamento pode ser computado como na Figura 4.32. Um modo conveniente de implementar a função de fechamento (closure) é manter um arranjo booliano *added*, indexado pelos não-terminais de G, de modo que *added[B]* seja definido como **true** se e quando incluirmos o item $B \to \cdot \gamma$ para cada produção-B, $B \to \gamma$.

```
SetOfItems CLOSURE(I) {
    J = I;
    repeat
        for ( cada item A → α·Bβ em J )
            for ( cada produção B → γ de G )
                if ( B → ·γ não está em J )
                    adicione B →·γ em J;
    until mais nenhum item seja adicionado a J em um passo do loop;
    return J;
}
```

FIGURA 4.32 Computação do fechamento de I.

Observe que, se uma produção-B for incluída no fechamento de I com o ponto mais à esquerda no seu lado direito, então todas as produções-B serão igualmente incluídas no fechamento. Portanto, não é necessário, em algumas circunstâncias, realmente listar os itens $B \to \cdot \gamma$ incluídos em I pela função CLOSURE. Uma lista de não-terminais B, cujas produções foram incluídas dessa forma, é suficiente. Dividimos todos os conjuntos de itens de interesse em duas classes:

1. *Itens de base* (*kernel*): o item inicial, $S' \to \cdot S$, e todos os itens cujos pontos não estão mais à esquerda em seus lados direitos.
2. *Itens que não são de base*: todos os itens com seus pontos mais à esquerda de seus lados direitos, exceto para $S' \to \cdot S$.

Além do mais, cada conjunto de itens de interesse é formado a partir do fechamento de um conjunto de itens de *base*; os itens adicionados no fechamento nunca podem ser itens de *base* naturalmente. Assim, podemos representar os conjuntos de itens em que realmente estamos interessados com pouca memória se desprezarmos todos os itens que *não são de base*, sabendo que eles podem ser gerados novamente pelo processo de fechamento. Na Figura 4.31, os itens que *não são de base* estão na parte sombreada da caixa para cada estado.

A função de transição

A segunda função usada na construção da coleção canônica LR(0) é a função de transição, GOTO(I, X), onde I é um conjunto de itens e X é um símbolo da gramática. GOTO(I, X) é definido como o fechamento do conjunto de todos os itens [$A \to \alpha X \cdot \beta$] tais que [$A \to \alpha \cdot X \beta$] está em I. Intuitivamente, a função de transição GOTO é utilizada para definir as transições no autômato LR(0) para uma gramática. Os estados do autômato correspondem aos conjuntos de itens, e GOTO(I, X) especifica a transição do estado I para um novo estado I sob a entrada X.

EXEMPLO 4.41: Se I representa o conjunto com dois itens $\{[E' \to E \cdot], [E \to E \cdot + T]\}$, então GOTO($I,+$) contém os itens

$$E \to E + \cdot T$$
$$T \to \cdot T * F$$
$$T \to \cdot F$$
$$F \to \cdot (E)$$
$$F \to \cdot \mathbf{id}$$

Calculamos GOTO($I,+$) examinando os itens em I com o $+$ imediatamente à direita do ponto. O item $E' \to E \cdot$ não é desse tipo, mas $E \to E \cdot + T$ sim. Movemos o ponto para imediatamente à direita de $+$ e obtemos $E \to E + \cdot T$, e então calculamos o fechamento desse conjunto unitário.

Agora, estamos prontos para construir C, a *coleção canônica de conjuntos de itens* LR(0) para uma gramática estendida G' — o algoritmo é apresentado na Figura 4.33.

```
void itens(G') {
    C = CLOSURE({[S' → ·S]});
    repeat
        for ( cada conjunto de itens I em C )
            for ( cada símbolo de gramática X )
                if ( GOTO(I, X) não é vazio e não está em C )
                    adicione GOTO(I, X) em C;
    until nenhum novo conjunto de itens seja adicionado em C em uma rodada;
}
```

FIGURA 4.33 Computação da coleção canônica de conjuntos de itens LR(0).

EXEMPLO 4.42: A coleção canônica de conjuntos de itens LR(0) para a gramática (4.1) e a função de transição correspondente são mostradas na Figura 4.31. GOTO é codificado pelas transições nesta figura.

Uso do autômato LR(0)

A idéia central por trás da análise sintática "LR Simples", ou SLR, é a construção do autômato LR(0) a partir da gramática dada. Os estados desse autômato são os conjuntos de itens da coleção LR(0) canônica, e as transições são dadas pela função de transição GOTO. O autômato LR(0) para a gramática da expressão (4.1) apareceu anteriormente na Figura 4.31.

O estado inicial do autômato LR(0) é dado por CLOSURE({[S' → ·S]}), onde S' é o símbolo inicial da gramática estendida. Todos os estados são estados de aceitação. Referimo-nos ao "estado j" como o estado correspondente ao conjunto de itens I_j.

Como os autômatos LR(0) podem ajudar-nos a decidir por uma das ações shift-reduce? As decisões entre shift-reduce podem ser feitas como a seguir. Suponha que a cadeia γ dos símbolos da gramática leve o autômato LR(0) do estado inicial 0 para algum estado j. Então, avance sob o próximo símbolo a da entrada se o estado j possuir uma transição sob a. Caso contrário, escolha reduzir; os itens no estado j nos dirão qual produção utilizar.

O algoritmo de análise sintática LR da Seção 4.6.3 utiliza sua pilha para acompanhar os estados e também os símbolos da gramática; na verdade, o símbolo da gramática pode ser recuperado a partir do estado, de modo que a pilha contenha estados em vez de símbolos. O próximo exemplo mostra como um autômato LR(0) e uma pilha de estados podem ser usados para decidir entre as ações shift-reduce durante a análise sintática.

EXEMPLO 4.43: A Figura 4.34 ilustra as ações de um analisador shift-reduce para a entrada **id * id**, usando o autômato LR(0) da Figura 4.31. Usamos uma pilha para conter os estados; por clareza, os símbolos da gramática correspondentes aos estados da pilha aparecem na coluna SÍMBOLOS. Na linha (1), a pilha contém o estado inicial 0 do autômato; o símbolo correspondente é o marcador de fundo da pilha $.

LINHA	PILHA	SÍMBOLOS	ENTRADA	AÇÃO
(1)	0	$	id * id $	empilha 5 e avança
(2)	0 5	$ **id**	* id $	reduz segundo F → **id**
(3)	0 3	$ F	* id $	reduz segundo T → F
(4)	0 2	$ T	* id $	empilha 7 e avança
(5)	0 2 7	$ T *	id $	empilha 5 e avança
(6)	0 2 7 5	$ T * **id**	$	reduz segundo F → **id**
(7)	0 2 7 10	$ T * F	$	reduz segundo T → T * F
(8)	0 2	$ T	$	reduz segundo E → T
(9)	0 1	$ E	$	aceitar

FIGURA 4.34 A análise de **id * id**.

O próximo símbolo de entrada é **id** e o estado 0 tem uma transição sob **id** para o estado 5. Portanto, fazemos a transferência. Na linha (2), o estado 5 (símbolo **id**) é empilhado. Não há transição a partir do estado 5, sob a entrada *, por isso reduzimos. A partir do item [F → **id** ·] no estado 5, efetuamos uma redução segundo a produção F → **id**.

Com símbolos, uma ação de redução é implementada desempilhando-se o lado direito da produção no topo da pilha e empilhando o seu lado esquerdo. No exemplo da Figura 4.34, o lado direito da produção na linha (2) é **id,** correspondendo ao estado 5, e seu lado esquerdo é o F. Com os estados, ao desempilhar o estado 5 correspondendo ao símbolo **id,** o estado 0 passa a ser o topo. Procuramos uma transição sob F, o lado esquerdo da produção. Na Figura 4.31, o estado 0 possui uma transição em F para o estado 3, de modo que empilhamos o estado 3, com o símbolo F correspondente; veja a linha (3).

Como outro exemplo, considere a linha (5) com o estado 7, referente ao símbolo ∗, no topo da pilha. Esse estado possui uma transição para o estado 5 sob a entrada **id**, de modo que empilhamos o estado 5 (símbolo **id**). O estado 5 não possui transições, de modo que reduzimos segundo $F \to$ **id**. Quando removemos da pilha o estado 5 correspondente ao lado direito **id**, o estado 7 passa a ser o topo da pilha. Como o estado 7 possui uma transição sob F para o estado 10, empilhamos o estado 10 (símbolo F).

4.6.3 O algoritmo de análise sintática LR

A estrutura dos analisadores LR é ilustrada na Figura 4.35. Ele consiste em uma entrada, uma saída, uma pilha, o algoritmo de análise sintática e uma tabela de análise constituída de duas partes (ACTION e GOTO). O algoritmo é o mesmo para todos os analisadores sintáticos LR; apenas a tabela de análise é diferente de um analisador para outro. O algoritmo de análise lê caracteres de um buffer de entrada um de cada vez. Onde um analisador sintático shift-reduce transfere um símbolo para a pilha, um analisador sintático LR transfere um *estado*. Cada estado resume a informação contida na pilha abaixo dele.

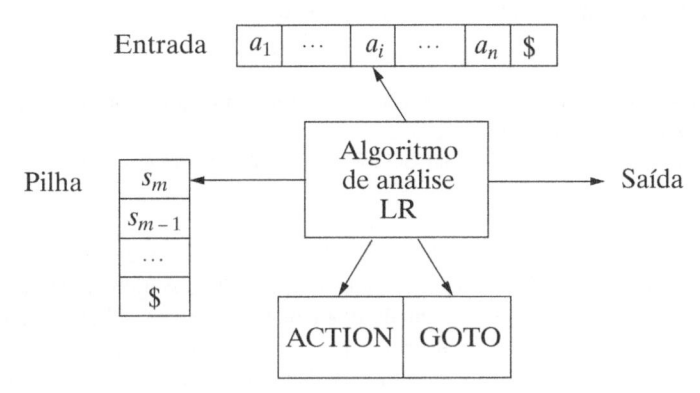

Figura 4.35 Modelo de um analisador sintático LR.

A pilha contém uma seqüência de estados, $s_0 s_1 \cdots s_m$, onde s_m está no topo. No método SLR, a pilha contém estados do autômato LR(0); os métodos LR canônico e LARL são semelhantes. Por construção, a cada estado é associado um símbolo de gramática. Lembre-se de que os estados correspondem a conjuntos de itens, e que há uma transição do estado i para o estado j se GOTO$(I_i, X) = I_j$. Todas as transições para o estado j devem ser para o mesmo símbolo da gramática X. Assim, cada estado, exceto o estado inicial 0, possui um único símbolo da gramática associado a ele.[7]

Estrutura da tabela de análise LR

A tabela de análise LR consiste em duas partes: ACTION, uma função de ação de análise, e GOTO, uma função de transição.

1. A função ACTION recebe como argumentos um estado i e um terminal a (ou $, o marcador de fim de entrada). O valor de ACTION$[i, a]$ pode ter um dos quatro formatos:
   (a) *Shift j*, onde j é um estado. A ação tomada pelo analisador sintático efetivamente transfere a entrada a para a pilha, mas usa o estado j para representar a.
   (b) *Reduce $A \to \beta$*. A ação do analisador sintático efetivamente reduz β no topo da pilha para A, o lado esquerdo da produção.
   (c) *Accept*. O analisador sintático aceita a entrada e termina a análise.
   (d) *Error*. O analisador sintático descobre um erro em sua entrada, passa o controle para o recuperador de erro, que toma alguma ação corretiva. Teremos mais a dizer sobre o funcionamento dos métodos de recuperação de erros para os analisadores LR nas seções 4.8.3 e 4.9.4.
2. Estendemos a função GOTO, definida sobre os conjuntos de itens, para estados: se GOTO$[I_i, A] = I_j$, então GOTO também mapeia um estado i e um não-terminal A para o estado j.

Configurações do analisador LR

Para descrever o comportamento de um analisador sintático LR, é recomendável ter uma notação representando o estado completo do analisador: sua pilha e a entrada restante. Uma *configuração* para um analisador sintático LR é um par:

---

[7] A recíproca não precisa ser verdadeira; ou seja, mais de um estado pode ter o mesmo símbolo da gramática. Veja, por exemplo, os estados 1 e 8 no autômato LR(0) da Figura 4.31, chega-se a ambos com transições sob E, ou chega-se aos estados 2 e 9 com transições sob T.

$$(s_0 s_1 \cdots s_m, a_i a_{i+1} \cdots a_n \$)$$

onde o primeiro componente é o conteúdo da pilha, com o topo à direita, e o segundo componente representa a entrada restante. Essa configuração representa a forma sentencial à direita

$$X_1 X_2 \cdots X_m a_i a_{i+1} \cdots a_n$$

essencialmente da mesma forma que faria um analisador sintático shift-reduce; a única diferença é que, em vez de símbolos da gramática, a pilha contém estados, a partir dos quais os símbolos da gramática podem ser recuperados. Ou seja, X_i é o símbolo da gramática representado pelo estado s_i. Observe que s_0, o estado inicial do analisador sintático, não representa um símbolo da gramática, e serve como um marcador de fundo da pilha, além de desempenhar um papel importante na análise.

Comportamento do analisador LR

O próximo movimento do analisador, a partir da configuração dada, é determinado pela leitura de a_i, o símbolo de entrada corrente, e s_m, o estado no topo da pilha, e então consultando a entrada ACTION$[s_m, a_i]$ na tabela de ação de análise. As configurações resultantes após cada um dos quatro tipos de movimentação são as seguintes:

1. Se ACTION$[s_m, a_i]$ = shift s, o analisador sintático executa um *movimento de transferência* (*shift move*); ele empilha o próximo estado s e avança na entrada, resultando na configuração

$$(s_0 s_1 \cdots s_m s, a_{i+1} \cdots a_n \$)$$

O símbolo a_i não precisa ser mantido na pilha, pois ele pode ser recuperado a partir de s, se necessário (o que, na prática, nunca é). O símbolo corrente da entrada agora é a_{i+1}.

2. Se ACTION$[s_m, a_i]$ = *reduce* $A \rightarrow \beta$, então o analisador sintático executa um *movimento de reduzir* (*reduce move*), resultando na configuração

$$(s_0 s_1 \ldots s_{m-r} s, a_i a_{i+1} \ldots a_n \$)$$

onde r é o comprimento de β, e s = GOTO$[s_{m-r}, A]$. Aqui, o analisador sintático inicialmente desempilhou os r símbolos de estado da pilha, expondo o estado s_{m-r}. O analisador sintático então empilhou s, a entrada para o GOTO$[s_{m-r}, A]$, na pilha. O símbolo corrente da entrada não é alterado em um movimento de reduzir. Para os analisadores sintáticos LR que construiremos, $X_{m-r+1} \cdots X_m$, a seqüência de símbolos da gramática correspondendo aos estados retirados da pilha, sempre casarão com β, o lado direito da produção sendo reduzida.

A saída de um analisador sintático LR é gerada após um movimento de reduzir, executando a ação semântica associada à produção que está sendo reduzida. No momento, vamos considerar que a saída consiste apenas na impressão da produção de redução.

3. Se ACTION$[s_m, a_i]$ = *accept*, a análise está concluída.
4. Se ACTION$[s_m, a_i]$ = *error*, o analisador sintático descobriu um erro e ativa uma rotina de recuperação de erro.

O algoritmo de análise LR é resumido a seguir. Todos os analisadores sintáticos LR se comportam dessa maneira; a única diferença entre eles diz respeito à informação contida nos campos ACTION e GOTO da tabela de análise.

ALGORITMO 4.44: Algoritmo de análise LR.

ENTRADA: Uma cadeia de entrada w e uma tabela de análise LR com funções ACTION e GOTO para uma gramática G.

SAÍDA: Se w está em $L(G)$, os passos de redução de uma análise ascendente para w; caso contrário, uma indicação de erro.

MÉTODO: Inicialmente, o analisador sintático possui $w\$$ no buffer de entrada e s_0 em sua pilha, onde s_0 representa o estado inicial. O analisador sintático, então, executa o algoritmo da Figura 4.36.

```
[PSEUDO]seja a o primeiro símbolo de w$;
while (1){ /* repita indefinidamente*/
    seja s o estado no topo da pilha;
    if ( ACTION[s,a] = shift t ) {
            empilha t na pilha;
            seja a o próximo símbolo da entrada;
    } else if ( ACTION[s,a] = reduce A→β ) {
            desempilha símbolos |β| da pilha;
            faça o estado t agora ser o topo da pilha;
            empilhe GOTO[t,A] na pilha;
            imprima a produção A → β;
    } else if ( ACTION[s,a] = accept ) pare; /* a análise terminou */
    else chame uma rotina de recuperação de erro;
}
```

FIGURA 4.36 Algoritmo de análise LR.

EXEMPLO 4.45: A Figura 4.37 mostra as funções ACTION e GOTO de uma tabela de análise LR para a gramática da expressão (4.1), repetida aqui com as produções numeradas:

(1) $E \rightarrow E + T$
(2) $E \rightarrow T$
(3) $T \rightarrow T * F$
(4) $T \rightarrow F$
(5) $F \rightarrow (E)$
(6) $F \rightarrow \mathbf{id}$

Os códigos para as ações são:
1. s_i significa avança na entrada e empilha o estado i na pilha,
2. r_j significa *reduce* segundo a produção de número j,
3. acc significa accept,
4. entrada em branco significa *error*.

Estado	Action						Goto		
	id	+	*	(	)	$	E	T	F
0	s5			s4			1	2	3
1		s6				acc			
2		r2	s7		r2	r2			
3		r4	r4		r4	r4			
4	s5			s4			8	2	3
5		r6	r6		r6	r6			
6	s5			s4				9	3
7	s5			s4					10
8		s6			s11				
9		r1	s7		r1	r1			
10		r3	r3		r3	r3			
11		r5	r5		r5	r5			

FIGURA 4.37 Tabela de análise para a gramática de expressão.

Observe que o valor de GOTO[s, a] para o terminal a se encontra no campo ACTION da tabela de análise conectado à ação de transferência sob a entrada a para o estado s. O campo GOTO fornece o GOTO[s, A] para os não-terminais A. Embora ainda não tenhamos explicado como as entradas para a Figura 4.37 foram selecionadas, lidaremos com essa questão em breve.

Para a entrada **id** ∗ **id** + **id**, a seqüência de movimentos do analisador sintático mostrando o conteúdo de pilha e da entrada é ilustrada na Figura 4.38. Para facilitar o entendimento, também são mostradas, na coluna SÍMBOLOS, as seqüências de símbolos da gramática correspondentes aos estados contidos na pilha. Por exemplo, na linha (1), o analisador sintático LR está no estado 0, o estado inicial sem símbolos da gramática, e com **id**, o primeiro símbolo de entrada. A ação na linha 0 e na coluna **id** do campo ACTION da Figura 4.37 é s5, significando avance empilhando o estado 5. É isso o que aconteceu na linha (2): o símbolo estado 5 foi posto na pilha, e **id** foi removido da entrada.

Então, ∗ torna-se o símbolo de entrada corrente, e a ação do estado 5 sob a entrada ∗ é reduzir segundo a produção $F \rightarrow \mathbf{id}$. Um símbolo estado é desempilhado. O estado 0 é, então, exposto. Como a transição do estado 0 sob F é 3, o estado 3 é colocado na pilha. Agora, temos a configuração da linha (3). Cada um dos movimentos restantes é determinado de modo semelhante.

4.6.4 Construindo tabelas de análise SLR

O primeiro método de análise sintática que vamos estudar é chamado SLR, considerado o mais simples dos métodos LR. Mostraremos nesta seção como construir tabelas de análise para ele. Vamos nos referir à tabela de análise construída por esse método como uma tabela SLR, e a um analisador LR usando uma tabela SLR como um analisador sintático SLR. Os dois outros métodos acrescentam informações sob o símbolo lookahead ao método SLR.

O método SLR começa com os itens LR(0) e autômatos LR(0) apresentados na Seção 4.5. Ou seja, dada uma gramática, G, estendemos G para produzir G', com um novo símbolo inicial S'. A partir de G', construímos C, a coleção canônica de conjuntos de itens para G' junto com a função GOTO.

Para construir as entradas ACTION e GOTO da tabela de análise usando o algoritmo a seguir, é preciso que conheçamos FOLLOW(A) para cada não-terminal A de uma gramática (veja a Seção 4.4).

	Pilha	Símbolos	Entrada	Ação
(1)	0		id * id + id $	empilha 5 e avança
(2)	0 5	id	* id + id $	reduz segundo $F \to$ id
(3)	0 3	F	* id + id $	reduz segundo $T \to F$
(4)	0 2	T	* id + id $	empilha 7 e avança
(5)	0 2 7	T *	Id + id $	empilha 5 e avança
(6)	0 2 7 5	T * id	+ id $	reduz segundo $F \to$ id
(7)	0 2 7 10	T * F	+ id $	reduz segundo $T \to T * F$
(8)	0 2	T	+ id $	reduz segundo $E \to T$
(9)	0 1	E	+ id $	empilha 6 e avança
(10)	0 1 6	E +	id $	empilha 5 e avança
(11)	0 1 6 5	E + id	$	reduz segundo $F \to$ id
(12)	0 1 6 3	E + F	$	reduz segundo $T \to F$
(13)	0 1 6 9	E + T	$	reduz segundo $E \to E + T$
(14)	0 1	E	$	aceitar

Figura 4.38   Movimentos de um analisador LR para a entrada **id * id + id**.

Algoritmo 4.46: Construção de uma tabela SLR.

ENTRADA: Uma gramática estendida G'.

SAÍDA: As funções ACTION e GOTO da tabela de análise SLR para G'.

MÉTODO:
1. Construa $C = \{I_0, I_1, ..., I_n\}$, a coleção de conjuntos de itens LR(0) para G'.
2. O estado i é construído a partir de I_i. As ações de reconhecimento sintático para o estado i são determinadas da seguinte forma:
    (a) Se o item $[A \to \alpha \cdot a\beta]$ está em I_i e GOTO$(I_i, a) = I_j$, então defina ACTION$[i, a]$ como "shift j". Aqui, a deve ser um terminal.
    (b) Se o item $[A \to \alpha \cdot]$ está em I_i, então defina ACTION$[i,a]$ como "reduce $A \to \alpha$" para todo a em FOLLOW(A); aqui, A pode não pode ser S', o símbolo inicial da gramática.
    (c) Se o item $[S' \to S \cdot]$ estiver em I_i, então defina ACTION$[i, \$]$ como "accept".

    Se quaisquer ações de conflito resultar das regras anteriores, dizemos que a gramática não é SLR(1). O algoritmo deixa de produzir um analisador sintático nesse caso.
3. As transições **goto** para o estado i são construídas para todos os não-terminais A usando a regra: Se GOTO$(I_i, A) = I_j$, então GOTO$[i, A] = j$.
4. Todas as entradas não definidas pelas regras (2) e (3) caracterizam "error".
5. O estado inicial do analisador é aquele construído a partir do conjunto de itens contendo $[S' \to \cdot S]$.

A tabela de análise consistindo das funções ACTION e GOTO determinadas pelo Algoritmo 4.46 é chamada de *tabela SLR(1)* para G. Um analisador LR usando a tabela SLR(1) para G é chamado de analisador sintático SLR(1) para G, e uma gramática tendo uma tabela de análise SLR(1) é considerada *SLR(1)*. Usualmente, omitimos o "(1)" depois do "SLR", pois não lidaremos aqui com os analisadores com mais de um símbolo lookahead.

Exemplo 4.47: Vamos construir a tabela SLR para a gramática estendida de expressão. A coleção canônica de conjuntos de itens LR(0) para a gramática foi mostrada na Figura 4.31. Primeiro, considere o conjunto de itens I_0:

$$E' \to \cdot E$$
$$E \to \cdot E + T$$
$$E \to \cdot T$$
$$T \to \cdot T * F$$
$$T \to \cdot F$$
$$F \to \cdot (E)$$
$$F \to \cdot \text{id}$$

O item $F \to \cdot(E)$ dá origem à entrada ACTION$[0,(] = $ shift 4, e o item $F \to \cdot$**id** para a entrada ACTION$[0, \text{id}] = $ shift 5. Os demais itens em I_0 não produzem entradas na parte ACTION referente ao estado 0. Agora, considere I_1:

$$E' \to E\cdot$$
$$E \to E\cdot + T$$

O primeiro item gera ACTION[1, $] = accept, e o segundo gera ACTION[1,+] = shift 6. Em seguida, considere I_2:

$$E' \to T\cdot$$
$$T \to T\cdot * F$$

Como o FOLLOW(E) = {$, +,)}, o primeiro item faz com que

ACTION[2, $] = ACTION[2, +] = ACTION[2,)] = reduce segundo a produção $E \to T$

O segundo item gera ACTION[2,∗] = shift 7. Continuando esse processo, obtemos as tabelas ACTION e GOTO que foram mostradas na Figura 4.31. Nessa figura, os números das produções em ações de redução são iguais à ordem em que aparecem na gramática original (4.1). Ou seja, $E \to E + T$ refere-se ao número 1, $E \to T$ refere-se ao número 2, e assim por diante.

Exemplo 4.48: Toda gramática SLR(1) é não-ambígua, mas existem muitas gramáticas não-ambíguas que não são SLR(1). Considere a gramática com as produções

$$\begin{aligned} S &\to L = R \mid R \\ L &\to *R \mid \mathbf{id} \\ R &\to L \end{aligned} \qquad (4.49)$$

Pense em L e R como significando valor l e valor r, respectivamente, e ∗ como um operador indicando "conteúdo de".[8] A coleção LR canônica de conjuntos de itens LR(0) para a gramática (4.49) é apresentada na Figura 4.39.

I_0: $S' \to \cdot S$
$\quad\ \ S \to \cdot L = R$
$\quad\ \ S \to \cdot R$
$\quad\ \ L \to \cdot * R$
$\quad\ \ L \to \cdot \mathbf{id}$
$\quad\ \ R \to \cdot L$

I_1: $S' \to S\cdot$

I_2: $S \to L\cdot = R$
$\quad\ \ R \to L\cdot$

I_3: $S \to R\cdot$

I_4: $L \to *\cdot R$
$\quad\ \ R \to \cdot L$
$\quad\ \ L \to \cdot * R$
$\quad\ \ L \to \cdot \mathbf{id}$

I_5: $L \to \mathbf{id}\cdot$

I_6: $S \to L = \cdot R$
$\quad\ \ R \to \cdot L$
$\quad\ \ L \to \cdot * R$
$\quad\ \ L \to \cdot \mathbf{id}$

I_7: $L \to * R\cdot$

I_8: $R \to L \cdot$

I_9: $S \to L = R\cdot$

Figura 4.39 Coleção canônica LR(0) para a gramática (4.49).

Considere o conjunto de itens I_2. O primeiro item desse conjunto faz com que ACTION[2, =] seja "shift 6". Como FOLLOW(R) contém = (para ver por quê, considere a derivação $S \Rightarrow L = R \Rightarrow * R = R$), o segundo item define ACTION[2, =] como "reduce segundo a produção $R \to L$". Como existe uma ação de transferir e reduzir para o estado 2 e a entrada "=" em ACTION[2, =], o estado 2 caracteriza um conflito shift/reduce sob o símbolo de entrada =.

---

8 Como na Seção 2.8.3, um valor l designa um endereço e um valor r representa um valor que pode ser armazenado em um endereço.

A gramática (4.49) não é ambígua. Esse conflito shift/reduce aparece porque o método para a construção de analisadores SLR não é suficientemente poderoso para lembrar o contexto à esquerda a fim de decidir que ação o reconhecedor deve tomar quando = aparece na entrada, tendo visto uma cadeia redutível para L. Os métodos LR canônico e o LALR, discutidos a seguir, conseguem reconhecer a gramática (4.49) e terão sucesso com uma gama maior de gramáticas. Porém, observe que existem gramáticas não-ambíguas para as quais todos os métodos de construção de analisadores sintáticos LR produzirão tabelas de ação de análise com conflitos. Felizmente, essas gramáticas geralmente podem ser evitadas em aplicações de linguagens de programação.

4.6.5 Prefixos viáveis

Por que os autômatos LR(0) podem ser usados para guiar as decisões do tipo shift-reduce? O autômato LR(0) para uma gramática caracteriza as cadeias de símbolos da gramática que podem aparecer na pilha de um analisador sintático shift-reduce para a gramática. O conteúdo da pilha precisa ser um prefixo de uma forma sentencial à direita. Se a pilha contém α e o restante da entrada é x, então uma seqüência de reduções levará αx para S. Em termos de derivações, $S \Rightarrow \alpha x$.

Contudo, nem todos os prefixos das formas sentenciais à direita podem aparecer na pilha, pois o analisador sintático não deve avançar além do handle. Por exemplo, suponha que

$$E \underset{rm}{\overset{*}{\Rightarrow}} F * \mathbf{id} \underset{rm}{\Rightarrow} (E) * \mathbf{id}$$

Então, em vários momentos durante o reconhecimento sintático, a pilha conterá (, (E e (E), mas não deve conter (E)*, pois (E) é um handle, que o analisador sintático precisa reduzir para F antes de transferir o *.

Os prefixos das formas sentenciais à direita que podem aparecer na pilha de um analisador shift-reduce são chamados de *prefixos viáveis*. Eles são definidos da seguinte forma: um prefixo viável é um prefixo de uma forma sentencial à direita que não continua além da extremidade direita do handle mais à direita dessa forma sentencial. Por essa definição, sempre é possível adicionar símbolos terminais no fim de um prefixo viável para obter uma forma sentencial à direita.

A análise SLR é baseada no fato de que autômatos LR(0) reconhecem prefixos viáveis. Dizemos que o item $A \rightarrow \beta_1 \cdot \beta_2$ é *válido* para um prefixo viável $\alpha\beta_1$ se existir uma derivação $S' \underset{rm}{\overset{*}{\Rightarrow}} \alpha A w \underset{rm}{\Rightarrow} \alpha\beta_1\beta_2 w$. Em geral, um item será válido para muitos prefixos viáveis.

O fato de $A \rightarrow \beta_1 \cdot \beta_2$ ser válido para $\alpha\beta_1$ nos diz muito a respeito sobre transferir ou reduzir quando encontramos $\alpha\beta_1$ na pilha de análise. Em particular, se $\beta_2 \neq \epsilon$, então sugere-se que ainda não transferimos o handle para a pilha, de modo que o próximo movimento agora é de transferência. Se $\beta_2 = \epsilon$, então tudo indica que $A \rightarrow \beta_1$ é o handle e podemos reduzir segundo essa produção. Naturalmente, dois itens válidos podem nos dizer para fazer diferentes coisas para o mesmo prefixo viável. Alguns desses conflitos podem ser resolvidos examinando-se o próximo símbolo de entrada, e outros podem ser resolvidos pelos métodos da Seção 4.8, mas não podemos afirmar que todos os conflitos de ação de reconhecimento podem ser resolvidos se o método LR for aplicado a uma gramática arbitrária.

Podemos facilmente calcular o conjunto de itens válidos para cada prefixo viável que pode aparecer na pilha de um analisador sintático LR. Na verdade, é um teorema central da teoria de análise LR que o conjunto de itens válidos para um prefixo viável γ seja exatamente o conjunto de itens alcançados a partir do estado inicial ao longo do caminho rotulado com γ no autômato LR(0) para a gramática. Essencialmente, o conjunto de itens válidos incorpora todas as informações necessárias para reconhecer o handle. Embora não provaremos esse teorema aqui, daremos um exemplo.

Exemplo 4.50: Vamos considerar a gramática estendida de expressão novamente, cujos conjuntos de itens e função GOTO são exibidos na Figura 4.31. Claramente, a cadeia $E + T*$ é um prefixo viável da gramática. O autômato da Figura 4.31 estará no estado 7 após ler $E + T*$. O estado 7 contém os itens

$$T \rightarrow T * \cdot F$$
$$F \rightarrow \cdot(E)$$
$$F \rightarrow \cdot \mathbf{id}$$

que são exatamente os itens válidos para $E + T*$. Para ver por quê, considere as três derivações mais à direita

$$\begin{array}{lll}
E' \underset{rm}{\Rightarrow} E & E' \underset{rm}{\Rightarrow} E & E' \underset{rm}{\Rightarrow} E \\
\underset{rm}{\Rightarrow} E + T & \underset{rm}{\Rightarrow} E + T & \underset{rm}{\Rightarrow} E + T \\
\underset{rm}{\Rightarrow} E + T * F & \underset{rm}{\Rightarrow} E + T * F & \underset{rm}{\Rightarrow} E + T * F \\
 & \underset{rm}{\Rightarrow} E + T*(E) & \underset{rm}{\Rightarrow} E + T * \mathbf{id}
\end{array}$$

A primeira derivação mostra a validade de $T \rightarrow T * \cdot F$, a segunda, a validade de $F \rightarrow \cdot(E)$, e a terceira, a validade de $F \rightarrow \cdot \mathbf{id}$. É possível mostrar que não existem outros itens válidos para $E + T*$, embora não provaremos esse fato aqui.

Itens como estados de um NFA

Um autômato finito não determinista N para reconhecer prefixos viáveis pode ser construído tratando os próprios itens como estados. Existe uma transição de $A \to \alpha \cdot X \beta$ para $A \to \alpha X \cdot \beta$ rotulada com X, e há uma transição de $A \to \alpha \cdot B\beta$ para $B \to \cdot\gamma$ rotulada com ϵ. Então, CLOSURE(I) para o conjunto de itens (estados de N) I é exatamente o fechamento ϵ de um conjunto de estados do NFA definidos na Seção 3.7.1. Assim, GOTO(I, X) fornece a transição de I sob o símbolo X no DFA construído a partir de N pela construção de subconjunto. Visto dessa forma, o procedimento items(G') da Figura 4.33 é apenas a própria construção de subconjunto aplicada ao NFA N com os itens como estados.

4.6.6 Exercícios da Seção 4.6

Exercício 4.6.1: Descreva todos os prefixos viáveis para as seguintes gramáticas:
   a) A gramática $S \to 0\,S\,1 \mid 0\,1$ do Exercício 4.2.2 (a).
   ! b) A gramática $S \to S\,S + \mid S\,S * \mid a$ do Exercício 4.2.1.
   ! c) A gramática $S \to S\,(\,S\,) \mid \epsilon$ do Exercício 4.2.2(c).

Exercício 4.6.2: Construa os conjuntos de itens SLR para a gramática (estendida) do Exercício 4.2.1. Calcule a função GOTO para esses conjuntos de itens. Mostre a tabela de análise para essa gramática. A gramática é SLR?

Exercício 4.6.3: Mostre as ações da sua tabela de análise do Exercício 4.6.2 para a entrada $aa * a+$.

Exercício 4.6.4: Para cada uma das gramáticas (estendidas) do Exercício 4.2.2(a)-(g):
   a) Construa os conjuntos de itens SLR e sua função GOTO.
   b) Indique quaisquer conflitos que possam aparecer nos seus conjuntos de itens.
   c) Construa a tabela de análise SLR, se existir uma.

Exercício 4.6.5: Mostre que a gramática a seguir:

$$\begin{aligned} S &\to A\,a\,A\,b \mid B\,b\,B\,a \\ A &\to \epsilon \\ B &\to \epsilon \end{aligned}$$

é LL(1), mas não SLR(1).

Exercício 4.6.6: Mostre que a gramática a seguir:

$$\begin{aligned} S &\to S\,A \mid A \\ A &\to a \end{aligned}$$

é SLR(1), mas não LL(1).

!! Exercício 4.6.7: Considere a família de gramáticas G_n definida por:

$$\begin{aligned} S &\to A_i\,b_i & \text{para } 1 \le i \le n \\ A_i &\to a_j A_i \mid a_j & \text{para } 1 \le i,j \le n \text{ e } i \ne j \end{aligned}$$

Mostre que:
   a) G_n possui $2n^2 - n$ produções.
   b) G_n possui $2^n + n^2 + n$ conjuntos de itens LR(0).
   c) G_n é SLR(1).

O que essa análise diz a respeito do tamanho que os analisadores sintáticos LR podem ter?

! Exercício 4.6.8: Sugerimos que os itens individuais poderiam ser considerados como estados de um autômato finito não-determinístico, enquanto os conjuntos de itens válidos são os estados de um autômato finito determinista (veja o quadro sobre "Itens como Estados de um NFA", na Seção 4.6.5). Para a gramática $S \to S\,S+ \mid S\,S* \mid a$ do Exercício 4.2.1:

a) Dê o diagrama de transição (NFA) para os itens válidos dessa gramática de acordo com a regra dada na caixa citada anteriormente.
b) Aplique a construção de subconjuntos (Algoritmo 3.20) ao seu NFA da parte (a). Compare o DFA resultante com o conjunto de itens LR(0) para a gramática.
c) Mostre que, em todos os casos, a construção de subconjuntos aplicada ao NFA que vem dos itens válidos para uma gramática produz os conjuntos de itens LR(0).

! Exercício 4.6.9: Dada a gramática ambígua:

$$S \rightarrow A\,S \mid b$$
$$A \rightarrow S\,A \mid a$$

Construa, para essa gramática, sua coleção de conjuntos de itens LR(0). A tabela LR construída para essa gramática possui entradas com conflito. Quais são elas? Suponha que tentássemos usar essa tabela LR escolhendo, de forma não-determinista, uma das ações possíveis sempre que houvesse um conflito. Mostre todas as seqüências de ações possíveis para a entrada *abab*.

4.7 Analisadores sintáticos LR mais poderosos

Nesta seção, estenderemos as técnicas de análise LR anteriores incorporando nos itens o primeiro símbolo da entrada, ainda não lido. Denominamos este símbolo de lookahead. Existem dois métodos LR com esta característica:

1. O método "*LR canônico*", ou apenas "LR", faz uso do(s) símbolo(s) lookahead. Esse método usa uma tabela construída a partir do conjunto de itens denominados itens LR(1).
2. O método "*Look Ahead LR*", ou "LALR", cuja tabela é construída a partir dos conjuntos de itens LR(0), e possui muito menos estados que os analisadores sintáticos típicos, baseados no conjunto canônico de itens LR(1). A incorporação de símbolos lookaheads nos itens LR(0) introduz muito mais poder ao método e o torna mais geral, permitindo-lhe tratar muito mais gramáticas que o método SLR. Além de o LALR ser mais poderoso que o SLR, suas tabelas ACTION e GOTO não são maiores do que as tabelas ACTION e GOTO para o SLR, o que o torna o método preferido na maioria das situações.

Após apresentar esses dois métodos, concluímos a seção com uma discussão de como compactar as tabelas LR para ambientes com memória limitada.

4.7.1 Itens LR(1) canônicos

Apresentamos nesta seção a técnica mais genérica para construir uma tabela de análise LR a partir de uma gramática. Lembre-se de que, no método SLR, o estado i faz uma redução segundo a produção $A \rightarrow \alpha$ se no conjunto de itens I_i tiver o item $[A \rightarrow \alpha \cdot]$ e a estiver em FOLLOW(A). Em algumas situações, porém, quando o estado i aparece no topo da pilha, o prefixo viável $\beta\alpha$ na pilha é tal que βA não pode ser seguido por a em nenhuma forma sentencial à direita. Assim, a redução por $A \rightarrow \alpha$ deverá ser inválida na entrada a.

Exemplo 4.51: Vamos reconsiderar o Exemplo 4.48, onde, no estado 2, tínhamos o item $R \rightarrow L\cdot$, que poderia corresponder à $A \rightarrow \alpha$ anterior, e a poderia ser o sinal = que está em FOLLOW(R). Assim, o analisador sintático SLR faz uma redução segundo a produção $R \rightarrow L$ no estado 2 com = como próxima entrada. A ação transferir também é exigida, devido ao item $S \rightarrow L\cdot = R$ no estado 2. Contudo, não existe uma forma sentencial à direita na gramática do Exemplo 4.48 que começa com R = ···. Assim, o estado 2, correspondente somente ao prefixo viável L, não deve efetuar a redução de L para R.

É possível incorporar mais informações no estado para nos auxiliar na remoção de algumas dessas reduções inválidas por $A \rightarrow \alpha$. Dividindo os estados quando necessário, podemos fazer com que cada estado de um analisador sintático LR indique exatamente quais símbolos podem seguir um handle α, para o qual existe uma redução possível para A.

A informação extra é incorporada ao estado redefinindo-se os itens para incluir um símbolo terminal como um segundo componente. A forma geral de um item agora é um par $[A \rightarrow \alpha \cdot \beta, a]$, onde o primeiro componente $A \rightarrow \alpha\beta$ é uma produção, e a é um terminal ou o marcador do fim da entrada, $\$$. Chamamos esse objeto de um *item LR(1)*. O 1 refere-se ao tamanho do segundo componente, denominado lookahead do item.[9] O lookahead não tem efeito algum em um item da forma $[A \rightarrow \alpha\cdot\beta, a]$, onde β não é ϵ, mas um item na forma $[A \rightarrow \alpha\cdot, a]$ requer uma redução segundo a produção $A \rightarrow \alpha$ somente se o próximo símbolo da entrada for a. Assim, somos forçados a reduzir segundo $A \rightarrow \alpha$ somente sob aqueles símbolos de entrada a para os

---
[9] Lookaheads que são cadeias de tamanho maior que um são possíveis, naturalmente, mas não consideraremos esses lookaheads neste texto.

quais $[A \to \alpha\cdot, a]$ é um item LR(1) no estado do topo da pilha. O conjunto desses símbolos a é um subconjunto de FOLLOW(A), mas poderia ser um subconjunto próprio, como no Exemplo 4.51.

Formalmente, dizemos que o item LR(1) $[A \to \alpha\cdot\beta, a]$ é *válido* para um prefixo viável γ se houver uma derivação $S \stackrel{*}{\underset{rm}{\Rightarrow}} \delta Aw \underset{rm}{\Rightarrow} \delta\alpha\beta w$, onde

1. $\gamma = \delta\alpha$, e
2. Ou a é o primeiro símbolo de w, ou w é ϵ e a é \$.

Exemplo 4.52: Vamos considerar a gramática

$$S \to BB$$
$$B \to aB \mid b$$

Existe uma derivação mais à direita $S \stackrel{*}{\underset{rm}{\Rightarrow}} aaBab \underset{rm}{\Rightarrow} aaaBab$. Vemos que o item $[B \to a\cdot B, a]$ é válido para um prefixo viável $\gamma = aaa$ permitindo $\delta = aa$, $A = B$, $w = ab$, $\alpha = a$, e $\beta = B$ na definição anterior. Há também uma derivação mais à direita $S \stackrel{*}{\underset{rm}{\Rightarrow}} BaB \underset{rm}{\Rightarrow} BaaB$. Por essa derivação, vemos que o item $[B \to a\cdot B, \$]$ é válido para o prefixo viável Baa.

4.7.2 Construindo conjuntos de itens LR(1)

O método para construir a coleção canônica de conjuntos de itens LR(1) válidos é basicamente o mesmo daquele para a construção da coleção canônica de conjuntos de itens LR(0). Só precisamos modificar os dois procedimentos CLOSURE e GOTO.

```
SetOfItems CLOSURE(I) {
    repeat
        for ( cada item [A → α·Bβ,a] em I )
            for ( cada produção B → γ em G' )
                for ( cada terminal b em FIRST(βa) )
                    adicione [B → ·γ,b] no conjunto I;
    until  não conseguir  adicionar mais itens em I;
    return I;
}

SetOfItems GOTO(I,X) {
    inicializa J para ser o conjunto vazio;
    for ( cada item [A → α·Xβ,a] em I )
        adicione item [A → α X·β,a] ao conjunto J;
    return CLOSURE(J);
}

void items(G') {
    inicializa C como CLOSURE({[S' → ·S,$]});
    repeat
        for ( cada conjunto de itens I em C )
            for ( cada símbolo X da gramática )
                if ( GOTO(I,X) não é vazio e não está em C )
                    adicione GOTO(I,X) em C;
    until não haja mais conjuntos de itens para serem incluídos em C;
}
```

Figura 4.40 Construção de conjuntos de itens LR(1) para a gramática G'.

Para apreciar a nova definição da função CLOSURE, em particular, porque b precisa estar em FIRST(βa), considere um item da forma $[A \to \alpha\cdot B\beta, a]$ no conjunto de itens válidos para algum prefixo viável γ. Então, existe uma derivação mais à direita $S \stackrel{*}{\underset{rm}{\Rightarrow}} \delta Aax \Rightarrow \delta\alpha B\beta ax$, onde $\gamma = \delta\alpha$. Suponha que βax derive a cadeia terminais by. Então, para cada produção da forma $B \to \eta$ para algum η, temos a derivação $S \stackrel{*}{\underset{rm}{\Rightarrow}} \gamma Bby \underset{rm}{\Rightarrow} \gamma\eta by$. Assim, $[B \to \cdot\eta, b]$ é válido para γ. Observe que b pode ser o primeiro terminal derivado de β, ou é possível que β derive ϵ na derivação $\beta ax \stackrel{*}{\underset{rm}{\Rightarrow}} by$, e b possa, portanto, ser a. Para resumir as duas possibilidades, dizemos que b pode ser qualquer terminal em FIRST(βax), onde FIRST é a função da Seção

4.4. Observe que x não pode conter o primeiro terminal de by, de modo que FIRST(βax) = FIRST(βa). Agora, mostramos a construção dos conjuntos de itens LR(1).

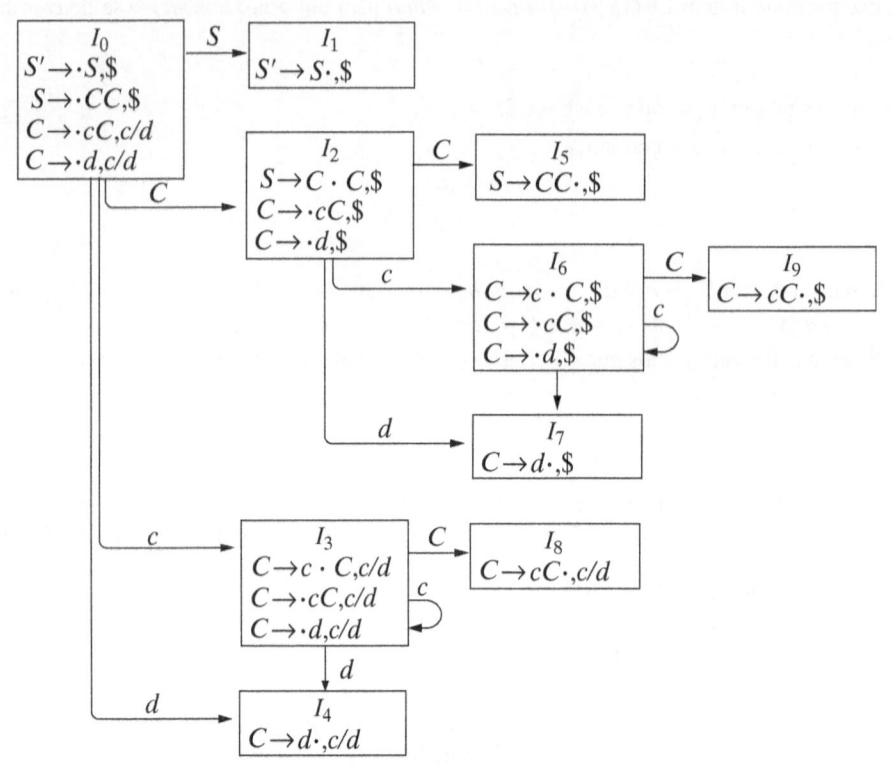

```
I₀
S' → ·S,$
S → ·CC,$
C → ·cC,c/d
C → ·d,c/d
```

```
I₁
S' → S·,$
```

```
I₂
S → C · C,$
C → ·cC,$
C → ·d,$
```

```
I₅
S → CC·,$
```

```
I₆
C → c · C,$
C → ·cC,$
C → ·d,$
```

```
I₉
C → cC·,$
```

```
I₇
C → d·,$
```

```
I₃
C → c · C,c/d
C → ·cC,c/d
C → ·d,c/d
```

```
I₈
C → cC·,c/d
```

```
I₄
C → d·,c/d
```

Figura 4.41 O grafo GOTO para a gramática (4.55).

ALGORITMO 4.53: Construção dos conjuntos de itens LR(1).

ENTRADA: Uma gramática estendida G'.

SAÍDA: Os conjuntos de itens LR(1) que são o conjunto de itens válidos para um ou mais prefixos viáveis de G'.

MÉTODO: As funções CLOSURE e GOTO e a rotina principal *itens* para construir os conjuntos de itens foram mostrados na Figura 4.40.

EXEMPLO 4.54: Considere a seguinte gramática estendida:

$$
\begin{aligned}
S' &\to S \\
S &\to C\,C \\
C &\to cC \mid d
\end{aligned}
\qquad (4.55)
$$

Iniciamos calculando o fechamento de $\{[S' \to \cdot S,\$]\}$ no estado I_0. Para fazer o fechamento, casamos o item $[S' \to \cdot S,\$]$ com o item $[A \to \alpha \cdot B\beta, a]$ na função CLOSURE. Ou seja, $A = S'$, $\alpha = \epsilon$, $B = S$, $\beta = \epsilon$, e $a = \$$. A função CLOSURE nos diz para adicionar $[B \to \cdot \gamma, b]$ para cada produção $B \to \gamma$ e terminal b em FIRST(βa). Em termos da presente gramática, $B \to \gamma$ deve ser $S \to CC$, e como β é ϵ e a é $\$$, b só pode ser $\$$. Assim, acrescentamos $[S \to \cdot CC, \$]$ ao estado I_0.

Continuamos a calcular o fechamento incluindo todos os itens $[C \to \cdot \gamma, b]$ para b em FIRST($C\$$). Ou seja, casando $[S \to \cdot CC,\$]$ com $[A \to \alpha \cdot B\beta,a]$, temos $A = S$, $\alpha = \epsilon$, $B = C$, $\beta = C$ e $a = \$$. Como C não deriva a cadeia vazia, FIRST($C\$$) = FIRST(C). Como FIRST(C) contém os terminais c e d, acrescentamos os itens $[C \to \cdot cC,c]$, $[C \to \cdot cC, d]$, $[C \to \cdot d,c]$ e $[C \to \cdot d,d]$ no estado I_0. Nenhum dos novos itens possui um não-terminal imediatamente à direita do ponto, de modo que completamos o primeiro conjunto de itens LR(1). O conjunto inicial de itens é dado pelo estado I_0 a seguir

$$
\begin{aligned}
I_0: \quad & S' \to \cdot S, \$ \\
& S \to \cdot CC, \$ \\
& C \to \cdot cC, c/d \\
& C \to \cdot d, c/d
\end{aligned}
$$

Os colchetes foram omitidos por conveniência de notação, e usamos a notação $[C \to \cdot cC, c/d]$ como uma abreviação para os dois itens $[C \to \cdot cC, c]$ e $[C \to \cdot cC, d]$.

Agora, calculamos GOTO(I_0,X) para os diversos valores de X. Para $X = S$, temos de fazer o fechamento do item $[S' \to S\cdot, \$]$. Nenhum fechamento adicional é possível, pois o ponto está na extremidade direita. Assim, temos o próximo conjunto de itens representado no estado I_1

$$I_1 : S' \to S\cdot, \$$$

Para $X = C$, fechamos $[S \to C\cdot C, \$]$. Acrescentamos as produções-C com o segundo componente $\$$ e, como não há mais nenhum item para ser incluído, o estado I_2 é dado por

$$I_2 : \quad S \to C\cdot C, \$ \\ C \to \cdot c\, C, \$ \\ C \to \cdot\, d, \$$$

Em seguida, considere $X = c$. Temos de fazer o fechamento de $\{[C \to c\cdot C, c/d]\}$. Acrescentamos as produções-C com o segundo componente c/d, produzindo o estado I_3

$$I_3: \quad C \to c\cdot C, c/d \\ C \to \cdot c\, C, c/d \\ C \to \cdot\, d, c/d$$

Finalmente, considere $X = d$, com o segundo componente c/d, produzindo o conjunto de itens

$$I_4: \; C \to d\,\cdot, c/d$$

Terminamos considerando o GOTO sob I_0. Não obtemos novos conjuntos de I_1, mas I_2 possui transições sob C, c e d. Para GOTO(I_2, C), temos

$$I_5: S \to CC\cdot, \$$$

nenhum fechamento é necessário. Para calcular GOTO(I_2,c), consideramos o fechamento de $\{[C \to c\cdot C, \$]\}$, para obter

$$I_6: \quad C \to c\cdot C, \$ \\ C \to \cdot cC, \$ \\ C \to \cdot d, \$$$

Observe que I_6 difere de I_3 somente nos segundos componentes. Veremos que é comum que vários conjuntos de itens LR(1) para uma gramática tenham os mesmos primeiros componentes e difiram em seus segundos componentes. Quando construirmos a coleção de conjuntos de itens LR(0) para a mesma gramática, cada conjunto de itens LR(0) coincidirá com os primeiros componentes do conjunto de um ou mais conjuntos de itens LR(1). Falaremos mais sobre esse fenômeno quando discutirmos sobre a análise LALR.

Continuar com a função GOTO para I_2, GOTO(I_2, d) é visto como sendo

$$I_7: \; C \to d\cdot,\$$$

Passando agora para I_3, os GOTOs de I_3 sob c e d são I_3 e I_4, respectivamente, e GOTO(I_3,C) é

$$I_8: \; C \to cC\cdot, c/d$$

I_4 e I_5 não possuem GOTOs, pois todos os itens têm seus pontos mais à direita de seu lado direito. Os GOTOs de I_6 sob c e d são I_6 e I_7, respectivamente, e GOTO(I_6,C) é

$$I_9: \; C \to cC\cdot, \$$$

Os conjuntos de itens restantes não geram GOTOs, de modo que terminamos. A Figura 4.41 mostra os dez conjuntos de itens com suas funções de transição.

4.7.3 Tabelas LR(1) canônicas de análise

Esta seção apresenta as regras para construir as funções ACTION e GOTO, a partir dos conjuntos de itens LR(1) para os reconhecedores LR(1). Essas funções são representadas por uma tabela, como antes. A única diferença está nos valores das entradas.

ALGORITMO 4.56: Construção das tabelas LR canônicas de análise.

ENTRADA: Uma gramática estendida G'.

SAÍDA: As funções ACTION e GOTO da tabela LR canônica de análise para G'.

MÉTODO:
1. Construa $C' = \{I_0, I_1, \cdots, I_n\}$, a coleção de conjuntos de itens LR(1) para G'.
2. O estado i do analisador sintático é construído a partir de I_i. A ação de análise do reconhecedor para o estado i é determinada como a seguir.
    (a) Se $[A \rightarrow \alpha \cdot a\beta, b]$ está em I_i e GOTO(I_i, a) = I_j, então defina ACTION[i, a] como "*shift j*". a deve ser um terminal.
    (b) Se $[A \rightarrow \alpha \cdot, a]$ estiver em I_i, $A \neq S'$, então defina ACTION[i, a] como "*reduce $A \rightarrow \alpha$*".
    (c) Se $[S' \rightarrow S \cdot, \$]$ estiver em I_i, então defina ACTION[$i, \$$] como "*accept*".
    Se quaisquer ações de conflito resultarem das regras anteriores, dizemos que a gramática não é LR(1), e o algoritmo falha nesse caso.
3. As funções de transições para o estado i são construídas para todos os não-terminais A usando a regra: se GOTO(I_i, A) = I_j, então GOTO[i, A] = j.
4. Todas as entradas da tabela ACTION e GOTO não definidas pelas regras (2) e (3) são entradas de "error".
5. O estado inicial do analisador sintático corresponde ao conjunto de itens LR(1) que contém o item $[S' \rightarrow \cdot S, \$]$.

A tabela de reconhecimento sintático construída a partir das funções de ação e de transição produzidas pelo Algoritmo 4.44 é chamada de tabela de análise LR(1) *canônica*. Um analisador LR usando essa tabela é chamado de analisador sintático LR(1) canônico. Se a função de ação de análise não tiver múltiplas entradas definidas, então a gramática analisada é chamada de *gramática LR(1)*. Como antes, podemos omitir o "(1)" se ele for entendido.

EXEMPLO 4.57: A tabela de análise canônica LR(1) para a gramática (4.55) é ilustrada na Figura 4.42. As produções 1, 2 e 3 são $S \rightarrow CC$, $C \rightarrow cC$ e $C \rightarrow d$, respectivamente.

ESTADO	ACTION			GOTO	
	c	d	$	S	C
0	s3	s4		1	2
1			acc		
2	s6	s7			5
3	s3	s4			8
4	r3	r3			
5			r1		
6	s6	s7			9
7			r2		
8	r2	r2			
9			r2		

FIGURA 4.42 Tabela de análise LR(1) canônica para a gramática (4.55).

Toda gramática SLR(1) é uma gramática LR(1), mas, para uma gramática SLR(1), o analisador LR canônico pode ter mais estados que o analisador SLR para a mesma gramática. A gramática dos exemplos anteriores é SLR e tem um analisador SLR com sete estados, em comparação com os dez da Figura 4.42.

4.7.4 CONSTRUÇÃO DA TABELA DE ANÁLISE SINTÁTICA LALR

Apresentamos nesta seção o nosso último método para a construção de um analisador sintático, a técnica LALR (*Look Ahead* LR). Esse é o método freqüentemente usado na prática, pois suas tabelas são muito menores que as tabelas LR canônicas, e ainda as construções sintáticas mais comuns das linguagens de programação podem ser expressas convenientemente por uma gramática LALR. O mesmo é quase verdadeiro para gramáticas SLR, mas existem algumas construções que não podem ser reconhecidas pelas técnicas SLR (por exemplo, veja o Exemplo 4.48).

Para fazer uma comparação do tamanho das tabelas dos analisadores, os métodos SLR e LALR para uma dada gramática sempre têm o mesmo número de estados, e esse número tipicamente é de várias centenas de estados para uma linguagem como C. A tabela LR canônica tipicamente tem vários milhares de estados para uma linguagem de mesmo tamanho. Assim, é muito mais fácil e mais econômico construir tabelas SLR e LALR do que as tabelas LR canônicas.

Como uma introdução, vamos novamente considerar a gramática (4.55), cujos conjuntos de itens LR(1) foram mostrados na Figura 4.41. Considere um par de estados de aparência semelhante, como I_4 e I_7. Cada um desses estados possui apenas um item cujo primeiro componente é $C \to d$. Em I_4, os lookaheads são c ou d, em I_7, \$ é o único lookahead.

Para ver a diferença entre os papéis de I_4 e I_7 no analisador sintático, observe que a gramática gera a linguagem regular c^*dc^*d. Ao ler uma entrada $cc \cdots cdcc \cdots cd$, o analisador transfere o primeiro grupo de cs seguido de um d para a pilha, entrando no estado 4 após ler o d. O analisador sintático, então, requer uma redução segundo a produção $C \to d$, desde que o próximo símbolo da entrada seja c ou d. A exigência de que c ou d venha em seguida faz sentido, pois esses são os símbolos que poderiam iniciar as cadeias em c^*d. Se \$ vier após o primeiro d, temos uma entrada como ccd, que não pertence à linguagem, e o estado 4 declara corretamente um erro se \$ for a próxima entrada.

O analisador sintático entra no estado 7 depois de ler o segundo d. Então, o analisador deve ler \$ na entrada, para ele reconhecer uma cadeia no formato c^*dc^*d. Assim, faz sentido que o estado 7 reduza segundo a produção $C \to d$ sob a entrada \$ e declare erro nas entradas c ou d.

Vamos agora substituir I_4 e I_7 por um novo estado I_{47}, a união de I_4 e I_7, consistindo no conjunto de três itens representados por $[C \to d\cdot, c/d/\$]$. As transições sob d para I_4 ou I_7 a partir de I_0, I_2, I_3 e I_6 agora são dirigidas para I_{47}. A ação do estado 47 é reduzir para qualquer entrada. O analisador sintático revisado comporta-se essencialmente como o original, embora possa reduzir d para C em circunstâncias nas quais o original declararia erro, por exemplo, para entrada como ccd ou $cdcdc$. O erro eventualmente será detectado; na verdade, independentemente do método usado, o erro será detectado antes que mais símbolos de entrada sejam transferidos para a pilha.

Generalizando, procuramos por conjuntos de itens LR(1) com o mesmo *núcleo*, ou seja, conjuntos onde os primeiros componentes do par sejam iguais, e os juntamos em um novo conjunto de itens. Por exemplo, na Figura 4.41, I_4 e I_7 possuem núcleos iguais $\{C \to d\cdot\}$, portanto formam tal par. De modo semelhante, I_3 e I_6 formam outro par, com o núcleo $\{C \to c\cdot C, C \to \cdot cC, C \to \cdot d\}$. Existe mais um par, I_8 e I_9, com núcleo comum $\{C \to cC\cdot\}$. Observe que, em geral, um núcleo é um conjunto de itens LR(0) para a gramática dada, e que uma gramática LR(1) pode produzir mais de dois conjuntos de itens com o mesmo núcleo.

Como o núcleo de GOTO(I, X) depende somente do núcleo de I, as transições dos conjuntos unidos podem também ser unidas. Assim, à medida que unimos os conjuntos de itens, revisamos também a função de transição. As funções de ação são modificadas para refletir as ações de erro em todos os conjuntos de itens unidos.

Vamos supor que tenhamos uma gramática LR(1), ou seja, uma gramática cujos conjuntos de itens LR(1) não produzam conflitos em sua ação de análise. Se unirmos todos os estados com o mesmo núcleo, é possível que a fusão resultante apresente conflito, mas isso é improvável pelo seguinte motivo: suponha que, após a união, exista um conflito no lookahead a porque há um item $[A \to \alpha\cdot, a]$ exigindo uma redução segundo a produção $A \to \alpha$, e exista também outro item $[B \to \beta\cdot a\gamma, b]$ exigindo um empilhamento. Então, algum conjunto de itens que formou a união possui o item $[A \to \alpha\cdot, a]$, e como os núcleos de todos esses estados são iguais, ele também tem de possuir um item $[B \to \beta\cdot a\gamma, c]$ para algum c. Portanto, o conflito shift/reduce sob a já existia, e a gramática não é LR(1), conforme assumimos. Assim, a união de estados com núcleos comuns nunca pode gerar conflitos *shift/reduce* que não estavam presentes em um de seus estados originais, porque as ações de transferências dependem apenas do núcleo, e não do lookahead.

É possível, contudo, que uma fusão produza conflito reduce/reduce, como mostra o exemplo a seguir.

EXEMPLO 4.58: Considere a gramática

$$\begin{array}{rcl} S' & \to & S \\ S & \to & aAd \mid bBd \mid aBe \mid bAe \\ a & \to & C \\ B & \to & C \end{array}$$

a qual gera as quatro cadeias acd, ace, bcd e bce. O leitor pode verificar que a gramática é LR(1) por construir os conjuntos de itens LR(1). Após sua construção, descobrimos que o conjunto de itens $\{[A \to c\cdot, d], [B \to c\cdot, e]\}$ é válido para o prefixo viável ac e que $\{[A \to c\cdot, e], [B \to c\cdot, d]\}$ é válido para o prefixo viável bc. Nenhum desses conjuntos possui conflitos, e seus núcleos são iguais. Contudo, a sua união

$$A \to c\,\cdot,\, d/e$$

$$B \to c\,\cdot,\, d/e$$

gera um conflito reduce/reduce, pois as reduções segundo as produções $A \to c$ e $B \to c$ exigem as entradas d e e. ∎

Agora, estamos preparados para entender o primeiro dos dois algoritmos usados na construção da tabela LALR. A idéia geral é construir os conjuntos de itens LR(1) e, se não surgirem conflitos, unir os conjuntos com núcleos comuns. Então, construímos a nova tabela de análise a partir da coleção de conjuntos de itens unidos. O método que estamos prestes a descrever serve principalmente como uma definição das gramáticas LALR(1). A construção de toda a coleção de conjuntos de itens LR(1) requer espaço e tempo considerável para ser usada na prática.

Algoritmo 4.59: Um método simples para a construção da tabela LALR, mas que consome muito espaço e tempo.

ENTRADA: Uma gramática estendida G'.

SAÍDA: Funções ACTION e GOTO da tabela LALR de análise para G'.

MÉTODO:

1. Construa $C = \{I_0, I_1, \ldots, I_n\}$, a coleção de conjuntos de itens LR(1).
2. Para todos os núcleos presentes em conjuntos de itens LR(1), determine aqueles conjuntos que tenham o mesmo núcleo, e os substitua pela sua união.
3. Considere que $C' = \{J_0, J_1, \ldots, J_m\}$ seja o conjunto de itens LR(1) resultante. As ações de análise para o estado i são construídas a partir de J_i, da mesma maneira que no Algoritmo 4.56. Se houver um conflito de ação de análise, o algoritmo deixa de produzir um reconhecedor sintático, e a gramática é considerada como não sendo LALR(1).
4. A tabela GOTO é construída da forma a seguir. Se J é a união de um ou mais conjuntos de itens LR(1), ou seja, $J = I_1 \cap I_2 \cap \cdots \cap I_k$, então os núcleos de GOTO(I_1, X), GOTO(I_2, X), ..., GOTO(I_k, X) são os mesmos, desde que $I_1, I_2, \ldots, I_k$ possuam todos o mesmo núcleo. Considere que K seja a união de todos os conjuntos de itens tendo o mesmo núcleo que GOTO(I_1, X). Então, GOTO$(J, X) = K$.

A tabela produzida pelo Algoritmo (4.59) é denominada *tabela de análise LALR* para G. Se não houver conflitos de ação de análise, então a gramática dada é considerada uma *gramática LALR(1)*. A coleção de conjuntos de itens construídos na etapa (3) é chamada de *coleção LALR(1)*.

Exemplo 4.60: Novamente, considere a gramática (4.55), cujo grafo GOTO foi mostrado na Figura 4.41. Conforme mencionamos, existem três pares de conjuntos de itens que podem ser unidos. I_3 e I_6 são substituídos por sua união:

$$I_{36}: \quad C \to c\cdot C, \; c/d/\$$$
$$C \to \cdot cC, \; c/d/\$$$
$$C \to \cdot d, \; c/d/\$$$

I_4 e I_7 são substituídos por sua união:

$$I_{47}: \; C \to d\cdot, c/d/\$$$

e I_8 e I_9 são substituídos por sua união:

$$I_{89}: \; C \to cC\cdot, \; c/d/\$$$

As funções de ação e transição LALR para os conjuntos de itens unidos aparecem na Figura 4.43.

Estado	Action			Goto	
	c	d	$	S	C
0	s36	s47		1	2
1			acc		
2	s36	s47			5
36	s36	s47			89
47	r3	r3	r3		
5			r1		
89	r2	r2	r2		

Figura 4.43 Tabela de análise LALR para a gramática do Exemplo 4.54.

Para ver como as funções de transição são calculadas, considere GOTO(I_{36}, C). No conjunto original de itens LR(1), GOTO$(I_3, C) = I_8$, e I_8 agora faz parte de I_{89}, de modo que fazemos com que GOTO(I_{36}, C) seja I_{89}. Poderíamos ter chegado a essa mesma conclusão se considerássemos I_6, a outra parte de I_{36}. Ou seja, GOTO$(I_6, C) = I_9$, e I_9 agora faz parte de I_{89}. Como outro exemplo, considere GOTO(I_2, c), uma entrada que é processada após a ação de transferência de I_2 sob a entrada c. Nos conjuntos originais de itens LR(1), GOTO$(I_2, c) = I_6$. Como I_6 agora faz parte de I_{36}, GOTO(I_2, c) torna-se I_{36}. Assim, a entrada na Figura 4.43 para o estado 2 e a entrada c é feita s36, significando transferir e empilhar o estado 36 na pilha.

Dada uma cadeia da linguagem **c*dc*d**, tanto o analisador sintático LR da Figura 4.42 quanto o analisador sintático LALR da Figura 4.43 efetuam exatamente a mesma seqüência de transferências e reduções, embora os nomes dos estados na pilha possam ser diferentes. Por exemplo, se o analisador sintático LR coloca I_3 ou I_6 na pilha, o analisador sintático LALR empilhará I_{36}. Esse relacionamento em geral se mantém para uma gramática LALR. Os analisadores LR e LALR imitarão um ao outro nas entradas corretas.

Dada uma entrada errônea, o analisador LALR pode prosseguir efetuando algumas reduções na pilha após o analisador LR ter declarado um erro. Porém, o analisador LALR nunca transferirá um novo símbolo após o analisador LR declarar um erro. Por exemplo, na entrada *ccd* seguida por $, o analisador LR da Figura 4.42 colocará os estados

$$0\ 3\ 3\ 4$$

na pilha, e no estado 4 descobre um erro, porque $ é o próximo símbolo da entrada e este estado possui uma ação de erro sob $. Ao contrário, o analisador LALR da Figura 4.43 fará os movimentos correspondentes, colocando

$$0\ 36\ 36\ 47$$

na pilha. O estado 47 sob a entrada $ possui uma ação de redução segundo a produção $C \to d$. Então o analisador LALR efetua a redução, mudando sua pilha para

$$0\ 36\ 36\ 89$$

Agora, a ação do estado 89 sob a entrada $ é reduzir segundo a produção $C \to cC$. Portanto a pilha torna-se

$$0\ 36\ 89$$

onde uma redução semelhante é efetuada. Após esta redução, a pilha passa a ter a configuração

$$0\ 2$$

Finalmente, o estado 2 possui uma ação de erro sob a entrada $, de modo que o erro agora é descoberto.

4.7.5 Construção eficiente de tabelas de análise LALR

Várias modificações podem ser feitas no Algoritmo 4.59 para evitar a construção da coleção completa dos conjuntos de itens LR(1) no processo de criação de uma tabela de análise LALR(1).

- Primeiro, podemos representar qualquer conjunto de itens *I* LR(0) ou LR(1) por sua base (*kernel*), ou seja, por aqueles itens que são o item inicial — [S′ → ·S] ou [S′ → ·S,$] — ou todos os itens cujos pontos não estão mais à esquerda nos corpos das produções.
- Podemos construir as bases dos itens LALR(1) a partir das bases de itens LR(0) pelo processo de propagação e geração espontânea de lookaheads, que descreveremos em breve.
- Se tivermos as bases LALR(1), podemos gerar a tabela de análise LALR(1) fazendo o fechamento de cada base via a função CLOSURE da Figura 4.40, e depois calculando as entradas da tabela via o Algoritmo 4.56, como se os conjuntos de itens LALR(1) fossem conjuntos de itens LR(1) canônicos.

Exemplo 4.61: Para exemplificar o método de construção da tabela LALR(1) eficiente, usaremos a gramática não SLR do Exemplo 4.48, que reproduzimos a seguir em sua forma estendida:

$$
\begin{aligned}
S' &\to S \\
S &\to L = R \mid R \\
L &\to *R \mid \mathbf{id} \\
R &\to L
\end{aligned}
$$

Os conjuntos completos de itens LR(0) para essa gramática foram mostrados na Figura 4.39. As bases desses itens aparecem na Figura 4.44.

I_0:	$S' \to \cdot S$		I_5:	$L \to \mathbf{id}\cdot$
I_1:	$S' \to S\cdot$		I_6:	$S \to L = \cdot R$
I_2:	$S \to L\cdot = R$		I_7:	$L \to *R\cdot$
	$R \to L\cdot$			
I_3:	$S \to R\cdot$		I_8:	$R \to L\cdot$
I_4:	$L \to *\cdot R$		I_9:	$S \to L = R\cdot$

Figura 4.44 Bases dos conjuntos de itens LR(0) para a gramática (4.49).

Agora, temos de juntar os lookaheads apropriados às bases dos itens LR(0), a fim de criar as bases dos conjuntos de itens LALR(1). Existem duas formas para associar um lookahead b a um item LR(0) $B \rightarrow \gamma \cdot \delta$ em algum conjunto de itens LALR(1) J:

1. Existe um conjunto de itens I, com um item base $A \rightarrow \alpha \cdot \beta, a$, e J = GOTO(I, X), e a construção de GOTO(CLOSURE($\{[A \rightarrow \alpha \cdot \beta, a]\}$),$X$) conforme mostrado na Figura 4.40, contém $[B \rightarrow \gamma \cdot \delta, b]$, independentemente de a. Diz-se que esse lookahead b é gerado *espontaneamente* por $B \rightarrow \gamma \cdot \delta$.
2. Como um caso especial, o lookahead $ é gerado espontaneamente para o item $S' \rightarrow \cdot S$ no conjunto inicial de itens.
3. Tudo é como em (1), mas $a = b$, e GOTO(CLOSURE($\{[A \rightarrow \alpha \cdot \beta, b]\}$),$X$), conforme mostrado na Figura 4.40, contém $[B \rightarrow \gamma \cdot \delta, b]$ somente porque $A \rightarrow \alpha \cdot \beta$ tem b como um de seus lookaheads associados. Nesse caso, dizemos que os lookaheads se *propagam* a partir de $A \rightarrow \alpha \cdot \beta$ na base de I para $B \rightarrow \gamma \cdot \delta$ na base de J. Observe que a propagação não depende de um símbolo lookahead particular; ou todos os lookaheads se propagam de um item para outro, ou nenhum se propaga.

Precisamos determinar os lookaheads gerados espontaneamente para cada conjunto de itens LR(0) e também determinar quais itens propagam lookaheads e de onde. O teste é muito simples. Considere que # seja um símbolo não pertencente à gramática dada. Seja $A \rightarrow \alpha \cdot \beta$ um item LR(0) da base no conjunto I. Calcule, para cada X, J = GOTO(CLOSURE($\{[A \rightarrow \alpha \cdot \beta, \#]\}$),$X$). Para cada item base em J, examinamos seu conjunto de lookaheads. Se # é um lookahead, então os lookaheads se propagam para esse item a partir de $A \rightarrow \alpha \cdot \beta$. Qualquer outro lookahead é gerado espontaneamente. Essas idéias se tornam precisas no algoritmo a seguir, que também usa o fato de que os únicos itens base em J precisam ter X imediatamente à esquerda do ponto; ou seja, eles precisam ser da forma $B \rightarrow \gamma X \cdot \delta$.

ALGORITMO 4.62: Determinando lookaheads.

ENTRADA: A base K de um conjunto I de itens LR(0) e um símbolo da gramática X.

SAÍDA: Os lookaheads gerados espontaneamente pelos itens de I para os itens base em GOTO(I, X) e os itens de I a partir dos quais os lookaheads são propagados para os itens base em GOTO(I, X).

MÉTODO: O algoritmo é dado na Figura 4.45.

```
for ( cada item A → α·β em K ) {
    J := CLOSURE({[A → α·β,#]} );
    if ( [B → γ·Xδ,a] está em J, e a não é # )
            conclui que lookahead a é gerado espontaneamente para o item
                B → γ X·δ em GOTO(I, X);
    if ( [B → γ·X δ,#] está em J )
            conclui que os lookaheads se propagam de A → α·β em I para
                B → γX·δ em GOTO(I, X);
}
```

FIGURA 4.45 Descobrindo lookaheads propagados e espontâneos.

Agora estamos prontos para associar lookaheads às bases dos conjuntos de itens LR(0) para formar os conjuntos de itens LALR(1). Primeiro, sabemos que por definição $ é um lookahead para $S' \rightarrow \cdot S$ no conjunto inicial de itens LR(0). O Algoritmo 4.62 nos fornece todos os lookaheads gerados espontaneamente. Após listar todos esses lookaheads, devemos permitir que eles se propaguem até que não haja mais propagação possível. Existem muitas técnicas diferentes, todas elas registram de alguma forma os "novos" lookaheads que se propagaram para um item, mas que ainda não se propagaram para fora. O algoritmo seguinte descreve uma abordagem usada para propagar lookaheads para todos os itens.

ALGORITMO 4.63: Computação eficiente das bases dos conjuntos de itens da coleção LALR(1).

ENTRADA: Uma gramática estendida G'.

SAÍDA: *As bases* dos conjuntos de itens da coleção LALR(1) para G'.

MÉTODO:

1. Construa as bases dos conjuntos de itens LR(0) para G. Se espaço não for problema, o modo mais simples é construir os conjuntos de itens LR(0), como na Seção 4.6.2, e depois remover os itens que não são *base*. Se o espaço for bastante restrito, podemos em vez disso armazenar apenas os itens base para cada conjunto, e calcular a função de transição para um conjunto de itens I computando primeiro o fechamento de I.

2. Aplique o Algoritmo 4.62 à base de cada conjunto de itens LR(0) e símbolo X da gramática para determinar quais lookaheads são gerados espontaneamente para os itens base em GOTO(I, X), e de quais itens em I os lookaheads são propagados para os itens base em GOTO(I, X).
3. Inicie uma tabela que dê, para cada item base em cada conjunto de itens, os lookaheads associados. Inicialmente, cada item tem associado a ele apenas os lookaheads que determinamos no passo (2) como sendo gerados espontaneamente.
4. Faça passadas repetidas sobre os itens base em todos os conjuntos. Quando visitamos um item i, pesquisamos os itens base aos quais i propaga seus lookaheads, usando as informações tabuladas no passo (2). O conjunto corrente de lookaheads para i é acrescentado aos que já estão associados a cada um dos itens aos quais i propaga seus lookaheads. Continuamos fazendo passadas pelos itens base até que não seja mais possível propagar novos lookaheads.

Exemplo 4.64: Vamos construir as bases dos itens LALR(1) para a gramática do Exemplo 4.61. As bases dos itens LR(0) foram mostradas na Figura 4.44. Quando aplicamos o Algoritmo 4.62 à base do conjunto de itens I_0, primeiro calculamos CLOSURE($\{[S' \to \cdot S, \#]\}$), que é

$$S' \to \cdot S, \# \qquad L \to \cdot * R, \#/=$$
$$S \to \cdot L = R, \# \qquad L \to \cdot \textbf{id}, \#/=$$
$$S \to \cdot R, \# \qquad R \to \cdot L, \#$$

Entre os itens do fechamento, vemos dois onde o lookahead = foi gerado espontaneamente. O primeiro destes é $L \to \cdot * R$. Esse item, com $*$ à direita do ponto, faz surgir $[L \to *\cdot R, =]$. Ou seja, = é um lookahead gerado espontaneamente para $L \to *\cdot R$, o qual está no conjunto de itens I_4. De modo semelhante, $[L \to \cdot \textbf{id}, =]$ nos diz que = é um lookahead gerado espontaneamente para $L \to \textbf{id} \cdot$ em I_5.

Como # é um lookahead para todos os seis itens do fechamento, determinamos que o item $S' \to \cdot S$ em I_0 propaga os lookaheads para os seis itens a seguir:

$$S' \to S\cdot \text{ em } I_1 \qquad L \to *\cdot R \text{ em } I_4$$
$$S \to L\cdot = R \text{ em } I_2 \qquad L \to \textbf{id}\cdot \text{ em } I_5$$
$$S \to R\cdot \text{ em } I_3 \qquad R \to L\cdot \text{ em } I_2$$

De	Para
I_0: $S' \to \cdot S$	I_1: $S' \to S\cdot$
	I_2: $S \to L\cdot = R$
	I_2: $R \to L\cdot$
	I_3: $S \to R\cdot$
	I_4: $L \to *\cdot R$
	I_5: $L \to \textbf{id}\cdot$
I_2: $S \to L\cdot = R$	I_6: $S \to L = \cdot R$
I_4: $L \to *\cdot R$	I_4: $L \to *\cdot R$
	I_5: $L \to \textbf{id}\cdot$
	I_7: $L \to * R\cdot$
	I_8: $R \to L\cdot$
I_6: $S \to L = \cdot R$	I_4: $L \to *\cdot R$
	I_5: $L \to \textbf{id}\cdot$
	I_8: $R \to L\cdot$
	I_9: $S \to L = R\cdot$

Figura 4.46 Propagação de lookaheads.

Na Figura 4.47, mostramos os passos (3) e (4) do Algoritmo 4.63. A coluna rotulada com Início mostra os lookaheads gerados espontaneamente para cada item base. Estas são apenas as duas ocorrências de = discutidas anteriormente, e o lookahead espontâneo $ para o item inicial $S' \to \cdot S$.

No primeiro passo, o lookahead $ se propaga de $S' \to S$ em I_0 para os seis itens listados na Figura 4.46. O lookahead = se propaga de $L \to *\cdot R$ em I_4 para os itens $L \to * R\cdot$ em I_7 e $R \to L\cdot$ em I_8. Ele também se propaga para si mesmo e para $L \to$ **id**· em I_5, mas esses lookaheads já estão presentes. No segundo e terceiro passos, o único lookahead novo propagado é $, descoberto para os sucessores de I_2 e I_4 no passo 2 e para o sucessor de I_6 no passo 3. Nenhum lookahead novo é propagado no passo 4, de modo que o conjunto final de lookaheads aparece na coluna mais à direita da Figura 4.47.

Item do Conjunto	Lookaheads			
	Início	Passo 1	Passo 2	Passo 3
I_0: $S' \to \cdot S$	$	$	$	$
I_1: $S' \to S\cdot$		$	$	$
I_2: $S \to L\cdot = R$		$	$	$
$R \to L\cdot$			$	$
I_3: $S \to R\cdot$		$	$	$
I_4: $L \to *\cdot R$	=	=/$	=/$	=/$
I_5: $L \to $ **id**$\cdot$	=	=/$	=/$	=/$
I_6: $S \to L = \cdot R$			$	$
I_7: $L \to * R\cdot$		=	=/$	=/$
I_8: $R \to L\cdot$		=	=/$	=/$
I_9: $S \to L = R\cdot$				$

Figura 4.47 Cálculo de lookaheads.

Observe que o conflito shift/reduce encontrado no Exemplo 4.48 usando o método SLR desapareceu com a técnica LALR. O motivo é que somente o lookahead $ está associado a $R \to L\cdot$ em I_2, de modo que não existe conflito com a ação de análise de transferência =, gerada pelo item $S \to L\cdot = R$ em I_2.

4.7.6 Compactação de tabelas de análise sintática LR

Uma gramática para uma linguagem de programação típica possui cerca de 50 a 100 terminais e aproximadamente 100 produções. Esta configuração pode gerar uma tabela de análise LALR com várias centenas de estados. A função de ação pode facilmente possuir 20.000 entradas, cada uma exigindo para sua codificação pelo menos 8 bits. Em dispositivos pequenos, uma codificação mais eficiente que um arranjo bidimensional é muito importante. Vamos abordar sucintamente algumas técnicas que têm sido usadas para compactar os campos ACTION e GOTO de uma tabela de análise LR.

Uma técnica útil para compactar o campo de ação é reconhecer que usualmente muitas linhas da tabela de ação são idênticas. Por exemplo, na Figura 4.42, os estados 0 e 3 possuem entradas de ação idênticas, bem como os estados 2 e 6. Portanto, podemos economizar um espaço considerável, com baixo custo em tempo, se criarmos um apontador para cada estado em um arranjo unidimensional. Apontadores para estados com as mesmas ações apontam para o mesmo endereço. Para acessar as informações desse arranjo, atribuímos a cada terminal um número que varia de zero ao número de terminais menos um, e usamos esse inteiro como um deslocamento a partir do valor do apontador para cada estado. Em dado estado, a ação de análise para o i-ésimo terminal será encontrada a i posições após o valor do apontador para esse estado.

Mais eficiência em relação ao espaço gasto pode ser obtida à custa de um analisador sintático um pouco mais lento, criando-se uma lista para as ações de cada estado. A lista consiste em pares (símbolo terminal, ação). A ação mais freqüente para dado estado pode ser colocada no fim da lista e, em vez de um terminal, podemos usar a notação "*any*", significando que, se o símbolo de entrada corrente não tiver sido encontrado até este ponto da lista, devemos efetuar essa ação independentemente da entrada. Além disso, as entradas de erro podem seguramente ser substituídas por ações de redução, para obter ainda mais uniformidade ao longo de uma linha. Os erros são detectados mais tarde, mas sempre antes de um movimento de transferência.

Exemplo 4.65: Considere a tabela de análise da Figura 4.37. Primeiro, observe que as ações para os estados 0, 4, 6 e 7 são idênticas. Podemos representá-las pela lista

Símbolo	Ação
id	s5
(	s4
any	error

O estado 1 tem uma lista semelhante:

+	s6
$	acc
any	error

No estado 2, podemos substituir as entradas de erro por r2, de modo que a redução segundo a produção 2 ocorrerá para qualquer entrada exceto ∗. Assim, a lista para o estado 2 é

∗	s7
any	r2

O estado 3 tem apenas entradas de erro e a redução r4. Podemos substituir a primeira pela segunda, de modo que a lista para o estado 3 consista apenas do par (**any**, r4). Os estados 5, 10 e 11 podem ser tratados de modo semelhante. A lista para o estado 8 é

+	s6
)	s11
any	error

e para o estado 9

∗	s7
)	s11
any	r1

Também podemos codificar a tabela GOTO no formato de uma lista, mas aqui parece ser mais eficiente criar uma lista de pares para cada não-terminal A. Cada par da lista para A tem a forma (*currentState*, *nextState*), indicando o estado corrente e o próximo estado

$$\text{GOTO}[currentState, A] = nextState$$

Esta técnica é útil porque há uma tendência de ter pouquíssimos estados em qualquer uma das colunas da tabela GOTO. O motivo é que a transição sob A só pode ser um estado derivável de um conjunto de itens em que alguns itens têm A imediatamente à esquerda de um ponto. Nenhum conjunto tem itens com X e Y imediatamente à esquerda de um ponto se $X \neq Y$. Assim, cada estado aparece no máximo em uma coluna GOTO.

Para reduzir ainda mais o espaço, observamos que as entradas de erro na tabela GOTO nunca são consultadas. Portanto, podemos substituir cada entrada de erro pela entrada de não-erro mais comum em sua coluna. Essa entrada se torna o "default"; ela é representada na lista para cada coluna por um par com **any** em vez de *currentState*.

EXEMPLO 4.66: Considere a Figura 4.37 novamente. A coluna para F possui a entrada 10 para o estado 7, e todas as outras entradas são 3 ou erro. Podemos substituir o erro por 3 e criar para a coluna F a lista

CURRENTSTATE	NEXTSTATE
7	10
any	3

De modo semelhante, uma lista apropriada para a coluna T é

6	9
any	2

Para a coluna E, podemos escolher 1 ou 8 para ser o "default"; duas entradas são necessárias em qualquer um dos casos. Por exemplo, poderíamos criar para a coluna E a lista

4	8
any	1

A economia de espaço em exemplos pequenos, como o mostrado, pode ser enganosa, pois o número total de entradas nas listas criadas nesse exemplo e no anterior, junto com os apontadores dos estados para as listas de ação, e de não-terminais para as listas do próximo estado, resultam em economias de espaço inexpressivas em relação à implementação da matriz apresentada na Figura 4.37. Para as gramáticas de interesse, o espaço necessário para a representação de lista tipicamente é menor que dez por cento que o espaço necessário para a representação de matriz. Os métodos de compactação de tabela para os autômatos finitos, que foram discutidos na Seção 3.9.8, também podem ser usados para representar as tabelas de análise LR.

4.7.7 Exercícios da Seção 4.7

Exercício 4.7.1: Construa os conjuntos de itens
 a) LR canônico, e
 b) LALR
para a gramática $S \to SS+ \mid SS* \mid a$ do Exercício 4.2.1.

Exercício 4.7.2: Repita o Exercício 4.7.1 para cada uma das gramáticas (estendidas) do Exercício 4.2.2 (a)-(g).

! Exercício 4.7.3: Para a gramática do Exercício 4.7.1, use o Algoritmo 4.63 para calcular a coleção de conjuntos de itens LALR a partir das bases dos conjuntos de itens LR(0).

! Exercício 4.7.4: Mostre que a seguinte gramática

$$S \to A\,a \mid b\,A\,c \mid d\,c \mid b\,d\,a$$
$$A \to d$$

é LALR(1), mas não SLR(1).

! Exercício 4.7.5: Mostre que a seguinte gramática

$$S \to A\,a \mid b\,A\,c \mid B\,c \mid b\,B\,a$$
$$A \to d$$
$$B \to d$$

é LR(1), mas não LALR(1).

4.8 Usando gramáticas ambíguas

É um fato que toda gramática ambígua não é LR e, portanto, não está em nenhuma das classes de gramáticas discutidas nas duas seções anteriores. Certos tipos de gramáticas ambíguas, porém, são muito úteis na especificação e na implementação de linguagens. Para as construções de linguagens como, por exemplo, expressões, uma gramática ambígua oferece uma especificação mais concisa e mais natural do que qualquer gramática não-ambígua equivalente. Também usamos gramáticas ambíguas para isolar construções sintáticas que ocorrem comumente em casos especiais de otimização. Com uma gramática ambígua, podemos especificar as construções de caso especial acrescentando cuidadosamente novas produções à gramática.

Embora as gramáticas usadas sejam ambíguas, em todos os casos, especificamos regras para eliminar a ambigüidade que permitem apenas uma árvore de derivação para cada sentença. Desta forma, a especificação da linguagem como um todo torna-se não-ambígua, e às vezes é possível projetar um analisador LR que siga as mesmas abordagens para a solução de ambigüidade. Enfatizamos que as construções ambíguas devem ser usadas com cuidado e de forma estritamente controlada; caso contrário, pode não haver garantias quanto ao reconhecimento da linguagem por um analisador sintático.

4.8.1 Precedência e associatividade para solucionar conflitos

Considere a gramática ambígua (4.3) para as expressões com os operadores + e *, repetidas aqui por conveniência:

$$E \to E + E \mid E * E \mid (E) \mid \mathbf{id}$$

Essa gramática é ambígua porque não especifica a associatividade ou precedência dos operadores + e *. A gramática não-ambígua (4.1), que inclui as produções $E \to E + T$ e $T \to T * F$, gera a mesma linguagem, mas atribui ao operador + uma precedência menor que a do operador *, e faz ambos os operadores associativos à esquerda. Existem dois motivos para preferirmos usar uma gramática ambígua. Primeiro, conforme veremos, podemos facilmente alterar a associatividade e a precedência dos operadores + e * sem atrapalhar as produções de (4.3) ou o número de estados no analisador sintático resultante. Segundo, o analisador para a gramática não-ambígua gasta uma fração substancial do seu tempo efetuando as reduções das produções $E \to T$ e $T \to F$, cuja única função é impor a associatividade e a precedência. O analisador sintático para a gramática ambígua (4.3) não desperdiça tempo reduzindo segundo essas produções *unitárias*, produções cujo corpo consiste em um único não-terminal.

I_0: $E' \to \cdot E$
$E \to \cdot E + E$
$E \to \cdot E * E$
$E \to \cdot (E)$
$E \to \cdot \mathbf{id}$

I_1: $E' \to E \cdot$
$E \to E \cdot + E$
$E \to E \cdot * E$

I_2: $E \to (\cdot E)$
$E \to \cdot E + E$
$E \to \cdot E * E$
$E \to \cdot (E)$
$E \to \cdot \mathbf{id}$

I_3: $E \to \mathbf{id} \cdot$

I_4: $E \to E + \cdot E$
$E \to \cdot E + E$
$E \to \cdot E * E$
$E \to \cdot (E)$

I_5: $E \to E * \cdot E$
$E \to \cdot E + E$
$E \to \cdot E * E$
$E \to \cdot (E)$
$E \to \cdot \mathbf{id}$

I_6: $E \to (E \cdot)$
$E \to E \cdot + E$
$E \to E \cdot * E$

I_7: $E \to E + E \cdot$
$E \to E \cdot + E$
$E \to E \cdot * E$

I_8: $E \to E * E \cdot$
$E \to E \cdot + E$
$E \to E \cdot * E$

I_9: $E \to (E) \cdot$

FIGURA 4.48 Conjunto de itens LR(0) para uma gramática de expressão estendida.

Os conjuntos de itens LR(0) para a gramática de expressão ambígua (4.3) estendida por $E' \to E$ aparecem na Figura 4.48. Como a gramática (4.3) é ambígua, haverá conflitos de ação de análise quando tentarmos produzir uma tabela LR a partir dos conjuntos de itens. Os estados correspondentes aos conjuntos de itens I_7 e I_8 geram esses conflitos. Suponha que usemos a abordagem SLR para construir a tabela de ação de análise. O conflito gerado por I_7 entre a redução segundo a produção $E \to E + E$ e a transferência sob + ou * não pode ser resolvido, pois + e * estão em FOLLOW(E). Assim, as duas ações seriam requisitadas sob as entradas + e *. Um conflito semelhante é gerado por I_8, entre reduzir segundo a produção $E \to E * E$ e a transferência sob as entradas + e *. De fato, todos os nossos métodos de construção de tabela de análise LR gerará esses conflitos.

Entretanto, esses problemas podem ser resolvidos usando a informação de precedência e associatividade para os símbolos + e *. Considere a entrada **id** + **id** * **id**, a qual faz com que o analisador sintático baseado na Figura 4.48 entre no estado 7 após processar **id** + **id**; em particular, o analisador sintático alcança uma configuração

Prefixo	Pilha	Entrada
$E + E$	0 1 4 7	* **id** $

Por conveniência, os símbolos correspondentes aos estados 1, 4 e 7 também são mostrados na coluna PREFIXO.

Se * tiver precedência sob +, sabemos que o analisador sintático deve transferir o símbolo * para a pilha, preparando-se para reduzir o * e os dois símbolos **id** ao seu redor para uma expressão. Essa escolha foi feita pelo analisador SLR da Figura 4.37, com base em uma gramática não ambígua para a mesma linguagem. Por outro lado, se + tiver precedência sob *, sabemos que o analisador deverá reduzir $E + E$ para E. Assim, a precedência relativa do + seguido por * determina exclusivamente como o conflito de ação de análise entre reduzir $E \to E + E$ e transferir * no estado 7 deverá ser resolvido.

Se a entrada fosse **id** + **id** + **id**, o analisador sintático ainda alcançaria uma configuração em que teria na pilha 0 1 4 7 depois de processar a entrada **id** + **id**. Com a entrada + existe novamente um conflito shift/reduce no estado 7. Agora, porém, a associatividade do operador + determina como esse conflito deve ser resolvido. Se + for associativo à esquerda, a ação correta é reduzir segundo a produção $E \to E + E$. Ou seja, os símbolos **id** ao redor do primeiro + precisam ser agrupados primeiro. Novamente, essa escolha coincide com o que o analisador sintático SLR faria para a gramática não-ambígua.

Em resumo, assumindo que + seja associativo à esquerda, a ação do estado 7 sob a entrada + deve ser reduzir segundo a produção $E \to E + E$, e, supondo que * tenha precedência sob +, a ação do estado 7 sob a entrada * deve ser de transferência. De modo semelhante, supondo que * seja associativo à esquerda e tenha precedência sob +, podemos argumentar que o estado 8, o qual só pode aparecer no topo da pilha quando $E * E$ forem os três símbolos da gramática no topo, deverá ter a ação reduzir $E \to E * E$ sob ambas as entradas + e *. No caso da entrada +, o motivo é que * tem precedência sob +, enquanto, no caso da entrada * o raciocínio é que o símbolo * é associativo à esquerda.

Prosseguindo dessa forma, obtemos a tabela de análise LR mostrada na Figura 4.49. As produções de 1 até 4 são $E \to E + E$, $E \to E * E$, $\to (E)$ e $E \to$ **id**, respectivamente. É interessante que uma tabela de ação de análise semelhante seja produzida eliminando reduções por produções unitárias $E \to T$ e $T \to F$ da tabela SLR para a gramática de expressão não-ambígua (4.1), mostrada na Figura 4.37. Gramáticas ambíguas como aquela para expressões podem ser tratadas de modo semelhante no contexto da análise LALR e LR canônica.

Estado	Action						Goto
	id	+	*	(	)	$	E
0	s3			s2			1
1		s4	s5			acc	
2	s3			s2			6
3		r4	r4		r4	r4	
4	s3			s2			7
5	s3			s2			8
6		s4	s5		s9		
7		r1	s5		r1	r1	
8		r2	r2		r2	r2	
9		r3	r3		r3	r3	

Figura 4.49 Tabela de análise para a gramática (4.3).

4.8.2 A ambigüidade do "else vazio"

Considere novamente a seguinte gramática para comandos condicionais:

$$\begin{aligned} stmt \quad \to \quad & \textbf{if } expr \textbf{ then } stmt \textbf{ else } stmt \\ | \quad & \textbf{if } expr \textbf{ then } stmt \\ | \quad & \textbf{other} \end{aligned}$$

Conforme observamos na Seção 4.3.2, essa gramática é ambígua porque não resolve a ambigüidade do else vazio. Para simplificar a discussão, vamos considerar uma abstração dessa gramática, onde i representa **if** *expr* **then**, e representa o **else**, e a representa "todas as outras produções". Podemos, então, escrever a gramática, com a produção estendida $S' \to S$, como

$$\begin{aligned} S' \to \quad & S \\ S \to \quad & i\,S\,e\,S \mid i\,S \mid a \end{aligned} \qquad (4.67)$$

Os conjuntos de itens LR(0) para a gramática (4.67) aparecem na Figura 4.50. A ambigüidade em (4.67) faz surgir um conflito shift/reduce em I_4. Neste estado, $S \to iS \cdot eS$ determina uma transferência de e, e, como FOLLOW(S) = {e, \$}, o item $S \to iS \cdot$ determina a redução segundo a produção $S \to iS$ para a entrada e.

I_0: $S' \to \cdot S$ I_3: $S \to a \cdot$
       $S \to \cdot iSeS$
       $S \to \cdot iS$ I_4: $S \to iS \cdot eS$
       $S \to \cdot a$

                                     I_5: $S \to iSe \cdot S$
I_1: $S' \to S \cdot$ $S \to \cdot iSeS$
                                     $S \to \cdot iS$
I_2: $S \to i \cdot SeS$ $S \to \cdot a$
       $S \to i \cdot S$
       $S \to \cdot iSeS$ I_6: $S \to iSeS \cdot$
       $S \to \cdot iS$
       $S \to \cdot a$

Figura 4.50 Estados LR(0) para gramática estendida (4.67).

Traduzindo de volta para a terminologia **if-then-else**, dado

if *expr* **then** *stmt*

na pilha e **else** como primeiro símbolo de entrada, devemos transferir o **else** para a pilha (ou seja, transferir *e*) ou reduzir **if** *expr* **then** *stmt* (ou seja, reduzir segundo a produção $S \rightarrow iS$)? A resposta é que devemos transferir o **else**, pois ele está "associado" ao **then** anterior. Na terminologia da gramática (4.67), o símbolo *e* na entrada, significando **else**, somente pode fazer parte do corpo começando com *iS*, agora no topo da pilha. Se o que vem após *e* na entrada não puder ser reconhecido como um *S*, completando o corpo *iSeS*, então pode ser mostrado que não existe outra análise possível.

Concluímos que o conflito shift/reduce em I_4 deve ser resolvido em favor da transferência da entrada *e*. A tabela SLR construída a partir dos conjuntos de itens da Figura 4.48, usando essa solução para o conflito de ação de análise em I_4 sob a entrada *e*, aparece na Figura 4.51. As produções de 1 até 3 são $S \rightarrow iSeS$, $S \rightarrow iS$, e $S \rightarrow a$, respectivamente.

Estado	Action				Goto
	i	*e*	*a*	$	*S*
0	s2		s3		1
1				acc	
2	s2		s3		
3		r3		r3	4
4		s5		r2	
5	s2		s3		6
6		r1		r1	

FIGURA 4.51 Tabela de análise LR para a gramática do "else vazio".

Por exemplo, para a entrada *iiaea*, o analisador sintático faz os movimentos mostrados na Figura 4.52, correspondentes à resolução correta do "else vazio". Na linha (5), o estado 4 seleciona a ação de transferência da entrada *e*, enquanto na linha (9) o estado 4 exige a redução segundo a produção $S \rightarrow iS$ para a entrada $.

Pilha	Símbolos	Entrada	Ação
(1) 0		*i i a e a* $	empilha 2 e avança
(2) 0 2	*i*	*i a e a* $	empilha 2 e avança
(3) 0 2 2	*i i*	*a e a* $	empilha 3 e avança
(4) 0 2 2 3	*i i a*	*e a* $	empilha 4 e avança
(5) 0 2 2 4	*i i S*	*e a* $	reduz por $S \rightarrow a$
(6) 0 2 2 4 5	*i i S e*	*a* $	empilha 3 e avança
(7) 0 2 2 4 5 3	*i i S e a*	$	reduz segundo a produção $S \rightarrow a$
(8) 0 2 2 4 5 6	*i i S e S*	$	reduz segundo a produção $S \rightarrow iSeS$
(9) 0 2 4	*i S*	$	reduz segundo a produção $S \rightarrow iS$
(10) 0 1	*S*	$	aceitar

FIGURA 4.52 Ações de análise sob a entrada *iiaea*.

Para efeito de comparação, se formos incapazes de usar uma gramática ambígua para especificar as instruções condicionais, então temos de usar uma gramática mais elaborada na linha do Exemplo 4.16.

4.8.3 Recuperação de erros na análise LR

Um analisador LR detectará um erro quando ele consultar a tabela de ação de análise e encontrar uma entrada vazia. Os erros nunca são detectados consultando-se a parte GOTO da tabela LR. Um analisador LR anunciará um erro assim que não houver uma continuação válida para a parte da entrada escandida até o momento. Um analisador LR canônico anuncia um erro tão logo depara com um erro na entrada restante, portanto ele não efetua nenhuma redução na presença de erros. Os analisadores SLR e LALR podem efetuar várias reduções antes de anunciar um erro, mas nunca transferirão um símbolo de entrada errôneo para a pilha.

Na análise LR, implementamos a recuperação de erro no modo pânico da forma a seguir. Analisamos a pilha até que seja encontrado um estado *s* com uma transição sob um não-terminal *A* particular. Zero ou mais símbolos de entrada são então descartados até que seja encontrado um símbolo *a*, que possa vir legitimamente após *A*. O analisador, então, empilha o estado GOTO(*s*, *A*) e retoma a análise. Pode haver mais de uma escolha para o não-terminal *A*. Normalmente, estes seriam os não-terminais representando construções importantes do programa, como uma expressão, um comando ou um bloco. Por exemplo, se *A* for o não-terminal *stmt*, *a* poderia ser ponto-e-vírgula ou }, que marca o fim de uma seqüência de comandos.

Este método de recuperação tenta eliminar a frase contendo o erro sintático. O analisador determina que uma cadeia derivável de A contém um erro. Parte dessa cadeia já foi processada, e o resultado desse processamento é uma seqüência de estados no topo da pilha. O restante da cadeia ainda está na entrada, e o analisador tenta ignorar o restante dessa cadeia procurando um símbolo na entrada que pode seguir legitimamente A. Removendo os estados da pilha, ignorando a entrada e empilhando GOTO(s, A), o analisador finge que encontrou uma instância de A e retoma a análise normal.

Na recuperação em nível de frase examina-se cada entrada de erro na tabela de análise LR e decide-se com base no uso da linguagem qual seria o erro mais provável do programador que faria surgir esse erro. Um procedimento de recuperação apropriado pode, então, ser construído; presume-se que o topo da pilha e/ou os primeiros símbolos da entrada sejam modificados de uma maneira considerada apropriada para cada entrada de erro.

Projetando rotinas de tratamento de erro específicas para um analisador sintático LR, podemos preencher cada entrada em branco no campo de ação da tabela de análise com um apontador para uma rotina de erro que executará a ação apropriada selecionada pelo projetista do compilador. As ações podem incluir inserção ou remoção de símbolos da pilha ou da entrada ou de ambos, ou alteração e transposição de símbolos da entrada. Temos de fazer nossas escolhas de modo que o analisador sintático LR não entre em um *loop* infinito. Uma estratégia segura garantirá que pelo menos um símbolo de entrada será em algum momento removido ou transferido, ou que a pilha no fim diminuirá se toda a entrada tiver sido consumida. Remover um estado da pilha que abriga um não-terminal é algo que deve ser evitado, pois essa modificação elimina da pilha uma construção que já foi analisada com sucesso.

Exemplo 4.68: Considere novamente a gramática de expressão

$$E \rightarrow E + E \mid E * E \mid (E) \mid \mathbf{id}$$

A Figura 4.53 mostra a tabela de análise LR da Figura 4.49 para essa gramática, modificada para detecção e recuperação de erros. Mudamos cada estado que chama por uma redução em particular sob alguns símbolos de entrada, substituindo as entradas de erro nesse estado pela redução. Essa mudança tem o efeito de adiar a detecção de erro até que uma ou mais reduções sejam feitas, mas o erro ainda será detectado antes que ocorra qualquer movimento de transferência. As entradas em branco restantes da Figura 4.49 foram substituídas por chamadas a rotinas de erro.

Estado	Action						Goto
	id	+	*	(	)	$	E
0	s3	e1	e1	s2	e2	e1	1
1	e3	s4	s5	e3	e2	acc	
2	s3	e1	e1	s2	e2	e1	6
3	r4	r4	r4	r4	r4	r4	
4	s3	e1	e1	s2	e2	e1	7
5	s3	e1	e1	s2	e2	e1	8
6	e3	s4	s5	e3	s9	e4	
7	r1	r1	s5	r1	r1	r1	
8	r2	r2	r2	r2	r2	r2	
9	r3	r3	r3	r3	r3	r3	

Figura 4.53 Tabela de análise LR com rotinas de erro.

As rotinas de erro são as seguintes:

e1: Esta rotina é chamada pelos estados 0, 2, 4 e 5, todos esperando o início de um operando, seja um **id** ou um parêntese esquerdo. Em vez disso, foi encontrado +, * ou o final da entrada.

    empilhe o estado 3 (a transição dos estados 0, 2, 4 e 5 sob **id**);
    emite diagnóstico "operando faltando".

e2: Chamado a partir dos estados 0, 1, 2, 4 e 5 encontrando um parêntese direito.

    remove o parêntese direito da entrada;
    emite diagnóstico "parêntese direito não balanceado".

e3: Chamado dos estados 1 ou 6 quando se espera um operador, e um **id** ou parêntese direito é encontrado.

    empilhe o estado 4 (correspondente ao símbolo +) no topo da pilha;
    emite diagnóstico "faltando um operador".

e4: Chamado do estado 6 quando o fim da entrada é encontrado.

empilhe o estado 9 (para um parêntese direito);
emite diagnóstico "faltando um parêntese direito".

Na entrada errônea **id** +), a seqüência de configurações entradas pelo analisador sintático aparece na Figura 4.54.

Pilha	Símbolos	Entrada	Ação
0		**id** +) $	
0 3	**id**	+) $	
0 1	E	+) $	
0 1 4	E +	) $	"parêntese direito não balanceado";
0 1 4	E +	$	e2 remove parêntese direito
0 1 4 3	E + **id**	$	"faltando operando";
0 1 4 7	E +	$	e 1 empilhe estado 3
0 1	E +	$	

Figura 4.54 Movimentos de análise e recuperação de erros feitos por um analisador sintático LR.

4.8.4 Exercícios da Seção 4.8

Exercício 4.8.1: A seguir, temos uma gramática ambígua para as expressões com n operadores binários, infixos, em n diferentes níveis de precedência:

$$E \to E\,\theta_1\,E \mid E\,\theta_2\,E \mid \cdots \mid E\,\theta_n\,E \mid (\,E\,) \mid \mathbf{id}$$

a) Como uma função de n, quais são os conjuntos de itens SLR?
b) Como você resolveria os conflitos nos itens SLR de modo que todos os operadores sejam associativos à esquerda, e θ_1 tenha precedência sob θ_2, que tem precedência sob θ_3, e assim por diante?
c) Mostre a tabela de análise SLR que resulta das suas decisões na parte (b).
d) Repita as partes (a) e (c) para a gramática não-ambígua, que define o mesmo conjunto de expressões, mostrado na Figura 4.55.
e) Como as contagens do número de conjuntos de itens e os tamanhos das tabelas para as duas gramáticas (ambígua e não-ambígua) se comparam? O que essa comparação lhe diz sobre o uso das gramáticas de expressão ambígua?

$$\begin{aligned}
E_1 &\to E_1\,\theta\,E_2 \mid E_2 \\
E_2 &\to E_2\,\theta\,E_3 \mid E_3 \\
&\cdots \\
E_n &\to E_n\,\theta\,E_{n+1} \mid E_{n+1} \\
E_{n+1} &\to (\,E_1\,) \mid \mathbf{id}
\end{aligned}$$

Figura 4.55 Gramática não-ambígua para n operadores.

! Exercício 4.8.2: Na Figura 4.56, temos uma gramática para certas construções, semelhantemente ao que discutimos no Exercício 4.4.12. Mais uma vez, e e s são terminais representando expressões condicionais e "outros comandos", respectivamente.

a) Construa uma tabela de análise LR para essa gramática, resolvendo os conflitos de forma usual para o problema do else vazio.
b) Implemente a correção de erro preenchendo as entradas em branco da tabela de análise com ações de redução extras ou rotinas adequadas de recuperação de erros.
c) Mostre o comportamento do seu analisador sintático para as seguintes entradas:
  (i) **if** e **then** s ; **if** s **then** s **end**
  (ii) **while** e **do begin** s ; **if** e **then** s ; **end**

4.9 Geradores de analisadores sintáticos

Esta seção mostra como um gerador de analisador sintático pode ser usado para facilitar a construção do *front-end* de um compilador. Usaremos o gerador de analisadores LALR Yacc como base de nossa discussão, pois ele implementa muitos dos conceitos ilustrados nas duas seções anteriores e está disponível para uso. Yacc significa "*yet another compiler-compiler*" (ainda

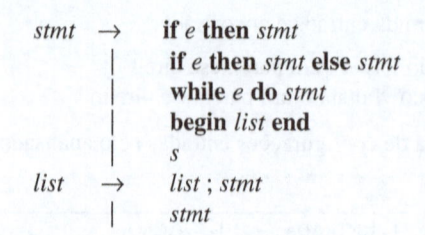

$$
\begin{align}
stmt \rightarrow & \ \textbf{if } e \textbf{ then } stmt \\
\mid & \ \textbf{if } e \textbf{ then } stmt \textbf{ else } stmt \\
\mid & \ \textbf{while } e \textbf{ do } stmt \\
\mid & \ \textbf{begin } list \textbf{ end} \\
\mid & \ s \\
list \rightarrow & \ list \ ; \ stmt \\
\mid & \ stmt
\end{align}
$$

FIGURA 4.56 Uma gramática para certos tipos de comandos.

outro compilador de compilador), refletindo a popularidade dos geradores de analisadores sintáticos do início da década de 1970, quando a primeira versão do Yacc foi criada por S. C. Johnson. Yacc está disponível como um comando no sistema UNIX, e tem sido usado para auxiliar na implementação de muitos compiladores de produção.

4.9.1 O GERADOR DE ANALISADOR SINTÁTICO Yacc

Um tradutor pode ser construído usando o Yacc como ilustrado na Figura 4.57. Inicialmente, prepara-se um arquivo, digamos, translate.y, contendo uma especificação Yacc do tradutor. O comando do sistema UNIX

```
yacc translate.y
```

transforma o arquivo translate.y em um programa C chamado y.tab.c, usando o método LALR esboçado no Algoritmo 4.63. O programa y.tab.c é uma representação de um analisador LALR escrito em C, junto com outras rotinas C que o usuário pode ter preparado. A tabela de análise LALR é compactada conforme descrito na Seção 4.7. Compilando y.tab.c junto com a biblioteca ly que contém o programa de análise LR usando o comando

```
cc y.tab.c -ly
```

obtemos o programa objeto desejado a.out, que realiza a tradução especificada pelo programa Yacc original.[10] Se outros procedimentos forem necessários, eles podem ser compilados ou carregados com y.tab.c, assim como qualquer outro programa em C.

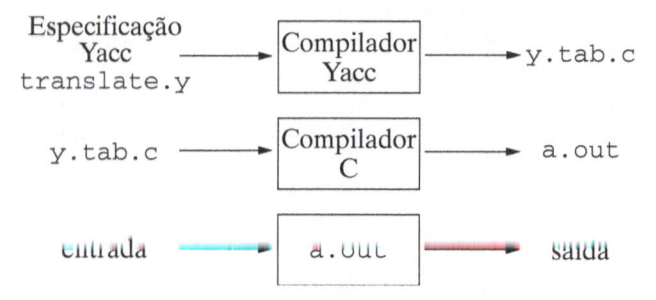

FIGURA 4.57 Criando um tradutor de entrada/saída com Yacc.

Um programa fonte Yacc possui três partes:

```
declarações
%%
regras de tradução
%%
rotinas de suporte em C
```

EXEMPLO 4.69: Para ilustrar como preparar um programa fonte Yacc, vamos construir uma calculadora de mesa simples, que lê e avalia uma expressão aritmética, e depois imprime seu valor numérico. Construiremos a calculadora de mesa começando com a seguinte gramática para as expressões aritméticas:

---

10 O nome ly é dependente do sistema.

$$\begin{aligned} E &\rightarrow E+T \mid T \\ T &\rightarrow T*F \mid F \\ F &\rightarrow (E) \mid \textbf{dígito} \end{aligned}$$

O token **dígito** é um único dígito entre 0 e 9. Um programa de calculadora de mesa Yacc derivado desta gramática aparece na Figura 4.58.

A parte de declarações

Existem duas seções na parte de declarações de um programa Yacc, ambas são opcionais. Na primeira seção, colocamos declarações C comuns, delimitadas por %{ e %}. Aqui, colocamos declarações de quaisquer temporários usados pelas regras de tradução ou procedimentos da segunda e terceira seções. Na Figura 4.58, esta seção contém apenas o comando include

```
#include <ctype.h>
```

que faz com que o pré-processador C inclua o arquivo de cabeçalho padrão <ctype.h> que contém o predicado isdigit.

```
%{
#include <ctype.h>
%}

%token DIGIT

%%
line    : expr '\n'             { printf("%d\n", $1); }
        ;
expr    : expr '+' term         { $$ = $1 + $3; }
        | term
        ;
term    : term '*' factor       { $$ = $1 * $3; }
        | factor
        ;
factor  : '(' expr ')'          { $$ = $2; }
        | DIGIT
        ;
%%
yylex() {
    int c;
    c = getchar();
    if (isdigit(c)) {
        yylval = c-'0';
        return DIGIT;
    }
    return c;
}
```

FIGURA 4.58 Especificação Yacc de uma calculadora de mesa simples.

Também na parte de declarações estão as declarações dos tokens da gramática. Na Figura 4.58, o comando

```
%token DIGIT
```

declara DIGIT como sendo um token. Os tokens declarados nesta seção podem, então, ser usados na segunda e terceira partes da especificação Yacc. Se o Lex é usado para criar o analisador léxico que passa o token ao analisador sintático Yacc, então essas declarações de token também se tornam disponíveis ao analisador gerado pelo Lex, conforme discutimos na Seção 3.5.2.

A parte de regras de tradução

Na parte da especificação Yacc após o primeiro par %%, colocamos as regras de tradução. Cada regra consiste em uma produção da gramática e a ação semântica associada. Um conjunto de produções do tipo:

$$\langle head\rangle \ \text{Æ} \ \langle body\rangle_1 \ | \ \langle body\rangle_2 \ | \ \cdots \ | \ \langle body\rangle_n$$

seria escrito no `Yacc` como

```
⟨head⟩   :   ⟨body⟩₁        { ⟨ação semântica⟩₁ }
         |   ⟨body⟩₂        { ⟨ação semântica⟩₂ }
             ...
         |   ⟨body⟩ₙ        { ⟨ação semântica⟩ₙ }
         ;
```

Em uma produção do `Yacc`, cadeias de letras e dígitos sem aspas, não declaradas como tokens, são consideradas não-terminais. Um único caractere entre apóstrofos, por exemplo, `'c'`, é considerado o símbolo terminal c, assim como o código inteiro para o token representado por esse caractere (ou seja, `Lex` retornaria o código de caractere para `'c'` ao analisador sintático, como um número inteiro). Lados direitos alternativos podem ser separados por uma barra vertical, e um ponto-e-vírgula vem após cada lado esquerdo com suas alternativas e suas ações semânticas. Na primeira produção, *head* é considerada o símbolo inicial.

Uma ação semântica do `Yacc` é uma seqüência de instruções C. Em uma ação semântica, o símbolo $$ refere-se ao valor do atributo associado ao não-terminal *head*, enquanto $*i* se refere ao valor do atributo associado ao *i*-ésimo símbolo da gramática (terminal ou não-terminal) de *body*. A ação semântica é efetuada sempre que reduzimos pela produção associada, de modo que normalmente a ação semântica calcula um valor para $$ em termos dos $*i*s. Na especificação $i, escrevemos as duas produções-*E*

$$E \to E + T \mid T$$

e suas ações semânticas associadas como:

```
expr  :   expr ' + ' term{ $$ = $1 + $3; }
      |   term
      ;
```

Observe que o não-terminal `term` na primeira produção é o terceiro símbolo da gramática no corpo, enquanto + é o segundo. A ação semântica associada à primeira produção soma o valor de `expr` e `term` do lado direito e atribui o resultado como o valor para o não-terminal `expr` do lado esquerdo da produção. Omitimos completamente a ação semântica para o segunda produção, pois a cópia do valor é a ação "default" para produções com um único símbolo da gramática no corpo. Em geral, `{ $$ = 1$; }` é a ação semântica "default".

Observe que incluímos uma nova produção inicial

```
line : expr '\n'    { printf("%d\n", $1); }
```

à especificação `Yacc`. Essa produção diz que uma entrada para a calculadora de mesa deve ser uma expressão seguida por um caractere de quebra de linha. A ação semântica associada a essa produção imprime o valor decimal da expressão seguido por um caractere de quebra de linha.

A parte das rotinas de suporte em C

A terceira parte de uma especificação `Yacc` consiste em rotinas de suporte em C. Um analisador léxico com o nome `yylex()` precisa ser fornecido. O uso do `Lex` para produzir o `yylex()` é uma opção comum; veja a Seção 4.9.3. Outros procedimentos, como rotinas de recuperação de erro, podem ser acrescentados conforme a necessidade.

O analisador léxico `yylex()` produz tokens consistindo em um nome de token e seu valor de atributo associado. Se um nome de token como `DIGIT` for retornado, o nome de token deve ser declarado na primeira seção da especificação `Yacc`. O valor do atributo associado a um token é passado ao analisador sintático por meio de uma variável `yylval` definida pelo `Yacc`.

O analisador léxico da Figura 4.58 é muito simples. Ele lê caracteres da entrada, um de cada vez, usando a função `getchar()` da linguagem C. Se o caractere for um dígito, o valor do dígito é armazenado na variável `yylval`, e o nome de token `DIGIT` é retornado. Caso contrário, o próprio caractere é retornado como nome de token.

4.9.2 Usando Yacc com gramáticas ambíguas

Modificaremos agora a especificação `Yacc` de modo que a calculadora de mesa resultante se torne mais útil. Primeiro, permitiremos que a calculadora de mesa avalie uma seqüência de expressões, uma para cada linha. Também permitiremos linhas em branco entre as expressões. Fazemos isso alterando a primeira regra para

```
lines   :   lines expr '\n'     { printf("%g\n", $2); }
        |   lines'\n'
        |   /* vazio */
        ;
```

Em Yacc, uma alternativa vazia, como na terceira linha, denota ϵ.

Segundo, ampliaremos a classe de expressões para incluir números no lugar de dígitos isolados, e para incluir os operadores aritméticos +, –, (ambos binários e unários), * e /. O modo mais fácil de especificar essa classe de expressões é usar a gramática ambígua

$$E \rightarrow E + E \mid E - E \mid E * E \mid E/E \mid -E \mid \textbf{number}$$

A especificação Yacc resultante aparece na Figura 4.59.

```
%{
#include <ctype.h>
#include <stdio.h>
#define YYSTYPE double   /* tipo double para pilha Yacc */
%}
%token NUMBER

%left '+' '-'
%left '*' '/'
%right UMINUS
%%

lines : lines expr '\n'      { printf("%g\n", $2); }
        | lines '\n'
        | /* vazio */
        ;
expr  : expr'+' expr          { $$ = $1 + $3; }
        | expr'-' expr        { $$ = $1 - $3; }
        | expr'*' expr        { $$ = $1 * $3; }
        | expr'/' expr        { $$ = $1 / $3; }
        | '(' expr ')'        { $$ = $2; }
        | '-' expr  %prec UMINUS { $$ = - $2; }
        | NUMBER
        ;
%%
yylex() {
    int c;
    while ( ( c = getchar() ) == ' ' );
    if ( (c == '.') || (isdigit(c)) ) {
        ungetc(c, stdin);
        scanf("%lf", &yylval);
        return NUMBER;
    }
    return c;
}
```

FIGURA 4.59 Especificação Yacc para uma calculadora de mesa mais avançada.

Como a gramática na especificação Yacc da Figura 4.59 é ambígua, o algoritmo LALR gerará conflitos de ação de análise. O Yacc informa o número de conflitos de ação de análise que são gerados. Uma descrição dos conjuntos de itens e os conflitos de ação de análise podem ser obtidos chamando-se o Yacc com uma opção -v. Essa opção gera um arquivo adicional y.output, que contém as bases dos conjuntos de itens encontrados para a gramática, uma descrição dos conflitos de ação de análise gerados pelo algoritmo LALR, e uma representação legível da tabela de análise LR mostrando como os conflitos de ação de análise foram resolvidos. Sempre que o Yacc informar que encontrou conflitos de ação de análise, é sensato criar e consultar o arquivo y.output para ver por que os conflitos de ação de análise foram gerados, e para ver se eles foram resolvidos corretamente.

A menos que instruído ao contrário, o Yacc resolverá todos os conflitos de ação de análise usando as duas regras a seguir:

1. Um conflito reduce/reduce é resolvido escolhendo-se a produção em conflito listada primeiro na especificação Yacc.
2. Um conflito shift/reduce é resolvido em favor da transferência (*shift*). Esta regra resolve corretamente o conflito shift/reduce que surge da ambigüidade do else vazio.

Como essas regras "default" nem sempre podem ser o que o projetista do compilador deseja, o Yacc oferece um mecanismo geral para resolver conflitos de shift/reduce. Na parte de declarações, podemos atribuir precedências e associatividades aos terminais. A declaração

%left '+' '-'

faz com que + e - tenham a mesma precedência e sejam associativos à esquerda. Podemos declarar um operador como associativo à direita escrevendo

%right '^'

e podemos forçar um operador a ser um operador binário não associativo (ou seja, duas ocorrências do operador não podem ser combinadas de forma alguma) escrevendo

%nonassoc '<'

Os tokens recebem precedências na ordem em que aparecem na parte de declarações, a mais baixa primeiro. Os tokens na mesma declaração têm a mesma precedência. Assim, a declaração

%right UMINUS

na Figura 4.59 dá ao token UMINUS um nível de precedência mais alto que o dos cinco terminais anteriores.

O Yacc resolve conflitos do tipo shift/reduce conectando uma precedência e associatividade a cada produção envolvida em um conflito, bem como a cada terminal envolvido em um conflito. Se ele tiver de escolher entre transferir o símbolo de entrada *a* e reduzir segundo a produção $A \to \alpha$, o Yacc reduz se a precedência da produção for maior que a de *a*, ou se as precedências forem iguais e a associatividade da produção for left. Caso contrário, a transferência é a ação escolhida.

Normalmente, a precedência de uma produção é considerada a mesma que a de seu terminal mais à direita. Essa é uma decisão sensata na maioria dos casos. Por exemplo, dadas as produções

$$E \to E + E \mid E * E$$

preferiríamos reduzir por $E \to E + E$ com lookahead +, pois o + no corpo tem a mesma precedência que o lookahead, mas é associativo à esquerda. Com o lookahead *, preferiríamos transferir, pois o lookahead tem precedência mais alta do que o + na produção.

Naquelas situações em que o terminal mais à direita não fornece a precedência apropriada a uma produção, podemos forçar uma precedência anexando a uma produção a *tag*

%prec ⟨terminal⟩

A precedência e a associatividade da produção, então, serão iguais às do terminal, presumivelmente definido na seção de declaração. O Yacc não informa conflitos shift/reduce que são resolvidos usando esse mecanismo de precedência e associatividade.

Esse "terminal" pode ser um marcador de lugar, como UMINUS na Figura 4.59; esse terminal não é retornado pelo analisador léxico, mas é declarado unicamente para definir uma precedência para uma produção. Na Figura 4.59, a declaração

%right UMINUS

atribui ao token UMINUS uma precedência que é mais alta do que a de * e /. Na parte de regras de tradução, a tag:

%prec UMINUS

no fim da produção

expr : '-' expr

faz com que o operador menos unário nessa produção tenha uma precedência mais alta do que qualquer outro operador.

4.9.3 Criando analisadores léxicos Yacc com o Lex

O Lex foi projetado para produzir analisadores léxicos que poderiam ser usados com o Yacc. A biblioteca ll do Lex fornecerá um programa *driver* chamado yylex(), o nome exigido pelo Yacc para seu analisador léxico. Se o Lex for usado para produzir o analisador léxico, substituímos a rotina yylex() na terceira parte da especificação Yacc pela declaração

#include "lex.yy.c"

e fazemos com que cada ação do Lex retorne um terminal conhecido do Yacc. Usando a instrução #include "lex.yy.c", o programa yylex tem acesso aos nomes dos tokens pelo Yacc, pois o arquivo de saída do Lex é compilado como parte do arquivo de saída y.tab.c do Yacc.

Usando o sistema UNIX, se a especificação Lex estiver no arquivo first.l e a especificação Yacc em second.y, podemos dizer

```
lex first.l
yacc second.y
cc y.tab.c -ly -ll
```

para obter o tradutor desejado.

A especificação Lex da Figura 4.60 pode ser usada no lugar do analisador léxico da Figura 4.59. O último padrão, significando "qualquer caractere", precisa ser escrito como \n|. porque o ponto no Lex combina com qualquer caractere, exceto a quebra de linha.

```
number     [0-9]+\e.?|[0-9]*\e.[0-9]+
%%
[ ]        { /* pula espaços */ }
{number}   { sscanf(yytext, "%lf", &yylval);
             return NUMBER; }
\n|.       { return yytext[0]; }
```

FIGURA 4.60 Especificação Lex para o yylex() da Figura 4.59.

4.9.4 RECUPERAÇÃO DE ERRO NO YACC

No Yacc, a recuperação de erro usa uma forma de produções de erro. Primeiro, o usuário decide quais não-terminais "principais" terão recuperação de erro associada a eles. As opções típicas são alguns subconjuntos de não-terminais gerando expressões, comandos, blocos e funções. O usuário, então, acrescenta à gramática produções de erro da forma $A \rightarrow$ **error** α, onde A é um não-terminal principal e α é uma cadeia de símbolos da gramática, talvez a cadeia vazia; **error** é uma palavra reservada do Yacc. O Yacc gerará um analisador sintático a partir dessa especificação, tratando as produções de erro como produções comuns.

Contudo, quando o analisador sintático gerado pelo Yacc encontra um erro, ele trata os estados cujos conjuntos de itens contêm produções de erro de uma maneira especial. Ao encontrar um erro, o Yacc remove símbolos de sua pilha até encontrar o estado mais ao topo em sua pilha, cujo conjunto básico de itens inclua um item na forma $A \rightarrow \cdot$**error** α. O analisador sintático, então, "transfere" um token **error** fictício para a pilha, como se visse o token **error** em sua entrada.

Quando α é ϵ, uma redução para A ocorre imediatamente e a ação semântica associada à produção $A \rightarrow \cdot$**error** (que poderia ser uma rotina de recuperação de erro especificada pelo usuário) é chamada. O analisador sintático, então, ignora os símbolos da entrada até encontrar um símbolo de entrada que permita à análise prosseguir normalmente.

Se α não for vazio, o Yacc salta adiante na entrada procurando uma subcadeia que pode ser reduzida para α. Se α consiste inteiramente em terminais, então ele procura essa cadeia de terminais na entrada, e os "reduz" transferindo-os para a pilha. Nesse ponto, o analisador sintático terá **error** α no topo de sua pilha. O reconhecedor sintático, então, reduzirá **error** α para A, e retomará a análise normal.

Por exemplo, uma produção de erro da forma

$$stmt \rightarrow \textbf{error} \ ;$$

especifica ao reconhecedor sintático que ele deve ignorar até um pouco além do próximo ponto-e-vírgula ao ver um erro, e assume que um comando foi encontrado. A rotina semântica para essa produção de erro não precisa manipular a entrada, mas pode gerar uma mensagem de diagnóstico e definir um flag para inibir a geração do código objeto, por exemplo.

EXEMPLO 4.70: A Figura 4.61 mostra a calculadora de mesa Yacc da Figura 4.59 com uma produção de erro

```
lines : error'\n'
```

Essa produção de erro faz com que a calculadora de mesa suspenda a análise normal quando um erro de sintaxe é encontrado em uma linha da entrada. Ao encontrar o erro, o analisador sintático retira símbolos de sua pilha até encontrar um estado que possui uma ação de transferência sobre o token **error**. O estado 0 é tal estado (neste exemplo, ele é o único estado desse tipo), pois seus itens incluem

$$lines \rightarrow \cdot\textbf{error} \ \text{'\textbackslash n'}$$

Além disso, o estado 0 está sempre no fundo da pilha. O analisador sintático transfere o token **error** para a pilha, e depois prossegue ignorando símbolos na entrada até encontrar um caractere de quebra de linha. Nesse ponto, o analisador sintático transfere a quebra de linha para a pilha, reduz **error '\n'** para *lines*, e emite a mensagem de diagnóstico "reentre linha anterior:". A rotina especial yyerrok do Yacc retorna o analisador sintático ao seu modo de operação normal.

```
%{
#include <ctype.h>
#include <stdio.h>
#define YYSTYPE double    /* tipo double para pilha Yacc */
%}
%token NUMBER

%left '+' '-'
%left '*' '/'
%right UMINUS
%%

lines : lines expr '\n'   { printf("%g\n", 2); }
      | lines '\n'
      | /* vazio */
      | error '\n' { yyerror("reenter previous line:");
                     yyerrok; }
      ;
expr  : expr '+' expr     { $$ = $1 + $3; }
      | expr '-' expr     { $$ = $1 - $3; }
      | expr '*' expr     { $$ = $1 * $3; }
      | expr '/' expr     { $$ = $1 / $3; }
      |'(' expr ')'       { $$ = $2; }
      |'-' expr  %prec UMINUS { $$ = - $2; }
      | NUMBER
      ;
%%
#include "lex.yy.c"
```

FIGURA 4.61 A calculadora de mesa com recuperação de erro.

4.9.5 Exercícios da Seção 4.9

! **Exercício 4.9.1:** Escreva um programa Yacc que receba expressões booleanas como entrada [dadas pela gramática do Exercício 4.2.2(g)] e produza o valor verdade das expressões.

! **Exercício 4.9.2:** Escreva um programa Yacc que receba listas (conforme definidas pela gramática do Exercício 4.2.2(e), mas com qualquer caractere unitário como elemento, não apenas *a*) e produza como saída uma representação linear da mesma lista, ou seja, uma única lista dos elementos, na mesma ordem em que eles aparecem na entrada.

! **Exercício 4.9.3:** Escreva um programa Yacc que diga se sua entrada é um *palíndromo* (seqüência de caracteres que podem ser lidos nos dois sentidos).

!! **Exercício 4.9.4:** Escreva um programa Yacc que receba expressões regulares como entrada (conforme definidas pela gramática do Exercício 4.2.2(d), mas com qualquer caractere unitário como um argumento, não apenas *a*), e produza como saída uma tabela de transição para um autômato finito não determinista reconhecendo a mesma linguagem.

4.10 Resumo do Capítulo 4

- *Analisadores sintáticos*. Um analisador sintático recebe como entrada tokens do analisador léxico e trata os nomes de tokens como símbolos terminais de uma gramática livre do contexto. O analisador, então, constrói uma árvore de derivação para as seqüências de tokens da entrada; a árvore de derivação pode ser construída de modo figurativo (passando pelos passos de derivação correspondentes) ou literal.

- *Gramáticas livres de contexto*. Uma gramática especifica um conjunto de símbolos terminais (entradas), um conjunto de não-terminais (símbolos representando construções sintáticas) e um conjunto de produções, cada qual especificando uma forma com que cadeias representadas por um não-terminal podem ser construídas a partir dos símbolos terminais e cadeias representadas por certos não-terminais. Uma produção consiste em um lado esquerdo ou cabeça (o não-terminal a ser substituído) e um lado direito, também denominado corpo da produção (a cadeia de substituição de símbolos da gramática).
- *Derivações*. O processo que começa com o não-terminal inicial de uma gramática e o substitui sucessivamente pelo lado direito de uma de suas produções é chamado de derivação. Se o não-terminal mais à esquerda (ou mais à direita) sempre for substituído, então a derivação é chamada derivação mais à esquerda (respectivamente, derivação mais à direita).
- *Árvores de derivação*. Uma árvore de derivação é uma imagem de uma derivação, na qual existe um nó para cada não-terminal que aparece na derivação. Os filhos de um nó são os símbolos pelos quais esse não-terminal é substituído no processo de derivação. Existe uma correspondência um-para-um entre as árvores de derivação, derivações mais à esquerda e derivações mais à direita da mesma cadeia de terminais.
- *Ambigüidade*. Uma gramática para a qual a mesma cadeia de terminais possui duas ou mais árvores de derivação diferente, ou, de forma equivalente, duas ou mais derivações mais à esquerda ou duas ou mais derivações mais à direita, é considerada ambígua. Na prática, na maioria dos casos é possível reprojetar uma gramática ambígua de modo que ela se torne uma gramática não-ambígua para a mesma linguagem. No entanto, as gramáticas ambíguas, com certos truques aplicados, às vezes produzem analisadores sintáticos mais eficientes.
- *Análise descendente e ascendente*. Os analisadores sintáticos geralmente são classificados em analisadores sintáticos descendentes (começando com o símbolo inicial da gramática e construindo a árvore de derivação de cima para baixo) ou ascendentes (começando com os símbolos terminais que formam as folhas da árvore de derivação construindo a árvore de baixo para cima). Os analisadores descendentes incluem analisadores de descida recursiva e LL, enquanto as formas mais comuns de analisadores ascendentes são os analisadores LR.
- *Projeto de gramáticas*. As gramáticas adequadas para a análise descendente normalmente são mais difíceis de projetar do que aquelas usadas por analisadores ascendentes. É necessário eliminar a recursão à esquerda, uma situação na qual um não-terminal deriva uma cadeia de símbolos da gramática que começa com o mesmo não-terminal. Também devemos fatorar à esquerda — agrupar produções para o mesmo não-terminal que possuem um prefixo comum no corpo.
- *Analisadores de descida recursiva*. Esses analisadores utilizam um procedimento para cada não-terminal. O procedimento examina sua entrada e decide qual produção aplicar ao não-terminal. Os terminais do lado direito da produção são casados com a entrada no momento apropriado, enquanto os não-terminais do lado direito resultam em chamadas ao seu procedimento. O retrocesso é usado em situações nas quais uma produção errada foi escolhida, representando uma possibilidade de retorno.
- *Analisadores LL(1)*. Uma gramática tal que seja possível escolher a produção correta com a qual expandimos determinado não-terminal, examinando apenas o próximo símbolo da entrada, é chamada de LL(1). Essas gramáticas nos permitem construir uma tabela de reconhecimento preditivo que fornece, para cada não-terminal e cada símbolo lookahead, a escolha correta da produção. A correção de erro pode ser facilitada colocando-se rotinas de erro em algumas ou todas as entradas da tabela que não possuem uma produção legítima.
- *Análise shift-reduce*. Os analisadores ascendentes geralmente operam escolhendo, com base no próximo símbolo de entrada (símbolo *lookahead*) e no conteúdo da pilha, se transferem a próxima entrada para a pilha ou reduzem alguns símbolos no topo da pilha. Um passo de redução transfere o corpo de uma produção para o topo da pilha e o substitui pela cabeça da produção.
- *Prefixos viáveis*. Na análise shift-reduce, o conteúdo da pilha é sempre um prefixo viável — ou seja, um prefixo de alguma forma sentencial à direita que não termina além do fim do handle dessa forma sentencial. O handle é a subcadeia que foi introduzida no último passo da derivação mais à direita dessa forma sentencial.
- *Itens válidos*. Um item é uma produção com um ponto em algum lugar no seu corpo. Um item é válido para um prefixo viável se a produção desse item for usada para gerar o handle, e o prefixo viável inclui todos esses símbolos à esquerda do ponto, e nada depois deles.
- *Analisadores LR*. Cada um dos vários tipos de analisadores LR opera construindo primeiro o conjunto de itens válidos (chamados estados LR) para todos os prefixos viáveis possíveis e registrando o estado de cada prefixo na pilha. O conjunto de itens válidos orienta a decisão de análise shift-reduce. Preferimos reduzir se houver um item válido com o ponto no canto direito do corpo, e preferimos transferir o símbolo lookahead para a pilha se esse símbolo aparecer imediatamente à direita do ponto em algum item válido.
- *Analisadores LR simples*. Em um analisador SLR, realizamos uma redução sugerida por um item válido com um ponto no canto direito, desde que o símbolo lookahead possa vir após a cabeça dessa produção em alguma forma sentencial. A gramática é SLR, e esse método pode ser aplicado se não houver conflitos de ação de análise; ou seja, para nenhum conjunto de itens, e para nenhum símbolo lookahead, existem duas produções para reduzir, nem existe a opção de reduzir ou transferir para a pilha.

- *Analisadores LR canônicos.* Essa forma mais complexa de analisadores LR utiliza itens acrescidos de um conjunto de símbolos lookahead que podem seguir o uso da produção subjacente. As reduções só são escolhidas quando houver um item válido com o ponto no canto direito, e o símbolo de lookahead corrente é um daqueles permitidos para esse item. Um analisador sintático LR canônico pode evitar alguns dos conflitos de ação de análise que estão presentes em analisadores sintáticos SLR, mas normalmente tem muito mais estados do que o analisador SLR para a mesma gramática.
- *Analisadores LR lookahead.* Analisadores LALR oferecem muitas das vantagens dos analisadores SLR e LR canônico, combinando os estados que têm as mesmas bases (conjuntos de itens, sem os conjuntos lookahead associados). Assim, o número de estados é igual ao do analisador SLR, mas alguns conflitos de ação de análise presentes no analisadores SLR podem não ocorrer nos analisadores LALR. Os analisadores LALR se tornaram o método escolhido na prática.
- *Análise sintática ascendente de gramáticas ambíguas.* Em muitas situações importantes, como a análise de expressões aritméticas, podemos usar uma gramática ambígua e explorar informações adicionais, como a precedência de operações, para resolver conflitos entre transferência e redução, ou entre redução por duas produções diferentes. Assim, as técnicas de análise LR se estendem a muitas gramáticas ambíguas.
- Yacc. O gerador de analisador sintático Yacc recebe como entrada uma gramática (possivelmente) ambígua e informações sobre a solução de conflitos, e constrói os estados LALR. Depois, ele produz uma função que usa esses estados para realizar uma análise ascendente e chamar uma função associada toda vez que uma redução for realizada.

4.11 Referências do Capítulo 4

O formalismo associado à gramática livre de contexto foi criado por Chomsky [5], como parte de um estudo sobre linguagem natural. A idéia também foi usada na descrição de sintaxe de duas linguagens mais antigas: Fortran, por Backus [2], e Algol 60, por Naur [26]. O erudito Panini idealizou uma notação sintática equivalente para especificar as regras da gramática sânscrita entre 400 a.C. e 200 a.C. [19].

O fenômeno da ambigüidade foi observado pela primeira vez por Cantor [4] e Floyd [13]. A Forma Normal de Chomsky (Exercício 4.4.8) vem de [6]. A teoria das gramáticas livres de contexto é resumida em [17].

A análise de descida recursiva foi o método escolhido para os primeiros compiladores, como [16] e sistemas de escrita de compilador, como META [28] e TMG [25]. Gramáticas LL foram introduzidas por Lewis e Stearns [24]. No Exercício 4.4.5, a simulação de tempo linear da descida recursiva é de [3].

Uma das técnicas de análise mais antigas é atribuída a Floyd [14], envolvendo a precedência de operadores. Wirth e Weber [29] generalizaram esta idéia para outras construções da linguagem que não envolvem operadores. Essas técnicas raramente são usadas hoje, mas podem ser vistas como o início de uma cadeia de melhorias para chegar aos analisadores LR.

Os analisadores LR foram introduzidos por Knuth [22], e as tabelas de análise LR canônicas foram originadas ali. Essa técnica não foi considerada prática, pois as tabelas de análise eram maiores do que as memórias principais dos computadores típicos da época, até que Korenjak [23] propôs um método para produzir tabelas de análise de tamanho razoável para as linguagens de programação típicas. DeRemer desenvolveu os métodos LALR [8] e SLR [9] que continuam em uso ainda hoje. A construção de tabelas de análise LR para gramáticas ambíguas tiveram origem em [1] e [12].

O Yacc de Johnson rapidamente demonstrou a praticidade da geração de analisadores sintáticos por meio de um gerador de analisadores LALR para compiladores de produção. O manual para o gerador de analisadores Yacc pode ser encontrado em [20]. A versão de fonte aberto, Bison, é descrita em [10]. Um gerador de analisador semelhante, baseado em LALR, chamado CUP [18], admite ações escritas em Java. Os geradores de analisadores descendentes incluem Antlr [27], um gerador de analisador de descida recursiva que aceita ações em C++, Java ou C#, e LLGen [15], que é um gerador baseado em LL(1).

Dain [7] oferece uma bibliografia sobre tratamento de erros de sintaxe.

O algoritmo de análise de programação dinâmica de uso geral, descrito no Exercício 4.4.9, foi inventado independentemente por J. Cocke (não publicado), por Younger [30] e Kasami [21]; daí o "algoritmo CYK". Existe um algoritmo mais complexo, de uso geral, de Earley [11], que tabula itens LR para cada subcadeia da entrada dada; esse algoritmo, embora também $O(n^3)$ em geral, é apenas $O(n^2)$ para gramáticas não-ambíguas.

1. AHO, A. V.; JOHNSON, S. C. e ULLMAN, J. D. Deterministic Parsing of Ambiguous Grammars. *Comm. ACM* **18:8**, Ago. 1975, p. 441-452.
2. BACKUS, J.W. The Syntax and Semantics of the Proposed International Algebraic Language of the Zurich-Acm-Gamm Conference. *Proc. Intl. Conf. Information Processing.* UNESCO, Paris, 1959, p. 125-132.
3. BIRMAN, A. e ULLMAN, J. D. Parsing Algorithms with Backtrack. *Information and Control* **23:1**, 1973, p. 1-34.
4. CANTOR, D. C. On the Ambiguity Problem of Backus Systems. *J. ACM* **9:4**, 1962, p. 477-479.
5. CHOMSKY, N. Three Models for the Description of Language. *IRE Trans. on Information Theory* **IT-2:3**, 1956, p. 113-124.
6. CHOMSKY, N. On Certain Formal Properties of grammars. *Information and Control* **2:2**, 1959, p. 137-167.

7. DAIN, J. Bibliography on Syntax Error Handling in Language Translation Systems. 1991. Disponível em: newsgroup <comp.compilers>; veja também <http://compilers.iecc.com/comparch/article/91-04-050>.
8. DeREMER, F. Practical Translators for LR(k) Languages. Tese de Ph.D., MIT, Cambridge, MA, 1969.
9. DeREMER, F. Simple LR(k) Grammars. *Comm. ACM* **14:7**, July, 1971, p. 453-460.
10. DONNELLY, C.; STALLMAN, R. Bison: The YACC-compatible Parser Generator. Disponível em: <http://www.gnu.org/software/bison/manual/>.
11. EARLEY, J. An Efficient Context-Free Parsing Algorithm. *Comm. ACM* **13:2**, Feb., 1970, p. 94-102.
12. EARLEY, J. Ambiguity and Precedence in Syntax Description. *Acta Informatica* **4:2**, 1975, p. 183-192.
13. FLOYD, R. W. On Ambiguity in Phrase-Structure Languages. *Comm. ACM* **5:10**, Oct., 1962, p. 526-534.
14. FLOYD, R. W. Syntactic Analysis and Operator Precedence. *J. ACM* **10:3**, 1963, p. 316-333.
15. GRUNE, D; Jacobs C. J. H. A Programmer-Friendly LL(1) Parser Generator. *Software Practice and Experience* **18:1**, Jan. 1988, p. 29-38. Veja também <http://www.cs.vu.nl/ceriel/LLgen.html>.
16. HOARE, C. A. R. Report on the Elliott Algol Translator. *Computer J.* **5:2**,1962, p. 127-129.
17. HOPCROFT, J. E.; Motwani, R. e Ullman, J. D. *Introduction to Automata Theory, Languages, and Computation*. Addison-Wesley: Boston MA, 2001.
18. HUDSON, S. E. et al. CUP LALR Parser Generator in Java. Disponível em: <http://www2.cs.tum.edu/projects/cup/>.
19. INGERMAN, P. Z. Panini-Backus Form Suggested. *Comm. ACM* **10:3**, March, 1967, p. 137.
20. JOHNSON, S. C. *Yacc ? Yet Another Compiler Compiler, Computing Science Technical Report 32*. Bell Laboratories: Murray Hill, NJ, 1975. Disponível em: <http://dinosaur.compilertools.net/yacc/>.
21. KASAMI, T. *An Efficient Recognition and Syntax Analysis Algorithm for Context-Free Languages*. AFCRL-65-758, Air Force Cambridge Research Laboratory: Bedford, MA, 1965.
22. KNUTH, D. E. On the Translation of Languages from Left to Right. *Information and Control* **8:6**, 1965, p. 607-639.
23. KORENJAK, A. J. A Practical Method for Constructing LR(K) Processors. *Comm. ACM* **12:11,** Nov. 1969, p. 613-623.
24. LEWIS, P. M. II e STEARNS, R. E. Syntax-Directed Transduction. *J. ACM* **15:3**, 1968, p. 465-488.
25. McCLURE, R. M. TMG a Syntax-Directed Compiler. *Proc. 20th ACM Natl. Conf.*,1965, p. 262-274.
26. NAUR, P. et al. Report on the Algorithmic Language ALGOL 60. *Comm. ACM* **3:5**, May 1960, p. 299-314. Veja também *Comm. ACM* **6:1**, Jan. 1963, p. 1-17.
27. PARR, T. ANTLR. Disponível em: <http://www.antlr.org/>.
28. SCHORRE, D. V. Meta-II: A Syntax-Oriented Compiler Writing Language. *Proc. 19th ACM Natl. Conf.*,1964, p. D1.3-1-D1.3-11.
29. WIRTH, N. e WEBER, H. Euler: A Generalization of Algol and its Formal Definition: Part I. *Comm. ACM* **9:1**, Jan. 1966, p. 13-23.
30. YOUNGER, D. H. Recognition and Parsing of Context-Free Languages in Time n^3. *Information and Control*, **10:2**,1967, p. 189-208.

5 TRADUÇÃO DIRIGIDA POR SINTAXE

Este capítulo desenvolve o tema da Seção 2.3: a tradução de linguagens dirigidas por gramáticas livres de contexto. As técnicas de tradução deste capítulo serão aplicadas no Capítulo 6 para a verificação de tipos e geração de código intermediário. As técnicas também são úteis na implementação de pequenas linguagens para tarefas especializadas; este capítulo inclui um exemplo da área de tipografia.

Associamos informações com uma construção da linguagem agregando aos símbolos da gramática *atributos* que representam a construção, conforme discutimos na Seção 2.3.2. Uma definição dirigida por sintaxe especifica os valores dos atributos, associando regras semânticas (também conhecidas como regras de avaliação de atributos) às produções da gramática. Por exemplo, um tradutor da forma infixada para a forma posfixada poderia ter uma produção e regra:

Produção	Regra Semântica
$E \rightarrow E_1 + T$	$E.code = E_1.code \parallel T.code \parallel \text{'}+\text{'}$

Essa produção tem dois não-terminais, E e T; o subscrito em E_1 serve apenas para distinguir a ocorrência de E no corpo da produção da ocorrência de E como cabeça. Tanto E quanto T possuem um atributo *code* do tipo cadeia. A regra semântica especifica que a cadeia $E.code$ é formada pela concatenação de $E_1.code$, $T.code$ e o caractere '+'. Embora esta regra torne explícito que a tradução de E é feita a partir das traduções de E_1, T e '+', pode ser ineficiente implementar a tradução diretamente pela manipulação de cadeias.

Vimos na Seção 2.3.5 um esquema de tradução dirigido por sintaxe que incorpora fragmentos de programa, chamados de ações (ou rotinas) semânticas, ano corpo das produções, como em

$$E \rightarrow E_1 + T \ \{ \ \text{print '} + \text{'} \ \} \tag{5.2}$$

Por convenção, as ações semânticas são delimitadas por chaves. (Caso as chaves façam parte dos símbolos da gramática, elas devem ser definidas entre apóstrofos, como em '{' e '}'.) A posição de uma ação semântica no corpo de uma produção determina a ordem em que ela é executada. Na produção (5.2), a ação semântica ocorre no fim, depois de todos os símbolos da gramática; mas em geral ela pode ocorrer em qualquer posição do lado direito da produção.

Comparando as duas notações, as definições dirigidas por sintaxe podem ser mais legíveis, e por isso são mais úteis para as especificações. Entretanto, os esquemas de tradução podem ser mais eficientes, e por isso mais úteis para as implementações.

A abordagem mais geral para a tradução dirigida por sintaxe consiste em construir uma árvore de derivação ou uma árvore de sintaxe, e então calcular os valores dos atributos nos nós da árvore durante a sua visitação. Em muitos casos, a tradução pode ser feita durante a análise sintática, sem a criação explícita da árvore. Portanto, estudaremos uma classe de traduções dirigidas por sintaxe chamada "traduções *L-atribuídas*" (do inglês *L-attributed translations,* da esquerda para a direita), que compreende praticamente todas as traduções que podem ser realizadas durante a análise sintática. Também estudaremos uma classe menor, chamada "traduções *S-atribuídas*" (do inglês, *S-attributed translations.* S de sintetizadas), que podem ser realizadas facilmente, em conexão com um método de análise sintática ascendente.

5.1 Definições dirigidas por sintaxe

Uma *definição dirigida por sintaxe* (SDD — *Syntax-Directed Definition*) é uma gramática livre de contexto acrescida de atributos e regras. Os atributos são associados aos símbolos da gramática e as regras, às produções. Se X é um símbolo e a é um de seus atributos, então escrevemos $X.a$ para denotar o valor de a em um determinado nó da árvore de derivação rotulado com X. Se implementarmos os nós da árvore de derivação usando registros ou objetos, então os atributos de X podem ser implementados como campos de dados dos registros que correspondem aos nós para X. Os atributos podem ser de qualquer tipo, por exemplo, números, tipos, referências para tabela ou cadeias. As cadeias podem ainda ser longas seqüências de código, digamos, código na linguagem intermediária usada por um compilador.

5.1.1 Atributos Herdados e Sintetizados

Vamos tratar de dois tipos de atributos para os não-terminais:

1. Um *atributo sintetizado* para um não-terminal A em um nó N da árvore de derivação é definido por uma regra semântica associada à produção naquele nó. Observe que a produção precisa ter A como sua cabeça. Um atributo sintetizado no nó N é definido apenas em termos dos valores dos atributos dos filhos de N e do próprio N.
2. Um *atributo herdado* para um não-terminal B em um nó N da árvore de derivação é definido por uma regra semântica associada à produção no pai de N. Observe que a produção precisa ter B como um símbolo em seu corpo. Um atributo herdado no nó N é definido apenas em termos dos valores dos atributos do pai de N, do próprio N e dos irmãos de N.

Embora não permitamos que um atributo herdado no nó N seja definido em termos dos valores dos atributos de seus filhos, permitimos que um atributo sintetizado no nó N seja definido em termos dos valores dos atributos herdados do próprio nó N.

Os terminais podem ter atributos sintetizados, mas não atributos herdados. Os atributos dos terminais são valores léxicos retornados pelo analisador léxico; não existem regras semânticas na SDD para computar o valor de um atributo para um terminal.

Uma definição alternativa dos atributos herdados

Nenhuma tradução adicional é possível se permitirmos que um atributo herdado $B.c$ em um nó N seja definido em termos dos valores dos atributos dos filhos de N, bem como do próprio N, do seu pai e dos seus irmãos. Essas regras podem ser 'simuladas' criando-se atributos adicionais para B, digamos, $B.c_1, B.c_2,...$. Esses são atributos sintetizados, que copiam os atributos necessários dos filhos do nó rotulado com B. E então, calculamos $B.c$ como um atributo herdado, usando os atributos $B.c_1, B.c_2,...$ no lugar dos atributos de seus filhos. Esses atributos raramente são necessários na prática.

Exemplo 5.1: A SDD da Figura 5.1 é baseada em nossa conhecida gramática para expressões aritméticas com os operadores + e *. Ela avalia expressões terminadas por um marcador de fim de entrada **n**. Na SDD, cada um dos não-terminais possui um único atributo sintetizado, chamado *val*. Também supomos que o terminal **digit** possui um atributo sintetizado *lexval*, o qual é um valor inteiro retornado pelo analisador léxico.

Produção	Regras Semânticas
1) $L \rightarrow E\ \mathbf{n}$	$L.val = E.val$
2) $E \rightarrow E_1 + T$	$E.val = E_1.val + T.val$
3) $E \rightarrow T$	$E.val = T.val$
4) $T \rightarrow T_1 * F$	$T.val = T_1.val \times F.val$
5) $T \rightarrow F$	$T.val = F.val$
6) $F \rightarrow (E)$	$F.val = E.val$
7) $F \rightarrow \mathbf{digit}$	$F.val = \mathbf{digit}.lexval$

Figura 5.1 Uma definição dirigida por sintaxe para uma calculadora de mesa simples.

A regra para a produção 1, $L \rightarrow E\ \mathbf{n}$, atribui a $L.val$ o valor de $E.val$, que corresponde ao valor numérico da expressão inteira.

A produção 2, $E \rightarrow E_1 + T$, também possui uma regra, que avalia o atributo *val* associado à cabeça E como a soma dos valores em E_1 e T. Em qualquer nó N rotulado com E na árvore de derivação, o valor de *val* atribuído a E é a soma dos valores de *val* dos filhos do nó N rotulados com E e T.

A produção 3, $E \rightarrow T$, possui uma única regra que define o valor de *val* associado a E como sendo o mesmo de *val* do seu filho T. A produção 4 é semelhante à segunda; sua regra multiplica os valores dos filhos em vez de somá-los. As regras para as produções 5 e 6 copiam os valores do filho, como aquele para a terceira produção. A produção 7 associa a $F.val$ o valor de um dígito, ou seja, o valor numérico do token **digit** retornado pelo analisador léxico. ∎

Uma SDD que envolve apenas atributos sintetizados é chamada de *definição S-atribuída*; a SDD na Figura 5.1 possui esta propriedade. Em uma SDD S-atribuída, cada regra calcula o atributo para o não-terminal da cabeça de uma produção a partir dos atributos do corpo desta produção.

Por simplicidade, os exemplos de regras semânticas desta seção não possuem efeitos colaterais. Na prática, é conveniente permitir que as SDDs tenham efeitos colaterais limitados, como imprimir o resultado calculado por uma calculadora de mesa ou interagir com uma tabela de símbolos. Quando a ordem de avaliação dos atributos for discutida na Seção 5.2, permitiremos que as regras semânticas calculem funções arbitrárias, possivelmente envolvendo efeitos colaterais.

Uma SDD S-atribuída pode ser implementada naturalmente, em conjunção com um analisador sintático LR. Na verdade, a SDD da Figura 5.1 espelha o programa Yacc da Figura 4.58, que ilustra a tradução durante o processo de análise por um analisador ascendente LR. A diferença é que, na regra da produção 1, o programa Yacc imprime o valor *E.val* como efeito colateral, em vez de definir o atributo *L.val*.

Uma SDD sem efeitos colaterais às vezes é chamada de *gramática de atributo*. As regras em uma gramática de atributo definem o valor de um atributo puramente em termos dos valores de outros atributos e constantes.

5.1.2 Avaliando uma SDD nos nós de uma árvore de derivação

Para visualizar a tradução especificada por uma SDD, é importante trabalhar com árvores de derivação, embora, na realidade, um tradutor não precise construí-la. Imagine, portanto, que as regras de uma SDD são aplicadas, primeiro, na construção de uma árvore de derivação e, então usadas para avaliar todos os atributos em cada um dos nós da árvore de derivação. Uma árvore de derivação, mostrando os valores de seus atributos, é denominada *árvore de derivação anotada*.

Como construímos uma árvore de derivação anotada? Qual é a ordem de avaliação dos atributos? Antes de avaliar um atributo em um nó de uma árvore de derivação, temos de avaliar todos os atributos dos quais depende o seu valor. Por exemplo, se todos os atributos forem sintetizados, como no Exemplo 5.1, então precisamos avaliar os atributos *val* de todos os filhos de um nó antes de avaliar o atributo *val* do próprio nó.

Com os atributos sintetizados, podemos avaliar atributos em qualquer ordem ascendente, por exemplo, por um caminhamento pós-ordem na árvore de derivação. A avaliação de definições S-atribuídas é discutida na Seção 5.2.3.

Para SDDs com atributos herdados e sintetizados, não há garantias de que sequer exista uma ordem para avaliar os atributos nos nós. Por exemplo, considere os não-terminais *A* e *B*, com atributos sintetizados e herdados *A.s* e *B.i*, respectivamente, a produção e as regras semânticas a seguir:

Produção	Regras Semânticas
$A \to B$ $A.s = B.i$;	$B.i = A.s + 1$

Essas regras são circulares; é impossível avaliar *A.s* em um nó *N* ou *B.i* como filho de *N*, porque, para avaliar o atributo *A.s*, precisamos do valor do atributo *B.i* e, para avaliar *B.i*, precisamos do valor de A.s. A dependência circular de *A.s* e *B.i* em algum par de nós em uma árvore de derivação é mostrada na Figura 5.2.

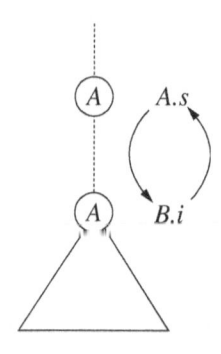

Figura 5.2 A dependência circular entre *A.s* e *B.i*.

É computacionalmente difícil determinar se existe ou não alguma circularidade em qualquer uma das árvores de derivação que uma dada SDD poderia ter de traduzir.[1] Felizmente, existem subclasses úteis das SDDs que são suficientes para garantir uma ordem de avaliação, conforme veremos na Seção 5.2.

Exemplo 5.2: A Figura 5.3 mostra uma árvore de derivação anotada para a cadeia de entrada 3 * 5 + 4**n**, construída usando a gramática e as regras da Figura 5.1. Presume-se que os valores de *lexval* são fornecidos pelo analisador léxico. Cada um dos nós para os não-terminais possui um atributo *val* calculado em uma ordem ascendente, e vemos os valores resultantes associados a cada nó. Por exemplo, no nó com um filho rotulado *, depois de calcular *T.val* = 3 e *F.val* = 5 em seu primeiro e terceiro filhos, aplicamos a regra que diz que *T.val* é o produto desses dois valores, ou 15.

---

[1] Sem entrar em detalhes, embora o problema seja decidível, ele não pode ser solucionado por um algoritmo em tempo polinomial, mesmo supondo *P* = *NP*, pois ele possui complexidade de tempo exponencial.

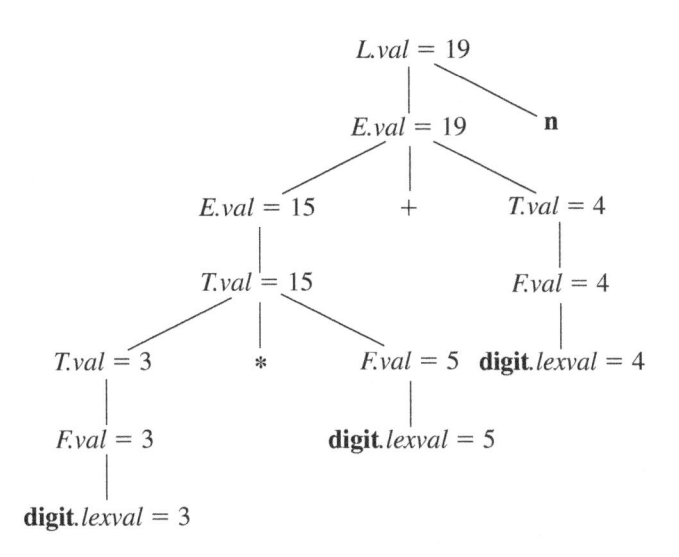

```
                    L.val = 19
                    │
              E.val = 19        n
              ╱      │    ╲
        E.val = 15   +    T.val = 4
            │              │
        T.val = 15       F.val = 4
       ╱    │    ╲         │
   T.val=3  *  F.val = 5  digit.lexval = 4
      │          │
   F.val = 3   digit.lexval = 5
      │
   digit.lexval = 3
```

FIGURA 5.3 Árvore de derivação anotada para 3*5 + 4n.

Os atributos herdados são úteis quando a estrutura da árvore de derivação não 'casa' com a sintaxe abstrata do código fonte. O próximo exemplo mostra como os atributos herdados podem ser usados para contornar tal divergência quando uma gramática é projetada para ser reconhecida sintaticamente, em vez de traduzida.

EXEMPLO 5.3: A SDD na Figura 5.4 calcula termos como 3 * 5 e 3 * 5 * 7. A análise sintática descendente da entrada 3 * 5 começa com a produção $T \rightarrow FT'$. Neste exemplo, F gera o dígito 3, mas o operador * é gerado por T'. Assim, o operando da esquerda 3 aparece em uma subárvore diferente daquela para * na árvore de derivação. Um atributo herdado, portanto, é usado para passar o operando ao operador.

A gramática nesse exemplo é um trecho da versão não recursiva à esquerda da conhecida gramática de expressão; usamos tal gramática como um exemplo executável para ilustrar a análise sintática descendente na Seção 4.4.

PRODUÇÃO	REGRAS SEMÂNTICAS
1) $T \rightarrow FT'$	$T'.inh = F.val$
	$T.val = T'.syn$
2) $T' \rightarrow *FT'_1$	$T'_1.inh = T'.inh \times F.val$
	$T'.syn = T'_1.syn$
3) $T' \rightarrow \epsilon$	$T'.syn = T'.inh$
4) $F \rightarrow \mathbf{digit}$	$F.val = \mathbf{digit}.lexval$

FIGURA 5.4 Uma SDD baseada em uma gramática adequada para a análise sintática descendente.

Cada um dos não-terminais T e F possui um atributo sintetizado *val*; o terminal **digit** tem um atributo sintetizado *lexval*. O não-terminal T' possui dois atributos: um atributo herdado *inh* e um atributo sintetizado *syn*.

As regras semânticas são baseadas na idéia de que o operando à esquerda do operador * é herdado. Mais precisamente, a cabeça T' da produção $T' \rightarrow *FT'_1$ herda o operando à esquerda de * no corpo da produção. Dado um termo $x*y*z$, a raiz da subárvore para $*y*z$ herda x. Então, a raiz da subárvore para $*z$ herda o valor de $x*y$, e assim por diante, se houver mais fatores no termo. Quando todos os fatores tiverem sido acumulados, o resultado é propagado para cima na árvore usando atributos sintetizados.

Para ver como as regras semânticas são usadas, considere a árvore de derivação anotada para 3*5 na Figura 5.5. A folha mais à esquerda na árvore de derivação, rotulada com **digit**, possui atributo do tipo valor *lexval* = 3, onde o 3 é fornecido pelo analisador léxico. Seu pai é representado pela produção 4, $F \rightarrow \mathbf{digit}$. A única regra semântica associada a essa produção define $F.val = \mathbf{digit}.lexval$, que é igual a 3.

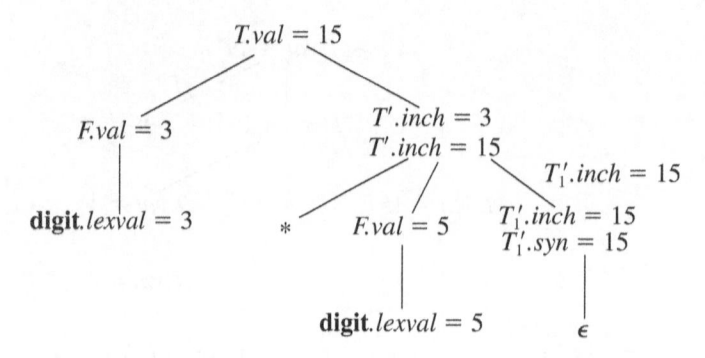

```
                    T.val = 15
           /                    \
     F.val = 3              T'.inch = 3
                            T'.inch = 15
                           /    |        \
   digit.lexval = 3      *   F.val = 5   T₁'.inch = 15
                              |          T₁'.inch = 15
                              |          T₁'.syn = 15
                         digit.lexval = 5     |
                                              ε
```

FIGURA 5.5 Árvore de derivação anotada para 3*5.

No segundo filho da raiz, o atributo herdado $T'.inh$ é definido pela regra semântica $T'.inh = F.val$ associada à produção 1. Assim, o operando da esquerda, 3, para o operador * é passado da esquerda para a direita pelos filhos da raiz.

A produção no nó para T' é $T' \rightarrow *FT_1'$. (Retemos o subscrito 1 na árvore de derivação anotada para distinguir entre os dois nós para T'.) O atributo herdado $T_1'.inh$ é definido pela regra semântica $T'_1.inh = T'.inh \times F.val$ associada à produção 2.

Com $T'.inh = 3$ e $F.val = 5$, obtemos $T_1'.inh = 15$. No nó inferior para T_1', a produção é $T' \rightarrow \epsilon$. A regra semântica $T'.syn = T'.inh$ define $T_1'.syn = 15$. Os atributos *syn* nos nós para T' propagam o valor 15 para cima na árvore, até o nó T, onde $T.val = 15$.

5.1.3 Exercícios da Seção 5.1

Exercício 5.1.1: Para a SDD da Figura 5.1, construa as árvores de derivação anotadas para as seguintes expressões:

a) (3 + 4) * (5 + 6) **n**.
b) 1 * 2 * 3 * (4 + 5) **n**.
c) (9 + 8 * (7 + 6) + 5) * 4**n**.

Exercício 5.1.2: Estenda a SDD da Figura 5.4 para tratar expressões como na Figura 5.1.

Exercício 5.1.3: Repita o Exercício 5.1.1, usando sua SDD do Exercício 5.1.2.

5.2 Ordens de avaliação para SDDs

'Grafos de dependência' são uma ferramenta útil para determinar uma ordem de avaliação para as instâncias dos atributos em dada árvore de derivação. Enquanto uma árvore de derivação anotada mostra os valores dos atributos, um grafo de dependência nos ajuda a determinar como esses valores podem ser avaliados.

Nesta seção, além dos grafos de dependência, definimos duas classes importantes de SDDs: a SDD 'S-atribuída' e a SDD mais geral 'L-atribuída'. As traduções especificadas por essas duas classes se encaixam bem nos métodos de análise sintática que estudamos, e a maioria das traduções encontradas na prática pode ser escrita em conformidade com os requisitos de, pelo menos, uma dessas classes.

5.2.1 Grafos de dependência

Um *grafo de dependência* representa o fluxo de informações entre as instâncias dos atributos em uma árvore de derivação em particular; uma aresta de uma instância de atributo para outra significa que o valor da primeira é necessário para calcular a segunda. As arestas expressam restrições impostas pelas regras semânticas. Mais detalhadamente:

- Para cada nó da árvore de derivação, digamos, um nó rotulado pelo símbolo da gramática X, o grafo de dependência possui um nó para cada atributo associado a X.
- Suponha que uma regra semântica associada a uma produção-p defina o valor do atributo sintetizado $A.b$ em termos do valor de $X.c$ (a regra pode definir $A.b$ em termos de outros atributos além de $X.c$). Então, o grafo de dependência possui uma aresta de $X.c$ para $A.b$. Mais precisamente, em todo nó N rotulado com A onde a produção-p é aplicada, crie uma aresta para o atributo b em N, a partir do atributo c no filho de N correspondendo a essa instância do símbolo X no corpo da produção.[2]

---

[2] Como o nó N pode ter vários filhos rotulados com X, assumimos novamente que os subscritos distinguem entre os usos do mesmo símbolo em diferentes pontos na produção.

- Suponha que uma regra semântica associada a uma produção-p defina o valor do atributo herdado $B.c$ em termos do valor de $X.a$. Então, o grafo de dependência tem uma aresta de $X.a$ para $B.c$. Para cada nó N rotulado com B que corresponda a uma ocorrência desse B no corpo da produção-p, crie uma aresta para o atributo c em N a partir do atributo a no nó M que corresponda a essa ocorrência de X. Observe que M poderia ser o pai ou um irmão de N.

EXEMPLO 5.4: Considere a seguinte produção e regra:

PRODUÇÃO	REGRA SEMÂNTICA
$E \to E_1 + T$	$E.val = E_1.val + T.val$

Em todo nó N rotulado com E, com filhos correspondendo ao corpo dessa produção, o atributo sintetizado *val* em N é calculado usando os valores de *val* dos dois filhos, rotulados com E e T. Assim, uma parte do grafo de dependência para toda árvore de derivação na qual essa produção é usada se parece com a Figura 5.6. Adotaremos a seguinte convenção: as arestas da árvore de derivação são arestas pontilhadas, enquanto as arestas do grafo de dependência são sólidas.

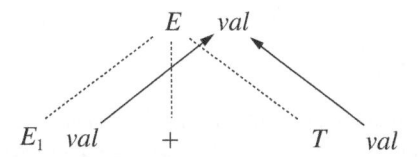

FIGURA 5.6 $E.val$ é sintetizado a partir de $E_1.val$ e $E_2.val$.

EXEMPLO 5.5: A Figura 5.7 mostra um exemplo com o grafo de dependência completo. Os nós do grafo de dependência, representados pelos números de 1 até 9, correspondem aos atributos da árvore de derivação anotada da Figura 5.5.

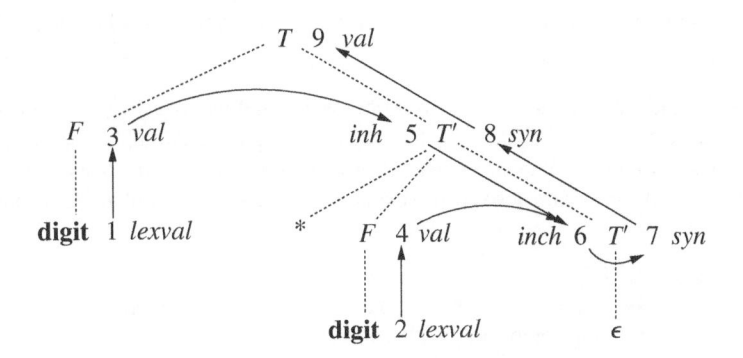

FIGURA 5.7 Grafo de dependência para a árvore de derivação anotada da Figura 5.5.

Os nós 1 e 2 representam o atributo *lexval* associado às duas folhas rotuladas com **digit**. Os nós 3 e 4 representam o atributo *val* associado aos dois nós rotulados com F. As arestas para o nó 3 a partir de 1 e para o nó 4 a partir de 2 resultam da regra semântica que define $F.val$ em termos de **digit**.*lexval*. Na verdade, $F.val$ é igual ao valor de **digit**.*lexval*, mas a aresta representa dependência, e não igualdade.

Os nós 5 e 6 representam o atributo herdado $T'.inh$ associado a cada uma das ocorrências do não-terminal T'. A aresta de 3 para 5 deve-se à regra $T'.inh = F.val$, que define $T'.inh$ no filho à direita da raiz a partir de $F.val$, o filho à esquerda. Vemos as arestas para o nó 6 a partir do nó 5 para $T'.inh$ e a partir do nó 4 para $F.val$, pois esses valores são multiplicados para avaliar o atributo *inh* no nó 6.

Os nós 7 e 8 representam o atributo sintetizado *syn* associado às ocorrências de T'. A aresta para o nó 7 a partir do nó 6 deve-se à regra semântica $T'.syn = T'.inh$ associada à produção 3 na Figura 5.4. A aresta para 8 a partir do nó 7 deve-se a uma regra semântica associada à produção 2.

Finalmente, o nó 9 representa o atributo $T.val$. A aresta para 9 a partir de 8 deve-se à regra semântica $T.val = T'.syn$, associada à produção 1.

5.2.2 Ordenando a avaliação dos atributos

O grafo de dependência caracteriza as possíveis ordens nas quais podemos avaliar os atributos nos diversos nós de uma árvore de derivação. Se o grafo de dependência tiver uma aresta do nó M ao nó N, então o atributo correspondendo a M deve ser avaliado antes do atributo de N. Assim, as únicas ordens de avaliação permitidas são aquelas seqüências de nós $N_1, N_2, ..., N_k$ tais que, se houver uma aresta no grafo de dependência de N_i para N_j, então $i < j$. Tal ordenação incorpora uma ordem linear em um grafo direcionado, e é chamada de *ordenação topológica* do grafo.

Se houver qualquer ciclo no grafo, então não haverá ordenações topológicas; ou seja, não há como avaliar a SDD nessa árvore de derivação. Se não houver ciclos, contudo, sempre haverá pelo menos uma ordenação topológica. Para ver por quê, como não existem ciclos, podemos com certeza encontrar um nó sem nenhuma aresta chegando até ele. Pois se não houvesse tal nó, poderíamos prosseguir de um predecessor para outro até que chegássemos de volta a algum nó já visto, produzindo um ciclo. Faça esse nó ser o primeiro na ordem topológica, remova-o do grafo de dependência e repita o processo nos nós restantes.

Exemplo 5.6: O grafo de dependência da Figura 5.7 não possui ciclos. Uma ordenação topológica é a ordem em que os nós já foram numerados: 1, 2, ..., 9. Observe que cada aresta no grafo vai de um nó para outro com um número mais alto, de modo que essa ordem certamente é uma ordenação topológica. Existem também outras ordenações topológicas, como 1, 3, 5, 2, 4, 6, 7, 8, 9.

5.2.3 Definições S-atribuídas

Como dissemos anteriormente, dada uma SDD, é muito difícil saber se existem árvores de derivação cujos grafos de dependência possuem ciclos. Na prática, as traduções podem ser implementadas usando-se classes de SDDs que garantem uma ordem de avaliação, uma vez que elas não permitem grafos de dependência com ciclos. Além disso, as duas classes apresentadas nesta seção podem ser implementadas eficientemente em conexão com os métodos de análise sintática descendente ou ascendente.

A primeira classe é definida da seguinte forma:

- Uma SDD é *S-atribuída* se todo atributo é sintetizado.

Exemplo 5.7: A SDD da Figura 5.1 é um exemplo de uma definição S-atribuída. Cada atributo, *L.val*, *E.val*, *T.val* e *F.val*, é sintetizado.

Quando uma SDD é S-atribuída, podemos avaliar seus atributos em qualquer ordem ascendente dos nós na árvore de derivação. Muitas vezes, é especialmente simples avaliar os atributos realizando um caminhamento pós-ordem na árvore de derivação e computando os atributos em um nó N quando o caminhamento deixa N pela última vez. Ou seja, aplicamos a função *postorder*, definida a seguir, à raiz da árvore de derivação (veja também a caixa "Caminhamentos pré-ordem e pós-ordem", na Seção 2.3.4):

```
postorder (N) {
    for ( cada filho C de N, a partir da esquerda ) postorder(C);
    avalia atributos associados ao nó N;
}
```

As definições S-atribuídas podem ser implementadas durante o processo de análise ascendente, visto que um analisador sintático ascendente corresponde a um caminhamento pós-ordem. De modo específico, a pós-ordem corresponde exatamente à ordem em que um analisador sintático LR realiza a redução do corpo de uma produção à sua cabeça. Esse fato será usado na Seção 5.4.2 para avaliar os atributos sintetizados e armazená-los na pilha durante a análise LR, sem criar os nós da árvore explicitamente.

5.2.4 Definições L-atribuídas

A segunda classe de SDDs é chamada de *definições L-atribuídas*. A idéia por trás dessa classe é que, entre os atributos associados ao corpo de uma produção, as arestas do grafo de dependência podem ser direcionadas da esquerda para a direita, mas não da direita para a esquerda (daí, "*L*-atribuída", de *Left*). Mais precisamente, cada atributo precisa ser:

1. Sintetizado, ou
2. Herdado, mas com as regras limitadas como segue. Suponha que exista uma produção $A \rightarrow X_1 X_2 ... X_n$, e que exista um atributo herdado $X_i.a$, calculado por uma regra associada a essa produção. Então, a regra pode usar apenas:
    (a) Os atributos herdados associados à cabeça A.
    (b) Os atributos herdados ou sintetizados associados às ocorrências dos símbolos $X_1, X_2, ..., X_{i-1}$ localizados à esquerda de X_i.

(c) Os atributos herdados ou sintetizados associados à ocorrência do próprio X_i, desde que não existam ciclos em um grafo de dependência formado pelos atributos desse X_i.

EXEMPLO 5.8: A SDD na Figura 5.4 é L-atribuída. Para ver por quê, considere as regras semânticas para os atributos herdados, que são repetidas aqui por conveniência:

PRODUÇÃO	REGRA SEMÂNTICA
$T \to FT'$	$T'.inh = F.val$
$T' \to *FT'_1$	$T'_1.inh = T'.inh \times F.val$

A primeira dessas regras define o atributo herdado $T'.inh$ usando apenas $F.val$, e F aparece à esquerda de T' no corpo da produção, conforme exigido. A segunda regra define $T'_1.inh$ usando o atributo herdado $T'.inh$ associado à cabeça, e $F.val$, onde F aparece à esquerda de T'_1 no corpo da produção.

Em cada um desses casos, as regras usam informações "de cima ou da esquerda", conforme exigido pela classe. Os atributos restantes são sintetizados. Logo, a SDD é L-atribuída.

EXEMPLO 5.9: Qualquer SDD contendo a produção e regras a seguir não pode ser L-atribuída:

PRODUÇÃO	REGRAS SEMÂNTICAS
$A \to B\ C$	$A.s = B.b$;
	$B.i = f(C.c, A.s)$

A primeira regra, $A.s = B.b$, é uma regra legítima em uma SDD S-atribuída ou L-atribuída. Ela define um atributo sintetizado $A.s$ em termos de um atributo em um filho (ou seja, um símbolo dentro do corpo de produção).

A segunda regra define um atributo herdado $B.i$, de modo que a SDD inteira não pode ser S-atribuída. Além disso, embora a regra seja válida, a SDD não pode ser L-atribuída, pois o atributo $C.c$ é usado para ajudar a definir $B.i$, e C está à direita de B no corpo de produção. Embora os atributos dos irmãos em uma árvore de derivação possam ser usados nas SDDs L-atribuídas, eles precisam estar à esquerda do símbolo cujo atributo está sendo definido.

5.2.5 REGRAS SEMÂNTICAS COM EFEITOS COLATERAIS CONTROLADOS

Na prática, as traduções produzem efeitos colaterais: uma calculadora de mesa poderia imprimir um resultado; um gerador de código poderia entrar com o tipo de um identificador em uma tabela de símbolos. Com as SDDs, obtemos um equilíbrio entre gramáticas de atributo e esquemas de tradução. As gramáticas de atributo não possuem efeitos colaterais e permitem qualquer ordem de avaliação consistente com o grafo de dependência. Os esquemas de tradução impõem a avaliação da esquerda para a direita e permitem que ações semânticas contenham qualquer fragmento de programa. Os esquemas de tradução são discutidos na Seção 5.4.

Vamos controlar os efeitos colaterais nas SDDs de uma das seguintes maneiras:

- Permitir efeitos colaterais de menor importância, que não restrinjam a avaliação do atributo. Em outras palavras, permitir efeitos colaterais quando a avaliação do atributo baseado em qualquer tipo de ordenação topológica do grafo de dependência produzir uma tradução 'correta', onde 'correta' depende da aplicação.
- Restringir as ordens de avaliação permitidas, de modo que a mesma tradução seja produzida por qualquer ordem permitida. As restrições podem ser consideradas adicionando arestas implícitas no grafo de dependência.

Como exemplo de um efeito colateral secundário, vamos modificar a calculadora de mesa do Exemplo 5.1. para imprimir um resultado. Em vez da regra $L.val = E.val$, que salva o resultado no atributo sintetizado $L.val$, considere:

PRODUÇÃO	REGRA SEMÂNTICA
1) $L \to E$ **n**	$print(E.val)$

As regras semânticas que são executadas por seus efeitos colaterais, como $print(E.val)$, serão tratadas como definições de atributos sintetizados fictícios, associados à cabeça da produção. A SDD modificada produz a mesma tradução independentemente da ordenação topológica usada, pois o comando de impressão é executado ao final, depois que o resultado é calculado para $E.val$.

EXEMPLO 5.10: A SDD da Figura 5.8 apresenta D, uma declaração simples, consistindo em um tipo básico T seguido por uma lista L de identificadores. T pode ser **int** ou **float**. Para cada identificador na lista, o tipo é inserido na entrada da tabela de símbolos para o identificador. Assumimos que esta inserção do tipo não afeta a entrada da tabela de símbolos para nenhum outro identificador. Assim, as entradas podem ser atualizadas em qualquer ordem. Essa SDD não verifica se um identificador é declarado mais de uma vez, mas ela pode ser modificada para fazer isso.

Produção	Regras Semânticas
1) $D \rightarrow TL$	$L.inh = T.type$
2) $T \rightarrow$ **int**	$T.type$ = integer
3) $T \rightarrow$ **float**	$T.type$ = float
4) $L \rightarrow L_1,$ **id**	$L_1.inh = L.inh$
	$addType(\mathbf{id}.entry, L.inh)$
5) $L \rightarrow$ **id**	$addType(\mathbf{id}.entry, L.inh)$

FIGURA 5.8 Definição dirigida por sintaxe para declarações simples de tipo.

O não-terminal D representa uma declaração, a qual, pela produção 1, consiste em um tipo T seguido por uma lista L de identificadores. T possui um atributo, $T.type$, que é o tipo da declaração D. O não-terminal L também possui um atributo, que chamamos de *inh*, para enfatizar que ele é um atributo herdado (*inherited*). A finalidade de $L.inh$ é propagar o tipo declarado para os demais identificadores abaixo, na lista, de modo que eles possam ser acrescentados às entradas apropriadas na tabela de símbolos.

As produções 2 e 3 avaliam, cada uma, o atributo sintetizado $T.type$, dando-lhe o valor apropriado, inteiro ou ponto flutuante. Esse tipo é passado ao atributo $L.inh$ na regra para a produção 1. A produção 4 propaga $L.inh$ para baixo na árvore de derivação. Ou seja, o valor $L_1.inh$ é calculado em um nó da árvore de derivação, copiando o valor de $L.inh$ a partir do pai desse nó; o pai corresponde à cabeça da produção.

As produções 4 e 5 também possuem uma regra, na qual uma função *addType* é chamada com dois argumentos:

1. **id**.*entry*, um valor léxico que aponta para um objeto da tabela de símbolos, e
2. $L.inh$, o tipo atribuído a cada identificador na lista.

Supomos que a função *addType* instale corretamente o tipo $L.inh$ como o tipo do identificador representado.

Um grafo de dependência para a cadeia de entrada **float id**$_1$, **id**$_2$, **id**$_3$ aparece na Figura 5.9. Os números de 1 até 10 representam os nós do grafo de dependência. Os nós 1, 2 e 3 representam o atributo *entry* associado a cada uma das folhas rotuladas com **id**. Os nós 6, 8 e 10 são os atributos fictícios que representam a aplicação da função *addType* a um tipo e a um desses valores *entry*.

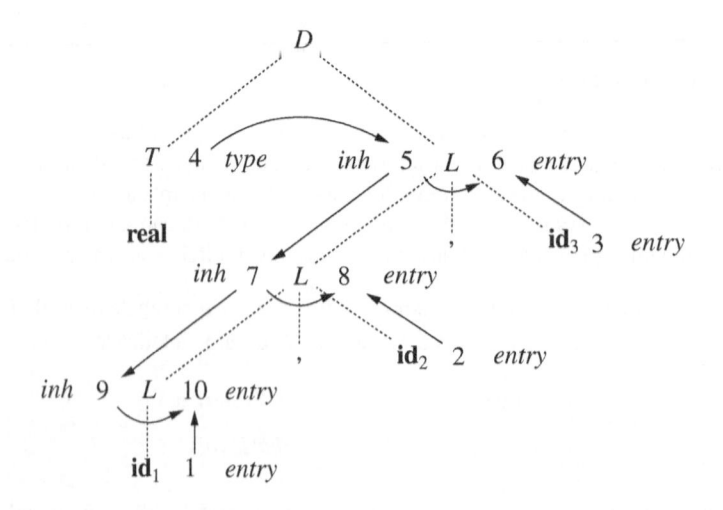

FIGURA 5.9 Grafo de dependência para uma declaração **float id**$_1$, **id**$_2$, **id**$_3$.

O nó 4 representa o atributo $T.type$, e na realidade é onde começa a avaliação do atributo. Esse tipo é então propagado para os nós 5, 7 e 9, representando $L.inh$ associado a cada uma das ocorrências do não-terminal L.

5.2.6 Exercícios da Seção 5.2

Exercício 5.2.1: Dê todas as ordenações topológicas para o grafo de dependência da Figura 5.7.

Exercício 5.2.2: Para a SDD da Figura 5.8, dê as árvores de derivação anotadas para as seguintes expressões:

a) `int a, b, c.`
b) `float w, x, y, z.`

Exercício 5.2.3: Suponha que tenhamos uma produção $A \rightarrow BCD$. Cada um dos quatro não-terminais A, B, C e D possui dois atributos: s é um atributo sintetizado, e i é um herdado. Para cada um dos conjuntos de regras a seguir, informe se: (*i*) as regras são consistentes com uma definição S-atribuída, (*ii*) as regras são coerentes com uma definição L-atribuída e (*iii*) as regras são consistentes com qualquer que seja a ordem de avaliação.

a) $A.s = B.i + C.s$.
b) $A.s = B.i + C.s$ e $D.i = A.i + B.s$.
c) $A.s = B.s + D.s$.
!d) $A.s = D.i$, $B.i = A.s + C.s$, $C.i = B.s$ e $D.i = B.i + C.i$.

! Exercício 5.2.4: Esta gramática gera números binários com um ponto "decimal":

$$S \rightarrow L \, . \, L \mid L$$
$$L \rightarrow L B \mid B$$
$$B \rightarrow 0 \mid 1$$

Projete uma SDD L-atribuída para calcular $S.val$, o valor de número decimal de uma cadeia de entrada. Por exemplo, a tradução da cadeia `101.101` deve ser o número decimal 5.625. *Dica:* use um atributo herdado $L.side$, que diz de qual lado do ponto decimal um *bit* está ligado.

!! Exercício 5.2.5: Crie uma SDD S-atribuída para a gramática e tradução descritas no Exercício 5.2.4.

!! Exercício 5.2.6: Implemente o Algoritmo 3.23, que converte uma expressão regular em um autômato finito não determinista, usando uma SDD L-atribuída para uma gramática reconhecível por um analisador sintático descendente. Considere que existe um token **char** representando qualquer caractere, e que **char**.*lexval* seja o caractere que ele representa. Você também pode considerar a existência de uma função *new*() que retorna um novo estado, ou seja, um estado nunca antes retornado por essa função. Use qualquer notação conveniente para especificar as transições do NFA.

5.3 Aplicações da tradução dirigida por sintaxe

As técnicas de tradução dirigidas por sintaxe explicadas neste capítulo serão aplicadas no Capítulo 6 para a verificação de tipo e geração de código intermediário. Aqui, consideramos exemplos selecionados para ilustrar algumas SDDs representativas.

A principal aplicação desta seção refere-se à construção de árvores de sintaxe. Uma vez que alguns compiladores utilizam árvores de sintaxe como uma representação intermediária, uma forma comum de SDD transforma sua cadeia de entrada em uma árvore. Para completar a tradução para código intermediário, o compilador pode então caminhar pela árvore de sintaxe, usando outro conjunto de regras que são, de fato, uma SDD para a árvore de sintaxe, em vez da árvore de derivação. (O Capítulo 6 também discute abordagens para geração de código intermediário que aplicam uma SDD sem sequer construir uma árvore explicitamente.)

Consideramos duas SDDs na construção de árvores de sintaxe para expressões. A primeira, uma definição S-atribuída, é adequada para uso durante a análise ascendente. A segunda, uma definição L-atribuída, é adequada para uso durante a análise sintática descendente.

O exemplo final desta seção é uma definição L-atribuída que trata os tipos básicos e o tipo arranjo.

5.3.1 Construção de árvores de sintaxe

Conforme discutimos na Seção 2.8.2, cada nó em uma árvore de sintaxe representa uma construção; os filhos do nó representam os componentes significativos da construção. Um nó da árvore de sintaxe representando uma expressão $E_1 + E_2$ tem rótulo + e dois filhos representando as subexpressões E_1 e E_2.

Vamos implementar os nós de uma árvore de sintaxe como objetos com um número adequado de campos. Cada objeto terá um campo *op* que é o rótulo do nó. Os objetos terão campos adicionais como segue:

- Se o nó for uma folha, um campo adicional contém o valor léxico para a folha. Uma função construtora *Leaf(op,val)* cria um objeto folha. Alternativamente, se os nós forem vistos como registros, então *Leaf* aloca um novo registro para uma folha e retorna seu apontador.

- Se o nó for um nó interior, existem tantos campos adicionais quantos forem os filhos do nó na árvore de sintaxe. Uma função construtora *Node* recebe dois ou mais argumentos: $Node(op,c_1,c_2,...,c_k)$ cria um objeto com o primeiro campo *op* e *k* campos adicionais para os *k* filhos $c_1,...,c_k$.

Exemplo 5.11: A definição S-atribuída da Figura 5.10 constrói árvores de sintaxe para uma gramática de expressão simples, envolvendo apenas os operadores binários + e −. Como sempre, estes operadores possuem o mesmo grau de precedência e são associativos à esquerda. Todos os não-terminais possuem um atributo sintetizado *node*, que representa um nó da árvore de sintaxe.

Produção	Regras Semânticas
1) $E \to E_1 + T$	*E.node* = **new** *Node*('+', E_1.*node*,*T.node*)
2) $E \to E_1 - T$	*E.node* = **new** *Node*('−', E_1.*node*,*T.node*)
3) $E \to T$	*E.node* = *T.node*
4) $T \to (E)$	*T.node* = *E.node*
5) $T \to$ **id**	*T.node* = **new** *Leaf* (**id**,**id**.*entry*)
6) $T \to$ **num**	*T.node* = **new** *Leaf* (**num**,**num**.*val*)

Figura 5.10 Construindo árvores de sintaxe para expressões simples.

Toda vez que a primeira produção $E \to E_1 + T$ é usada, sua regra cria um nó com '+' para *op* e dois filhos, E_1.*node* e *T.node*, para as subexpressões. A segunda produção possui uma regra semelhante.

Para a produção 3, $E \to T$, nenhum nó é criado, pois *E.node* é o mesmo de *T.node*. De modo semelhante, nenhum nó é criado para a produção 4, $T \to (E)$. O valor de *T.node* é o mesmo de *E.node*, uma vez que os parênteses são usados apenas para agrupamento; eles influenciam a estrutura da árvore de derivação e a árvore de sintaxe, porém, quando sua tarefa termina, não há mais necessidade de retê-los na árvore de sintaxe.

As duas últimas produções para *T* têm um único terminal à direita. Usamos o construtor *Leaf* para criar um nó adequado, que se torna o valor de *T.node*.

A Figura 5.11 mostra a construção de uma árvore de sintaxe para a entrada $a-4+c$. Os nós da árvore de sintaxe aparecem como registros, com o campo *op* primeiro. As arestas da árvore de sintaxe agora são mostradas como linhas sólidas. A árvore de derivação subjacente, que não precisa realmente ser construída, aparece com arestas pontilhadas. O terceiro tipo de linha, que aparece tracejada, representa os valores de *E.node* e *T.node*; cada linha aponta para o nó apropriado da árvore de sintaxe.

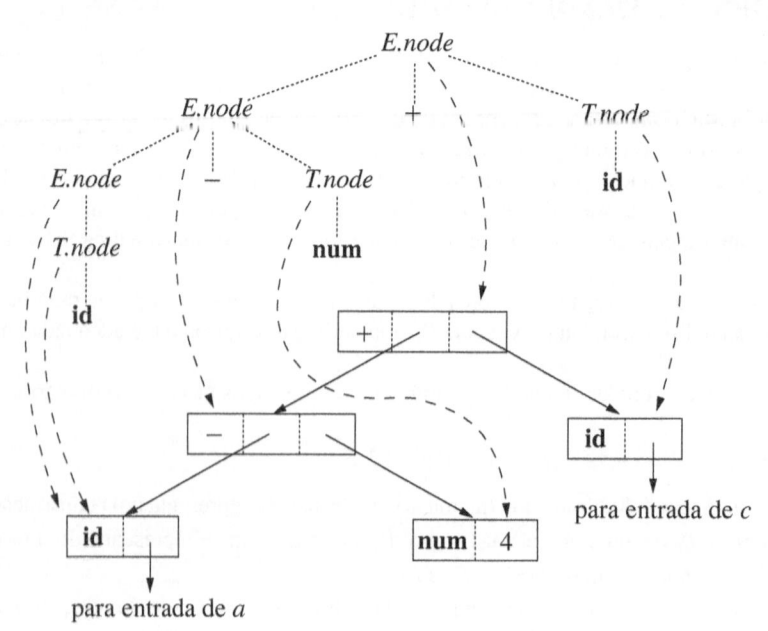

Figura 5.11 Árvore de sintaxe para $a-4+c$.

Na base da árvore, vemos as folhas para *a*, 4 e *c*, construídas por *Leaf*. Supomos que o valor léxico **id**.*entry* aponte para dada entrada na tabela de símbolos, e que o valor léxico **num**.*val* seja o valor numérico da constante. Essas folhas, ou os apontadores para elas, tornam-se o valor de *T.node* nos três nós da árvore de derivação rotulados com *T*, de acordo com as regras 5 e 6. Observe que, pela regra 3, o apontador para a folha com *a* também é o valor de *E.node* para o *E*, mais à esquerda na árvore de derivação.

A regra 2 faz com que criemos um nó com *op* igual ao sinal de menos e apontadores para as duas primeiras folhas. Então, a regra 1 produz o nó raiz da árvore de sintaxe combinando o nó do operador — com a terceira folha.

Se as regras são avaliadas durante um caminhamento pós-ordem na árvore de derivação, ou com as reduções durante uma análise ascendente, a seqüência de passos mostrada na Figura 5.12 termina com p_5 apontando para a raiz da árvore de sintaxe construída.

1) p_1 = **new** *Leaf* (**id**, *entry-a*);
2) p_2 = **new** *Leaf* (**num**, 4);
3) p_3 = **new** *Node*('−', p_1, p_2);
4) p_4 = **new** *Leaf* (**id**, *entry-c*);
5) p_5 = **new** *Node*('+', p_3, p_4);

FIGURA 5.12 Passos na construção da árvore de sintaxe para $a-4+c$.

Com uma gramática projetada para análise descendente, as mesmas árvores de sintaxe são construídas, usando a mesma seqüência de passos, embora a estrutura das árvores de derivação seja significativamente diferente da das árvores de sintaxe.

EXEMPLO 5.12: A definição L-atribuída da Figura 5.13 realiza a mesma tradução feita pela definição S-atribuída da Figura 5.10. Os atributos para os símbolos da gramática *E*, *T*, **id** e **num** são conforme discutido no Exemplo 5.11.

PRODUÇÃO	REGRAS SEMÂNTICAS
1) $E \to TE'$	$E.node = E'.syn$
	$E'.inh = T.node$
2) $E' \to +TE_1'$	$E_1'.inh = $ **new** $Node($ '+', $E'.inh, T.node)$
	$E'.syn = E_1'.syn$
3) $E' \to -TE_1'$	$E_1'.inh = $ **new** $Node($ '−', $E'.inh, T.node)$
	$E'.syn = E_1'.syn$
4) $E' \to \epsilon$	$E'.syn = E'.inh$
5) $T \to (E)$	$T.node = E.node$
6) $T \to $ **id**	$T.node = $ **new** $Leaf($**id**,**id**.$entry)$
7) $T \to $ **num**	$T.node = $ **new** $Leaf($**num**,**num**.$val)$

FIGURA 5.13 Construindo árvores de sintaxe durante a análise sintática descendente.

As regras para a construção de árvores de sintaxe neste exemplo são semelhantes às regras para a calculadora de mesa do Exemplo 5.3. No exemplo da calculadora de mesa, um termo $x * y$ foi avaliado propagando x como um atributo herdado, pois x e $* y$ apareciam em diferentes partes da árvore de derivação. Aqui, a idéia é construir uma árvore de sintaxe para $x + y$, passando x como um atributo herdado, pois x e $+ y$ aparecem em diferentes subárvores. O não-terminal E' é a contraparte do não-terminal T' no Exemplo 5.3. Compare os grafos de dependência para $a - 4 + c$ na Figura 5.14 e para $3 * 5$ na Figura 5.7.

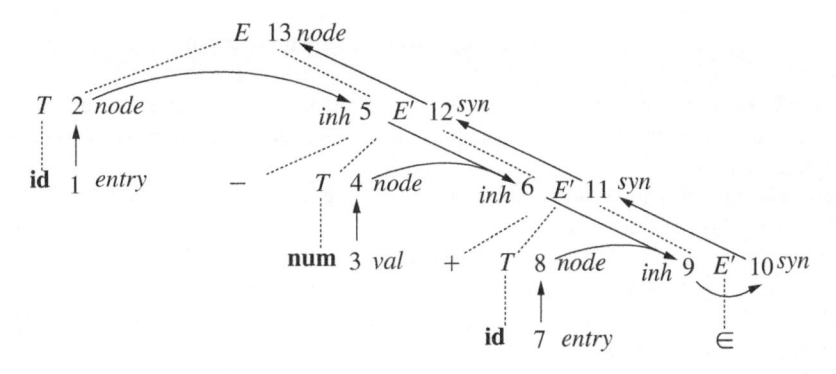

FIGURA 5.14 Grafo de dependência para $a-4+c$, com a SDD da Figura 5.13.

O não-terminal E' tem um atributo herdado *inh* e um atributo sintetizado *syn*. O atributo $E'.inh$ representa a árvore de sintaxe parcial construída até aqui. Especificamente, ele representa a raiz da árvore para o prefixo da cadeia de entrada que está à esquerda da subárvore para E'. No nó 5 do grafo de dependência da Figura 5.14, $E'.inh$ denota a raiz da árvore de sintaxe parcial para o identificador a; ou seja, a folha para a. No nó 6, $E'.inh$ denota a raiz da árvore de sintaxe parcial para a entrada $a - 4$. No nó 9, $E'.inh$ denota a árvore de sintaxe para $a - 4 + c$.

Como não existe mais entrada, no nó 9, $E'.inh$ aponta para a raiz da árvore de sintaxe inteira. Os atributos *syn* propagam esse valor para cima na árvore de derivação até que ele se torna o valor de *E.node*. Especificamente, o valor do atributo no nó 10 é definido pela regra $E'.syn = E'.inh$ associada à produção $E' \rightarrow \epsilon$. O valor do atributo no nó 11 é definido pela regra $E'.syn = E_1'.syn$, associada à produção 2 da Figura 5.13. Regras semelhantes definem os valores do atributo nos nós 12 e 13.

5.3.2 A estrutura de um tipo

Os atributos herdados são úteis quando a estrutura da árvore de derivação difere da sintaxe abstrata da entrada; os atributos podem, então, ser usados para propagar informações de uma parte da árvore de derivação para outra. O próximo exemplo mostra como uma divergência na estrutura pode ser devido ao projeto da linguagem e não a restrições impostas pelo método de análise.

Exemplo 5.13: Em C, o tipo **int**[2][3] pode ser lido como 'arranjo de 2 arranjos de 3 inteiros'. A expressão de tipo *array*(2, *array*(3, *integer*)) correspondente é representada pela árvore da Figura 5.15. O operador *array* utiliza dois parâmetros, um número e um tipo. Se os tipos forem representados por árvores, então esse operador retorna um nó de árvore rotulado por *array* com dois filhos, um número e um tipo.

```
        array
       /    \
      2    array
           /    \
          3   integer
```

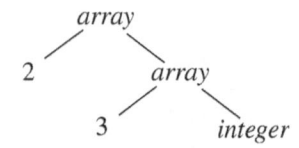

Figura 5.15 Expressão de tipo para **int**[2][3].

Com a SDD da Figura 5.16, o não-terminal T gera um tipo básico ou um tipo arranjo. O não-terminal B gera um dos tipos básicos **int** e **float**. T gera um tipo básico quando T deriva BC e C deriva ϵ. Caso contrário, C gera componentes do arranjo consistindo em uma seqüência de inteiros, cada inteiro entre colchetes.

Produção	Regras semânticas
$T \rightarrow BC$	$T.t = C.t$
	$C.b = B.t$
$B \rightarrow $ **int**	$B.t = integer$
$B \rightarrow $ **float**	$B.t = float$
$C \rightarrow [\mathbf{num}]C_1$	$C.t = array(\mathbf{num}.val, C_1.t)$
	$C_1.b = C.b$
$C \rightarrow \epsilon$	$C.t = C.b$

Figura 5.16 T gera um tipo básico ou um tipo arranjo.

Os não-terminais B e T possuem um atributo sintetizado t representando um tipo. O não-terminal C possui dois atributos: um atributo herdado b e um atributo sintetizado t. Os atributos herdados b propagam um tipo básico para baixo na árvore, e os atributos sintetizados t acumulam o resultado.

Uma árvore de derivação anotada para a cadeia de entrada **int**[2][3] é mostrada na Figura 5.17. A expressão de tipo correspondente à Figura 5.15 é construída pela propagação do tipo *integer* de B, para a cadeia dos Cs, de cima para baixo, usando para isto os atributos herdados b. O tipo arranjo é sintetizado, propagando o atributo t, de baixo para cima, para a cadeia dos Cs.

Detalhando mais, na raiz para $T \rightarrow BC$, o não-terminal C herda o tipo de B, usando o atributo herdado $C.b$. No nó mais à direita para C, a produção é $C \rightarrow \epsilon$, de modo que $C.t$ é igual a $C.b$. As regras semânticas para a produção $C \rightarrow [\mathbf{num}]C_1$ formam $C.t$ aplicando o operador *arranjo* aos operandos **num**.*val* e $C_1.t$.

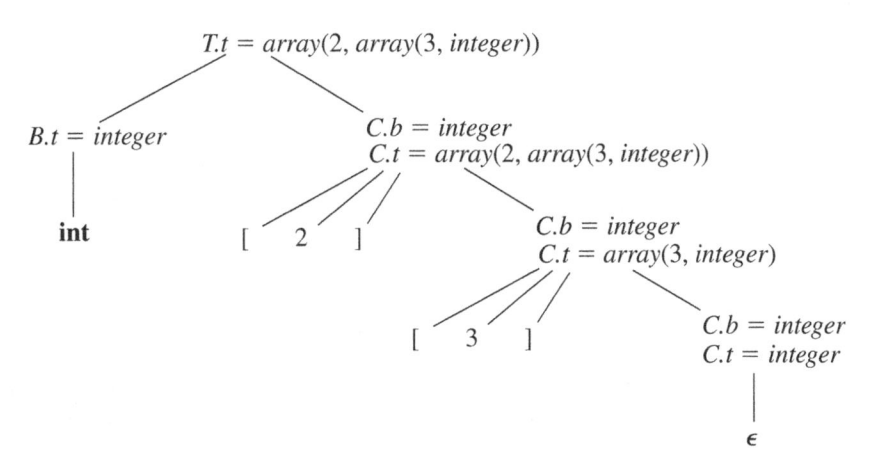

```
                    T.t = array(2, array(3, integer))
                   ╱                ╲
       B.t = integer          C.b = integer
         │                    C.t = array(2, array(3, integer))
        int              ╱        │        ╲
                       [    2    ]      C.b = integer
                                        C.t = array(3, integer)
                                     ╱      │      ╲
                                   [   3   ]    C.b = integer
                                                C.t = integer
                                                    │
                                                    ε
```

FIGURA 5.17 Tradução dirigida por sintaxe para o tipo arranjo.

5.3.3 EXERCÍCIOS DA SEÇÃO 5.3

Exercício 5.3.1: A seguir é dada uma gramática para expressões envolvendo o operador + e operandos inteiros ou de ponto flutuante. Os números de ponto flutuante são distinguidos por ter um ponto decimal.

$$E \to E + T \mid T$$
$$T \to \textbf{num . num} \mid \textbf{num}$$

a) Dê uma SDD para determinar o tipo de cada termo T e expressão E.
b) Estenda sua SDD de (a) para traduzir expressões para a notação posfixada. Use o operador unário **intToFloat** para transformar um inteiro em um ponto flutuante equivalente.

! Exercício 5.3.2: Dê uma SDD para traduzir as expressões da forma infixada com + e * em expressões equivalentes sem parênteses redundantes. Por exemplo, como os dois operadores são associados à esquerda, e * tem precedência sobre +, $((a*(b+c))*(d))$ é traduzido para $a * (b+c) * d$.

! Exercício 5.3.3: Dê uma SDD para diferenciar expressões como $x * (3 * x + x * x)$ envolvendo os operadores + e *, a variável x, e constantes. Considere que não ocorre nenhuma simplificação, de modo que, por exemplo, 3*x será traduzido para $3 * 1 + 0 * x$.

5.4 ESQUEMAS DE TRADUÇÃO DIRIGIDOS POR SINTAXE

Os esquemas de tradução dirigidos por sintaxe são uma notação complementar para as definições dirigidas por sintaxe. Todas as aplicações das definições dirigidas por sintaxe da Seção 5.3 podem ser implementadas usando esquemas de tradução dirigidos por sintaxe.

De acordo com a Seção 2.3.5, um *esquema de tradução dirigido por sintaxe* (SDT) é uma gramática livre de contexto com fragmentos de programa incorporados no corpo das produções. Os fragmentos de programa são chamados de *ações semânticas* e podem aparecer em qualquer posição no corpo de uma produção. Por convenção, as ações aparecem entre chaves; se as chaves fizerem parte dos símbolos da gramática, então a colocamos entre aspas para diferenciá-las.

Qualquer SDT pode ser implementado construindo-se primeiro uma árvore de derivação e, então, executando-se as ações em uma ordem de caminhamento em profundidade da esquerda para a direita, ou seja, durante um caminhamento em pré-ordem. A Seção 5.4.3 mostra um exemplo.

Normalmente, os SDTs são implementados durante a análise, sem construir uma árvore de derivação. Nesta seção, focalizamos o uso do SDT para implementar duas classes importantes de SDDs:

1. A gramática subjacente é analisável por um LR, e a SDD é S-atribuída.
2. A gramática subjacente é analisável por um LL, e a SDD é de L-atribuída.

Veremos como, nesses dois casos, as regras semânticas de uma SDD podem ser convertidas para um SDT com ações que são executadas no momento correto. Durante a análise, uma ação no corpo de uma produção é executada assim que todos os símbolos da gramática à esquerda da ação tiverem sido casados.

Os SDTs que podem ser implementados durante a análise são caracterizados pela introdução de *não-terminais marcadores* distintos no lugar de cada ação embutida; cada marcador M tem apenas uma produção, $M \to \epsilon$. Se a gramática com não-terminais marcadores puder ser analisada por determinado método, então o SDT poderá ser implementado durante a análise.

5.4.1 Esquemas de tradução pós-fixados

De longe, a implementação SDD é mais simples quando podemos analisar a gramática de baixo para cima e a SDD é S-atribuída. Nesse caso, é possível construir um SDT, em que cada ação seja colocada no fim da produção e executada juntamente com a redução do corpo para a cabeça dessa produção. SDTs com todas as ações nos extremos direitos do corpo de produção são chamados de *SDTs pós-fixados*.

Exemplo 5.14: O SDT pós-fixado da Figura 5.18 implementa a SDD da calculadora de mesa da Figura 5.1, com uma mudança: a ação para a primeira produção imprime um valor. As ações restantes são contrapartes exatas das regras semânticas. Como a gramática subjacente é LR, e a SDD é S-atribuída, essas ações podem ser realizadas corretamente, juntamente com os passos de redução do analisador sintático.

$$
\begin{aligned}
L &\to E\,\mathbf{n} & &\{\ \text{print}(E.val);\ \} \\
E &\to E_1+T & &\{\ E.val = E_1.val + T.val;\ \} \\
E &\to T & &\{\ E.val = T.val;\ \} \\
T &\to T_1 * F & &\{\ T.val = T_1.val \times F.val;\ \} \\
T &\to F & &\{\ T.val = F.val;\ \} \\
F &\to (E) & &\{\ F.val = E.val;\ \} \\
F &\to \mathbf{digit} & &\{\ F.val = \mathbf{digit}.lexval;\ \}
\end{aligned}
$$

Figura 5.18 SDT pós-fixado implementando a calculadora de mesa.

5.4.2 Implementação dos SDTs pós-fixados com um analisador sintático baseado em pilha

Os SDTs pós-fixados podem ser implementados durante a análise LR executando as ações no momento em que ocorrem reduções. Os atributos de cada símbolo da gramática podem ser colocados na pilha, em um local onde possam ser encontrados durante a redução. A melhor forma é colocá-los com os símbolos da gramática (ou com os estados LR que representam esses símbolos), em registros na própria pilha.

Na Figura 5.19, a pilha do analisador sintático contém registros com um campo para um símbolo da gramática (ou estado do analisador) e, abaixo dele, um campo para um atributo. Os três símbolos da gramática $X\,Y\,Z$ estão no topo da pilha; talvez eles estejam para ser reduzidos de acordo com uma produção como $A \to X\,Y\,Z$. Aqui, mostramos $X.x$ como o único atributo de X, e assim por diante. Em geral, podemos permitir mais atributos, seja tornando os registros grandes o suficiente, seja colocando apontadores para registros na pilha. Com atributos menores, pode ser mais simples definir os registros grandes o suficiente, mesmo que alguns campos não sejam usados na maior parte do tempo. No entanto, se um ou mais atributos forem de tamanho ilimitado — digamos, cadeias de caracteres —, então seria melhor colocar um apontador para o valor do atributo no registro da pilha e armazenar o valor real em alguma área de endereçamento compartilhado maior que não faça parte da pilha.

X	Y	Z	Estado/símbolo da gramática
$X.x$	$Y.y$	$Z.z$	Atributo(s) sintetizado(s)

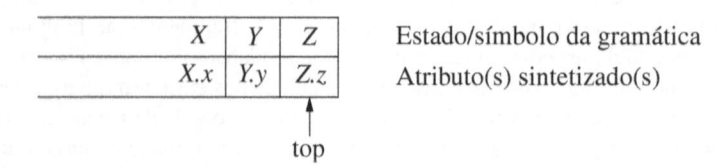

↑ top

Figura 5.19 Pilha do analisador sintático com um campo para atributos sintetizados.

Se os atributos são todos sintetizados e as ações estão nos extremos das produções, então podemos calcular os atributos da cabeça quando reduzirmos o corpo para a cabeça. Se reduzirmos segundo uma produção do tipo $A \to X\,Y\,Z$, teremos todos os atributos de X, Y e Z disponíveis, em posições conhecidas na pilha, como na Figura 5.19. Após a ação, A e seus atributos estarão no topo da pilha, na posição do registro para X.

Exemplo 5.15: Vamos reescrever as ações do SDT da calculadora de mesa do Exemplo 5.14, para que elas manipulem a pilha do analisador explicitamente. Essa manipulação de pilha usualmente é feita automaticamente pelo analisador sintático.

Produções	Regras semânticas
$L \to E \mathbf{n}$	{ print(stack[top $-$ 1].val); top = top $-$ 1; }
$E \to E_1 + T$	{ stack[top $-$ 2].val = stack[top $-$ 2].val + stack[top].val; top = top $-$ 2; }
$E \to T$	
$T \to T_1 * F$	{ stack[top $-$ 2].val = stack[top $-$ 2].val $\times$ stack[top].val; top = top $-$ 2; }
$T \to F$	
$F \to (E)$	{ stack[top $-$ 2].val = stack[top $-$ 1].val; top = top $-$ 2; }
$F \to \mathbf{digit}$	

FIGURA 5.20 Implementando a calculadora de mesa com um analisador ascendente usando uma pilha.

Suponha que a pilha seja implementada como um arranjo de registros chamado *stack*, com *top* sendo um apontador para o seu topo. Assim, *stack*[*top*] refere-se ao registro no topo da pilha, *stack*[*top*-1] ao registro abaixo deste, e assim por diante. Além disso, assumimos que cada registro possui um campo chamado *val*, que contém o atributo de qualquer símbolo da gramática que esteja representado nesse registro. Desta forma, podemos referir-nos ao atributo *E.val* que aparece na terceira posição da pilha como *stack*[*top*-2].*val*. O SDT completo aparece na Figura 5.20.

Por exemplo, na segunda produção, $E \to E_1 + T$, o valor de E_1 é obtido a duas posições abaixo do topo, e encontramos o valor de *T* no topo. A soma resultante é colocada onde a cabeça *E* aparecerá após a redução, ou seja, duas posições abaixo do topo corrente. O motivo é que, após a redução, os três símbolos mais ao topo da pilha são substituídos por um. Após a computação de *E.val*, desempilhamos dois símbolos do topo da pilha, de modo que o registro onde colocamos *E.val* agora estará no topo da pilha.

Na terceira produção, $E \to T$, nenhuma ação é necessária, pois o tamanho da pilha não muda, e o valor de *T.val* no seu topo simplesmente se tornará o valor de *E.val*. A mesma observação se aplica às produções $T \to F$ e $F \to \mathbf{digit}$. A produção $F \to (E)$ é ligeiramente diferente. Embora o valor não mude, duas posições são removidas da pilha durante a redução, de modo que o valor precisa mudar de posição após a redução.

Observe que omitimos os passos que manipulam o primeiro campo dos registros na pilha — o campo que fornece o estado LR ou representa de outra forma o símbolo da gramática. Se estivermos efetuando uma análise LR, a tabela de análise nos dirá qual é o novo estado toda vez que reduzimos; veja o Algoritmo 4.44. Assim, podemos simplesmente colocar esse estado no registro do novo topo da pilha.

5.4.3 SDTs com ações inseridas nas produções

Uma ação pode ser colocada em qualquer posição dentro do corpo de uma produção. Ela é executada imediatamente após todos os símbolos à sua esquerda serem processados. Assim, se tivermos uma produção $B \to X \{a\} Y$, a ação *a* é feita depois de termos reconhecido *X* (se *X* for um terminal) ou todos os terminais derivados de *X* (se *X* for um não-terminal). Mais precisamente:

- Se a análise for de baixo para cima, então efetuamos a ação *a* assim que essa ocorrência de *X* aparecer no topo da pilha sintática.
- Se a análise for de cima para baixo, efetuamos a ação *a* imediatamente antes de tentar expandir essa ocorrência de *Y* (se *Y* for um não-terminal), ou verificamos *Y* na entrada (se *Y* for um terminal).

Os SDTs que podem ser implementados durante a análise sintática incluem os SDTs pós-fixados e uma classe de SDTs considerada na Seção 5.5, que implementa definições L-atribuídas. Nem todos os SDTs podem ser implementados durante o reconhecimento sintático, conforme veremos no exemplo seguinte.

EXEMPLO 5.16: Como um exemplo extremo de um SDT problemático, suponha que transformemos nosso exemplo da calculadora de mesa em um SDT que imprime a forma prefixada de uma expressão, em vez de avaliá-la. As produções e as ações aparecem na Figura 5.21.

$$
\begin{aligned}
&1) & L &\to E\,\mathbf{n} \\
&2) & E &\to \{\ \text{print}(`+');\ \} \ E_1 + T \\
&3) & E &\to T \\
&4) & T &\to \{\ \text{print}(`*');\ \} \ T_1 * F \\
&5) & T &\to F \\
&6) & F &\to (\,E\,) \\
&7) & F &\to \mathbf{digit} \ \{\ \text{print}(\mathbf{digit}.lexval);\ \}
\end{aligned}
$$

FIGURA 5.21 SDT problemático para a tradução da forma infixada para prefixada durante a análise.

Infelizmente, é impossível implementar esse SDT durante o reconhecimento sintático ascendente ou descendente, pois o analisador sintático teria de realizar ações precipitadas, como imprimir instâncias de * ou +, muito antes de saber se esses símbolos aparecerão em sua entrada.

Usando os não-terminais marcadores M_2 e M_4 para as ações nas produções 2 e 4, respectivamente, com a entrada 3, um reconhecedor shift-reduce (veja a Seção 4.5.3) apresenta conflitos entre reduzir segundo a produção $M_2 \to \epsilon$, reduzir segundo a produção $M_4 \to \epsilon$, e transferir o dígito para a pilha.

Qualquer SDT pode ser implementado da seguinte forma:

1. Ignorando as ações, analise a entrada e produza como resultado uma árvore de derivação.
2. Em seguida, examine cada nó interior N, digamos, um para a produção $A \to \alpha$. Inclua filhos adicionais a N para as ações em α, de modo que os filhos de N da esquerda para a direita tenham exatamente os símbolos e ações de α.
3. Faça um caminhamento pré-ordem (veja a Seção 2.3.4) na árvore e, assim que um nó rotulado por uma ação for visitado, efetue essa ação.

Por exemplo, a Figura 5.22 mostra a árvore de derivação para a expressão 3 * 5 + 4 com ações inseridas. Se visitarmos os nós em pré-ordem, obteremos a forma prefixada da expressão: + * 3 5 4.

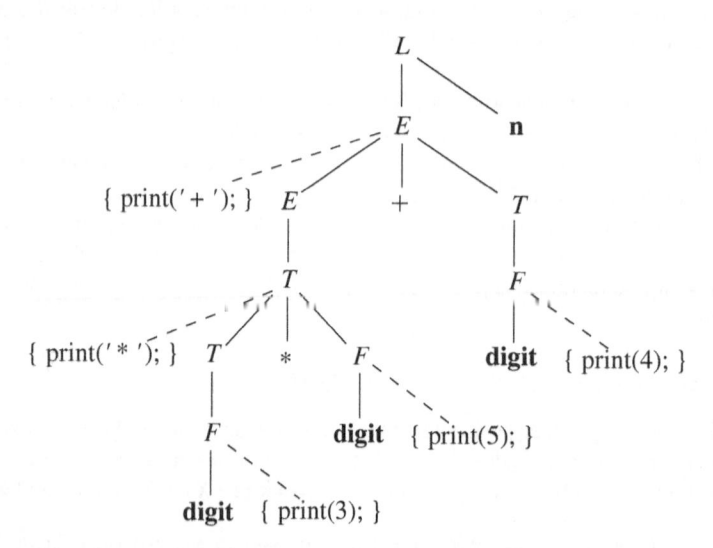

FIGURA 5.22 Árvore de derivação com ações incorporadas.

5.4.4 Eliminando a recursão à esquerda dos SDTs

Como nenhuma gramática com recursão à esquerda pode ser analisada deterministicamente de cima para baixo, estudamos a eliminação da recursão à esquerda da Seção 4.3.3. Quando a gramática for parte de um SDT, também precisaremos nos preocupar em como as ações são tratadas.

Primeiro, considere o caso mais simples, no qual nos importamos apenas com a ordem em que as ações do SDT são realizadas. Por exemplo, se cada ação simplesmente imprime uma cadeia, só nos importamos com a ordem em que as cadeias são impressas. Nesse caso, os princípios a seguir podem guiar-nos:

- Ao transformar a gramática, trate as ações como se elas fossem símbolos terminais.

Esse princípio está baseado na idéia de que a transformação da gramática preserva a ordem dos terminais na cadeia gerada. As ações são, portanto, executadas na mesma ordem em qualquer reconhecedor sintático da esquerda para a direita, descendente ou ascendente.

O 'truque' para eliminar a recursão à esquerda é identificar duas produções

$$A \to A\alpha \mid \beta$$

que geram cadeias consistindo em um β e qualquer quantidade de αs, e substituí-las por produções que geram as mesmas cadeias usando um novo não-terminal R (de 'restante'):

$$A \to \beta R$$
$$R \to \alpha R \mid \epsilon$$

Se β não começa com A, então A não mais tem uma produção recursiva à esquerda. Em termos de definição regular, com os dois conjuntos de produções, A é definido por $\beta(\alpha)^*$. Veja a Seção 4.3.3 para o tratamento de situações nas quais A têm mais produções recursivas ou não-recursivas.

EXEMPLO 5.17: Considere as seguintes produções para E a partir de um SDT para traduzir expressão infixada em notação pós-fixada:

$$E \to E_1 + T \quad \{ \text{print}('+'); \}$$
$$E \to T$$

Se aplicarmos a transformação padrão em E, o restante da produção recursiva à esquerda será

$$\alpha = +T \{ \text{print}('+'); \}$$

e β, o corpo da outra produção, será T. Se introduzirmos R para o restante de E, obteremos o conjunto de produções:

$$E \to TR$$
$$R \to + T \{ \text{print}('+'); \} R$$
$$R \to \epsilon$$

Quando as ações de uma SDD calculam atributos em vez de simplesmente imprimir a saída, precisamos ter mais cuidado em como eliminar a recursão à esquerda a partir de uma gramática. Porém, se a SDD é S-atribuída, sempre podemos construir um SDT colocando as ações de avaliação de atributo em posições apropriadas nas novas produções.

Daremos um esquema geral para o caso de uma única produção recursiva, uma única produção não-recursiva e um único atributo do não-terminal recursivo à esquerda; a generalização para muitas produções de cada um destes tipos não é difícil, mas a notação é confusa. Suponha que as duas produções sejam

$$A \to A_1 Y \{A.a = g(A_1.a, Y.y)\}$$
$$A \to X \{A.a = f(X.x)\}$$

Aqui, $A.a$ é o atributo sintetizado do não-terminal recursivo à esquerda A, e X e Y são símbolos da gramática com atributos sintetizados $X.x$ e $Y.y$, respectivamente. Eles poderiam representar uma cadeia de vários símbolos da gramática, cada um com seus próprios atributos, uma vez que o esquema tem uma função arbitrária g calculando $A.a$ na produção recursiva e uma função arbitrária f computando $A.a$ na segunda produção. Em cada caso, f e g recebem como argumentos quaisquer atributos que eles tenham permissão de acessar se a SDD for S-atribuída.

Queremos transformar a gramática subjacente em

$$A \to XR$$
$$R \to YR \mid \epsilon$$

A Figura 5.23 sugere o que o SDT deve fazer para a nova gramática. Em (a), vemos o efeito do SDT pós-fixado para a gramática original. Aplicamos f uma vez, correspondendo ao uso da produção $A \to X$, e em seguida aplicamos g tantas vezes quantas usarmos a produção $A \to AY$. Como R gera um 'restante' de Ys, sua tradução depende da cadeia à sua esquerda, uma cadeia na forma *XYY ... Y*. Cada uso da produção $R \to Y R$ resulta em uma aplicação de *g*. Para *R*, usamos um atributo herdado *R.i* a fim de acumular o resultado da aplicação sucessiva de *g*, começando com o valor de *A.a*.

$$A.a = g(g(f(X.x), Y_1.y), Y_2.y)$$

(a)   (b)

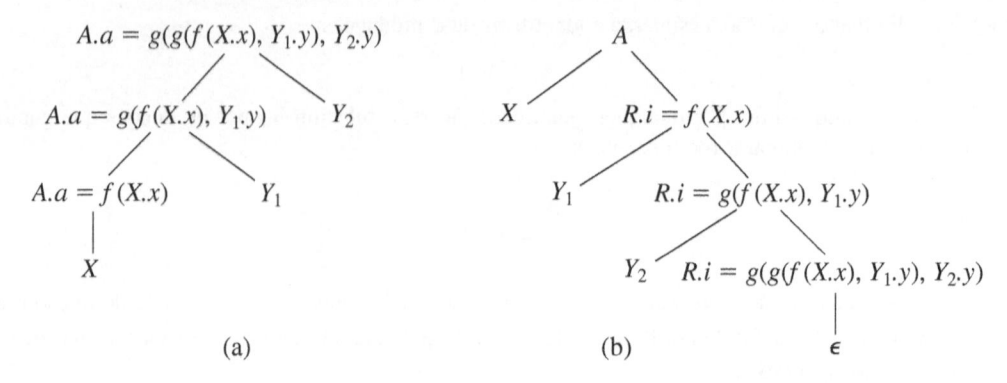

FIGURA 5.23   Eliminando a recursão à esquerda a partir de um SDT pós-fixado.

Além disso, *R* possui um atributo sintetizado *R.s*, que não aparece na Figura 5.23. Esse atributo é calculado pela primeira vez quando *R* termina sua geração de símbolos *Y*, conforme indicado pelo uso da produção $R \to \epsilon$. *R.s* é então copiado para cima na árvore, de modo que pode tornar-se o valor de *A.a* para a expressão toda *XYY ... Y*. O caso em que *A* gera *XYY* aparece na Figura 5.23, e vemos que o valor de *A.a* na raiz de (a) possui dois usos de *g*. O mesmo acontece com *R.i* na parte inferior da árvore (b), e é esse valor de *R.s* que é copiado para cima nessa árvore.

Para realizar essa tradução, usamos o seguinte SDT:

$$A \to X \quad \{R.i = f(X.x)\} \; R \; \{A.a = R.s\}$$
$$R \to Y \quad \{R_1.i = g(R.i, Y.y)\} \; R_1 \; \{R.s = R_1.s\}$$
$$R \to \epsilon \quad \{R.s = R.i\}$$

Observe que o atributo herdado *R.i* é avaliado imediatamente antes do uso de *R* no corpo, enquanto os atributos sintetizados *A.a* e *R.s* são avaliados nos extremos das produções. Assim, quaisquer valores necessários para calcular esses atributos estarão disponíveis a partir do que foi calculado à esquerda.

5.4.5 SDTs PARA DEFINIÇÕES L-ATRIBUÍDAS

Na Seção 5.4.1, convertermos as SDDs S-atribuídas para SDTs pós-fixados, com ações nos extremos direitos das produções. Desde que a gramática subjacente seja LR, os SDTs pós-fixados podem ser analisados e traduzidos de baixo para cima.

Agora, consideramos o caso mais geral de uma SDD L-atribuída. Vamos assumir que a gramática subjacente possa ser analisada de cima para baixo, pois, do contrário, geralmente é impossível realizar a tradução em conexão com um analisador LL ou LR. Com qualquer gramática, a técnica a seguir pode ser implementada anexando-se ações a uma árvore de derivação e executando-as durante o caminhamento pré-ordem da árvore.

As regras para transformar uma SDD L-atribuída em um SDT são as seguintes:

1. Incorpore a ação que avalia os atributos herdados para um não-terminal *A* imediatamente antes dessa ocorrência de *A* no corpo da produção. Se vários atributos herdados para *A* dependerem um do outro no modo não-cíclico, ordene a avaliação de atributos de modo que aqueles que são necessários primeiro sejam os primeiros calculados.
2. Coloque as ações que avaliam o atributo sintetizado da cabeça de uma produção no fim do corpo dessa produção.

Vamos ilustrar esses princípios com dois exemplos estendidos. O primeiro diz respeito à área de tipografia. Ele ilustra como as técnicas de compilação podem ser usadas no processamento de linguagem para aplicações diferentes daquelas que normalmente imaginamos como linguagens de programação. O segundo exemplo trata da geração de código intermediário para uma construção típica das linguagens de programação: uma forma de comando while.

EXEMPLO 5.18: Este exemplo é motivado por linguagens para composição tipográfica de fórmulas matemáticas. Eqn é um exemplo antigo desse tipo de linguagem; as idéias do Eqn ainda são encontradas no sistema de composição tipográfica do TeX, que foi usado para produzir o original deste livro.

Vamos concentrar-nos apenas na capacidade de definir subscritos, subscritos de subscritos, e assim por diante, ignorando os superescritos, os elementos de construção e todos os outros recursos matemáticos. Na linguagem Eqn, escreve-se a sub i sub j para definir a expressão a_{ij}. Uma gramática simples para *caixas* (elementos de texto cercados por um retângulo) é

$$B \rightarrow B_1 B_2 \mid B_1 \text{ sub } B_2 \mid (B_1) \mid \text{text}$$

Correspondendo a essas quatro produções, uma caixa pode ser:

1. Duas caixas, justapostas, com a primeira B_1, à esquerda da outra, B_2.
2. Uma caixa e uma caixa de subscrito. A segunda caixa aparece em tamanho menor, mais abaixo e à direita da primeira caixa.
3. Uma caixa entre parênteses, para agrupar caixas e subscritos. Eqn e TEX utilizam chaves para o agrupamento, mas usaremos parênteses comuns para evitar confusão com as chaves que cercam as ações nos SDTs.
4. Uma cadeia de texto, ou seja, qualquer cadeia de caracteres.

Essa gramática é ambígua, mas ainda podemos usá-la para fazer a análise ascendente se tornarmos o subscrito e a justaposição associativos à direita, e **sub** tem precedência sobre a justaposição.

As expressões serão compostas pela construção de caixas maiores a partir das menores. Na Figura 5.24, as caixas para E_1 e *.height* estão para ser justapostas para formar a caixa $E_1.height$. A caixa esquerda para E_1 é construída a partir da caixa para E e do subscrito 1. O subscrito 1 é tratado diminuindo sua caixa em cerca de 30%, abaixando-a e colocando-a após a caixa para E. Embora tratemos *.height* como uma cadeia de texto, os retângulos dentro de sua caixa mostram como ela pode ser construída a partir das caixas para as letras individuais.

Figura 5.24 Construindo caixas maiores a partir das menores.

Neste exemplo, focamos apenas na geometria vertical das caixas. A geometria horizontal — as larguras das caixas — também é interessante, especialmente quando diferentes caracteres possuem diferentes larguras. Pode não ser prontamente evidente, mas cada um dos caracteres distintos da Figura 5.24 possui uma largura diferente.

Os valores associados à geometria vertical das caixas são os seguintes:

a) O *tamanho do ponto* é usado para definir o texto dentro de uma caixa. Vamos assumir que os caracteres não usados nos subscritos são definidos com o tipo de 10 pontos, o tamanho utilizado no texto **da versão em inglês** deste livro. Além disso, consideramos que, se uma caixa tem tamanho do ponto p, então sua caixa de subscrito possui o menor tamanho do ponto, $0.7p$. O atributo herdado $B.ps$ representará o tamanho do ponto do bloco B. Esse atributo deve ser herdado, pois o contexto determina em quanto determinada caixa precisa ser diminuída, devido ao número de níveis de subscritos.
b) Cada caixa tem uma *linha de base*, que é uma posição vertical correspondendo às partes inferiores das linhas de texto, sem contar letras, como "g", que se estendem abaixo da linha de base normal. Na Figura 5.24, a linha pontilhada representa a linha de base para as caixas E, *.height* e toda a expressão. A linha de base para a caixa contendo o subscrito 1 é ajustada para abaixar o subscrito.
c) Uma caixa tem uma *altura*, que corresponde à distância do topo da caixa até a linha de base. O atributo sintetizado $B.ht$ fornece a altura da caixa B.
d) Uma caixa tem uma *profundidade*, definida como a distância da linha de base até a parte inferior da caixa. O atributo sintetizado $B.dp$ fornece a profundidade da caixa B.

A SDD na Figura 5.25 apresenta as regras semânticas para calcular os tamanhos de pontos, alturas e profundidades. A produção 1 é usada para atribuir a $B.ps$ o valor inicial 10.

A produção 2 trata a justaposição. Os tamanhos de ponto são copiados para baixo na árvore de derivação, ou seja, duas *subcaixas* de uma caixa herdam o mesmo tamanho do ponto da caixa maior. As alturas e profundidades são calculadas para cima na árvore via *max*. Ou seja, a altura da maior caixa é o máximo das alturas de seus dois componentes, e o mesmo acontece com a profundidade.

A produção 3 trata de subscritos e é mais sutil. Neste exemplo bastante simplificado, consideramos que o tamanho do ponto de uma caixa de subscrito corresponde a 70% do tamanho do ponto de seu pai. A realidade é muito mais complexa, uma vez que os subscritos não podem diminuir de tamanho indefinidamente; na prática, após alguns poucos níveis, o tamanho dos subscritos dificilmente diminui muito. Além disso, consideramos que a linha de base de uma caixa de subscrito desce 25% em relação ao tamanho do ponto do pai; novamente, a realidade é mais complexa.

Produção	Regras semânticas
1) $S \rightarrow B$	$B.ps = 10$
2) $B \rightarrow B_1 B_2$	$B_1.ps = B.ps$
	$B_2.ps = B.ps$
	$B.ht = \max(B_1.ht, B_2.ht)$
	$B.dp = \max(B_1.dp, B_2.dp)$
3) $B \rightarrow B_1$ **sub** B_2	$B_1.ps = B.ps$
	$B_2.ps = 0.7 \times B.ps$
	$B.ht = \max(B_1.ht, B_2.ht - 0.25 \times B.ps)$
	$B.dp = \max(B_1.dp, B_2.dp + 0.25 \times B.ps)$
4) $B \rightarrow (B_1)$	$B_1.ps = B.ps$
	$B.ht = B_1.ht$
	$B.dp = B_1.dp$
5) $B \rightarrow$ **text**	$B.ht = getHt(B.ps, \textbf{text}.lexval)$
	$B.dp = getDp(B.ps, \textbf{text}.lexval)$

Figura 5.25 SDD para caixas de composição tipográfica.

A produção 4 copia os atributos corretamente quando os parênteses são usados. Finalmente, a produção 5 trata das folhas que representam as caixas de texto. Nessa questão também, a realidade é complicada, de modo que simplesmente mostramos duas funções não especificadas *getHt* e *getDp*, que examinam as tabelas criadas para cada fonte a fim de determinar a altura e a profundidade máximas de quaisquer caracteres na cadeia de texto. Presume-se que a própria cadeia seja fornecida como o atributo *lexval* do terminal **text**.

Nossa última tarefa é transformar essa SDD em um SDT, seguindo as regras para uma SDD L-atribuída apresentadas na Figura 5.25. O SDT apropriado aparece na Figura 5.26. Por questão de legibilidade, como os corpos das produções são longos, nós os dividimos em linhas e alinhamos as ações. Os corpos das produções, portanto, consistem no conteúdo de todas as linhas até a cabeça da próxima produção.

Produção	Ações
1) $S \rightarrow$	$\{ B.ps = 10; \}$
$\quad B$	
2) $B \rightarrow$	$\{ B_1.ps = B.ps; \}$
$\quad B_1$	$\{ B_2.ps = B.ps; \}$
$\quad B_2$	$\{ B.ht = \max(B_1.ht, B_2.ht);$
	$B.dp = \max(B_1.dp, B_2.dp); \}$
3) $B \rightarrow$	$\{ B_1.ps = B.ps; \}$
$\quad B_1$ **sub**	$\{ B_2.ps = 0.7 \times B.ps; \}$
$\quad B_2$	$\{ B.ht = \max(B_1.ht, B_2.ht\text{-}0.25 \times B.ps);$
	$B.dp = \max(B_1.dp, B_2.dp + 0.25 \times B.ps); \}$
4) $B \rightarrow ($	$\{ B_1.ps = B.ps; \}$
$\quad B_1)$	$\{ B.ht = B_1.ht ;$
	$B.dp = B_1.dp ; \}$
5) $B \rightarrow$ **text**	$\{ B.ht = getHt(B.ps, \textbf{text}.lexval);$
	$B.dp = getDp(B.ps, \textbf{text}.lexval); \}$

Figura 5.26 SDT para caixas de composição tipográfica.

Nosso exemplo seguinte se concentra em um único comando while e na geração de código intermediário para esse tipo de comando. O código intermediário será tratado como um atributo do tipo cadeia. Mais adiante, exploraremos as técnicas que envolvem a escrita de partes de um atributo do tipo cadeia enquanto efetuamos o reconhecimento sintático, evitando assim a cópia de cadeias longas para construir cadeias ainda maiores. A técnica foi introduzida no Exemplo 5.17, quando geramos a forma posfixada de uma expressão infixada "diretamente", em vez de calculá-la como um atributo. Contudo, em nossa primeira formulação, criamos um atributo do tipo cadeia usando concatenação.

Exemplo 5.19: Para este exemplo, só precisamos de uma produção:

$$S \rightarrow \textbf{while } (C) \ S_1$$

Aqui, S é o não-terminal que gera todos os tipos de comandos, presumivelmente incluindo comandos *if*, comandos de atribuição e outros. Neste exemplo, C significa uma expressão condicional — uma expressão booliana que é avaliada como *true* ou *false*.

Neste exemplo de fluxo de controle, as únicas construções que geramos são rótulos. Todas as demais instruções de código intermediário são consideradas como sendo geradas por partes do SDT que não são mostradas. Especificamente, geramos instruções explícitas da forma **label** L, em que L é um identificador, para indicar que L é o rótulo da instrução que vem em seguida. Consideramos que o código intermediário é semelhante àquele introduzido na Seção 2.8.4.

A semântica do nosso comando while é: a expressão condicional C é avaliada. Se ela for verdadeira, o controle vai para o início do código para S_1. Se for falsa, o controle vai para o código que vem após o comando while. O código para S_1 deve ser projetado para, quando terminar, desviar para o início do código do comando while. O desvio para o início do código que avalia C não aparece na Figura 5.27.

Usamos os seguintes atributos para gerar o código intermediário correto:

1. O atributo herdado *S.next* é um rótulo para o início do código que deve ser executado após S terminar.
2. O atributo sintetizado *S.code* representa a seqüência de passos do código intermediário que implementa um comando S e termina com um desvio para *S.next*.
3. O atributo herdado *C.true* é o rótulo para o início do código que precisa ser executado, se C for verdadeiro.
4. O atributo herdado *C.false* é o rótulo para o início do código que precisa ser executado, se C for falso.
5. O atributo sintetizado *C.code* define a seqüência de passos de código intermediário que implementa a expressão condicional C e desvia para *C.true* ou para *C.false*, dependendo de C ser verdadeiro ou falso.

$S \rightarrow \textbf{while } (\ C\ )\ S_1$ $L1 = new();$
$L2 = new();$
$S_1.next = L1;$
$C.false = S.next;$
$C.true = L2;$
$S.code = \textbf{label} \parallel L1 \parallel C.code \parallel \textbf{label} \parallel L2 \parallel S_1.code$

Figura 5.27 SDD para comandos *while*.

A SDD que calcula esses atributos para o comando while aparece na Figura 5.27. Diversos pontos merecem explicação:

- A função *new* gera novos rótulos.
- As variáveis $L1$ e $L2$ contêm os rótulos que precisamos no código. $L1$ é o início do código para o comando while, e precisamos garantir que S_1 desvie para lá após terminar sua execução. É por isso que definimos S_1.*next* como $L1$. O rótulo $L2$ é o início do código para S_1, e atribuímos a ele o valor de *C.true*, pois desviamos para lá quando C é verdadeiro.
- Observe que *C.false* é atribuído com o valor *S.next*, pois quando a condição é falsa, executamos qualquer código que venha após o código para S.
- Usamos $\parallel$ como símbolo para concatenação de fragmentos de código intermediário. O valor de *S.code*, portanto, começa com o rótulo $L1$, seguido do código para a expressão condicional C, de outro rótulo $L2$ e do código para S_1.

Esta SDD é L-atribuída. Quando a convertemos para um SDT, a única questão restante é como tratar os rótulos $L1$ e $L2$, que são variáveis, e não atributos. Se tratarmos as ações como não-terminais fictícios, essas variáveis podem ser tratadas como atributos sintetizados de não-terminais fictícios. Como $L1$ e $L2$ não dependem de nenhum outro atributo, podem ser atribuídos à primeira ação na produção. A Figura 5.28 mostra o SDT resultante, com as ações incorporadas, para implementar essa definição L-atribuída.

$$S \rightarrow \textbf{while} \ (\quad \{ L1 = new(); L2 = new(); C.false = S.next; C.true = L2; \}$$
$$C \ ) \quad \{ S_1.next = L1; \}$$
$$S_1 \quad \{ S.code = \textbf{label} \ \| \ L1 \ \| \ C.code \ \| \ \textbf{label} \ \| \ L2 \ \| \ S_1.code; \}$$

FIGURA 5.28 SDT para comandos while.

5.4.6 Exercícios da Seção 5.4

Exercício 5.4.1: Mencionamos na Seção 5.4.2 que é possível deduzir, pelo estado LR presente na pilha sintática, que símbolo da gramática é representado pelo estado. Como descobriríamos essa informação?

Exercício 5.4.2: Reescreva o seguinte SDT:

$$A \rightarrow A \ \{a\} \ B \ | \ AB \ \{b\} \ | \ 0$$
$$B \rightarrow B \ \{c\} \ A \ | \ BA \ \{d\} \ | \ 1$$

de modo que a gramática subjacente se torne não-recursiva à esquerda. Aqui, a, b, c e d são ações, e 0 e 1 são terminais.

! Exercício 5.4.3: O SDT a seguir calcula o valor de uma cadeia de 0's e 1's interpretada como um inteiro positivo, binário.

$$B \rightarrow B_1 0 \ \{B.val = 2 \times B_1.val\}$$
$$| \ B_1 1 \ \{B.val = 2 \times B_1.val + 1\}$$
$$| \ 1 \ \{B.val = 1\}$$

Reescreva este SDT de modo que a gramática subjacente não seja recursiva à esquerda, e ainda o mesmo valor de $B.val$ seja calculado para toda a cadeia de entrada.

! Exercício 5.4.4: Escreva SDDs L-atribuídas semelhantes à do Exemplo 5.19 para as produções a seguir, cada uma representando uma construção de fluxo de controle familiar, como na linguagem de programação C. Você talvez tenha de gerar um comando de três endereços para desviar para um rótulo L em particular e, neste caso, deverá gerar **goto** L.

a) $S \rightarrow \textbf{if} \ (\ C \ ) \ S_1 \ \textbf{else} \ S_2$
b) $S \rightarrow \textbf{do} \ S_1 \ \textbf{while} \ (\ C \ )$
c) $S \rightarrow \ '\{' \ L \ '\}'; L \rightarrow L \ S \ | \ \epsilon$

Observe que qualquer comando na lista pode ter um desvio do seu interior para o próximo comando, de modo que não é suficiente simplesmente gerar código para cada comando na ordem.

Exercício 5.4.5: Converta cada um de seus SDDs do Exercício 5.4.4 para um SDT da mesma maneira que no Exemplo 5.19.

Exercício 5.4.6: Modifique a SDD da Figura 5.25 para incluir um atributo sintetizado $B.le$, o comprimento de uma caixa. O comprimento após a concatenação de duas caixas é a soma dos comprimentos de cada uma. Depois, inclua suas novas regras semânticas nas posições apropriadas do SDT da Figura 5.26.

Exercício 5.4.7: Modifique a SDD da Figura 5.25 para incluir *superescritos* denotados pelo operador **sup** entre as caixas. Se a caixa B_2 for um *superescrito* da caixa B_1, então posicione a linha de base de B_2 0,6 vezes o tamanho do ponto de B_1 acima da linha de base de B_1. Inclua a nova produção e as regras ao SDT da Figura 5.26.

5.5 Implementando SDDs L-atribuídas

Como muitas traduções de aplicações podem ser feitas usando definições L-atribuídas, consideramos a implementação das definições L-atribuídas mais detalhadamente nesta seção. Os métodos a seguir realizam a tradução caminhando em uma árvore de derivação.

1. *Construa a árvore de derivação e anote.* Este método funciona para qualquer SDD não circular. Apresentamos as árvores de derivação anotadas na Seção 5.1.2.
2. *Construa a árvore de derivação, adicione ações e execute as ações em pré-ordem.* Esta abordagem funciona para qualquer definição L-atribuída. Discutimos como transformar uma SDD L-atribuída em um SDT na Seção 5.4.5; em particular, discutimos como incorporar ações às produções baseadas nas regras semânticas de tal SDD.

Nesta seção, discutimos os seguintes métodos para tradução durante o reconhecimento sintático:

3. *Use um analisador sintático de descida recursiva* com uma função para cada não-terminal. A função para o não-terminal *A* recebe como argumentos os atributos herdados de *A* e retorna os atributos sintetizados de *A*.
4. *Gere código concomitante*, com um analisador sintático de descida recursiva.
5. *Implemente um SDT em conjunção com um analisador sintático LL*. Os atributos são mantidos na pilha sintática, e as regras buscam os atributos necessários a partir de posições conhecidas na pilha.
6. *Implemente um SDT em conjunção com um analisador sintático LR*. Este método pode ser surpreendente, uma vez que o SDT para uma SDD L-atribuída tipicamente possui ações no meio do corpo das produções, e não podemos ter certeza durante um reconhecimento sintático LR nem mesmo de que estamos nessa produção até que todo seu corpo tenha sido construído. Contudo, veremos que, se a gramática subjacente for LL, sempre podemos fazer a análise e a tradução de baixo para cima.

5.5.1 Tradução durante a análise de descida recursiva

Um analisador sintático de descida recursiva tem uma função *A* para cada não-terminal *A*, conforme discutimos na Seção 4.4.1. Podemos estender o analisador para um tradutor da seguinte forma:

a) Os argumentos da função *A* são os atributos herdados do não-terminal *A*.
b) O valor de retorno da função *A* é a coleção de atributos sintetizados do não-terminal *A*.

No corpo da função *A*, precisamos fazer a análise e tratar os atributos:

1. Decida em relação a qual produção usar para expandir *A*.
2. Verifique se cada terminal aparece na entrada quando é necessário. Vamos considerar que nenhum retrocesso é necessário, mas a extensão para o reconhecimento sintático de descida recursiva com retrocesso pode ser feito restaurando-se a posição da entrada em caso de falha, conforme discutimos na Seção 4.4.1.
3. Mantenha em variáveis locais os valores de todos os atributos necessários para avaliar os atributos herdados dos não-terminais no corpo ou atributos sintetizados para o não-terminal da cabeça.
4. Chame as funções correspondentes aos não-terminais no corpo da produção selecionada, provendo-as com os argumentos apropriados. Como a SDD subjacente é L-atribuída, já avaliamos esses atributos e os armazenamos em variáveis locais.

Exemplo 5.20: Vamos considerar a SDD e o SDT do Exemplo 5.19 para comandos while. Um exemplo do pseudocódigo das partes relevantes da função *S* aparece na Figura 5.29.

```
string S(label next) {
    string Scode, Ccode; / * variáveis locais contendo fragmentos de código * /
    label L1, L2; / * os rótulos locais * /
    if ( current input == token while ) {
        avança input;
        verifica se '(' vem sem seguida na entrada, e avança;
        L1 = new();
        L2 = new();
        Ccode = C(next,L2);
        verifica se ')' vem sem seguida na entrada, e avança;
        Scode = S(L1);
        return ("label" || L1 || Ccode || "label" || L2 || Scode);
    }
    else / * outros tipos de comando * /
}
```

FIGURA 5.29 Implementando comandos while com um analisador sintático de descida recursiva.

Mostramos *S* armazenando e retornando cadeias longas. Na prática, é muito mais eficiente que, funções como *S* e *C* retornem apontadores para registros que representam essas cadeias. Então, o comando **return** da função *S* não concatenaria fisicamente os componentes mostrados, mas construiria um registro, ou talvez uma árvore de registros, expressando a concatenação das cadeias representadas por *Scode* e *Ccode*, os rótulos *L*1 e *L*2, e as duas ocorrências da cadeia literal "label".

EXEMPLO 5.21: Agora, vejamos o SDT da Figura 5.26 para caixas de composição tipográfica. Primeiro, focalizamos na análise sintática, uma vez que a gramática subjacente da Figura 5.26 é ambígua. A gramática modificada a seguir faz a justaposição e o subscrito associativos à direita, e **sub** tem precedência sobre a justaposição.

$$S \to B$$
$$B \to TB_1 \mid T$$
$$T \to F \text{ sub } T_1 \mid F$$
$$F \to (B) \mid \text{text}$$

Os dois novos não-terminais, T e F, são motivados pelos termos e fatores das expressões. Aqui, um 'fator', gerado por F é uma caixa entre parênteses ou uma cadeia de texto. Um 'termo', gerado por T, é um 'fator' com uma seqüência de subscritos, e uma caixa gerada por B é uma seqüência de 'termos' justapostos.

Os atributos de B são passados para T e F, visto que os novos não-terminais também denotam caixas; eles foram introduzidos simplesmente para auxiliar na análise. Assim, tanto T quanto F possuem um atributo herdado ps e atributos sintetizados ht e dp, com ações semânticas que podem ser adaptadas a partir do SDT da Figura 5.26.

A gramática ainda não está pronta para a análise sintática descendente, uma vez que as produções para B e T possuem prefixos comuns. Considere T, por exemplo. Um analisador sintático descendente não pode escolher entre as duas produções de T examinando apenas um símbolo à frente na entrada. Felizmente, podemos usar uma forma de fatoração à esquerda, discutida na Seção 4.3.4, para tornar a gramática pronta. Com SDTs, a noção de prefixo comum se aplica também a ações. As duas produções para T começam com o não-terminal F herdando o atributo ps de T.

O pseudocódigo na Figura 5.30 para $T(ps)$ se desdobra no código para $F(ps)$. Depois que a fatoração à esquerda é aplicada a $T \to F$ **sub** $T_1 \mid F$, há apenas uma chamada para F; o pseudocódigo mostra o resultado de substituir esta chamada de F pelo seu código.

A função T será chamada como $T(10.0)$ pela função de B, que não mostramos. Ela retorna um par consistindo na altura e profundidade da caixa gerada pelo não-terminal T; na prática, retornaria um registro contendo a altura e a profundidade.

```
(float, float) T(float ps) {
    float h1, h2, d1, d2; /* locais para conter alturas e profundidades */
    /* código inicial para F(ps) */
    if ( current input == '(' ) {
        avança input;
        (h1,d1) = B(ps);
        if ( current input != ')' ) erro de sintaxe: esperado ')';
        avança input;
    }
    else if ( current input == text ) {
        considere que valor léxico text.lexval seja t;
        avança input;
        h1 = getHt(ps,t);
        d1 = getDp(ps,t);
    }
    else erro de sintaxe: esperado text ou '(';
    /* fim do código para F(ps) */
    if (current input == sub ) {
        avança input;
        (h2,d2) = T(0.7 * ps);
        return ((max(h1,h2 - 0.25 * ps), max(d1, d2 + 0.25 * ps));
    }
    return (h1,d1);
}
```

FIGURA 5.30 Método de descida recursiva para caixas de composição tipográfica.

A função T começa verificando um parêntese esquerdo; para isto a produção $F \to (B)$ deve existir. Ela salva tudo que o B dentro dos parênteses retornar, mas, se esse B não for seguido por um parêntese direito, então há um erro de sintaxe, o qual precisa ser tratado de uma maneira não mostrada.

Caso contrário, se a entrada corrente for **text**, então a função *T* utilizará as funções *getHt* e *getDp* para determinar a altura e a profundidade desse texto.

A *função T*, então, decide se a próxima caixa é um subscrito e ajusta o tamanho do ponto se o for. Usamos as ações associadas à produção $B \to B$ **sub** B da Figura 5.26 para a altura e a profundidade da caixa maior. Senão, simplesmente retornamos o que *F* teria retornado: $(h1, d1)$.

5.5.2 Geração direta de código

A construção de cadeias de código longas, que são valores de atributo, como no Exemplo 5.20, é indesejável por vários motivos, incluindo o tempo necessário para copiar ou mover cadeias longas. Em casos mais comuns, como no nosso exemplo de geração de código executável, em vez disso podemos gerar, de forma incremental, partes do código em um arranjo ou arquivo de saída, executando ações de um SDT. Os elementos de que precisamos para que essa técnica funcione são:

1. Existe, para um ou mais não-terminais, um atributo *principal*. Por conveniência, vamos considerar que todos os atributos principais são do tipo cadeia. No Exemplo 5.20, os atributos *S.code* e *C.code* são principais; os outros atributos não o são.
2. Os atributos principais são sintetizados.
3. As regras que avaliam os atributos principais garantem que
   (a) O atributo principal é a concatenação dos atributos principais dos não-terminais aparecendo no corpo da produção envolvida, talvez com outros elementos que não sejam atributos principais, como a cadeia **label** ou os valores dos rótulos *L*1 e *L*2.
   (b) Os atributos principais dos não-terminais aparecem na regra, na mesma ordem em que os próprios não-terminais ocorrem no corpo da produção.

Em conseqüência dessas condições, o atributo principal pode ser construído emitindo-se os elementos de atributo não principal da concatenação. Podemos contar com as chamadas recursivas às funções para os não-terminais em um corpo de produção para emitir o valor de seu atributo principal de forma incremental.

O tipo dos atributos principais

Nossa suposição simplificada de que os atributos principais são de tipo cadeia é realmente muito restritiva. O requisito verdadeiro é que o tipo de todos os atributos principais precisa ter valores que possam ser construídos pela concatenação de elementos. Por exemplo, uma lista de objetos de qualquer tipo é apropriada, desde que a representemos de tal forma que os elementos possam ser anexados eficientemente no seu fim. Assim, se a finalidade do atributo principal for representar uma seqüência de comandos de código intermediário, podemos produzir o código intermediário escrevendo comandos no fim de um arranjo de objetos. Naturalmente, os requisitos estabelecidos na Seção 5.5.2 ainda se aplicam às listas; por exemplo, os atributos principais precisam ser reunidos a partir de outros atributos principais pela concatenação em ordem.

Exemplo 5.22: Podemos modificar a função da Figura 5.29 para emitir elementos da tradução principal *S.code* em vez de salvá-los para concatenação em um valor de retorno de *S.code*. A função *S* revisada aparece na Figura 5.31.

```
void S( label next) {
    label L1, L2; /* os rótulos locais */
    if ( current input == token while ) {
        avança input;
        verifica se '(' vem sem seguida na entrada, e avança;
        L1 = new();
        L2 = new();
        print("label", L1);
        C(next,L2);
        verifica se ')' vem sem seguida na entrada, e avança;
        print("label",L2);
        S(L1);
    }
    else /* outros tipos de comandos */
}
```

Figura 5.31 Geração direta de código com descida recursiva para comandos while.

Na Figura 5.31, *S* e *C* agora não possuem valor de retorno, visto que seus únicos atributos sintetizados são produzidos pela impressão. Além disso, a posição dos comandos print é significativa. A ordem em que a saída é impressa é: primeiro label *L1*, depois o código para *C* (que é igual ao valor de *Ccode* na Figura 5.29), em seguida label *L2*, e finalmente o código da chamada recursiva *S* (que é igual a *Scode* na Figura 5.29). Assim, o código impresso por essa chamada de *S* é exatamente o mesmo que o valor retornado por *Scode* na Figura 5.29.

A propósito, podemos fazer esta mesma mudança no SDT subjacente: transforme a construção de um atributo principal em ações que emitem os elementos desse atributo. Na Figura 5.32, vemos o SDT da Figura 5.28, revisado para gerar código direto.

$$
\begin{aligned}
S \rightarrow \quad &\textbf{while} \; (\quad \{ L1 = new(); L2 = new(); C.false = S.next; \\
& \qquad\qquad C.true = L2; print(\texttt{"label"}, L1); \} \\
& C \;) \quad \{ S_1.next = L1; print(\texttt{"label"}, L2); \} \\
& S_1
\end{aligned}
$$

FIGURA 5.32 SDT para a geração direta de código por comandos while.

5.5.3 SDDs L-ATRIBUÍDAS E ANÁLISE LL

Suponha que uma SDD L-atribuída seja baseada em uma gramática LL e que nós a tenhamos convertido em um SDT com ações inseridas nas produções, conforme descrito na Seção 5.4.5. Podemos, então, realizar a tradução durante a análise LL estendendo a pilha sintática para conter ações e certos itens de dados necessários à avaliação de atributo. Tipicamente, os itens de dados são cópias dos atributos.

Além dos registros representando terminais e não-terminais, a pilha sintática conterá *registros-de-ação* representando ações a serem executadas e *registros-de-sintetizados* para conter os atributos sintetizados dos não-terminais. Usamos os dois princípios a seguir para gerenciar os atributos na pilha:

- Os atributos herdados de um não-terminal *A* são colocados no registro da pilha que representa esse não-terminal. O código para avaliar esses atributos, usualmente, será representado por um registro-de-ação imediatamente acima do registro da pilha para *A*. Na verdade, a conversão das SDDs L-atribuídas para SDTs garante que o registro-de-ação estará imediatamente acima de *A*.
- Os atributos sintetizados para um não-terminal *A* são colocados em um registro-de-sintetizados separado, que está imediatamente abaixo do registro para *A* na pilha.

Essa estratégia coloca registros de vários tipos na pilha sintática, confiando que esses diferentes tipos de registros podem ser controlados corretamente como subclasses de uma classe 'registro de pilha'. Na prática, poderíamos combinar vários registros em um, porém as idéias são talvez mais bem explicadas separando-se os dados usados para diferentes finalidades em diferentes registros.

Registros-de-ação contêm apontadores para o código a ser executado. As ações também podem aparecer nos registros-de-sintetizados; essas ações, tipicamente, colocam as cópias dos atributos sintetizados em outros registros mais abaixo na pilha, em que o valor desse atributo será necessário depois que o registro-de-sintetizados e seus atributos forem retirados da pilha.

Vamos dar uma olhada rápida na análise LL para ver se há necessidade de fazer cópias temporárias dos atributos. De acordo com a Seção 4.4.4, um analisador sintático LL controlado por tabela imita uma derivação mais à esquerda. Se *w* é a entrada que foi casada até o momento, então a pilha contém uma seqüência de símbolos da gramática α tal que $S \underset{lm}{\overset{*}{\Rightarrow}} w\alpha$, onde *S* é o símbolo inicial. Quando o analisador sintático expande uma produção $A \rightarrow B C$, ele substitui *A* no topo da pilha por *B C*.

Suponha que o não-terminal *C* tenha um atributo herdado *C.i*. Com $A \rightarrow B C$, o atributo herdado *C.i* pode depender não apenas dos atributos herdados de *A*, mas de todos os atributos de *B*. Assim, podemos ter de processar *B* completamente antes que *C.i* possa ser avaliado. Portanto, salvamos cópias temporárias de todos os atributos necessários para avaliar *C.i* no registro-de-ação que avalia *C.i*. Caso contrário, quando o analisador sintático substitui *A* no topo da pilha por *BC*, os atributos herdados de *A* terão desaparecido, junto com seu registro de pilha.

Como a SDD subjacente é L-atribuída, podemos ter certeza de que os valores dos atributos herdados de *A* estão disponíveis quando *A* aparece no topo da pilha. Os valores, portanto, estarão disponíveis a tempo a fim de serem copiados para o registro-de-ação que avalia os atributos herdados de *C*. Além disso, o espaço para os atributos sintetizados de *A* não é um problema, uma vez que o espaço está no registro-de-sintetizados para *A*, que permanece na pilha, abaixo de *B* e *C*, quando o analisador sintático expande $A \rightarrow B C$.

À medida que *B* é processado, podemos efetuar ações (por meio de um registro logo acima de *B* na pilha) que copiam seus atributos herdados para serem usados por *C*, conforme a necessidade, e, após *B* ser processado, o registro-de-sintetizados para *B* pode copiar seus atributos sintetizados para serem usados por *C*, se necessário. Do mesmo modo, os atributos sintetizados de *A* podem precisar de temporários para ajudar a calcular seus valores, e estes podem ser copiados para o registro-de-sintetizados para *A* enquanto *B* e depois *C* são processados. O princípio que faz com que toda essa cópia de atributos funcione é:

- Toda a cópia ocorre entre os registros que são criados durante uma expansão de um não-terminal. Assim, cada um desses registros sabe o quanto abaixo na pilha cada registro se encontra, e pode escrever valores nos registros abaixo com segurança.

O exemplo seguinte ilustra a implementação de atributos herdados durante a análise LL, copiando cuidadosamente os valores de atributo. Os atalhos ou otimizações são possíveis, particularmente com regras de cópia, as quais simplesmente copiam o valor de um atributo em outro. Os atalhos são adiados até o Exemplo 5.24, que também ilustra os registros-de-sintetizados.

Exemplo 5.23: Este exemplo implementa o SDT da Figura 5.32, o qual gera código direto para a produção while. Esse SDT não possui atributos sintetizados, exceto para atributos fictícios que representam rótulos.

A Figura 5.33(a) mostra a situação em que estamos prestes a usar a produção while para expandir S, presumivelmente porque o símbolo *lookahead* na entrada é **while**. O registro para S está no topo da pilha, e ele contém apenas o atributo herdado $S.next$, que supomos ter o valor x. Como agora estamos fazendo uma análise sintática descendente, mostramos o topo da pilha à esquerda, de acordo com nossa convenção usual.

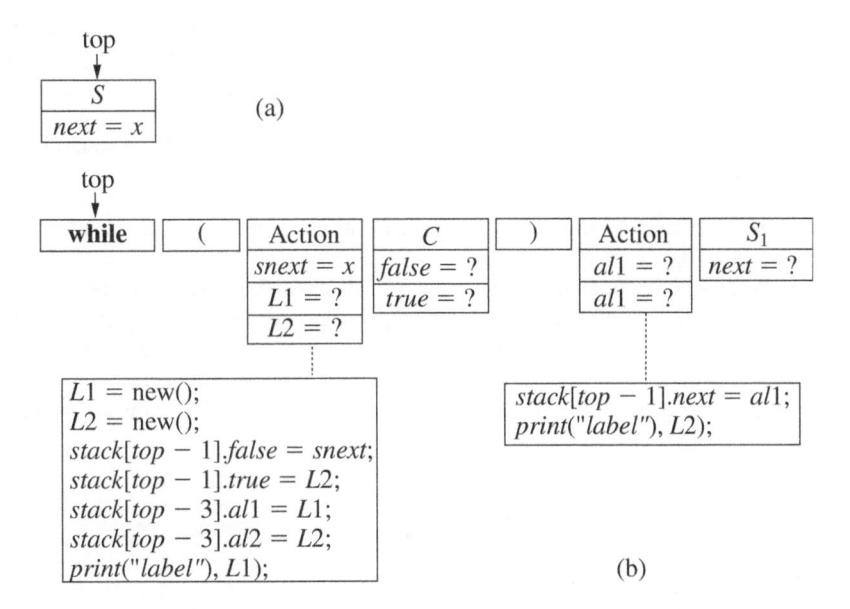

Figura 5.33 Expansão de S de acordo com a produção do comando while.

A Figura 5.33(b) mostra a situação imediatamente após termos expandido S. Existem registros-de-ação na frente dos não-terminais C e S_1, correspondentes às ações no SDT subjacente da Figura 5.32. O registro para C possui os atributos herdados *true* e *false*, enquanto o registro para S_1 tem o atributo *next*, como é necessário em todos os registros para S. Mostramos os valores para esses campos com ?, pois ainda não os conhecemos.

O analisador sintático reconhece em seguida **while** e (na entrada e desempilha seus registros da pilha. Agora, a primeira ação está no topo e precisa ser executada. Esse registro-de-ação possui um campo *snext*, que contém uma cópia do atributo herdado $S.next$. Quando S é retirado da pilha, o valor de $S.next$ é copiado para o campo *snext* a fim de ser usado durante a avaliação dos atributos herdados de C. O código para a primeira ação gera novos valores para $L1$ e $L2$, os quais supomos que sejam y e z, respectivamente. O passo seguinte é tornar $C.true$ igual a z. A atribuição $stack[top - 1].true = L2$ é escrita sabendo-se que será executada somente quando esse registro-de-ação estiver no topo da pilha, de modo que $top - 1$ se refere ao registro abaixo dele — o registro para C.

O primeiro registro-de-ação, então, copia $L1$ para o campo $al1$ na segunda ação, em que será usado para avaliar $S_1.next$. Ele também copia $L2$ para um campo chamado $al2$ da segunda ação; esse valor é necessário para esse registro-de-ação imprimir sua saída corretamente. Finalmente, o primeiro registro-de-ação imprime `label` y na saída.

A situação depois de completar a primeira ação e remover seu registro da pilha é mostrada na Figura 5.34. Os valores dos atributos herdados no registro para C foram preenchidos corretamente, assim como os temporários $al1$ e $al2$ no segundo registro de ação. Nesse ponto, C é expandido, e presumimos que o código para implementar seu teste, contendo desvios para os rótulos x e z, conforme apropriado, é gerado. Quando o registro para C é retirado da pilha, o registro para) passa a ser o topo e faz com que o analisador sintático verifique) em sua entrada.

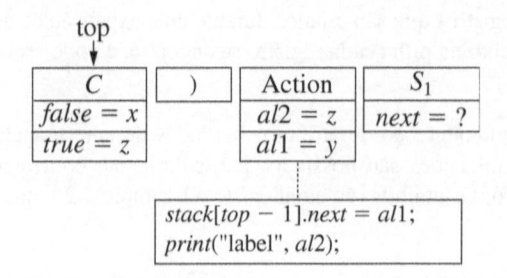

```
                    top
                     ↓
    ┌─────────┬───┬─────────┬─────────┐
    │    C    │ ) │ Action  │   S₁    │
    │ false=x │   │ al2 = z │ next=?  │
    │ true=z  │   │ al1 = y │         │
    └─────────┴───┴─────────┴─────────┘
                      │
              stack[top − 1].next = al1;
              print("label", al2);
```

FIGURA 5.34 Depois que a ação acima de *C* é realizada.

O código da ação acima de S_1 no topo da pilha define $S_1.next$ e emite `label z`. Quando termina, o registro para S_1 passa a ser o topo da pilha e, enquanto é expandido, presumimos que ele gera corretamente o código que implementa qualquer tipo de comando e depois desvia para o rótulo *y*.

EXEMPLO 5.24: Agora, vamos considerar o mesmo comando while, mas com uma tradução que produz a saída *S.code* como um atributo sintetizado, em vez da geração direta de código. Para entender a explicação, é importante ter em mente a seguinte invariante ou hipótese indutiva, que assumimos ser seguida por todo não-terminal:

- Todo não-terminal que possui código associado a ele deixa esse código, como uma cadeia, no registro-de-sintetizados logo abaixo dele na pilha.

Supondo que essa afirmação seja verdadeira, trataremos da produção while de modo que ela mantenha essa afirmação como uma invariante.

A Figura 5.35(a) mostra a situação imediatamente antes que o *S* seja expandido usando a produção para o comando while. No topo da pilha, vemos o registro para *S*; ele possui um campo para seu atributo herdado *S.next*, como no Exemplo 5.23. Imediatamente abaixo desse registro está o registro-de-sintetizados para essa ocorrência de *S*, que tem um campo para *S.code*, como todos os registros-de-sintetizados para *S* precisam ter. Também mostramos este registro com alguns outros campos para armazenamento local e ações, uma vez que o SDT para a produção while na Figura 5.28 certamente faz parte de um SDT maior.

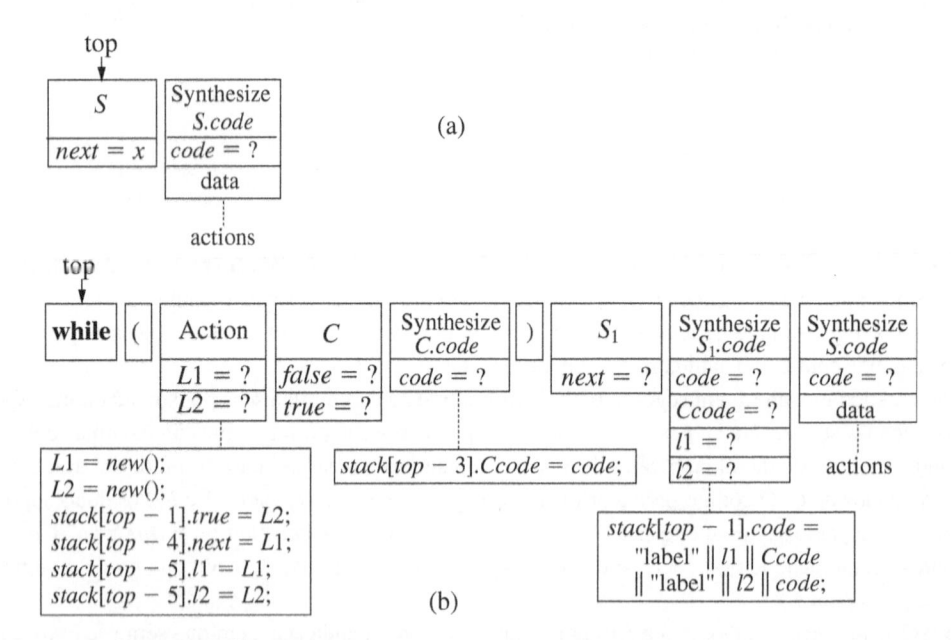

```
         top
          ↓
    ┌──────────┬───────────┐
    │    S     │ Synthesize│
    │          │   S.code  │         (a)
    │ next = x │  code = ? │
    │          │   data    │
    └──────────┴───────────┘
                   ┆
                 actions

  top
   ↓
┌──────┬───┬────────┬────────┬──────────┬───┬────────┬──────────┬──────────┐
│while │ ( │ Action │   C    │Synthesize│ ) │   S₁   │Synthesize│Synthesize│
│      │   │        │        │  C.code  │   │        │ S₁.code  │  S.code  │
│      │   │ L1 = ? │false=? │ code = ? │   │next = ?│ code = ? │ code = ? │
│      │   │ L2 = ? │ true=? │          │   │        │ Ccode = ?│   data   │
│      │   │        │        │          │   │        │   l1 = ? │          │
└──────┴───┴────────┴────────┴──────────┴───┴────────┴──────────┴──────────┘
                │                 │                      l2 = ?      actions
      L1 = new();          stack[top − 3].Ccode = code;
      L2 = new();                              stack[top − 1].code =
      stack[top − 1].true = L2;                "label" || l1 || Ccode
      stack[top − 4].next = L1;                || "label" || l2 || code;
      stack[top − 5].l1 = L1;
      stack[top − 5].l2 = L2;           (b)
```

FIGURA 5.35 Expansão de *S* com atributo sintetizado construído na pilha.

Nossa expansão de *S* baseia-se no SDT da Figura 5.28 e é mostrada na Figura 5.35(b). Tomando um atalho, durante a expansão, consideramos que o atributo herdado *S.next* é atribuído diretamente a *C.false*, em vez de ser colocado na primeira ação e depois copiado para o registro de *C*.

Vamos examinar o que cada registro faz quando está no topo da pilha. Primeiro, o registro **while** faz com que o *token* **while** case com a entrada, como deve ser, do contrário não teríamos expandido *S* dessa maneira. Após **while** e (serem removidos da pilha, o código para o registro-de-ação é executado. Ele gera valores para *L1* e *L2*, e pegamos o atalho copiando-os diretamente para os atributos herdados que deles necessitam: $S_1.next$ e $C.true$. Os dois últimos passos da ação fazem com que $L1$ e $L2$ sejam copiados para o registro chamado "Synthesize $S_1.code$".

O registro-de-sintetizados para S_1 realiza uma tarefa dupla: não apenas contém o atributo sintetizado $S_1.code$, mas também serve como um registro-de-ação para completar a avaliação dos atributos para toda a produção $S \rightarrow$ **while** $(C) S_1$. Em particular, ao chegar ao topo, ele avalia o atributo sintetizado $S.code$ e posiciona seu valor no registro-de-sintetizados para a cabeça S.

Quando C se torna o topo da pilha, seus dois atributos herdados são calculados. Pela hipótese indutiva estabelecida anteriormente, supomos que ele gera corretamente o código para executar sua condição e desviar para o rótulo apropriado. Também assumimos que as ações realizadas durante a expansão de C colocam corretamente esse código no registro abaixo, como o valor do atributo sintetizado $C.code$.

Após C ser desempilhado, o registro-de-sintetizados para $C.code$ passa a ser o topo. Seu código é necessário no registro-de-sintetizados para $S_1.code$, pois é onde concatenamos todos os elementos do código para formar $S.code$. O registro-de-sintetizados de $C.code$, portanto, tem uma ação de copiar $C.code$ para o registro-de-sintetizados de $S_1.code$. Em seguida, o registro para o *token*) atinge o topo da pilha, e causa uma verificação por) na entrada. Supondo que o teste tenha sucesso, o registro para S_1 passa a ser o topo da pilha. Pela nossa hipótese indutiva, esse não-terminal é expandido, e como efeito o seu código é construído corretamente e colocado no campo para *code* no registro-de-sintetizados para S_1.

Agora, todos os campos de dados do registro-de-sintetizados para S_1 foram preenchidos, de modo que, quando ele se tornar o topo da pilha, a ação nesse registro possa ser executada. A ação faz com que os rótulos e o código de $C.code$ e $S_1.code$ sejam concatenados na ordem correta. A cadeia resultante é colocada no registro abaixo; ou seja, no registro-de-sintetizados para S. Agora, calculamos corretamente $S.code$ e, quando o registro-de-sintetizados para S se tornar o topo, esse código estará disponível para ser colocado em outro registro mais abaixo na pilha, na qual eventualmente se reunirá com uma cadeia de código maior, implementando um elemento de programa do qual esse S faz parte.

Podemos tratar as SDDs L-atribuídas a gramáticas LR?

Na Seção 5.4.1, vimos que toda SDD S-atribuída a uma gramática LR pode ser implementada durante um reconhecimento sintático ascendente. De acordo com a Seção 5.5.3, toda SDD L-atribuída a uma gramática LL pode ser analisada de cima para baixo. Como as gramáticas LL são um *subconjunto próprio* das gramáticas LR, e as SDDs S-atribuídas são um subconjunto próprio das SDDs L-atribuídas, podemos tratar toda gramática LR e SDD L-atribuída usando um método de análise ascendente?

Não podemos, como mostra o argumento intuitivo a seguir. Suponha que tenhamos uma produção $A \rightarrow B C$ em uma gramática LR, e haja um atributo herdado $B.i$ que dependa dos atributos herdados de A. Quando reduzimos para B, ainda não vimos a entrada que C gera, de modo que não podemos estar certos de termos o corpo da produção $A \rightarrow B C$. Assim, ainda não podemos calcular $B.i$, pois não temos certeza se devemos usar a regra associada a essa produção.

Talvez pudéssemos esperar até termos reduzido para C, e saber que devemos reduzir $B C$ para A. Porém, ainda assim, não conhecemos os atributos herdados de A, pois mesmo depois da redução não podemos estar certos quanto ao corpo da produção que contém esse A. Poderíamos concluir que essa decisão também deve ser adiada, e então, adiar a computação de $B.i$. Se continuarmos nessa linha de raciocínio, logo perceberemos que não podemos tomar nenhuma decisão até que toda a entrada seja analisada. Essencialmente, chegamos à estratégia de 'construa primeiro a árvore de derivação e depois realize a tradução'.

5.5.4 Análise ascendente de SDDs L-atribuídas

Podemos fazer uma tradução ascendente sempre que pudermos fazê-la descendente. Mais precisamente, dada uma SDD L-atribuída a uma gramática LL, é possível adaptar a gramática para computar a mesma SDD para a nova gramática durante uma análise LR. O 'truque' possui três partes:

1. Comece com o SDT construído como na Seção 5.4.5, que tem ações embutidas antes de cada não-terminal para computar seus atributos herdados e uma ação no fim da produção para computar os atributos sintetizados.
2. Introduza na gramática um não-terminal marcador no lugar de cada ação embutida. Cada um desses lugares recebe um marcador distinto, e existe uma produção do tipo $M \rightarrow \epsilon$ para qualquer marcador M.
3. Modifique a ação a se o não-terminal marcador M o substitui em alguma produção $A \rightarrow \alpha \{a\} \beta$, e associe com $M \rightarrow \epsilon$ uma ação a' que
   (a) Faça uma cópia, como atributos herdados de M, quaisquer atributos de A ou símbolos de α necessários na ação a.
   (b) Compute os atributos da mesma maneira que a, mas faça com que esses atributos sejam atributos sintetizados de M
   Essa mudança parece ilegal, uma vez que tipicamente a ação associada à produção $M \rightarrow \epsilon$ deverá acessar atributos pertencentes aos símbolos da gramática que não aparecem nessa produção. Contudo, vamos implementar as ações na pilha de análise LR, de modo que os atributos necessários sempre estarão disponíveis em um número de posições conhecidas abaixo na pilha.

EXEMPLO 5.25: Suponha que exista uma produção $A \rightarrow B\ C$ em uma gramática LL, e que o atributo herdado $B.i$ seja calculado a partir do atributo herdado $A.i$ por alguma fórmula $B.i = f(A.i)$. Ou seja, o fragmento de um SDT que nos interessa é

$$A \rightarrow \{B.i = f(A.i);\}\ B\ C$$

Introduzimos o marcador M com o atributo herdado $M.i$ e o atributo sintetizado $M.s$. O primeiro será uma cópia de $A.i$, e o segundo será $B.i$. O SDT será escrito como

$$A \rightarrow M\ B\ C$$
$$M \rightarrow \{M.i = A.i;\ M.s = f(M.i);\}$$

Observe que a regra para M não tem $A.i$ disponível para ela, mas de fato providenciaremos para que todo atributo herdado de um não-terminal como A apareça na pilha imediatamente abaixo de onde a redução para A ocorrerá mais tarde. Assim, quando reduzimos ϵ para M, encontraremos $A.i$ imediatamente abaixo dela, de onde pode ser lida. Além disso, o valor de $M.s$, que é deixado na pilha junto com M, é realmente $B.i$ e é encontrado corretamente logo abaixo de onde a redução para B ocorrerá mais tarde.

Por que os marcadores funcionam

Marcadores são não-terminais que derivam apenas ϵ e que aparecem somente uma vez entre todos os corpos de todas as produções. Não daremos uma prova formal disso; quando uma gramática é LL, não-terminais marcadores podem ser acrescentados em qualquer posição no corpo, e a gramática resultante ainda será LR. Contudo, a intuição é a seguinte: se uma gramática é LL, então podemos determinar que uma cadeia w na entrada é derivada do não-terminal A, em uma derivação que começa com a produção $A \rightarrow \alpha$, vendo apenas o primeiro símbolo de w (ou o símbolo seguinte se $\omega = \epsilon$). Assim, se analisarmos ω com um método ascendente, então o fato de que um prefixo de w precisa ser reduzido para α e depois para S é conhecido assim que o início de w aparecer na entrada. Em particular, se inserirmos marcadores em qualquer lugar de α, os estados LR incorporarão o fato de que esse marcador precisa estar lá, e reduziremos ϵ para o marcador no ponto apropriado na entrada.

EXEMPLO 5.26: Vamos transformar o SDT da Figura 5.28 em um SDT que possa funcionar com uma análise LR da gramática revisada. Introduzimos um marcador M antes de C e um marcador N antes de S_1, de modo que a gramática *subjacente* se torna:

$$S \rightarrow \textbf{while}\ (\ M\ C\ )\ N\ S_1$$
$$M \rightarrow \epsilon$$
$$N \rightarrow \epsilon$$

Antes de discutir as ações associadas aos marcadores M e N, vamos esboçar a 'hipótese indutiva' sobre o local de armazenamento dos atributos.

1. Logo após todo o corpo da produção while — ou seja, abaixo do **while** na pilha — está o atributo herdado $S.next$. Podemos não conhecer o não-terminal ou o estado do analisador sintático associado a esse registro da pilha, mas podemos estar certos de que ele terá um campo, em uma posição fixa do registro, contendo $S.next$ antes de começarmos a reconhecer o que é derivado desse S.
2. Os atributos herdados $C.true$ e $C.false$ estarão logo abaixo do registro para C na pilha. Como presumimos que a gramática seja LL, a presença de **while** na entrada nos garante que a produção while é a única que pode ser reconhecida, portanto podemos ter certeza de que M aparecerá imediatamente abaixo de C na pilha, e de que o registro de M conterá os atributos herdados de C.
3. De modo semelhante, o atributo herdado $S_1.next$ deve aparecer imediatamente abaixo de S_1 na pilha, de maneira que podemos colocar esse atributo no registro para N.
4. O atributo sintetizado $C.code$ aparecerá no registro para C. Como sempre, quando tivermos uma cadeia longa como valor de atributo, esperamos que, na prática, um apontador para (um objeto representando) a cadeia apareça no registro, enquanto a própria cadeia é armazenada fora da pilha.
5. Do mesmo modo, o atributo sintetizado $S_1.code$ aparecerá no registro para S_1.

Vamos acompanhar o processo de reconhecimento sintático de um comando while. Suponha que um registro contendo *S.next* esteja no topo da pilha, e que a próxima entrada seja o terminal **while**. Transferimos esse terminal para a pilha. Então, é garantido que a produção sendo reconhecida é a produção while, assim o analisador LR pode transferir "(" para a pilha e determinar que seu próximo passo será reduzir ϵ para *M*. A pilha nesse momento aparece na Figura 5.36. Também mostramos nessa figura a ação que está associada à redução para *M*. Criamos valores para *L1* e *L2*, localizados nos campos do registro para *M*. Também nesse registro estão os campos para *C.true* e *C.false*. Esses atributos precisam estar no segundo e no terceiro campo do registro para ficarem consistente com outros registros da pilha que poderiam aparecer abaixo de *C* em outros contextos e que também precisam fornecer esses atributos para *C*. A ação termina atribuindo valores a *C.true* e *C.false*, um do *L2* recém-gerado e outro por atingir o ponto abaixo na pilha em que, até onde sabemos, *S.next* está localizado.

?	while	(	M
S.next			C.true
			C.false
			L1
			L2

Código executado durante redução de ϵ para *M*

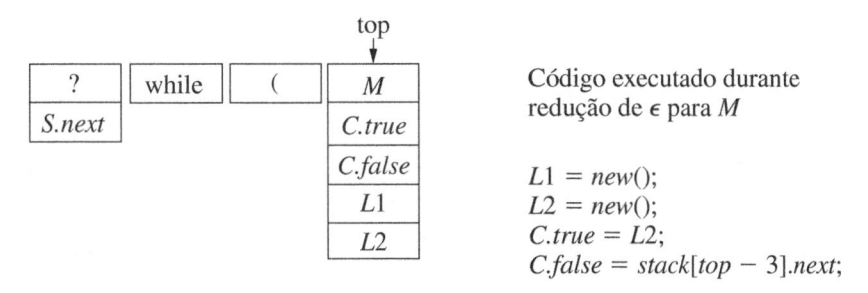

$L1 = new();$
$L2 = new();$
$C.true = L2;$
$C.false = stack[top - 3].next;$

FIGURA 5.36 Pilha sintática LR após a redução de ϵ para *M*.

Presumimos que as próximas entradas são corretamente reduzidas para *C*. O atributo sintetizado *C.code* é, portanto, colocado no registro para *C*. Essa mudança da pilha é mostrada na Figura 5.37, que também incorpora os próximos vários registros que serão mais tarde colocados acima de *C* na pilha.

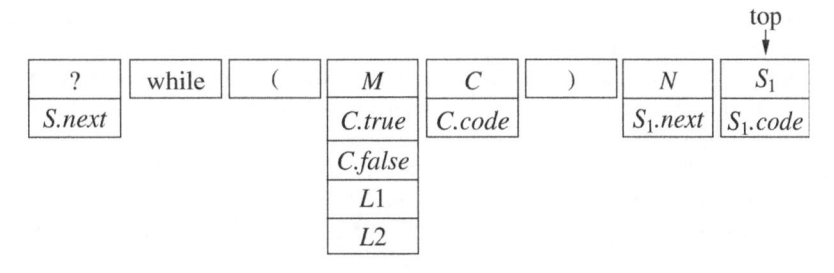

?	while	(	M	C	)	N	S_1
S.next			C.true	C.code		S_1.next	S_1.code
			C.false				
			L1				
			L2				

FIGURA 5.37 A pilha imediatamente antes da redução do corpo da produção while para *S*.

Continuando o reconhecimento sintático do comando while, o analisador precisa encontrar ')' na entrada, que ele empilhará em um registro próprio na pilha. Nesse ponto, o analisador sintático, que sabe estar trabalhando com um comando while, porque a gramática é LL, reduzirá ϵ para *N*. A única parte dos dados associada a *N* é o atributo herdado S_1.*next*. Observe que esse atributo precisa estar no registro para *N*, porque este estará imediatamente abaixo do registro para S_1. O código que é executado para computar o valor de S_1.*next* é

$$S_1.next = stack[top-3].L1;$$

Essa ação alcança três registros abaixo de *N*, que está no topo da pilha quando o código é executado e recupera o valor de *L1*.

Em seguida, o analisador sintático reduz algum prefixo da entrada restante para *S*, a que nos referimos coerentemente como S_1 para distingui-lo do *S* na cabeça da produção. O valor de S_1.*code* é calculado e aparece no registro da pilha para S_1. Esse passo nos leva à condição ilustrada na Figura 5.37.

Nesse ponto, o analisador sintático reduzirá tudo desde o **while** até S_1 para *S*. O código executado durante essa redução é:

$$tempCode = \textbf{label} \parallel stack[top\text{-}4].L1 \parallel stack[top\text{-}3].code \parallel$$
$$\textbf{label} \parallel stack[top - 4].L2 \parallel stack[top].code;$$
$$top = top\text{-}5;$$
$$stack[top].code = tempCode;$$

Ou seja, construímos o valor de *S.code* na variável *tempCode*. Esse é o código normal, consistindo em dois rótulos *L*1 e *L*2, o código para *C* e o código para S_1. A pilha é removida, de modo que *S* aparece onde **while** estava. O valor do código para *S* é colocado no campo *code* desse registro, onde pode ser interpretado como o atributo sintetizado *S.code*. Observe que não mostramos, em nenhuma parte desta discussão, a manipulação dos estados LR, que também devem aparecer na pilha nos campos que preenchemos com símbolos da gramática.

5.5.5 Exercícios da Seção 5.5

Exercício 5.5.1: Implemente cada uma de suas SDDs do Exercício 5.4.4 com um analisador sintático de descida recursiva no estilo da Seção 5.5.1.

Exercício 5.5.2: Implemente cada uma de suas SDDs do Exercício 5.4.4 com um analisador sintático de descida recursiva no estilo da Seção 5.5.2.

Exercício 5.5.3: Implemente cada uma de suas SDDs do Exercício 5.4.4 com um analisador sintático LL no estilo da Seção 5.5.3, com o código gerado 'concomitantemente'.

Exercício 5.5.4: Implemente cada uma de suas SDDs do Exercício 5.4.4 com um analisador sintático LL no estilo da Seção 5.5.3, mas com o código (ou apontadores para o código) armazenado na pilha.

Exercício 5.5.5: Implemente cada uma de suas SDDs do Exercício 5.4.4 com um analisador sintático LR no estilo da Seção 5.5.4.

Exercício 5.5.6: Implemente sua SDD do Exercício 5.2.4 no estilo da Seção 5.5.1. Uma implementação no estilo da Seção 5.5.2 seria diferente?

5.6 Resumo do Capítulo 5

- *Atributos herdados e sintetizados*: As definições dirigidas por sintaxe podem usar dois tipos de atributos. Um atributo sintetizado em um nó da árvore de derivação é calculado a partir dos atributos em seus filhos. Um atributo herdado em um nó é calculado a partir dos atributos em seu pai e/ou irmãos.
- *Grafos de dependência*: Dada uma árvore de derivação e uma SDD, traçamos arestas entre as instâncias do atributo associado a cada nó da árvore de derivação para denotar que o valor do atributo na cabeça da aresta é calculado em termos do valor do atributo na cauda da aresta.
- *Definições cíclicas*: Em SDDs problemáticas, sabemos que há algumas árvores de derivação para as quais é impossível encontrar uma ordem em que possamos avaliar todos os atributos em todos os nós. Essas árvores de derivação possuem ciclos em seus grafos de dependência associados. É intratável decidir se uma SDD possui tais grafos de dependência circular.
- *Definições S-atribuídas*: Em uma SDD S-atribuída, todos os atributos são sintetizados.
- *Definições L-atribuídas*: Em uma SDD L-atribuída, os atributos podem ser herdados ou sintetizados. Contudo, os atributos herdados por um nó da árvore de derivação podem depender apenas dos atributos herdados de seu pai e de (quaisquer) atributos de seus irmãos à esquerda.
- *Árvores de sintaxe*: Cada nó em uma árvore de sintaxe representa uma construção; os filhos do nó representam os componentes significativos da construção.
- *Implementando SDDs S-atribuídas*: Uma definição S-atribuída pode ser implementada por um SDT no qual todas as ações estão no extremo direito da produção (um SDT 'pós-fixado'). As ações computam os atributos sintetizados da cabeça da produção em termos dos atributos sintetizados dos símbolos no corpo. Se a gramática subjacente é LR, então esse SDT pode ser implementado na pilha do analisador sintático LR.
- *Eliminando a recursão à esquerda dos SDTs*: Se um SDT tiver apenas efeitos colaterais (nenhum atributo é computado), então o algoritmo padrão de eliminação da recursão à esquerda para gramáticas nos permite tratar as ações como se elas fossem terminais. Quando os atributos são computados, ainda podemos eliminar a recursão à esquerda se o SDT for um SDT pós-fixado.
- *Implementando SDDs L-atribuídas com um analisador sintático de descida recursiva*: Se tivermos uma definição L-atribuída para uma gramática analisável por um método descendente, podemos construir um analisador sintático de descida recursiva sem retrocesso para implementar a tradução. Os atributos herdados tornam-se argumentos das funções para seus não-terminais, e os atributos sintetizados são retornados por essa função.
- *Implementando SDDs L-atribuídas para uma gramática LL*: Toda definição L-atribuída com uma gramática LL subjacente pode ser implementada enquanto se faz a análise sintática. Os registros com os atributos sintetizados de um não-terminal são colocados abaixo dele na pilha, enquanto os atributos herdados para um não-terminal são armazenados com esse não-terminal na pilha. Os registros-de-ação também são colocados na pilha para avaliar atributos no momento apropriado.

- *Implementando SDDs L-atribuídas para uma gramática LL com método ascendente*: Uma definição L-atribuída com uma gramática LL *subjacente* pode ser convertida para uma tradução baseada em uma gramática LR e a tradução pode ser realizada em conexão com um analisador sintático ascendente. A transformação da gramática introduz não-terminais 'marcadores' que aparecem na pilha do analisador sintático ascendente e contêm atributos herdados do não-terminal acima dele na pilha. Os atributos sintetizados são mantidos com seu não-terminal na pilha.

5.7 Referências do Capítulo 5

As definições dirigidas por sintaxe são uma forma de definição indutiva na qual a indução está na estrutura sintática. Como tais, elas há muito tempo têm sido usadas informalmente pelos matemáticos. Sua aplicação em linguagens de programação apareceu com o uso de uma gramática para estruturar o relatório do Algol 60.

A idéia de um analisador sintático que ativa as ações semânticas pode ser encontrada em Samelson e Bauer [8] e Brooker e Morris [1]. Irons [2] construiu um dos primeiros compiladores dirigidos por sintaxe, usando atributos sintetizados. A classe de definições L-atribuídas vem de [6].

Os atributos herdados, grafos de dependência e um teste de circularidade das SDDs, ou seja, se existe ou não alguma árvore de derivação em que não há uma ordem ma qual os atributos possam ser calculados, são atribuídos a Knuth [5]. Jazayeri, Ogden e Rounds [3] mostraram que testar a circularidade exige tempo exponencial, como uma função no tamanho da SDD.

Os geradores de analisadores sintáticos, como Yacc [4] (veja também as notas bibliográficas no Capítulo 4), admitem avaliação de atributo durante a análise.

O estudo de Paakki [7] é um ponto de partida para acessar a extensa literatura sob definições e traduções dirigidas por sintaxe.

1. BROOKER, R. A. e MORRIS, D. A general translation program for phrase structure languages, *J. ACM* 9:1 (1962), pp. 1-10.
2. IRONS, E. T., A syntax directed compiler for Algol 60, *Comm. ACM* 4:1 (1961), pp. 51-55.
3. JAZAYERI, M.; ODGEN, W. F. e ROUNDS, W. C. The intrinsic exponential complexity of the circularity problem for attribute grammars, *Comm. ACM* 18:12 (1975), pp. 697-706.
4. JOHNSON, S. C. Yacc - Yet Another Compiler Compiler, Computing Science Technical Report 32, Bell Laboratories, Murray Hill, NJ, 1975. Disponível em `http://dinosaur.compilertools.net/yacc/`.
5. KNUTH, D. E., Semantics of context-free languages, *Mathematical Systems Theory* 2:2 (1968), pp. 127-145. Veja também *Mathematical Systems Theory* 5:1 (1971), pp. 95-96.
6. LEWIS, P. M. II, ROSENKRANTZ, D. J. e STEARNS, R. E. Attributed translations, *J. Computer and System Sciences* 9:3 (1974), pp. 279-307.
7. PAAKKI, J., Attribute grammar paradigms — a high-level methodology in language implementation, *Computing Surveys* 27:2 (1995) pp. 196-255.
8. SAMELSON, K. e BAUER, F. L. Sequential formula translation, *Comm. ACM* 3:2 (1960), pp. 76-83.

6 GERAÇÃO DE CÓDIGO INTERMEDIÁRIO

No modelo de análise e síntese de um compilador, o *front-end* analisa um programa fonte e cria uma representação intermediária, a partir da qual o *back-end* gera o código objeto. O ideal é que os detalhes da linguagem fonte sejam confinados no *front-end* e os da máquina alvo fiquem no *back-end*. Com uma representação intermediária definida adequadamente, um compilador para a linguagem *i* e a máquina *j* pode então ser construído, combinando-se o *front-end* para a linguagem *i* com o *back-end* para a máquina *j*. Essa abordagem para a criação de um conjunto de compiladores pode economizar muito esforço: $m \times n$ compiladores podem ser construídos escrevendo-se apenas *m front-ends* e *n back-ends*.

Este capítulo trata de representações intermediárias, verificação de tipo estática e geração de código intermediário. Para simplificar, assumimos que um *front-end* de um compilador é organizado como na Figura 6.1, em que a análise sintática, a verificação estática e a geração de código intermediário são feitas seqüencialmente; às vezes, elas podem ser combinadas e incorporadas na análise sintática. Usaremos os formalismos dirigidos por sintaxe dos capítulos 2 e 5 para especificar a verificação e a tradução. Muitos dos esquemas de tradução podem ser implementados durante a análise sintática ascendente ou descendente, usando as técnicas do Capítulo 5. Todos os esquemas podem ser implementados, criando uma árvore de sintaxe e então caminhando nessa árvore.

→ Analisador Sintático → Verificador Estático → Gerador de Código Intermediário → código intermediário → Gerador de Código →

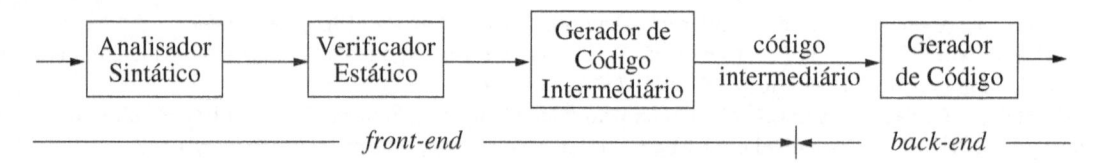

———————— *front-end* ———————— | ———— *back-end* ————

FIGURA 6.1 Estrutura lógica do *front-end* de um compilador.

A verificação estática inclui *verificação de tipo*, que garante que os operadores são aplicados a operandos compatíveis. Também inclui quaisquer verificações sintáticas que restarem após a análise sintática. Por exemplo, a verificação estática garante que um comando break em C esteja incorporado em um comando while, for ou switch; se não houver uma dessas instruções envolventes, um erro é informado.

A abordagem deste capítulo pode ser usada com uma grande variedade de representações intermediárias, incluindo árvores de sintaxe e código de três endereços, ambos introduzidos na Seção 2.8. A razão para o termo 'código de três endereços' vem das instruções no formato geral $x = y\ op\ z$ com três endereços: dois para os operandos y e z e um para o resultado x. No processo de tradução de um programa, em uma dada linguagem fonte, para o código de determinada máquina alvo, um compilador pode construir uma seqüência de representações intermediárias, como na Figura 6.2. As representações de alto nível estão próximas da linguagem fonte, e as representações de baixo nível estão próximas da máquina alvo. As árvores de sintaxe são de alto nível; elas representam a estrutura hierárquica natural do programa fonte e são bem adequadas a tarefas como verificação de tipo estática.

Programa Fonte → Representação Intermediária de Alto Nível → ... → Representação Intermediária de Baixo Nível → Código Objeto

FIGURA 6.2 Um compilador pode usar uma seqüência de representações intermediárias.

Uma representação de baixo nível é adequada para tarefas dependentes de máquina, como a alocação de registradores e a seleção de instrução. O código de três endereços pode variar de alto até baixo nível, dependendo da escolha dos operadores. Para as expressões, as diferenças entre as árvores de sintaxe e o código de três endereços são superficiais, conforme veremos na Seção 6.2.3. Para os comandos de *looping*, por exemplo, uma árvore de sintaxe representa os componentes de um comando, enquanto o código de três endereços contém rótulos e comandos de desvios para representar o fluxo de controle, como na linguagem de máquina.

A escolha ou o projeto de uma representação intermediária varia de um compilador para outro. Uma representação intermediária pode ser uma linguagem de alto nível corrente ou pode consistir em estruturas de dados internas que são compartilhadas pelas fases do compilador. C é uma linguagem de programação de alto nível, embora freqüentemente seja usada como uma forma intermediária, porque é flexível, compila para código de máquina eficiente e seus compiladores são encontrados com facilidade. O *front-end* do compilador C++ original gera C, tratando o compilador C como um *back-end*.

6.1 Variantes das árvores de sintaxe

Os nós em uma árvore de sintaxe representam construções do programa fonte; os filhos de um nó representam os componentes significativos de uma construção. Um grafo acíclico dirigido (daqui em diante chamado *DAG*, do inglês *Directed Acyclic Graph*) para uma expressão identifica as *subexpressões comuns* (subexpressões que ocorrem mais de uma vez) da expressão. Conforme veremos nesta seção, os DAGs podem ser construídos usando as mesmas técnicas de construção de árvores de sintaxe.

6.1.1 Grafos acíclicos dirigidos para expressões

Assim como a árvore de sintaxe para uma expressão, um DAG possui folhas, correspondendo aos operandos atômicos, e códigos interiores, correspondendo aos operadores. A diferença entre eles é que um nó N de um DAG tem mais de um pai se N representar uma subexpressão comum; em uma árvore de sintaxe, a árvore para a subexpressão comum seria replicada tantas vezes quantas ocorresse a subexpressão na expressão original. Assim, um DAG não apenas representa as expressões mais sucintamente, como também fornece ao compilador dicas importantes em relação à geração de código eficiente para avaliar as expressões.

Exemplo 6.1: A Figura 6.3 mostra um DAG para a expressão

$$a + a * (b - c) + (b - c) * d$$

A folha para a possui dois pais, porque a aparece duas vezes na expressão. Mais interessante, as duas ocorrências da subexpressão comum b-c são representadas por um único nó, o nó rotulado com o operador −. Esse nó tem dois pais, representando seus dois usos nas subexpressões a * (b - c) e (b - c) * d. Mesmo que b e c apareçam duas vezes na expressão completa, cada um possui um só nó pai, uma vez que os dois usos estão relacionados à subexpressão comum b-c. ▬

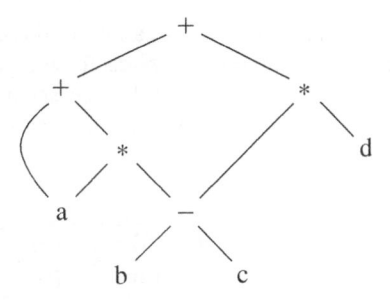

Figura 6.3 DAG para a expressão a + a * (b - c) + (b - c) * d.

A SDD da Figura 6.4 pode construir árvores de sintaxe ou DAGs. Ela foi usada para construir árvores de sintaxe no Exemplo 5.11, em que as funções *Leaf* e *Node* criaram um novo nó toda vez que foram chamadas. A SDD construirá um DAG se,

Produção	Regras Semânticas
1) $E \to E_1 + T$	$E.node = $ **new** $Node(\text{'+'}, E_1.node, T.node)$
2) $E \to E_1 - T$	$E.node = $ **new** $Node(\text{'−'}, E_1.node, T.node)$
3) $E \to T$	$E.node = T.node$
4) $T \to (E)$	$T.node = E.node$
5) $T \to $ **id**	$T.node = $ **new** $Leaf (\textbf{id}, \textbf{id}.entry)$
6) $T \to $ **num**	$T.node = $ **new** $Leaf (\textbf{num}, \textbf{num}.val)$

Figura 6.4 Definição dirigida por sintaxe para produzir árvores de sintaxe ou DAGs.

antes de criar um novo nó, as funções *Leaf* e *Node* primeiro verificarem se um nó idêntico já existe. Se um nó idêntico já foi previamente criado, o nó existente é retornado. Por exemplo, antes de construir um novo nó, *Node(op, left, right)* verifica se já existe um nó com o rótulo *op*, e os filhos *left* e *right*, nessa ordem. Se houver, *Node* retorna o nó existente; caso contrário, cria um novo nó.

EXEMPLO 6.2: O DAG na Figura 6.3 é construído a partir da seqüência de passos mostrados na Figura 6.5, com a condição de que *Node* e *Leaf* retornem um nó existente, se possível, conforme discutimos anteriormente. Assumimos que *entry-a* aponta para a entrada da tabela de símbolos para a, e da mesma forma para os outros identificadores.

1) $p_1 = Leaf(\mathbf{id}, entry\text{-}a)$
2) $p_2 = Leaf(\mathbf{id}, entry\text{-}a) = p_1$
3) $p_3 = Leaf(\mathbf{id}, entry\text{-}b)$
4) $p_4 = Leaf(\mathbf{id}, entry\text{-}c)$
5) $p_5 = Node('-', p_3, p_4)$
6) $p_6 = Node('*', p_1, p_5)$
7) $p_7 = Node('+', p_1, p_6)$
8) $p_8 = Leaf(\mathbf{id}, entry\text{-}b) = p_3$
9) $p_9 = Leaf(\mathbf{id}, entry\text{-}c) = p_4$
10) $p_{10} = Node('-', p_3, p_4) = p_5$
11) $p_{11} = Leaf(\mathbf{id}, entry\text{-}d)$
12) $p_{12} = Node('*', p_5, p_{11})$
13) $p_{13} = Node('+', p_7, p_{12})$

FIGURA 6.5   Passos para a construção do DAG da Figura 6.3.

Quando a chamada a *Leaf*(**id**, *entry-a*) é repetida no passo 2, o nó criado pela chamada anterior é retornado, de modo que $p_2 = p_1$. Da mesma forma, os nós retornados nos passos 8 e 9 são iguais aos retornados nos passos 3 e 4 (ou seja, $p_8 = p_3$ e $p_9 = p_4$). Daí o nó retornado na etapa 10 precisar ser igual ao que é retornado na etapa 5, ou seja, $p_{10} = p_5$.

6.1.2 O MÉTODO CÓDIGO NUMÉRICO PARA CONSTRUÇÃO DE DAG

Freqüentemente, os nós de uma árvore de sintaxe ou DAG são armazenados em um arranjo de registros, conforme sugerido pela Figura 6.6. Cada linha do arranjo representa um registro, portanto, um nó. Em cada registro, o primeiro campo é um código de operação, indicando o rótulo do nó. Na Figura 6.6(b), as folhas possuem um campo adicional, o qual contém o valor léxico (seja um apontador para a tabela de símbolos ou uma constante, neste caso), e os nós interiores possuem dois campos adicionais, indicando os filhos à esquerda e à direita.

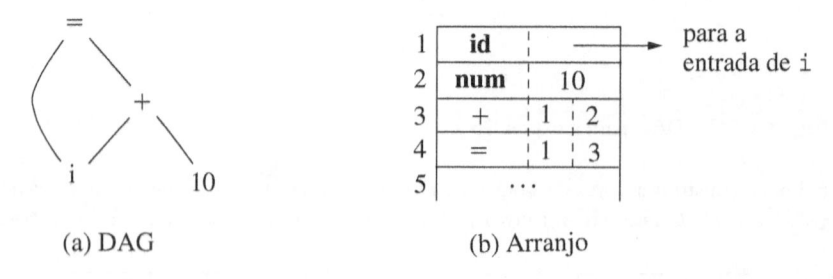

FIGURA 6.6   Nós de um DAG para $i = i + 10$ alocados em um arranjo.

Nesse arranjo, fazemos referência aos nós dando o índice inteiro do registro para esse nó dentro do arranjo. Esse inteiro tem sido historicamente chamado de *código numérico* para o nó ou para a expressão representada pelo nó. Por exemplo, na Figura 6.6, o nó rotulado com + tem código numérico 3, e seus filhos da esquerda e da direita possuem os códigos numéricos 1 e 2, respectivamente. Na prática, poderíamos usar apontadores para os registros ou referências a objetos em vez de índices inteiros, mas ainda vamos dirigir-nos à referência a um nó como seu 'código numérico'. Se armazenados em uma estrutura de dados apropriada, os códigos numéricos nos ajudam a construir os DAGs de expressão de forma eficiente; o algoritmo seguinte mostra como.

Suponha que os nós sejam armazenados em um arranjo, como na Figura 6.6, e que cada nó seja referenciado por seu código numérico. Considere que a *assinatura* de um nó interior seja a tripla <op,l,r>, onde *op* é o rótulo, *l* o código numérico de seu filho à esquerda, e *r* o código numérico de seu filho à direita. Um operador unário (*unary operator*) pode ser considerado como tendo $r = 0$.

ALGORITMO 6.3: O método do código numérico para construir os nós de um DAG.

ENTRADA: Rótulo *op*, nó *l*, e nó *r*.

SAÍDA: O código numérico de um nó no arranjo com assinatura <op,l,r>.

MÉTODO: Procure no arranjo um nó *M* com rótulo *op*, filho à esquerda *l*, e filho à direita *r*. Se houver esse nó, retorne o código numérico de *M*. Se não, crie no arranjo um novo nó *N* com rótulo *op*, filho à esquerda *l* e filho à direita *r*, e retorne seu código numérico.

Embora o Algoritmo 6.3 gere a saída desejada, pesquisar o arranjo inteiro toda vez que tivermos de localizar um nó é muito caro, especialmente se o arranjo contiver expressões do programa todo. Uma abordagem mais eficiente é usar uma tabela hash, na qual os nós são colocados em 'recipientes', cada um tendo tipicamente apenas alguns nós. A tabela *hash* é uma das várias estruturas de dados que tratam *dicionários* de forma eficiente.[1] Um dicionário é um tipo abstrato de dados que nos permite inserir e remover elementos de um conjunto e determinar se dado elemento está correntemente no conjunto. Uma boa estrutura de dados para dicionários, como uma tabela hash, realiza cada uma dessas operações em um tempo que é constante ou quase constante, independentemente do tamanho do conjunto.

Para construir uma tabela *hash* com os nós de um DAG, precisamos de uma *função hash h* que calcule o índice do recipiente para uma assinatura <op,l,r>, distribuindo as assinaturas entre os recipientes, de tal modo que é improvável que qualquer recipiente receba muito mais do que uma fatia justa dos nós. O índice do recipiente $h(op,l,r)$ é calculado deterministicamente a partir de *op*, *l* e *r*, de tal modo que podemos repetir o cálculo e sempre chegar ao mesmo índice do recipiente para o nó <op,l,r>.

Os recipientes podem ser implementados como listas encadeadas, como na Figura 6.7. Um arranjo, indexado pelo valor hash, contém as *cabeças dos recipientes*, cada uma apontando para a primeira célula de uma lista. Dentro da lista encadeada para um recipiente, cada célula contém o código numérico de um dos nós alocados para esse recipiente. Ou seja, o nó <op,l,r> pode ser encontrado na lista cuja cabeça esteja no índice $h(op,l,r)$ do arranjo.

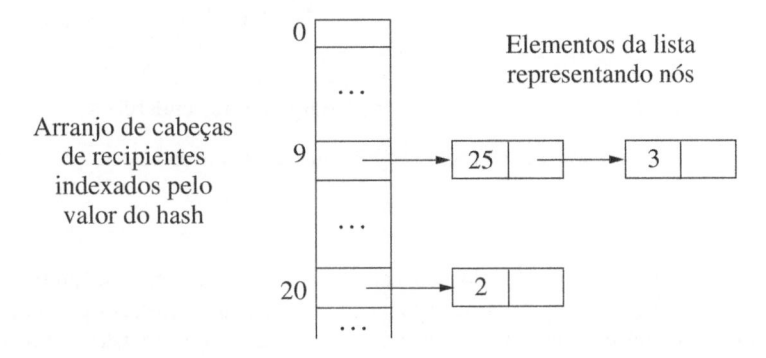

FIGURA 6.7 Estrutura de dados para pesquisar pelos recipientes.

Assim, dado o nó de entrada *op*, *l* e *r*, calculamos o índice do recipiente $h(op,l,r)$ e procuramos na lista de células desse recipiente por um dado nó de entrada. Tipicamente, existem recipientes suficientes para que nenhuma linha tenha mais do que algumas células. Contudo, é possível que precisemos examinar todas as células dentro de um recipiente e, para cada código numérico *v* encontrado em uma célula, devamos verificar se a assinatura <op,l,r> do nó de entrada casa com o nó de código numérico *v* na lista de células (como na Figura 6.7). Se encontrarmos um casamento, retornamos *v*. Do contrário, sabemos que nenhum nó desse tipo existe em nenhum outro recipiente; então criamos e incluímos uma nova célula na lista de células para o índice do recipiente $h(op,l,r)$ e retornamos o código numérico nessa nova célula.

6.1.3 Exercícios da Seção 6.1

Exercício 6.1.1: Construa o DAG para a expressão

$$((x + y) - ((x + y) * (x - y))) + ((x + y) * (x - y))$$

---

[1] Veja Aho, A. V., J. E. Hopcroft e J. D. Ullman, *Data structures and algorithms*, Addison-Wesley, 1983, para uma discussão sobre as estruturas de dados com suporte para dicionários.

Exercício 6.1.2: Construa o DAG e identifique os códigos numéricos para as subexpressões das seguintes expressões, considerando que + se associa à esquerda.
   a) $a + b + (a + b)$.
   b) $a + b + a + b$.
   c) $a + a + ((a + a + a + (a + a + a + a))$.

6.2 Código de três endereços

No código de três endereços, existe no máximo um operador do lado direito de uma instrução, ou seja, nenhuma expressão aritmética construída com vários operadores é permitida. Assim, uma expressão da linguagem fonte como x+y*z deve ser traduzida para a seqüência de instruções de três endereços:

```
t1 = y * z
t2 = x + t1
```

onde t_1 e t_2 são nomes temporários gerados pelo compilador. Esse desmembramento de expressões aritméticas com múltiplos operadores e de comandos de fluxo de controle aninhados torna o código de três endereços desejável para a geração e otimização de código objeto, conforme discutimos nos capítulos 8 e 9. O uso de nomes para os valores intermediários computados por um programa permite que o código de três endereços seja facilmente rearranjado.

Exemplo 6.4: O código de três endereços é uma representação linear de uma árvore de sintaxe ou de um DAG no qual nomes explícitos correspondem aos nós interiores do grafo. O DAG da Figura 6.3 é repetido na Figura 6.8, juntamente com a correspondente seqüência de código de três endereços.

$$
\begin{aligned}
t_1 &= b - c \\
t_2 &= a * t_1 \\
t_3 &= a + t_2 \\
t_4 &= t_1 * d \\
t_5 &= t_3 + t_4
\end{aligned}
$$

(a) DAG   (b) Código de três endereços

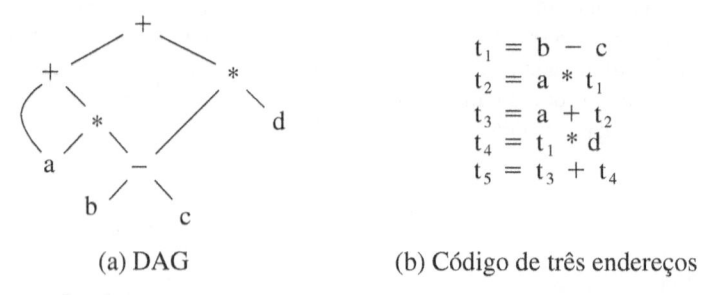

Figura 6.8 Um DAG e seu código de três endereços correspondente.

6.2.1 Endereços e instruções

O código de três endereços é construído a partir de dois conceitos: endereços e instruções. Em termos da orientação por objetos, esses conceitos correspondem a classes, e os vários tipos de endereços e instruções correspondem a subclasses apropriadas. Como alternativa, o código de três endereços pode ser implementado usando-se registros com campos para os endereços; registros chamados quádruplas e triplas são discutidos rapidamente na Seção 6.2.2.

Um endereço pode ser um dos seguintes:

- *Um nome.* Por conveniência, permitimos que os nomes do programa fonte apareçam como endereços no código de três endereços. Em uma implementação, um nome do programa fonte é substituído por um apontador para sua entrada na tabela de símbolos, na qual estão contidas todas as informações sobre este nome.
- *Uma constante.* Na prática, um compilador deve tratar com muitos tipos diferentes de constantes e variáveis. As conversões de tipo dentro das expressões são consideradas na Seção 6.5.2.
- *Um temporário gerado pelo compilador.* É vantajoso, especialmente em compiladores otimizados, criar um nome distinto toda vez que um temporário é necessário. Esses temporários podem ser combinados, se possível, quando os registradores são alocados a variáveis.

Agora, consideremos as instruções de três endereços mais comuns usadas no restante deste livro. Os rótulos simbólicos serão usados por instruções que alteram o fluxo do controle. Um rótulo simbólico representa o índice de uma instrução de três endereços na seqüência de instruções. Os índices correntes podem ser substituídos por rótulos, seja efetuando um passo separado ou por '*remendo*' (*backpatching*), discutido na Seção 6.7. Aqui está uma lista das formas mais comuns de instruções de três endereços:

1. Instruções de atribuição da forma $x = y\ op\ z$, onde *op* é um operador aritmético binário ou lógico, e *x*, *y* e *z* são endereços.

2. Atribuições da forma $x = op\ y$, onde *op* é um operador unário. Os operadores unários essenciais incluem o menos unário, a negação lógica, os operadores de deslocamento, e os operadores de conversão que, por exemplo, convertem um inteiro para um número de ponto flutuante.
3. *Instruções de cópia* da forma $x = y$, onde se atribui a x o valor de y.
4. Um desvio incondicional goto L. A instrução de três endereços com rótulo L é a próxima a ser executada.
5. Desvios condicionais da forma if x goto L e ifFalse x goto L. Essas instruções executam a instrução com rótulo L em seguida se x for verdadeiro e falso, respectivamente. Caso contrário executa-se a instrução de três endereços seguinte na seqüência de instruções, como de costume.
6. Desvios condicionais tais como if x *relop* y goto L, que aplicam um operador relacional (<, ==, >= etc.) a x e y, e executam em seguida a instrução com rótulo L se x se colocar na relação *relop* com y. Senão, a instrução de três endereços após if x *relop* y goto L é executada em seguida, na seqüência.
7. As chamadas de procedimento e retornos são implementadas usando as seguintes instruções: param x para parâmetros; call p,n e y = call p,n para chamadas de procedimento e função, respectivamente; e return y, onde y, representando um valor retornado, é opcional. Seu uso típico é ilustrado na seqüência de instruções de três endereços

```
            param x₁
            param x₂
              . . .
            param xₙ
            call p,n
```

gerada como parte de uma chamada do procedimento $p(x_1, x_2,..., x_n)$. O inteiro n, indicando o número de parâmetros reais em 'call p, n', não é redundante porque as chamadas podem ser aninhadas. Ou seja, alguns dos primeiros comandos param poderiam ser parâmetros de uma chamada que vem após p retornar seu valor; esse valor se torna outro parâmetro da segunda chamada. A implementação de chamadas de procedimento é esboçada na Seção 6.9.

8. Instruções *indexadas de cópia* da forma x = y[i] e x[i] = y. A instrução $x = y[i]$ atribui a x o valor contido no endereço i unidades de memória além do endereço de y. A instrução $x[i] = y$ atribui ao conteúdo do endereço i unidades além do x o valor de y.
9. *Atribuições de endereço e apontador* da forma x = &y, x = *y e *x = y. A instrução x = &y define o valor-r de x para ser o endereço (valor-l) de y.[2] Presumidamente y é um nome, talvez um temporário, que denota uma expressão com um valor-l como A[i][j], e x é um nome de apontador ou um temporário. Na instrução x = *y, presumidamente y é um apontador ou um temporário cujo valor-r é um endereço. O valor-r de x é feito igual ao conteúdo deste endereço. Finalmente, *x = y define o valor-r do objeto apontado por x com o valor-r de y.

EXEMPLO 6.5: Considere a instrução

```
            do i = i+1; while (a[i] < v);
```

Duas traduções possíveis dessa instrução aparecem na Figura 6.9. A tradução na Figura 6.9 utiliza um rótulo simbólico L, conectado à primeira instrução. A tradução em (b) mostra números com as posições das instruções, começando arbitrariamente na posição 100. Nas duas traduções, a última instrução é um desvio condicional para a primeira instrução. A multiplicação i * 8 é apropriada para um arranjo de elementos, cada um ocupando 8 unidades de espaço.

```
    L:  t₁ = i + 1              100:  t₁ = i + 1
        i  = t₁                 101:  i  = t₁
        t₂ = i * 8              102:  t₂ = i * 8
        t₃ = a [ t₂ ]           103:  t₃ = a [ t₂ ]
        if t₃ < v goto L        104:  if t₃ < v goto 100
```

(a) Rótulos simbólicos   (b) Posição numérica

FIGURA 6.9 Duas formas de atribuir rótulos às instruções de três endereços.

A escolha dos operadores permitidos é uma questão importante no projeto de uma forma intermediária. O conjunto de operadores claramente precisa ser rico o suficiente para implementar as operações da linguagem fonte. A proximidade dos operadores com as instruções da máquina facilitam a implementação da forma intermediária em uma máquina alvo. Contudo, se

---

[2] Pela Seção 2.8.3, os valores l e r referem-se aos lados, esquerdo e direito, das atribuições, respectivamente.

o *front-end* tiver de gerar longas seqüências de instruções para algumas operações da linguagem fonte, então o otimizador e o gerador de código podem ter de trabalhar mais para redescobrir a estrutura e gerar um bom código para essas operações.

6.2.2 Quádruplas

A descrição de instruções de três endereços especifica os componentes de cada tipo de instrução, mas não especifica a representação dessas instruções em uma estrutura de dados. Em um compilador, essas instruções podem ser implementadas como objetos ou como registros com campos para o operador e para os operandos. Três dessas representações são chamadas de 'quádruplas', 'triplas' e 'triplas indiretas'.

Uma *quádrupla* (ou simplesmente *quad*) possui quatro campos, que chamamos de *op*, arg_1, arg_2 e *result*. O campo *op* contém um código interno para o operador. Por exemplo, a instrução de três endereços $x = y + z$ é representada pela colocação de + em *op*, *y* em arg_1, *z* em arg_2, e *x* em *result*. A seguir estão algumas exceções a essa regra:

1. Instruções com operadores unários como x = minus y ou $x = y$ não usam arg_2. Observe que, para um comando de cópia como $x = y$, *op* é =, enquanto para a maioria das outras operações, o operador de atribuição é implícito.
2. Operadores como param não utilizam arg_2 nem *result*.
3. Comandos condicionais e incondicionais colocam o rótulo de destino em *result*.

Exemplo 6.6: O código de três endereços para a atribuição a = b * - c + b * - c ; aparece na Figura 6.10(a). O operador especial minus é usado para distinguir o operador unário menos, como em - c do operador binário menos, como em b - c. Observe que o comando de 'três endereços' minus unário tem apenas dois endereços, assim como o comando de cópia a = t_5.

As quádruplas da Figura 6.10(b) implementam o código de três endereços de (a).

```
t₁ = minus c
t₂ = b * t₁
t₃ = minus c
t₄ = b * t₃
t₅ = t₂ + t₄
a  = t₅
```

	op	arg_1	arg_2	result
0	minus	c		t_1
1	*	b	t_1	t_2
2	minus	c		t_3
3	*	b	t_3	t_4
4	+	t_2	t_4	t_5
5	=	t_5		a
	...			

(a) Código de três endereços   (b) Quádruplas

Figura 6.10 Código de três endereços e sua representação em quádrupla.

Por que precisamos de instruções de cópia?

Um algoritmo simples para traduzir expressões gera instruções de cópia para atribuições, como na Figura 6.10(a), onde copiamos t_5 para a em vez de atribuir $t_2 + t_4$ diretamente para a. Cada subexpressão tipicamente tem seu próprio novo temporário, para conter seu resultado, e, somente quando o operador de atribuição = é processado, descobrimos onde colocar o valor da expressão completa. O passo de otimização de código, talvez usando o DAG da Seção 6.1.1 como forma intermediária, pode descobrir que t_5 pode ser substituído por a.

Por questão de legibilidade, usamos os identificadores reais como a, b e c nos campos arg_1, arg_2 e *result* na Figura 6.10(b), em vez de apontadores para suas entradas da tabela de símbolos. Os nomes temporários podem ser colocados na tabela de símbolos como nomes definidos pelo programador, ou podem ser implementados como objetos de uma classe *Temp* com seus próprios métodos.

6.2.3 Triplas

Uma *tripla* tem apenas três campos, que chamamos de *op*, arg_1 e arg_2. Observe que o campo *result* da Figura 6.10(b) é usado principalmente para nomes temporários. Usando triplas, nós nos referimos ao resultado de uma operação *x op y* por sua posição, em vez de por um nome temporário explícito. Assim, em vez do temporário t_1 da Figura 6.10(b), uma representação de tripla se referiria à posição (0). Os números entre parênteses representam apontadores para a própria estrutura da tripla. Na Seção 6.1.2, posições ou apontadores para posições foram chamados de códigos numéricos.

As triplas são equivalentes às assinaturas no Algoritmo 6.3. Por isso, as representações de DAG e tripla das expressões são equivalentes. A equivalência termina com as expressões, uma vez que as variantes da árvore de sintaxe e o código de três endereços representam o fluxo de controle de formas muito diferentes.

Exemplo 6.7: A árvore de sintaxe e as triplas na Figura 6.11 correspondem ao código de três endereços e às quádruplas da Figura 6.10. Na representação de tripla da Figura 6.11(b), o comando de cópia a = t_5 é codificado na representação de tripla colocando a no campo arg_1 e (4) no campo arg_2.

(a) Árvore de sintaxe   (b) Triplas

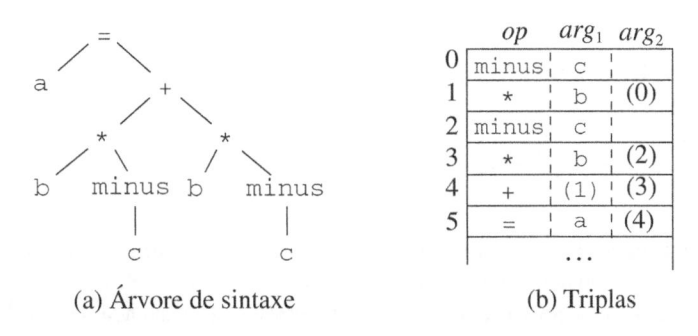

	op	arg_1	arg_2
0	minus	c	
1	*	b	(0)
2	minus	c	
3	*	b	(2)
4	+	(1)	(3)
5	=	a	(4)
	...		

Figura 6.11 Representações de $a + a * (b - c) + (b - c) * d$

Uma operação ternária como $x[i] = y$ exige duas entradas na estrutura da tripla; por exemplo, podemos colocar x e i em uma tripla e y na seguinte. De forma semelhante, $x = y[i]$ pode ser implementado tratando-o como se fossem as duas instruções $t = y[i]$ e $x = t$, onde t é um temporário gerado pelo compilador. Observe que o temporário t não aparece realmente em uma tripla, uma vez que os valores temporários são referenciados por sua posição na estrutura da tripla.

Uma vantagem das quádruplas em relação às triplas pode ser vista em um compilador otimizado, em que as instruções normalmente mudam de lugar. Com as quádruplas, se movimentamos uma instrução que calcula um temporário t, então as instruções que usam t não exigem mudanças. Com as triplas, o resultado de uma operação é referenciado por sua posição, assim movimentar uma instrução de lugar pode exigir que mudemos todas as referências a esse resultado. Esse problema não ocorre com triplas indiretas, que consideramos em seguida.

Triplas indiretas consistem em uma lista de apontadores para triplas, em vez de uma lista das próprias triplas. Por exemplo, vamos usar um arranjo *instruction* para listar apontadores para as triplas na ordem desejada. Então, as triplas na Figura 6.11(b) poderiam ser representadas como na Figura 6.12.

instruções	
35	(0)
36	(1)
37	(2)
38	(3)
39	(4)
40	(5)
...	

	op	arg_1	arg_2
0	minus	c	
1	*	b	(0)
2	minus	c	
3	*	b	(2)
4	+	(1)	(3)
5	=	a	(4)
	...		

Figura 6.12 Representação de triplas indiretas do código de três endereços.

Com as triplas indiretas, um compilador otimizado pode movimentar uma instrução reordenando a lista *instruction*, sem afetar as próprias triplas. Quando implementado em Java, um arranjo de objetos do tipo instrução é semelhante a uma representação de tripla indireta, pois Java trata os elementos do arranjo como referências a objetos.

6.2.4 Forma de atribuição única estática

A forma de atribuição única estática (SSA, do inglês *Static Single-Assignment*) é uma representação intermediária que facilita certas otimizações de código. Dois aspectos distintivos diferenciam a SSA do código de três endereços. O primeiro é que todas as atribuições em SSA são para variáveis com nomes distintos, daí o termo *atribuição única estática*. A Figura 6.13 mostra o mesmo programa intermediário no código de três endereços e na forma de atribuição única estática. Observe que os subscritos distinguem cada definição das variáveis p e q na representação SSA.

```
p = a + b              p1 = a + b
q = p - c              q1 = p1 - c
p = q * d              p2 = q1 * d
p = e - p              p3 = e - p2
q = p + q              q2 = p3 + q1
```

(a) Código de três endereços.   (b) Forma de atribuição única estática.

FIGURA 6.13   Programa intermediário no código de três endereços e na forma SSA.

A mesma variável pode ser definida em dois caminhos de fluxo de controle diferentes em um programa. Por exemplo, o programa fonte:

```
if ( flag ) x = -1; else x = 1;
y = x * a;
```

possui dois caminhos de fluxo de controle nos quais a variável x é definida. Se usarmos diferentes nomes para x na parte verdadeira e na parte falsa do comando condicional, então que nome devemos usar na atribuição y = x * a? Tratamos aqui do segundo aspecto distintivo da SSA. A SSA usa uma convenção notacional, chamada de função ϕ, para combinar as duas definições de x:

```
if ( flag ) x1 = -1; else x2 = 1;
x3 = φ(x1, x2 );
```

Aqui, $\phi(x_1, x_2)$ tem o valor x_1 se o fluxo de controle passar pela parte verdadeira do comando condicional, e o valor x_2 se o fluxo de controle passar pela parte falsa. Isso quer dizer que o valor do argumento da função ϕ retornado corresponde ao caminho tomado no fluxo de controle para se chegar ao comando de atribuição contendo a função ϕ.

6.2.5 Exercícios para a Seção 6.2

Exercício 6.2.1: Traduza a expressão aritmética*, $a + -(b + c)$ para:
  a) Uma árvore de sintaxe.
  b) Quádruplas.
  c) Triplas.
  d) Triplas indiretas.

Exercício 6.2.2: Repita o Exercício 6.2.1 para os seguintes comandos de atribuição:
  i. a = b[i] + c[j].
  ii. a[i] = b*c - b*d.
  iii. x = f(y+1) + 2.
  iv. x = *p + &y.

! Exercício 6.2.3: Mostre como transformar uma seqüência de código de três endereços em outra, na qual cada variável definida recebe um nome de variável único.

6.3 Tipos e declarações

As aplicações dos tipos podem ser agrupadas em verificação e tradução:

- A *verificação de tipo* utiliza regras lógicas para raciocinar sobre o comportamento de um programa em tempo de execução. Especificamente, ela garante que os tipos dos operandos casam com o tipo esperado por um operador. Por exemplo, o operador && em Java espera que seus dois operandos sejam booleanos; o resultado também é do tipo booliano.
- *Aplicações de tradução*. A partir do tipo de um nome, um compilador pode determinar que armazenamento será necessário para esse nome durante a execução. A informação de tipo também é necessária para calcular o endereço denotado por uma referência a arranjo, para inserir conversões de tipo explícitas e para escolher a versão correta de um operador aritmético, entre outras aplicações.

Nesta seção, examinamos os tipos e o leiaute de armazenamento para os nomes declarados dentro de um procedimento ou de uma classe. O armazenamento real para uma chamada de procedimento ou um objeto é alocado em tempo de execução, quando o procedimento é chamado ou o objeto é criado. Contudo, à medida que examinamos as declarações locais em tempo de compilação, podemos estabelecer *endereços relativos*, nos quais o endereço relativo de um nome ou de um componente de uma estrutura de dados é um deslocamento a partir do início de uma área de dados.

6.3.1 Expressões de tipo

Os tipos possuem estrutura, que representaremos usando *expressões de tipo*: uma expressão de tipo é um tipo básico ou é formada pela aplicação de um operador chamado *construtor de tipo* a uma expressão de tipo. Os conjuntos de tipos básicos e construtores dependem da linguagem a ser verificada.

Exemplo 6.8: O tipo arranjo `int[2][3]` pode ser lido como 'arranjo de 2 arranjos de 3 inteiros cada' e escrito como uma expressão de tipo *array*(2, *array*(3, *integer*)). Esse tipo é representado pela árvore na Figura 6.14. O operador *array* possui dois parâmetros, um número e um tipo.

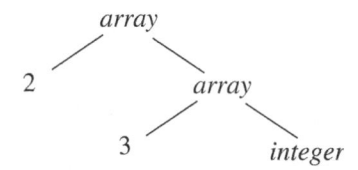

Figura 6.14 Expressão de tipo para `int[2][3]`.

Usaremos a seguinte definição para as expressões de tipo:

- Um tipo básico é uma expressão de tipo. Os tipos básicos típicos para uma linguagem incluem *boolean*, *char*, *integer*, *float* e *void*; o último denota 'a ausência de um valor'.
- Um nome de tipo é uma expressão de tipo.
- Uma expressão de tipo pode ser formada pela aplicação do construtor de tipo *array* a um número e uma expressão de tipo.
- Um registro é uma estrutura de dados constituída de campos com nomes. Uma expressão de tipo pode ser formada pela aplicação do construtor de tipo *record* aos nomes dos campos e a seus tipos. Os tipos registro serão implementados na Seção 6.3.6 pela aplicação do construtor *record* a uma tabela de símbolos contendo entradas para os campos.
- Uma expressão de tipo pode ser formada pelo uso do construtor de tipo $\rightarrow$ para tipos de função. Escrevemos $s \rightarrow t$ para 'função do tipo s aplicada ao tipo t'. Os tipos de função serão úteis quando a verificação de tipo for discutida na Seção 6.5.
- Se s e t são expressões de tipo, então seu produto cartesiano $s \times t$ é uma expressão de tipo. Os produtos são apresentados apenas por completeza; eles podem ser usados para representar uma lista ou tupla de tipos (por exemplo, para parâmetros de função). Assumimos que $\times$ se associa à esquerda e possui uma precedência mais alta do que $\rightarrow$.
- Expressões de tipo podem conter variáveis cujos valores são expressões de tipo. Variáveis de tipo geradas pelo compilador serão usadas na Seção 6.5.4.

Nomes de tipo e tipos recursivos

Quando uma classe é definida, seu nome pode ser usado como um nome de tipo em C++ ou Java; por exemplo, considere `Node` no fragmento de programa

```
public class Node { ... }
...
public Node n;
```

Os nomes podem ser usados para definir os tipos recursivos, que são necessários para estruturas de dados como listas encadeadas. O pseudocódigo para um elemento de lista

```
class Cell { int info; Cell next; ... }
```

define o tipo recursivo `Cell` como uma classe que contém um campo `info` e um campo `next` do tipo `Cell`. Tipos recursivos semelhantes podem ser definidos em C usando registros e apontadores. As técnicas neste capítulo aplicam-se a tipos recursivos.

Uma forma conveniente de representar uma expressão de tipo é usar um grafo. O método código numérico da Seção 6.1.2 pode ser adaptado para construir um DAG para uma expressão de tipo, com nós interiores para os construtores de tipo e folhas para os tipos básicos, nomes de tipo e variáveis de tipo; por exemplo, veja a árvore na Figura 6.14.[3]

6.3.2 Equivalência de tipo

Quando duas expressões de tipo são equivalentes? Muitas regras de verificação de tipo têm a forma '**se** duas expressões de tipo são iguais, **então** retorne determinado tipo; **senão,** erro'. As ambigüidades possíveis surgem quando nomes são dados a expressões de tipo e estes nomes são então usados em expressões de tipo subseqüentes. A questão-chave é se um nome em uma expressão de tipo tem significado próprio ou é uma abreviação para outra expressão de tipo.

Quando as expressões de tipo são representadas por grafos, dois tipos são *estruturalmente equivalentes* se e somente se uma das seguintes condições for verdadeira:

- Eles são do mesmo tipo básico.
- Eles são formados pela aplicação do mesmo construtor para tipos estruturalmente equivalentes.
- Um é um nome de tipo que denota o outro.

Se os nomes de tipo são tratados como tendo significado próprio, então as duas primeiras condições na definição anterior levam à *equivalência de nome* das expressões de tipo.

Às expressões com nomes equivalentes é atribuído o mesmo código numérico, se usarmos o Algoritmo 6.3. A equivalência estrutural pode ser testada usando-se o algoritmo de unificação da Seção 6.5.5.

6.3.3 Declarações

Estudaremos tipos e declarações usando uma gramática simplificada, que declara apenas um nome de cada vez; as declarações com listas de nomes podem ser tratadas conforme discutimos no Exemplo 5.10. A gramática é

$$D \rightarrow T \textbf{ id} ; D \mid \epsilon$$
$$T \rightarrow B\ C \mid \textbf{record} \ '\{' \ D \ '\}'$$
$$B \rightarrow \textbf{int} \mid \textbf{float}$$
$$C \rightarrow \epsilon \mid [\ \textbf{num}\ ]\ C$$

O fragmento da gramática anterior que trata de tipos básicos e de arranjo foi usado para ilustrar os atributos herdados na Seção 5.3.2. A diferença nesta seção é que consideramos o consumo de memória de cada tipo.

O não-terminal D gera uma seqüência de declarações. O não-terminal T gera os tipos básicos, de arranjo ou registro. O não-terminal B gera um dos tipos básicos **int** e **float**. O não-terminal C, de 'componente', gera cadeias de zero ou mais inteiros, cada inteiro entre colchetes. Um tipo arranjo consiste em um tipo básico especificado por B, seguido pelos componentes do arranjo especificados pelo não-terminal C. Um tipo registro (a segunda produção para T) é uma seqüência de declarações para os campos do registro, todas entre chaves.

6.3.4 Leiaute de armazenamento para nomes locais

A partir do tipo de um nome, podemos determinar a quantidade de memória necessária para o nome durante a execução. Em tempo de compilação, podemos usar essas quantidades para atribuir a cada nome um endereço relativo. O tipo e o endereço relativo são salvos na entrada da tabela de símbolos para o nome. Os dados de tamanho variável, como as cadeias, ou os dados cujo tamanho não pode ser determinado antes da execução, como os arranjos dinâmicos, são tratados reservando uma quantidade fixa e conhecida de memória a um apontador para os dados. O gerenciamento da memória durante a execução é discutido no Capítulo 7.

Suponha que a memória seja formada por blocos de *bytes* contíguos, onde um *byte* é a menor unidade de memória endereçável. Tipicamente, um *byte* possui oito *bits*, e certo número de *bytes* forma uma palavra da máquina. Os objetos *multibytes* são armazenados em *bytes* consecutivos e recebem o endereço do primeiro *byte*.

---

[3] Como os nomes de tipo denotam expressões de tipo, eles podem caracterizar ciclos implícitos; veja o quadro 'Nomes de tipo e tipos recursivos'. Se as arestas para os nomes de tipo são redirecionadas para expressões de tipo denotadas pelos nomes, então o grafo resultante pode ter ciclos por causa dos tipos recursivos.

A *largura* de um tipo é o número de unidades de memória necessárias para os objetos desse tipo. Um tipo básico, como character, integer ou float, exige um número inteiro de bytes. Para facilitar o acesso, a memória para tipos agregados como arranjos e classes é alocada em um bloco contíguo de bytes.[4]

Alinhamento de endereço

O leiaute de memória para objetos de dados é fortemente influenciado pelas restrições de endereçamento da máquina alvo. Por exemplo, as instruções para somar números inteiros podem esperar que os inteiros estejam *alinhados*, ou seja, colocados em certas posições na memória, como em um endereço divisível por 4. Embora um arranjo de dez caracteres só precise de *bytes* suficientes para conter dez caracteres, um compilador pode, portanto, alocar 12 *bytes* — o próximo múltiplo de 4 — deixando 2 *bytes* sem uso. O espaço deixado sem uso devido a considerações de alinhamento é chamado de *espaço vazio* (ou *padding*). Quando o espaço é pouco, um compilador pode *compactar* os dados para que não haja espaço vazio; instruções adicionais podem, então, ser necessárias durante a execução para posicionar os dados compactados de forma que eles possam ser manejados como se estivessem alinhados corretamente.

O esquema de tradução (SDT) da Figura 6.15 calcula os tipos e suas larguras para tipos básicos e arranjos; os tipos registro serão discutidos na Seção 6.3.6. O SDT utiliza atributos sintetizados *type* e *width* para cada não-terminal e duas variáveis *t* e *w* para propagar as informações de tipo e largura a partir de um nó B na árvore de derivação para o nó da produção $C \rightarrow \epsilon$. Em uma definição dirigida por sintaxe, *t* e *w* seriam atributos herdados por C.

$$
\begin{array}{ll}
T \rightarrow B & \{\ t = B.type;\ w = B.width;\ \} \\
\quad\ \ C & \\
B \rightarrow \textbf{int} & \{\ B.type = integer;\ B.width = 4;\ \} \\
B \rightarrow \textbf{float} & \{\ B.type = float;\ B.width = 8;\ \} \\
C \rightarrow \epsilon & \{\ C.type = t;\ C.width = w;\ \} \\
C \rightarrow [\ \textbf{num}\ ]\ C_1 & \{\ array(\textbf{num}.value,\ C_1.type); \\
& \quad C.width = \textbf{num}.value \times C_1.width;\ \}
\end{array}
$$

FIGURA 6.15 Calculando tipos e suas larguras.

O corpo da produção-T consiste no não-terminal B, uma ação, e no não-terminal C, que aparece na próxima linha. A ação entre B e C define *t* como $B.type$ e *w* como $B.width$. Se $B \rightarrow \textbf{int}$, então $B.type$ é definido como *integer* e $B.width$ é definido como 4, o tamanho de um inteiro. De forma semelhante, se $B \rightarrow \textbf{float}$, então $B.type$ é *float* e $B.width$ é 8, o tamanho de um número de ponto flutuante.

As produções para C determinam se T gera um tipo básico ou um tipo arranjo. Se $C \rightarrow \epsilon$, então $C.type$ recebe o valor de *t* e $C.width$ é atribuído com *w*.

Caso contrário, C especifica um componente de arranjo. A ação para $C \rightarrow [\ \textbf{num}\ ]\ C_1$ forma $C.type$ aplicando o construtor de tipo *array* aos operandos $\textbf{num}.value$ e $C_1.type$. Por exemplo, o resultado da aplicação de *array* poderia ser uma estrutura de árvore como na Figura 6.14.

O tamanho de um arranjo é obtido multiplicando-se o tamanho de um elemento pelo número de elementos no arranjo. Se os endereços dos inteiros consecutivos diferirem por 4, então o cálculo do endereço de um arranjo de inteiros incluirá multiplicações por 4. Essas multiplicações oferecem oportunidades para otimização, portanto é importante que o *front-end* as torne explícitas. Neste capítulo, ignoramos outras dependências de máquina, como o alinhamento de objetos de dados com o limite da palavra.

EXEMPLO 6.9: A árvore de derivação para o tipo `int[2][3]` aparece com linhas pontilhadas na Figura 6.16. As linhas sólidas mostram como o tipo e o tamanho são propagados a partir de B, para baixo na cadeia de Cs por meio das variáveis *t* e *w*, e depois de volta por essa cadeia como atributos sintetizados *type* e *width*. As variáveis *t* e *w* são atribuídas com os valores de $B.type$ e $B.width$, respectivamente, antes que a subárvore com os nós C seja examinada. Os valores de *t* e *w* são usados no nó para $C \rightarrow \epsilon$ para iniciar a avaliação dos atributos sintetizados pela cadeia de nós C.

---

[4] A alocação de memória para apontadores em C e C++ será mais simples se todos os apontadores tiverem a mesma largura. A razão é que pode ser necessário alocar a área de memória para um apontador antes de sabermos o tipo dos objetos que ele pode apontar.

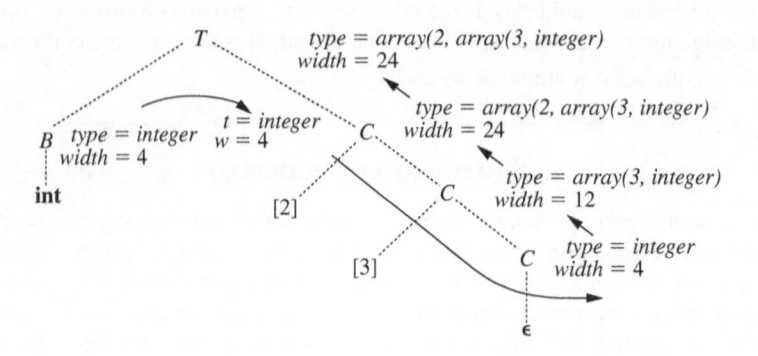

```
              T ....        type = array(2, array(3, integer))
                            width = 24

                       t = integer    type = array(2, array(3, integer))
   B  type = integer   w = 4      C    width = 24
      width = 4
   int                                  type = array(3, integer)
                         [2]        C    width = 12

                                        type = integer
                         [3]        C    width = 4

                                    ε
```

FIGURA 6.16 Tradução dirigida por sintaxe dos tipos de arranjo.

6.3.5 SEQÜÊNCIAS DE DECLARAÇÕES

Linguagens como C e Java permitem que todas as declarações em um único procedimento sejam processadas como um grupo. As declarações podem ser distribuídas dentro de um procedimento Java, mas ainda podem ser processadas quando o procedimento é analisado. Portanto, podemos usar uma variável, digamos *offset*, para obter o próximo endereço relativo disponível.

O esquema de tradução da Figura 6.17 trata uma seqüência de declarações da forma T **id**, onde T gera um tipo como na Figura 6.15. Antes que a primeira declaração seja considerada, *offset* é definido como 0. À medida que cada nome x é visto, x é inserido na tabela de símbolos com seu endereço relativo definido como o valor corrente de *offset*, o qual é então incrementado pelo tamanho do tipo de x.

$$
\begin{aligned}
P &\rightarrow &&\{ \textit{offset} = 0; \} \\
  &\quad D \\
D &\rightarrow T \textbf{ id }; &&\{ \textit{top.put}(\textbf{id}.\textit{lexeme}, T.\textit{type}, \textit{offset}); \\
  & &&\phantom{\{} \textit{offset} = \textit{offset} + T.\textit{width}; \} \\
  &\quad D_1 \\
D &\rightarrow \epsilon
\end{aligned}
$$

FIGURA 6.17 Calculando os endereços relativos dos nomes declarados.

A ação semântica da produção $D \rightarrow T$ **id** ; D_1 cria uma entrada na tabela de símbolos executando *top.put*(**id**.*lexeme*, *T.type*, *offset*). Aqui, *top* representa a tabela de símbolos corrente. O método *top.put* cria uma entrada na tabela de símbolos para **id**.*lexeme*, com tipo *T.type* e endereço relativo *offset* em sua área de dados.

A inicialização do *offset* na Figura 6.17 é mais evidente se a primeira produção aparecer em uma linha como:

$$P \rightarrow \{ \textit{offset} = 0; \} \; D \tag{6.1}$$

Não-terminais gerando ε, chamados não-terminais marcadores, podem ser usados para reescrever produções de modo que todas as ações apareçam nos extremos dos lados direitos; veja a Seção 5.5.4. Usando um não-terminal marcador M, (6.1) pode ser reescrito como:

$$
\begin{aligned}
P &\rightarrow M D \\
M &\rightarrow \epsilon \quad \{ \textit{offset} = 0; \}
\end{aligned}
$$

6.3.6 CAMPOS EM REGISTROS E CLASSES

A tradução das declarações na Figura 6.17 pode tratar também os campos dos registros e das classes. Os tipos registro podem ser adicionados à gramática da Figura 6.15 acrescentando-lhes a seguinte produção

$$T \rightarrow \textbf{record} \, '\{' \, D \, '\}'$$

Os campos nesse tipo registro são especificados pela seqüência de declarações geradas por D. A abordagem da Figura 6.17 pode ser usada para determinar os tipos e endereços relativos dos campos, desde que tenhamos cuidado com os dois casos:

- Os nomes dos campos de um registro devem ser distintos; ou seja, um nome pode aparecer no máximo uma vez nas declarações geradas por *D*.
- O deslocamento ou endereço relativo para um nome de campo é relativo à área de dados para esse registro.

Exemplo 6.10: O uso de um nome *x* para um campo de um registro não entra em conflito com outros usos do nome fora do registro. Assim, os três usos de x nas declarações a seguir são distintos e não geram conflitos:

```
float x;
record { float x; float y; } p;
record { int tag; float x; float y; } q;
```

A atribuição subseqüente x = p.x + q.x; define a variável x como a soma dos campos chamados x nos registros p e q. Observe que o endereço relativo de x em p difere do endereço relativo de x em q.

Por conveniência, os tipos registro codificarão os tipos e endereços relativos de seus campos, usando uma tabela de símbolos para o tipo registro. Um tipo registro tem a forma *record(t)*, onde *record* é o construtor de tipo, e *t* é um objeto de tabela de símbolos que contém informações sobre os campos desse tipo registro.

O esquema de tradução da Figura 6.18 consiste em uma única produção a ser acrescentada às produções para *T* da Figura 6.15. Essa produção possui duas ações semânticas. A ação embutida antes de *D* salva a tabela de símbolos existente, denotada por *top*, e define *top* como uma nova tabela de símbolos. Ela também salva o *offset* corrente e define *offset* como 0. As declarações geradas por *D* resultarão em tipos e endereços relativos sendo colocados na nova tabela de símbolos. A ação depois de *D* cria um tipo registro usando *top*, antes de restaurar a tabela de símbolos e o offset salvos.

$T \rightarrow$ **record** '{'   { *Env.push(top)*; *top* = **new** *Env()*;
                               Stack.push(offset); *offset* = 0; }
       D '}'   { *T.type* = *record(top)*; *T.width* = *offset*;
                               top = *Env.pop()*; *offset* = *Stack.pop()*; }

Figura 6.18 Tratamento de nomes de campo nos registros.

Concretamente, as ações da Figura 6.18 mostram o pseudocódigo para uma implementação específica. A classe *Env* implementa a tabela de símbolos. A chamada *Env.push(top)* coloca a tabela de símbolos corrente, denotada por *top*, em uma pilha. A variável *top* é então atribuída a uma nova tabela de símbolos. De forma semelhante, *offset* é colocado em uma pilha chamada *Stack*. Depois, a variável *offset* é atribuída com 0.

Após as declarações em *D* terem sido traduzidas, a tabela de símbolos *top* contém os tipos e endereços relativos dos campos nesse registro. Além disso, *offset* fornece o tamanho da área de memória necessária para todos os campos. A segunda ação atribui *T.type* com o valor de *record(top)* e *T.width* com o valor de *offset*. As variáveis *top* e *offset* são então restauradas aos seus valores colocados na pilha para completar a tradução desse tipo registro.

Esta discussão sobre armazenamento para tipos registro também serve para classes, uma vez que nenhuma memória é reservada para os métodos. Veja o Exercício 6.3.2.

6.3.7 Exercícios da Seção 6.3

Exercício 6.3.1: Determine os tipos e endereços relativos para os identificadores na seguinte seqüência de declarações:

```
float x;
record { float x; float y; } p;
record { int tag; float x; float y; } q;
```

! Exercício 6.3.2: Estenda o tratamento dos nomes dos campos da Figura 6.18 para classes e hierarquias de classes com herança simples.
   (a) Dê uma implementação da classe *Env* que permita tabelas de símbolos encadeadas, de modo que uma subclasse possa redefinir um nome de campo ou referir-se diretamente a um nome de campo em uma superclasse.
   (b) Dê um esquema de tradução que reserve uma área de dados contígua para os campos em uma classe, incluindo os campos herdados. Os campos herdados precisam manter os endereços relativos que receberam no leiaute para a superclasse.

6.4 Tradução de expressões

O restante deste capítulo explora questões que surgem durante a tradução de expressões e comandos. Começamos nesta seção com a tradução de expressões para o código de três endereços. Uma expressão com mais de um operador, como $a + b * c$, será traduzida para instruções com no máximo um operador por instrução. Uma referência ao arranjo $A[i][j]$ se expandirá para uma seqüência de instruções de três endereços que calcula um endereço para a referência. Vamos considerar a verificação de tipo das expressões na Seção 6.5, e o uso de expressões booleanas para direcionar o fluxo de controle ao longo de um programa na Seção 6.6.

6.4.1 Operações no interior de expressões

A definição dirigida por sintaxe da Figura 6.19 constrói o código de três endereços para um comando de atribuição S usando o atributo *code* para S e os atributos *addr* e *code* para uma expressão E. Os atributos $S.code$ e $E.code$ denotam o código de três endereços para S e E, respectivamente. O atributo $E.addr$ denota o endereço que conterá o valor de E. Lembre-se, a partir da Seção 6.2.1, de que um endereço pode ser um nome, uma constante ou um temporário gerado pelo compilador.

Produção	Regras Semânticas
$1S \rightarrow \mathbf{id} = E\,;$	$S.code = E.code\;\|\;$ $\quad gen(top.get(\mathbf{id}.lexeme)\;'='\;E.addr)$
$E \rightarrow E_1 + E_2$	$E.addr = \mathbf{new}\;Temp()$ $E.code = E_1.code\;\|\;E_2.code\;\|\;$ $\quad gen(E.addr\;'='\;E_1.addr\;'+'\;E_2.addr)$
$\|\;-E_1$	$E.addr = \mathbf{new}\;Temp\;()$ $E.code = E_1.code\;\|\;$ $\quad gen(E.addr\;'='\;'\mathbf{minus}'\;E_1.addr)$
$\|\;(E_1)$	$E.addr = E_1.addr$ $E.code = E_1.code$
$\|\;\mathbf{id}$	$E.addr = top.get(\mathbf{id}.lexeme)$ $E.code = '\;'$

Figura 6.19 Código de três endereços para expressões.

Considere a última produção, $E \rightarrow \mathbf{id}$, na definição dirigida por sintaxe da Figura 6.19. Quando uma expressão é um único identificador, digamos x, então o próprio x contém o valor da expressão. As regras semânticas para essa produção fazem $E.addr$ apontar para a entrada da tabela de símbolos para essa instância de **id**. Deixe *top* denotar a tabela de símbolos corrente. A função *top.get* recupera a entrada quando ela é aplicada à representação da cadeia **id**.*lexeme* dessa instância de **id**. $E.code$ é atribuído à cadeia vazia.

Quando $E \rightarrow (\,E_1\,)$, a tradução de E é igual à da subexpressão E_1. Logo, $E.addr$ é igual a $E_1.addr$, e $E.code$ é igual a $E_1.code$.

Os operadores + e - unário da Figura 6.19 representam os operadores em uma linguagem típica. As regras semânticas para $E \rightarrow E_1 + E_2$ geram código para computar o valor de E a partir dos valores de E_1 e E_2. Os valores são calculados para nomes temporários recém-gerados. Se E_1 for calculado para $E_1.addr$ e E_2 para $E_2.addr$, então $E_1 + E_2$ é traduzido para $t = E_1.addr + E_2.addr$, onde t é um novo nome temporário. $E.addr$ é atribuído com o valor de t. Uma seqüência de nomes temporários distintos $t_1, t_2,...$ é criada pela execução sucessiva de **new** $Temp()$.

Por conveniência, usamos a notação $gen(x\;'='\;y + z)$ para representar a instrução de três endereços $x = y + z$. As expressões que aparecem no lugar de variáveis como x, y e z são avaliadas quando passadas para *gen*, e as cadeias entre apóstrofos, como '=', são consideradas literalmente.[5] Outras instruções de três endereços serão construídas de forma semelhante pela aplicação de *gen* a uma combinação de expressões e cadeias.

Quando traduzimos a produção $E \rightarrow E_1 + E_2$, as regras semânticas da Figura 6.19 constroem $E.code$ concatenando $E_1.code$, $E_2.code$, e uma instrução que soma os valores de E_1 e E_2. A instrução coloca o resultado da adição em um novo nome temporário para E, representado por $E.addr$.

---

5 Nas definições dirigidas por sintaxe, a função *gen* monta uma instrução e a retorna. Nos esquemas de tradução, *gen* monta uma instrução e a emite de forma incremental, colocando-a no fluxo de instruções geradas.

A tradução de $E \rightarrow -E_1$ é semelhante. As regras criam um novo temporário para E e geram uma instrução para realizar a operação do menos unário.

Finalmente, a produção $S \rightarrow \mathbf{id} = E$; gera instruções que atribuem o valor da expressão E ao identificador **id**. A regra semântica para essa produção utiliza a função *top.get* para determinar o endereço do identificador representado por **id**, como nas regras para $E \rightarrow \mathbf{id}$. *S.code* consiste nas instruções para calcular o valor de E em um endereço dado por *E.addr*, seguido por uma atribuição para o endereço *top.get*(**id**.*lexeme*) para essa instância de **id**.

EXEMPLO 6.11: A definição dirigida por sintaxe da Figura 6.19 traduz o comando de atribuição a = b + - c; para a seqüência de código de três endereços:

```
t₁ = minus c
t₂ = b + t1
a = t₂
```

6.4.2 Tradução incremental

Os atributos de código podem ser cadeias longas, de modo que usualmente elas são geradas de forma incremental, conforme discutimos na Seção 5.5.2. Assim, em vez de construir *E.code*, como na Figura 6.19, podemos providenciar para gerar apenas as novas instruções de três endereços, como no esquema de tradução da Figura 6.20. Na abordagem incremental, *gen* não apenas constrói uma instrução de três endereços, mas anexa essa instrução à seqüência de instruções geradas até o momento. A seqüência pode ser retida na memória para mais processamento ou pode ser impressa incrementalmente.

$S \rightarrow \mathbf{id} = E$;   { *gen* (*top.get*(**id**.*lexeme*) ' = ' *E.addr*); }

$E \rightarrow E_1 + E_2$ { *E.addr* = **new** *Temp* ();
                       gen(*E.addr* ' = ' E_1.*addr* ' + ' E_2.*addr*); }

| $-E_1$ { *E.addr* = **new** *Temp* ();
             gen(*E.addr* ' = ' '**minus**' E_1.*addr*); }

| (E_1)   { *E.addr* = E_1.*addr* ; }

| **id**   { *E.addr* = *top.get*(**id**.*lexeme*); }

FIGURA 6.20 Gerando código de três endereços para expressões incrementalmente.

O esquema de tradução da Figura 6.20 gera o mesmo código que a definição dirigida por sintaxe da Figura 6.19. Na abordagem incremental, o atributo *code* não é usado, uma vez que existe uma única seqüência de instruções que é criada por chamadas sucessivas a *gen*. Por exemplo, a regra semântica para $E \rightarrow E_1 + E_2$ na Figura 6.20 simplesmente chama *gen* para gerar uma instrução de adição; as instruções para avaliar E_1 e E_2 já foram geradas, e seus resultados estão representados em E_1.*addr* e E_2.*addr*, respectivamente.

A abordagem da Figura 6.20 também pode ser usada para construir uma árvore de sintaxe. A nova ação semântica para $E \rightarrow E_1 + E_2$ cria um nó usando um construtor, como em:

$E \rightarrow E_1 + E_2$ { *E.addr* = **new** *Node*(' + ', E_1.*addr*, E_2.*addr*); }

Nesta ação, o atributo *addr* representa o endereço de um nó, em vez de uma variável ou constante.

6.4.3 Endereçando elementos de arranjo

Os elementos de um arranjo podem ser acessados rapidamente se forem armazenados em um bloco de endereços consecutivos. Em C e Java, os elementos de um arranjo são numerados 0, 1, ..., $n-1$, para um arranjo com n elementos. Se a largura de cada elemento do arranjo for w, então o i-ésimo elemento do arranjo a começa no endereço:

$$base + i \times w \qquad (6.2)$$

onde *base* é o endereço relativo de memória alocado para o arranjo. Ou seja, *base* é o endereço relativo de $A[0]$.

A fórmula (6.2) é generalizada para duas ou mais dimensões. Em duas dimensões, escrevemos $A[i_1][i_2]$ em C e Java para o elemento i_2 na linha i_1. Considere que w_1 seja a largura de uma linha e w_2 seja a largura de um elemento em uma linha. O endereço relativo de $A[i_1][i_2]$ pode, então, ser calculado pela fórmula:

$$base + i_1 \times w_1 + i_2 \times w_2 \tag{6.3}$$

Em k dimensões, a fórmula é:

$$base + i_1 \times w_1 + i_2 \times w_2 + \dots + i_k \times w_k \tag{6.4}$$

onde w_j, para $1 \leq j \leq k$, é a generalização de w_1 e w_2 em (6.3).

Como alternativa, o endereço relativo de uma referência a um arranjo pode ser calculado em termos dos números de elementos n_j juntamente com a dimensão j do arranjo e da largura $w = w_k$ de um único elemento do arranjo. Com duas dimensões (ou seja, $k = 2$ e $w = w_2$), o endereço para $A[i_1][i_2]$ é dado por

$$base + (i_1 \times n_2 + i_2) \times w \tag{6.5}$$

Com k dimensões, a fórmula a seguir calcula o mesmo endereço que (6.4):

$$base + ((\dots(i_1 \times n_2 + i_2) \times n_3 + i_3)\dots) \times n_k + i_k) \times w \tag{6.6}$$

Generalizando, os elementos de um arranjo não precisam ser numerados a partir de 0. Em um arranjo unidimensional, seus elementos são numerados com $low, low + 1, \dots, high$ e $base$ é o endereço relativo de $A[low]$. A fórmula (6.2) para o endereço de $A[i]$ é substituída por:

$$base + (i - low) \times w \tag{6.7}$$

As expressões (6.2) e (6.7) podem ser reescritas como $i \times w + c$, onde a subexpressão $c = base - low \times w$ pode ser pré-calculada em tempo de compilação. Observe que $c = base$ quando low é 0. Assumimos que c é salvo na entrada da tabela de símbolos para A, de modo que o endereço relativo de $A[i]$ é obtido simplesmente somando-se $i \times w$ com c.

O pré-cálculo em tempo de compilação também pode ser aplicado aos cálculos do endereço para os elementos dos arranjos multidimensionais; veja o Exercício 6.4.5. Contudo, existe uma situação em que não podemos usar o pré-cálculo em tempo de compilação: quando o tamanho do arranjo for dinâmico. Se não soubermos os valores de low e $high$ (ou suas generalizações em muitas dimensões) em tempo de compilação, não poderemos calcular constantes como c. Assim, fórmulas como (6.7) deverão ser avaliadas à medida que forem escritas, quando o programa for executado.

Os cálculos de endereço anteriores baseiam-se no leiaute em que os arranjos são armazenados por linha, usado em C e Java. Um arranjo bidimensional normalmente é armazenado em uma das duas formas, por *linha* (linha por linha) ou por *coluna* (coluna por coluna). A Figura 6.21 mostra o leiaute de um arranjo, denominado A, 2×3 em (a) armazenado por linha e em (b) armazenado por coluna. A forma por coluna é usada na família de linguagens Fortran.

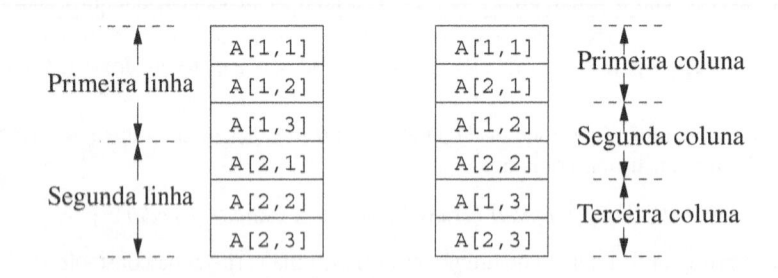

(a) Armazenamento por Linha

Primeira linha	A[1,1]
	A[1,2]
	A[1,3]
Segunda linha	A[2,1]
	A[2,2]
	A[2,3]

(b) Armazenamento por Coluna

Primeira coluna	A[1,1]
	A[2,1]
Segunda coluna	A[1,2]
	A[2,2]
Terceira coluna	A[1,3]
	A[2,3]

FIGURA 6.21 Leiautes para arranjos bidimensionais.

Podemos generalizar a forma por linha ou por coluna para muitas dimensões. Na generalização da forma por linha, os elementos de um arranjo são armazenados de modo que, quando escandimos um bloco de memória, os subscritos mais à direita pareçam variar mais rápido, como os números em um hodômetro. A forma de armazenamento por coluna generaliza no sentido contrário, com os subscritos mais à esquerda variando mais rápido.

6.4.4 Tradução de referências a arranjo

O principal problema na geração de código para referências a arranjo é relacionar as fórmulas para o cálculo de endereço da Seção 6.4.3 com uma gramática para referenciar os elementos de um arranjo. Considere que o não-terminal L gera um nome de arranjo seguido por uma seqüência de expressões denotando índices do arranjo:

$$L \rightarrow L [E] \mid \mathbf{id} [E]$$

Assim como em C e Java, suponha que o elemento de número mais baixo no arranjo seja 0. Vamos calcular os endereços com base nas larguras, usando a fórmula (6.4), em vez dos números de elementos, como em (6.6). O esquema de tradução da Figura 6.22 gera o código de três endereços para expressões com referências a arranjos. Ele consiste nas produções e ações semânticas da Figura 6.20, com produções envolvendo o não-terminal L.

$S \rightarrow \mathbf{id} = E ;$ { $gen($ $top.get(\mathbf{id}.lexeme)$ $' = '$ $E.addr$); }

$\mid L = E ;$ { $gen(L.addr.base$ $'['$ $L.addr$ $']'$ $' = '$ $E.addr$); }

$E \rightarrow E_1 + E_2$ { $E.addr = \mathbf{new}\ Temp()$;
$gen(E.addr$ $' = '$ $E_1.addr$ $' + '$ $E_2.addr$); }

$\mid \mathbf{id}$ { $E.addr = top.get(\mathbf{id}.lexeme)$; }

$\mid L$ { $E.addr = \mathbf{new}\ Temp()$;
$gen(E.addr$ $' = '$ $L.array.base$ $'['$ $L.addr$ $']'$); }

$L \rightarrow \mathbf{id} [E]$ { $L.array = top.get(\mathbf{id}.lexeme)$;
$L.type = L.array.type.elem$;
$L.addr = \mathbf{new}\ Temp()$;
$gen(L.addr$ $' = '$ $E.addr$ $' * '$ $L.type.width$); }

$\mid L_1 [E]$ { $L.array = L_1.array$;
$L.type = L_1.type.elem$;
$t = \mathbf{new}\ Temp()$;
$L.addr = \mathbf{new}\ Temp()$;
$gen(t$ $' = '$ $E.addr$ $' * '$ $L.type.width$); }
$gen(L.addr$ $' = '$ $L_1.addr$ $' + '$ t); }

Figura 6.22 Ações semânticas para referências a arranjos.

O não-terminal L possui três atributos sintetizados:

1. $L.addr$ denota um temporário que é usado enquanto calcula o deslocamento da referência ao arranjo, somando os termos $i_j \times w_j$ em (6.4).
2. $L.array$ é um apontador para a entrada da tabela de símbolos para o nome do arranjo. O endereço de base do arranjo, digamos, $L.array.base$, é usado para determinar o valor-l corrente de uma referência ao arranjo depois que todas as expressões de índice forem analisadas.
3. $L.type$ é o tipo do subarranjo gerado por L. Para qualquer tipo t, assumimos que sua largura é dada por $t.width$. Usamos os tipos como atributos, em vez de larguras, já que os tipos são necessários para a verificação de tipo. Para qualquer tipo arranjo t, suponha que $t.elem$ dê o tipo do elemento.

A produção $S \rightarrow \mathbf{id} = E$; representa uma atribuição para uma variável que não é arranjo, portanto é tratada usualmente. A ação semântica para $S \rightarrow L = E$; gera uma instrução de cópia indexada para atribuir o valor denotado pela expressão E à localização denotada pela referência ao arranjo L. Lembre-se de que o atributo $L.array$ fornece a entrada da tabela de símbolos para o arranjo. O endereço base do arranjo — o endereço do seu elemento 0 — é dado por $L.array.base$. O atributo $L.addr$ denota o temporário que contém o deslocamento para a referência ao arranjo gerado por L. A localização para a referência ao arranjo é, portanto, $L.array.base[L.addr]$. A instrução gerada copia o valor-r do endereço $E.addr$ para a localização de L.

As produções $E \rightarrow E_1 + E_2$ e $E \rightarrow \mathbf{id}$ são as mesmas de antes. A ação semântica para a nova produção $E \rightarrow L$ gera código para copiar o valor da localização denotada por L para um novo temporário. Essa localização é $L.array.base[L.addr]$, conforme discutido anteriormente para a produção $S \rightarrow L = E$;. Novamente, o atributo $L.array$ fornece o nome do arranjo, e $L.array.base$ fornece seu endereço base. O atributo $L.addr$ denota o temporário que contém o deslocamento. O código para referenciar o arranjo atribui o valor-r que está no endereço designado pela base e deslocamento a um novo temporário denotado por $E.addr$.

EXEMPLO 6.12: Considere que a denote um arranjo 2 × 3 de inteiros, e c, i e j denotem inteiros. Então, o tipo de a é *array*(2, *array*(3, *integer*)). Sua largura *w* é 24, supondo que a largura de um inteiro é 4. O tipo de a[i] é *array*(3, *integer*), de largura $w_1 = 12$. O tipo de a[i][j] é *integer*.

Uma árvore de derivação anotada para a expressão c + a[i][j] é mostrada na Figura 6.23. A expressão é traduzida para a seqüência de instruções de três endereços na Figura 6.24. Como sempre, usamos o nome de cada identificador para nos referir à sua entrada na tabela de símbolos.

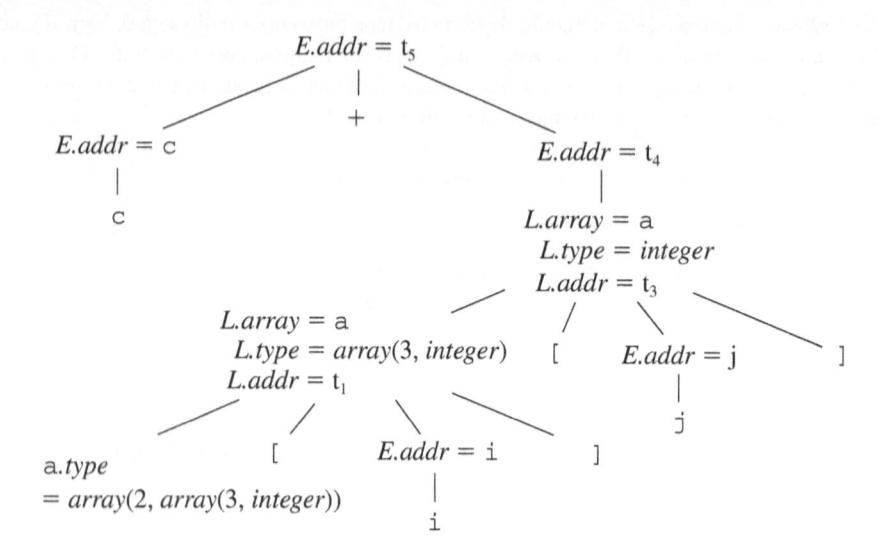

FIGURA 6.23 Árvore de derivação anotada para c + a[i][j].

```
t₁ = i * 12
t₂ = j * 4
t₃ = t1 + t₂
t₄ = a [ t₃ ]
t₅ = c + t₄
```

FIGURA 6.24 Código de três endereços para a expressão c + a[i][j].

Larguras simbólicas de tipo

O código intermediário deve ser relativamente independente da máquina alvo, assim o otimizador não precisa mudar muito se o gerador de código for substituído por outro para uma máquina diferente. Contudo, conforme descrevemos o cálculo de larguras de tipo, existe uma suposição a respeito de como os tipos básicos são construídos no esquema de tradução. Por exemplo, o Exemplo 6.12 assume que cada elemento de um arranjo de inteiros ocupa quatro bytes. Alguns códigos intermediários, por exemplo, *P-code* para Pascal, deixam para o gerador de código o preenchimento do tamanho dos elementos do arranjo, de modo que o código intermediário é independente do tamanho da palavra de uma máquina. Poderíamos ter feito o mesmo em nosso esquema de tradução se substituíssemos 4 (como a largura de um inteiro) por uma constante simbólica.

6.4.5 Exercícios da Seção 6.4

Exercício 6.4.1: Inclua à tradução da Figura 6.19 regras para as seguintes produções:
  a) $E \rightarrow E_1 * E_2$.
  b) $E \rightarrow + E_1$ (mais unário).

Exercício 6.4.2: Repita o Exercício 6.4.1 para a tradução incremental da Figura 6.20.

Exercício 6.4.3: Use a tradução da Figura 6.22 para traduzir as seguintes atribuições:

a) x = a[i] + b[j].
b) x = a[i][j] + b[i][j].
c) x = a[b[i][j]][c[k]].

! **Exercício 6.4.4:** Revise a tradução da Figura 6.22 para referências de arranjo do estilo Fortran, ou seja, **id**[$E_1,E_2,...,E_n$] para um arranjo de n dimensões.

Exercício 6.4.5: Generalize a fórmula (6.7) para arranjos multidimensionais e indique que valores podem ser armazenados na tabela de símbolos e usados para calcular deslocamentos. Considere os seguintes casos:
  a) Um arranjo A de duas dimensões, armazenado por linha. A primeira dimensão tem índices variando de l_1 a h_1, e a segunda dimensão tem índices de l_2 para h_2. A largura de um único elemento do arranjo é w.
  b) O mesmo de (a), mas com o arranjo armazenado na forma de armazenamento por coluna.
  !c) Um arranjo A de k dimensões, armazenado por linha, com elementos de tamanho w. A dimensão de ordem j possui índices variando de l_j até h_j.
  !d) O mesmo de (c), mas com o arranjo armazenado por coluna.

Exercício 6.4.6: Um arranjo de inteiros $A[i,j]$ tem índice i de 1 até 10 e índice j variando de 1 até 20. Os inteiros ocupam 4 *bytes* cada. Suponha que o arranjo A seja armazenado a partir do *byte* 0. Encontre a localização de:
  a) A[4,5]   b) A[10,8]   c) A[3,17].

Exercício 6.4.7: Repita o Exercício 6.4.6 se A for armazenado por coluna.

Exercício 6.4.8: Um arranjo do tipo real $A[i, j, k]$ possui índice i variando de 1 até 4, índice j variando de 0 até 4, e índice k variando de 5 até 10. Os tipos reais ocupam 8 bytes cada. Suponha que o arranjo A seja armazenado a partir do byte 0. Encontre a localização de:
  a) A[3,4,5]   b) A[1,2,7]   c) A[4,3,9].

Exercício 6.4.9: Repita o Exercício 6.4.8, se A for armazenado por coluna.

6.5 Verificação de Tipo

Para fazer a *verificação de tipo*, um compilador precisa atribuir uma expressão de tipo a cada componente do programa fonte. O compilador precisa, então, determinar se essas expressões estão em conformidade com uma coleção de regras lógicas, que chamamos de *sistema de tipo*, para a linguagem fonte.

A verificação de tipo tem o potencial de detectar erros de tipos nos programas. A princípio, qualquer verificação pode ser feita dinamicamente, se o código objeto mantiver o tipo de um elemento juntamente com o seu valor. Um sistema de tipo *seguro* elimina a necessidade da verificação dinâmica para erros de tipo, porque nos permite determinar estaticamente que esses erros não podem ocorrer quando o programa objeto é executado. Uma implementação de uma linguagem é *fortemente tipada* (*strongly typed*) se um compilador garantir que os programas que ela aceita executarão sem erros de tipo.

Além de sua utilidade na compilação, idéias sobre a verificação de tipo têm sido usadas para melhorar a segurança de sistemas que permitem que módulos de software sejam importados e executados. Os programas Java são compilados para byte-codes independentes de máquina, os quais incluem informações detalhadas dos tipos relativos às operações. O código importado é verificado antes de sua permissão para executar, para proteger contra erros inadvertidos e comportamento malicioso.

6.5.1 Regras para verificação de tipo

A verificação de tipo pode assumir duas formas: síntese e inferência. A *síntese de tipo* constrói o tipo de uma expressão a partir dos tipos de suas subexpressões. Ela exige que os nomes sejam declarados antes de serem usados. O tipo de $E_1 + E_2$ é definido em termos dos tipos de E_1 e E_2. Uma regra típica para a síntese de tipo tem a forma

$$\textbf{if } f \text{ tem tipo } s \rightarrow t \textbf{ and } x \text{ tem tipo } s, \\ \textbf{then } \text{expressão } f(x) \text{ tem tipo } t \tag{6.8}$$

Nesta regra, f e x denotam expressões, e $s \rightarrow t$ denota uma função de s para t. Essa regra para funções com um argumento também é válida para funções com vários argumentos. A regra (6.8) pode ser adaptada para $E_1 + E_2$ visualizando-a como uma aplicação da função $add(E_1, E_2)$.[6]

---

[6] Usaremos o termo 'síntese' mesmo que alguma informação de contexto seja usada para determinar os tipos. Com funções sobrecarregadas, nas quais o mesmo nome é atribuído a mais de uma função, o contexto de $E_1 + E_2$ também pode ter de ser considerado em algumas linguagens.

A *inferência de tipo* determina o tipo de uma construção da linguagem a partir do modo como ela é usada. Observando os exemplos da Seção 6.5.4, considere que *null* seja uma função que testa se uma lista está vazia. Então, a partir do uso *null*(*x*), podemos dizer que *x* deve ser uma lista. O tipo dos elementos de *x* não é conhecido; tudo o que sabemos é que *x* precisa ser uma lista de elementos de algum tipo, que no momento é desconhecido.

As variáveis representando expressões de tipo nos permitem falar a respeito de tipos desconhecidos. Usaremos letras gregas α, β, ... para as variáveis de tipo nas expressões de tipo.

Uma regra típica para inferência de tipo tem a forma

if $f(x)$ é uma expressão,
then para algum α e β, f tem tipo $\alpha \to \beta$ **and** x tem tipo α (6.9)

A inferência de tipo é necessária para linguagens como ML, que verificam tipos, mas não exigem que nomes sejam declarados.

Nesta seção, consideramos a verificação de tipo nas expressões. As regras para verificar os comandos são semelhantes àquelas para expressões. Por exemplo, o comando condicional '**if** (*E*) *S*;' é tratado como se ele fosse a aplicação de uma função *if* a *E* e *S*. O tipo especial *void* indica a ausência de um valor. Então, a função *if* espera ser aplicada a um *booliano* e a um *void*; o resultado da aplicação é um *void*.

6.5.2 Conversões de tipo

Considere as expressões como $x + i$, onde x é do tipo *float* e i é do tipo *integer*. Como a representação dos números inteiros e de ponto flutuante é diferente internamente em um computador, e diferentes instruções de máquina são usadas para operações com inteiros e ponto flutuante, o compilador pode ter de converter um dos operandos de + para garantir que os dois operandos sejam do mesmo tipo quando ocorrer a adição.

Suponha que os inteiros sejam convertidos para pontos flutuantes quando necessário, usando um operador unário (float). Por exemplo, o inteiro 2 é convertido para um ponto flutuante no código para a expressão 2 * 3.14:

```
t1 = (float) 2
t2 = t1 * 3.14
```

Podemos estender esses exemplos para considerar as versões de tipos inteiro e ponto flutuante dos operadores; por exemplo, int* para operandos inteiros e float* para ponto flutuante.

A síntese de tipos será ilustrada estendendo o esquema da Seção 6.4.2 para traduzir expressões. Introduzimos outro atributo *E.type*, cujo valor é *integer* ou *float*. A regra associada a $E \to E_1 + E_2$ é construída com o pseudocódigo

if ($E_1.type$ = *integer* **and** $E_2.type$ = *integer*) $E.type$ = *integer* ;
else if ($E_1.type$ = *float* **and** $E_2.type$ = *integer*) ...
...

À medida que o número de tipos sujeitos a conversão aumenta, o número de casos aumenta rapidamente. Portanto, com grandes quantidades de tipos, uma organização cuidadosa das ações semânticas se torna importante.

As regras de conversão de tipo variam de uma linguagem para outra. As regras para Java na Figura 6.25 fazem a distinção entre conversões de *alargamento* (*widening conversions*) que visam preservar informações, e conversões de *estreitamento* (*narrowing conversions*), que podem perder informações. As regras de alargamento são dadas pela hierarquia na Figura 6.25(a):

(a) Conversões de alargamento   (b) Conversões de estreitamento

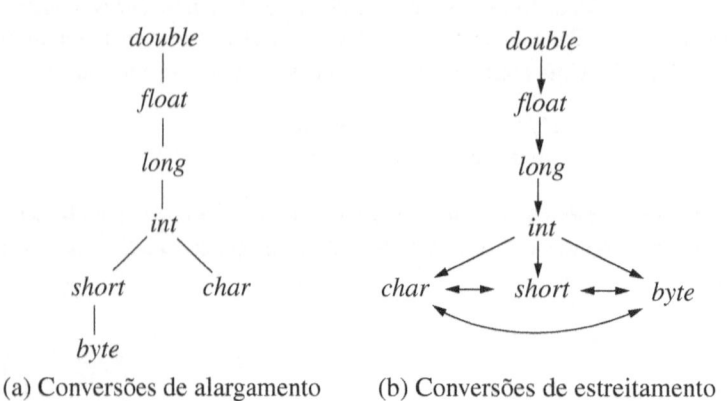

Figura 6.25 Conversões entre os tipos primitivos de Java.

qualquer tipo mais abaixo na hierarquia pode ser alargado para um tipo mais acima na mesma hierarquia. Assim, um *char* pode ser alargado para um *int* ou para um *float*, mas um *char* não pode ser alargado para um *short*. As regras de estreitamento são ilustradas pelo grafo na Figura 6.25(b): um tipo *s* pode ser estreitado para um tipo *t* se existe um caminho de *s* para *t*. Observe que *char*, *short* e *byte* são conversíveis entre si.

A conversão de um tipo para outro é considerada *implícita* se for feita automaticamente pelo compilador. As conversões de tipo implícitas, também chamadas *coerções*, são limitadas em muitas linguagens a conversões de alargamento. A conversão é considerada *explícita* se o programador tiver de escrever algum fragmento de código para causar a conversão. As conversões explícitas também são chamadas *casts*.

A ação semântica para verificar $E \rightarrow E_1 + E_2$ usa duas funções:

1. $max(t_1, t_2)$ utiliza dois tipos t_1 e t_2 e retorna o máximo (ou limite superior) dos dois tipos na hierarquia de alargamento. Ela declara um erro se t_1 ou t_2 não estiver na hierarquia; por exemplo, se um ou outro tipo for um arranjo ou um tipo apontador.
2. $widen(a, t, w)$ gera conversões de tipo se for necessário para alargar um endereço a do tipo t para um valor do tipo w. Ela retorna o próprio a se t e w são do mesmo tipo. Caso contrário, gera uma instrução para realizar a conversão e colocar o resultado em um temporário t, o qual é retornado como resultado. O pseudocódigo para *widen*, supondo que os únicos tipos sejam *integer* e *float*, aparece na Figura 6.26.

```
Addr widen(Addr a, Type t, Type w)
    if ( t = w )   return a;
    else if ( t = integer and w = float ) {
        temp = new Temp();
        gen(temp '=' '(float)' a);
        return temp;
    }
    else  error;
}
```

FIGURA 6.26 Pseudocódigo para a função *widen*.

A ação semântica para $E \rightarrow E_1 + E_2$ na Figura 6.27 ilustra como as conversões de tipo podem ser acrescentadas ao esquema da Figura 6.20 para traduzir expressões. Na ação semântica, a variável temporária a_1 pode ser $E_1.addr$, se o tipo de E_1 não precisar ser convertido para o tipo de E, ou pode ser uma nova variável temporária retornada por *widen*, se essa conversão for necessária. De forma semelhante, a_2 pode ser $E_2.addr$ ou um novo temporário contendo o valor de E_2 com o tipo convertido. Nenhuma conversão é necessária se os dois tipos forem *integer* ou se ambos forem *float*. Contudo, em geral, poderíamos descobrir que a única forma de somar valores com dois tipos diferentes é convertê-los para um terceiro tipo.

$$E \rightarrow E_1 + E_2 \quad \{ E.type = max(E_1.type, E_2.type);$$
$$a_1 = widen(E_1.addr, E_1.type, E.type);$$
$$a_2 = widen(E_2.addr, E_2.type, E.type);$$
$$E.addr = \text{new } Temp();$$
$$gen(E.addr \ ' = ' \ a_1 \ ' + ' \ a_2); \}$$

FIGURA 6.27 Introduzindo conversões de tipo na avaliação da expressão.

6.5.3 Sobrecarga de funções e operadores

Um símbolo *sobrecarregado* possui diferentes significados, dependendo do seu contexto. A sobrecarga é *resolvida* quando um único significado é determinado para cada ocorrência de um nome. Nesta seção, restringimos nossa atenção à sobrecarga que pode ser resolvida examinando-se apenas os argumentos de uma função, como em Java.

EXEMPLO 6.13: O operador + em Java denota concatenação de cadeia ou adição, dependendo dos tipos de seus operandos. As funções definidas pelo usuário também podem ser sobrecarregadas, como em:

```
void err() {... }
void err(String s) {... }
```

Observe que podemos escolher entre essas duas versões da função `err` examinando seus argumentos.

A seguir mostramos uma regra de síntese de tipo para funções sobrecarregadas:

if f pode ter tipo $s_i \to t_i$, para $1 \leq i \leq n$, onde $s_i \neq s_j$ para $i \neq j$
and x tem tipo s_k, para algum $1 \leq k \leq n$ (6.10)
then expressão $f(x)$ tem tipo t_k

O método código numérico da Seção 6.1.2 pode ser aplicado às expressões de tipo para resolver eficientemente a sobrecarga baseada nos tipos dos argumentos. Dado um DAG representando uma expressão de tipo, atribuímos um índice inteiro, chamado código numérico, a cada nó. Usando o Algoritmo 6.3, construímos uma assinatura para um nó, consistindo em seu rótulo e nos códigos numéricos de seus filhos, ordenados da esquerda para a direita. A assinatura para uma função consiste no nome da função e nos tipos de seus argumentos. A suposição de que podemos resolver a sobrecarga baseada nos tipos dos argumentos é equivalente a dizer que podemos resolver a sobrecarga baseada nas assinaturas.

Nem sempre é possível resolver a sobrecarga examinando apenas os argumentos de uma função. Em Ada, em vez de um tipo único, uma subexpressão isolada pode ter um conjunto de tipos possíveis para os quais o contexto precisa fornecer informações suficientes para reduzir as opções a um único tipo (veja o Exercício 6.5.2).

6.5.4 Inferência de tipo e funções polimórficas

A inferência de tipo é útil para uma linguagem como ML, que é fortemente tipada, mas não exige que os nomes sejam declarados antes de serem usados. A inferência de tipo garante que os nomes sejam usados de forma coerente.

O termo 'polimórfico' refere-se a qualquer fragmento de código que pode ser executado com argumentos de diferentes tipos. Nesta seção, consideramos o *polimorfismo paramétrico*, onde o polimorfismo é caracterizado por parâmetros ou variáveis de tipo. O exemplo executável é o programa ML da Figura 6.28, que define uma função *length*. O tipo de *length* pode ser descrito como 'para qualquer tipo α, *length* mapeia uma lista de elementos de tipo α para um inteiro'.

fun *length*(x) =
   if *null*(x) **then** 0 **else** *length*(*tl*(x)) + 1;

FIGURA 6.28 Programa ML para o tamanho de uma lista.

EXEMPLO 6.14: Na Figura 6.28, a palavra-chave **fun** introduz uma definição de função; as funções podem ser recursivas. O fragmento de programa define a função *length* com um parâmetro x. O corpo da função consiste em uma expressão condicional. A função predefinida *null* testa se uma lista é vazia, e a função predefinida *tl* (abreviação de *tail*, cauda) retorna o restante de uma lista após a remoção do primeiro elemento da lista.

A função *length* determina o tamanho ou o número de elementos de uma lista x. Todos os elementos da lista precisam ter o mesmo tipo, mas *length* pode ser aplicada a listas cujos elementos são de qualquer tipo. Na expressão a seguir, *length* é aplicada a dois tipos diferentes de listas (os elementos da lista são delimitados por "[" e "]"):

$$length([\text{``sun''}, \text{``mon''}, \text{``tue''}]) + length([10,9,8,7]) \quad (6.11)$$

A lista de cadeias tem tamanho 3 e a lista de inteiros tem tamanho 4, de modo que a expressão (6.11) denota o valor 7.

Usando o símbolo $\forall$ (lido como 'para qualquer tipo') e o construtor de tipo *list*, o tipo de *length* pode ser escrito como

$$\forall \alpha.\ list(\alpha) \to integer \quad (6.12)$$

O símbolo $\forall$ é o *quantificador universal*, e a variável de tipo à qual ele é aplicado é considerada como estando *ligada* por ele. Variáveis ligadas podem ser renomeadas, desde que todas as ocorrências da variável sejam renomeadas. Assim, a expressão de tipo:

$$\forall \beta.list(\beta) \to integer$$

é equivalente a (6.12). Uma expressão de tipo contendo um símbolo $\forall$ será referenciada informalmente como um 'tipo polimórfico'.

Cada vez que uma função polimórfica for aplicada, suas variáveis de tipo ligadas podem denotar um tipo diferente. Durante a verificação de tipo, em cada uso de um tipo polimórfico, substituímos as variáveis ligadas por novas variáveis e removemos os quantificadores universais.

O exemplo seguinte infere informalmente um tipo para *length*, usando implicitamente regras de inferência de tipo como a (6.9), que é repetida aqui:

if $f(x)$ é uma expressão,
then para algum α e β, f tem tipo $\alpha \to \beta$ **and** x tem tipo α

EXEMPLO 6.15: A árvore de sintaxe abstrata da Figura 6.29 representa a definição de *length* da Figura 6.28. A raiz da árvore, rotulada com **fun**, representa a definição da função. Os nós restantes que não são folhas podem ser vistos como aplicações de função. O nó rotulado com + representa a aplicação do operador + a um par de filhos. De forma semelhante, o nó rotulado com **if** representa a aplicação de um operador **if** a uma tripla formada por seus filhos (para a verificação de tipo, não importa se a parte **then** ou a parte **else,** mas não ambas, será avaliada).

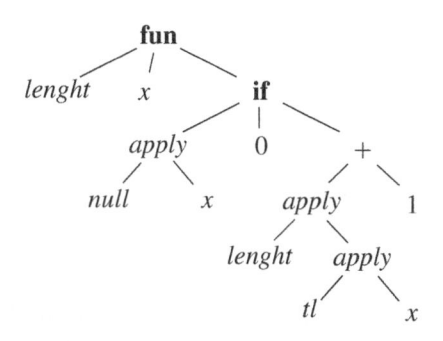

```
              fun
               |
       lenght  x   if
                   |
               apply   0    +
              /    \       / \
           null    x   apply  1
                      /    \
                  lenght  apply
                         /    \
                        tl    x
```

FIGURA 6.29 Árvore de sintaxe abstrata para a definição da função na Figura 6.28.

A partir do corpo da função *length*, podemos inferir seu tipo. Considere os filhos do nó rotulado com **if**, da esquerda para a direita. Como *null* espera ser aplicado a listas, x deve ser uma lista. Vamos usar a variável α como representante do tipo dos elementos da lista; ou seja, x tem o tipo 'lista de α'.

Se *null*(x) for verdadeiro, então *length*(x) é 0. Assim, o tipo de *length* precisa ser 'função da lista de α para inteiro'. Esse tipo inferido é consistente com o uso de *length* na parte do *else*, *length*(*tl*(x)) + 1.

Como as variáveis podem aparecer nas expressões de tipo, temos de reexaminar a noção de equivalência de tipos. Suponha que E_1 do tipo $s \to s'$ seja aplicado a E_2 do tipo t. Em vez de simplesmente determinar a igualdade de s e t, devemos 'unificá-los'. Informalmente, determinamos se s e t podem tornar-se estruturalmente equivalentes, substituindo as variáveis de tipo em s e t por expressões de tipo.

Uma *substituição* é um mapeamento de variáveis de tipo para expressões de tipo. Escrevemos $S(t)$ como o resultado de aplicar a substituição S às variáveis na expressão de tipo t; veja a caixa intitulada 'Substituições, instâncias e unificação'. Duas expressões de tipo t_1 e t_2 se *unificam* se houver alguma substituição S tal que $S(t_1) = S(t_2)$. Na prática, estamos interessados em um unificador mais geral, o qual é uma substituição que impõe menos restrições sobre as variáveis nas expressões. Veja na Seção 6.5.5 um algoritmo de unificação.

Substituições, instâncias e unificação

Se t é uma expressão de tipo e S é uma substituição (um mapeamento a partir de variáveis de tipo para expressões de tipo), então escrevemos $S(t)$ como o resultado da substituição consistente de todas as ocorrências de cada variável de tipo α em t por $S(\alpha)$. $S(t)$ é chamado de *instância* de t. Por exemplo, *list*(*integer*) é uma instância de *list*(α), porque ela é o resultado de substituir α por *integer* em *list*(α). Observe, portanto, que *integer* $\to$ *float* não é uma instância de $\alpha \to \alpha$, porque uma substituição deve trocar todas as ocorrências de α pela mesma expressão de tipo.

A substituição S é um *unificador* das expressões de tipo t_1 e t_2 se $S(t_1) = S(t_2)$. S é o *unificador mais geral* de t_1 e t_2 se, para qualquer outro unificador de t_1 e t_2, digamos S', para qualquer t, $S'(t)$ é uma instância de $S(t)$. Em outras palavras, S' impõe mais restrições sobre t do que S.

ALGORITMO 6.16: Inferência de tipo para funções polimórficas.

ENTRADA: Um programa consistindo em uma seqüência de definições de função seguido por uma expressão a ser avaliada. Uma expressão é composta de aplicações de função e nomes, onde os nomes podem ter tipos polimórficos predefinidos.

SAÍDA: Tipos inferidos para os nomes no programa.

MÉTODO: Por simplicidade, vamos tratar apenas as funções unárias. O tipo de uma função $f(x_1, x_2)$ com dois parâmetros pode ser representado por uma expressão de tipo $s_1 \times s_2 \to t$, onde s_1 e s_2 são os tipos de x_1 e x_2, respectivamente, e t é o tipo do resultado $f(x_1, x_2)$. Uma expressão $f(a, b)$ pode ser verificada casando-se o tipo de a com s_1 e o tipo de b com s_2.

Verifique as definições de função e a expressão na seqüência de entrada. Use o tipo inferido de uma função se ele for subseqüentemente usado em uma expressão.

- Para uma definição de função **fun id$_1$ (id$_2$)** = E, crie novas variáveis de tipo α e β. Associe o tipo $\alpha \to \beta$ com a função **id$_1$**, e o tipo α com o parâmetro **id$_2$**. Depois, infira um tipo para a expressão E. Suponha que α denote o tipo s e β denote o tipo t após a inferência de tipo para E. O tipo inferido da função **id$_1$** é $s \to t$. Ligue quaisquer variáveis de tipo que permanecerem sem restrições em $s \to t$ por quantificadores $\forall$.
- Para uma aplicação de função $E_1(E_2)$, infira os tipos para E_1 e E_2. Uma vez que E_1 é usado como uma função, seu tipo precisa ter a forma $s \to s'$. (Tecnicamente, o tipo de E_1 precisa unificar com $\beta \to \gamma$, onde β e γ são novas variáveis de tipo.) Considere que t seja o tipo inferido de E_2. Unifique s e t. Se a unificação falhar, a expressão tem um erro de tipo. Caso contrário, o tipo inferido de $E_1(E_2)$ é s'.
- Para cada ocorrência de uma função polimórfica, substitua as variáveis ligadas em seu tipo por novas variáveis distintas e remova os quantificadores $\forall$. A expressão de tipo resultante é o tipo inferido dessa ocorrência.
- Para um nome que é encontrado pela primeira vez, introduza uma variável nova para seu tipo.

EXEMPLO 6.17: Na Figura 6.30, inferimos um tipo para a função *length*. A raiz da árvore de sintaxe da Figura 6.29 é para uma definição de função, de modo que introduzimos as variáveis β e γ, associamos o tipo $\beta \to \gamma$ com a função *length*, e o tipo β com x; veja as linhas 1-2 da Figura 6.30.

LINHA	EXPRESSÃO : TIPO	UNIFICAÇÃO
1)	$length$: $\beta \to \gamma$	
2)	x : β	
3)	**if** : $boolean \times \alpha_i \times \alpha_i \to \alpha_i$	
4)	$null$: $list(\alpha_n) \to boolean$	
5)	$null(x)$: $boolean$	$list(\alpha_n) = \beta$
6)	0 : $integer$	$\alpha_i = integer$
7)	$+$: $integer \times integer \to integer$	
8)	tl : $list(\alpha_t) \to list(\alpha_t)$	
9)	$tl(x)$: $list(\alpha_t)$	$list(\alpha_t) = list(\alpha_n)$
10)	$length(tl(x))$: γ	$\gamma = integer$
11)	1 : $integer$	
12)	$length(tl(x))+1$: $integer$	
13)	**if**(...) : $integer$	

FIGURA 6.30   Inferindo um tipo para a função *length* da Figura 6.28.

No filho à direita da raiz, vemos **if** como uma função polimórfica que é aplicada a uma tripla, consistindo em um booliano e duas expressões que representam as partes **then** e **else**. Seu tipo é $\forall \alpha. boolean \times \alpha \times \alpha \to \alpha$.

Cada aplicação de uma função polimórfica pode ser para um tipo diferente, de modo que criamos uma variável nova α_i (onde i representa 'if') e removemos o $\forall$; veja a linha 3 da Figura 6.30. O tipo do filho à esquerda de **if** precisa ser unificado com *boolean*, e os tipos de seus outros dois filhos precisa ser unificado com α_i.

A função predefinida *null* possui tipo $\forall \alpha. list(\alpha) \to boolean$. Usamos uma variável de tipo nova α_n (onde n representa 'null') no lugar da variável ligada α; veja a linha 4. A partir da aplicação de *null* a x, inferimos que o tipo β of x precisa casar com $list(\alpha_n)$; veja a linha 5.

No primeiro filho de **if**, o tipo *boolean* para *null(x)* casa com o tipo esperado por **if**. No segundo filho, o tipo α_i é unificado com *integer*; veja a linha 6.

Agora, considere a subexpressão $length(tl(x)) + 1$. Criamos uma nova variável α_t (onde t representa *tail*, cauda) para a variável ligada α no tipo de *tl*; veja a linha 8. A partir da aplicação *tl(x)*, inferimos $list(\alpha_t) = \beta = list(\alpha_n)$; veja a linha 9.

Como $length(tl(x))$ é um operando de $+$, seu tipo γ precisa ser unificado com *integer*; veja a linha 10. Segue-se que o tipo de *length* é $list(\alpha_n) \to integer$. Após a verificação da definição da função, a variável de tipo α_n permanece no tipo de *length*.

Como nenhuma suposição foi feita sobre α_n, qualquer tipo pode ser substituído por ele quando a função for usada. Portanto, nós a tornamos uma variável ligada e escrevemos:

$$\forall \alpha_n. list(\alpha_n) \to integer$$

para o tipo de *length*.

6.5.5 Um algoritmo para unificação

Informalmente, a unificação é o problema de determinar se duas expressões *s* e *t* podem tornar-se idênticas pela substituição de variáveis por expressões em *s* e *t*. Testar a igualdade das expressões é um caso especial de unificação; se *s* e *t* tiverem constantes, mas não tiverem variáveis, então *s* e *t* são unificados se e somente se eles forem idênticos. O algoritmo de unificação nesta seção estende os grafos com ciclos, de modo que pode ser usado para testar a equivalência estrutural de tipos circulares.[7]

Vamos implementar a unificação baseada em uma formulação da teoria dos grafos, onde os tipos são representados por grafos. As variáveis de tipo são representadas por folhas, e os construtores de tipo são representados por nós interiores. Os nós são agrupados em classes de equivalência; se dois nós estiverem na mesma classe de equivalência, então as expressões de tipo que eles representam precisam ser unificáveis. Assim, todos os nós interiores na mesma classe representam o mesmo construtor de tipo, e seus filhos correspondentes precisam ser equivalentes.

Exemplo 6.18: Considere as duas expressões de tipo

$$((\alpha_1 \to \alpha_2) \times list(\alpha_3)) \to list(\alpha_2)$$
$$((\alpha_3 \to \alpha_4) \times list(\alpha_3)) \to \alpha_5$$

A substituição *S* a seguir é o unificador mais geral para essas expressões

x	$S(x)$
α_1	α_1
α_2	α_2
α_3	α_1
α_4	α_2
α_5	$list(\alpha_2)$

Essa substituição mapeia as duas expressões de tipo para a seguinte expressão:

$$((\alpha_1 \to \alpha_2) \times list(\alpha_1)) \to list(\alpha_2)$$

As duas expressões são representadas pelos dois nós rotulados com →: 1 na Figura 6.31. Os valores inteiros nos nós indicam as classes de equivalência a que os nós pertencem depois que os nós numerados com 1 forem unificados.

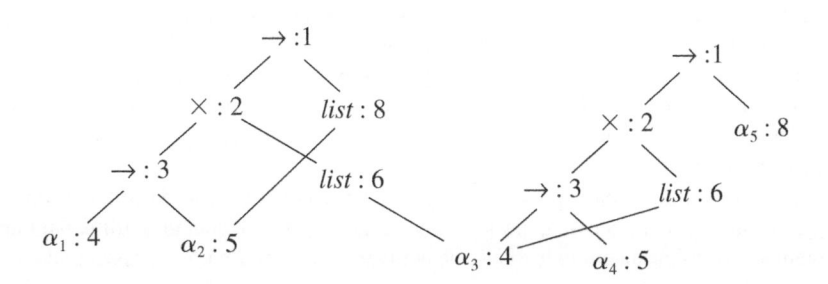

Figura 6.31 Classes de equivalência após a unificação.

Algoritmo 6.19: A unificação de um par de nós em um grafo de tipo.

ENTRADA: Um grafo representando um tipo e um par de nós *m* e *n* a serem unificados.

SAÍDA: Valor booliano *true* se as expressões representadas pelos nós *m* e *n* forem unificadas; caso contrário, *false*.

---

[7] Em algumas aplicações, é um erro unificar uma variável com uma expressão contendo essa variável. O Algoritmo 6.19 permite tais substituições.

MÉTODO: Um nó é implementado por um registro com campos para um operador binário e apontadores para os filhos à esquerda e à direita. Os conjuntos de nós equivalentes são mantidos usando-se o campo *set*. Um nó em cada classe de equivalência é escolhido para ser o único representante da classe de equivalência, fazendo seu campo *set* conter um apontador nulo. Os campos *set* dos nós restantes na classe de equivalência apontarão (possivelmente indiretamente, por meio de outros nós no conjunto) para o representante. Inicialmente, cada nó n está em uma classe de equivalência por si só, com n como seu próprio nó representante.

```
boolean unify(Node m, Node n) {
    s = find(m); t = find(n);
    if ( s = t ) return true;
    else if ( nós s e t representam o mesmo tipo básico ) return true;
    else if (s é um nó operador com filhos s₁ e s₂ and
                t é um nó operador com filhos t₁ e t₂) {
        union(s,t);
        return unify(s₁, t₁) and unify(s₂, t₂);
    }
    else if s ou t representa uma variável {
        union(s,t);
         return true;
    }
    else return false;
}
```

FIGURA 6.32   Algoritmo de unificação.

O algoritmo de unificação, mostrado na Figura 6.32, usa as duas operações a seguir nos nós:

- *find(n)* retorna o nó representante da classe de equivalência contendo correntemente o nó n.
- *union(m,n)* combina as classes de equivalência contendo os nós m e n. Se um dos representantes das classes de equivalência de m e n for um nó que não representa variável, *union* faz com que esse nó seja o representante para a classe de equivalência combinada; caso contrário, *union* faz com que um dos representantes originais seja o novo representante. Essa assimetria na especificação de *union* é importante, porque uma variável não pode ser usada como representante de uma classe de equivalência para uma expressão contendo um construtor de tipo ou um tipo básico. Caso contrário, duas expressões não equivalentes poderiam ser unificadas por meio dessa variável.

A operação *union* de conjuntos é implementada simplesmente alterando-se o campo *set* do representante de uma classe de equivalência de modo que aponte para o representante da outra. Para encontrar a classe de equivalência a que um nó pertence, seguimos os apontadores *set* dos nós até que o representante (o nó com um apontador nulo no campo set) seja alcançado.

Observe que o algoritmo na Figura 6.32 utiliza $s = find(m)$ e $t = find(n)$ em vez de m e n, respectivamente. Os nós representativos s e t serão iguais se m e n estiverem na mesma classe de equivalência. Se s e t representarem o mesmo tipo básico, a chamada *unify(m, n)* retornará verdadeiro. Se s e t forem ambos nós interiores para um construtor de tipo binário, combinaremos especulativamente suas classes de equivalência e verificaremos recursivamente se seus respectivos filhos são equivalentes. Ao combinar em primeiro lugar, diminuímos o número de classes de equivalência antes de verificar recursivamente os filhos, de modo que o algoritmo termina.

A substituição de uma variável por uma expressão é implementada pela inclusão da folha correspondente à variável na classe de equivalência que contém o nó para essa expressão. Suponha que m ou n seja uma folha para uma variável. Suponha também que essa folha tenha sido colocada em uma classe de equivalência com um nó, representando uma expressão com um construtor de tipo ou um tipo básico. Então, *find* retornará um representante que refletirá esse construtor de tipo ou tipo básico, de modo que uma variável não pode ser unificada com duas expressões diferentes.

EXEMPLO 6.20: Suponha que as duas expressões no Exemplo 6.33 sejam representadas pelo grafo inicial da Figura 6.33, onde cada nó está em sua própria classe de equivalência. Quando o Algoritmo 6.19 é aplicado para computar *unify*(1,9), ele nota que os nós 1 e 9 representam o mesmo operador. Portanto, ele intercala 1 e 9 na mesma classe de equivalência e chama *unify*(2,10) e *unify*(8,14). O resultado da computação de *unify*(1,9) é o grafo mostrado antes, na Figura 6.31.

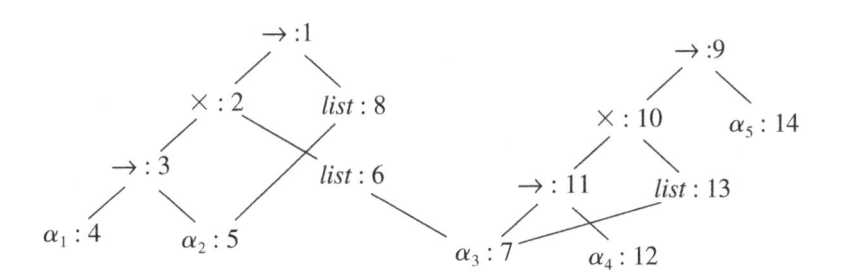

FIGURA 6.33 Grafo inicial com cada nó em sua própria classe de equivalência.

Se o Algoritmo 6.19 retornar *true*, podemos construir uma substituição S que funciona como o unificador, conforme mostrado a seguir. Para cada variável α, *find*(α) fornece o nó n que é o representante da classe de equivalência de α. A expressão representada por n é $S(\alpha)$. Por exemplo, na Figura 6.31, vemos que o representante para α_3 é o nó 4, que representa α_1. O representante para α_5 é o nó 8, que representa *list*(α_2). A substituição resultante S é como no Exemplo 6.18.

6.5.6 Exercícios da Seção 6.5

Exercício 6.5.1: Supondo que a função *widen* na Figura 6.26 possa tratar qualquer um dos tipos na hierarquia da Figura 6.25(a), traduza as expressões a seguir. Suponha que c e d sejam caracteres, s e t sejam *short integers*, i e j sejam *integers*, e x seja um *float*.

a) x = s + c.
b) i = s + c.
c) x = (s + c) * (t + d).

Exercício 6.5.2: Assim como em Ada, suponha que cada expressão tenha um tipo único, mas que a partir de uma subexpressão isolada, tudo o que podemos deduzir é um conjunto de tipos possíveis. Ou seja, a aplicação da função E_1 ao argumento E_2, representada por $E \rightarrow E_1 (E_2)$, tem a regra associada:

$$E.type = \{ t \mid \text{para algum } s \text{ em } E_2.type, s \rightarrow t \text{ está em } E_1.type \}$$

Descreva uma SDD que determine um tipo único para cada subexpressão, usando um atributo *type* para sintetizar um conjunto de tipos possíveis de baixo para cima e, quando o tipo único da expressão geral for determinado, prossiga de cima para baixo para determinar o atributo *unique* para o tipo de cada subexpressão.

6.6 Fluxo de controle

A tradução de comandos, como if-else e while, está ligada à tradução das expressões booleanas. Nas linguagens de programação, as expressões booleanas normalmente são usadas para:

1. *Alterar o fluxo de controle.* As expressões booleanas são usadas como expressões condicionais em comandos que alteram o fluxo de controle. O valor dessas expressões booleanas é dado implicitamente pela posição atingida em um programa. Por exemplo, em **if** (E) S, a expressão E deve ser verdadeira se o comando S for alcançado.
2. *Computar valores lógicos.* Uma expressão booleana pode representar *true* (verdadeiro) ou *false* (falso) como valores. Essas expressões booleanas podem ser avaliadas em analogia com as expressões aritméticas usando instruções de três endereços com operadores lógicos.

O uso intencional das expressões booleanas é determinado por seu contexto sintático. Por exemplo, uma expressão após a palavra-chave **if** é usada para alterar o fluxo de controle, enquanto outra, do lado direito de um comando de atribuição, é usada para denotar um valor lógico. Esses contextos sintáticos podem ser especificados de diversas maneiras: podemos usar dois não-terminais diferentes, usar atributos herdados ou ativar um flag durante a análise. Como alternativa, podemos construir uma árvore de sintaxe e invocar diferentes procedimentos para dois usos diferentes das expressões booleanas.

Esta seção se concentra no uso de expressões booleanas para alterar o fluxo de controle. Por questão de clareza, introduzimos um novo não-terminal B para essa finalidade. Na Seção 6.6.6, consideramos como um compilador pode permitir expressões booleanas representar valores lógicos.

6.6.1 Expressões booleanas

As expressões booleanas são compostas dos operadores booleanos (os quais denotamos com &&, || e !, usando a convenção da linguagem C para os operadores AND, OR e NOT, respectivamente) aplicados a elementos que são variáveis boolianas ou expressões relacionais. As expressões relacionais são da forma E_1 **rel** E_2, onde E_1 e E_2 são expressões aritméticas. Nesta seção, consideramos as expressões booleanas geradas pela seguinte gramática:

$$B \rightarrow B \,\|\, B \,\mid\, B \,\&\&\, B \,\mid\, !\,B \,\mid\, (\,B\,) \,\mid\, E \text{ rel } E \,\mid\, \textbf{true} \,\mid\, \textbf{false}$$

Usamos o atributo **rel**.*op* para indicar qual dos seis operadores de comparação <, <=, =, !=, > ou >= é representado por **rel**. Como é comum, assumimos que || e && sejam associativos à esquerda, e que || tenha a precedência mais baixa, então && e então !.

Dada a expressão $B_1 \,\|\, B_2$, se determinarmos que B_1 é verdadeiro, podemos concluir que a expressão inteira é verdadeira sem ter de avaliar B_2. De forma semelhante, dado $B_1 \,\&\&\, B_2$, se B_1 for falso, então a expressão inteira é falsa.

A definição semântica da linguagem de programação determina se todas as partes de uma expressão booleana precisam ser avaliadas. Se a definição da linguagem permitir (ou exigir) que partes de uma expressão booleana não sejam avaliadas, então o compilador pode otimizar a avaliação de expressões booleanas computando apenas o suficiente de uma expressão para determinar seu valor. Assim, em uma expressão como $B_1 \,\|\, B_2$, nem B_1 nem B_2 é necessariamente avaliado em sua totalidade. Se B_1 ou B_2 for uma expressão com efeitos colaterais (por exemplo, se contiver uma função que muda o valor de uma variável global), então uma resposta inesperada pode ser obtida.

6.6.2 Código de curto-circuito

No código de *curto-circuito* (ou *desvio*), os operadores booleanos &&, || e ! são traduzidos para desvios. Os próprios operadores não aparecem no código; em vez disso, o valor de uma expressão booleana é representado por uma posição na seqüência de código.

Exemplo 6.21: O comando

```
if ( x < 100 || x > 200 && x != y ) x = 0;
```

poderia ser traduzido para o código da Figura 6.34. Nessa tradução, a expressão booleana é verdadeira se o controle alcançar o rótulo L_2. Se a expressão for falsa, o controle vai imediatamente para L_1, saltando L_2 e a atribuição x = 0.

```
        if x < 100 goto L₂
        ifFalse x > 200 goto L₁
        ifFalse x != y goto L₁
L₂:     x = 0
L₁:
```

Figura 6.34 Código de desvio.

6.6.3 Comandos de fluxo de controle

Agora, vamos considerar a tradução de expressões booleanas para um código de três endereços no contexto dos comandos como aqueles gerados pela gramática a seguir:

$$S \rightarrow \textbf{if}\,(\,B\,)\,S_1$$
$$S \rightarrow \textbf{if}\,(\,B\,)\,S_1 \textbf{ else } S_2$$
$$S \rightarrow \textbf{while}\,(\,B\,)\,S_1$$

Nessas produções, o não-terminal B representa uma expressão booleana e o não-terminal S representa um comando.

Essa gramática generaliza o exemplo executável de expressões while que introduzimos no Exemplo 5.19. Como naquele exemplo, tanto B quanto S têm um atributo sintetizado *code*, o qual fornece a tradução para instruções de três endereços. Para simplificar, implementamos as traduções *B.code* e *S.code* como cadeias, usando definições dirigidas por sintaxe. As regras semânticas definindo os atributos *code* poderiam ser implementadas alternativamente, construindo-se árvores de sintaxe, e então emitindo código durante uma travessia na árvore, ou por qualquer uma das abordagens apresentadas na Seção 5.5.

A tradução de **if** $(B)\,S_1$ consiste em *B.code* seguido por S_1.*code*, conforme ilustrado na Figura 6.35(a). Dentro de *B.code* estão os desvios baseados no valor de *B*. Se *B* for verdadeiro, o controle flui para a primeira instrução de S_1.*code* e, se *B* for falso, o controle flui para a instrução imediatamente após S_1.*code*.

Os rótulos para os desvios em *B.code* e *S.code* são gerenciados usando atributos herdados. Com uma expressão booleana *B*, associamos dois rótulos: *B.true*, rótulo para o qual o controle flui se *B* for verdadeiro, e *B.false*, rótulo para o qual o controle flui se *B* for falso. Com um comando *S*, associamos um atributo herdado *S.next*, denotando um rótulo para a instrução imediatamente após o código para *S*. Em alguns casos, a instrução imediatamente após *S.code* é um desvio para algum rótulo *L*. Um desvio para um desvio para *L* de dentro de *S.code* é evitado com o uso de *S.next*.

CAPÍTULO 6: GERAÇÃO DE CÓDIGO INTERMEDIÁRIO 257

```
                 para B.true
    ┌─────────┐
    │ B.code  │ para B.false
    │         │──►
B.true:├─────────┤
    │ S₁.code │
B.false:├─────────┤
    │   ...   │
    └─────────┘
       (a) if
```

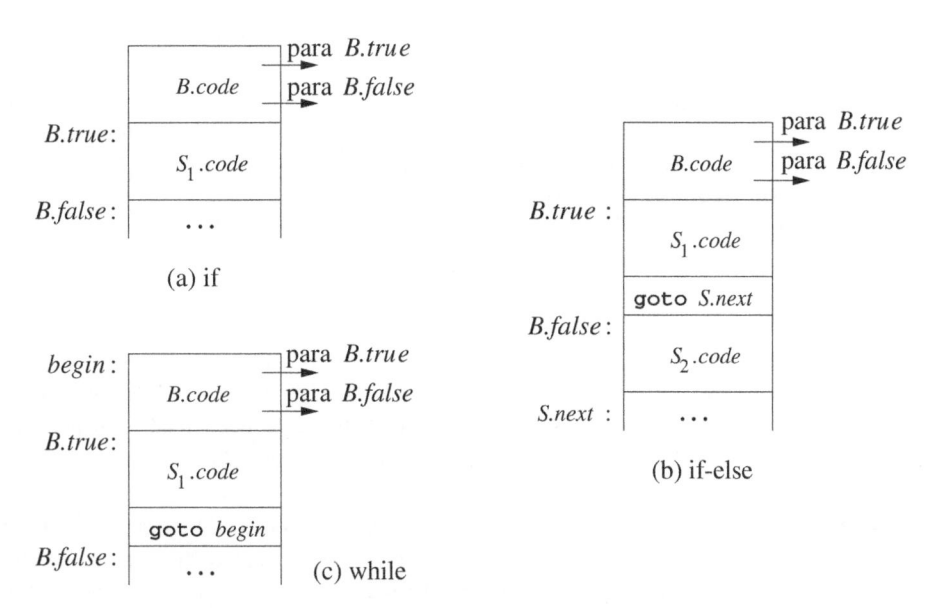

```
                                     para B.true
                         ┌─────────┐
                         │ B.code  │ para B.false
                         │         │──►
                   B.true:├─────────┤
                         │ S₁.code │
                         ├─────────┤
                         │goto S.next│
                   B.false:├─────────┤
                         │ S₂.code │
                   S.next:├─────────┤
                         │   ...   │
                         └─────────┘
                          (b) if-else
```

```
                 para B.true
begin:   ┌─────────┐
    │ B.code  │ para B.false
    │         │──►
B.true:├─────────┤
    │ S₁.code │
    ├─────────┤
    │goto begin│
B.false:├─────────┤
    │   ...   │       (c) while
    └─────────┘
```

FIGURA 6.35 Código para os comandos if, if-else e while.

A definição dirigida por sintaxe nas Figuras 6.36-6.37 produz código de três endereços para expressões boolianas no contexto dos comandos if, if-else e while.

PRODUÇÃO	REGRAS SEMÂNTICAS
$P \to S$	$S.next = newlabel()$ $P.code = S.code \parallel label(S.next)$
$S \to \textbf{assign}$	$S.code = \textbf{assign}.code$
$S \to \textbf{if} \ (\ B \ ) \ S_1$	$B.true = newlabel()$ $B.false = S_1.next = S.next$ $S.code = B.code \parallel label(B.true) \parallel S_1.code$
$S \to \textbf{if} \ (\ B \ ) \ S_1 \ \textbf{else} \ S_2$	$B.true = newlabel()$ $B.false = newlabel()$ $S_1.next = S_2.next = S.next$ $S.code = B.code$ $\parallel label(B.true) \parallel S_1.code$ $\parallel gen(\text{'goto'} \ S.next)$ $\parallel label(B.false) \parallel S_2.code$
$S \to \textbf{while} \ (\ B \ ) \ S_1$	$begin = newlabel()$ $B.true = newlabel()$ $B.false = S.next$ $S_1.next = begin$ $S.code = label(begin) \parallel B.code$ $\parallel label(B.true) \parallel S_1.code$ $\parallel gen(\text{'goto'} \ begin)$
$S \to S_1 \ S_2$	$S_1.next = newlabel()$ $S_2.next = S.next$ $S.code = S_1.code \parallel label(S_1.next) \parallel S_2.code$

FIGURA 6.36 Definição dirigida por sintaxe para os comandos de fluxo de controle.

Assumimos que *newlabel*() cria um novo rótulo toda vez que é chamado, e que *label(L)* conecta o rótulo L à próxima instrução de três endereços a ser gerada.[8]

Um programa consiste em um comando gerado por $P \rightarrow S$. As regras semânticas associadas a essa produção inicializam *S.next* com um novo rótulo. *P.code* consiste em *S.code* seguido pelo novo rótulo *S.next*. O *token* **assign** na produção $S \rightarrow$ **assign** representa os comandos de atribuição. A tradução das atribuições segue o que discutimos na Seção 6.4; para esta discussão sobre fluxo de controle, *S.code* é simplesmente **assign**.*code*.

Na tradução de $S \rightarrow$ **if** (B) S_1, as regras semânticas na Figura 6.36 criam um novo rótulo *B.true* e o conectam à primeira instrução de três endereços gerada para o comando S_1, conforme ilustrado na Figura 6.35(a). Assim, os desvios para *B.true* de dentro do código para B irão para o código de S_1. Além disso, atribuindo *B.false* com o valor de *S.next*, garantimos que o controle saltará o código para S_1 se B for avaliado como falso.

Traduzindo o comando if-else, $S \rightarrow$ **if** (B) S_1 **else** S_2, o código para a expressão booleana B possui desvios para a primeira instrução do código de S_1 se B for verdadeiro, e para a primeira instrução do código de S_2 se B for falso, conforme ilustrado na Figura 6.35(b). Além disso, o controle flui de S_1 e S_2 para a instrução de três endereços imediatamente após o código para S - seu rótulo é dado pelo atributo herdado *S.next*. Um goto *S.next* explícito aparece após o código de S_1 para saltar o código de S_2. Nenhum *goto* é necessário após S_2, pois S_2.*next* é o mesmo que *S.next*.

O código para $S \rightarrow$ **while** (B) S_1 é formado a partir de *B.code* e S_1.*code* como mostra a Figura 6.35(c). Usamos uma variável local *begin* para conter um novo rótulo conectado à primeira instrução desse comando while, a qual também é a primeira instrução para B. Usamos uma variável em vez de um atributo, porque *begin* é local às regras semânticas para esta produção. O rótulo herdado *S.next* tem o endereço da instrução para a qual o controle deve fluir se B for falso; portanto, *B.false* é atribuído com o valor de *S.next*. Um novo rótulo *B.true* é conectado à primeira instrução de S_1; o código para B gera um desvio para esse rótulo se B for verdadeiro. Após o código para S_1, colocamos a instrução goto *begin*, que causa um desvio para o início do código da expressão booleana. Observe que S_1.*next* é atribuído com esse rótulo *begin*, assim os desvios de dentro de S_1.*code* podem ir diretamente para *begin*.

O código para $S \rightarrow S_1\ S_2$ consiste no código para S_1 seguido pelo código para S_2. As regras semânticas gerenciam os rótulos; a primeira instrução após o código para S_1 é o início do código para S_2; e a instrução após o código para S_2 é também a instrução após o código para S.

Discutiremos mais sobre a tradução dos comandos de fluxo de controle na Seção 6.7. Lá, veremos um método alternativo, chamado *remendo*, o qual emite código para os comandos em um passo.

6.6.4 Tradução de fluxo de controle de expressões booleanas

As regras semânticas para as expressões booleanas da Figura 6.37 complementam as regras semânticas para os comandos da Figura 6.36. Assim como no leiaute de código da Figura 6.35, uma expressão booleana B é traduzida para instruções de três endereços que avaliam B usando desvios condicionais e incondicionais para um dos dois rótulos: *B.true* se B é verdadeiro, e *B.false* se B for falso.

A quarta produção na Figura 6.37, $B \rightarrow E_1$ **rel** E_2, é traduzida diretamente para uma instrução de três endereços de comparação, com desvios para os endereços apropriados. Por exemplo, B da forma $a < b$ se traduz para:

```
if a < b goto B.true
goto B.false
```

As produções restantes para B são traduzidas da seguinte forma:

1. Suponha que B seja da forma $B_1\ ||\ B_2$. Se B_1 for verdadeiro, então sabemos imediatamente que o próprio B é verdadeiro, assim B_1.*true* é o mesmo que *B.true*. Se B_1 for falso, então B_2 deve ser avaliado, de modo que fazemos B_1.*false* ser o rótulo da primeira instrução no código de B_2. As saídas, verdadeiro e falso, de B_2 são iguais às saídas verdadeiro e falso de B, respectivamente.
2. A tradução de $B_1\ \&\&\ B_2$ é semelhante.
3. Nenhum código é necessário para uma expressão B na forma ! B_1: apenas troque as saídas, verdadeiro e falso, de B_1 para obter as saídas, verdadeiro e falso, de B.
4. As constantes **true** e **false** são traduzidas para desvios para *B.true* e *B.false*, respectivamente.

---

[8] Se implementadas literalmente, as regras semânticas gerarão muitos rótulos e poderão conectar mais de um rótulo a uma instrução de três endereços. A abordagem de remendo da Seção 6.7 cria rótulos apenas quando eles são necessários. Como alternativa, rótulos desnecessários poderão ser eliminados durante uma fase de otimização subsequente.

Produção	Regras Semânticas
$B \to B_1 \parallel B_2$	$B_1.true = B.true$
	$B_1.false = newlabel()$
	$B_2.true = B.true$
	$B_2.false = B.false$
	$B.code = B_1.code \parallel label(B_1.false) \parallel B_2.code$
$B \to B_1 \,\&\&\, B_2$	$B_1.true = newlabel()$
	$B_1.false = B.false$
	$B_2.true = B.true$
	$B_2.false = B.false$
	$B.code = B_1.code \parallel label(B_1.true) \parallel B_2.code$
$B \to \,! B_1$	$B_1.true = B.false$
	$B_1.false = B.true$
	$B.code = B_1.code$
$B \to E_1 \text{ rel } E_2$	$B.code = E_1.code \parallel E_2.code$
	$\parallel gen(\texttt{'if'}\ E_1.addr\ \textbf{rel}.op\ E_2.addr\ \texttt{'goto'}\ B.true)$
	$\parallel gen(\texttt{'goto'}\ B.false)$
$B \to \textbf{true}$	$B.code = gen(\texttt{'goto'}\ B.true)$
$B \to \textbf{false}$	$B.code = gen(\texttt{'goto'}\ B.false)$

FIGURA 6.37 Gerando código de três endereços para os booleanos.

EXEMPLO 6.22: Considere novamente o comando a seguir do Exemplo 6.21:

$$\texttt{if(x < 100 || x > 200 \&\& x != y) x = 0;} \tag{6.13}$$

Usando as definições dirigidas por sintaxe das Figuras 6.36 e 6.37, obteríamos o código da Figura 6.38.

```
            if x < 100 goto L₂
            goto L₃
    L₃:     if x > 200 goto L₄
            goto L₁
    L₄:     if x != y goto L₂
            goto L₁
    L₂:     x = 0
    L₁:
```

FIGURA 6.38 Tradução do fluxo de controle de um comando if simples.

O comando (6.13) constitui um programa gerado por $P \to S$ a partir da Figura 6.36. As regras semânticas para a produção geram um novo rótulo L_1 para a instrução após o código de S. O comando S tem a forma **if** $(B)\ S_1$, onde S_1 é $\texttt{x = 0;}$, assim as regras da Figura 6.36 geram um novo rótulo L_2 e o conectam à primeira instrução (e única, nesse caso) em $S_1.code$, que é $\texttt{x = 0}$.

Como $\parallel$ tem menor precedência que &&, a expressão booleana em (6.13) tem a forma $B_1 \parallel B_2$, onde B_1 é $x < 100$. Seguindo as regras da Figura 6.37, $B_1.true$ é L_2, o rótulo da atribuição $\texttt{x = 0;}$. $B_1.false$ é um novo rótulo L_3, conectado à primeira instrução no código para B_2.

Observe que o código gerado não é ótimo, porque a tradução tem três instruções (gotos) a mais que o código no Exemplo 6.21. A instrução $\texttt{goto L}_3$ é redundante, pois L_3 é o rótulo da próxima instrução. As duas instruções $\texttt{goto L}_1$ podem ser eliminadas se for usado $\texttt{ifFalse}$ no lugar das instruções $\texttt{if}$, como no Exemplo 6.21.

6.6.5 EVITANDO GOTOS REDUNDANTES

No Exemplo 6.22, a comparação $x > 200$ é traduzida para o fragmento de código:

```
        if x > 200 goto L₄
        goto L₁
L₄:     ...
```

Em vez disso, considere a instrução:

```
            ifFalse x > 200 goto L₁
L₄:         ...
```

Essa instrução ifFalse tira proveito do fluxo natural de uma instrução para a próxima na seqüência, de modo que o controle simplesmente 'segue' para o rótulo L_4 se $x > 200$ for falso, evitando assim um desvio.

Nos leiautes de código para os comandos if e while da Figura 6.35, o código para o comando S_1 segue imediatamente o código para a expressão booleiana B. Usando um rótulo especial *fall* (ou seja, 'não gere nenhum desvio'), é possível adaptar as regras semânticas das Figuras 6.36 e 6.37 para permitir que o controle siga do código de B para o código de S_1. As novas regras semânticas para a produção $S \rightarrow \textbf{if}\ (B)\ S_1$ da Figura 6.36 definem *B.true* como *fall*:

$$B.true = fall$$
$$B.false = S_1.next = S.next$$
$$S.code = B.code\ \|\ S_1.code$$

De forma semelhante, as regras para os comandos if-else e while também definem B.true como fall.

Agora, adaptamos as regras semânticas para as expressões booleanas, para permitir que o controle siga em frente sempre que for possível. As novas regras para $B \rightarrow E_1\ \textbf{rel}\ E_2$ da Figura 6.39 geram duas instruções, como na Figura 6.37, se tanto *B.true* quanto *B.false* forem rótulos explícitos; ou seja, nenhum seja igual a *fall*. Caso contrário, se *B.true* for um rótulo explícito, então *B.false* precisa ser *fall*, de modo que eles gerem uma instrução if que permita que o controle prossiga se a condição for falsa. Reciprocamente, se *B.false* for um rótulo explícito, então eles geram uma instrução ifFalse. No caso restante, tanto *B.true* quanto *B.false* são *fall*, de modo que nenhum desvio é gerado.[9]

test = E_1.addr **rel**.op E_2.addr
s = **if** B.true ≠ fall **and** B.false ≠ fall **then**
    gen('if' test 'goto' B.true) || gen('goto' B.false)
else if B.true ≠ fall **then** gen('if' test 'goto' B.true)
else if B.false ≠ fall **then** gen('ifFalse' test 'goto' B.false)
else ' '
B.code = E_1.code || E_2.code || s

FIGURA 6.39 Regras semânticas para $B \rightarrow E_1\ \textbf{rel}\ E_2$.

Nas novas regras para $B \rightarrow B_1\ \|\ B_2$ na Figura 6.40, observe que o significado do rótulo *fall* para B é diferente de seu significado para B_1. Suponha que *B.true* seja *fall*; ou seja, o controle prossegue para B, se B é avaliado como verdadeiro. Embora B seja verdadeiro se B_1 também o for, B_1.*true* precisa garantir que o controle desvia sobre o código de B_2 para chegar à próxima instrução após B.

Por outro lado, se B_1 for avaliado como falso, o valor verdade de B é determinado pelo valor de B_2, de modo que as regras na Figura 6.40 garantem que B_1.*false* corresponde ao controle seguindo de B_1 para o código de B_2.

As regras semânticas para $B \rightarrow B_1\ \&\&\ B_2$ são semelhantes àquelas da Figura 6.40. Elas ficam como um exercício.

EXEMPLO 6.23: Com as novas regras usando o rótulo especial *fall*, o programa (6.13) do Exemplo 6.21:

```
            if( x < 100 || x > 200 && x != y ) x = 0;
```

é traduzido no código da Figura 6.41.

---

9 Em C e Java, as expressões podem conter atribuições dentro delas, de modo que precisa ser gerado um código para as subexpressões E_1 e E_2, mesmo que B.*true* e B.*false* sejam *fall*. Se desejar, o código morto pode ser eliminado durante a fase de otimização.

$B_1.true$ = **if** $B.true \neq fall$ **then** $B.true$ **else** $newlabel()$
$B_1.false = fall$
$B_2.true = B.true$
$B_2.false = B.false$
$B.code$ = **if** $B.true \neq fall$ **then** $B_1.code \parallel B_2.code$
 else $B_1.code \parallel B_2.code \parallel label(B_1.true)$

FIGURA 6.40 Regras semânticas para $B \rightarrow B_1 \parallel B_2$.

```
        if x < 100 goto L₂
        ifFalse x > 200 goto L₁
        ifFalse x != y goto L₁
   L₂: x = 0
   L₁:
```

FIGURA 6.41 Comando if traduzido usando a técnica *fall-through*.

Assim como no Exemplo 6.22, as regras para $P \rightarrow S$ criam o rótulo L_1. A diferença do Exemplo 6.22 é que o atributo herdado $B.true$ é *fall* quando as regras semânticas para $B \rightarrow B_1 \parallel B_2$ são aplicadas ($B.false$ é L_1). As regras da Figura 6.40 criam um novo rótulo L_2 para permitir um desvio sobre o código de B_2 se B_1 for avaliado como verdadeiro. Assim, $B_1.true$ é L_2 e $B_1.false$ é *fall*, pois B_2 precisa ser avaliado se B_1 for falso.

A produção $B \rightarrow E_1$ **rel** E_2 que gera $x < 100$ é, portanto, alcançada com $B.true = L_2$ e $B.false = fall$. Com esses rótulos herdados, as regras da Figura 6.39 geram, portanto, uma única instrução `if x < 100 goto L2`.

6.6.6 Valores booleanos e código de desvio

O foco nesta seção tem sido no uso de expressões booleanas para alterar o fluxo de controle dos comandos. Uma expressão booleana também pode ser avaliada pelo seu valor, como nos comandos de atribuição do tipo `x = true;` ou `x = a<b;`.

Uma forma de tratar os dois papéis das expressões booleanas é, primeiro, construir uma árvore de sintaxe para as expressões, usando uma das seguintes abordagens:

1. *Usar dois passos*. Construa uma árvore de sintaxe completa para a entrada e então percorra a árvore em profundidade, computando as traduções especificadas pelas regras semânticas.
2. *Usar um passo para comandos, mas dois passos para expressões*. Com esta abordagem, traduziríamos o E de **while** $(E) S_1$ antes de S_1 ser examinado. A tradução de E, contudo, seria feita construindo-se sua árvore de sintaxe e então percorrendo-a.

A gramática a seguir tem um único não-terminal E para expressões:

$S \rightarrow$ **id** $= E$; $\mid$ **if** $(E) S \mid$ **while** $(E) S \mid S S$
$E \rightarrow E \parallel E \mid E \&\& E \mid E$ **rel** $E \mid E + E \mid (E) \mid$ **id** $\mid$ **true** $\mid$ **false**

O não-terminal E dirige o fluxo de controle em $S \rightarrow$ **while** $(E) S_1$. O mesmo não-terminal E denota um valor em $S \rightarrow$ **id** $= E$; e $E \rightarrow E + E$.

Podemos tratar desses dois papéis das expressões usando funções de geração de código separadas. Suponha que o atributo $E.n$ denote o nó da árvore de sintaxe para uma expressão E, e que os nós sejam objetos. Considere que o método *jump* gere código de desvio em um nó de expressão, e considere que o método *rvalue* gere código para computar o valor do nó em um temporário.

Quando E aparece em $S \rightarrow$ **while** $(E) S_1$, o método *jump* é chamado no nó $E.n$. A implementação de *jump* é baseada nas regras para as expressões booleanas da Figura 6.37. Especificamente, o código de desvio é gerado ativando $E.n.jump(t, f)$, onde t é um novo rótulo para a primeira instrução de $S_1.code$ e f é o rótulo $S.next$.

Quando E aparece em $S \rightarrow$ **id** $= E$;, o método *rvalue* é chamado no nó $E.n$. Se E tem a forma $E_1 + E_2$, a chamada do método $E.n.rvalue()$ gera código conforme discutimos na Seção 6.4. Se E tem a forma $E_1 \&\& E_2$, primeiro geramos o código de desvio para E e então atribuímos *true* ou *false* a um novo temporário `t` nas saídas verdadeiro e falso, respectivamente, a partir do código de desvio.

Por exemplo, a atribuição `x = a < b && c < d` pode ser implementada pelo código da Figura 6.42.

```
                    ifFalse a < b goto L₁
                    ifFalse c > d goto L₁
                    t = true
                    goto L₂
              L₁:   t = false
              L₂:   x = t
```

FIGURA 6.42 Traduzindo uma atribuição booleana pelo cálculo do valor de um temporário.

6.6.7 EXERCÍCIOS DA SEÇÃO 6.6

Exercício 6.6.1: Inclua regras à definição dirigida por sintaxe da Figura 6.36 para as seguintes construções de fluxo de controle:
   a) Um comando *repeat*: **repeat** *S* **while** *B*.
! b) Um *loop for*: **for** (S_1; B; S_2) S_3.

Exercício 6.6.2: As máquinas modernas tentam executar muitas instruções ao mesmo tempo, incluindo instruções de desvio. Assim, existe um grande custo se a máquina especulativamente seguir um desvio, quando o controle realmente seguir outro caminho (todo o trabalho especulativo é jogado fora). Portanto, é desejável minimizar o número de desvios. Observe que a implementação do *loop* while da Figura 6.35(c) tem dois desvios por iteração: um para entrar no corpo a partir da condição B e o outro para desviar de volta para o código de B. Como resultado, normalmente é preferível implementar **while** (B) S como se fosse **if** (B) { **repeat** S **until** !(B) }. Mostre como fica o leiaute do código para essa tradução, e revise a regra para o *loop* while da Figura 6.36.

! **Exercício 6.6.3:** Suponha que exista um operador 'ou exclusivo (*exclusive-or*)' (verdadeiro se e somente se exatamente um desses dois argumentos for verdadeiro) na linguagem C. Escreva a regra para esse operador no estilo da Figura 6.37.

Exercício 6.6.4: Traduza as seguintes expressões usando o esquema de tradução evitando o *goto*, da Seção 6.6.5:
```
   a) if (a==b && c==d || e==f) x == 1;
   b) if (a==b || c==d || e==f) x == 1;
   c) if (a==b && c==d && e==f) x == 1;
```

Exercício 6.6.5: Dê um esquema de tradução baseado na definição dirigida por sintaxe das Figuras 6.36 e 6.37.

Exercício 6.6.6: Adapte as regras semânticas das Figuras 6.36 e 6.37 para permitir que o controle prossiga (*fall through*), usando regras como aquelas das Figuras 6.39 e 6.40.

! **Exercício 6.6.7:** As regras semânticas para comandos no Exercício 6.6.6 geram rótulos desnecessários. Modifique as regras para os comandos da Figura 6.36 a fim de criar rótulos conforme a necessidade, usando um rótulo especial *deferred* para indicar que um rótulo ainda não foi criado. Suas regras precisam gerar código semelhante ao do Exemplo 6.21.

!! **Exercício 6.6.8:** A Seção 6.6.5 fala sobre o uso do código de prosseguimento para minimizar o número de desvios no código intermediário gerado. Porém, ela não tira proveito da opção para substituir uma condição por seu complemento, ou seja, substituir if a < b goto L_1; goto L_2 por if b >= a goto L2; goto L1. Desenvolva uma SDD que tire proveito dessa opção quando for necessário.

6.7 REMENDOS

Um problema importante quando se gera código para expressões booleanas e comandos de fluxo de controle é o de casar uma instrução de desvio com o destino do desvio. Por exemplo, a tradução da expressão booleana B em if (B) S contém um desvio, no caso de B ser falso, para a instrução seguinte ao código de S. Em uma tradução de um passo, B precisa ser traduzido antes que S seja examinado. Qual, então, é o destino do goto que desvia para o código após S? Na Seção 6.6, resolvemos esse problema passando rótulos como atributos herdados para onde as instruções de desvio relevantes eram geradas. Mas um passo separado é então necessário para vincular os rótulos aos endereços.

Esta seção usa uma abordagem complementar, chamada *remendo*, na qual são passadas listas de desvios como atributos sintetizados. Especificamente, quando um desvio é gerado, o objeto do desvio fica temporariamente sem especificação. Cada desvio desse tipo é colocado em uma lista de desvios cujos rótulos serão preenchidos quando o rótulo apropriado puder ser determinado. Todos os desvios em uma lista possuem o mesmo rótulo de destino.

6.7.1 GERAÇÃO DE CÓDIGO EM UM PASSO USANDO REMENDO

O remendo pode ser usado para gerar código para expressões booleanas e comandos de fluxo de controle em um passo. As traduções que geramos terão a mesma forma daquelas na Seção 6.6, exceto pela maneira como gerenciamos rótulos.

Nesta seção, os atributos sintetizados *truelist* e *falselist* do não-terminal B são usados para gerenciar os rótulos no código de desvio das expressões booleanas. Em particular, *B.truelist* é uma lista de instruções com desvios condicionais ou incondicionais para a qual devemos inserir um rótulo, e cujo fluxo de controle flui se B é verdadeiro. *B.falselist*, da mesma forma, é uma lista de instruções, que eventualmente recebe um rótulo e cujo fluxo de controle flui quando B é falso. À medida que o código é gerado para B, os desvios para as saídas verdadeiro e falso são deixados incompletos, com o campo de rótulo não preenchido. Esses desvios incompletos são colocados em listas apontadas por *B.truelist* e *B.falselist*, como for apropriado. De forma semelhante, um comando S tem um atributo sintetizado *S.nextlist*, denotando uma lista de desvios para a instrução imediatamente após o código de S.

Por especificidade, geramos as instruções em um arranjo de instruções, e os rótulos serão os índices desse arranjo. Para manipular as listas de desvios, usamos três funções:

1. *makelist(i)* cria uma nova lista contendo apenas *i*, um índice para o arranjo de instruções; *makelist* retorna um apontador para a lista recém criada.
2. *merge*(p_1,p_2) concatena as listas apontadas por p_1 e p_2, e retorna um apontador para a lista concatenada.
3. *backpatch(p,i)* insere *i* como rótulo de destino para cada uma das instruções na lista apontada por *p*.

6.7.2 Remendo para expressões booleanas

Agora, construímos um esquema de tradução adequado para a geração de código para expressões booleanas durante a análise ascendente. Um não-terminal marcador M na gramática faz com que sua ação semântica pegue, em momentos apropriados, o índice da próxima instrução a ser gerada. A gramática é a seguinte:

$$B \rightarrow B_1 \parallel M\ B_2 \mid B_1\ \&\&\ M\ B_2 \mid !\ B_1 \mid (\ B_1\ ) \mid E_1\ \mathbf{rel}\ E_2 \mid \mathbf{true} \mid \mathbf{false}$$
$$M \rightarrow \epsilon$$

O esquema de tradução está na Figura 6.43.

1) $B \rightarrow B_1 \parallel M\ B_2$ { *backpatch*(B_1.*falselist*, *M.instr*);
          B.truelist = *merge*(B_1.*truelist*, B_2.*truelist*);
          B.falselist = B_2.*falselist*; }

2) $B \rightarrow B_1\ \&\&\ M\ B_2$ { *backpatch*(B_1.*truelist*, *M.instr*);
          B.truelist = B_2.*truelist*;
          B.falselist = *merge*(B_1.*falselist*, B_2.*falselist*); }

3) $B \rightarrow !\ B_1$ { *B.truelist* = B_1.*falselist*;
          B.falselist = B_1.*truelist*; }

4) $B \rightarrow (\ B_1\ )$ { *B.truelist* = B_1.*truelist*;
          B.falselist = B_1.*falselist*; }

5) $B \rightarrow E_1\ \mathbf{rel}\ E_2$ { *B.truelist* = *makelist*(*nextinstr*);
          { *B*.falselist = *makelist*(*nextinstr* + 1);
          emit('`if`' E_1.*addr* **rel**.*op* E_2.*addr* '`goto _`');
          emit('`goto _`'); }

6) $B \rightarrow \mathbf{true}$ { *B.truelist* = *makelist*(*nextinstr*);
          emit('`goto _`'); }

7) $B \rightarrow \mathbf{false}$ { *B.falselist* = *makelist*(*nextinstr*);
          emit('`goto _`'); }

8) $M \rightarrow \epsilon$ *M.instr* = *nextinstr*; }

Figura 6.43 Esquema de tradução para expressões booleanas.

Considere a ação semântica (1) para a produção $B \rightarrow B_1 \parallel M\ B_2$. Se B_1 for verdadeiro, então B também é verdadeiro, de modo que os desvios em B_1.*truelist* se tornam parte de *B.truelist*. Contudo, se B_1 for falso, em seguida precisamos testar B_2, de modo que o destino para os desvios $B_1.falselist$ deve ser o início do código gerado para B_2. Esse destino é obtido usando-se o não-terminal marcador M. Esse não-terminal produz, como atributo sintetizado $M.instr$, o índice da próxima instrução, imediatamente antes de o código de B_2 começar a ser gerado.

Para obter o índice dessa instrução, associamos à produção $M \to \epsilon$ a ação semântica:

$$\{\ M.instr = nextinstr;\ \}$$

A variável *nextinstr* contém o índice da próxima instrução a seguir. Esse valor será remendado na $B_1.falselist$ (ou seja, cada instrução da lista $B_1.falselist$ receberá $M.instr$ como seu rótulo de destino) quando tivermos visto o restante da produção $B \to B_1 \parallel M\ B_2$.

A ação semântica (2) para $B \to B_1$ && $M\ B_2$ é semelhante a (1). A ação (3) para $B \to !\ B$ inverte as listas *true* e *false*. A ação (4) ignora os parênteses.

Por simplicidade, a ação semântica (5) gera duas instruções de desvio, um *goto* condicional e um incondicional. Nenhum deles tem seu destino preenchido. Essas instruções são colocadas em novas listas, apontadas por $B.truelist$ e $B.falselist$, respectivamente.

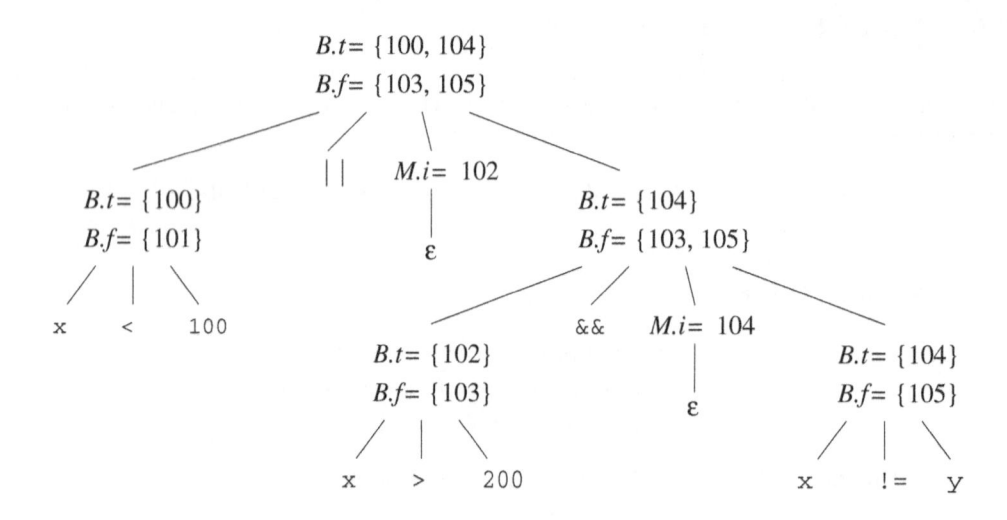

FIGURA 6.44 Árvore de derivação anotada para $x < 100 \parallel x > 200$ && $x\ !=\ y$.

EXEMPLO 6.24: Considere novamente a expressão

$$x < 100 \parallel x > 200\ \&\&\ x\ != y$$

Uma árvore de derivação anotada é mostrada na Figura 6.44; por legibilidade, os atributos *truelist*, *falselist* e *instr* são representados por suas letras iniciais. As ações são executadas durante um caminhamento em profundidade na árvore. Como todas as ações aparecem nos extremos dos lados direitos das produções, elas podem ser efetuadas em conjunto com as reduções durante uma análise ascendente. Em resposta à redução de $x < 100$ para B segundo a produção (5), as duas instruções:

```
100: if x < 100 goto _
101: goto _
```

são geradas. (Arbitrariamente, o endereço da primeira instrução gerada é 100.) O não-terminal marcador M na produção:

$$B \to B_1 \parallel M\ B_2$$

registra o valor de *nextinstr*, que desta vez é 102. A redução de $x > 200$ para B segundo a produção (5) gera as instruções

```
102: if x > 200 goto _
103: goto _
```

A subexpressão $x > 200$ corresponde a B_1 na produção

$$B \to B_1\ \&\&\ M\ B_2$$

O não-terminal marcador *M* registra o valor corrente de *nextinstr*, o qual agora é 104. A redução *x* != *y* para *B* segundo a produção (5) gera

```
104: if x != y goto _
105: goto _
```

Agora, reduzimos segundo a produção *B* → *B*₁ && *M* *B*₂. A ação semântica correspondente chama *backpatch*(*B*₁.*truelist*,*M.instr*) para vincular a saída verdadeira de *B*₁ à primeira instrução de *B*₂. Como *B*₁.*truelist* é {102} e *M.instr* é 104, essa chamada a *backpatch* preenche com 104 a instrução 102. As seis instruções geradas até aqui são, portanto, conforme mostramos na Figura 6.45(a).

```
100: if x < 100 goto _
101: goto _
102: if x > 200 goto 104
103: goto _
104: if x != y goto _
105: goto _
```
(a) Após o remendo de 104 na instrução goto 102.

```
100: if x < 100 goto _
101: goto 102
102: if y > 200 goto 104
103: goto _
104: if x != y goto _
105: goto _
```
(b) Após o remendo de 102 no goto da instrução 101.

FIGURA 6.45 Passos no processo de remendo.

A ação semântica associada à redução final segundo a produção *B* → *B*₁ || *M* *B*₂ chama *backpatch*({101},102), a qual deixa as instruções como na Figura 6.45(b).

A expressão inteira é verdadeira se e somente se os gotos *das* instruções 100 ou 104 forem alcançados. A expressão inteira é falsa se e somente se os gotos das instruções 103 ou 105 forem alcançados. Essas instruções terão seus destinos preenchidos mais adiante na compilação, quando for visto o que deve ser feito, dependendo da veracidade ou falsidade da expressão.

6.7.3 COMANDOS DE FLUXO DE CONTROLE

Agora, usamos o remendo para traduzir os comandos de fluxo de controle em um passo. Considere os comandos gerados pela seguinte gramática:

$$S \rightarrow \textbf{if}(B) S \mid \textbf{if} (B) S \textbf{ else } S \mid \textbf{while} (B) S \mid \{ L \} \mid A ;$$
$$L \rightarrow L S \mid S$$

Nesta gramática, *S* denota um comando, *L* uma lista de comandos, *A* um comando de atribuição, e *B* uma expressão booleana. Observe que é preciso haver outras produções, como àquelas para os comandos de atribuição. As produções dadas, contudo, são suficientes para ilustrar as técnicas usadas para traduzir os comandos de fluxo de controle.

O leiaute do código para os comandos if, if-else e while é igual ao da Seção 6.6. Fazemos uma suposição tácita de que a seqüência de código no arranjo de instruções reflete o fluxo de controle natural de uma instrução para a seguinte. Se não, então desvios explícitos devem ser inseridos para implementar o fluxo de controle seqüencial natural.

O esquema de tradução na Figura 6.46 contém listas de desvios que são preenchidas quando seus destinos são encontrados. Assim como na Figura 6.43, as expressões booleanas geradas pelo não-terminal *B* têm duas listas de desvios, *B.truelist* e *B.falselist*, correspondentes às saídas, verdadeiro e falso, do código de *B*, respectivamente. Os comandos gerados pelos não-terminais *S* e *L* possuem uma lista de desvios não preenchidos, dados pelo atributo *nextlist*, que eventualmente devem ser remendados. *S.nextlist* é uma lista de todos os desvios condicionais e incondicionais para a instrução após o código do comando *S* na ordem de execução. *L.nextlist* é definida de forma semelhante.

1) $S \rightarrow \textbf{if} \, (\, B \,) \, M \, S_1$ { $backpatch(B.truelist, M.instr);$
　　　　　　　　　　　　　　　　　　$S.nextlist = merge(B.falselist, S_1.nextlist);$ }

2) $S \rightarrow \textbf{if} \, (\, B \,) \, M_1 \, S_1 \, N \, \textbf{else} \, M_2 \, S_2$
　　　　　　　　　　　　　　　　　　{ $backpatch(B.truelist, M_1.instr);$
　　　　　　　　　　　　　　　　　　$backpatch(B.falselist, M_2.instr);$
　　　　　　　　　　　　　　　　　　$temp = merge(S_1.nextlist, N.nextlist);$
　　　　　　　　　　　　　　　　　　$S.nextlist = merge(temp, S_2.nextlist);$ }

3) $S \rightarrow \textbf{while} \, M_1 \, (\, B \,) \, M_2 \, S_1\}$
　　　　　　　　　　　　　　　　　　{ $backpatch(S_1.nextlist, M_1.instr);$
　　　　　　　　　　　　　　　　　　$backpatch(B.truelist, M_2.instr);$
　　　　　　　　　　　　　　　　　　$S.nextlist = B.falselist;$
　　　　　　　　　　　　　　　　　　$emit(\text{`goto'} \, M_1.instr);$ }

4) $S \rightarrow \{ \, L \, \}$ { $S.nextlist = L.nextlist;$ }

5) $S \rightarrow A \, ;$ { $S.nextlist = \textbf{null};$ }

6) $M \rightarrow \epsilon$ { $M.instr = nextinstr;$ }

7) $N \rightarrow \epsilon$ { $N.nextlist = makelist(nextinstr);$
　　　　　　　　　　　$emit(\text{`goto \_'});$ }

8) $L \rightarrow L_1 \, M \, S$ { $backpatch(L_1.nextlist, M.instr);$
　　　　　　　　　　　　$L.nextlist = S.nextlist;$ }

9) $L \rightarrow S$ { $L.nextlist = S.nextlist;$ }

FIGURA 6.46 Tradução de comandos.

Considere a ação semântica (3) na Figura 6.46. O leiaute do código para a produção $S \rightarrow \textbf{while} \, (\, B \,) \, S_1$ é como na Figura 6.35(c). As duas ocorrências do não-terminal marcador M na produção

$$S \rightarrow \textbf{while} \, M_1 \, (\, B \,) \, M_2 \, S_1$$

registram os números das instruções do início do código de B e do início do código de S_1. Os rótulos correspondentes na Figura 6.35(c) são *begin* e *B.true*, respectivamente.

Novamente, a única produção para M é $M \rightarrow \epsilon$. A ação (6) na Figura 6.46 define o atributo $M.instr$ como o número da próxima instrução. Após a execução do corpo S_1 do comando while, o controle flui para o início. Portanto, quando reduzimos **while** $M_1 \, (\, B \,) \, M_2 \, S_1$ para S, realizamos o remendo de $S_1.nextlist$ para fazer com que todos os destinos nessa lista sejam $M_1.instr$. Um desvio explícito para o início do código de B é anexado após o código para S_1, porque o controle também pode 'sair pelo fundo'. *B.truelist* é remendado para ir para o início de S_1 fazendo com que os desvios em *B.truelist* sigam para $M_2.instr$.

Um argumento mais forte para o uso de *S.nextlist* e *L.nextlist* surge quando é gerado o código para o comando condicional **if** $(\, B \,) \, S_1$ **else** S_2. Se o controle 'sair pelo fundo' de S_1, como quando S_1 é uma atribuição, devemos incluir no fim do código de S_1 um desvio sobre o código de S_2. Usamos outro não-terminal marcador para gerar esse desvio após S_1. Considere que o não-terminal N seja esse marcador com produção $N \rightarrow \epsilon$. N possui o atributo $N.nextlist$, o qual será uma lista contendo o número da instrução de desvio `goto _` que é gerada pela ação semântica (7) para N.

A ação semântica (2) na Figura 6.46 trata dos comandos if-else com a sintaxe

$$S \rightarrow \textbf{if} \, (\, B \,) \, M_1 \, S_1 \, N \, \textbf{else} \, M_2 \, S_2$$

Remendamos os desvios quando B é verdadeiro com o valor de $M_1.instr$; esta última é o início do código para S_1. De forma semelhante, remendamos os desvios quando B é falso para ir até o início do código para S_2. A lista *S.nextlist* inclui todos os desvios que saem de S_1 e S_2, além do desvio gerado por N. (A variável *temp* é um temporário usado apenas para intercalar as listas.)

As ações semânticas (8) e (9) tratam as seqüências de comandos. Em

$$L \rightarrow L_1 \, M \, S$$

a instrução seguinte ao código para L_1 na ordem de execução é o início de S. Assim, a lista $L_1.nextlist$ é remendada com o início do código para S, o qual é dado por $M.instr$. Em $L \rightarrow S$, $L.nextlist$ é o mesmo que $S.nextlist$.

Observe que nenhuma instrução nova é gerada em nenhum ponto dessas regras semânticas, exceto para as regras (3) e (7). Todos os outros códigos são gerados pelas ações semânticas associadas com os comandos de atribuição e expressões. O fluxo de controle causa o remendo apropriado, desta forma as atribuições e avaliações de expressão booliana serão conectadas corretamente.

6.7.4 COMANDOS BREAK, CONTINUE E GOTO

A construção de linguagem de programação mais elementar para alterar o fluxo de controle em um programa é o comando goto. Em C, um comando como `goto L` desvia o controle para o comando rotulado com `L` — é preciso haver exatamente um comando com rótulo `L` nesse escopo. Os comandos goto podem ser implementados mantendo-se uma lista de desvios não preenchidos para cada rótulo e então, remendando-os com o destino quando ele for conhecido.

Java não possui comandos goto. Contudo, Java permite desvios disciplinados, chamados de comandos break, que desviam o controle para fora de uma construção envolvente, e comandos continue, que disparam a próxima iteração de um *loop* envolvente. O fragmento a seguir, extraído de um analisador léxico, ilustra os comandos break e continue simples:

```
1)    for ( ; ; readch() ) {
2)      if( peek == ' ' || peek == '\t' ) continue;
3)      else if( peek == '\n' ) line = line + 1;
4)      else break;
5)    }
```

O controle desvia do comando break na linha 4 para o próximo comando após o *loop* for. O controle desvia do comando continue na linha 2 para o código que avalia *readch*() e então para o comando if na linha 2.

Se S é a construção *loop* envolvente, então um comando break é um desvio para a primeira instrução após o código de S. Podemos gerar código para o break (1) controlando o contexto do comando envolvente S, (2) gerando um desvio não preenchido para a instrução break, e (3) colocando esse desvio não preenchido em $S.nextlist$, onde *nextlist* é conforme discutimos na Seção 6.7.3.

Em um *front-end* de dois passos que constrói árvores de sintaxes, $S.nextlist$ pode ser implementada como um campo no nó para S. Podemos controlar o contexto de S usando a tabela de símbolos para mapear um identificador especial **break** ao nó que corresponde o comando envolvente S. Essa abordagem também tratará os comandos break rotulados de Java, porque a tabela de símbolos pode ser usada para mapear o rótulo para o nó da árvore de sintaxe da construção *labeled*.

Como alternativa, em vez de usar a tabela de símbolos para acessar o nó para S, podemos colocar um apontador para $S.nextlist$ na tabela de símbolos. Agora, quando um comando break é alcançado, geramos um desvio não preenchido, pesquisamos por *nextlist* na tabela de símbolos, e incluímos o desvio para a lista, onde ele será remendado conforme discutimos na Seção 6.7.3.

O comando continue pode ser tratado de maneira semelhante ao comando break. A diferença principal entre os dois é que o destino do desvio gerado é diferente.

6.7.5 EXERCÍCIOS DA SEÇÃO 6.7

Exercício 6.7.1: Usando a tradução da Figura 6.43, traduza cada uma das expressões a seguir. Mostre as listas de verdadeiro e falso para cada subexpressão. Você pode assumir que o endereço da primeira instrução gerada é 100.

```
a) a==b && (c==d || e==f)
b) (a==b || c==d) || e==f
c) (a==b && c==d) && e==f
```

Exercício 6.7.2: Na Figura 6.47(a) está o esboço de um programa, e a Figura 6.47(b) esboça a estrutura do código de três endereços gerado, usando a tradução com remendo da Figura 6.46. Aqui, i_1 a i_8 são os rótulos das instruções geradas que iniciam cada uma das seções 'Code'. Quando implementamos essa tradução, mantemos para cada expressão booliana E duas listas de endereços no código de E, as quais denotamos por $E.true$ e $E.false$. Os endereços na lista $E.true$ são aqueles endereços onde finalmente colocamos o rótulo do comando, para o qual o controle precisa fluir sempre que E é verdadeiro; $E.false$ lista, de forma semelhante, os endereços onde colocamos o rótulo que controla os fluxos para quando E é falso. Além disso, mantemos, para cada comando S, uma lista de endereços onde devemos colocar o rótulo para o qual o controle flui quando S termina. Dê o valor (de i_1 até i_8) que finalmente substitui cada endereço em cada uma das listas a seguir:

(a) $E_3.false$ (b) $S_2.next$ (c) $E_4.false$ (d) $S_1.next$ (e) $E_2.true$

```
        while (E₁) {                    i₁: Código para E₁
            if (E₂)                     i₂: Código para E₂
                while (E₃)              i₃: Código para E₃
                    S₁;                 i₄: Código para S₁
            else {                      i₅: Código para E₄
                if (E₄)                 i₆: Código para S₂
                    S₂;                 i₇: Código para S₃
                S₃                      i₈: ...
            }
        }
              (a)                              (b)
```

FIGURA 6.47   Estrutura do fluxo de controle do programa para o Exercício 6.7.2.

Exercício 6.7.3: Ao realizar a tradução da Figura 6.47 usando o esquema da Figura 6.46, criamos listas $S.next$ para cada comando, começando com os comandos de atribuição S_1 S_2 e S_3, e prosseguindo para os comandos if, if-else, while e blocos de comandos progressivamente maiores. Existem cinco comandos construídos desse tipo na Figura 6.47:

S_4: **while** (E_3) S_1.

S_5: **if** (E_4) S_2.

S_6: O bloco consistindo em S_5 e S_3.

S_7: O comando **if** S_4 **else** S_6.

S_8: O programa inteiro.

Para cada um desses comandos construídos, existe uma regra que nos permite construir $S_i.next$ em termos de outras listas $S_j.next$, e as listas $E_k.true$ e $E_k.false$ para as expressões no programa. Dê as regras para

(a) $S_4.next$ (b) $S_5.next$ (c) $S_6.next$ (d) $S_7.next$ (e) $S_8.next$

6.8 COMANDOS SWITCH

O comando 'switch' ou 'case' está disponível em diversas linguagens. Nossa sintaxe para o comando switch aparece na Figura 6.48. Existe uma expressão seletora E, que deve ser avaliada, seguida por n valores constantes $V_1, V_2, \ldots, V_n$ que a expressão poderia assumir, talvez incluindo um 'valor' default, o qual sempre casa com a expressão, se nenhum outro valor casar.

```
switch ( E ) {
    case V₁:   S₁
    case V₂:   S₂
        . . .
    case Vₙ₋₁: Sₙ₋₁
    default:   Sₙ
}
```

FIGURA 6.48   Sintaxe do comando switch.

6.8.1 TRADUÇÃO DO COMANDO SWITCH

A tradução que se quer para um comando switch é um código para:
1. Avaliar a expressão E.
2. Encontrar o valor V_j na lista de casos que seja o mesmo que o valor da expressão. Lembre-se de que o valor default casa com a expressão se nenhum dos valores mencionados explicitamente nos casos casar.
3. Executar o comando S_j associado ao valor encontrado.

O caso (2) é um desvio de n vias, que pode ser implementado de diversas maneiras. Se o número de casos for pequeno, digamos 10 no máximo, então é razoável usar uma seqüência de desvios condicionais, cada um testando um valor individual e transferindo-se para o código do comando correspondente.

Uma forma compacta de implementar essa seqüência de desvios condicionais é criar uma tabela de pares, cada par consistindo em um valor e um rótulo para o código do comando correspondente. O valor da própria expressão, emparelhado com o rótulo para o comando default, é colocado no fim da tabela em tempo de execução. Um *loop* simples, gerado pelo compilador, compara o valor da expressão com cada valor na tabela, garantindo que, se nenhum outro casamento for efetuado, a última entrada (default) com certeza casará.

Se o número de valores ultrapassar 10 ou mais, é mais eficiente construir uma tabela hash para os valores, com os rótulos dos diversos comandos como entradas. Se nenhuma entrada para o valor da expressão switch for encontrada, será gerado um desvio para o comando default.

Existe um caso especial, muito comum, que pode ser implementado de forma ainda mais eficiente do que por um desvio de n vias. Se todos os valores estiverem em algum intervalo pequeno, digamos de *min* a *max*, e o número de valores diferentes for uma fração razoável de *max* − *min*, então podemos construir um arranjo de *max* − *min* recipientes, onde o recipiente j − *min* contém o rótulo do comando com valor j; qualquer recipiente que de outra forma permanecer não preenchido contém o rótulo default.

Para executar o switch, avalie a expressão para obter o valor j; verifique se ele está no intervalo de *min* a *max* e transfira indiretamente para a entrada da tabela no deslocamento j − *min*. Por exemplo, se a expressão for do tipo caractere, uma tabela de, digamos, 128 entradas (dependendo do conjunto de caracteres) pode ser criada e transferida sem o teste de intervalo.

6.8.2 Tradução dirigida por sintaxe de comandos switch

O código intermediário na Figura 6.49 é uma tradução conveniente do comando switch da Figura 6.48. Todos os testes aparecem no fim, de modo que um gerador de código simples pode reconhecer o desvio multicaminho e gerar código eficiente para ele, usando a implementação mais apropriada sugerida no início desta seção.

```
                código para avaliar E em t
                goto test
    L₁:         código para S₁
                goto next
    L₂:         código para S₂
                goto next
                ...
    Lₙ₋₁:       código para Sₙ₋₁
                goto next
    Lₙ:          código para Sₙ
                goto next
    test:       if t = V₁ goto L₁
                if t = V₂ goto L₂
                ...
                if t = Vₙ₋₁ goto Lₙ₋₁
                goto Lₙ
    next:
```

Figura 6.49 Tradução de um comando switch.

A seqüência mais direta, mostrada na Figura 6.50, exigiria que o compilador realizasse uma análise extensa para encontrar a implementação mais eficiente. Observe que é inconveniente, em um compilador de um único passo, colocar os comandos de desvio no início, pois o compilador não poderia então emitir código para cada um dos comandos S_i como visto.

Para traduzir para a forma da Figura 6.49, quando virmos a palavra-chave **switch**, geramos dois novos rótulos `test` e `next`, e um novo temporário t. Então, enquanto analisamos a expressão E, geramos código para avaliar E em t. Após processar E, geramos o desvio `goto test`.

Depois, ao ver cada palavra-chave **case**, criamos um novo rótulo L_i e o colocamos na tabela de símbolos. Instalamos em uma fila, usada apenas para armazenar os casos, um par valor-rótulo consistindo no valor V_i da constante de caso e L_i (ou um apontador para a entrada da tabela de símbolos para L_i). Processamos cada comando **case** $V_i : S_i$ emitindo o rótulo L_i, ligado ao código para S_i, seguido pelo desvio `goto next`.

Quando o fim do switch é encontrado, estamos prontos para gerar o código para o desvio de n vias. Lendo a fila dos pares valor-rótulo, podemos gerar uma seqüência de comandos de três endereços da forma mostrada na Figura 6.51. Lá, t é o temporário contendo o valor da expressão seletora E, e `Ln` é o rótulo para o comando default.

```
                    código para avaliar E em t
                    if t != V₁ goto L₁
                    código para S1
                    goto next
      L₁:           if t != V₂ goto L₂
                    código para S2
                    goto next
      L₂:
                    ...
      L_{n-2}:      if t != V_{n-1} goto L_{n-1}
                    código para Sn-1
                    goto next
      L_{n-1}:      código para Sn
      next:
```

FIGURA 6.50   Outra tradução de um comando switch.

```
                    case t V₁ L₁
                    case t V₂ L₂
                    ...
                    case t V_{n-1} L_{n-1}
                    case t t L_n
                    label next
```

FIGURA 6.51   Instruções *case* com código de três endereços usados para traduzir um comando switch.

A instrução case t V_i L_i é um sinônimo para if t = V_i goto L_i na Figura 6.49, mas a instrução case é mais fácil para o gerador de código detectar como candidata a tratamento especial. Na fase de geração de código, essas seqüências de comandos case podem ser traduzidas para um desvio de *n* vias do tipo mais eficiente, dependendo de quantos existem e se os valores caem em um intervalo pequeno.

6.8.3 Exercícios da Seção 6.8

! Exercício 6.8.1: Para traduzir um comando switch em uma seqüência de comandos case, como na Figura 6.51, o tradutor precisa criar a lista de pares valor-rótulo, enquanto processa o código fonte para o switch. Podemos fazer isso usando uma tradução adicional que acumula apenas os pares. Esboce uma definição dirigida por sintaxe que produza a lista de pares, enquanto também emite código para os comandos S_i que são as ações para cada caso.

6.9 Código intermediário para procedimentos

Os procedimentos e sua implementação serão discutidos com mais detalhes no Capítulo 7, juntamente com o gerenciamento em tempo de execução do armazenamento para nomes. Usamos o termo função nesta seção para um procedimento que retorna um valor. Discutimos rapidamente as declarações de função e o código de três endereços para chamadas de função. No código de três endereços, uma chamada de função é desmembrada na avaliação dos parâmetros em preparação para uma chamada, seguida pela própria chamada. Para simplificar, consideramos que os parâmetros são passados por valor; os métodos de passagem de parâmetro são discutidos na Seção 1.6.6.

Exemplo 6.25: Suponha que a seja um arranjo de inteiros e que f seja uma função de inteiros para inteiros. Então, a atribuição:

$$n = f(a[i]);$$

poderia ser traduzida para o seguinte código de três endereços:

```
1) t₁ = i * 4
2) t₂ = a [ t₁ ]
3) param t₂
4) t₃ = call f, 1
5) n = t₃
```

As duas primeiras linhas computam o valor da expressão a[i] para o temporário t_2, conforme discutimos na Seção 6.4. A linha 3 faz t_2 ser um parâmetro real para a chamada na linha 4 de f com um parâmetro. A linha 4 atribui o valor retornado pela chamada de função a t_3. A linha 5 atribui o valor retornado a n.

As produções na Figura 6.52 permitem definições de função e chamadas de função. (A sintaxe gera vírgulas indesejadas após o último parâmetro, mas é boa o suficiente para ilustrar a tradução.) Os não-terminais D e T geram declarações e tipos, respectivamente, como na Seção 6.3. Uma definição de função gerada por D consiste na palavra-chave **define**, um tipo de retorno, o nome da função, parâmetros formais entre parênteses e um corpo de função consistindo em um comando. O não-terminal F gera zero ou mais parâmetros formais, onde um parâmetro formal consiste em um tipo seguido por um identificador. Os não-terminais S e E geram comandos e expressões, respectivamente. A produção para S adiciona um comando que retorna o valor de uma expressão. A produção para E acrescenta chamadas de função, com os parâmetros reais gerados por A. Um parâmetro real é uma expressão.

$$D \rightarrow \textbf{define}\ T\ \textbf{id}\ (\ F\ )\ \{\ S\ \}$$
$$F \rightarrow \epsilon\ |\ T\ \textbf{id}\ ,\ F$$
$$S \rightarrow \textbf{return}\ E\ ;$$
$$E \rightarrow \textbf{id}\ (\ A\ )$$
$$A \rightarrow \epsilon\ |\ E\ ,\ A$$

FIGURA 6.52 Adicionando funções na linguagem fonte.

Definições de função e chamadas de função podem ser traduzidas usando-se os conceitos que já foram apresentados neste capítulo.

- *Tipos de função*. O tipo de uma função deve codificar o tipo de retorno e os tipos dos parâmetros formais. Considere que *void* seja um tipo especial que representa nenhum parâmetro ou nenhum tipo de retorno. O tipo de uma função *pop*() que retorna um inteiro é, portanto, uma 'função de *void* para *integer*'. Os tipos de função podem ser representados pelo uso de um construtor *fun* aplicado ao tipo de retorno e uma lista ordenada de tipos para os parâmetros.
- *Tabelas de símbolos*. Considere que s seja o topo da tabela de símbolos quando a definição de função for alcançada. O nome da função é inserido em s para uso no restante do programa. Os parâmetros formais de uma função podem ser tratados em analogia com os nomes de campo de um registro (veja a Figura 6.18). Na produção-D, após vermos **define** e o nome da função, colocamos s na pilha e criamos uma nova tabela de símbolos:

$$Env.push(top);\quad top = \textbf{new}\ Env(top);$$

Chame a nova tabela de símbolos de t. Observe que *top* é passado como parâmetro em **new** *Env(top)*, de modo que a nova tabela de símbolos t possa ser encadeada à anterior, s. A nova tabela t é usada para traduzir o corpo da função. Revertemos para a tabela de símbolos anterior s após o corpo da função ser traduzido.

- *Verificação de tipo*. Dentro das expressões, uma função é tratada como qualquer outro operador. Portanto, a discussão sobre verificação de tipo, na Seção 6.5.2, pode ser aproveitada, inclusive as regras para coerções. Por exemplo, se f é uma função com um parâmetro do tipo real, então o inteiro 2 é convertido para um real na chamada $f(2)$.
- *Chamadas de função*. Ao gerar instruções de três endereços para uma chamada de função **id** ($E,E,..., E$), é suficiente gerar as instruções de três endereços para avaliar ou reduzir os parâmetros E para endereços, seguidos por uma instrução param para cada parâmetro. Se não quisermos misturar as instruções de avaliação de parâmetro com as instruções *param*, o atributo *E.addr* para cada expressão E pode ser salvo em uma estrutura de dados como uma fila. Quando todas as expressões são traduzidas, as instruções param podem ser geradas à medida que a fila é esvaziada.

O procedimento é uma construção de programação tão importante e tão freqüentemente utilizada que é imperativo para um compilador que ele gere um bom código para chamadas e retornos de procedimento. As rotinas em tempo de execução que tratam passagem de parâmetro de procedimento, chamadas e retornos, fazem parte do pacote de suporte em tempo de execução. Os mecanismos para suporte em tempo de execução são discutidos no Capítulo 7.

6.10 Resumo do Capítulo 6

As técnicas deste capítulo podem ser combinadas para construir um *front-end* de um compilador simples, como aquele do Apêndice A. O *front-end* pode ser desenvolvido de forma incremental:

- *Selecione uma representação intermediária*: Uma representação intermediária tipicamente é alguma combinação de uma notação gráfica e código de três endereços. Como nas árvores de sintaxe, um nó em uma notação gráfica representa uma construção; os filhos de um nó representam suas subconstruções. O código de três endereços tem seu nome a partir das instruções no formato $x = y$ **op** z, com no máximo um operador por instrução. Existem instruções adicionais para fluxo de controle.
- *Traduza expressões*: As expressões com várias operações podem ser desmembradas em uma seqüência de operações individuais conectando-se ações a cada produção da forma $E \rightarrow E_1$ **op** E_2. A ação ou cria um nó para E com os nós para E_1 e E_2 como filhos, ou gera uma instrução de três endereços, que aplica **op** aos endereços para E_1 e E_2 e coloca o resultado em um novo nome temporário, o qual se torna o endereço para E.
- *Verifique os tipos*: O tipo de uma expressão E_1 **op** E_2 é determinado pelo operador **op** e pelos tipos de E_1 e E_2. Uma coerção é uma conversão de tipo implícita, como de *integer* para *float*. O código intermediário contém conversões de tipo explícitas para garantir um casamento exato entre os tipos dos operandos e os tipos esperados por um operador.
- *Use uma tabela de símbolos para implementar declarações:* Uma declaração especifica o tipo de um nome. A largura de um tipo é a quantidade de memória necessária para um nome com esse tipo. Usando larguras, o endereço relativo de um nome em tempo de execução pode ser calculado como um deslocamento a partir do início da área de dados. O tipo e o endereço relativo de um nome são colocados na tabela de símbolos devido a uma sua declaração, assim o tradutor pode mais tarde recuperá-los quando o nome aparecer em uma expressão.
- *Linearidade dos arranjos*: Para ter um acesso rápido, os elementos de um arranjo são armazenados em endereços consecutivos. Os arranjos de arranjos são armazenados linearmente, de modo que possam ser tratados como um arranjo unidimensional de elementos individuais. O tipo de um arranjo é usado para calcular o endereço de um elemento do arranjo relativo à base do arranjo.
- *Gere código de desvio para expressões booleanas*: No código de curto-circuito ou de desvio, o valor de uma expressão booleana está implícito na posição alcançada no código. O código de desvio é útil porque uma expressão booleana B tipicamente é usada para fluxo de controle, como em **if** (B) S. Os valores booleanos podem ser traduzidos desviando-se para t = true ou t = false, conforme o caso, onde t é um nome temporário. Usando rótulos de desvios, uma expressão booleana pode ser traduzida pelos rótulos herdados correspondentes às suas saídas de verdadeiro e falso. As constantes *true* e *false* são traduzidas para um desvio para as saídas de verdadeiro e falso, respectivamente.
- *Implemente comandos usando o fluxo de controle*: Os comandos podem ser traduzidos com base nos rótulos *next* herdados, onde *next* marca a primeira instrução após o código para esse comando. O comando condicional $S \rightarrow$ **if** (B) S_1 pode ser traduzido conectando-se um novo rótulo que marca o início do código para S_1, e passando-se o novo rótulo e *S.next* para as saídas de verdadeiro e falso de B, respectivamente.
- *Como alternativa, use o remendo*: Remendo é uma técnica para gerar código para expressões booleanas e comandos em um passo. A idéia é manter listas de desvios incompletos, onde todas as instruções de desvios na lista possuem o mesmo destino. Quando o destino se tornar conhecido, todas as instruções em sua lista serão completadas com o preenchimento do destino.
- *Implemente registros*: Os nomes dos campos em um registro ou classe podem ser tratados como uma seqüência de declarações. Um tipo registro codifica os tipos e endereços relativos dos campos. Um objeto da tabela de símbolos pode ser usado para essa finalidade.

6.11 Referências do Capítulo 6

A maior parte das técnicas apresentadas neste capítulo teve origem nas atividades de projeto e implementação em torno do Algol 60. A tradução dirigida por sintaxe para código intermediário consolidou-se na época em que as linguagens Pascal [11] e C [6, 9] foram criadas.

UNCOL (de Universal Compiler Oriented Language) é uma linguagem intermediária universal mítica, investigada desde meados da década de 1950. Dada uma representação em UNCOL, compiladores poderiam ser construídos conectando-se um *front-end* para dada linguagem fonte a um *back-end* para determinada linguagem objeto [10]. As técnicas de *bootstrapping* dadas no relatório [10] são utilizadas rotineiramente para redirecionar compiladores.

O ideal da UNCOL de misturar e casar *front-ends* com *back-ends* foi abordado de diversas maneiras. Um compilador redirecionável consiste em um *front-end* que pode ser reunido a diversos *back-ends* para implementar determinada linguagem em várias máquinas. Neliac foi um exemplo inicial de uma linguagem com um compilador redirecionável [5] escrito na própria linguagem. Outra técnica é construir um *front-end* para uma nova linguagem que se adapte a um compilador existente. Feldman [2] descreve a adição de um *front-end do* Fortran 77 a compiladores C [6] e [9]. GCC, a GNU Compiler Collection [3], admite *front-ends* para C, C++, Objective-C, Fortran, Java e Ada.

A codificação numérica e sua implementação via técnica hashing vêm de Ershov [1].

O uso da informação de tipo para melhorar a segurança dos bytecodes Java é descrito por Gosling [4].

A herança de tipo pelo uso da unificação para solucionar conjuntos de equações foi redescoberta várias vezes; sua aplicação em ML é descrita por Milner [7]. Veja em Pierce [8] um tratamento abrangente dos tipos.

1. ERSHOV, A. P. On programming of arithmetic operations, *Comm. ACM* 1:8 (1958), pp. 3-6. Veja também *Comm. ACM* 1:9 (1958), p. 16.
2. FELDMAN, S. I. Implementation of a portable Fortran 77 compiler using modern tools, *ACM SIGPLAN Notices* 14:8 (1979), pp. 98-106.
3. Home page do GCC (http://gcc.gnu.org/), Free Software Foundation.
4. GOSLING, J. Java intermediate bytecodes, *Proc. ACM SIGPLAN Workshop on Intermediate Representations* (1995), pp. 111-118.
5. HUSKEY, H. D.; HALSTEAD, M. H. e MCARTHUR, R. Neliac — a dialect of Algol, *Comm. ACM* 3:8 (1960), pp. 463-468.
6. JOHNSON, S. C., A tour through the portable C compiler, Murray Hill, N. J.: Bell Telephone Laboratories, Inc., 1979.
7. MILNER, R. A theory of type polymorphism in programming, *J. Computer and System Sciences* 17:3 (1978), pp. 348-375.
8. PIERCE, B.C. *Types and Programming Languages*, Cambridge Mass., MIT Press, 2002.
9. RITCHIE, D. M. A tour through the UNIX C compiler, Murray Hill, N. J.: Bell Telephone Laboratories, Inc., 1979.
10. STRONG, J.; WEGSTEIN, J.; TRITTER, A.; OLSZTYN, J.; MOCK, O. e STEEL, T. The problem of programming communication with changing machines: a proposed solution, *Comm. ACM* 1:8 (1958), pp. 12-18. Part 2: 1:9 (1958), pp. 9-15. Relatório do Share Ad-Hoc Committee on Universal Languages.
11. WIRTH, N. The design of a Pascal compiler, *Software-Practice and Experience* 1:4 (1971), pp. 309-333.

7 AMBIENTES DE EXECUÇÃO

Um compilador precisa implementar com precisão as abstrações incorporadas na definição da linguagem fonte. Essas abstrações, tipicamente, incluem os conceitos que discutimos na Seção 1.6, como nomes, escopos, associações (do inglês, *bindings,* amarrações ou ligações), tipos de dados, operadores, procedimentos, parâmetros e construções de fluxo de controle. O compilador precisa cooperar com o sistema operacional e outros softwares do sistema para dar suporte a essas abstrações na máquina alvo.

Para fazer isso, o compilador cria e gerencia um *ambiente em tempo de execução* no qual assume que seus programas objeto estão sendo executados. Esse ambiente trata de uma série de questões, tais como o leiaute e a alocação de endereços de memória para os objetos nomeados no programa fonte, os mecanismos usados pelo programa objeto para acessar variáveis, as ligações entre os procedimentos, os mecanismos para passagem de parâmetros e as interfaces para o sistema operacional, dispositivos de entrada e/ou saída, e outros programas.

Os dois temas abordados neste capítulo são: a alocação de endereços de memória e o acesso a variáveis e dados. Discutiremos o gerenciamento de memória com alguns detalhes, incluindo a alocação de pilha, o gerenciamento do heap e a coleta de lixo. No capítulo seguinte, apresentamos técnicas para gerar o código objeto para muitas construções comuns da linguagem.

7.1 ORGANIZAÇÃO DE MEMÓRIA

Do ponto de vista do projetista do compilador, o programa objeto é executado em seu próprio espaço de endereçamento lógico, no qual cada valor no programa possui um endereço. O gerenciamento e a organização desse espaço de endereçamento lógico são compartilhados entre o compilador, o sistema operacional e a máquina alvo. O sistema operacional mapeia os endereços lógicos em endereços físicos, que usualmente se espalham pela memória.

A representação em tempo de execução de um programa objeto no espaço de endereçamento lógico consiste em áreas de dados e programas, como mostra a Figura 7.1. Um compilador para uma linguagem como C++ em um sistema operacional como Linux poderia subdividir a memória dessa maneira.

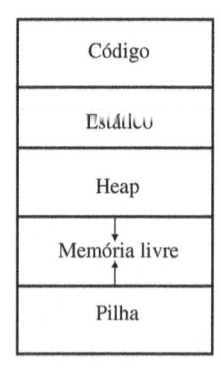

```
┌─────────────────┐
│     Código      │
├─────────────────┤
│     Estático    │
├─────────────────┤
│      Heap       │
├─────────────────┤
│        ↓        │
│  Memória livre  │
│        ↑        │
├─────────────────┤
│      Pilha      │
└─────────────────┘
```

FIGURA 7.1 Subdivisão típica da memória durante a execução em áreas de código e dados.

Do princípio ao fim deste livro, consideramos que o endereçamento em tempo de execução é feito em blocos de bytes contíguos, onde um byte é a menor unidade de memória endereçável. Um byte tem oito bits e quatro bytes formam uma palavra da máquina. Os objetos multibytes são armazenados em bytes consecutivos e recebem o endereço do primeiro byte.

Conforme discutimos no Capítulo 6, a quantidade de memória necessária para um nome é determinada a partir do seu tipo. Um tipo de dado básico, como um caractere, um número inteiro ou de ponto flutuante, pode ser armazenado em um número inteiro de bytes. A área de memória para um tipo agregado, como um arranjo ou uma estrutura, precisa ser grande o suficiente para conter todos os seus componentes.

O leiaute de memória para os objetos de dados é fortemente influenciado pelas restrições de endereçamento da máquina alvo. Em muitas arquiteturas, as instruções para somar números inteiros podem esperar que os inteiros estejam *alinhados*, ou seja, colocados em um endereço divisível por 4. Embora um arranjo de dez caracteres só precise de bytes suficientes para manter dez caracteres, um compilador pode alocar 12 bytes para obter o alinhamento apropriado, deixando 2 bytes sem uso. O espaço não usado em razão das considerações de alinhamento é conhecido como *espaço vazio* (*padding*). Quando há pouco espaço, um compilador pode *compactar* os dados para que nenhum espaço vazio seja deixado; nesse caso, podem ser necessárias instruções adicionais durante a execução para posicionar os dados compactados de modo que eles possam ser operados como se estivessem corretamente alinhados.

O tamanho do código objeto gerado é fixado durante a compilação, assim o compilador pode colocar o código objeto executável em uma área *Código* determinada estaticamente, em geral na parte baixa final da memória. Similarmente, o tamanho de alguns objetos de dados do programa, tais como constantes globais, e os dados gerados pelo compilador, como informações para dar suporte à coleta de lixo, podem ser conhecidos em tempo de compilação. Esses objetos de dados podem ser colocados em outra área determinada estaticamente, chamada *Estática*. Uma razão para alocar estaticamente o máximo de objetos de dados possível é que os endereços desses objetos podem ser compilados para o código objeto. Nas primeiras versões da linguagem Fortran, todos os objetos de dados podiam ser alocados estaticamente.

Para maximizar a utilização de espaço durante a execução, as duas outras áreas, *Pilha* e *Heap*, estão localizadas nas extremidades opostas do restante do espaço de endereços. Essas áreas são dinâmicas; seus tamanhos podem mudar à medida que o programa é executado. Essas áreas crescem uma em direção à outra, conforme a necessidade. A pilha é usada para armazenar estruturas de dados chamadas registros de ativação, que são gerados durante as chamadas de procedimento.

Na prática, a pilha cresce em direção aos endereços mais baixos, e o heap em direção aos mais altos. No entanto, em todo este capítulo e no seguinte, vamos considerar que a pilha cresce em direção aos endereços mais altos, de forma que podemos usar deslocamentos positivos por conveniência de notação em todos os nossos exemplos.

Conforme veremos na seção seguinte, um registro de ativação é usado para armazenar informações sobre o estado da máquina, como o valor do contador de programa e registradores da máquina, quando ocorre uma chamada de procedimento. Quando o controle retorna da chamada, a ativação do procedimento que chama pode ser reiniciada após restaurar os valores dos registradores relevantes e definir o contador de programa para o ponto imediatamente após a chamada. Os objetos de dados cujos tempos de vida estão contidos no de uma ativação podem ser alocados na pilha, juntamente com outras informações associadas à ativação.

Muitas linguagens de programação permitem que o programador aloque e libere dados sob controle do programa. Por exemplo, C possui as funções `malloc` e `free`, que podem ser usadas para obter e liberar blocos arbitrários de espaço de memória. O heap é usado para gerenciar esse tipo de dados de longa duração. A Seção 7.4 discutirá os diversos algoritmos de gerenciamento de memória que podem ser usados para administrar o heap.

7.1.1 Alocação de memória estática versus dinâmica

O leiaute e a alocação de dados para endereços de memória em tempo de execução são questões fundamentais no gerenciamento de memória. São questões delicadas porque o mesmo nome em um texto de programa pode referir-se a múltiplas localizações em tempo de execução. Os dois adjetivos, *estática* e *dinâmica*, distinguem entre tempo de compilação e tempo de execução, respectivamente. Dizemos que a decisão de alocação de memória é estática se puder ser feita pelo compilador examinando apenas o texto do programa, e não o que o programa faz quando é executado. Reciprocamente, a decisão é *dinâmica* se só puder ser decidida enquanto o programa estiver executando. Muitos compiladores utilizam alguma combinação das duas estratégias a seguir para a alocação dinâmica de memória:

1. *Memória de pilha*. Nomes locais a um procedimento têm espaço alocado em uma pilha. Discutiremos sobre a 'pilha de execução' a partir da Seção 7.2. A pilha admite a política normal de chamada e retorno de procedimentos.
2. *Memória heap*. Os dados que podem sobreviver à chamada do procedimento que os criou usualmente são alocados em um 'heap' de memória reutilizável. Discutiremos sobre o gerenciamento de heap a partir da Seção 7.4. O heap é uma área da memória virtual que permite que objetos ou outros elementos de dados obtenham memória quando criados e retornem essa memória quando invalidados.

Para dar suporte ao gerenciamento de heap, a 'coleta de lixo' permite que o sistema de execução detecte elementos de dados inúteis e reutilize sua memória, mesmo que o programador não retorne seu espaço explicitamente. A coleta de lixo automática é um recurso essencial de muitas linguagens modernas, apesar de ser uma operação difícil de ser feita eficientemente; em algumas linguagens, ela pode nem ao menos ser possível.

7.2 Alocação de espaço na pilha

Quase todos os compiladores para as linguagens que utilizam procedimentos, funções ou métodos como unidades de ações definidas pelo usuário gerenciam pelo menos parte de sua memória em tempo de execução como uma pilha. Toda vez que um procedimento[1] é chamado, o espaço para suas variáveis locais é colocado em uma pilha, e, quando o procedimento termina, esse espaço é retirado da pilha. Conforme veremos, essa organização não apenas permite que o espaço seja compartilhado pelas chamadas de procedimento cujas durações não se sobrepõem no tempo, mas também nos permite compilar código para um procedimento de modo que os endereços relativos de suas variáveis não locais sejam sempre iguais, independentemente da seqüência de chamadas de procedimento.

7.2.1 Árvores de ativação

A alocação de pilha não seria viável se as chamadas de procedimento, ou *ativações* de procedimentos, não se aninhassem no tempo. O exemplo a seguir ilustra o aninhamento de chamadas de procedimento.

Exemplo 7.1: A Figura 7.2 contém um esboço de um programa que lê nove inteiros de um arranjo *a* e os ordena usando o algoritmo *quicksort* recursivo.

```
int a[11];
void readArray() { /* Lê 9 inteiros em a[1] ,..., a[9]. */
    int i;
    ...
}
int partition(int m, int n) {
    /* Apanha um separador v, e particiona a[m .. n] de modo que
       a[m .. p-1] sejam menores que v, a[p]=v e a[p+1 .. n] sejam
       iguais ou maiores que v. Retorna p. */
    ...
}
void quicksort(int m, int n) {
    int i;
    if (n > m) {
        i = partition(m, n);
        quicksort(m, i-1);
        quicksort(i+1, n);
    }
}
main() {
    readArray();
    a[0] = -9999;
    a[10] = 9999;
    quicksort(1,9);
}
```

Figura 7.2 Esboço do programa quicksort.

A função principal tem três tarefas. Ela chama *readArray*, define as sentinelas e depois chama *quicksort* para o arranjo de dados inteiro. A Figura 7.3 sugere uma seqüência de chamadas que poderiam resultar da execução do programa. Nessa execução, a chamada a *partition*(1,9) retorna 4, de modo que *a*[1] até *a*[3] contém elementos menores que seu valor separador escolhido *v*, enquanto os elementos maiores estão de *a*[5] até *a*[9].

---

1 Lembre-se de que usamos 'procedimento' como um termo genérico para função, procedimento, método ou sub-rotina.

Uma versão do quicksort

O esboço do programa quicksort na Figura 7.2 usa duas funções auxiliares *readArray* e *partition*. A função *readArray* é usada apenas para carregar os dados no arranjo *a*. O primeiro e o último elemento de *a* não são usados para dados, mas para 'sentinelas' definidas na função principal (*main*). Consideramos que *a*[0] seja definido como o menor valor que qualquer valor de dados possível, e *a*[10] seja definido como o maior valor que qualquer valor de dados.

A função *partition* divide uma parte do arranjo, delimitada pelos argumentos *m* e *n*, de modo que os elementos menores de *a*[*m*] até *a*[*n*] estejam no início, e os elementos maiores estejam no fim, embora nenhum grupo esteja necessariamente ordenado. Não explicaremos como *partition* funciona, exceto que pode contar com a existência das sentinelas. Um algoritmo possível para *partition* é sugerido pelo código mais detalhado na Figura 9.1.

O procedimento recursivo *quicksort* decide, primeiro, se é preciso ordenar mais de um elemento do arranjo. Observe que um elemento está sempre "ordenado", então o *quicksort* não tem nada a fazer nesse caso. Se houver elementos a ordenar, o *quicksort* primeiro chama *partition*, que retorna um índice *i* para separar os elementos menores e maiores. Esses dois grupos de elementos são então ordenados por duas chamadas recursivas a *quicksort*.

```
entra em main()
    entra em readArray()
    sai de readArray()
    entra em quicksort(1,9)
        entra em partition(1,9)
        sai de partition(1,9)
        entra em quicksort(1,3)
           ...
        sai de quicksort(1,3)
        entra em quicksort(5,9)
           ...
        sai de quicksort(5,9)
    sai de quicksort(1,9)
sai de main()
```

FIGURA 7.3   Ativações possíveis para o programa da Figura 7.2.

Neste exemplo, como geralmente acontece, as ativações dos procedimentos são aninhadas no tempo. Se uma ativação do procedimento *p* chamar o procedimento *q*, então essa ativação de *q* precisa terminar antes que a ativação de *p* possa terminar. Existem três casos comuns:

1. A ativação de *q* termina normalmente. Então, em basicamente qualquer linguagem, o controle retoma logo após o ponto de *p* em que foi feita a chamada a *q*.
2. A ativação de *q*, ou de algum procedimento chamado por *q*, direta ou indiretamente, aborta, ou seja, torna-se impossível que a execução continue. Nesse caso, *p* termina simultaneamente com *q*.
3. A ativação de *q* termina por causa de uma exceção que ele não pode tratar. O procedimento *p* pode tratar a exceção e, neste caso, a ativação de *q* terá terminado enquanto a ativação de *p* continua, embora não necessariamente a partir do ponto em que foi feita a chamada a *q*. Se *p* não puder tratar a exceção, então essa ativação de *p* termina no mesmo momento da ativação de *q*, e presumivelmente a exceção será tratada por alguma outra ativação de um procedimento aberto.

Portanto, durante a execução de todo o programa, podemos representar as ativações dos procedimentos por uma árvore chamada *árvore de ativação*. Cada nó corresponde a uma ativação, e a raiz é a ativação do procedimento 'principal' que inicia a execução do programa. Em um nó para uma ativação do procedimento *p*, os filhos correspondem às ativações dos procedimentos chamados por essa ativação de *p*. Mostramos essas ativações na ordem em que elas são chamadas, da esquerda para a direita. Observe que um filho precisa terminar antes que a ativação à sua direita possa iniciar.

EXEMPLO 7.2: Uma árvore de ativação possível, que completa a seqüência de chamadas e retornos sugerida na Figura 7.3 aparece na Figura 7.4. As funções são representadas pelas primeiras letras de seus nomes. Lembre-se de que essa árvore é apenas uma possibilidade, pois os argumentos das chamadas subseqüentes, e também o número de chamadas ao longo de qualquer desvio, são influenciados pelos valores retornados pela *partição*.

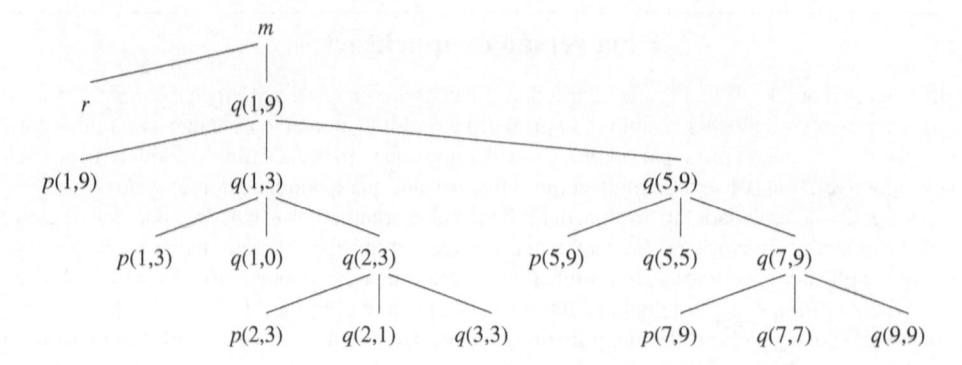

```
            m
       ╱    │
      r    q(1,9)
     ╱     ╱   │        ╲
  p(1,9) q(1,3)          q(5,9)
         ╱  │  ╲         ╱  │   ╲
     p(1,3) q(1,0) q(2,3)  p(5,9) q(5,5) q(7,9)
                ╱  │  ╲                   ╱  │  ╲
            p(2,3) q(2,1) q(3,3)      p(7,9) q(7,7) q(9,9)
```

FIGURA 7.4 Árvore de ativação representando chamadas durante uma execução do quicksort.

O uso de uma pilha de execução é possibilitado pelo relacionamento entre a árvore de ativação e o comportamento do programa:

1. A seqüência de chamadas de procedimento corresponde a um caminhamento em pré-ordem da árvore de ativação.
2. A seqüência de retornos corresponde a um caminhamento pós-ordem da árvore de ativação.
3. Suponha que o controle esteja dentro de determinada ativação de algum procedimento, correspondente a um nó N da árvore de ativação. Então, as ativações que estão correntemente abertas (*vivas*) são aquelas que correspondem ao nó N e seus ancestrais. A ordem em que essas ativações foram chamadas é a mesma em que elas aparecem ao longo do caminho para N, começando na raiz, e elas retornarão no inverso dessa ordem.

7.2.2 REGISTROS DE ATIVAÇÃO

As chamadas e os retornos de procedimento usualmente são gerenciados por uma pilha de execução, chamada *pilha de controle*. Cada ativação viva tem um *registro de ativação* (às vezes chamado *frame*) na pilha de controle. A pilha de controle contém a raiz da árvore de ativação no seu fundo e toda a seqüência de registros de ativação, correspondendo ao caminho na árvore de ativação para a ativação onde o controle reside correntemente. A última ativação tem seu registro no topo da pilha.

EXEMPLO 7.3: Se o controle estiver correntemente na ativação $q(2,3)$ da árvore da Figura 7.4, então o registro de ativação para $q(2,3)$ estará no topo da pilha de controle. Logo abaixo estará o registro de ativação para $q(1,3)$, o pai de $q(2,3)$ na árvore. Abaixo dele estará o registro de ativação $q(1,9)$, e no fundo da pilha estará o registro de ativação para m, a função *main* e raiz da árvore de ativação.

Por convenção, vamos desenhar as pilhas de controle com o fundo da pilha na parte superior do desenho e o topo em sua parte inferior, de modo que, em um registro de ativação, os elementos que aparecerem mais abaixo na página estarão na realidade mais perto do topo da pilha.

O conteúdo dos registros de ativação variam com a linguagem sendo implementada. Aqui está uma lista dos tipos de dados que poderiam aparecer em um registro de ativação (veja na Figura 7.5 um resumo e a possível ordem para esses elementos):

```
┌─────────────────────────┐
│    Parâmetros reais     │
├─ ─ ─ ─ ─ ─ ─ ─ ─ ─ ─ ─ ─┤
│    Valores retornados   │
├─ ─ ─ ─ ─ ─ ─ ─ ─ ─ ─ ─ ─┤
│     Elo de controle     │
│  (control ou dynamic link) │
├─ ─ ─ ─ ─ ─ ─ ─ ─ ─ ─ ─ ─┤
│     Elo de acesso       │
│   (access ou static link) │
├─ ─ ─ ─ ─ ─ ─ ─ ─ ─ ─ ─ ─┤
│  Estado da máquina salvo │
├─ ─ ─ ─ ─ ─ ─ ─ ─ ─ ─ ─ ─┤
│      Dados locais       │
├─ ─ ─ ─ ─ ─ ─ ─ ─ ─ ─ ─ ─┤
│      Temporários        │
└─────────────────────────┘
```

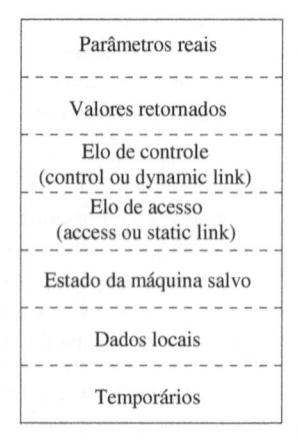

FIGURA 7.5 Um registro de ativação geral.

1. Valores temporários, como aqueles usados na avaliação de expressões, em casos nos quais esses temporários não podem ser mantidos em registradores.
2. Dados locais pertencentes ao procedimento em que este é o registro de ativação.

3. Um estado da máquina salvo, com informações sobre o estado da máquina imediatamente antes da chamada ao procedimento. Essa informação tipicamente inclui o *endereço de retorno* (o valor do contador de programa, ao qual o procedimento chamado precisa retornar) e o conteúdo dos registradores que foram usados pelo procedimento chamando e que precisam ser restaurados quando ocorrer o retorno.
4. Um 'elo de acesso' pode ser necessário para localizar os dados necessários ao procedimento chamado, mas encontrados em outro lugar, por exemplo, em outro registro de ativação. Os elos de acesso serão discutidos na Seção 7.3.5.
5. Um *elo de controle*, aponta para o registro de ativação de quem chamou.
6. Espaço para o valor de retorno da função chamada, se houver. Novamente, nem todos os procedimentos chamados retornam um valor, e, se retornarem, podemos preferir colocar esse valor em um registrador, por questão de eficiência.
7. Os parâmetros reais usados pelo procedimento chamado. Freqüentemente, esses valores não são colocados no registro de ativação, mas sim em registradores, quando possível, para aumentar a eficiência. Contudo, para se ter um modelo mais geral, mostramos um espaço para eles no registro de ativação.

EXEMPLO 7.4: A Figura 7.6 mostra instantâneos da pilha em tempo de execução enquanto o controle flui pela árvore de ativação da Figura 7.4. As linhas tracejadas nas árvores parciais vão para as ativações que já terminaram. Como o arranjo *a* é global, o espaço é alocado para ele antes que a execução comece com a ativação do procedimento *main*, como mostra a Figura 7.6(a).

(a) Frame para main (b) *r* está ativado

(c) *r* foi retirado da pilha e *q*(1,9) foi empilhado (d) O controle retorna para *q*(1,3)

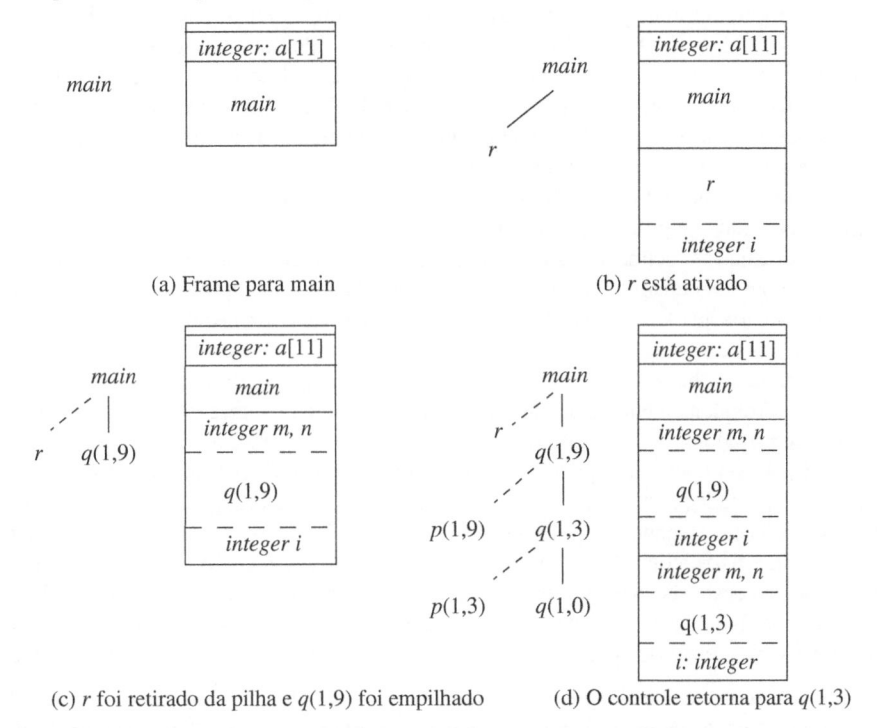

FIGURA 7.6 Pilha de registros de ativação crescendo para baixo.

Quando o controle atinge a primeira chamada no corpo de *main*, o procedimento *r* é ativado, e seu registro de ativação é empilhado (Figura 7.6(b)). O registro de ativação para *r* contém espaço para a variável local *i*. Lembre-se de que o topo da pilha está na parte inferior dos diagramas. Quando o controle retorna dessa ativação, seu registro é retirado da pilha, deixando apenas o registro de ativação para *main* na pilha.

O controle, então, atinge a chamada de *q* (quicksort) com parâmetros reais 1 e 9, e um registro de ativação para essa chamada é colocado no topo da pilha, como na Figura 7.6(c). O registro de ativação para *q* contém espaço para os parâmetros *m* e *n* e para a variável local *i*, seguindo o leiaute geral da Figura 7.5. Observe que o espaço que foi usado pela chamada de *r* é reutilizado na pilha. Nenhum rastro dos dados locais a *r* estará disponível para *q*(1,9). Quando *q*(1,9) retornar, a pilha novamente terá apenas o registro de ativação para *main*.

Diversas ativações ocorrem entre os dois últimos instantâneos na Figura 7.6. Foi feita uma chamada recursiva a *q*(1,3). As ativações *p*(1,3) e *q*(1,0) começaram e terminaram durante o tempo de vida de *q*(1,3), deixando o registro de ativação para *q*(1,3) no topo (Figura 7.6(d)). Observe que, quando um procedimento é recursivo, é normal ter vários de seus registros de ativação na pilha ao mesmo tempo.

7.2.3 Seqüências de chamadas

As chamadas de procedimento são implementadas pelo que é conhecido como *seqüências de chamadas*, que consistem em código que aloca um registro de ativação na pilha de execução e entra com as informações em seus campos. Uma *seqüên-*

cia de retorno é um código semelhante que restaura o estado da máquina, de modo que o procedimento que chama possa continuar sua execução após a chamada.

As seqüências de chamada e o leiaute dos registros de ativação podem diferir bastante, até mesmo entre implementações da mesma linguagem. O código em uma seqüência de chamada freqüentemente é dividido entre o procedimento que chama (o *chamador*, do inglês *caller*) e o procedimento que ele chama (o *chamado*, do inglês *callee*). Não há uma divisão exata das tarefas em tempo de execução entre o chamador e o chamado; a linguagem fonte, a máquina alvo e o sistema operacional impõem requisitos que podem favorecer uma solução em relação a outra. Em geral, se um procedimento for chamado de *n* pontos diferentes, a porção da seqüência de chamada atribuída ao chamador a gerada *n* vezes. Contudo, a parte atribuída ao procedimento chamado é gerada apenas uma vez. Logo, é desejável colocar no procedimento chamado o máximo possível da seqüência de chamada — aquilo que o chamado puder saber. Contudo, veremos que o chamado não pode saber tudo.

Ao projetar as seqüências de chamada e o leiaute dos registros de ativação, os seguintes princípios são úteis:

1. Valores comunicados entre o procedimento chamador e o chamado geralmente são colocados no início do registro de ativação do chamado, de modo que estejam o mais próximo possível do registro de ativação do chamador. A motivação é que o chamador pode calcular os valores dos parâmetros reais da chamada e colocá-los no topo do seu próprio registro de ativação, sem precisar criar todo o registro de ativação do chamado, ou mesmo saber o leiaute desse registro. Além disso, ele permite o uso de procedimentos que nem sempre recebem o mesmo número ou tipo de argumentos, como a função `printf` de C. O chamado sabe onde colocar o valor de retorno, relativo ao seu próprio registro de ativação, enquanto diversos argumentos presentes aparecerão seqüencialmente abaixo desse endereço na pilha.

2. Os itens de tamanho fixo geralmente são colocados no meio. Pela Figura 7.5, esses itens tipicamente incluem os campos de elo de controle, elo de acesso e estado da máquina. Se exatamente os mesmos componentes do estado da máquina forem salvos para cada chamada, então o mesmo código pode realizar o salvamento e a restauração para cada uma. Além do mais, se padronizarmos a informação do estado da máquina, programas como depuradores terão mais facilidade para decifrar o conteúdo da pilha se houver um erro.

3. Itens cujo tamanho pode não ser conhecido com antecedência são colocados no fim do registro de ativação. A maioria das variáveis locais possui um tamanho fixo que pode ser determinado pelo compilador examinando-se o tipo da variável. Contudo, algumas variáveis locais possuem um tamanho que não é conhecido até que o programa comece a ser executado; o exemplo mais comum é um arranjo com tamanho determinado dinamicamente, em que o valor de um dos parâmetros do procedimento chamado determina o tamanho do arranjo. Além disso, a quantidade de espaço necessário para os temporários freqüentemente depende de quão bem-sucedida é a fase de geração de código na manutenção de temporários nos registradores. Assim, embora o espaço necessário para temporários acabe sendo conhecido pelo compilador, ele pode não ser conhecido quando o código intermediário for gerado inicialmente.

4. Precisamos colocar o apontador no topo da pilha judiciosamente. Uma abordagem comum é fazer com que ele aponte para o fim dos campos de tamanho fixo no registro de ativação. Os dados de tamanho fixo podem, então, ser acessados por deslocamentos fixos, conhecidos pelo gerador de código intermediário, relativos ao apontador do topo da pilha. Uma conseqüência desta abordagem é que os campos de tamanho variável nos registros de ativação na realidade estão 'acima' do topo da pilha. Seus deslocamentos precisam ser calculados em tempo de execução, mas eles também podem ser acessados a partir do apontador do topo da pilha, usando um deslocamento positivo.

Um exemplo de como os procedimentos chamador e chamado poderiam cooperar no gerenciamento da pilha é sugerido pela Figura 7.7. Um registrador *top_sp* aponta para o fim do campo de estado da máquina no registro de ativação corrente no topo da pilha. Essa posição contida no registro de ativação do procedimento chamado é conhecida pelo procedimento chamador, de modo que este pode tornar-se responsável pela definição de *top_sp* antes que o controle seja passado ao procedimento chamado. A seqüência de chamada e sua divisão entre os procedimentos chamador e chamado é a seguinte:

1. O procedimento chamador avalia os parâmetros reais.
2. O procedimento chamador armazena um endereço de retorno e o valor antigo de *top_sp* no registro de ativação do procedimento chamado. O procedimento chamador incrementa então *top_sp* para a posição mostrada na Figura 7.7. Ou seja, *top_sp* é movido para após os dados locais e temporários do procedimento chamador e os parâmetros e campos de estado do procedimento chamado.
3. O procedimento chamado salva os valores do registrador e outras informações de estado.
4. O procedimento chamado inicializa os seus dados locais e começa a execução.

Uma seqüência de retorno correspondente adequada é:

1. O procedimento chamado coloca o valor de retorno próximo dos parâmetros, como na Figura 7.5.
2. Usando as informações no campo de estado da máquina, o procedimento chamado restaura *top_sp* e outros registradores, e então desvia para o endereço de retorno que o procedimento chamador colocou no campo de estado.
3. Embora *top_sp* tenha sido decrementado, o procedimento chamador sabe onde está o valor de retorno, em relação ao valor corrente de *top_sp*; portanto, ele pode usar esse valor.

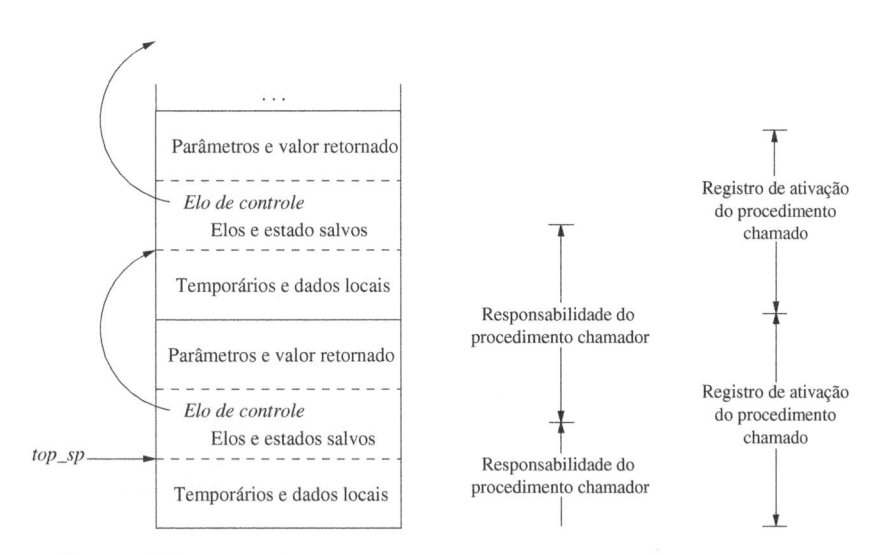

FIGURA 7.7 Divisão de tarefas entre o procedimento chamador e o chamado.

As seqüências de chamada e retorno que apresentamos permitem que o número de argumentos do procedimento chamado varie de uma chamada para outra (por exemplo, como na função `printf` de C). Observe que, em tempo de compilação, o código objeto deste procedimento chamador conhece o número e os tipos dos argumentos que está passando ao procedimento chamado. Logo, o procedimento chamador sabe o tamanho da área de parâmetros. Contudo, o código objeto do procedimento chamado deve estar preparado para tratar outras chamadas, assim ele espera até que seja chamado e então examina o campo do parâmetro. Usando a organização da Figura 7.7, a informação descrevendo os parâmetros precisa ser colocada próxima do campo de estado, de modo que o chamado possa encontrá-la. Por exemplo, na função `printf` de C, o primeiro argumento descreve os argumentos restantes; assim, quando o primeiro argumento tiver sido localizado, o procedimento chamador pode encontrar quaisquer outros argumentos que existam.

7.2.4 DADOS DE TAMANHO VARIÁVEL NA PILHA

O sistema de gerenciamento de memória em tempo de execução freqüentemente precisa tratar a alocação de espaço para objetos cujos tamanhos não são conhecidos durante a compilação, mas os quais são locais a um procedimento e, assim, podem ser alocados na pilha. Em linguagens modernas, os objetos cujos tamanhos não podem ser determinados em tempo de compilação são alocados no espaço do heap, a estrutura de memória que discutimos na Seção 7.4. Contudo, também é possível alocar objetos, arranjos ou outras estruturas de tamanho desconhecido na pilha, e discutimos aqui como fazer isso. A razão para preferir colocar objetos na pilha, se possível, é que evitamos o custo da coleta de lixo em seu espaço. Observe que a pilha só pode ser usada para um objeto se ele for local a um procedimento e o objeto fica inacessível quando o procedimento retorna.

Uma estratégia comum para alocar arranjos de tamanhos variáveis (ou seja, arranjos cujos tamanhos dependam do valor de um ou mais parâmetros do procedimento chamado) é mostrada na Figura 7.8. O mesmo esquema serve para objetos de qualquer tipo se eles forem locais ao procedimento chamado e tiverem um tamanho que dependa dos parâmetros da chamada.

Na Figura 7.8, o procedimento *p* tem três arranjos locais, cujos tamanhos supomos que não podem ser determinados em tempo de compilação. A área de memória desses arranjos não faz parte do registro de ativação para *p*, embora ela apareça na pilha. Somente um apontador para o início de cada arranjo aparece no próprio registro de ativação. Assim, quando *p* está executando, esses apontadores estão em deslocamentos conhecidos a partir do apontador do topo da pilha, de modo que o código objeto pode acessar os elementos do arranjo por meio desses apontadores.

A Figura 7.8 também mostra o registro de ativação para um procedimento *q*, chamado por *p*. O registro de ativação para *q* começa após os arranjos de *p*, e quaisquer arranjos de tamanho variável de *q* estão localizados além dele.

O acesso aos dados na pilha é feito por meio de dois apontadores, *top* e *top_sp*. Aqui, *top* marca o topo corrente da pilha; ele aponta para a posição em que começará o próximo registro de ativação. O segundo, *top_sp*, é usado para encontrar os campos locais, de tamanho fixo, do registro de ativação no topo. Por consistência com a Figura 7.7, vamos supor que *top_sp* aponte para o final do campo de estado da máquina. Na Figura 7.8, *top_sp* aponta para o final desse campo no registro de ativação para *q*. A partir daí, podemos encontrar o campo do elo de controle para *q*, o qual nos leva ao endereço no registro de ativação para *p*, para o qual *top_sp* apontava quando *p* estava no topo.

O código para reposição de *top* e *top_sp* pode ser gerado em tempo de compilação, em termos dos tamanhos que se tornarão conhecidos durante a execução. Quando *q* retorna, *top_sp* pode ser restaurado a partir do elo de controle salvo no registro de ativação para *q*. O novo valor de *top* é (o valor antigo não restaurado de) *top_sp* menos o tamanho dos campos de estado da máquina, elo de controle e acesso, valor de retorno e parâmetro (como na Figura 7.5) no registro de ativação de *q*. Esse tamanho é conhecido pelo procedimento chamador em tempo de compilação, embora isso possa depender do procedimento chamador, se o número de parâmetros puder variar entre as chamadas a *q*.

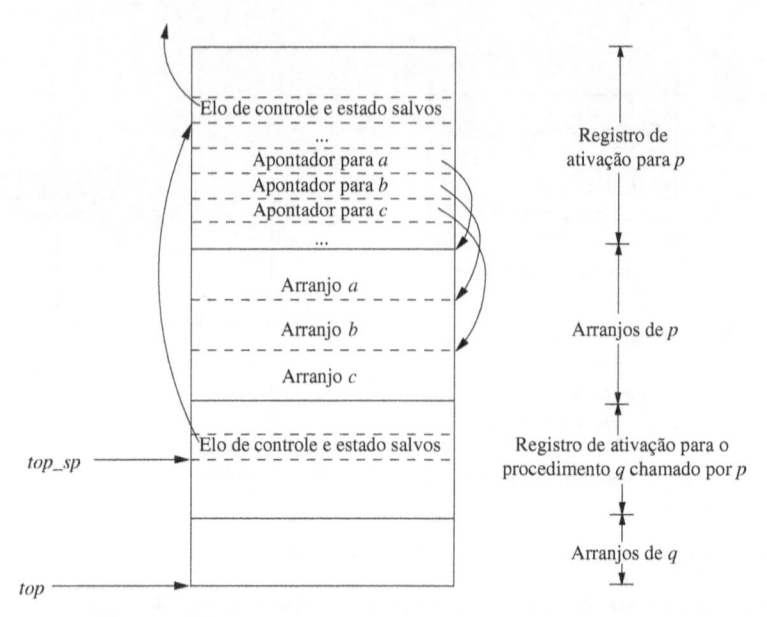

Figura 7.8 Acesso a arranjos alocados dinamicamente.

7.2.5 Exercícios da Seção 7.2

Exercício 7.2.1: Suponha que o programa da Figura 7.2 use uma função *partition* que sempre pega $a[m]$ como o separador v. Além disso, quando o arranjo $a[m],...,a[n]$ é reordenado, considere que a ordem é preservada ao máximo possível. Ou seja, primeiro vêm todos os elementos menores que v, em sua ordem original, e depois todos os elementos iguais a v, e finalmente todos os elementos maiores que v, em sua ordem original.

a) Desenhe a árvore de ativação quando os números 9,8,7,6,5,4,3,2,1 são ordenados.
b) Qual é o maior número de registros de ativação que aparecem juntos na pilha?

Exercício 7.2.2: Repita o Exercício 7.2.1 quando a ordem inicial dos números é 1,3,5,7,9,2,4,6,8.

Exercício 7.2.3: Na Figura 7.9 aparece o código C para calcular os números de Fibonacci recursivamente. Suponha que o registro de ativação para f inclua os seguintes elementos em ordem: (valor de retorno, argumento n, local s, local t); com freqüência, haverá também outros elementos no registro de ativação. As perguntas a seguir consideram que a chamada inicial é $f(5)$.

a) Mostre a árvore de ativação completa.
b) Como a pilha e seus registros de ativação se parecem na primeira vez que $f(1)$ está para retornar?
!c) Como ficam a pilha e seus registros de ativação pela quinta vez em que $f(1)$ está para retornar?

```
int f(int n) {
    int t, s;
    if (n < 2) return 1;
    s = f(n-1);
    t = f(n-2);
    return s+t;
}
```

Figura 7.9 Programa de Fibonacci para o Exercício 7.2.3.

Exercício 7.2.4: Aqui está um esboço das duas funções f e g em C:

```
int f(int x) { int i; ... return i+1; ... }
int g(int y) { int j; ... f(j+1) ... }
```

Ou seja, a função g chama f. Desenhe o topo da pilha, começando com o registro de ativação para g, depois que g chama f, e f está prestes a retornar. Você pode considerar apenas os valores de retorno, parâmetros, elos de controle e espaço para variáveis locais; não é preciso considerar o estado armazenado ou valores temporários ou locais não mostrados no esboço do código. Contudo, é preciso indicar:

a) Qual função cria o espaço na pilha para cada elemento?
b) Qual função escreve o valor de cada elemento?
c) A que registro de ativação o elemento pertence?

Exercício 7.2.5: Em uma linguagem que passa parâmetros por referência, existe uma função $f(x,y)$ que faz o seguinte:

$$x = x + 1; y = y + 2; \text{return } x+y;$$

Se a é atribuído o valor 3, e depois $f(a, a)$ é chamado, o que é retornado?

Exercício 7.2.6: A função f em C é definida por:

```
int f(int x, *py, **ppz) {
    **ppz += 1; *py += 2; x += 3; return x+y+z;
}
```

A variável a é um apontador para b; a variável b é um apontador para c, e c é um inteiro correntemente com valor 4. Se chamarmos $f(c,b,a)$, o que é retornado?

7.3 ACESSO A DADOS NÃO LOCAIS NA PILHA

Nesta seção, consideramos como os procedimentos acessam seus dados. Especialmente importante é o mecanismo para localizar os dados usados dentro de um procedimento p, mas que não pertencem a p. O acesso se torna mais complicado em linguagens nas quais os procedimentos podem ser declarados dentro de outros procedimentos. Começamos com o caso simples das funções C e depois introduzimos uma linguagem, ML, que permite declarações de funções aninhadas e funções como 'objetos de primeira classe', ou seja, funções que recebem funções como argumentos e retornam funções como valores. Essa capacidade pode ser admitida modificando-se a implementação da pilha de execução, e consideraremos várias opções para modificar os frames de pilha da Seção 7.2.

7.3.1 ACESSO AOS DADOS SEM PROCEDIMENTOS ANINHADOS

Na família de linguagens C, todas as variáveis são definidas ou dentro de uma única função ou fora de qualquer função (globalmente). Mais importante, é impossível declarar um procedimento cujo escopo esteja inteiramente contido em outro procedimento. Em vez disso, uma variável global v tem um escopo consistindo em todas as funções que seguem a declaração de v, exceto onde houver uma definição local do identificador v. As variáveis declaradas dentro de uma função têm um escopo consistindo nessa função apenas, ou em parte dela, se a função tiver blocos aninhados, conforme discutimos na Seção 1.6.3.

Para linguagens que não permitem declarações de procedimento aninhadas, a alocação de memória para as variáveis e o acesso a essas variáveis é simples:

1. Variáveis globais são alocadas em uma área de memória estática. Os endereços dessas variáveis permanecem fixos e são conhecidos em tempo de compilação. Assim, para acessar qualquer variável que não seja local ao procedimento corrente em execução, simplesmente usamos o endereço determinado estaticamente.

2. Qualquer outro nome precisa ser local à ativação no topo da pilha. Podemos acessar essas variáveis por meio do apontador *top_sp* da pilha.

Uma importante vantagem da alocação estática para globais é que os procedimentos declarados podem ser passados como parâmetros ou retornados como resultados (em C, é passado um apontador para a função), sem mudança substancial na estratégia de acesso aos dados. Com a regra de escopo estático de C, e sem procedimentos aninhados, qualquer nome não local a um procedimento é não local a todos os procedimentos, independentemente de como eles são ativados. De modo semelhante, se um procedimento for retornado como resultado, então qualquer nome não local se refere à memória alocada estaticamente para ele.

7.3.2 QUESTÕES SOBRE PROCEDIMENTOS ANINHADOS

O acesso se torna muito mais complicado quando uma linguagem permite que as declarações de procedimento sejam aninhadas e também usa a regra normal de escopo estático, ou seja, um procedimento pode acessar variáveis dos procedimentos cujas declarações envolvem sua própria declaração, seguindo a regra de escopo aninhado descrita para os blocos na Seção 1.6.3. O motivo é que saber em tempo de compilação que a declaração de p está imediatamente aninhada dentro de q não nos diz as posições relativas de seus registros de ativação em tempo de execução. De fato, como tanto p quanto q, ou ambos, podem ser recursivos, pode haver vários registros de ativação de p, e/ou q na pilha.

Localizar a declaração que se aplica a um nome não local *x* em um procedimento aninhado *p* é uma decisão estática; ela pode ser feita por uma extensão da regra de escopo estático para os blocos. Suponha que *x* seja declarado no procedimento envolvente *q*. Localizar a ativação relevante de *q* a partir de uma ativação de *p* é uma decisão dinâmica; isso exige informações em tempo de execução adicionais sobre as ativações. Uma solução possível para esse problema é usar 'elos de acesso', que introduzimos na Seção 7.3.5.

7.3.3 Uma linguagem com declarações de procedimento aninhados

A família de linguagens C e muitas outras linguagens conhecidas não admitem procedimentos aninhados; assim, introduzimos uma que admite. A história dos procedimentos aninhados nas linguagens é longa. Algol 60, um ancestral da linguagem C, tinha essa capacidade, assim como seu descendente Pascal, uma linguagem de ensino outrora popular. Das linguagens mais recentes com procedimentos aninhados, uma das mais influentes é ML, e essa é a linguagem cuja sintaxe e semântica pegaremos emprestado (veja, na caixa 'Mais sobre ML', alguns dos recursos interessantes de ML):

- *ML é uma linguagem funcional*, significando que as variáveis, uma vez declaradas e inicializadas, não são alteradas. Existem apenas algumas poucas exceções, tais como o arranjo, cujos elementos podem ser alterados por chamadas de função especiais.
- Variáveis são definidas e possuem seus valores inalteráveis inicializados, por um comando no formato:

    val ⟨nome⟩ = ⟨expressão⟩

- Funções são definidas usando a sintaxe:

    fun ⟨nome⟩ (⟨argumentos⟩) = ⟨corpo⟩

- Para os corpos de função, usaremos comandos let no seguinte formato:

    let ⟨lista de definições⟩ in ⟨comandos⟩ end

As definições freqüentemente são comandos val ou fun. O escopo de cada definição dessa consiste em todas as definições a seguir, até o in, e todos os comandos até o end. Mais importante, as definições de função podem ser aninhadas. Por exemplo, o corpo de uma função *p* pode conter um comando let que inclui a definição de outra função (aninhada) *q*. De modo semelhante, *q* pode ter definições de função dentro do seu próprio corpo, resultando em um aninhamento de funções com uma profundidade qualquer.

Mais sobre ML

Além de ser quase puramente funcional, a linguagem ML apresenta diversas outras surpresas ao programador que está acostumado com C e sua família.

- ML admite *funções de ordem mais alta*, ou seja, uma função pode ter funções como argumentos e pode construir e retornar outras funções. Essas funções, por sua vez, também podem ter funções como argumentos, até qualquer nível.
- ML essencialmente não tem iteração, como por exemplo, nos comandos for- e while da linguagem C. Em vez disso, o efeito da iteração é obtido pela recursão. Essa abordagem é essencial em uma linguagem funcional, porque não podemos alterar o valor de uma variável de iteração como *i* em 'for(i=0; i<10; i++)' de C. Em vez disso, ML faria de *i* um argumento de função, e a função chamaria a si mesma com valores *i* progressivamente mais altos, até que o limite fosse atingido.
- ML admite listas e estruturas de árvore rotuladas como tipos de dados primitivos.
- ML não exige a declaração dos tipos de variável. Em vez disso, deduz os tipos em tempo de compilação e, se não puder, trata como erro. Por exemplo, val x = 1 evidentemente faz com que *x* tenha o tipo inteiro, e se também virmos val y = 2*x, saberemos que *y* também é um inteiro.

7.3.4 Profundidade de aninhamento

Vamos estabelecer a *profundidade de aninhamento* 1 para os procedimentos que não estão aninhados dentro de nenhum outro procedimento. Por exemplo, todas as funções C estão na profundidade de aninhamento 1. Contudo, se um procedimento *p* for definido imediatamente dentro de um procedimento na profundidade de aninhamento *i*, então dê a *p* a profundidade de aninhamento $i + 1$.

Exemplo 7.5: A Figura 7.10 contém um esboço em ML do nosso exemplo executável quicksort. A única função na profundidade de aninhamento 1 é a função mais externa, *sort*, a qual lê um arranjo *a* de 9 inteiros e os ordena usando o algoritmo quicksort. Definido dentro de *sort*, na linha (2), está o próprio arranjo *a*. Observe a forma da declaração ML. O primeiro argumento de array diz que queremos que o arranjo tenha 11 elementos; todos os arranjos ML são indexados por inteiros começando com 0, de modo que esse arranjo é muito semelhante ao arranjo *a* da Figura 7.2, na linguagem C. O segundo argumento de array diz que, inicialmente, todos os elementos do arranjo *a* contêm o valor 0. Essa escolha do valor inicial permite que o compilador ML deduza que *a* é um arranjo de inteiros, pois 0 é um inteiro, assim nunca precisamos declarar um tipo para *a*.

```
1)  fun sort(inputFile, outputFile) =
       let
2)         val a = array(11,0);
3)         fun readArray(inputFile) = ... ;
4)            ... a ... ;
5)         fun exchange(i,j) =
6)            ... a ... ;
7)         fun quicksort(m,n) =
              let
8)                val v = ... ;
9)                fun partition(y,z) =
10)                   ... a ... v ... exchange ...
              in
11)               ... a ... v ... partition ... quicksort
              end
       in
12)       ... a ... readArray ... quicksort ...
       end;
```

FIGURA 7.10 Uma versão do *quicksort*, no estilo ML, usando funções aninhadas.

Também declaradas dentro de *sort* estão diversas funções: *readArray*, *exchange* e *quicksort*. Nas linhas (4) e (6), sugerimos que *readArray* e *exchange* acessam o arranjo *a*. Observe que, em ML, os acessos a arranjo podem violar a natureza funcional da linguagem, e essas duas funções na realidade alteram os valores dos elementos de *a*, como na versão C do *quicksort*. Como cada uma dessas três funções é definida imediatamente dentro de uma função na profundidade de aninhamento 1, suas profundidades de aninhamento são todas 2.

As linhas de (7) a (11) mostram alguns detalhes do *quicksort*. O valor local *v*, o pivô para a partição, é declarado na linha (8). A função *partition* é definida na linha (9). Na linha (10), sugerimos que *partition* acessa o arranjo *a* e o valor pivô *v*, e também chama a função *exchange*. Como partition é definida imediatamente dentro de uma função na profundidade de aninhamento 2, ela está na profundidade 3. A linha (11) sugere que *quicksort* acessa as variáveis *a* e *v*, a função *partition* e ela mesma recursivamente.

A linha (12) sugere que a função externa *sort* acessa *a* e chama os dois procedimentos *readArray* e *quicksort*.

7.3.5 ELOS DE ACESSO

Uma implementação direta da regra de escopo estática normal para funções aninhadas é obtida acrescentando-se um apontador chamado *elo de acesso* a cada registro de ativação. Se o procedimento *p* está aninhado imediatamente dentro do procedimento *q* no código fonte, então o elo de acesso em qualquer ativação de *p* aponta para a ativação mais recente de *q*. Observe que a profundidade de aninhamento de *q* precisa ser exatamente um a menos que a profundidade de aninhamento de *p*. Os elos de acesso formam uma cadeia a partir do registro de ativação no topo da pilha até uma seqüência de ativações em profundidades de aninhamento cada vez mais baixas. Ao longo dessa cadeia estão todas as ativações cujos dados e procedimentos são acessíveis ao procedimento correntemente em execução.

Suponha que o procedimento *p* no topo da pilha esteja na profundidade de aninhamento n_p, e *p* precise acessar *x*, o qual é um elemento definido dentro de algum procedimento *q* que envolve *p* e possui profundidade de aninhamento n_q. Observe que $n_q \leq n_p$ com igualdade apenas, se *p* e *q* forem o mesmo procedimento. Para encontrar *x*, começamos no registro de ativação para *p* no topo da pilha e seguimos o elo de acesso $n_p - n_q$ vezes, de registro de ativação a registro de ativação. Finalmente, acabamos no registro de ativação para *q*, e ele será sempre o registro de ativação mais recente (mais alto) para *q* que aparece correntemente na pilha. Esse registro de ativação contém o elemento *x* que desejamos. Como o compilador conhece o leiaute dos registros de ativação, *x* será encontrado em algum deslocamento fixo a partir da posição no registro de ativação de *q* que podemos alcançar seguindo o último elo de acesso.

EXEMPLO 7.6: A Figura 7.11 mostra uma seqüência de pilhas que poderiam resultar da execução da função *sort* da Figura 7.10. Como antes, representamos os nomes de função por suas primeiras letras e mostramos alguns dos dados que poderiam aparecer em diversos registros de ativação, bem como o elo de acesso para cada ativação. Na Figura 7.11(a), vemos a situação depois que *sort* chamou *readArray* para carregar a entrada no arranjo *a* e depois chamou *quicksort*(1,9) para ordenar o arranjo. O elo de acesso de *quicksort*(1,9) aponta para o registro de ativação de *sort*, não porque *sort* chamou *quicksort*, mas porque *sort* é a função aninhada mais próxima envolvendo *quicksort* no programa da Figura 7.10.

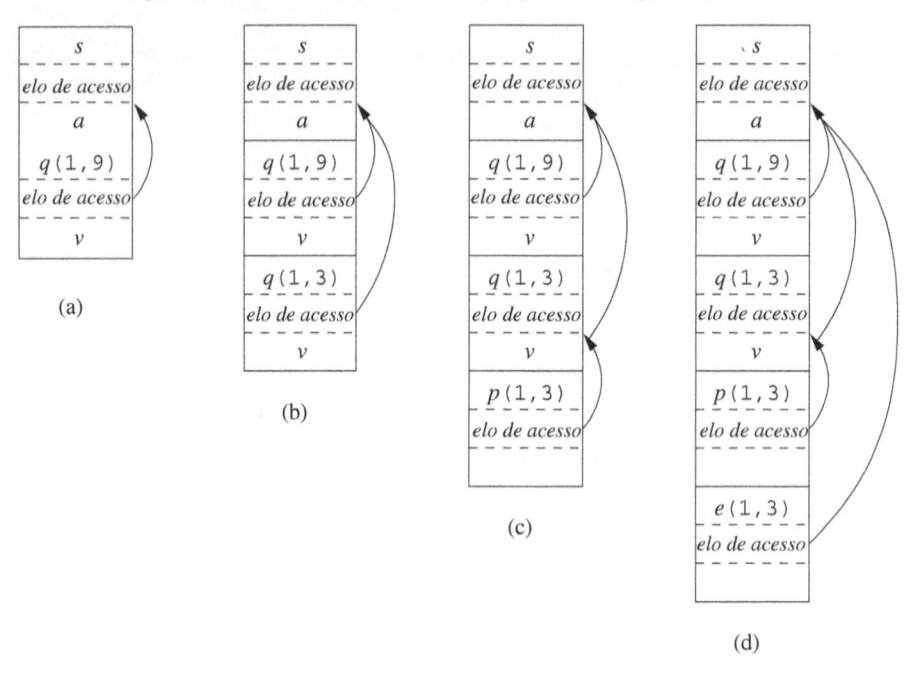

FIGURA 7.11 Elos de acesso para localizar dados não locais.

Em passos sucessivos da Figura 7.11, vemos uma chamada recursiva para *quicksort*(1,3), seguida por uma chamada a *partition*, que chama *exchange*. Observe que o elo de acesso de *quicksort*(1,3), aponta para *sort*, pelo mesmo motivo do elo de acesso de *quicksort*(1,9).

Na Figura 7.11(d), o elo de acesso para *exchange* contorna os registros de ativação para *quicksort* e *partition*, pois *exchange* está aninhado imediatamente dentro de *sort*. Essa organização é boa, pois *exchange só* precisa acessar o arranjo *a*, e os dois elementos que ele precisa trocar são indicados por seus próprios parâmetros *i* e *j*.

7.3.6 MANIPULANDO ELOS DE ACESSO

Como os elos de acesso são determinados? O caso simples ocorre quando uma chamada de procedimento é para um procedimento particular, cujo nome é dado explicitamente na chamada de procedimento. O caso mais difícil é quando a chamada é para um procedimento passado como parâmetro; nesse caso, o procedimento particular sendo chamado não é conhecido até a execução, e a profundidade de aninhamento do procedimento chamado pode diferir em diferentes execuções da chamada. Assim, vamos considerar primeiro o que acontecerá quando um procedimento *q* chamar o procedimento *p*, explicitamente. Existem três casos:

1. O procedimento *p* está em uma profundidade de aninhamento mais alta do que *q*. Então, *p* precisa ser definido imediatamente dentro de *q*, ou a chamada feita por *q* não estaria em uma posição dentro do escopo de um procedimento chamado *p*. Assim, a profundidade de aninhamento de *p* é exatamente um a mais que a de *q*, e o elo de acesso de *p* precisa levar até *q*. Para a seqüência de chamada, é uma questão simples incluir um passo que coloque no elo de acesso de *p* um apontador para o registro de ativação de *q*. Alguns exemplos incluem a chamada de *quicksort* por *sort* para configurar a Figura 7.11(a) e a chamada de *partition* por quicksort para criar a Figura 7.11(c).

2. A chamada é recursiva, ou seja, $p = q$.[2] Então, o elo de acesso para o novo registro de ativação é o mesmo que o do registro de ativação abaixo dele. Um exemplo é a chamada de *quicksort*(1,3) por *quicksort*(1,9) para configurar a Figura 7.11(b).

3. A profundidade de aninhamento n_p de *p* é menor que a profundidade de aninhamento n_q de *q*. Para que a chamada contida em *q* esteja no escopo do nome *p*, o procedimento *q* precisa estar aninhado dentro de algum procedimento *r*. Enquanto *p* é um procedimento definido imediatamente dentro de *r*. O registro de ativação mais ao topo de *r* pode, portanto, ser encontrado seguindo-se a cadeia de elos de acesso, começando no registro de ativação para *q*, para $n_q - n_p + 1$ passos. Então, o elo de acesso para *p* deve ir para essa ativação de *r*.

---

[2] ML permite funções mutuamente recursivas, que seriam tratadas da mesma maneira.

EXEMPLO 7.7: Para ver um exemplo do caso (3), observe como vamos da Figura 7.11(c) para a Figura 7.11(d). A profundidade de aninhamento 2 da função chamada *exchange* é um a menos que a profundidade 3 da função *partition*, que a chama. Assim, começamos no registro de ativação para *partition* e seguimos $3 - 2 + 1 = 2$ elos de acesso, que nos leva do registro de ativação de *partition* para o de *quicksort*(1,3), para o de *sort*. O elo de acesso de *exchange*, portanto, vai para o registro de ativação de *sort*, como vemos na Figura 7.11(d).

Uma forma equivalente de descobrir esse elo de acesso é simplesmente seguir os elos de acesso para $n_q - n_p$ passos, e copiar o elo de acesso encontrado nesse registro. Em nosso exemplo, iríamos em um passo para o registro de ativação de *quicksort*(1,3) e copiaríamos seu elo de acesso no *sort*. Observe que esse elo de acesso está correto para *exchange*, embora *exchange* não esteja no escopo de *quicksort*, sendo estas funções irmãs aninhadas dentro de *sort*.

7.3.7 ELOS DE ACESSO PARA PARÂMETROS PROCEDIMENTO

Quando um procedimento *p* é passado para outro procedimento *q* como um parâmetro, e *q* então chama seu parâmetro (e, portanto, chama *p* nessa ativação de *q*), é possível que *q* não conheça o contexto em que *p* aparece no programa. Nesse caso, é impossível que *q* saiba como definir o elo de acesso para *p*. A solução para esse problema é a seguinte: quando os procedimentos são usados como parâmetros, o procedimento chamador precisa passar, com o nome do parâmetro procedimento, o elo de acesso apropriado para esse parâmetro.

O procedimento chamador sempre conhece o elo, porque se *p* é passado pelo procedimento *r* como um parâmetro real, então *p* deve ser um nome acessível a *r* e, portanto, *r* pode determinar o elo de acesso para *p* exatamente como se *p* estivesse sendo chamado diretamente por *r*, ou seja, usamos as regras para construir elos de acesso dadas na Seção 7.3.6.

EXEMPLO 7.8: Na Figura 7.12, vemos um esboço de uma função ML *a* que possui funções *b* e *c* aninhadas dentro dela. A função *b* tem um parâmetro *f* do tipo função, que ela chama. A função *c* define dentro dela uma função *d*, e *c* então chama *b* com o parâmetro real *d*.

```
fun a(x) =
    let
        fun b(f) =
            ... f ... ;
        fun c(y) =
            let
                fun d(z) = ...
            in
                ... b(d) ...
            end
    in
        ... c(1) ...
    end;
```

FIGURA 7.12 Esboço do programa ML que usa parâmetros do tipo função.

Vamos acompanhar o que acontece quando *a* é executada. Primeiro, *a* chama *c*, de modo que colocamos um registro de ativação para *c* acima daquele para *a* na pilha. O elo de acesso de *c* aponta para o registro de *a*, pois *c* é definido imediatamente dentro de *a*. Depois, *c* chama *b*(*d*). A seqüência de chamada configura um registro de ativação para *b*, como mostra a Figura 7.13(a).

Dentro desse registro de ativação está o parâmetro real *d* e seu elo de acesso, que juntos formam o valor do parâmetro formal *f* no registro de ativação para *b*. Observe que *c* sabe a respeito de *d*, porque *d* está definida dentro de *c*, e, portanto, *c* passa um apontador para seu próprio registro de ativação como o elo de acesso. Não importa onde *d* foi definida, se *c* está no escopo dessa definição, então uma das três regras da Seção 7.3.6 deve aplicar-se, e *c* pode prover o elo.

Agora, vejamos o que *b* faz. Sabemos que, em algum ponto, ela usa seu parâmetro *f*, o qual tem o efeito de chamar *d*. Um registro de ativação para *d* aparece na pilha, como mostra a Figura 7.13(b). O elo de acesso apropriado para colocar nesse registro de ativação é encontrado no valor do parâmetro *f*; o elo é para o registro de ativação de *c*, porque *c* envolve imediatamente a definição de *d*. Observe que *b* é capaz de configurar o elo apropriado, embora *b* não esteja no escopo da definição de *c*.

7.3.8 DISPLAYS

O problema com a abordagem de elo de acesso para dados não locais é que, se a profundidade de aninhamento crescer muito, pode ser necessário seguir longas cadeias de elos para alcançar os dados de que precisamos. Uma implementação mais eficiente utiliza um arranjo auxiliar *d*, chamado *display*, que consiste em um apontador para cada profundidade de aninhamento. Planejamos para que, a todo o tempo, $d[i]$ seja um apontador para o registro de ativação mais alto na pilha para qualquer procedimento na profundidade de aninhamento *i*. Os exemplos de um display aparecem na Figura 7.14. Na Figura 7.14(d), vemos o display *d*, com *d*[1] contendo um apontador para o registro de ativação de sort, o registro de ativação mais alto (e único) para uma função na profundidade de aninhamento 1. Além disso, *d*[2] contém um apontador para o registro de ativação de *exchange*, o registro mais alto na profundidade 2, e *d*[3] aponta para *partition*, o registro mais alto na profundidade 3.

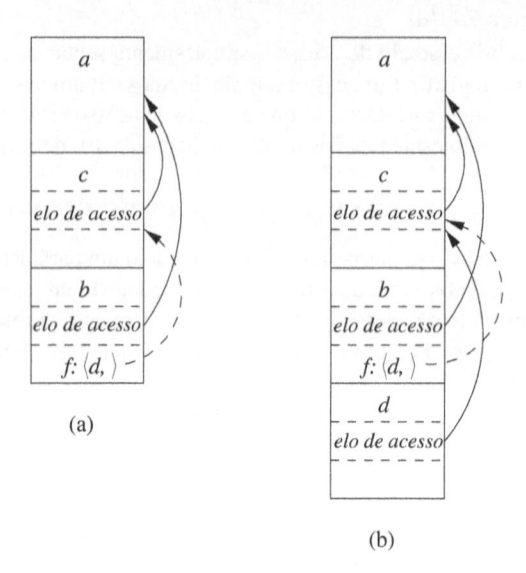

FIGURA 7.13 Parâmetros reais carregam seu elo de acesso com eles.

A vantagem de usar um *display* é que, se o procedimento *p* estiver executando e precisar acessar o elemento *x* pertencente a algum procedimento *q*, só precisamos olhar em *d*[*i*], onde *i* é a profundidade de aninhamento de *q*; seguimos o apontador *d*[*i*] para o registro de ativação de *q*, no qual *x* é encontrado em um deslocamento conhecido. O compilador sabe o que é *i*, de modo que pode gerar o código para acessar *x* usando *d*[*i*] e o deslocamento de *x* a partir do topo do registro de ativação de *q*. Assim, o código nunca precisa seguir uma longa cadeia de elos de acesso.

Para administrar o display corretamente, precisamos salvar os valores anteriores das entradas do display em novos registros de ativação. Se o procedimento *p*, na profundidade n_p, for chamado, e seu registro de ativação não for o primeiro na pilha para um procedimento na profundidade n_p, então o registro de ativação de *p* precisará conter o valor anterior de $d[n_p]$, enquanto o próprio $d[n_p]$ será definido para apontar para essa ativação de *p*. Quando *p* retornar, e seu registro de ativação for removido da pilha, devemos restaurar $d[n_p]$ para ter seu valor anterior à chamada de *p*.

EXEMPLO 7.9: Vários passos na manipulação do display são ilustrados na Figura 7.14. Na Figura 7.14(a), *sort* na profundidade 1 chamou *quicksort*(1,9) na profundidade 2. O registro de ativação para o *quicksort* possui um campo para armazenar o valor antigo de *d*[2], indicado como *d*[2] *salvo*, embora nesse caso, como não havia registro de ativação anterior na profundidade 2, esse apontador seja nulo.

Na Figura 7.14(b), *quicksort*(1,9) chama *quicksort*(1,3). Como os registros de ativação para as duas chamadas estão na profundidade 2, devemos armazenar o apontador para *quicksort*(1,9), que estava em *d*[2], no registro de *quicksort*(1,3). Então, *d*[2] aponta para *quicksort*(1,3).

Em seguida, *partition* é chamada. Essa função está na profundidade 3, de modo que usamos o campo *d*[3] no display pela primeira vez e fazemos com que ele aponte para o registro de ativação de *partition*. O registro para *partition* tem um campo para um valor inicial *d*[3], mas neste caso não existe nenhum, de modo que o apontador continua nulo. O display e a pilha nesse momento são mostrados na Figura 7.14(c).

Então, *partition* chama *exchange*. Essa função está na profundidade 2, de modo que seu registro de ativação armazena o apontador antigo *d*[2], que vai para o registro de ativação de *quicksort*(1,3). Observe que os apontadores do display 'se cruzam'; ou seja, *d*[3] aponta mais para baixo na pilha do que *d*[2]. Contudo, essa é uma situação apropriada; *exchange* só pode acessar seus próprios dados e os de *sort*, por meio de *d*[1]. ∎

7.3.9 EXERCÍCIOS DA SEÇÃO 7.3

Exercício 7.3.1: Na Figura 7.15 aparece uma função main em ML, que calcula os números de Fibonacci de uma maneira fora do padrão. A função fib0 calculará o e-nésimo número de Fibonacci para qualquer $n \geq 0$. Aninhada dentro dela está fib1, que calcula o e-nésimo número de *Fibonacci* supondo que $n \geq 2$, e aninhada dentro de fib1 está fib2, que assume $n \geq 4$. Observe que nem fib1 nem fib2 precisam verificar os casos básicos. Mostre a pilha de registros de ativação resultante de uma chamada a `main`, até o momento em que a primeira chamada (a `fib0(1)`) está para retornar. Mostre o elo de acesso em cada um dos registros de ativação na pilha.

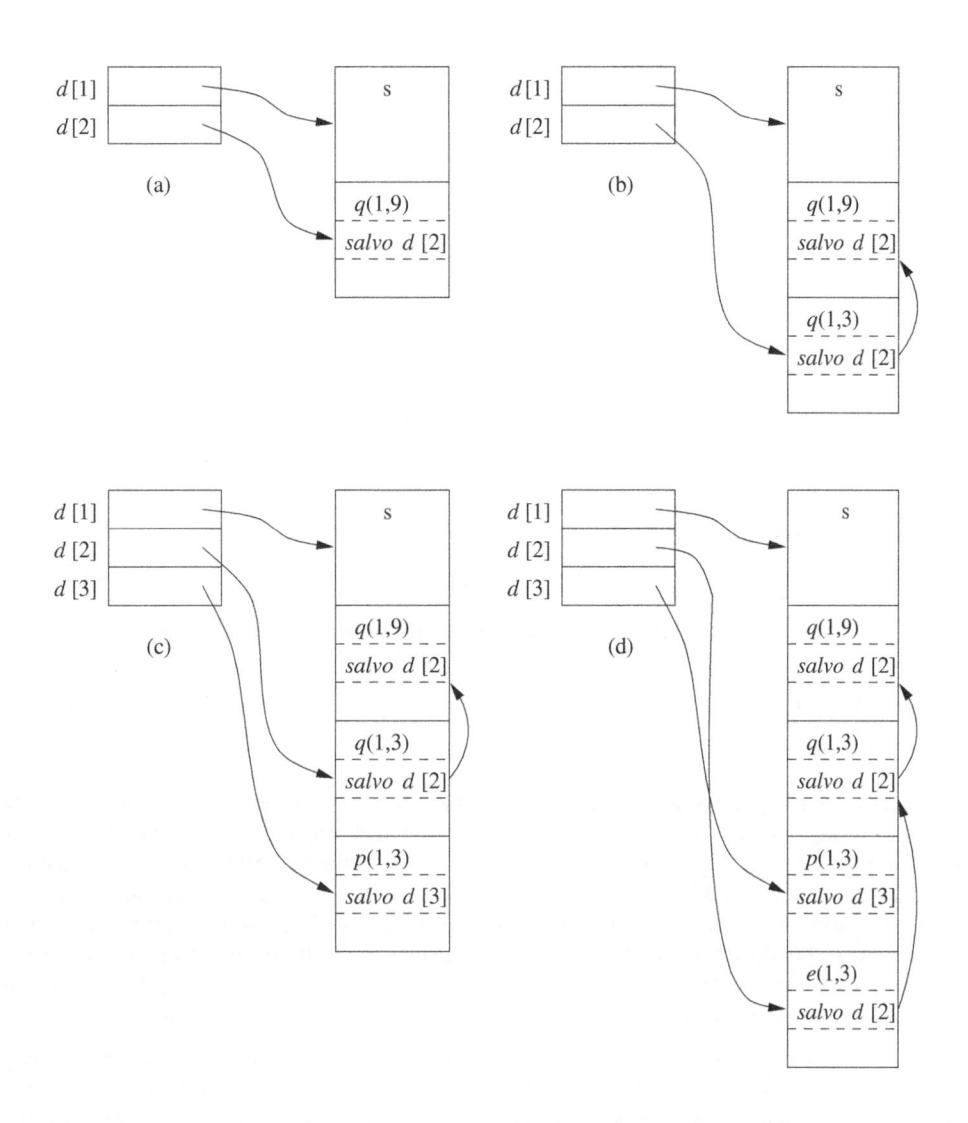

FIGURA 7.14 Administrando o *display*.

Exercício 7.3.2: Suponha que implementemos as funções da Figura 7.15 usando um display. Mostre o display no momento em que a primeira chamada a `fib0(1)` está para retornar. Além disso, indique a entrada do display salva em cada um dos registros de ativação na pilha nesse momento.

7.4 GERENCIAMENTO DO HEAP

O heap é uma porção de memória usada para dados que residem indefinidamente, ou até que o programa os exclua explicitamente. Enquanto as variáveis locais tipicamente se tornam inacessíveis quando seus procedimentos terminam, muitas linguagens nos permitem criar objetos ou outros dados, cuja existência não esteja ligada à ativação do procedimento pelo qual são criados. Por exemplo, tanto C++ quanto Java disponibilizam para o programador `new` a fim de criar objetos que podem ser passados — ou para os quais podem ser passados apontadores — de um procedimento para outro, de modo que continuam a existir muito depois que o procedimento que os criou termine. Esses objetos são armazenados em um heap.

Nesta seção, discutimos sobre o *gerenciador de memória*, o subsistema que aloca e libera espaço dentro do heap; ele serve como uma interface entre os programas de aplicação e o sistema operacional. Para linguagens como C ou C++, que liberam porções de memória *manualmente* (por instruções explícitas do programa, como `free` ou `delete`), o gerenciador de memória também é responsável por implementar a liberação.

Na Seção 7.5, discutiremos sobre a *coleta de lixo*, que é o processo de localizar espaços dentro do heap que não são mais usados pelo programa e, portanto, podem ser realocados para acomodar outros itens de dados. Para linguagens como Java, é o coletor de lixo que libera a memória. Quando exigido, o coletor de lixo é um subsistema importante do gerenciador de memória.

```
fun main () {
    let
        fun fib0(n) =
            let
                fun fib1(n) =
                    let
                        fun fib2(n) = fib1(n-1) + fib1(n-2)
                    in
                        if n >= 4 then fib2(n)
                        else fib0(n-1) + fib0(n-2)
                    end
            in
                if n >= 2 then fib1(n)
                else 1
            end
    in
        fib0(4)
    end;
```

FIGURA 7.15 Funções aninhadas calculando os números de Fibonacci.

7.4.1 O GERENCIADOR DE MEMÓRIA

O gerenciador de memória administra todo o espaço livre na memória heap o tempo inteiro. Ele realiza duas funções básicas:

- *Alocação*. Quando um programa solicita memória para uma variável ou objeto,[3] o gerenciador de memória disponibiliza uma porção contígua de memória heap com o tamanho solicitado. Se for possível, ele satisfaz uma solicitação de alocação usando o espaço livre no heap. Se nenhuma porção do tamanho necessário estiver disponível, ele procura aumentar o espaço de memória do heap obtendo bytes consecutivos de memória virtual do sistema operacional. Se o espaço estiver esgotado, o gerenciador de memória passa essa informação de volta ao programa de aplicação.
- *Liberação*. O gerenciador de memória retorna o espaço liberado ao repositório de espaço livre, de modo que este espaço possa ser reusado para satisfazer outras solicitações de alocação. Os gerenciadores de memória tipicamente não retornam memória ao sistema operacional, mesmo que o uso do heap do programa diminua.

O gerenciamento de memória seria mais simples se (a) todas as solicitações de alocação fossem para porções do mesmo tamanho, e (b) a memória fosse liberada previsivelmente, digamos, o primeiro alocado, o primeiro liberado. Existem algumas linguagens, como Lisp, para as quais a condição (a) é verdadeira; a linguagem Lisp pura utiliza somente um elemento de dado — uma célula de dois apontadores — a partir do qual todas as estruturas de dados são construídas. A condição (b) também é verdadeira em algumas situações, sendo a mais comum a de dados que podem ser alocados na pilha de execução. Contudo, na maioria das linguagens, nem (a) nem (b) em geral são verdadeiros. Em vez disso, elementos de dados de tamanhos diferentes são alocados, e não existe uma boa maneira de prever os tempos de vida de todos os objetos alocados.

Assim, o gerenciador de memória deve estar preparado para atender, em qualquer ordem, solicitações de alocação e liberação de qualquer tamanho, variando desde um byte até todo o espaço de endereços do programa.

As propriedades desejáveis em gerenciadores de memória são:

- *Eficiência de espaço*. Um gerenciador de memória deverá minimizar o espaço total do heap necessário por um programa. Isso permite que programas maiores sejam executados em um espaço de endereço virtual fixo. A eficiência do espaço é alcançada minimizando-se a 'fragmentação', discutida na Seção 7.4.4.
- *Eficiência do programa*. Um gerenciador de memória deverá fazer bom uso do subsistema de memória para permitir que os programas sejam executados mais rapidamente. Conforme veremos na Seção 7.4.2, o tempo gasto para executar uma instrução pode variar bastante, dependendo de onde os objetos são colocados na memória. Felizmente, os programas tendem a exibir 'localidade', um fenômeno discutido na Seção 7.4.3, que se refere à maneira agrupada não

---

[3] A partir deste ponto, vamos referir-nos aos nomes do programa fonte exigindo espaço de memória como 'objetos', mesmo que não sejam objetos verdadeiros no sentido da 'programação orientada por objeto'.

aleatoriamente, na qual os programas típicos acessam a memória. Administrando com atenção o posicionamento de objetos na memória, o gerenciador de memória pode utilizar melhor o espaço e, possivelmente, fazer com que o programa execute mais rapidamente.
- *Baixo custo.* Como as alocações e liberações de memória são operações freqüentes em muitos programas, é importante que sejam o mais eficiente possível, ou seja, queremos minimizar o *custo* — a fração do tempo de execução gasta realizando alocação e liberação. Observe que o custo das alocações é dominado por pequenas solicitações; o custo de gerenciamento de objetos grandes é menos importante, pois usualmente pode ser amortizado por uma quantidade maior de computação.

7.4.2 A HIERARQUIA DE MEMÓRIA DE UM COMPUTADOR

O gerenciamento de memória e a otimização do compilador precisam ser feitos levando-se em conta o comportamento da memória. As máquinas modernas são projetadas de modo que os programadores possam escrever programas corretos sem se preocuparem com detalhes do subsistema de memória. Contudo, a eficiência de um programa é determinada não apenas pelo número de instruções executadas, mas também pelo tempo gasto para executar cada uma delas. Esse tempo pode variar significativamente porque o tempo gasto para acessar diferentes partes da memória pode variar desde nanossegundos até milissegundos. Programas com uso intensivo de dados podem, portanto, beneficiar-se bastante das otimizações que fazem um bom uso do subsistema de memória. Conforme veremos na Seção 7.4.3, eles podem tirar proveito do fenômeno de 'localidade' — o comportamento não aleatório dos programas típicos.

A grande variação nos tempos de acesso à memória é causada pela limitação fundamental na tecnologia de hardware; podemos construir memórias pequenas e rápidas, ou memórias grandes e lentas, mas não uma memória que seja ao mesmo tempo grande e rápida. É simplesmente impossível hoje construir memórias de gigabytes com tempos de acesso na faixa de nanossegundos, que é a rapidez com que os processadores de alto desempenho executam. Portanto, praticamente todos os computadores modernos organizam sua memória como uma *hierarquia de memória*. Uma hierarquia de memória, como mostrada na Figura 7.16, consiste em uma série de elementos de memória, os menores e mais rápidos 'mais perto' do processador, e os maiores e mais lentos mais distantes.

RAM estática e dinâmica

A maior parte da memória de acesso aleatório é *dinâmica*, o que significa que ela é construída de circuitos eletrônicos muito simples, que perdem sua carga (e, portanto, 'esquecem' o *bit* que estavam armazenando) em pouco tempo. Esses circuitos precisam ser *restabelecidos*, ou seja, ter seus bits lidos e reescritos-periodicamente. Por outro lado, a RAM estática é projetada com um circuito mais complexo para cada bit, e conseqüentemente o bit armazenado pode permanecer indefinidamente, até que seja alterado. Evidentemente, um chip pode armazenar mais bits se utilizar circuitos de RAM dinâmica do que se usar circuitos de RAM estática, de modo que costumamos ver grandes memórias principais na modalidade dinâmica, enquanto memórias menores, como as caches, são feitas de circuitos estáticos.

Tipicamente, um processador possui um pequeno número de registradores, cujo conteúdo está sob controle do software. Em seguida, ele tem um ou mais níveis de cache, usualmente feitos de RAM estática, que possuem um tamanho de kilobytes a vários megabytes. O próximo nível da hierarquia é a memória física (principal), feita de centenas de megabytes ou gigabytes de RAM dinâmica. A memória física usa como suporte a memória virtual, que é implementada por gigabytes de discos. Em um acesso à memória, primeiro a máquina procura os dados na memória mais próxima (nível mais baixo); se os dados não estiverem lá, ela procura no próximo nível mais alto, e assim por diante.

Os registradores são escassos, de modo que o uso do registrador é moldado a aplicações específicas e gerenciado pelo código que um compilador gera. Todos os outros níveis da hierarquia são gerenciados automaticamente; desse modo, não apenas a tarefa de programação é simplificada, mas o mesmo programa pode funcionar efetivamente em arquiteturas com diferentes configurações de memória. A cada acesso à memória, a máquina pesquisa cada nível da memória em ordem, começando com o nível mais baixo, até localizar os dados. As memórias cache são gerenciadas exclusivamente no hardware, a fim de acompanhar os tempos de acesso à RAM relativamente rápidos. Como os discos são relativamente lentos, a memória virtual é gerenciada pelo sistema operacional, com o auxílio de uma estrutura de hardware conhecida como 'buffer lookaside de tradução'.

Os dados são transferidos como blocos de memória contígua. Para amortizar o custo do acesso, blocos maiores são usados com os níveis mais lentos da hierarquia. Entre a memória principal e a memória cache, os dados são transferidos em blocos conhecidos como *linhas de cache*, que tipicamente têm de 32 a 256 *bytes* de extensão. Entre a memória virtual (disco) e a memória principal, os dados são transferidos em blocos conhecidos como *páginas*, tipicamente entre 4K e 64K bytes em tamanho.

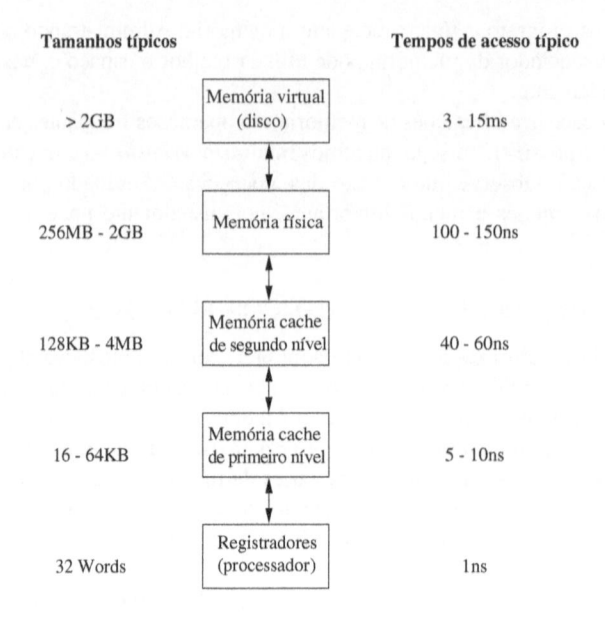

Tamanhos típicos		Tempos de acesso típico
> 2GB	Memória virtual (disco)	3 - 15ms
256MB - 2GB	Memória física	100 - 150ns
128KB - 4MB	Memória cache de segundo nível	40 - 60ns
16 - 64KB	Memória cache de primeiro nível	5 - 10ns
32 Words	Registradores (processador)	1ns

FIGURA 7.16 Configurações típicas de hierarquia de memória.

Arquiteturas cache

Como sabemos se uma linha de cache está em uma memória cache? Seria muito dispendioso verificar cada linha isolada na cache, de modo que é uma prática comum restringir o posicionamento de uma linha de cache dentro da cache. Essa restrição é conhecida como *conjunto associativo*. Uma cache é *conjunto associativo em k vias*, se uma linha de cache puder residir apenas em k endereços. A cache mais simples é uma cache associativa em 1 via, também conhecida como cache *mapeada diretamente*. Em uma cache mapeada diretamente, os dados com endereço de memória n podem ser colocados apenas no endereço de cache n **mod** s, onde s é o tamanho da cache. De modo semelhante, uma cache associativa em conjunto de k vias é dividida em k conjuntos, onde um dado com endereço n pode ser mapeado apenas para o endereço n **mod** (s/k) em cada conjunto. A maioria das caches de instruções e dados possui associatividade entre 1 e 8. Quando uma linha de cache é trazida para a cache, e todos os possíveis endereços que podem conter a linha estão ocupados, é comum evitar a linha que foi a menos usada recentemente.

7.4.3 Localidade em Programas

A maioria dos programas exibe um alto grau de *localidade*; ou seja, gastam a maior parte do seu tempo executando uma fração relativamente pequena do código e usando apenas uma pequena fração dos dados. Dizemos que um programa tem *localidade temporal* se for provável que os endereços de memória que ele acessa sejam acessados novamente dentro de um curto período de tempo. Dizemos que um programa possui *localidade espacial* se for provável que os endereços de memória vizinhos do endereço acessado também sejam acessados dentro de um curto período de tempo.

A sabedoria convencional diz que os programas gastam 90% do seu tempo executando 10% do código. Saiba por quê:

- Os programas freqüentemente contêm muitas instruções que nunca são executadas. Os programas construídos com componentes e bibliotecas utilizam apenas uma pequena fração da funcionalidade fornecida. Além disso, quando os requisitos mudam e os programas evoluem, os sistemas legados freqüentemente contêm muitas instruções que não são mais usadas.
- Apenas uma pequena fração do código que poderia ser invocado é realmente executada em uma rodada típica do programa. Por exemplo, as instruções para tratar entradas ilegais e casos excepcionais, embora críticas para a exatidão do programa, raramente são invocadas em alguma execução particular.
- O programa típico gasta a maior parte do seu tempo executando *loops* mais internos e ciclos recursivos pequenos em um programa.

A localidade nos permite tirar proveito da hierarquia de memória de um computador moderno, como mostra a Figura 7.16. Colocando a maioria das instruções e dados comuns na memória rápida, porém pequena, e deixando o restante na memória lenta, porém grande, podemos reduzir significativamente o tempo médio de acesso à memória de um programa.

Descobriu-se que muitos programas exibem localidade temporal e espacial no modo como acessam instruções e dados. Contudo, os padrões de acesso a dados geralmente mostram uma variância maior do que os padrões de acesso a instruções. Políticas como a de manter os dados usados mais recentemente na hierarquia mais rápida funcionam bem para programas comuns, mas podem não funcionar bem para alguns programas com uso intensivo de dados — por exemplo, aqueles que percorrem arranjos muito grandes em ciclos.

Freqüentemente, apenas examinando o código, não sabemos quais de suas seções serão mais utilizadas, especialmente para determinada entrada. Mesmo que saibamos quais instruções serão muito executadas, a memória cache mais rápida em geral não é grande o bastante para conter todas elas ao mesmo tempo. Portanto, temos de ajustar dinamicamente o conteúdo da memória mais rápida e usá-la para conter instruções que, provavelmente, serão usadas bastante no futuro próximo.

Otimização usando a hierarquia de memória

A política de manter as instruções mais usadas na cache tende a funcionar bem; em outras palavras, o passado geralmente é uma boa previsão do uso futuro da memória. Quando uma nova instrução é executada, há alta probabilidade de que a próxima instrução também seja executada. Esse fenômeno é um exemplo da localidade espacial. Uma técnica efetiva para melhorar a localidade espacial das instruções é fazer com que o compilador coloque os blocos básicos (seqüências de instruções que sempre são executadas seqüencialmente) que provavelmente seguirão uns aos outros consecutivamente — na mesma página, ou até na mesma linha de cache, se possível. As instruções pertencentes ao mesmo *loop* ou à mesma função também têm alta probabilidade de serem executadas juntas.[4]

Também podemos melhorar a localidade temporal e espacial dos acessos aos dados em um programa alterando o leiaute dos dados ou a ordem da computação. Por exemplo, programas que visitam grandes quantidades de dados repetidamente, realizando cada vez uma pequena quantidade de computação, não têm um bom desempenho. É melhor se pudermos trazer alguns dados de um nível mais lento da hierarquia da memória para um nível mais rápido (por exemplo, do disco para a memória principal) uma vez, e realizar todas as computações necessárias sobre esses dados enquanto eles residem no nível mais rápido. Esse conceito pode ser aplicado recursivamente para reusar dados na memória física, nas memórias cache e nos registradores.

7.4.4 Reduzindo a fragmentação

No início da execução do programa, o heap é uma unidade contígua de espaço livre. À medida que o programa aloca e libera memória, esse espaço é dividido em porções de memória livres e usadas, e as porções livres não precisam residir em uma área contígua do heap. Nós nos referimos às porções livres de memória como *buracos* (*hole*s). A cada solicitação de alocação, o gerenciador de memória precisa *colocar* a porção de memória solicitada em um buraco grande o suficiente. A menos que seja encontrado um buraco exatamente com o tamanho certo, precisamos *dividir* algum buraco, criando um buraco ainda menor.

A cada requisição de liberação, as porções de memória liberadas são colocadas de volta no repositório de espaço livre. *Unimos* (do inglês *coalescing*) os buracos contíguos em buracos maiores, pois de outra forma os buracos só podem ficar menores. Se não tivermos cuidado, a memória pode acabar ficando *fragmentada*, consistindo em quantidades maiores de buracos pequenos, não contíguos. Com esta situação, é possível que nenhum buraco seja grande o suficiente para satisfazer uma solicitação futura, embora possa haver espaço livre agregado suficiente.

Posicionamento de objetos best-fit e next-fit

Reduzimos a fragmentação controlando como o gerenciador de memória coloca novos objetos no heap. Descobriu-se empiricamente que uma boa estratégia para minimizar a fragmentação para programas da vida real é alocar a memória solicitada no menor buraco disponível que seja grande o suficiente. Esse algoritmo *best-fit* costuma reservar os buracos grandes para satisfazer solicitações maiores, subseqüentes. Uma alternativa, chamada *first-fit*, na qual um objeto é colocado no primeiro buraco (com endereço mais baixo) em que ele cabe, gasta menos tempo para posicionar os objetos, mas é inferior em relação ao best-fit no desempenho geral.

Para implementar o posicionamento *best-fit* de forma mais eficiente, podemos separar o espaço livre em *compartimentos* (*bins*), de acordo com seus tamanhos. Uma idéia prática é ter muito mais compartimentos para os tamanhos menores, porque usualmente existem muito mais objetos pequenos. Por exemplo, o gerenciador de memória Lea, usado no compilador C gcc, alinha todas as porções em limites de 8 bytes. Existe um compartimento para cada múltiplo de porções de 8 bytes, de 16 bytes até 512 bytes. Compartimentos de tamanhos maiores são espaçados logaritmicamente, ou seja, o tamanho mínimo para cada compartimento é o dobro do compartimento anterior, e dentro de cada um desses compartimentos as porções são ordenadas por seu tama-

---

[4] À medida que uma máquina busca uma palavra na memória, é relativamente barato *pré-buscar* também as próximas palavras contíguas de memória. Assim, um recurso comum da hierarquia de memória é que um bloco multipalavras seja trazido de um nível da memória cada vez que este é acessado.

nho. Sempre há uma porção de espaço livre que pode ser estendida, solicitando mais páginas do sistema operacional. Chamada de *porção deserto*, essa porção é tratada pelo Lea como o compartilhamento de maior tamanho, por causa da sua facilidade de extensão.

A divisão em compartimentos facilita encontrar a porção best-fit.

- Se, como para tamanhos pequenos solicitados ao gerenciador de memória Lea, existe um compartimento para porções desse tamanho apenas, podemos pegar qualquer porção desse compartimento.
- Para tamanhos que não possuem um compartimento privado, encontramos o único compartimento que tenha permissão para incluir porções do tamanho desejado. Dentro desse compartimento, podemos usar uma estratégia first-fit ou best-fit, ou seja, procuramos e selecionamos a primeira porção que seja suficientemente grande ou gastamos mais tempo e encontramos a menor porção que seja suficientemente grande. Observe que, quando o encaixe não é exato, o restante da porção geralmente terá de ser colocado em um compartimento com tamanho menor.
- Contudo, pode ser que o compartimento de destino esteja vazio ou, então, que todas as porções nesse compartilhamento também sejam muito pequenas para satisfazer a requisição de espaço. Nesse caso, simplesmente repetimos a pesquisa, usando o compartimento para o próximo tamanho maior (ou próximos). Por fim, encontramos uma porção que podemos usar ou atingimos a porção 'deserto', da qual certamente poderemos obter o espaço necessário, possivelmente indo para o sistema operacional e pegando páginas adicionais para o heap.

Embora a tendência do posicionamento best-fit seja melhorar a utilização de espaço, ele pode não ser o melhor em termos de localidade espacial. As porções alocadas praticamente ao mesmo tempo por um programa tendem a apresentar padrões de referência semelhantes e tempos de vida semelhantes. Colocá-las próximas assim melhora a localidade espacial do programa. Uma adaptação útil do algoritmo best-fit é modificar o posicionamento se uma porção do tamanho exato solicitado não puder ser encontrada. Nesse caso, usamos uma estratégia next-fit, tentando alocar o objeto na porção que tenha sido dividida por último, sempre que um espaço suficiente para o novo objeto permanecer nessa porção. Next-fit também tende a melhorar a velocidade da operação de alocação.

Gerenciando e unindo o espaço livre

Quando um objeto é liberado manualmente, o gerenciador de memória precisa tornar sua porção livre, de modo que possa ser alocada novamente. Em algumas circunstâncias, também pode ser possível combinar (unir) essa porção com porções adjacentes do heap, para formar uma porção maior. A vantagem de fazer isso é que sempre podemos usar uma porção grande para realizar o trabalho de porções pequenas do mesmo tamanho total, mas muitas porções pequenas não podem conter um objeto grande, como a porção combinada poderia.

Se mantivermos um compartimento para porções de um tamanho fixo, como o Lea faz para tamanhos pequenos, podemos preferir não unir os blocos adjacentes desse tamanho em uma porção com o dobro do tamanho. É mais simples manter todas as porções de um tamanho no máximo de páginas de que precisarmos, e nunca uni-las. Então, um esquema simples de alocação/liberação é usar um mapa de bits, com um bit para cada porção no compartimento. O valor 1 indica que a porção está ocupada; o valor 0 indica que está livre. Quando uma porção é liberada, mudamos o seu 1 para 0. Quando precisamos alocar uma porção, encontramos qualquer porção com um bit 0, mudamos esse bit para 1 e usamos a porção correspondente. Se não houver porções livres, obtemos uma nova página, dividimos essa página em porções do tamanho apropriado e estendemos o vetor de bits.

Tudo se torna mais complexo quando o heap é gerenciado como um todo, sem compartimentos, ou se estivermos querendo unir porções adjacentes e mover a porção resultante para um compartimento diferente, se necessário. Existem duas estruturas de dados que são úteis para dar suporte à união de blocos livres adjacentes:

- *Rótulos de fronteira.* Nos extremos baixo e alto de cada porção, seja ela livre ou alocada, mantemos informações vitais. Nos dois extremos, mantemos um bit livre/usado que diz se o bloco está ou não atualmente alocado (usado) ou disponível (livre). Adjacente a cada bit livre/usado está um contador do número total de bytes na porção.
- *Uma lista duplamente encadeada de porções livres e embutida.* As porções livres (mas não as porções alocadas) também são encadeadas em uma lista duplamente encadeada. Os apontadores para essa lista estão dentro dos próprios blocos, digamos, adjacentes aos rótulos de fronteira em qualquer um dos extremos. Assim, nenhum espaço adicional é necessário para a lista de livres, embora sua existência coloque um limite inferior no tamanho das pequenas porções. Eles precisam acomodar dois rótulos de fronteira e dois apontadores, mesmo que o objeto seja um único byte. A ordem das porções na lista de livres não é especificada. Por exemplo, a lista poderia ser ordenada por tamanho, facilitando assim o posicionamento best-fit.

Exemplo 7.10: A Figura 7.17 mostra parte de um heap com três porções adjacentes, *A*, *B* e *C*. A porção *B*, de tamanho 100, acabou de ser liberada e retornada à lista de livres. Como conhecemos o início (extremo esquerdo) de *B*, também conhecemos o extremo da porção que está imediatamente à esquerda de *B*, a saber, *A* neste exemplo. O bit livre/usado no extremo direito de *A* é correntemente 0, de modo que *A* também está livre. Portanto, podemos unir *A* e *B* em uma porção de 300 bytes.

Pode acontecer de a porção *C*, a porção imediatamente à direita de *B*, também estar livre e, neste caso, podemos combinar *A*, *B* e *C*. Observe que, se sempre unirmos as porções quando pudermos, nunca haverá duas porções livres adjacentes, de modo que nunca teremos de procurar mais do que duas porções adjacentes àquela sendo liberada. No caso corrente, encontramos o início de *C* começando no extremo esquerdo de *B*, que conhecemos, e encontramos o número total de bytes em *B*, que pode ser recuperado da tag de limite esquerdo de *B* e é de 100 bytes. Com essa informação, encontramos o extremo direito de *B* e o início da porção à sua direita. Nesse ponto, examinamos o bit livre/usado de *C* e descobrimos que ele é 1 de usado; logo, *C* não está disponível para união.

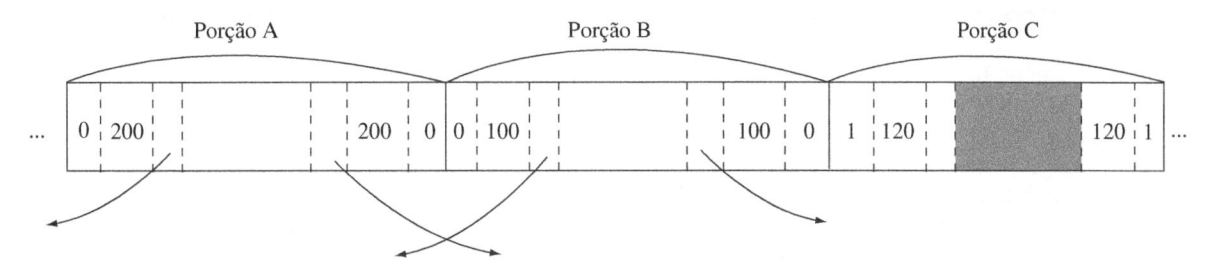

Figura 7.17 Parte de um heap e lista duplamente encadeada de livres.

Como temos de unir *A* e *B*, precisamos remover um deles da lista de livres. A estrutura da lista duplamente encadeada de livres nos permite encontrar as porções antes e depois de *A* e *B*. Observe que não devemos assumir que os vizinhos físicos *A* e *B* também são adjacentes na lista de livres. Conhecendo as porções antes e depois de *A* e *B* na lista de livres, é simples manipular os apontadores na lista para substituir *A* e *B* por uma porção unida.

A coleta de lixo automática pode eliminar completamente a fragmentação, se ela mover todos os objetos alocados para uma área de memória contígua. A interação entre coleta de lixo e gerenciamento de memória será discutida com mais detalhes na Seção 7.6.4.

7.4.5 Solicitações de liberação manual

Fechamos esta seção com o gerenciamento manual da memória, no qual o programador deve cuidar explicitamente da liberação de dados, como em C e C++. O ideal é que se remova qualquer endereço que não seja mais acessado. Reciprocamente, não se deve remover qualquer endereço que possa ser referenciado. Infelizmente, é difícil impor qualquer uma dessas propriedades. Além de considerar as dificuldades com a liberação manual, descreveremos algumas das técnicas que os programadores utilizam para auxiliar nas soluções destas dificuldades.

Problemas com a liberação manual

O gerenciamento manual da memória é passível de erro. Os erros mais comuns têm duas formas: deixar de remover dados que não podem ser referenciados, o que é chamado de erro de *vazamento de memória* (*memory-leak*), e referenciar dados removidos, caracteriza um erro de *acesso a apontador pendente* (*dangling-pointer*).

É difícil para os programadores dizerem que um programa *nunca* se referirá a alguma porção de memória no futuro, assim o primeiro erro comum é não remover a porção de memória que nunca será referenciada. Observe que, embora os vazamentos de memória possam atrasar a execução de um programa devido ao maior uso de memória, eles não afetam a exatidão do programa, desde que a máquina não esgote a memória. Muitos programas podem tolerar vazamentos de memória, especialmente se este for lento. Contudo, programas com tempo de execução longo, especialmente os que não param como o código dos sistemas operacionais ou do servidor, é fundamental que não tenham vazamentos.

A coleta de lixo automática se livra de vazamentos de memória liberando todo o lixo. Até mesmo com a coleta de lixo automática, um programa ainda pode usar mais memória do que o necessário. Um programador pode saber que um objeto nunca será referenciado, embora existam referências a esse objeto em algum lugar. Nesse caso, o programador precisa remover deliberadamente as referências a objetos que nunca serão referenciados, de modo que esses objetos possam ser liberados automaticamente.

Ser demasiadamente zeloso com a remoção de objetos pode levar a problemas ainda piores do que vazamentos de memória. O segundo erro comum é remover alguma porção de memória e depois tentar referir-se aos dados na porção liberada. Os apontadores para áreas de memória que foram liberadas são conhecidos como *apontadores pendentes*. Quando a porção de memória liberada tiver sido realocada para uma nova variável, qualquer leitura, escrita ou liberação via apontador pendente pode produzir efeitos aparentemente aleatórios. Nós nos referimos a qualquer operação, tal como leitura, escrita ou liberação, que segue um apontador e tenta usar o objeto ao qual ele aponta, como seguimento (*dereferencing*) de apontador.

Observe que a leitura por meio de um apontador pendente pode retornar um valor arbitrário. Escrever por meio de um apontador pendente arbitrariamente muda o valor da nova variável. Liberar a porção de memória de um apontador pendente significa que a área de memória da nova variável pode ser alocada para outra variável, e as ações sobre as variáveis antiga e nova podem entrar em conflito umas com as outras.

Diferentemente dos vazamentos de memória, o seguimento de apontador pendente após a área de memória liberada ser realocada quase sempre cria no programa um erro difícil de depurar. Como resultado, os programadores estão mais inclinados a não liberar uma variável se não estiverem seguros de que ela é não referenciável.

> **Um exemplo: Purify**
>
> O Purify da Rational é uma das ferramentas comerciais mais populares, que auxilia os programadores a encontrar erros de vazamentos e acesso à memória nos programas. O Purify instrumenta o código binário adicionando-lhe instruções para verificar erros enquanto o programa é executado. Ele mantém um mapa da memória para indicar onde estão os espaços liberados e usados. Cada objeto alocado é cercado por espaço extra; os acessos aos endereços não alocados ou a espaços entre os objetos são marcados como erros. Essa abordagem encontra algumas referências de apontador pendente, exceto quando a memória tiver sido realocada e um objeto válido estiver colocado em seu lugar. Essa abordagem também encontra alguns acessos a arranjo fora dos limites, se eles avançarem no espaço inserido no fim dos objetos.
>
> O *Purify* também encontra vazamentos de memória no fim da execução de um programa. Ele pesquisa o conteúdo de todos os objetos alocados em busca de possíveis valores de apontador. Qualquer objeto sem um apontador para ele é uma porção vazada da memória. O Purify informa a quantidade de vazamentos de memória e os endereços dos objetos vazados. Podemos comparar o Purify a um 'coletor de lixo conservador', que será discutido na Seção 7.8.3.

Um tipo de erro de programação relacionado é acessar um endereço ilegal. Exemplos comuns desses erros incluem o seguimento de apontadores nulos e o acesso a um elemento de arranjo fora dos limites. É melhor que esses erros sejam detectados em vez de permitir que o programa adultere os resultados silenciosamente. De fato, muitas violações de segurança exploram erros de programação desse tipo, em que certas entradas do programa permitem o acesso não intencional aos dados, levando um hacker a obter o controle do programa e da máquina. Um antídoto é fazer com que o compilador insira verificações a cada acesso, para certificar-se de que está dentro dos limites. A fase de otimização do compilador pode descobrir e remover essas verificações que não forem realmente necessárias, pois o otimizador poderá deduzir que o acesso deve ser dentro dos limites.

Convenções e ferramentas de programação

Apresentamos agora algumas das convenções e ferramentas mais populares, desenvolvidas para auxiliar os programadores a enfrentar a complexidade no gerenciamento da memória.

- A *propriedade de objeto* é útil quando o tempo de vida de um objeto pode ser determinado estaticamente. A idéia é associar um *proprietário* a cada objeto o tempo todo. O proprietário é um apontador para esse objeto, presumidamente pertencendo a alguma chamada de função. O proprietário, ou seja, sua função, é responsável por remover o objeto ou passar o objeto a outro proprietário. É possível ter outros apontadores, não proprietários, para o mesmo objeto; esses apontadores podem ser modificados a qualquer momento, e nenhuma remoção deve ser aplicada por meio deles. Essa convenção elimina os vazamentos de memória, além das tentativas de remover o mesmo objeto duas vezes. Contudo, isso não ajuda a solucionar o problema da referência de apontador pendente, porque é possível seguir um apontador não proprietário a um objeto que foi removido.
- A *contagem de referência* é útil quando o tempo de vida de um objeto precisa ser determinado dinamicamente. A idéia é associar um contador a cada objeto alocado dinamicamente. Sempre que for criada uma referência ao objeto, incrementamos o contador de referência; sempre que uma referência for removida, decrementamos o contador de referência. Quando o contador chegar ao zero, o objeto não poderá mais ser referenciado e poderá, portanto, ser removido. Essa técnica, contudo, não identifica estruturas de dados circulares inúteis, em que uma coleção de objetos não pode ser acessada, mas seus contadores de referência não são zero, porque se refere um ao outro. Veja no Exemplo 7.11 uma ilustração desse problema. A contagem de referência erradica todas as referências de apontador pendente, pois não existem referências pendentes a nenhum objeto removido. A contagem de referência é cara porque impõe um custo em cada operação que armazena um apontador.
- A *alocação baseada em região* é útil para coleções de objetos cujos tempos de vida são ligados a fases específicas em uma computação. Quando os objetos são criados para serem usados apenas dentro de algum passo de uma computação, podemos alocar todos esses objetos na mesma região. Então, removemos toda a região quando esse passo de computação terminar. Essa técnica de *alocação baseada em região* tem aplicação limitada, porém é muito eficiente sempre que puder ser usada. Em vez de liberar objetos um de cada vez, ela exclui todos os objetos na região por atacado, por assim dizer.

7.4.6 Exercício da Seção 7.4

Exercício 7.4.1: Suponha que o heap consiste em sete porções, começando no endereço 0. Os tamanhos das porções, em ordem, são 80, 30, 60, 50, 70, 20, 40 bytes. Ao colocar um objeto em uma porção, nós o posicionamos no extremo superior se houver espaço suficiente restante para formar uma porção menor, de modo que esta (a porção menor) possa facilmente permanecer na lista encadeada de espaço livre. Contudo, não podemos tolerar porções com menos de 8 bytes, de modo que, se um objeto for quase tão grande quanto a porção selecionada, devemos dar-lhe a porção inteira e colocar o objeto no extremo inferior da porção. Se solicitarmos espaço para objetos dos seguintes tamanhos: 32, 64, 48, 16, nessa ordem, como será a lista de espaço livre depois de satisfazer as solicitações, se o método de seleção de porções for:

a) First-fit.
b) Best-fit.

7.5 Introdução à coleta de lixo

Os dados que não podem ser referenciados geralmente são conhecidos como *lixo*. Muitas linguagens de programação de alto nível removem o peso do gerenciamento de memória manual do programador, oferecendo a coleta de lixo automática, a qual libera dados inalcançáveis. A coleta de lixo existe desde a implementação inicial da linguagem Lisp em 1958. Outras linguagens significativas que oferecem coleta de lixo incluem Java, Perl, ML, Modula-3, Prolog e Smalltalk.

Nesta seção, introduzimos muitos dos conceitos da coleta de lixo. A noção de um objeto sendo 'alcançável' pode ser intuitiva, mas devemos ser precisos; as regras exatas serão discutidas na Seção 7.5.2. Discutiremos também, na Seção 7.5.3, um método simples, porém imperfeito, de coleta de lixo automática: a contagem de referência, a qual se baseia na idéia de que, quando um programa perdeu todas as referências a um objeto, ele simplesmente não pode referenciar a memória e por isso não o fará.

A Seção 7.6 aborda os coletores baseados em rastreamento, que são algoritmos que descobrem todos os objetos que ainda são úteis, e então transforma todas as outras porções do heap em espaço livre.

7.5.1 Objetivos de projeto para coletores de lixo

A coleta de lixo é a reivindicação de porções de memória contendo objetos que não podem mais ser acessados por um programa. Precisamos assumir que os objetos têm um tipo que pode ser determinado pelo coletor de lixo em tempo de execução. A partir da informação de tipo, podemos saber o tamanho do objeto e quais de seus componentes contêm referências (apontadores) a outros objetos. Também assumimos que as referências a objetos sempre são para o endereço do início do objeto, e nunca apontadores para endereços dentro do objeto. Assim, todas as referências a um objeto têm o mesmo valor e podem ser identificadas com facilidade.

Um programa do usuário, ao qual vamos referir-nos como *mudador* (em inglês, *mutator*), modifica a coleção de objetos no heap. O mudador cria objetos adquirindo espaço do gerenciador de memória, e pode introduzir e descartar referências a objetos existentes. Os objetos tornam-se lixo quando o programa mudador não puder 'alcançá-los', no sentido que se tornou preciso na Seção 7.5.2. O coletor de lixo encontra esses objetos não alcançáveis e reivindica seu espaço entregando-os ao gerenciador de memória, que administra o espaço livre.

Um requisito básico: segurança de tipo

Nem todas as linguagens são boas candidatas à coleta de lixo automática. Para que um coletor de lixo funcione, ele precisa ser capaz de dizer se qualquer elemento de dados indicado ou componente de um elemento de dados é ou poderia ser usado como um apontador para uma porção de memória alocada. Uma linguagem em que o tipo de qualquer componente de dados pode ser determinado é considerada como sendo *segura quanto ao tipo*. Existem linguagens seguras quanto ao tipo, como ML, para as quais podemos determinar os tipos em tempo de compilação. Há outras linguagens seguras quanto ao tipo, como Java, cujos tipos não são conhecidos em tempo de compilação, mas podem ser determinados em tempo de execução. Essas últimas são chamadas linguagens *dinamicamente tipadas*. Se uma linguagem não for estaticamente ou dinamicamente segura quanto ao tipo, então ela é considerada *insegura*.

Linguagens inseguras, que infelizmente incluem algumas das linguagens mais importantes como C e C++, são más candidatas à coleta de lixo automática. Nas linguagens inseguras, os endereços de memória podem ser manipulados arbitrariamente: operações aritméticas arbitrárias podem ser aplicadas aos apontadores para criar novos apontadores, e inteiros arbitrários podem ser convertidos para apontadores. Assim, um programa teoricamente poderia referir-se a qualquer endereço na memória a qualquer momento. Conseqüentemente, nenhum endereço da memória pode ser considerado inacessível, e nenhuma porção de memória pode sequer ser reivindicada com segurança.

Na prática, a maioria dos programas em C e C++ não gera apontadores arbitrariamente, e um coletor de lixo teoricamente inseguro, que funciona bem empiricamente, foi desenvolvido e usado. Discutiremos a coleta de lixo conservadora para C e C++ na Seção 7.8.3.

Métricas de desempenho

A coleta de lixo freqüentemente é tão dispendiosa que, embora tenha sido inventada há décadas e absolutamente impeça vazamentos de memória, ainda não foi adotada por muitas das principais linguagens de programação. Várias abordagens diferentes foram propostas com o passar dos anos, e não existe um algoritmo de coleta de lixo claramente melhor. Antes de explorar as opções existentes, vamos enumerar as métricas de desempenho que devem ser consideradas quando se projeta um coletor de lixo.

- *Tempo de execução geral*. A coleta de lixo pode ser muito lenta. É importante que ela não aumente significativamente o tempo de execução total de uma aplicação. Como o coletor de lixo necessariamente precisa manusear muitos dados, seu desempenho é determinado em grande parte pelo modo como ele aproveita o subsistema de memória.

- *Uso do espaço*. É importante que a coleta de lixo evite a fragmentação e faça o melhor uso possível da memória disponível.
- *Tempo de pausa*. Coletores de lixo simples são notórios por fazer com que os programas — os mudadores — parem de repente por um tempo extremamente longo, porque a coleta de lixo entra sem aviso. Assim, além de minimizar o tempo de execução geral, é desejável que o tempo máximo de pausa seja minimizado. Como um caso especial importante, as aplicações de tempo real exigem que certas computações sejam completadas dentro de um limite de tempo. Temos de suprimir a coleta de lixo enquanto realizamos tarefas em tempo real ou restringir ao máximo o tempo de pausa. Assim, a coleta de lixo raramente é usada em aplicações de tempo real.
- *Localidade do programa*. Não podemos avaliar a velocidade de um coletor de lixo unicamente por seu tempo de execução. O coletor de lixo controla o posicionamento de dados e, assim, influencia a localidade de dados do programa mudador. Ele pode melhorar a localidade temporal de um mudador, liberando espaço e reutilizando-o, assim como pode melhorar a localidade espacial do mudador, relocando dados usados juntos, na mesma cache ou página.

Alguns desses objetivos de projeto entram em conflito entre si, e as escolhas precisam ser feitas com cuidado, considerando-se como os programas tipicamente se comportam. Além disso, objetos com características diferentes podem favorecer tratamentos diferentes, exigindo que um coletor use diferentes técnicas para diferentes tipos de objetos.

Por exemplo, o número de objetos alocados é dominado por pequenos objetos, de forma que a alocação de objetos pequenos não deverá ocasionar um grande custo. Por outro lado, considere os coletores de lixo que relocam objetos alcançáveis. A relocação é cara quando se trata de objetos grandes, porém menos custosa para objetos pequenos.

Como outro exemplo, em geral quanto mais tempo se espera para coletar lixo em um *coletor baseado em rastreamento*, maior é a fração de objetos que podem ser coletados. O motivo é que os objetos freqüentemente 'morrem cedo'; assim, se esperarmos um tempo, muitos dos objetos recém-alocados se tornarão inalcançáveis. Tal coletor custa menos, na média, por objeto inalcançável coletado. Por outro lado, a coleta infreqüente aumenta o uso de memória de um programa, diminui sua localidade de dados e aumenta a extensão das pausas.

Ao contrário, um *coletor de contagem de referência*, introduzindo um custo constante a muitas das operações do mudador, pode atrasar significativamente a execução geral de um programa. Por outro lado, a contagem de referência não cria longas pausas, e sua memória é eficiente, porque encontra lixo assim que ele é produzido (com exceção de certas estruturas cíclicas discutidas na Seção 7.5.3).

O projeto da linguagem também pode afetar as características do uso de memória. Algumas linguagens encorajam um estilo de programação que gera muito lixo. Por exemplo, os programas em linguagens funcionais (ou quase funcionais) criam mais objetos para evitar a mutação dos objetos existentes. Em Java, todos os objetos, que não os tipos básicos como inteiros e referências, são alocados no heap e não na pilha, mesmo que seus tempos de vida sejam confinados aos de uma chamada de função. Projetos dessa natureza liberam o programador da preocupação com os tempos de vida das variáveis à custa de mais lixo. Algumas técnicas de otimização de compilador foram desenvolvidas para analisar os tempos de vida das variáveis e alocá-las na pilha sempre que possível.

7.5.2 Alcançabilidade

Referimo-nos a todos os dados que podem ser acessados diretamente por um programa, sem ter de seguir qualquer apontador (reference any pointer), como o *conjunto raiz*. Por exemplo, em Java, o conjunto raiz de um programa consiste em todos os membros de campo estáticos e todas as variáveis em sua pilha. Um programa obviamente pode alcançar qualquer membro de seu conjunto raiz a qualquer momento. Recursivamente, qualquer objeto com uma referência que está armazenada nos membros de campo ou elementos de arranjo de qualquer objeto alcançável também é alcançável.

A alcançabilidade torna-se um pouco mais complexa quando o programa tiver sido otimizado pelo compilador. Primeiro, um compilador pode conter variáveis de referência nos registradores. Essas referências também precisam ser consideradas parte do conjunto raiz. Segundo, embora em uma linguagem segura quanto ao tipo os programadores não manipulem os endereços de memória diretamente, um compilador freqüentemente faz isso para melhorar o desempenho do código. Assim, os registradores no código compilado podem apontar para o meio de um objeto ou arranjo, ou podem conter um valor ao qual um deslocamento será aplicado para calcular um endereço válido. A seguir são mostradas algumas otimizações que um compilador pode efetuar para permitir que o coletor de lixo encontre o conjunto raiz correto:

- O compilador pode restringir a chamada da coleta de lixo a somente certos pontos do código no programa, quando não existirem referências 'escondidas'.
- O compilador pode transcrever informações que o coletor de lixo poderá usar para recuperar todas as referências, como especificar quais registradores contêm referências, ou como calcular o endereço base de um objeto que recebe um endereço interno.
- O compilador pode garantir que existirá uma referência ao endereço base de todos os objetos alcançáveis sempre que o coletor de lixo puder ser chamado.

O conjunto de objetos alcançáveis muda enquanto um programa é executado. Ele cresce à medida que novos objetos são criados e diminui à medida que os objetos se tornam inalcançáveis. É importante lembrar que, quando um objeto se torna inalcançável, ele não pode tornar-se alcançável novamente. Existem quatro operações básicas que um mudador realiza para alterar o conjunto de objetos alcançáveis.

- *Alocações de objeto*. São realizadas pelo gerenciador de memória, que retorna uma referência a cada porção de memória recém-alocada. Essa operação acrescenta membros ao conjunto de objetos alcançáveis.
- *Passagem de parâmetro e valores de retorno*. As referências a objetos são passadas do parâmetro de entrada real para o parâmetro formal correspondente, e do resultado retornado de volta ao procedimento chamado. Os objetos apontados por essas referências permanecem alcançáveis.
- *Atribuições de referência*. Atribuições da forma u = v, onde *u* e *v* são referências, possuem dois efeitos. Primeiro, *u* é agora uma referência ao objeto referenciado por *v*. Desde que *u* seja alcançável, o objeto a que ele se refere certamente é alcançável. Segundo, a referência original em *u* é perdida. Se essa referência for a última para algum objeto alcançável, esse objeto se torna inalcançável. Sempre que um objeto se torna inalcançável, todos os objetos que são alcançáveis apenas por meio das referências contidas nesse objeto também se tornam inalcançáveis.
- *Retornos de procedimento*. Quando um procedimento termina, o registro de ativação contendo suas variáveis locais é retirado da pilha. Se o registro de ativação tiver a única referência alcançável para qualquer objeto, esse objeto se torna inalcançável. Novamente, se os objetos agora inalcançáveis tiverem as únicas referências a outros objetos, eles também se tornam inalcançáveis, e assim por diante.

Sobrevivência de objetos na pilha

Quando um procedimento é chamado, uma variável local *v*, cujo objeto é alocado na pilha, pode ter apontadores para *v* colocados em variáveis não locais. Esses apontadores continuarão a existir após o retorno do procedimento, embora o espaço para *v* desapareça, resultando em uma situação de referência pendente. Então, será que devemos alocar uma variável local como *v* na pilha, como C faz, por exemplo? A resposta é que a semântica de muitas linguagens *exige* que as variáveis locais deixem de existir quando seu procedimento retorna. Reter uma referência a essa variável é um erro de programação, e o compilador não precisa reparar o erro no programa.

Em resumo, novos objetos são introduzidos por meio de alocações de objeto. A passagem de parâmetros e as atribuições podem propagar a alcançabilidade; atribuições e fins de procedimentos podem terminar a alcançabilidade. Quando um objeto se torna inalcançável, ele pode fazer com que mais objetos se tornem inalcançáveis.

Existem duas maneiras básicas de encontrar objetos inalcançáveis. Ou capturamos as transições à medida que os objetos alcançáveis se tornam inalcançáveis ou localizamos periodicamente todos os objetos alcançáveis e depois inferimos que todos os outros objetos são inalcançáveis. A *contagem por referência*, introduzida na Seção 7.4.5, é uma aproximação bem conhecida para a primeira abordagem. Mantemos uma contagem das referências a um objeto, enquanto o mudador realiza ações que podem mudar a alcançabilidade definida. Quando a contagem chegar até zero, o objeto se torna inalcançável. Discutimos essa técnica com mais detalhes na Seção 7.5.3.

A segunda abordagem calcula a alcançabilidade rastreando todas as referências de forma transitiva. Um coletor de lixo *baseado em rastreamento* começa rotulando ('marcando') todos os objetos no conjunto raiz como 'alcançáveis', examina iterativamente todas as referências nos objetos alcançáveis para encontrar mais objetos alcançáveis, e os rotula como tal. Essa abordagem precisa rastrear todas as referências antes de determinar qualquer objeto como sendo inalcançável. Mas quando o conjunto alcançável é calculado, ele pode encontrar muitos objetos inalcançáveis ao mesmo tempo e localizar grande parte da memória livre ao mesmo tempo. Como todas as referências precisam ser analisadas ao mesmo tempo, tempos uma opção de relocar os objetos alcançáveis e reduzir assim a fragmentação. Existem muitos algoritmos baseados em rastreamento diferentes, e discutiremos as opções nas Seções 7.6 e 7.7.1.

7.5.3 COLETORES DE LIXO POR CONTAGEM DE REFERÊNCIA

Agora, consideremos um coletor de lixo simples, embora imperfeito, baseado na contagem de referência, que identifica o lixo à medida que um objeto muda de alcançável para inalcançável; o objeto pode ser removido quando seu contador cair para zero. Com um coletor de lixo por contagem de referência, todo objeto precisa ter um campo para o contador de referência. Os contadores de referência podem ser administrados da seguinte maneira:

1. *Alocação de objeto*. O contador de referência do novo objeto é definido como 1.
2. *Passagem de parâmetros*. O contador de referência de cada objeto passado para um procedimento é incrementado.
3. *Atribuições à referência*. Para o comando u = v, onde *u* e *v* são referências, o contador de referência do objeto referenciado por *v* sobe uma unidade, e o contador para o objeto antigo referenciado por *u* desce uma unidade.

4. *Retornos de procedimento*. Quando um procedimento termina, todas as referências mantidas pelas variáveis locais no registro de ativação desse procedimento também precisam ser decrementadas. Se diversas variáveis locais contiverem referências ao mesmo objeto, o contador desse objeto precisa ser decrementado uma vez para cada referência desse tipo.
5. *Perda transitiva de alcançabilidade*. Sempre que o contador de referência de um objeto se tornar zero, também precisamos decrementar o contador de cada objeto apontado por uma referência contida naquele objeto.

A contagem de referência tem duas desvantagens principais: ela não pode coletar estruturas de dados inalcançáveis cíclicas, e é dispendiosa. As estruturas de dados cíclicas são bastante plausíveis; as estruturas de dados freqüentemente apontam de volta para seus nós pai, ou apontam umas para outras como referências cruzadas.

EXEMPLO 7.11: A Figura 7.18 mostra três objetos com referências entre eles, mas sem referências de nenhum outro lugar. Se nenhum desses objetos for parte do conjunto raiz, então todos eles serão lixo, mas suas contagens de referência serão cada uma maior que 0. Essa situação é equivalente a um vazamento de memória se usarmos a contagem de referência para a coleta de lixo, porque então esse lixo e quaisquer estruturas como ele nunca são liberados.

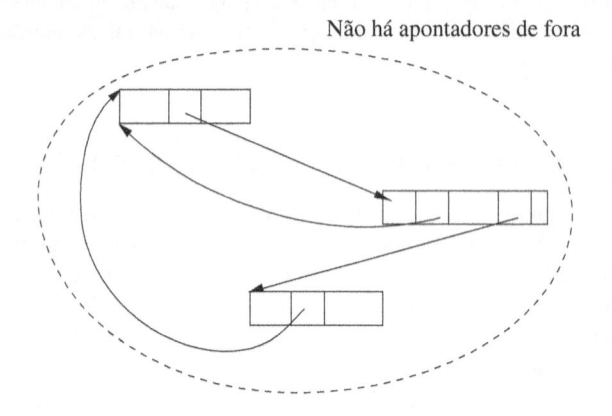

FIGURA 7.18 Uma estrutura de dados inalcançável cíclica.

O custo da contagem de referência é alto porque operações adicionais são introduzidas a cada atribuição de referência, e nas entradas e saídas de procedimento. Esse custo é proporcional à quantidade de computação no programa, e não apenas ao número de objetos no sistema. De particular interesse são as atualizações feitas às referências no conjunto raiz de um programa. O conceito de *contagem de referência postergada* foi proposto como um meio para eliminar o custo associado à atualização das contagens de referência devido a acessos à pilha local. Ou seja, as contagens de referência não incluem referências a partir do conjunto raiz do programa. Um objeto não é considerado lixo até que todo o conjunto raiz seja inspecionado e nenhuma referência ao objeto seja encontrada.

A vantagem da contagem de referência, por outro lado, é que a coleta de lixo é realizada de uma forma *incremental*. Mesmo que o custo total possa ser grande, as operações são espalhadas pela computação do mudador. Embora a remoção de uma referência possa tornar um grande número de objetos inalcançáveis, a operação de modificar os contadores de referência recursivamente pode facilmente ser adiada e realizada aos poucos, com o passar do tempo. Assim, a contagem de referência é um algoritmo particularmente atraente quando prazos precisam ser cumpridos, e também para aplicações interativas, em que longas pausas repentinas são inaceitáveis. Outra vantagem é que o lixo é coletado imediatamente, mantendo o uso de espaço baixo.

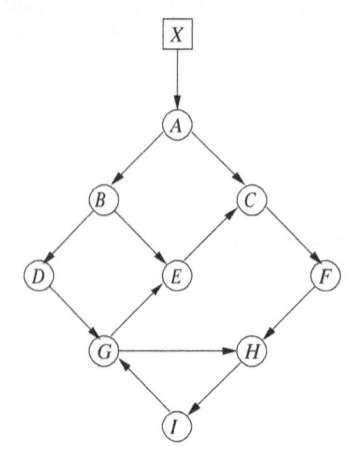

FIGURA 7.19 Uma rede de objetos.

7.5.4 Exercícios da Seção 7.5

Exercício 7.5.1: O que acontece com os contadores de referência dos objetos na Figura 7.19 se:

a) O apontador de *A* para *B* for removido.
b) O apontador de *X* para *A* for removido.
c) O nó *C* for removido.

Exercício 7.5.2: O que acontece com os contadores de referência quando o apontador de *A* para *D* na Figura 7.20 é removido?

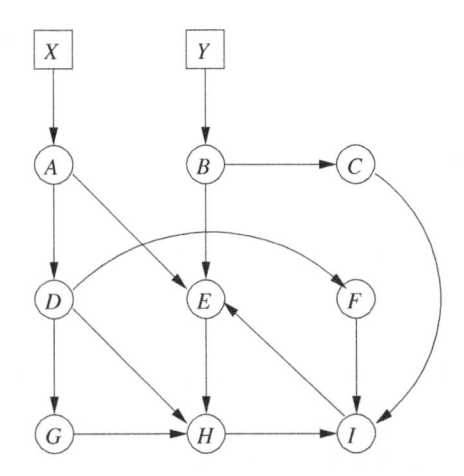

FIGURA 7.20 Outra rede de objetos.

7.6 Introdução à coleta baseada em rastreamento

Em vez de coletar o lixo à medida que ele é criado, os coletores baseados em rastreamento são executados periodicamente para encontrar objetos inalcançáveis e reivindicar seu espaço. Tipicamente, executamos o coletor baseado em rastreamento sempre que o espaço livre se esgota ou sua quantidade cai abaixo de algum patamar.

Começamos esta seção introduzindo o mais simples algoritmo de coleta de lixo 'marcar-e-varrer' (*mark-and-sweep*). Depois, descrevemos uma variedade de algoritmos baseados em rastreamento em termos dos quatro estados, em que as porções de memória podem ser colocadas. Esta seção também contém diversas melhorias sobre o algoritmo básico, incluindo aquelas em que a relocação de objeto faz parte da função de coleta de lixo.

7.6.1 Um coletor marcar-e-varrer básico

Os algoritmos de coleta de lixo *marcar-e-varrer* são algoritmos diretos, que encontram todos os objetos inalcançáveis e os colocam na lista do espaço livre. O Algoritmo 7.12 visita e 'marca' todos os objetos alcançáveis no primeiro passo de rastreamento e depois 'varre' todo o heap para liberar os objetos inalcançáveis. O Algoritmo 7.14, o qual consideramos após a introdução de uma estrutura (*framework*) geral para os algoritmos baseados em rastreamento, é uma otimização do Algoritmo 7.12. Usando uma lista adicional para conter todos os objetos alocados, ele visita os objetos alcançáveis apenas uma vez.

Algoritmo 7.12: Coleta de lixo marcar-e-varrer.

ENTRADA: Um conjunto raiz de objetos, um heap e uma *lista de livres*, chamada *Free*, com todas as porções não alocadas do heap. Assim como na Seção 7.4.4, todas as porções de espaço são marcadas com rótulos de fronteira para indicar seu estado livre/usado e tamanho.

SAÍDA: Uma lista *Free* modificada depois que todo o lixo foi removido.

MÉTODO: O algoritmo, mostrado na Figura 7.21, utiliza várias estruturas de dados simples. A lista *Free* contém objetos conhecidos como livres. Uma lista chamada *Unscanned* contém objetos que determinamos como alcançados, mas cujos sucessores ainda não consideramos, ou seja, não inspecionamos esses objetos para ver que outros objetos podem ser alcançados por meio deles. A lista *Unscanned* é vazia inicialmente. Além disso, cada objeto inclui um bit para indicar se ele foi alcançado (o *reached-bit*). Antes que o algoritmo comece, todos os objetos alocados têm o *reached-bit* definido como 0.

Na linha (1) da Figura 7.21, inicializamos a lista *Unscanned* colocando lá todos os objetos referenciados pelo conjunto raiz. O reached-bit para esses objetos também é definido como 1. As linhas de (2) a (7) são um *loop*, no qual examinamos cada objeto *o* que foi colocado na lista *Unscanned*.

```
                /* fase de marcação */
    1)  define o reached-bit como 1 e inclui na lista Unscanned
            cada objeto referenciado pelo conjunto raiz;
    2)  while (Unscanned ≠ ∅){
    3)          remove algum objeto o de Unscanned;
    4)          for (cada objeto o' referenciado em o){
    5)              if (o' pt não é alcançado; ou seja, seu reached-bit é 0){
    6)                  define o reached-bit de o' como 1;
    7)                  coloca o' pt em Unscanned;
                    }
                }
        }
                /* fase de varredura */
    8)  Free = ∅;
    9)  for (cada porção de memória o no heap){
    10)     if (o não é alcançado, ou seja, seu reached-bit é 0) adicione o em Free;
    11)     else define o reached-bit de o como 0;
        }
```

FIGURA 7.21 Um Coletor de Lixo Marcar-e-Varrer.

O *loop* for das linhas de (4) a (7) implementa a inspeção do objeto o. Examinamos cada objeto o' para o qual encontramos uma referência contida em o. Se o' já foi alcançado (seu reached-bit é 1), então não há necessidade de fazer nada com o'; ou ele foi inspecionado anteriormente, ou está na lista *Unscanned* para ser inspecionado depois. Contudo, se o' ainda não foi alcançado, então precisamos definir seu reached-bit como 1 na linha (6) e incluir o' na lista *Unscanned* da linha (7). A Figura 7.22 ilustra esse processo. Ela mostra uma lista *Unscanned* com quatro objetos. O primeiro objeto nessa lista, correspondente ao objeto o na discussão anterior, está no processo de ser inspecionado. As linhas tracejadas correspondem aos três tipos de objetos que poderiam ser alcançados a partir de o:

1. Um objeto previamente inspecionado, que não precisa ser inspecionado novamente.
2. Um objeto correntemente na lista *Unscanned*.
3. Um item que é alcançável, mas que foi anteriormente considerado como não alcançado.

As linhas de (8) a (11), a fase de varredura, reivindicam o espaço de todos os objetos que permanecem não alcançados no fim da fase de marcação. Observe que estes incluirão quaisquer objetos que estavam na lista *Free* originalmente. Como o conjunto de objetos não alcançados não pode ser enumerado diretamente, o algoritmo varre ao longo de todo o heap. A linha (10) coloca objetos livres e não alcançados na lista *Free*, um de cada vez. A linha (11) trata dos objetos alcançáveis. Definimos seu reached-bit como 0, a fim de manter as pré-condições apropriadas para a próxima execução do algoritmo de coleta de lixo.

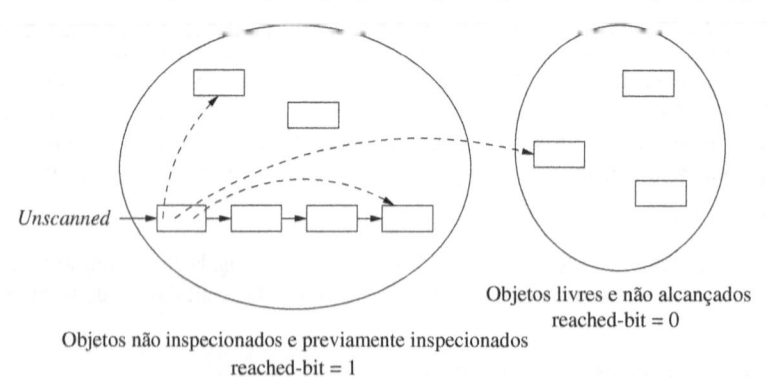

FIGURA 7.22 Os relacionamentos entre objetos durante a fase de marcação de um coletor de lixo marcar-e-varrer

7.6.2 Abstração básica

Todos os algoritmos baseados em rastreamento calculam o conjunto de objetos alcançáveis e depois pegam o complemento desse conjunto. A memória, portanto, é reciclada da seguinte forma:

a) O programa ou o mudador é executado e faz solicitações de alocação.

b) O coletor de lixo descobre a alcançabilidade pelo rastreamento.
c) O coletor de lixo reivindica a memória dos objetos inalcançáveis.

Esse ciclo é ilustrado na Figura 7.23 em termos dos quatro estados para as porções da memória: *Free*, *Unreached*, *Unscanned* e *Scanned*. O estado de uma porção poderia ser armazenado na própria porção ou poderia estar implícito nas estruturas de dados usada pelo algoritmo de coleta de lixo.

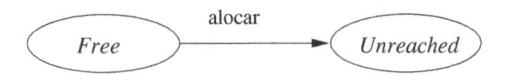

(a) Antes do rastreamento: ação do mudador

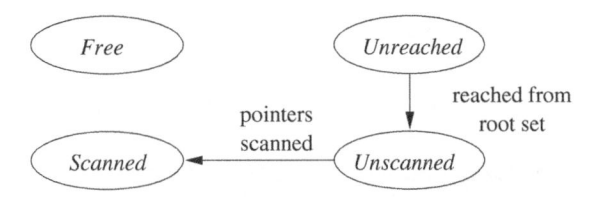

(b) Descobrindo alcançabilidade pelo rastreamento

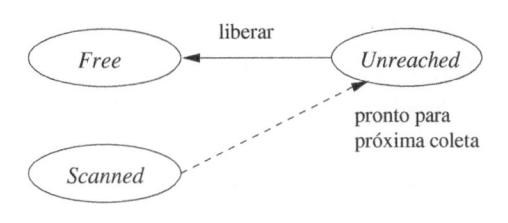

(c) Reivindicando memória

FIGURA 7.23 Os estados da memória em um ciclo de coleta de lixo.

Enquanto os algoritmos baseados em rastreamento podem diferir em sua implementação, todos podem ser descritos em termos dos seguintes estados:

1. *Free*. Uma porção está no estado *Free* se estiver pronta para ser alocada. Assim, uma porção *Free* não deve conter um objeto alcançável.
2. *Unreached*. Presume-se que as porções são inalcançáveis, a menos que se prove que são alcançáveis pelo rastreamento. Uma porção está no estado *Unreached* em qualquer ponto durante a coleta de lixo se sua alcançabilidade ainda não tiver sido estabelecida. Sempre que uma porção for alocada pelo gerenciador de memória, seu estado é definido como *Unreached*, como ilustramos na Figura 7.23(a). Além disso, depois de uma rodada de coleta de lixo, o estado de um objeto alcançável é reiniciado para *Unreached* e se torna pronto para a próxima rodada; veja a transição de *Scanned* para *Unreached*, que aparece tracejada para enfatizar que ela prepara para a próxima rodada.
3. *Unscanned*. As porções que são conhecidas como alcançáveis estão no estado *Unscanned* ou no estado *Scanned*. Uma porção está no estado *Unscanned* se for sabido que ela é alcançável, mas seus apontadores ainda não tiverem sido inspecionados. A transição para *Unscanned* a partir de *Unreached* ocorre quando descobrimos que uma porção é alcançável; ver Figura 7.23(b).
4. *Scanned*. Todo objeto *Unscanned* por fim será inspecionado e passará para o estado *Scanned*. Para *inspecionar* um objeto, examinamos cada um dos apontadores dentro dele e seguimos esses apontadores para os objetos aos quais eles se referem. Se uma referência for para um objeto *Unreached*, então esse objeto será colocado no estado *Unscanned*. Quando a inspeção de um objeto for completada, esse objeto será colocado no estado *Scanned*; veja a transição inferior na Figura 7.23(b). Um objeto *Scanned* só pode conter referências a outros objetos *Scanned* ou *Unscanned*, e nunca a objetos *Unreached*.

Quando não houver mais nenhum objeto no estado *Unscanned*, a computação da alcançabilidade termina. Os objetos deixados no estado *Unreached* ao terminar são verdadeiramente inalcançáveis. O coletor de lixo reivindica o espaço que eles ocupam, e coloca os blocos no estado *Free*, conforme ilustrado pela transição sólida da Figura 7.23(c). Para estarem prontos para o próximo ciclo de coleta de lixo, os objetos no estado *Scanned* devem ser retornados ao estados *Unreached*; veja a transição tracejada na Figura 7.23(c). Novamente, lembre-se de que esses objetos realmente são alcançáveis neste momento. O estado *Unreachable* é apropriado porque desejamos iniciar todos os objetos nesse estado quando a coleta de lixo começar em seguida, momento em que qualquer um dos objetos correntemente alcançáveis poderá realmente ter-se tornado inalcançável.

EXEMPLO 7.13: Vejamos como as estruturas de dados do Algoritmo 7.12 se relacionam com os quatro estados introduzidos anteriormente. Usando o *reached-bit* e a inclusão nas listas *Free* e *Unscanned*, podemos distinguir entre todos os quatro estados. A tabela da Figura 7.24 resume a caracterização dos quatro estados em termos da estrutura de dados do Algoritmo 7.12.

ESTADO	ON *Free*	ON *Unscanned*	REACHED-BIT
Free	Sim	Não	0
Unreached	Não	Não	0
Unscanned	Não	Sim	1
Scanned	Não	Não	1

FIGURA 7.24   Representação dos estados no Algoritmo 7.12.

7.6.3 OTIMIZANDO O COLETOR MARCAR-E-VARRER

O último passo no algoritmo básico marcar-e-varrer é caro porque não existe um modo fácil de encontrar apenas os objetos inalcançáveis sem examinar todo o heap. Um algoritmo melhorado, devido a Baker, mantém uma lista de todos os objetos alocados. Para encontrar o conjunto de objetos inalcançáveis, os quais devemos retornar ao espaço livre, obtemos a diferença entre o conjunto dos objetos alocados e dos objetos alcançados.

ALGORITMO 7.14: Coletor marcar-e-varrer de Baker.

ENTRADA: Um conjunto raiz de objetos, um heap, uma lista livre *Free* e uma lista de objetos alocados, aos quais nos referimos como *Unreached*.

SAÍDA: Listas modificadas *Free* e *Unreached*, as quais contêm os objetos alocados.

MÉTODO: Nesse algoritmo, mostrado na Figura 7.25, a estrutura de dados para coleta de lixo é formada por quatro listas chamadas *Free*, *Unreached*, *Unscanned* e *Scanned*, cada qual contendo todos os objetos no estado com o mesmo nome. Essas listas podem ser implementadas por listas embutidas, duplamente encadeadas, conforme discutimos na Seção 7.4.4. Não é usado um reached-bit nos objetos, mas assumimos que cada objeto contém *bits* dizendo em quais dos quatro estados ele se encontra. Inicialmente, *Free* é a lista livre administrada pelo gerenciador de memória, e todos os objetos alocados estão na lista *Unreached* (também administrada pelo gerenciador de memória enquanto aloca porções a objetos).

```
1)    Scanned = ∅;
2)    Unscanned = conjunto de objetos referenciados no conjunto raiz;
3)    while (Unscanned ≠ ∅){
4)        move objeto o de Unscanned para Scanned;
5)        for (cada objeto o' referenciado em o){
6)            if (o' está em Unreached)
7)                move o' de Unreached para Unscanned;
          }
      }
8)    Free = Free ∪ Unreached;
9)    Unreached = Scanned;
```

FIGURA 7.25   Algoritmo marcar-e-varrer de Baker.

As linhas (1) e (2) inicializam *Scanned* para ser a lista vazia, e *Unscanned* para ter apenas os objetos alcançados a partir do conjunto raiz. Observe que esses objetos estavam presumivelmente na lista *Unreached* e precisam ser removidos de lá. As linhas de (3) a (7) são uma implementação direta do algoritmo de marcação básico, usando essas listas, ou seja, o *loop* **for** das linhas (5) a (7) examina as referências em um objeto não inspecionado *o*, e se qualquer uma dessas referências *o'* ainda não tiver sido alcançada, a linha (7) mudará *o'* para o estado *Unscanned*.

No fim, a linha (8) pega aqueles objetos que ainda estão na lista *Unreached* e libera suas porções, movendo-as para a lista *Free*. Depois, a linha (9) pega todos os objetos no estado *Scanned*, que são os objetos alcançáveis, e reinicializa a lista *Unreached* para ser exatamente esses objetos. Presumivelmente, quando o gerenciador de memória cria novos objetos, estes também serão acrescentados à lista *Unreached* e removidos da lista *Free*.

Nos dois algoritmos desta seção, consideramos que as porções retornadas à lista livre permanecem como estavam antes da liberação. Contudo, conforme discutimos na Seção 7.4.4, freqüentemente é vantajoso combinar porções livres adjacentes em porções maiores. Se quisermos fazer isso, então toda vez que retornarmos uma porção à lista livre, seja na linha (10) da Figura 7.21 seja na linha (8) da Figura 7.25, examinamos as porções à sua esquerda e direita, e as combinaremos se houver uma livre.

7.6.4 Coletores de lixo marcar-e-compactar

Coletores de *relocação* movem objetos alcançáveis pelo heap a fim de eliminar a fragmentação de memória. É comum que o espaço ocupado por objetos alcançáveis seja muito menor que o espaço liberado. Assim, depois de identificar todos os buracos, em vez de liberá-los individualmente, uma alternativa atraente é relocar todos os objetos alcançáveis para um dos extremos do heap, deixando todo o restante do heap como uma porção livre. Afinal, o coletor de lixo já analisou cada referência dentro dos objetos alcançáveis, de modo que atualizá-los para que apontem para os novos endereços não exige muito mais trabalho. Estas, mais as referências no conjunto raiz, são todas as referências que precisamos substituir.

Ter todos os objetos alcançáveis em endereços contíguos reduz a fragmentação do espaço da memória, facilitando a acomodação de objetos grandes. Além disso, fazendo com que os dados ocupem menos linhas de cache e páginas, a relocação melhora a localidade temporal e espacial de um programa, porque os novos objetos criados praticamente ao mesmo tempo são alocados em porções próximas. Os objetos nas porções vizinhas podem beneficiar-se com a pré-busca se forem usados juntos. Além disso, a estrutura de dados para gerenciar o espaço livre é simplificada; em vez de uma lista livre, tudo o que precisamos é de um apontador *free* para o início de um bloco livre.

Coletores de relocação variam entre relocar imediatamente ou então reservar espaço para futura relocação:

- Um *coletor marcar-e-compactar*, descrito nesta seção, compacta objetos imediatamente. A relocação imediata reduz o uso da memória.
- O *coletor de cópia* mais eficiente e popular, apresentado na Seção 7.6.5, move objetos de uma região da memória para outra. A reserva do espaço extra para a relocação permite que objetos alcançáveis sejam movidos enquanto são descobertos.

O coletor marcar-e-compactar do Algoritmo 7.15 tem três fases:

1. A primeira é uma fase de marcação, semelhante àquela dos algoritmos marcar-e-varrer, descritos anteriormente.
2. Na segunda fase, o algoritmo inspeciona a seção alocada do heap e calcula um novo endereço para cada um dos objetos alcançáveis. Novos endereços são atribuídos a partir do extremo baixo do heap, de modo que não existam buracos entre os objetos alcançáveis. O novo endereço para cada objeto é gravado em uma estrutura chamada *NewLocation*.
3. Finalmente, o algoritmo copia objetos para seus novos endereços, atualizando todas as referências nos objetos para que apontem para novos endereços correspondentes. Os endereços necessários são encontrados em *NewLocation*.

Algoritmo 7.15: Um coletor de lixo marcar-e-compactar.

ENTRADA: Um conjunto raiz de objetos, um heap e *free*, um apontador marcando o início do espaço livre.

SAÍDA: O novo valor do apontador *free*.

MÉTODO: O algoritmo está na Figura 7.26; ele usa as seguintes estruturas de dados:

1. Uma lista *Unscanned*, como no Algoritmo 7.12.
2. Os *bits* alcançados em todos os objetos, também como no Algoritmo 7.12. Para simplificar nossa descrição, vamos referir-nos aos objetos como 'alcançados' ou 'não alcançados', quando quisermos dizer que seu *reached-bit* é 1 ou 0, respectivamente. Inicialmente, todos os objetos são não alcançados.
3. O apontador *free*, que marca o início do espaço não alocado no heap.
4. A tabela *NewLocation*. Essa estrutura poderia ser uma tabela hash, árvore de pesquisa ou outra estrutura que implementa as duas operações:

    (a) Defina *NewLocation(o)* para um novo endereço do objeto *o*.
    (b) Dado o objeto *o*, recupere o valor de *NewLocation(o)*.

    Não vamos nos preocupar com a estrutura exata utilizada, embora você possa considerar que *NewLocation* é uma tabela hash e, portanto, as operações 'set' e 'get' são realizadas no tempo médio constante, independentemente de quantos objetos estejam no heap.

A primeira fase, ou de marcação, das linhas (1) a (7), é basicamente a mesma que a primeira fase do Algoritmo 7.12. A segunda fase, das linhas de (8) a (12), visita cada porção na parte alocada do heap, a partir do lado esquerdo, ou inferior. Como resultado, as porções recebem novos endereços que aumentam na mesma ordem que seus endereços antigos. Essa ordenação é importante, pois quando relocamos objetos, podemos fazer isso de uma maneira que garanta que só movemos objetos para a esquerda, para o espaço que era ocupado anteriormente por objetos que já havíamos movido.

```
                /* marca */
1)   Unscanned = conjunto de objetos referenciados pelo conjunto raiz;
2)   while (Unscanned ≠ ∅){
3)       remove objeto o de Unscanned;
4)       for (cada objeto o' referenciado em o){
5)          if (o' é não alcançado){
6)              marca o' como alcançado;
 )                              coloca o' na lista Unscanned;
                }
            }
        }
                /* calcula novos endereços */
8)   free = endereço inicial da memória do heap;
9)   for (cada porção de memória o no heap, desde o extremo baixo){
10)      if (o é alcançado {
11)         NewLocation(o) = free;
12)         free = free + sizeof(o);
            }
        }
                /* redireciona referências e move objetos alcançados */
13)  for (cada porção da memória o no heap, desde o extremo baixo){
14)      if (o é alcançado) {
15)         for (cada referência o.r em o)
16)             o.r = NewLocation(o.r);
17)         copia o para NewLocation(o);
            }
        }
18)  for (cada referência r no conjunto raiz)
19)      r = NewLocation(r);
```

FIGURA 7.26 Um coletor marcar-e-compactar.

A linha (8) inicia o apontador *free* no extremo inferior do heap. Nessa fase, usamos *free* para indicar o primeiro endereço novo disponível. Criamos um novo endereço apenas para os objetos *o* que são marcados como alcançados. O objeto *o* recebe o próximo endereço disponível na linha (11), e na linha (12) incrementamos *free* pela quantidade de memória que o objeto *o* requer, de modo que *free* novamente aponta para o início do espaço livre.

Na fase final, das linhas de (13) a (17), novamente visitamos os objetos alcançados, na mesma ordem a partir da esquerda como na segunda fase. As linhas (15) e (16) substituem todos os apontadores internos de um objeto alcançado *o* por seus novos valores apropriados, usando a tabela *NewLocation* para determinar a substituição. Depois, a linha (17) move o objeto *o*, com as referências internas revisadas, para seu novo endereço. Finalmente, as linhas (18) e (19) redirecionam apontadores nos elementos do conjunto raiz que não são objetos do heap, por exemplo, objetos alocados estaticamente ou alocados na pilha. A Figura 7.27 sugere como os objetos alcançáveis (aqueles que não estão sombreados) são movidos para baixo no heap, enquanto os apontadores internos são alterados para apontar para os novos endereços dos objetos alcançados.

7.6.5 Coletores de cópia

Um coletor de cópia reserva antecipadamente espaço para o qual os objetos podem mover-se, rompendo assim a dependência entre rastrear e localizar o espaço livre. O espaço da memória é particionado em dois semi-espaços, *A* e *B*. O mudador aloca memória em um semi-espaço, digamos, *A*, até que ele fique cheio; neste ponto, o mudador é interrompido e o coletor de lixo copia os objetos alcançáveis para o outro espaço, digamos, *B*. Quando a coleta de lixo termina, os papéis dos semi-espaços são revertidos. O mudador tem permissão para retomar e alocar objetos no espaço *B*, e a próxima rodada da coleta de lixo move os objetos alcançáveis para o espaço *A*. O algoritmo a seguir é devido a C. J. Cheney.

ALGORITMO 7.16: Coletor de cópia de Cheney.

ENTRADA: O conjunto raiz de objetos, e um heap consistindo no semi-espaço *From*, contendo objetos alocados, e no semi-espaço *To*, todos livres.

SAÍDA: No fim, o semi-espaço *To* contém os objetos alocados. Um apontador *free* indica o início do espaço livre restante no semi-espaço *To*. O semi-espaço *From* está completamente livre.

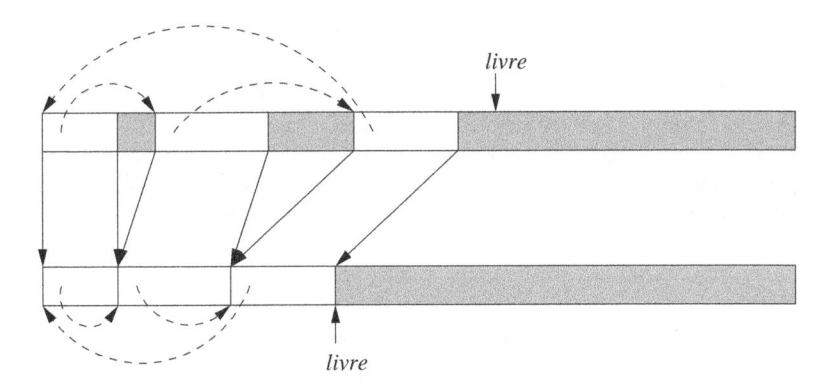

FIGURA 7.27 Movendo objetos alcançados para a frente do heap, enquanto se preservam os apontadores internos.

MÉTODO: O algoritmo aparece na Figura 7.28. O algoritmo de Cheney encontra objetos alcançáveis no semi-espaço *From* e os copia, assim que eles são alcançados, para o semi-espaço *To*. Esse posicionamento agrupa os objetos relacionados e pode melhorar a localidade espacial.

```
1)   CopyingCollector () {
2)       for (todos os objetos o no espaço From) NewLocation(o) = NULL;
3)       unscanned = free = endereço inicial do espaço To;
4)       for (cada referência r no conjunto raiz)
5)           substitui r por LookupNewLocation(r);
6)       while (unscanned ≠ free){
7)           o = objeto no endereço unscanned;
8)           for (cada referência o.r dentro de o)
9)               o.r = LookupNewLocation(o.r);
10)          unscanned = unscanned + sizeof(o);
         }
     }

     /* Pesquisa novo endereço para o objeto se ele tiver sido movido. */
     /* Caso contrário, coloque o objeto no estado Unscanned. */
11)  LookupNewLocation(o){
12)      if (NewLocation(o) = NULL) {
13)          NewLocation(o) = free;
14)          free = free + sizeof(o);
15)          copia o para NewLocation(o);
         }
16)      return NewLocation(o);
     }
```

FIGURA 7.28 Um coletor de lixo de cópia.

Antes de examinar o algoritmo em si, o qual é a função *CopyingCollector* na Figura 7.28, considere a função auxiliar *LookupNewLocation* nas linhas de (11) a (16). Essa função pega um objeto *o* e encontra um novo endereço para ele no espaço *To* caso *o* ainda não tenha um endereço lá. Todos os novos endereços são armazenados em uma estrutura *NewLocation*, e um valor *NULL* indica que *o* não tem um endereço atribuído.[5] Assim como no Algoritmo 7.15, a forma exata da estrutura *NewLocation* pode variar, mas é bom assumir que ela é uma tabela hash.

Se descobrirmos na linha (12) que *o* não possui endereço, ele é atribuído ao início do espaço livre dentro do semi-espaço *To*, na linha (13). A linha (14) incrementa o apontador *free* pela quantidade de espaço gasto por *o*, e na linha (15) copiamos *o*

---

[5] Em uma estrutura de dados típica, como uma tabela *hash*, se *o* não recebesse um endereço, simplesmente não haveria menção a ele na estrutura.

do espaço *From* para o espaço *To*. Assim, o movimento dos objetos de um semi-espaço para o outro ocorre como um efeito colateral, na primeira vez que pesquisamos o novo endereço para o objeto. Independentemente de o endereço de *o* ter sido ou não previamente estabelecido, a linha (16) retorna o endereço de *o* no espaço *To*.

Agora, podemos considerar o próprio algoritmo. A linha (2) estabelece que os objetos no espaço *From* ainda não possuem novos endereços. Na linha (3), inicializamos os dois apontadores, *unscanned* e *free*, com o endereço inicial do semi-espaço *To*. O apontador *free* sempre indicará o início do espaço livre contido no espaço *To*. Ao incluirmos objetos no espaço *To*, aqueles com endereços abaixo de *unscanned* estarão no estado *Scanned*, enquanto aqueles entre *unscanned* e *free* estarão no estado *Unscanned*. Assim, *free* sempre leva a *unscanned* e, quando o último atinge o primeiro, não existem mais objetos Unscanned, e terminamos com a coleta de lixo. Observe que realizamos nosso trabalho dentro do espaço *To*, embora todas as referências contidas nos objetos examinados na linha (8) nos levem de volta ao espaço *From*.

As linhas (4) e (5) tratam dos objetos alcançáveis a partir do conjunto raiz. Observe que, como efeito colateral, algumas das chamadas a *LookupNewLocation* na linha (5) aumentarão *free*, porque as porções para esses objetos são alocadas dentro de *To*. Assim, o *loop* das linhas (6) a (10) entrará na primeira vez que ele for alcançado, a menos que não existam objetos referenciados pelo conjunto raiz (caso em que todo o heap é lixo). Esse *loop*, então, inspeciona cada um dos objetos que foram acrescentados a *To* e estão no estado *Unscanned*. A linha (7) pega o próximo objeto não inspecionado, *o*. Depois, nas linhas (8) e (9), cada referência dentro de *o* é traduzida a partir de seu valor no semi-espaço *From* para o seu valor no semi-espaço *To*. Observe que, como efeito colateral, se uma referência dentro de *o* for para um objeto que não alcançamos anteriormente, a chamada a *LookupNewLocation* na linha (9) cria espaço para esse objeto no espaço *To* e move o objeto para lá. Finalmente, a linha (10) incrementa *unscanned* para apontar para o próximo objeto, logo após *o* no espaço *To*.

7.6.6 Comparando custos

O algoritmo de Cheney tem a vantagem de não manusear nenhum dos objetos inalcançáveis. Por outro lado, um coletor de lixo de cópia precisa mover o conteúdo de todos os objetos alcançáveis. Esse processo é especialmente caro para objetos grandes e para objetos de longa duração, que sobrevivem a múltiplas rodadas de coleta de lixo. Podemos resumir o tempo de execução de cada um dos quatro algoritmos descritos nesta seção como veremos a seguir. Cada estimativa ignora o custo do processamento do conjunto raiz.

- *Marcar-e-varrer básico* (Algoritmo 7.12): Proporcional ao número de porções no heap.
- *Marcar-e-varrer de Baker* (Algoritmo 7.14): Proporcional ao número de objetos alcançados.
- *Marcar-e-compactar básico* (Algoritmo 7.15): Proporcional ao número de porções no heap mais o tamanho total dos objetos alcançados.
- *Coletor de cópia de Cheney* (Algoritmo 7.16): Proporcional ao tamanho total dos objetos alcançados.

7.6.7 Exercícios da Seção 7.6

Exercício 7.6.1: Mostre os passos de um coletor de lixo marcar-e-varrer

a) Na Figura 7.19 com o apontador $A \to B$ removido.
b) Na Figura 7.19 com o apontador $A \to C$ removido.
c) Na Figura 7.20 com o apontador $A \to D$ removido.
d) Na Figura 7.20 com o objeto *B* removido.

Exercício 7.6.2: O algoritmo marcar-e-varrer de Baker move objetos entre quatro listas: *Free, Unreached, Unscanned* e *Scanned*. Para cada uma das redes de objeto do Exercício 7.6.1, indique para cada objeto a seqüência de listas na qual ele se encontra desde antes que a coleta de lixo comece até logo depois que ela termine.

Exercício 7.6.3: Suponha que realizemos a coleta de lixo marcar-e-compactar em cada uma das redes do Exercício 7.6.1. Suponha também que:

i. Cada objeto tenha o tamanho 100 bytes, e
ii. Inicialmente, os nove objetos no heap sejam arrumados em ordem alfabética, começando no byte 0 do heap.
Qual é o endereço de cada objeto depois da coleta de lixo?

Exercício 7.6.4: Suponha que executemos o algoritmo para coleta de lixo de cópia de Cheney em cada uma das redes do Exercício 7.6.1. Além disso, suponha que:

i. Cada objeto tenha o tamanho de 100 bytes,
ii. A lista não inspecionada seja gerenciada como uma fila e, quando um objeto tiver mais de um apontador, os objetos alcançados sejam acrescentados à fila em ordem alfabética, e,
iii. O semi-espaço *From* comece no endereço 0, e o semi-espaço *To* comece no endereço 10.000.

Qual é o valor de *NewLocation*(*o*) para cada objeto *o* que permanece depois da coleta de lixo?

7.7 Coleta de lixo com pausa curta

Coletores simples baseados em rastreamento realizam a coleta de lixo no estilo 'pare o mundo', podendo introduzir longas pausas na execução dos programas do usuário. Podemos reduzir a extensão das pausas realizando coleta de lixo uma parte de cada vez. Podemos dividir o trabalho no tempo, intercalando a coleta de lixo com a mutação, ou podemos dividir o trabalho no espaço coletando um subconjunto do lixo de cada vez. A primeira é conhecida como *coleta incremental*, e a segunda, como *coleta parcial*.

Um coletor incremental parte a análise de alcançabilidade em unidades menores, permitindo que o mudador seja executado entre essas unidades de execução. O conjunto alcançável muda à medida que o mudador é executado, de modo que a coleta incremental é complexa. Conforme veremos na Seção 7.7.1, encontrar uma resposta ligeiramente conservadora pode tornar o rastreamento mais eficiente.

O mais conhecido dos algoritmos de coleta parcial é a *coleta de lixo generativo*. Ela particiona objetos de acordo com o tempo em que eles estiveram alocados e coleta com mais freqüência os objetos recém-criados, porque estes costumam ter um tempo de vida menor. Um algoritmo alternativo, o *algoritmo do trem*, também coleta um subconjunto do lixo de cada vez e é mais aplicado a objetos mais maduros. Esses dois algoritmos podem ser usados juntos, para criar um coletor parcial, que trata objetos mais novos e mais velhos de formas diferentes. Discutiremos o algoritmo básico subjacente à coleta parcial na Seção 7.7.3 e depois descreveremos com mais detalhes como funcionam os algoritmos generativos e o algoritmo do trem.

As idéias a partir das coletas incremental e parcial podem ser adaptadas para criar um algoritmo que colete objetos em paralelo em um multiprocessador; veja a Seção 7.8.1.

7.7.1 Coleta de lixo incremental

Os coletores incrementais são conservadores. Embora um coletor de lixo não deva coletar objetos que não sejam lixo, ele não precisa coletar todo o lixo em cada rodada. Referimo-nos ao lixo deixado para trás após a coleta como *lixo flutuante* (*floating garbage*). Naturalmente, é desejável reduzir o lixo flutuante. Em particular, um coletor incremental não deverá deixar para trás nenhum lixo não estivesse alcançável no início de um ciclo de coleta. Se pudermos ter certeza de tal garantia de coleta, então qualquer lixo não coletado em uma rodada será coletado na seguinte, e nenhum vazamento de memória será decorrente dessa abordagem de coleta de lixo.

Em outras palavras, os coletores incrementais trabalham com segurança, superestimando o conjunto de objetos alcançáveis. Eles, primeiro, processam o conjunto raiz do programa atomicamente, sem interferência do mudador. Depois de encontrar o conjunto inicial de objetos não inspecionados, as ações do mudador são intercaladas com o passo de rastreamento. Durante esse período, qualquer uma das ações do mudador que possa alterar a alcançabilidade é armazenada sucintamente em uma tabela auxiliar, de modo que o coletor possa fazer os ajustes necessários quando retomar a execução. Se o espaço for esgotado antes que o rastreamento termine, o coletor completará o processo de rastreamento sem permitir que o mudador seja executado. Independentemente do evento, quando o rastreamento termina, o espaço é reivindicado atomicamente.

Precisão da coleta incremental

Uma vez que um objeto se torne inalcançável, não é possível tornar-se alcançável novamente. Assim, enquanto a coleta de lixo e a mutação prosseguem, o conjunto de objetos alcançáveis só pode:

1. Crescer em razão de novos objetos alocados após o início da coleta de lixo, e,
2. Encurtar, perdendo referências aos objetos alocados.

Seja R o conjunto de objetos alcançáveis no início da coleta de lixo, *New* o conjunto de objetos alocados durante a coleta de lixo, e *Lost* o conjunto de objetos que se tornaram inalcançáveis em razão de referências perdidas desde o início do rastreamento. O conjunto de objetos alcançáveis quando o rastreamento termina é:

$$(R \cup New) - Lost.$$

É caro restabelecer a alcançabilidade de um objeto toda vez que um mudador perde uma referência ao objeto, assim os coletores incrementais não tentam coletar todo o lixo no fim do rastreamento. Qualquer lixo que fique para trás — lixo flutuante — deve ser um subconjunto dos objetos *Lost*. Expresso de modo formal, o conjunto S de objetos encontrados pelo rastreamento precisa satisfazer:

$$(R \cup New) - Lost \subseteq S \subseteq (R \cup New)$$

Rastreamento incremental simples

Primeiro, descrevemos o algoritmo de rastreamento simples, que encontra o limite superior $R \cup New$. O comportamento do mudador é modificado durante o rastreamento da seguinte forma:

- Todas as referências que existiam antes da coleta de lixo são preservadas, ou seja, antes que o mudador modifique uma referência, seu valor antigo é lembrado e tratado como um objeto adicional não inspecionado, contendo apenas essa referência.
- Todos os objetos criados são considerados alcançáveis imediatamente e são colocados no estado *Unscanned*.

Esse esquema é conservador, mas correto, porque encontra R, o conjunto de todos os objetos alcançáveis antes da coleta de lixo, mais *New*, o conjunto de todos os objetos recém-alocados. Contudo, o custo é alto, porque o algoritmo intercepta todas as operações de escrita e se lembra de todas as referências modificadas. Parte desse trabalho é desnecessária, pois pode envolver objetos que são inalcançáveis no fim da coleta de lixo. Poderíamos evitar parte desse trabalho e também melhorar a precisão do algoritmo se pudéssemos detectar quando as referências modificadas apontarão para objetos que são inalcançáveis quando essa rodada de coleta de lixo terminar. O algoritmo seguinte avança bastante nessas duas direções.

7.7.2 Análise de alcançabilidade incremental

Se intercalarmos o mudador com o algoritmo de rastreamento básico, como o Algoritmo 7.12, alguns objetos alcançáveis podem ser mal classificados ou inalcançáveis. O problema é que as ações do mudador podem violar uma invariante chave do algoritmo; a saber, um objeto *Scanned* só pode conter referências a outros objetos *Scanned* ou *Unscanned*, e nunca a objetos *Unreached*. Considere o cenário a seguir:

1. O coletor de lixo descobre que o objeto o_1 é alcançável e inspeciona os apontadores contidos em o_1, colocando portanto o_1 no estado *Scanned*.
2. O mudador armazena uma referência a um objeto *Unreached* (porém alcançável) o no objeto *Scanned* o_1. Ele faz isso copiando uma referência para o a partir de um objeto o_2 que está correntemente no estado *Unreached* ou *Unscanned*.
3. O mudador perde a referência para o no objeto o_2. Ele pode ter modificado a referência de o_2 para o antes que a referência fosse inspecionada, ou então, o_2 pode ter-se tornado inalcançável e nunca ter alcançado o estado *Unscanned* para ter suas referências inspecionadas.

Agora, o é alcançável por meio do objeto o_1, mas o coletor de lixo pode não ter visto nem a referência para o em o_1 nem a referência para o em o_2.

A chave para um rastreamento incremental mais preciso, embora correto, é que devemos observar todas as cópias das referências a objetos correntemente não alcançados a partir de um objeto que não foi inspecionado para um que foi. Para interceptar transferências problemáticas de referências, o algoritmo pode modificar a ação do mudador durante o rastreamento de qualquer uma das seguintes maneiras:

- *Barreiras de escrita*. Interceptam escritas de referências para um objeto *Scanned* o_1, quando a referência é para um objeto *Unreached* o. Nesse caso, classifique o como alcançável e coloque-o no conjunto *Unscanned*. Como alternativa, coloque o objeto escrito o_1 de volta no conjunto *Unscanned*, para podermos inspecioná-lo novamente.
- *Barreiras de leitura*. Intercepta as leituras das referências nos objetos *Unreached* ou *Unscanned*. Sempre que o mudador lê uma referência para um objeto o a partir de um objeto no estado *Unreached* ou *Unscanned*, classifique o como alcançável e coloque-o no conjunto *Unscanned*.
- *Barreiras de transferência*. Intercepta a perda da referência original em um objeto *Unreached* ou *Unscanned*. Sempre que o mudador modificar uma referência em um objeto *Unreached* ou *Unscanned*, salve a referência sendo modificada, classifique-a como alcançável e coloque a própria referência no conjunto *Unscanned*.

Nenhuma das opções anteriores encontra o menor conjunto de objetos alcançáveis. Se o processo de rastreamento determinar um objeto como sendo alcançável, ele permanecerá alcançável embora todas as referências a ele sejam modificadas antes que o rastreamento termine, ou seja, o conjunto de objetos alcançáveis encontrados está entre $(R \cup New) - Lost$ e $(R \cup New)$.

Barreiras de escrita são as mais eficientes das opções apresentadas. Barreiras de leitura são as mais caras, porque tipicamente existem muito mais leituras do que escritas. As barreiras de transferência não são competitivas; porque muitos objetos 'morrem cedo', essa abordagem reteria muitos objetos inalcançáveis.

Implementando barreiras de escrita

Podemos implementar barreiras de escrita de duas maneiras. A primeira abordagem é lembrar, durante uma fase de mutação, de todas novas as referências escritas nos objetos *Scanned*. Podemos colocar todas essas referências em uma lista; o tamanho da lista é proporcional ao número de operações de escrita para os objetos *Scanned*, a menos que as duplicatas sejam removidas da lista. Observe que as referências na lista podem mais tarde ser modificadas e potencialmente poderiam ser ignoradas.

A segunda abordagem, mais eficiente, é lembrar dos endereços nos quais as escritas ocorrem. Podemos lembrar-nos delas como uma lista de endereços escritos, possivelmente com duplicatas eliminadas. Observe que não é importante que apontemos os endereços exatos que foram escritos, desde que todos eles sejam inspecionados novamente. Assim, várias abordagens nos permitem lembrar de menos detalhes sobre exatamente onde estão os endereços reescritos.

- Em vez de lembrar o endereço exato ou o objeto e campo que foi escrito, podemos lembrar apenas os objetos que mantêm os campos escritos.
- Podemos dividir o espaço de endereços em blocos de tamanhos fixos, conhecidos como *cartões*, e usar um arranjo de bits para lembrar dos cartões que foram escritos.
- Podemos escolher lembrar das páginas que contêm os endereços escritos. Podemos simplesmente proteger as páginas contendo objetos *Scanned*. Então, quaisquer escritas nos objetos *Scanned* serão removidas sem executar nenhuma instrução explícita, porque causarão uma violação de proteção, e o sistema operacional gerará uma exceção no programa.

Em geral, ao reduzir a granularidade com que lembramos os endereços escritos, menos memória é necessária, à custa de aumentar a quantidade da nova inspeção realizada. No primeiro esquema, todas as referências nos objetos modificados deverão ser inspecionadas novamente, independentemente de qual referência tenha sido realmente modificada. Nesses dois últimos esquemas, todos os objetos alcançáveis nos cartões modificados ou páginas modificadas precisam ser inspecionados novamente no fim do processo de rastreamento.

Combinando as técnicas incremental e de cópia

Os métodos anteriores são suficientes para a coleta de lixo marcar-e-varrer. A coleta de cópia é ligeiramente mais complicada, por causa da sua interação com o mudador. Os objetos nos estados *Scanned* ou *Unscanned* possuem dois endereços, um no semi-espaço *From* e um no semi-espaço *To*. Da mesma forma que no Algoritmo 7.16, temos de manter um mapeamento do endereço antigo de um objeto para seu endereço relocado.

Existem duas opções para atualizarmos as referências. Na primeira, podemos fazer com que o mudador faça todas as mudanças no espaço *From*, e somente no fim da coleta de lixo atualizamos todos os apontadores e copiamos todo o conteúdo para o espaço *To*. Na segunda, podemos, em vez disso, fazer mudanças da representação no espaço *To*. Sempre que o mudador seguir um apontador para o espaço *From*, o apontador é traduzido para um novo endereço no espaço *To*, se houver algum. No fim, todos os apontadores precisarão ser traduzidos para que apontem para o espaço *To*.

7.7.3 Fundamentos da coleta parcial

O fato fundamental é que os objetos tipicamente 'morrem cedo'. Descobriu-se que usualmente de 80% a 98% de todos os objetos recém-alocados morrem dentro de poucos milhões de instruções ou antes que outro megabyte tenha sido alocado, ou seja, os objetos normalmente se tornam inalcançáveis antes que qualquer coleta de lixo seja invocada. Assim, é bastante econômico coletar o lixo de novos objetos com freqüência.

Ainda assim, os objetos que sobrevivem uma vez a uma coleta provavelmente sobreviverão a muito mais coletas. Com os coletores de lixo descritos até aqui, os mesmos objetos maduros se tornarão alcançáveis novamente e, no caso de coletores de cópia, copiados mais e mais vezes, a cada rodada da coleta de lixo. A coleta de lixo generativa atua mais freqüentemente na área do heap que contém os objetos mais novos, de modo que tende a coletar muito lixo para um trabalho relativamente pequeno. O algoritmo do trem, por outro lado, não gasta uma grande fração de tempo em objetos novos, mas limita as pausas em razão da coleta de lixo. Assim, uma boa combinação de estratégias é usar a coleta generativa para objetos novos e, quando um objeto se tornar suficientemente maduro, 'promovê-lo' para um heap separado, que é gerenciado pelo algoritmo do trem.

Nós nos referimos ao conjunto de objetos a serem coletados em uma rodada de coleta parcial como *o conjunto de destino*, e o restante dos objetos como o *conjunto estável*. O ideal seria que um coletor parcial reivindicasse todos os objetos no conjunto de destino que são inalcançáveis a partir do conjunto raiz do programa. Contudo, isso exigiria rastrear todos os objetos, que é exatamente o que tentamos evitar em primeiro lugar. Em vez disso, os coletores parciais reivindicam conservadoramente somente os objetos que não podem ser alcançados por meio do conjunto raiz do programa ou do conjunto estável. Como alguns objetos no conjunto estável podem ser inalcançáveis, é possível que tratemos como alcançáveis alguns objetos no conjunto de destino que, na realidade, não têm caminho a partir do conjunto raiz.

Podemos adaptar os coletores de lixo descritos nas Seções 7.6.1 e 7.6.4 para trabalharem de maneira parcial, mudando a definição do 'conjunto raiz'. Em vez de se referir apenas aos objetos mantidos nos registradores, pilha e variáveis globais, o conjunto raiz agora também inclui todos os objetos no conjunto estável que apontam para objetos no conjunto de destino. As referências a partir dos objetos de destino para outros objetos de destino são rastreadas como antes, para encontrar todos os objetos alcançáveis. Podemos ignorar todos os apontadores para objetos estáveis, porque esses objetos são todos considerados alcançáveis nessa rodada de coleta parcial.

Para identificar os objetos estáveis que referenciam objetos de destino, podemos adotar técnicas semelhantes às usadas na coleta de lixo incremental. Na coleta incremental, precisamos lembrar todas as escritas de referências a partir dos objetos inspecionados para objetos não alcançados durante o processo de rastreamento. Aqui, precisamos lembrar todas as escritas de referências a partir dos objetos estáveis para os objetos de destinos, durante toda a execução do mudador. Sempre que o mudador armazena em um objeto estável uma referência a um objeto no conjunto de destino, lembramos a referência ou o endereço da escrita. Nós nos referimos ao conjunto de objetos contendo referências a partir dos objetos estáveis para o de destino como o *conjunto lembrado* para esse conjunto de objetos de destino. Conforme discutimos na Seção 7.7.2, podemos compactar a representação de um conjunto lembrado armazenando apenas o cartão ou página na qual o objeto escrito se encontra.

Os coletores de lixo parciais costumam ser implementados como coletores de lixo de cópia. Os coletores não de cópia também podem ser implementados por meio de listas encadeadas, para tomar conta dos objetos alcançáveis. O esquema 'generativo' descrito a seguir é um exemplo de como a cópia pode ser combinada com a coleta parcial.

7.7.4 Coleta de lixo generativo

A coleta de lixo generativo é um modo efetivo de explorar a propriedade de que a maioria dos objetos morre cedo. A memória do heap na coleta de lixo generativo é dividida em uma série de partições. Usaremos a convenção de numerá-las com 0, 1, 2, ..., n, com as partições de número mais baixo contendo os objetos mais novos. Os objetos são criados inicialmente na partição 0. Quando essa partição se enche, ela tem o lixo coletado e seus objetos alcançáveis são movidos para a partição 1. Agora, com a partição 0 novamente vazia, retomamos a alocação de novos objetos nela. Quando a partição 0 novamente se encher,[6] ela terá seu lixo coletado e seus objetos alcançáveis copiados para a partição 1, onde se unirão aos objetos previamente copiados. Esse padrão se repete até que a partição 1 também se encha, quando a coleta de lixo será aplicada às partições 0 e 1.

Em geral, cada rodada de coleta de lixo é aplicada a todas as partições numeradas com i ou menos, para algum i; o i apropriado para escolher é a partição de número mais alto que está atualmente cheia. Toda vez que um objeto sobrevive a uma coleta, ou seja, é descoberto como alcançável, é promovido para a próxima partição mais alta a partir daquela que ele ocupa, até alcançar a partição mais antiga, aquela numerada com n.

Usando a terminologia introduzida na Seção 7.7.3, quando as partições i e menores têm o lixo coletado, as partições de 0 até i compõem o conjunto de destino, e todas as partições acima de i compreendem o conjunto estável. Para dar suporte à localização dos conjuntos raízes para todas as coleções parciais, mantemos para cada partição i um *conjunto lembrado*, consistindo em todos os objetos nas partições acima de i que apontam para os objetos no conjunto i. O conjunto raiz para uma coleta parcial invocada no conjunto i inclui os conjuntos lembrados para a partição i e menores.

Nesse esquema, todas as partições abaixo de i são coletadas sempre que coletamos i. Existem dois motivos para essa política:
1. Visto que as gerações mais novas contêm mais lixo e são coletadas com mais freqüência de qualquer modo, podemos também coletá-las junto com uma geração mais antiga.
2. Seguindo essa estratégia, precisamos lembrar apenas as referências apontando de uma geração mais antiga para uma mais nova, ou seja, nem as escritas para objetos na geração mais nova nem a promoção de objetos para a próxima geração causam atualizações em nenhum conjunto lembrado. Se tivéssemos de coletar uma partição sem uma mais nova, a geração mais nova se tornaria parte do conjunto estável e teríamos de lembrar também as referências que apontam de gerações mais novas para as mais antigas.

Resumindo, esse esquema coleta gerações mais novas com mais freqüência, e as coletas dessas gerações são particularmente econômicas, pois os 'objetos morrem cedo'. A coleta de lixo das gerações mais antigas consome mais tempo, porque inclui a coleta de todas as mais novas e contém proporcionalmente menos lixo. Apesar disso, as gerações mais antigas precisam ser coletadas de vez em quando para remover objetos inalcançáveis. A geração mais antiga contém os objetos mais maduros; sua coleta é cara porque equivale a uma coleta completa, ou seja, os coletores generativos ocasionalmente exigem que seja realizado o passo de rastreamento completo e, portanto, podem introduzir longas pausas na execução de um programa. Uma alternativa para tratar apenas de objetos maduros é discutida a seguir.

7.7.5 O algoritmo do trem

Embora a abordagem generativa seja muito eficiente para tratar objetos imaturos, é menos eficiente para objetos maduros, pois estes são movidos toda vez que existe uma coleta que os envolva, e provavelmente não são lixo. Uma abordagem diferente para a coleta incremental, chamada *algoritmo do trem*, foi desenvolvida para melhorar o tratamento de objetos maduros. Ela pode ser usada para coletar todo o lixo, mas provavelmente é melhor usar a abordagem generativa para objetos imaturos e, somente depois que tiverem sobrevivido a algumas rodadas de coleta, 'promovê-los' para outro heap, gerenciado pelo algoritmo do trem. Outra vantagem do algoritmo do trem é que nunca precisamos realizar uma coleta de lixo completa, como fazemos ocasionalmente para a coleta de lixo generativo.

Como motivação para o algoritmo do trem, vamos examinar um exemplo simples de por que é necessário, na abordagem generativa, ter rodadas completas de coleta de lixo ocasionalmente. A Figura 7.29 mostra dois objetos mutuamente vinculados em duas partições i e j, onde $j > i$. Como os dois objetos possuem apontadores de fora de sua partição, uma coleta apenas da partição i ou apenas da partição j poderia nunca coletar nenhum deles. Mesmo assim, eles de fato poderiam fazer parte de uma estrutura de coleta cíclica sem elos de fora. Em geral, os 'elos' entre os objetos mostrados podem envolver muitos objetos e longas cadeias de referências.

Na coleta de lixo generativo, por fim coletamos a partição j e, como $i < j$, também coletamos i nesse momento. Depois, a estrutura cíclica estará completamente contida na parte do heap sendo coletada, e poderemos saber se verdadeiramente é lixo.

---

6 Tecnicamente, as partições não se 'enchem', pois podem ser expandidas com blocos de disco adicionais pelo gerenciador de memória, se desejado. Contudo, normalmente há um limite no tamanho de uma partição, que não seja a última. Vamos referir-nos a atingir esse limite como "encher" a partição.

Contudo, se nunca tivéssemos uma rodada de coleta que incluísse tanto i quanto j, teríamos um problema com o lixo cíclico, como o tivemos com a contagem de referência para coleta de lixo.

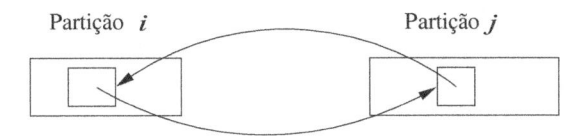

FIGURA 7.29 Uma estrutura cíclica por partições que podem ser lixo cíclico.

O algoritmo do trem utiliza partições de tamanhos fixos, chamadas *carros*; um carro poderia ser um único bloco de disco, desde que não existissem objetos maiores do que os blocos de disco, ou então o tamanho do carro poderia ser maior, mas ele é fixado definitivamente. Os carros são organizados nos *trens*. Não existe limite para o número de carros em um trem, e também nenhum limite para o número de trens. Existe uma ordem lexicográfica para os carros: primeiro, ordenar por número de trem e, dentro de um trem, ordenar por número de carro, como na Figura 7.30.

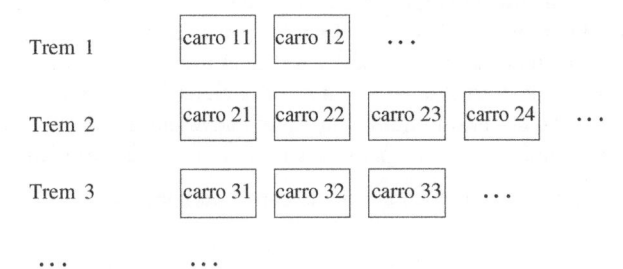

FIGURA 7.30 Organização do heap para o algoritmo do trem.

Existem duas maneiras como o lixo é coletado pelo algoritmo do trem:

- O primeiro carro na ordem lexicográfica, ou seja, o primeiro carro restante do primeiro trem restante, é coletado em um passo incremental de coleta de lixo. Esse passo é semelhante à coleta da primeira partição no algoritmo de geração, pois mantemos uma lista 'lembrada' de todos os apontadores de fora do carro. Aqui, identificamos objetos sem nenhuma referência, além de ciclos de lixo que estão contidos completamente dentro desse carro. Os objetos alcançáveis no carro sempre são movidos para outro carro, de modo que cada carro com lixo coletado se torna vazio e pode ser removido do trem.
- Às vezes, o primeiro trem não possui referências externas, ou seja, não existem apontadores de um conjunto raiz para nenhum carro do trem, e os conjuntos lembrados para os carros contêm apenas referências de outros carros no trem, e não de outros trens. Nessa situação, o trem é uma imensa coleção de lixo cíclico, e excluímos o trem inteiro.

Conjuntos lembrados

Agora, mostramos os detalhes do algoritmo do trem. Cada carro possui um conjunto lembrado consistindo em todas as referências a objetos no carro, de:

a) Objetos em carros de número mais alto no mesmo trem, e,
b) Objetos em trens com números mais altos.

Além disso, cada trem possui um conjunto lembrado consistindo em todas as referências de trens com número mais alto, ou seja, o conjunto lembrado para um trem é a união dos conjuntos lembrados para seus carros, exceto para as referências que são internas ao trem. Assim, é possível representar os dois tipos de conjuntos lembrados dividindo os conjuntos lembrados para os carros nas partes 'interna' (mesmo trem) e 'externa' (outros trens).

Observe que as referências a objetos podem vir de qualquer lugar e não apenas dos carros lexicograficamente mais altos. Portanto, os dois processos de coleta de lixo tratam o primeiro carro do primeiro trem, e o primeiro trem inteiro, respectivamente. Assim, quando é a vez de usar os conjuntos lembrados em uma coleta de lixo, não há nada mais antigo de onde as referências poderiam vir e, portanto, não há sentido lembrar referências a carros mais altos em nenhum momento. Precisamos ter cuidado, é claro, para gerenciar os conjuntos lembrados corretamente, trocando-os sempre que o mudador modificar as referências em qualquer objeto.

Gerenciando trens

Nosso objetivo é extrair do primeiro trem todos os objetos que não são lixo cíclico. Então, o primeiro trem torna-se nada mais do que lixo cíclico e, portanto, é coletado na próxima rodada de coleta de lixo, ou, se o lixo não for cíclico, seus carros podem ser coletados um de cada vez.

Portanto, precisamos iniciar novos trens ocasionalmente, até mesmo não havendo limite sobre o número de carros em um trem, e poderíamos a princípio simplesmente incluir novos carros a um único trem, toda vez que precisássemos de mais espaço. Por exemplo, poderíamos iniciar um novo trem depois de cada k criações de objeto para algum k, ou seja, em geral, um novo objeto seria colocado no último carro do último trem, se houver espaço, ou em um novo carro que seria incluído no fim do último trem, se não houver espaço. Porém, em vez disso, periodicamente iniciamos um novo trem com um carro e colocamos o novo objeto lá.

Coletando o lixo de um carro

O núcleo do algoritmo do trem é como processamos o primeiro carro do primeiro trem durante uma rodada de coleta de lixo. Inicialmente, o conjunto alcançável é considerado como sendo os objetos desse carro com referências a partir do conjunto raiz e aqueles com referências no conjunto lembrado para esse carro. Então, inspecionamos esses objetos como no coletor marcar-e-varrer, mas não inspecionamos objetos alcançados fora de um carro sendo coletado. Depois desse rastreamento, alguns objetos no carro podem ser identificados como lixo. Não há necessidade de reivindicar seu espaço, pois todo o carro desaparecerá de qualquer forma.

Contudo, provavelmente existirão alguns objetos alcançáveis no carro, e estes precisarão ser movidos para outro lugar. As regras para mover um objeto são:

- Se houver uma referência no conjunto lembrado a partir de qualquer outro trem (que terá um número mais alto do que o trem do carro sendo coletado), mova o objeto para um desses trens. Se houver espaço, o objeto poderá ir para algum carro existente do trem, do qual emane uma referência, ou poderá ir no novo último trem, se não houver espaço.
- Se não houver referência a partir de outros trens, mas houver referências do conjunto raiz ou do primeiro trem, mova o objeto para qualquer outro carro do mesmo trem, criando um novo último carro se não houver espaço. Se possível, escolha um carro do qual existe uma referência, para ajudar a levar as estruturas cíclicas para um único carro.

Depois de mover todos os objetos alcançáveis a partir do primeiro carro, excluímos esse carro.

Modo de pânico

Há um problema com as regras apresentadas. Para ter certeza de que todo o lixo por fim será coletado, precisamos ter certeza de que cada trem por fim se tornará o primeiro trem. E se esse trem não for lixo cíclico, por fim todos os carros desse trem serão removidos e o trem desaparecerá com um carro de cada vez. Contudo, pela regra (2) anterior, a coleta do primeiro carro do primeiro trem pode produzir um novo último carro. Ela não pode produzir dois ou mais novos carros, pois certamente todos os objetos do primeiro carro podem caber no novo último carro. Entretanto, poderíamos estar em uma situação em que cada passo de coleta para um trem resultasse na inclusão de um novo carro, e nunca terminaríamos com esse trem, passando para os outros trens?

A resposta é que, infelizmente, essa situação é possível. O problema surge se tivermos uma estrutura não de lixo grande, cíclica, e o mudador conseguir mudar as referências de tal modo que nunca veremos, no momento em que coletamos um carro, nenhuma referência de trens mais altos no conjunto lembrado. Se até mesmo um objeto for removido do trem durante a coleta de um carro, tudo bem, pois nenhum objeto novo será acrescentado no primeiro trem e, portanto, o primeiro trem, certamente, ficará sem objetos. No entanto, pode não haver lixo nenhum que possamos coletar em um estágio, e corremos o risco de um *loop* onde coletamos lixo perpetuamente apenas no primeiro trem corrente.

Para evitar esse problema, temos de nos comportar de modo diferente sempre que encontrarmos uma coleta de lixo *fútil*, ou seja, um carro do qual nem sequer um objeto possa ser removido como lixo ou movido para outro trem. Nesse 'modo de pânico', fazemos duas mudanças:

1. Quando uma referência a um objeto no primeiro trem é reescrita, mantemos a referência como um novo membro do conjunto raiz.
2. Ao coletar lixo, se um objeto no primeiro carro tiver uma referência a partir do conjunto raiz, incluindo referências fictícias configuradas pelo ponto (1), movemos esse objeto para outro trem, mesmo que ele não tenha referências de outros trens. Não é importante para qual trem o movemos, desde que não seja o primeiro trem.

Desse modo, se houver referências de fora do primeiro trem para objetos no primeiro trem, essas referências são consideradas enquanto coletamos cada carro e, por fim, algum objeto será removido desse trem. Podemos, então, sair do modo de pânico e prosseguir normalmente, certos de que o primeiro trem corrente agora é menor do que era.

7.7.6 Exercícios da Seção 7.7

Exercício 7.7.1: Suponha que a rede de objetos da Figura 7.20 seja gerenciada por um algoritmo incremental que usa as quatro listas *Unreached, Unscanned, Scanned* e *Free*, como no algoritmo de Baker. Especificamente, a lista *Unscanned* é gerenciada como uma fila e, quando mais de um objeto tiver de ser colocado nessa lista devido à inspeção de um objeto, fazemos isso em ordem alfabética. Suponha também que usemos barreiras de escrita para garantir que nenhum objeto alcançável se torne lixo. Começando com A e B na lista *Unscanned*, suponha que ocorram os seguintes eventos:

  $i.$ A é inspecionado.
  $ii.$ O apontador $A \rightarrow D$ é reescrito para se tornar $A \rightarrow H$.
  $iii.$ B é inspecionado.

iv. *D* é inspecionado.

v. O apontador $B \to C$ é reescrito para se tornar $B \to I$.

Simule a coleta de lixo incremental inteira, supondo que não haja mais apontadores reescritos. Que objetos são lixo? Que objetos são colocados na lista *Free*?

Exercício 7.7.2: Repita o Exercício 7.7.1 supondo que

a) Os eventos (*ii*) e (*v*) são trocados na ordem.

b) Os eventos (*ii*) e (*v*) ocorrem antes de (*i*), (*iii*) e (*iv*).

Exercício 7.7.3: Suponha que o heap consista em exatamente nove carros nos três trens mostrados na Figura 7.30, ou seja, ignore as reticências. O objeto *o* no carro 11 possui referências dos carros 12, 23 e 32. Quando coletamos o lixo do carro 11, onde *o* poderá acabar ficando?

Exercício 7.7.4: Repita o Exercício 7.7.3 para os casos em que *o* tem

a) Apenas referências dos carros 22 e 31.

b) Nenhuma referência além daquela do carro 11.

Exercício 7.7.5: Suponha que o heap consista exatamente nos nove carros mostrados na Figura 7.30, ou seja, ignore as reticências. Correntemente, estamos no modo de pânico. O objeto o_1 no carro 11 tem apenas uma referência, do objeto o_2 no carro 12. Essa referência é reescrita. Quando coletamos o lixo do carro 11, o que poderia acontecer com o_1?

7.8 Tópicos avançados sobre coleta de lixo

Fechamos nossa investigação sobre coleta de lixo com explicações rápidas sobre quatro assuntos adicionais:

1. Coleta de lixo em ambientes paralelos.
2. Relocações parciais de objetos.
3. Coleta de lixo para linguagens que não são seguras quanto ao tipo.
4. A interação entre a coleta de lixo controlada pelo programador e a automática.

7.8.1 Coleta de lixo paralela e concorrente

A coleta de lixo se torna ainda mais desafiadora quando aplicada a programas executando em paralelo em uma máquina com multiprocessadores. Não é raro que as aplicações do servidor tenham milhares de threads executando ao mesmo tempo; cada uma dessas threads é um mudador. Tipicamente, o heap consistirá em gigabytes de memória.

Os algoritmos de coleta de lixo escaláveis precisam tirar proveito da presença de múltiplos processadores. Dizemos que um coletor de lixo é *paralelo* se usar múltiplas threads; ele é *concorrente* se executar simultaneamente com o mudador.

Vamos descrever um coletor paralelo, principalmente concorrente, o qual usa uma fase concorrente e paralela que realiza a maior parte do trabalho de rastreamento e, então, uma fase do tipo 'pare o mundo', que garante que todos os objetos alcançáveis sejam encontrados e reivindica a memória. O algoritmo não introduz novos conceitos básicos na coleta de lixo por si; ele mostra como podemos combinar as idéias descritas até aqui para criar uma solução completa para o problema de coleta *paralela e concorrente*. Contudo, existem algumas novas questões de implementação que surgem em razão da natureza da execução paralela. Vamos discutir como esse algoritmo coordena múltiplas threads em uma computação paralela, usando um modelo de certa forma comum de fila de trabalho.

Para entender o projeto do algoritmo, precisamos ter em mente a escala do problema. Até mesmo o conjunto raiz de uma aplicação paralela é muito maior, consistindo na pilha de toda thread, conjunto de registradores e variáveis acessíveis globalmente. A quantidade de memória do heap pode ser muito grande e, da mesma forma, é a quantidade de dados alcançáveis. A taxa com que os mudadores ocorrem também é muito maior.

Para reduzir o tempo de pausa, podemos adaptar as idéias básicas desenvolvidas para a análise incremental a fim de sobrepor a coleta de lixo com mutação. Lembre-se de que uma análise incremental, conforme discutida na Seção 7.7, realiza os três passos a seguir:

1. Encontrar o conjunto raiz. Este passo normalmente é realizado atomicamente, ou seja, com os mudadores parados.
2. Intercalar o rastreamento dos objetos alcançáveis com a execução dos mudadores. Neste período, toda vez que um mudador escrever uma referência que aponte de um objeto *Scanned* para um objeto *Unreached*, lembramos essa referência. Conforme discutimos na Seção 7.7.2, temos opções referentes à granularidade com a qual essas referências são lembradas. Nesta seção, vamos assumir o esquema baseado em cartão, no qual dividimos o heap em seções chamadas 'cartões' e mantemos um mapa de bits indicando quais cartões estão *sujos* (tiveram uma ou mais referências dentro delas reescritas).
3. Parar os mudadores novamente para inspecionar novamente todos os cartões que podem manter referências a objetos não alcançados.

Para uma aplicação multithreaded grande, o conjunto de objetos alcançados pelo conjunto raiz pode ser muito grande. É inviável gastar tempo e espaço para visitar todos esses objetos enquanto todos os mudadores terminam. Além disso, devido ao heap grande e ao grande número de threads mudadoras, muitos cartões podem precisar ser inspecionados novamente depois que todos os objetos tiverem sido inspecionados uma vez. Assim, é aconselhável inspecionar alguns desses cartões paralelamente, enquanto os mudadores têm permissão para continuar a executar simultaneamente.

Para implementar o rastreamento do passo (2) anterior, paralelamente, usaremos múltiplas threads de coleta de lixo simultaneamente com as threads mudadoras para rastrear a *maioria* dos objetos alcançáveis. Então, para implementar o passo (3), paramos os mudadores e usamos threads paralelas para garantir que todos os objetos alcançáveis sejam encontrados.

O rastreamento do passo (2) é executado fazendo-se com que cada thread mudadora realize parte da coleta de lixo, com seu próprio trabalho. Além disso, usamos threads que são dedicadas apenas a coletar lixo. Quando a coleta de lixo tiver sido iniciada, sempre que uma thread mudadora realizar alguma operação de alocação de memória, ela também realizará alguma computação de rastreamento. As threads puramente de coleta de lixo são colocadas em uso apenas quando uma máquina possui ciclos ociosos. Assim como na análise incremental, sempre que um mudador escreve uma referência que aponta de um objeto *Scanned* para um objeto *Unreached*, o cartão que mantém essa referência é marcado, como sujo, e precisa ser inspecionado, novamente.

Aqui está um esboço do algoritmo paralelo concorrente de coleta de lixo.

1. Inspecione o conjunto raiz para cada thread mudadora e coloque todos os objetos diretamente alcançáveis a partir dessa thread no estado *Unscanned*. A abordagem incremental mais simples para esse passo é esperar até que uma thread mudadora chame o gerenciador de memória, e fazer com que ela inspecione seu próprio conjunto raiz, se isso ainda não tiver sido feito. Se alguma thread mudadora não tiver chamado uma função de alocação de memória, mas todo o restante do rastreamento tiver terminado, então essa thread precisará ser interrompida para que seu conjunto raiz seja inspecionado.
2. Inspecione objetos que estão no estado *Unscanned*. Para dar suporte à computação paralela, usamos uma fila de trabalho de *pacotes de trabalho* com tamanho fixo, cada um mantendo uma série de objetos *Unscanned*. Objetos *Unscanned* são colocados em pacotes de trabalho à medida que são descobertos. As threads procurando trabalho tirarão esses pacotes de trabalho da fila e rastrearão os objetos *Unscanned* lá contidos. Essa estratégia permite que o trabalho seja espalhado por igual entre os trabalhadores no processo de rastreamento. Se o sistema ficar sem espaço e não pudermos encontrar o espaço para criar esses pacotes de trabalho, simplesmente marcamos os cartões, mantendo os objetos para forçá-los a ser inspecionados. O último sempre é possível, pois o arranjo de bits contendo as marcas para os cartões já foi alocado.
3. Inspecione os objetos nos cartões sujos. Quando não houver mais objetos *Unscanned* restantes na fila de trabalho, e os conjuntos raiz de todas as threads tiverem sido inspecionados, os cartões são inspecionados novamente para os objetos alcançáveis. Desde que os mudadores continuem a executar, os cartões sujos continuam a ser produzidos. Assim, precisamos terminar o processo de rastreamento usando algum critério, como só permitir que os cartões sejam inspecionados novamente uma vez por um número fixo de vezes, ou quando o número de cartões pendentes for reduzido para algum patamar. Como resultado, este passo paralelo e concorrente normalmente termina antes de completar o rastreamento, que é terminado no último passo, a seguir.
4. O passo final garante que todos os objetos alcançáveis sejam marcados como alcançados. Com todos os mudadores terminados, os conjuntos raiz para todas as threads agora podem ser encontrados rapidamente, usando-se todos os processadores no sistema. Como a alcançabilidade da maioria dos objetos foi rastreada, espera-se que apenas poucos objetos sejam colocados no estado *Unscanned*. Todas as threads, então, participam do rastreamento do restante dos objetos alcançáveis e da nova inspeção de todos os cartões.

É importante que controlemos a taxa em que ocorre o rastreamento. A fase de rastreamento é como uma corrida. Os mudadores criam novos objetos e novas referências que precisam ser inspecionadas, e o rastreamento tenta inspecionar todos os objetos alcançáveis e inspecionar novamente os cartões sujos gerados nesse meio tempo. Não é desejável iniciar o rastreamento muito antes que uma coleta de lixo seja necessária, pois isso aumentará a quantidade de lixo flutuante. Por outro lado, não podemos esperar até que a memória seja esgotada antes que o rastreamento inicie, pois então os mudadores não serão capazes de prosseguir e a situação se degenera para a de um coletor do tipo 'pare o mundo'. Assim, o algoritmo precisa escolher a hora para começar a coleta e a velocidade de rastreamento de forma apropriada. Uma estimativa da velocidade de mutação a partir dos ciclos anteriores de coleta pode ser usada para ajudar na decisão. A taxa de rastreamento é ajustada dinamicamente para considerar o trabalho realizado pelas threads puras de coleta de lixo.

7.8.2 Relocação parcial de objeto

Conforme discutimos a partir da Seção 7.6.4, coletores de cópia ou compactação são vantajosos porque eliminam a fragmentação. No entanto, esses coletores possuem custos não triviais. Um coletor de compactação exige mover todos os objetos e atualizar todas as referências no fim da coleta de lixo. Um coletor de cópia descobre para onde vão os objetos alcançáveis enquanto o rastreamento prossegue; se o rastreamento for realizado de modo incremental, precisamos traduzir cada referência do mudador ou mover todos os objetos e atualizar suas referências no fim. As duas opções são muito caras, especialmente para um heap grande.

Podemos, em vez disso, usar um coletor de lixo de cópia generativo. Ele é eficiente na coleta de objetos imaturos e na redução da fragmentação, mas pode ser dispendioso quando se coletam objetos maduros. Podemos usar o algoritmo do trem para limitar a quantidade de dados maduros analisados a cada vez. Contudo, o custo do algoritmo de trem é sensível ao tamanho do conjunto lembrado para cada partição.

Existe um esquema de coleta híbrido que usa o rastreamento concorrente para reivindicar todos os objetos inalcançáveis e ao mesmo tempo move apenas uma parte dos objetos. Esse método reduz a fragmentação sem incorrer no custo total de relocação em cada ciclo de coleta.

1. Antes que o rastreamento comece, escolha uma parte do heap que será evacuada.
2. Enquanto os objetos alcançáveis são marcados, lembre-se também de todas as referências apontando para os objetos na área designada.
3. Quando o rastreamento estiver completo, varra a memória em paralelo para reivindicar o espaço ocupado por objetos inalcançáveis.
4. Finalmente, evacue os objetos alcançáveis ocupando a área designada e conserte as referências aos objetos evacuados.

7.8.3 Coleta conservadora para linguagens inseguras

Conforme discutimos na Seção 7.5.1, é impossível construir um coletor de lixo que tenha garantia de funcionamento para todos os programas C e C++. Como sempre podemos calcular um endereço com operações aritméticas, nenhum endereço da memória em C e C++ pode nem mesmo ser mostrado como sendo inalcançável. Contudo, muitos programas em C ou C++ nunca fabricam endereços dessa maneira. Foi demonstrado que um coletor de lixo conservador — um que não necessariamente descarte todo o lixo — pode ser construído para funcionar bem na prática para essa classe de programas.

Um coletor de lixo conservador considera que não podemos fabricar um endereço, ou derivar o endereço de um bloco alocado da memória sem um endereço apontando para algum lugar na mesma porção. Podemos encontrar todo o lixo em programas satisfazendo tal suposição tratando como um endereço válido qualquer padrão de bits encontrado em algum lugar na memória alcançável, desde que esse padrão de bits possa ser construído como um endereço da memória. Esse esquema pode classificar alguns dados erroneamente como endereços. Contudo, ele é correto porque só faz com que o coletor seja conservador e contenha mais dados que o necessário.

A relocação de objetos, exigindo que todas as referências aos endereços antigos sejam atualizadas para que apontem para novos endereços, é incompatível com a coleta de lixo conservadora. Como um coletor de lixo conservador não sabe se determinado padrão de bits se refere a um endereço corrente, ele não pode mudar esses padrões para que apontem a novos endereços.

Veja aqui como funciona um coletor de lixo conservador. Primeiro, o gerenciador de memória é modificado para conter um *mapa de dados* de todas as porções de memória alocadas. Esse mapa nos permite encontrar facilmente o limite inicial e final da porção da memória que se espalha por certo endereço. O rastreamento começa inspecionando o conjunto raiz do programa, para encontrar qualquer padrão de bits que se pareça com um endereço da memória, sem se preocupar com seu tipo. Examinando esses endereços potenciais no mapa *de bits*, podemos encontrar os endereços iniciais daquelas porções de memória que poderiam ser alcançados, e colocá-los no estado *Unscanned*. Depois, inspecionamos todas as porções não inspecionados, encontramos mais porções de memória (presumivelmente) alcançáveis e as colocamos na lista de trabalho até que a lista de trabalho se torne vazia. Depois que o rastreamento terminar, varremos a memória do heap usando o mapa de dados para localizar e liberar todos as porções de memória inalcançáveis.

7.8.4 Referências fracas

Às vezes, os programadores usam uma linguagem com coleta de lixo, mas também querem eles mesmos gerenciar a memória, ou partes dela, ou seja, um programador pode saber que certos objetos nunca serão acessados novamente, embora as referências aos objetos permaneçam. Um exemplo de compilação sugerirá o problema.

EXEMPLO 7.17: Vimos que o analisador léxico normalmente gerencia uma tabela de símbolos criando um objeto para cada identificador que ele vê. Esses objetos podem aparecer como valores léxicos conectados a folhas da árvore de derivação representando esses identificadores, por exemplo. Contudo, é também útil criar uma tabela hash, usando como chave a cadeia do identificador, para localizar esses objetos. Essa tabela torna mais fácil para o analisador léxico encontrar o objeto quando encontra um lexema que é um identificador.

Quando o compilador passa o escopo de um identificador *i*, seu objeto da tabela de símbolos não tem mais nenhuma referência a partir da árvore de derivação, ou provavelmente nenhuma outra estrutura intermediária usada pelo compilador. Contudo, uma referência ao objeto ainda se encontra na tabela hash. Como a tabela *hash* faz parte do conjunto raiz do compilador, o objeto não pode ter o lixo coletado. Se for encontrado outro identificador com o mesmo lexema que *i*, então será descoberto que *i* está fora do escopo, e a referência ao seu objeto será removida. Contudo, se nenhum outro identificador com esse lexema for encontrado, o objeto de *i* poderá permanecer como não coletável, embora não usado, durante toda a compilação. ∎

Se o problema sugerido pelo Exemplo 7.17 for importante, o projetista do compilador poderia arranjar para remover da tabela *hash* todas as referências aos objetos assim que seu escopo terminasse. Contudo, uma técnica conhecida como *referências fracas* permite que o programador conte com a coleta de lixo automática, sem onerar o heap com objetos alcançáveis, embora não realmente utilizados. Esse sistema permite que certas referências sejam declaradas como 'fracas'. Um exemplo são todas as referências na tabela *hash* que discutimos até aqui. Quando o coletor de lixo inspeciona um objeto, ele não segue referências fracas dentro desse objeto, e não torna os objetos aos quais ele aponta alcançáveis. Naturalmente, tal objeto ainda poderá ser alcançável se houver outra referência a ele que não seja fraca.

7.8.5 Exercícios da Seção 7.8

! Exercício 7.8.1: Na Seção 7.8.3, sugerimos que era possível coletar o lixo para programas em C que não fabricam expressões apontando para um lugar dentro de uma porção, a menos que exista um endereço apontando para algum lugar dentro dessa mesma porção. Assim, rejeitamos códigos como:

```
p = 12345;
x = *p;
```

uma vez que, embora p possa apontar para alguma porção acidentalmente, poderia não haver outro apontador para essa porção. Por outro lado, com o código anterior, é mais provável que p aponte para nenhum lugar, e a execução do código resultará em uma falta de segmentação. Contudo, em C é possível escrever código de modo que uma variável como p tenha garantia de apontar para alguma porção, e ainda não exista apontador para essa porção. Escreva um programa desse tipo.

7.9 Resumo do Capítulo 7

- *Organização em tempo de execução*. Para implementar as abstrações incorporadas na linguagem fonte, um compilador cria e gerencia um ambiente em tempo de execução em cooperação com o sistema operacional e a máquina alvo. O ambiente em tempo de execução possui áreas de dados estáticas para o código objeto e objetos de dados estáticos criados em tempo de compilação. Também possui áreas dinâmicas de pilha e de heap para gerenciar objetos criados e destruídos enquanto o programa objeto é executado.

- *Pilha de controle*. Chamadas e retornos de procedimento normalmente são gerenciados por uma pilha em tempo de execução chamada *pilha de controle*. Podemos usar uma pilha porque as chamadas de procedimento ou *ativações* são aninhadas no tempo, ou seja, se p chama q, então essa ativação de q é aninhada dentro dessa ativação de p.

- *Alocação de pilha*. A memória para variáveis locais pode ser alocada em uma pilha de execução para linguagens que permitam ou exijam que as variáveis locais se tornem inacessíveis quando seus procedimentos terminarem. Para essas linguagens, cada ativação viva possui um *registro de ativação* (ou *frame*) na pilha de controle, com a raiz da árvore de ativação no fundo da pilha, e toda a seqüência de registros de ativação correspondendo ao caminho na árvore de ativação até a ativação onde o controle correntemente reside. A última ativação tem seu registro no topo da pilha.

- *Acesso a dados não locais na pilha*. Para linguagens como C, que não permitem declarações de procedimento aninhadas, o endereço de uma variável é global ou é encontrado no registro de ativação no topo da pilha de execução. Para linguagens com procedimentos aninhados, podemos acessar dados não locais na pilha por meio dos *elos de acesso*, que são apontadores adicionados a cada registro de ativação. Os dados não locais desejados são encontrados seguindo-se uma cadeia de elos de acesso até o registro de ativação apropriado. Um *display* é um arranjo auxiliar, usado em conjunto com elos de acesso, que provê um atalho eficiente para uma cadeia de elos de acesso.

- *Gerenciamento de heap*. O heap é uma porção de memória usada para os dados que podem estar vivos indefinidamente, ou até que o programa os exclua explicitamente. O *gerenciador de memória* aloca e libera espaço dentro do heap. A *coleta de lixo* encontra espaços dentro do heap que não estão mais em uso e, portanto, podem ser liberados para acomodar outros itens de dados. Para linguagens que exigem isso, o coletor de lixo é um importante subsistema do gerenciador de memória.

- *Explorando a localidade*. Fazendo bom uso da hierarquia de memória, os gerenciadores de memória podem influenciar no tempo de execução de um programa. O tempo gasto para acessar diferentes partes da memória pode variar de nanossegundos a milissegundos. Felizmente, a maioria dos programas gasta a maior parte de seu tempo executando uma fração relativamente pequena do código e usando apenas uma pequena fração dos dados. Um programa possui *localidade temporal* se for provável que ele acesse os mesmos endereços de memória novamente em breve. Um programa possui *localidade espacial* se for provável que ele acesse endereços vizinhos de memória em breve.

- *Reduzindo a fragmentação*. À medida que o programa aloca e libera memória, o heap pode tornar-se *fragmentado* ou quebrado em grandes quantidades de pequenos espaços livres não contíguos, ou *buracos*. A estratégia best-fit — alocar o menor buraco disponível que satisfaça uma solicitação — tem funcionado bem empiricamente. Embora best-fit costume melhorar a utilização de espaço, pode não ser a melhor para a localidade espacial. A fragmentação pode ser reduzida combinando-se ou *unindo-se* buracos adjacentes.

- *Liberação manual*. O gerenciamento manual da memória tem duas falhas comuns: não remover dados que não podem ser referenciados, o que é chamado erro de *vazamento de memória*, e referenciar dados removidos, o que caracteriza um erro de *acesso a apontador pendente*.

- *Alcançabilidade*. Lixo é dado que não pode ser referenciado ou *alcançado*. Existem duas maneiras básicas de encontrar objetos inalcançáveis: capturar a transição quando um objeto alcançável se tornar inalcançável, ou localizar periodicamente todos os objetos alcançáveis e inferir que todos os objetos restantes são inalcançáveis.

- *Coletores por contagem de referência* mantêm um contador das referências a um objeto; quando o contador passa para zero, o objeto se torna inalcançável. Esses coletores introduzem o custo de administrar referências e podem deixar de encontrar lixo 'cíclico', o qual consiste em objetos inalcançáveis que referenciam uns aos outros, talvez por meio de uma cadeia de referências.

- *Coletores de lixo baseados em rastreamento* examinam ou rastreiam iterativamente todas as referências para encontrar objetos alcançáveis, começando no *conjunto raiz* consistindo em objetos que podem ser acessados diretamente sem a necessidade de seguir apontadores.
- *Coletores marcar-e-varrer* visitam e marcam todos os objetos alcançáveis em um primeiro passo de rastreamento e depois varrem o heap para liberar os objetos inalcançáveis.
- *Coletores marcar-e-compactar* melhoram a técnica de marcar-e-varrer. Eles *relocam* objetos alcançáveis no heap para eliminar a fragmentação de memória.
- *Coletores de cópia* quebram a dependência entre o rastreamento e a localização do espaço livre. Eles particionam a memória em dois semi-espaços A e B. As solicitações de alocação são satisfeitas a partir de um semi-espaço, digamos, A, até que ele se encha, quando o coletor de lixo assume, copia os objetos alcançáveis para o outro espaço, digamos, B, e reverte os papéis dos semi-espaços.
- *Coletores incrementais*. Os coletores simples, baseados em rastreamento, interrompem o programa do usuário enquanto o lixo é coletado. *Coletores incrementais* intercalam as ações do coletor de lixo e do *mudador* ou programa do usuário. O mudador pode interferir com análise de alcançabilidade incremental, pois pode alterar as referências dentro de objetos previamente inspecionados. Os coletores incrementais, portanto, trabalham com segurança, estimando a mais o conjunto de objetos alcançáveis; qualquer 'lixo flutuante' pode ser apanhado na próxima rodada da coleta.
- *Coletores parciais* também reduzem pausas; eles coletam um subconjunto do lixo de cada vez. O mais conhecido dos algoritmos de coleta parcial, a *coleta de lixo generativo*, particiona os objetos de acordo com o tamanho em que eles foram alocados, e coleta os objetos recém-criados com mais freqüência, porque eles tendem a ter tempo de vida menor. Um algoritmo alternativo, o *algoritmo do trem*, utiliza partições de tamanho fixo, chamadas *carros*, que são coletadas nos *trens*. Cada passo da coleta é aplicado ao primeiro carro restante do primeiro trem restante. Quando um carro é coletado, os objetos alcançáveis são movidos para outros carros, de modo que esse carro fica com lixo e pode ser removido do trem. Esses dois algoritmos podem ser usados juntos para criar um coletor parcial, que aplica o algoritmo por geração a objetos mais novos e o algoritmo do trem a objetos mais maduros.

7.10 REFERÊNCIAS DO CAPÍTULO 7

Em lógica matemática, as regras de escopo e a passagem de parâmetros por substituição existem desde Frege [8]. O lambda cálculo de Church [3] usa o escopo léxico; ele tem sido usado como modelo para o estudo de linguagens de programação. Algol 60 e seus sucessores, incluindo C e Java, utilizam escopo léxico. Uma vez introduzido pela implementação inicial da linguagem Lisp, o escopo dinâmico tornou-se um recurso da linguagem; McCarthy [14] explica a história.

Muitos dos conceitos relacionados à alocação de pilha foram estimulados por blocos e recursão presentes na linguagem Algol 60. A idéia de um display para acessar dados não locais em uma linguagem de escopo léxico é devida a Dijkstra [5]. Uma descrição detalhada da alocação de pilha, do uso de um display e da alocação dinâmica de arranjos aparece em Randell e Russell [16]. Johnson e Ritchie [10] discutem o projeto de uma seqüência de chamadas que permite que o número de argumentos de um procedimento varie de uma chamada para outra.

A coleta de lixo tem sido uma área de investigação ativa; veja, por exemplo, Wilson [17]. Existem referências desde Collins [4]. A coleta baseada em rastreamento vem desde McCarthy [13], que descreve o algoritmo marcar-e-*varrer* para células de tamanho fixo. A *tag de limite* para gerenciar o espaço livre foi projetada por Knuth em 1962 e publicada em [11].

O Algoritmo 7.14 é baseado em Baker [1]. O Algoritmo 7.16, devido a Cheney [2], é uma versão não recursiva do coletor de cópia de Fenichel e Yochelson [7].

A análise de alcançabilidade incremental é explorada por Dijkstra e outros [6]. Lieberman e Hewitt [12] apresentam um coletor generativo como uma extensão da coleta de cópia. O algoritmo do trem começou com Hudson e Moss [9].

1. BAKER, H. G. Jr. The treadmill: real-time garbage collection without motion sickness, *ACM SIGPLAN Notices* 27:3 (mar., 1992), pp. 66-70.
2. CHENEY, C. J. A nonrecursive list compacting algorithm, *Comm. ACM* 13:11 (nov., 1970), pp. 677-678.
3. CHURCH, A. *The Calculi of Lambda Conversion*, Annals of Math. Studies, No. 6, Princeton, N J: Princeton University Press, 1941.
4. COLLINS, G. E. A method for overlapping and erasure of lists, *Comm. ACM* 2:12 (dez., 1960), pp. 655-657.
5. DIJKSTRA, E. W. Recursive programming, *Numerische Math.* 2 (1960), pp. 312-318.
6. DIJKSTRA, E. W.; LAMPORT, L.; MARTIN, A. J.; SCHOLTEN, C. S. e STEFFENS, E. F. M. On-the-fly garbage collection: an exercise in cooperation, *Comm. ACM* 21:11 (1978), pp. 966-975.
7. FENICHEL, R. R. e YOCHELSON, J. C. A Lisp garbage-collector for virtual-memory computer systems, *Comm. ACM* 12:11 (1969), pp. 611-612.
8. FREGE, G. Begriffsschrift, a formula language, modeled upon that of arithmetic, for pure thought, (1879). In J. van Heijenoort, *From Frege to Gödel*, Cambridge: Harvard Univ. Press, 1967.
9. HUDSON, R. L. e MOSS, J. E. B. Incremental Collection of Mature Objects, *Proc. Intl. Workshop on Memory Management*, Lecture Notes In Computer Science 637 (1992), pp. 388-403.

10. JOHNSON, S. C. e RITCHIE, D. M. The C language calling sequence, Computing Science Technical Report 102, Murray Hill: Bell Laboratories, 1981.
11. KNUTH, D. E., *Art of Computer Programming*, Volume 1: Fundamental Algorithms, Boston MA: Addison-Wesley, 1968.
12. LIEBERMAN, H. e HEWITT, C. A real-time garbage collector based on the lifetimes of objects, *Comm. ACM* 26:6 (jun., 1983), pp. 419-429.
13. MCCARTHY, J. Recursive functions of symbolic expressions and their computation by machine, *Comm. ACM* 3:4 (abr., 1960), pp. 184-195.
14. MCCARTHY, J. History of Lisp. Veja pp. 173-185 in R. L. Wexelblat (ed.), *History of Programming Languages*, Nova York: Academic Press, 1981.
15. MINSKY, M. A LISP garbage collector algorithm using secondary storage, A. I. Memo 58, Cambridge: MIT Project MAC, 1963.
16. RANDELL, B e L. J. RUSSELL, *Algol 60 Implementation*, Nova York: Academic Press, 1964.
17. WILSON, P. R., "Uniprocessor garbage collection techniques", `ftp://ftp.cs.utexas.edu/pub/garbage/bigsurv.ps`

8
GERAÇÃO DE CÓDIGO

A última fase em nosso modelo de compilador é o gerador de código. Ele recebe como entrada a representação intermediária (RI) produzida pelo *front-end* do compilador, juntamente com as informações relevante da tabela de símbolos, e produz como saída um código objeto semanticamente equivalente à entrada, como mostra a Figura 8.1.

Os requisitos impostos sobre o gerador de código são severos. O código objeto precisa preservar o significado semântico do programa fonte e ser de alta qualidade, ou seja, precisa usar efetivamente os recursos disponíveis da máquina destino. Além do mais, o próprio gerador de código precisa ser executado eficientemente.

programa fonte → Front-end → código intermediário → ┊ Otimizador de código ┊ → código intermediário → Gerador de código → código objeto

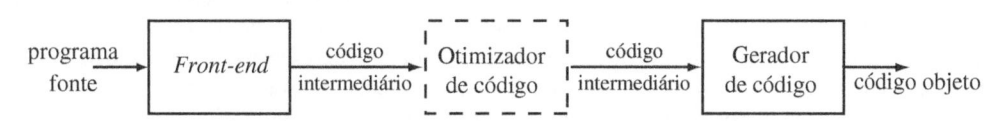

FIGURA 8.1 Posição do gerador de código.

O desafio é que, matematicamente, o problema de gerar um código objeto ótimo para determinado programa fonte é indecidível; muitos dos subproblemas encontrados na geração do código, tais como a alocação de registradores, são computacionalmente intratáveis. Na prática, temos de nos contentar com técnicas heurísticas que geram um código bom, mas não necessariamente ótimo. Felizmente, as heurísticas estão suficientemente maduras para que um gerador de código projetado cuidadosamente possa produzir código várias vezes mais rápido que o código produzido por um gerador ingênuo.

Compiladores que precisam produzir códigos objetos eficientes incluem uma fase de otimização antes da geração do código. O otimizador mapeia a RI em outra IR, a partir da qual é possível gerar um código mais eficiente. Em geral, as fases de otimização e geração de código de um compilador, chamadas de *back-end*, podem exigir várias passadas pela RI antes de gerar o código objeto. A otimização do código será discutida em detalhes no Capítulo 9. As técnicas apresentadas neste capítulo são usadas em todos os casos, não importando se tiver ocorrido ou não uma fase de otimização antes da geração de código.

Um gerador de código é composto por três tarefas principais: seleção de instrução, alocação e atribuição de registrador, e escalonamento de instrução. A importância dessas tarefas será esboçada na Seção 8.1. A seleção de instrução compreende a escolha de instruções apropriadas da arquitetura alvo para implementar os comandos da RI. A alocação e a atribuição de registrador decidem que valores devem ser mantidos em registradores e também quais registradores usar. O escalonamento de instrução envolve a decisão sobre a ordem em que a execução das instruções deve ser escalonada.

Este capítulo apresenta os algoritmos utilizados pelos geradores de código para traduzir uma RI para uma seqüência de instruções da linguagem objeto, em arquiteturas com registradores simples. Os algoritmos serão ilustrados pelo uso do modelo de máquina da Seção 8.2. O Capítulo 10 abordará o problema de geração de código para máquinas modernas complexas, que admitem muito paralelismo dentro de uma única instrução.

Após discutir sobre os aspectos mais amplos no projeto de um gerador de código, mostraremos os tipos de código objeto que um compilador precisa gerar para dar suporte às abstrações incorporadas em uma linguagem fonte típica. Na Seção 8.3, apresentaremos as implementações da alocação estática e de pilha das áreas de dados, e mostraremos como os nomes na RI podem ser convertidos para endereços no código objeto.

Muitos geradores de código dividem as instruções da RI em 'blocos básicos', que consistem em seqüências de instruções consecutivas nas quais não há nenhum tipo de desvio. O particionamento da RI em blocos básicos é assunto da Seção 8.4. A seção a seguir apresentará as transformações locais simples que podem ser usadas para transformar blocos básicos em blocos básicos modificados, a partir dos quais um código mais eficiente pode ser gerado. Essas transformações são uma forma rudimentar de otimização de código, embora a teoria mais avançada de otimização de código seja discutida no Capítulo 9. Um exemplo de transformação local útil é a descoberta de subexpressões comuns no nível de código intermediário e a substituição resultante das operações aritméticas por operações de cópia mais simples.

A Seção 8.6 apresentará um algoritmo de geração de código simples, que gera código para cada um dos comandos, um de cada vez, mantendo os operandos em registradores sempre que possível. A saída desse tipo de gerador de código pode ser facilmente melhorada utilizando técnicas de otimização *peephole*, como aquelas discutidas na Seção 8.7.

As seções restantes exploram a seleção de instrução e a alocação de registradores.

8.1 QUESTÕES SOBRE O PROJETO DE UM GERADOR DE CÓDIGO

Embora os detalhes dependam de questões específicas da representação intermediária, da linguagem objeto e do sistema em tempo de execução, tarefas como seleção de instrução, alocação e atribuição de registradores, e escalonamento de instruções são encontradas no projeto de quase todos os geradores de código.

O critério mais importante para um gerador de código é que ele produza código correto. A exatidão assume significado especial devido ao número de casos especiais que um gerador de código poderia enfrentar. Dada a prioridade na correção, o projeto de um gerador de código que possa ser facilmente implementado, testado e gerenciado é um objetivo de projeto importante.

8.1.1 ENTRADA PARA O GERADOR DE CÓDIGO

A entrada para um gerador de código é uma representação intermediária do programa fonte, produzida pelo *front-end*, com as informações da tabela de símbolos que são usadas para determinar os endereços em tempo de execução dos objetos de dados denotados pelos nomes na RI.

As diversas escolhas para a RI incluem as representações de três endereços como quádruplas, triplas, triplas indiretas, as representações de máquina virtual como bytecodes e código de máquina de pilha; as representações lineares como notação pos-fixada; e as representações gráficas como árvores de sintaxe e grafos acíclicos dirigidos (DAGs). Muitos dos algoritmos neste capítulo são enunciados em termos das representações consideradas no Capítulo 6: código de três endereços, árvores e DAGs. Contudo, as técnicas que discutimos também podem ser aplicadas com outras representações intermediárias.

Neste capítulo, consideramos que o *front-end* escandiu, analisou e traduziu o programa fonte para uma RI relativamente de baixo nível, de modo que os valores dos nomes que aparecem na RI podem ser representados por quantidades que a máquina alvo pode manipular diretamente, como números inteiros e de ponto flutuante. Também consideramos que todos os erros sintáticos e semânticos estáticos foram detectados, que foi feita a verificação de tipos necessária, e que os operadores de conversão de tipo foram inseridos onde necessário. O gerador de código, portanto, pode prosseguir, supondo que sua entrada está livre desses tipos de erros.

8.1.2 O PROGRAMA OBJETO

A arquitetura do conjunto de instruções da máquina alvo tem um impacto significativo sobre a dificuldade de construir um bom gerador de código que produza código de máquina de alta qualidade. As arquiteturas de máquina alvo mais comuns são a RISC (reduced instruction set computer), a CISC (complex instruction set computer) e as baseadas em pilha.

Uma máquina RISC tipicamente possui muitos registradores, instruções de três endereços, modos de endereçamento simples e uma arquitetura do conjunto de instruções relativamente simples. Ao contrário, uma máquina CISC normalmente possui menos registradores, instruções de dois endereços, muitos modos de endereçamento, várias classes de registradores, instruções de tamanho variável e instruções com efeitos colaterais.

Em uma máquina baseada em pilha, as operações são feitas colocando-se os operandos em uma pilha e depois efetuando-se as operações com os operandos no topo da pilha. Para obter alto desempenho, o topo da pilha tipicamente é mantido em registradores. As máquinas baseadas em pilha quase desapareceram, porque se achava que este tipo de organização era bastante limitador e exigia muitas operações de troca e cópia. Contudo, as arquiteturas baseadas em pilha reviveram com a introdução da Máquina Virtual Java (Java virtual machine (JVM)). A JVM é um software que interpreta bytecodes Java, uma linguagem intermediária produzida por compiladores Java. O interpretador oferece compatibilidade de software com múltiplas plataformas, um fator importante para o sucesso da Java.

Para contornar o baixo desempenho de interpretação, que pode ser um fator da ordem de 10, foram projetados os compiladores Java *just-in-time* (JIT). Esses compiladores JIT traduzem os bytecodes em tempo de execução para o conjunto de instruções de hardware nativo da máquina alvo. Outra técnica para melhorar o desempenho de Java é desenvolver um compilador que compile diretamente para as instruções de máquina da arquitetura alvo, evitando totalmente gerar os bytecodes Java.

A produção de um programa em linguagem de máquina absoluta como saída tem a vantagem de poder ser colocado em um local fixo na memória e executado imediatamente. Os programas podem ser compilados e executados rapidamente.

A produção de um programa em linguagem de máquina relocável (freqüentemente chamado de *módulo objeto*) como saída permite que os subprogramas sejam compilados separadamente. Um conjunto de módulos objeto relocáveis pode ser ligado e carregado para execução por um editor de ligação e um carregador. Embora tenhamos de pagar pelo custo adicional da ligação e da carga se produzirmos módulos objeto relocáveis, ganhamos muito em flexibilidade, sendo possível compilar sub-rotinas separadamente e chamar outros programas previamente compilados a partir de um módulo objeto. Se a máquina alvo não tratar da relocação automaticamente, o compilador deve prover informações de relocação explícitas ao carregador para ligar os módulos de programa compilados separadamente.

A produção de um programa em linguagem assembly como saída torna o processo de geração de código bem mais fácil. Podemos gerar instruções simbólicas e utilizar as facilidades de macro do Montador para auxiliar na geração de código. O preço pago é a etapa do assembly após a geração de código.

Neste capítulo, usamos um computador tipo RISC muito simples como nossa máquina alvo. Adicionamos a ele alguns modos de endereçamento tipo CISC, de modo que possamos também discutir as técnicas de geração de código para máquinas CISC. Por questão de legibilidade, usamos o código assembly como linguagem objeto. Desde que os endereços possam ser calculados a partir dos deslocamentos e outras informações armazenadas na tabela de símbolos, o gerador de código pode produzir endereços relocáveis e absolutos para os nomes tão facilmente quanto os endereços simbólicos.

8.1.3 Seleção de instrução

O gerador de código precisa mapear o programa na RI em uma seqüência de código que possa ser executada pela arquitetura alvo. A complexidade da realização desse mapeamento é determinada por fatores como:

- o nível da RI
- a natureza da arquitetura do conjunto de instruções
- a qualidade desejada do código gerado.

Se a RI for de alto nível, o gerador de código pode traduzir cada comando da RI em uma seqüência de instruções de máquina usando gabaritos de código. Todavia, essa geração de código comando por comando freqüentemente produz um código ruim, que exige otimização adicional. Se a RI refletir alguns dos detalhes de baixo nível da máquina alvo subjacente, o gerador de código pode usar essa informação para gerar seqüências de código mais eficientes.

A natureza do conjunto de instruções da máquina alvo tem forte efeito sobre a dificuldade da seleção de instruções. Por exemplo, a uniformidade e a completeza do conjunto de instruções são fatores importantes. Se a máquina alvo não prover cada tipo de dado de maneira uniforme, cada exceção à regra exigirá tratamento especial. Em algumas máquinas, por exemplo, as operações de ponto flutuante serão efetuadas usando-se registradores separados.

As velocidades das instruções e os idiomas da máquina são outros fatores críticos. Se não nos importarmos com a eficiência do programa objeto, a seleção de instruções é direta. Para cada tipo de comando de três endereços, podemos projetar um esqueleto de código que define o código objeto a ser gerado para essa construção. Por exemplo, todo comando de três endereços da forma x = y + z, onde x, y e z são alocados estaticamente, pode ser traduzido para a seqüência de código:

```
LD  R0, y       // R0 = y       (carrega y no registrador R0)
ADD R0, R0, z   // R0 = R0 + z  (soma z a R0)
ST  x, R0       // x = R0       (armazena R0 em x)
```

Esta estratégia freqüentemente produz cargas e armazenamentos redundantes. Por exemplo, a seqüência de comandos de três endereços:

$$a = b + c$$
$$d = a + e$$

seria traduzida para

```
LD  R0, b       // R0 = b
ADD R0, R0, c   // R0 = R0 + c
ST  a, R0       // a = R0
LD  R0, a       // R0 = a
ADD R0, R0, e   // R0 = R0 + e
ST  d, R0       // d = R0
```

Neste exemplo, o quarto comando é redundante, porque carrega um valor que acabou de ser armazenado, e também a terceira instrução, se a não for usado subseqüentemente.

A qualidade do código gerado usualmente é determinada em função de sua velocidade e tamanho. Na maioria das máquinas, um programa em dada RI pode ser implementado por muitas seqüências de código diferentes, com diferenças significativas de custo entre as diferentes implementações. Uma tradução ingênua do código intermediário pode, portanto, produzir um código objeto correto, porém inaceitavelmente ineficiente.

Por exemplo, se a máquina alvo tiver uma instrução de "incremento" (INC), o comando de três endereços, a = a + 1 pode ser implementado de modo mais eficiente por uma única instrução INC a, em vez de uma seqüência mais óbvia que carrega a em um registrador, soma um ao registrador e depois armazena o resultado de volta em a:

```
LD  R0, a       // R0 = a
ADD R0, R0, #1  // R0 = R0 + 1
ST  a, R0       // a = R0
```

É preciso conhecer os custos da instrução a fim de projetar boas seqüências de código, mas 'infelizmente' informações precisas a respeito do custo de uma instrução costumam ser difíceis de obter. Decidir qual seqüência de código de máquina é melhor para determinada construção de três endereços também pode exigir conhecimento a respeito do contexto em que essa construção aparece.

Na Seção 8.9, veremos que a seleção de instrução pode ser modelada como um processo de casamento de árvores de padrões, em que representamos a RI e as instruções de máquina como árvores. Depois, tentamos 'substituir' uma árvore de RI com um conjunto de subárvores que correspondam às instruções da máquina. Se associarmos um custo a cada subárvore de instrução de máquina, poderemos usar a programação dinâmica para gerar seqüências ótimas de código. A programação dinâmica será discutida na Seção 8.11.

8.1.4 Alocação de registradores

Um problema importante na geração de código é decidir que valores residirão em registradores e em quais registradores. Os registradores são considerados a unidade computacional mais rápida da máquina alvo, mas usualmente as arquiteturas não possuem um número suficiente deles para abrigar todos os valores de um programa. Os valores não mantidos em registradores precisam residir na memória. As instruções envolvendo operandos em registrador são invariavelmente menores e mais rápidas do que aquelas envolvendo operandos na memória; assim, a utilização eficiente dos registradores é particularmente importante.

O uso de registradores freqüentemente é subdividido em dois subproblemas:

1. *Alocação de registradores*, etapa na qual selecionamos o conjunto de variáveis que residirão nos registradores em cada ponto do programa.
2. *Atribuição de registradores*, etapa na qual determinamos um registrador específico em que uma variável residirá.

É difícil encontrar uma atribuição ótima de registradores para as variáveis, até mesmo com máquinas de um único registrador. Matematicamente, o problema é NP completo. O problema é ainda mais complicado porque o hardware e/ou o sistema operacional da máquina alvo podem exigir que sejam observadas certas convenções no uso de registrador.

Exemplo 8.1: Certas máquinas exigem *pares de registradores* (um registrador de número par e o próximo ímpar) para alguns operandos e resultados. Por exemplo, em algumas máquinas, a multiplicação e a divisão de inteiros envolve pares de registradores. A instrução de multiplicação tem a forma:

```
M x, y
```

onde x, o multiplicando, é um registrador par de um par de registradores par e ímpar e y, o multiplicador, é o registrador ímpar. O produto ocupa todo o par de registradores par e ímpar. A instrução de divisão tem a forma:

```
D x, y
```

onde o dividendo ocupa um par de registradores par/ímpar cujo registrador par é x; o divisor é y. Após a divisão, um registrador par contém o resto e o registrador ímpar, o quociente.

Agora, considere as duas seqüências de código de três endereços da Figura 8.2, em que a única diferença entre (a) e (b) é o operador da segunda instrução. As seqüências de código assembly menores para (a) e (b) são dadas na Figura 8.3.

```
t = a + b        t = a + b
t = t + c        t = a + c
t = t / d        t = t / d
    (a)              (b)
```

Figura 8.2 Duas seqüências de código de três endereços.

```
L   R1, a        L    R0, a
A   R1, b        A    R0, b
M   R0, c        A    R0, c
D   R0, d        SRDA R0, 32
ST  R1, t        D    R0, d
                 ST   R1, t
    (a)              (b)
```

Figura 8.3 Seqüências ótimas de código de máquina.

R*i* significa o registrador *i*. SRDA significa *Shift-Right-Double-Arithmetic* e SRDA R0,32 desloca o dividendo para R1 e limpa R0 de modo que todos os bits igualem seu bit de sinal. L, ST e A significam carga (*load*), armazenamento (*store*) e adição (*add*), respectivamente. Observe que a escolha ótima para o registrador em que a deve ser carregado depende do que, por fim, acontecerá com t.

As estratégias para alocação e atribuição de registradores são discutidas na Seção 8.8. A Seção 8.10 mostra que, para certas classes de máquinas, podemos construir seqüências de código que avaliam expressões usando o mínimo de registradores possível.

8.1.5 Ordem de avaliação

A ordem em que as computações são efetuadas pode afetar a eficiência do código objeto. Conforme veremos, algumas ordens de computação exigem menos registradores para manter os resultados intermediários do que outras. Contudo, a seleção da melhor ordem no caso geral é um problema NP completo e difícil. Inicialmente, vamos evitar o problema gerando código para os comandos de três endereços na mesma ordem em que eles foram produzidos pelo gerador de código intermediário. No Capítulo 10, estudaremos o escalonamento de código para máquinas pipeline, arquiteturas que podem executar várias operações em um único ciclo do relógio.

8.2 A linguagem objeto

Ter familiaridade com a máquina alvo e seu conjunto de instruções é um pré-requisito no projeto de um bom gerador de código. Infelizmente, em uma discussão geral sobre a geração de código, não é possível descrever nenhuma máquina alvo com detalhes suficientes para gerar um bom código para uma linguagem completa nessa máquina. Neste capítulo, usaremos como linguagem objeto o código assembly para um computador simples, que representa máquinas com muitos registradores. Contudo, as técnicas de geração de código apresentadas neste capítulo também podem ser usadas em muitas outras classes de máquinas.

8.2.1 Um modelo simples de máquina alvo

Nosso computador alvo modela uma máquina de três endereços com operações de carga e armazenamento, operações de cálculo, operações de desvios incondicionais e desvios condicionais. O computador subjacente é uma máquina endereçável por byte, com n registradores de propósito geral, R0, R1, ..., Rn − 1. Uma linguagem assembly completa teria muitas instruções. Para evitar esconder os conceitos em uma infinidade de detalhes, usaremos um conjunto de instruções muito limitado e presumiremos que todos os operandos são inteiros. A maior parte das instruções consiste em um operador, seguido por um destino, seguido por uma lista de operandos de origem. Um rótulo poderá preceder uma instrução. Consideramos que os seguintes tipos de instruções estão disponíveis:

- Operações de *carga*: a instrução LD *dst, addr* carrega o valor no endereço *addr* para o endereço *dst*. Essa instrução denota a atribuição *dst* = *addr*. A forma mais comum dessa instrução é LD *r, x* que carrega o valor no endereço *x* para o registrador *r*. Uma instrução no formato LD r_1, r_2 é uma *cópia registrador-para-registrador*, em que o conteúdo do registrador r_2 é copiado para o registrador r_1.
- *Operações de armazenamento*: a instrução ST *x,r* armazena o valor no registrador *r* no endereço *x*. Essa instrução denota a atribuição *x* = *r*.
- *Operações de computações no formato OP dst,src_1,src_2*, onde *OP* é um operador como ADD ou SUB, e *dst*, src_1 e src_2 são endereços, não necessariamente distintos. O efeito dessa instrução de máquina é aplicar a operação representada por *OP* aos valores nos endereços src_1 e src_2, e colocar o resultado dessa operação no endereço *dst*. Por exemplo, SUB r_1, r_2, r_3 computa $r_1 = r_2 - r_3$. Qualquer valor armazenado anteriormente em r_1 é perdido, mas se r_1 for r_2 ou r_3, o valor antigo é lido primeiro. Os operadores unários, que utilizam apenas um operando, não possuem um src_2.
- *Desvios incondicionais*: a instrução BR *L* faz com que o controle desvie para a instrução de máquina com rótulo *L*. (BR significa *branch* — desvio).
- *Desvios condicionais* da forma B*cond r,L*, onde *r* é um registrador, *L* é um rótulo e *cond* significa qualquer um dos testes comuns sobre os valores no registrador *R*. Por exemplo, BLTZ *r, L* causa um desvio para o rótulo *L* se o valor no registrador *r* for menor que zero, e permite que o controle passe para a próxima instrução de máquina, caso contrário.

Consideramos que nossa máquina alvo tem diversos modos de endereçamento:

- Nas instruções, um endereço pode ser um nome de variável *x*, referindo-se ao endereço de memória que é reservado para *x* (ou seja, o valor-*l* de *x*).
- Um endereço também pode ser um endereço indexado da forma *a*(*r*), onde *a* é uma variável e *r* é um registrador. O endereço da memória denotado por *a*(*r*) é calculado a partir do valor-*l* de *a* e somando a ele o valor armazenado no registrador *r*. Por exemplo, a instrução LD R1, a(R2) tem o efeito de definir R1 = *conteúdo*(a + *conteúdo*(R2)), onde *conteúdo*(*x*) denota o conteúdo do registrador ou endereço de memória representado por *x*. Esse modo de endereçamento é útil para o acesso a arranjos, onde *a* é o endereço base do arranjo, ou seja, o endereço do primeiro ele-

mento, e *r* mantém o número de *bytes* após este endereço para onde queremos ir para alcançar um dos elementos do arranjo *a*.
- Um endereço da memória pode ser um inteiro indexado por um registrador. Por exemplo, LD R1, 100 (R2) tem o efeito de definir R1 = *conteúdo*(100 + conteúdo(R2)), ou seja, de carregar em R1 o valor no endereço da memória obtido somando-se 100 ao conteúdo do registrador R2. Esse recurso é útil para seguir apontadores, conforme veremos no exemplo seguinte.
- Também permitimos dois modos de endereçamento indiretos: *r significa o endereço da memória encontrado no endereço representado pelo conteúdo do registrador *r* e *100(*r*) significa o endereço da memória encontrado no endereço obtido pela soma de 100 ao conteúdo de *r*. Por exemplo, LD R1, *100(R2) tem o efeito de definir R1 = *conteúdo* (*conteúdo*(100 + *conteúdo*(R2))), ou seja, de carregar em R1 o valor no endereço da memória armazenado no endereço da memória obtido pela soma de 100 ao conteúdo do registrador R2.
- Finalmente, permitimos um modo de endereçamento de constante imediata. A constante é prefixada por #. A instrução LD R1, #100 carrega o inteiro 100 no registrador R1, e ADD R1, R1, #100 soma o inteiro 100 ao registrador R1.

Os comentários no fim das instruções são precedidos por //.

Exemplo 8.2: A instrução de três endereços x = y - z pode ser implementada pelas instruções de máquina:

```
LD  R1, y       // R1 = y
LD  R2, z       // R2 = z
SUB R1, R1, R2  // R1 = R1 - R2
ST  x, R1       // x = R1
```

Podemos fazer melhor, talvez. Um dos objetivos de um bom algoritmo de geração de código é, sempre que possível, evitar o uso de todas essas quatro instruções. Por exemplo, y e/ou z podem ter sido computados em um registrador e, nesse caso, podemos evitar os passos LD. Do mesmo modo, é possível evitar o armazenamento de x se seu valor for usado a partir do conjunto de registradores e não for subseqüentemente necessário.

Suponha que a seja um arranjo cujos elementos sejam valores de 8 bytes, talvez números reais. Suponha também que os elementos de a são indexados a partir de 0. Podemos executar a instrução de três endereços b = a[i] usando as seguintes instruções de máquina:

```
LD  R1, i       // R1 = i
MUL R1, R1, 8   // R1 = R1 * 8
LD  R2, a(R1)   // R2 = conteúdo(a + conteúdo(R1))
ST  b, R2       // b = R2
```

Ou seja, o segundo passo calcula 8*i*, e o terceiro passo coloca no registrador R2 o valor no i-ésimo elemento de a — aquele encontrado na endereço que está 8*i* bytes após o endereço base do arranjo a.

Similarmente, a atribuição no arranjo a representada pela instrução de três endereços a[j] = c é implementada por:

```
LD  R1, c         // R1 = c
LD  R2, j         // R2 = j
MUL R2, R2, 8     // R2 = R2 * 8
ST  a(R2), R1     // conteúdo(a + conteúdo(R2)) = R1
```

Para implementar uma indireção de apontador simples, como o comando de três endereços x = *p, podemos usar instruções de máquina como:

```
LD  R1, p       // R1 = p
LD  R2, 0(R1)   // R2 = conteúdo(0 + conteúdo(R1))
ST  x, R2       // x = R2
```

A atribuição por meio de um apontador *p = y é similarmente implementada no código de máquina por:

```
LD  R1, p         // R1 = p
LD  R2, y         // R2 = y
ST  0(R1), R2     // conteúdo(0 + conteúdo(R1)) = R2
```

Finalmente, considere uma instrução de desvio condicional de três endereços como:

```
if x < y goto L
```

O equivalente código de máquina seria algo como:

```
LD    R1, x         // R1 = x
LD    R2, y         // R2 = y
SUB   R1, R1, R2    // R1 = R1 - R2
BLTZ  R1, M         // if R1 < 0 jump to M
```

Neste exemplo, M é o rótulo que representa a primeira instrução de máquina gerada a partir da instrução de três endereços que tem o rótulo L. Assim como para qualquer instrução de três endereços, esperamos poder economizar algumas dessas instruções de máquina porque os operandos necessários já estão nos registradores ou porque o resultado nunca precisa ser armazenado.

8.2.2 Custos de programa e instrução

Freqüentemente, nós associamos um custo à compilação e execução de um programa. Dependendo de qual aspecto do programa estamos interessados em otimizar, algumas medidas de custo comuns são o tempo de compilação e o tamanho, o tempo de execução e o consumo de energia do programa objeto.

Determinar o custo real da compilação e execução de um programa é um problema complexo. Encontrar um programa objeto ótimo para determinado programa fonte é, em geral, um problema indecidível, e muitos dos subproblemas envolvidos são NP-difíceis (do inglês, *NP-hard*). Conforme indicamos, na geração de código normalmente temos de nos contentar com as técnicas heurísticas que produzem códigos objetos bons, mas não necessariamente ótimos.

No restante deste capítulo, vamos considerar que cada instrução da linguagem objeto possui um custo associado. Para simplificar, consideramos o custo de uma instrução como sendo um mais os custos associados aos modos de endereçamento dos operandos. Esse custo corresponde ao tamanho da instrução em palavras. Os modos de endereçamento envolvendo registradores possuem zero custo adicional, enquanto aqueles envolvendo um endereço ou constante da memória possuem um custo adicional de um, porque tais operandos têm de ser armazenados nas palavras seguindo a instrução. Alguns exemplos:

- A instrução `LD R0, R1` copia o conteúdo do registrador R1 para o registrador R0. Essa instrução tem o custo de um, porque nenhuma palavra adicional de memória é necessária.
- A instrução `LD R0, M` carrega o conteúdo do endereço de memória M no registrador R0. O custo é dois, porque o endereço de memória de M está na palavra seguinte à instrução.
- A instrução `LD R1, *100(R2)` carrega no registrador R1 o valor dado por:

$$conteúdo(conteúdo(100 + conteúdo(R2)))$$

O custo é três porque a constante 100 é armazenada na palavra seguinte à instrução.

Neste capítulo, consideramos que o custo de um programa na linguagem objeto para dada entrada é a soma dos custos das instruções individuais quando o programa é executado nessa entrada. Bons algoritmos de geração de código buscam minimizar a soma dos custos das instruções executadas pelo programa objeto gerado para entradas típicas. Veremos que, em algumas situações, podemos realmente gerar um código ótimo para expressões em certas classes de máquinas baseadas em registrador.

8.2.3 Exercícios da Seção 8.2

Exercício 8.2.1: Gere o código para os seguintes comandos de três endereços, considerando que todas as variáveis estão armazenadas em endereços de memória.

a) `x = 1`
b) `x = a`
c) `x = a + 1`
d) `x = a + b`
e) As duas instruções

```
x = b * c
y = a + x
```

Exercício 8.2.2: Gere código para os seguintes comandos de três endereços, considerando que *a* e *b* sejam arranjos cujos elementos são valores de 4 bytes.

a) A seqüência de quatro comandos

```
x = a[i]
y = b[j]
a[i] = y
b[j] = x
```

b) A seqüência de três comandos

$$
\begin{aligned}
x &= a[i] \\
y &= b[i] \\
z &= x * y
\end{aligned}
$$

c) A seqüência de três comandos

$$
\begin{aligned}
x &= a[i] \\
y &= b[x] \\
a[i] &= y
\end{aligned}
$$

Exercício 8.2.3: Gere código para a seguinte seqüência de três endereços, considerando que p e q estejam em endereços da memória:

$$
\begin{aligned}
y &= *q \\
q &= q + 4 \\
*p &= y \\
p &= p + 4
\end{aligned}
$$

Exercício 8.2.4: Gere código para a seguinte seqüência, considerando que x, y e z estejam em endereços da memória:

```
        if x < y goto L1
        z = 0
        goto L2
L1:     z = 1
```

Exercício 8.2.5: Gere código para a seguinte seqüência, considerando que n está em um endereço da memória:

```
        s = 0
        i = 0
L1:     if i > n goto L2
        s = s + i
        i = i + 1
        goto L1
L2:
```

Exercício 8.2.6: Determine os custos das seguintes seqüências de instruções:

a)
```
    LD   R0, y
    LD   R1, z
    ADD  R0, R0, R1
    ST   x, R0
```

b)
```
    LD   R0, i
    MUL  R0, R0, 8
    LD   R1, a(R0)
    ST   b, R1
```

c)
```
    LD   R0, c
    LD   R1, i
    MUL  R1, R1, 8
    ST   a(R1), R0
```

d)
```
    LD R0, p
    LD R1, 0(R0)
    ST x, R1
```

e)
```
    LD R0, p
    LD R1, x
    ST 0(R0), R1
```

f) ```
    LD   R0, x
    LD   R1, y
    SUB   R0, R0, R1
    BLTZ *R3, R0
    ```

## 8.3 Endereços no código objeto

Nesta seção, mostraremos como os nomes na RI podem ser convertidos para endereços no código objeto, examinando a geração de código em busca de chamadas e retornos de procedimento simples, usando a alocação estática e de pilha. Na Seção 7.1, descrevemos como cada programa objeto é executado em seu próprio espaço de endereçamento lógico, que foi particionado em quatro áreas de código e dados:

1. Uma área determinada estaticamente, *Code*, que mantém o código objeto executável. O tamanho do código objeto pode ser determinado em tempo de compilação.
2. Uma área de dados determinada estaticamente, *Static*, para manter as constantes globais e outros dados gerados pelo compilador. O tamanho das constantes globais e dos dados do compilador também pode ser determinado em tempo de compilação.
3. Uma área gerenciada dinamicamente, *Heap*, para manter objetos de dados que são alocados e liberados durante a execução do programa. O tamanho do *Heap* não pode ser determinado durante a compilação.
4. Uma área gerenciada dinamicamente, *Stack*, para manter os registros de ativação quando estes são criados e destruídos durante as chamadas e retornos de procedimento. Assim como o *Heap*, o tamanho da *Stack* não pode ser determinado em tempo de compilação.

### 8.3.1 Alocação estática

Para ilustrar a geração de código para chamadas e retornos de procedimento simplificados, vamos focalizar os seguintes comandos de três endereços:

- `call` *callee*
- `return`
- `halt`
- `action`, que representa os outros comandos de três endereços.

O tamanho e o leiaute dos registros de ativação são determinados pelo gerador de código a partir de informações sobre os nomes, armazenados na tabela de símbolos. Inicialmente, ilustraremos como salvar o endereço de retorno no registro de ativação em uma chamada de procedimento e como retornar o controle para ele após a chamada do procedimento. Por conveniência, consideraremos que o primeiro endereço no registro de ativação contém o endereço de retorno.

Primeiro, vamos considerar o código necessário para implementar o caso mais simples, a alocação estática. Aqui, um comando `call` *callee* no código intermediário pode ser implementado por uma seqüência de duas instruções na máquina alvo:

$$\text{ST} \quad callee.staticArea, \#here + 20$$
$$\text{BR} \quad callee.codeArea$$

A instrução ST salva o endereço de retorno no início do registro de ativação de *callee*, e o BR transfere o controle para o código objeto do procedimento chamado *callee*. O atributo *callee.staticArea* é uma constante que fornece o endereço do início do registro de ativação para *callee*, e o atributo *callee.codeArea* é uma constante que se refere ao endereço da primeira instrução do procedimento chamado *callee* na área *Code* da memória em tempo de execução.

O operando *#here* + 20 na instrução ST é o endereço de retorno literal; é o endereço da instrução seguinte à instrução BR. Consideramos que *#here* é o endereço da instrução corrente e que as três constantes mais as duas instruções na seqüência de chamada têm um tamanho de 5 palavras ou 20 bytes.

O código para um procedimento termina com um retorno ao procedimento de chamada, exceto pelo fato de que o primeiro procedimento não possui um chamador, assim sua instrução final é HALT, que retorna o controle ao sistema operacional. Um comando `return` *callee* pode ser implementado por uma instrução de desvio simples:

$$\text{BR} \quad * \, callee.staticArea$$

que transfere o controle para o endereço copiado no início do registro de ativação de *callee*.

**Exemplo 8.3:** Suponha que tenhamos o seguinte código de três endereços:
    ```

```
            // código para c
action₁
call p
action₂
halt
            // código para p
action₃
return
```

A Figura 8.4 mostra o programa objeto para esse código de três endereços. Usamos a pseudoinstrução ACTION para representar a seqüência de instruções de máquina para executar o comando action, que representa o código de três endereços que não é relevante para essa discussão. Arbitrariamente, iniciamos o código para o procedimento c no endereço 100 e para o procedimento p no endereço 200. Consideramos que cada instrução ACTION ocupa 20 bytes. Consideramos também que os registros de ativação para esses procedimentos são alocados estaticamente a partir dos endereços 300 e 364, respectivamente.

As instruções começando no endereço 100 implementam os comandos:

$$action_1;\ call\ p;\ action_2;\ halt$$

do primeiro procedimento c. A execução, portanto, começa com a instrução ACTION₁ no endereço 100. A instrução ST no endereço 120 salva o endereço de retorno 140 no campo de estado da máquina, que é a primeira palavra no registro de ativação de p. A instrução BR no endereço 132 transfere o controle para a primeira instrução no código objeto do procedimento chamado p.

```
                        // código para C
100:   ACTION₁          // código para action₁
120:   ST 364,#140      // salva endereço de retorno 140 no endereço 364
132:   BR 200           // chama p
140:   ACTION₂
160:   HALT             // retorna ao sistema operacional
       ...
                        // código para p
200:   ACTION₃
220:   BR *364          // retorna ao endereço copiado na localização 364
       ...
                        // 300-363 mantêm registro de ativação para C
300:                    // endereço de retorno
304:                    // dados locais para c
       ...
                        // 364-451 mantêm registro de ativação para p
364:                    // endereço de retorno
368:                    // dados locais de p
```

FIGURA 8.4 Código objeto para alocação estática.

Depois de executar ACTION₃, a instrução de desvio no endereço 220 é executada. Como o endereço 140 foi copiado no endereço 364 pela seqüência de chamada anterior, *364 representa 140 quando a instrução BR no endereço 220 é executada. Portanto, quando o procedimento p termina, o controle retorna ao endereço 140 e a execução do procedimento c retoma.

8.3.2 Alocação de pilha

A alocação estática pode tornar-se alocação de pilha usando os endereços relativos para armazenamento nos registros de ativação. Contudo, na alocação de pilha, a posição de um registro de ativação para um procedimento não é conhecida até o momento da execução. Essa posição, usualmente, é armazenada em um registrador, de modo que as palavras no registro de ativação podem ser acessadas como deslocamentos a partir do valor nesse registrador. O modo de endereçamento indexado da nossa máquina alvo é conveniente para essa finalidade.

Endereços relativos em um registro de ativação podem ser vistos como deslocamentos a partir de qualquer posição conhecida no registro de ativação, como vimos no Capítulo 7. Por conveniência, usaremos deslocamentos positivos, mantendo em um registrador SP um apontador para o início do registro de ativação que está no topo da pilha. Quando ocorre uma chamada de procedimento, o procedimento que chama incrementa o SP e transfere o controle para o procedimento chamado. Após o controle retornar ao procedimento chamador, decrementamos o SP, liberando assim a área na pilha referente ao registro de ativação do procedimento chamado.

O código para o primeiro procedimento inicializa a pilha, fazendo o SP apontar para o início da área da pilha na memória:

```
LD    SP, #stackStart              // inicializa a pilha
código para o primeiro procedimento
HALT                               // termina a execução
```

Uma seqüência de chamada de procedimento incrementa o SP, salva o endereço de retorno e transfere o controle para o procedimento chamado:

```
ADD   SP, SP, # caller.recordSize  // incrementa o apontador de pilha
ST    *SP, #here + 16              // salva o endereço de retorno
BR    callee.codeArea              // retorna ao procedimento chamador
```

O operando #*caller.recordSize* representa o tamanho de um registro de ativação, de modo que a instrução ADD faz com que o SP aponte para o próximo registro de ativação. O operando #*here* + 16 na instrução ST é o endereço da instrução seguinte ao BR; ele é copiado no endereço apontado por SP.

A seqüência de retorno consiste em duas partes. O procedimento chamado transfere o controle para o endereço de retorno usando

```
BR    *0(SP)                       // retorna ao procedimento chamador
```

O motivo para usar *0(SP) na instrução BR é que precisamos de dois níveis de indireção: 0(SP) é o endereço da primeira palavra no registro de ativação e *0(SP) é o endereço de retorno copiado lá.

A segunda parte da seqüência de retorno está no procedimento chamador, que decrementa SP, restaurando assim o SP ao seu valor anterior, ou seja, depois da subtração, SP aponta para o início do registro de ativação do procedimento chamador:

```
SUB   SP, SP, #caller.recordSize   // decrementa o apontador de pilha
```

O Capítulo 7 contém uma discussão mais ampla sobre as seqüências de chamada e as escolhas na divisão de tarefas entre os procedimentos chamado e chamador.

EXEMPLO 8.4: O programa na Figura 8.5 é uma abstração do programa quicksort do capítulo anterior. O procedimento q é recursivo, de modo que mais de uma ativação de q pode estar viva ao mesmo tempo.

```
                        // código para m
action₁
call q
action₂
halt                    // código para p
action₃
return
                        // código para q
action₄
call p
action₅
call q
action₆
call q
return
```

FIGURA 8.5 Código para o Exemplo 8.4.

Suponha que os tamanhos dos registros de ativação para os procedimentos m, p e q tenham sido determinados como *msize*, *psize* e *qsize*, respectivamente. A primeira palavra em cada registro de ativação conterá um endereço de retorno. Arbitrariamente, assumimos que os códigos para esses procedimentos começam nos endereços 100, 200 e 300, respectivamente, e que a pilha começa no endereço 600. O programa objeto é mostrado na Figura 8.6.

		// código para m
100:	LD SP, #600	// inicializa a pilha
108:	ACTION₁	// código para action₁
128:	ADD SP, SP, #*msize*	// começa a seqüência de chamada
136:	ST *SP, #152	// coloca endereço de retorno na pilha
144:	BR 300	// chama q
152:	SUB SP, SP, #*msize*	// restaura SP
160:	ACTION₁2	
180:	HALT	
	...	
		// código para p
200:	ACTION₃	
220:	BR *0(SP)	// retorna
	...	
		// código para q
300:	ACTION₄	// contém um desvio condicional para 456
320:	ADD SP, SP, #*qsize*	
328:	ST *SP, #344	// coloca o endereço de retorno na pilha
336:	BR 200	// chama p
344:	SUB SP, SP, #*qsize*	
352:	ACTION₅	
372:	ADD SP, SP, #*qsize*	
380:	BR *SP, #396	// coloca o endereço de retorno na pilha
388:	BR 300	// chama q
396:	SUB SP, SP, #*qsize*	
404:	ACTION₆	
424:	ADD SP, SP, #*qsize*	
432:	ST *SP, #440	// coloca o endereço de retorno na pilha
440:	BR 300	// call q
448:	SUB SP, SP, #*qsize*	
456:	BR *0(SP)	// retorna
	...	
600:		// a pilha começa aqui

FIGURA 8.6 Código objeto para alocação de pilha.

Consideramos que ACTION₄ contém um desvio condicional para o endereço 456 da seqüência de retorno de q; caso contrário, o procedimento recursivo q é condenado a chamar a si mesmo para sempre.

Se *msize*, *psize* e *qsize* forem 20, 40 e 60, respectivamente, a primeira instrução no endereço 100 inicializa o SP com 600, o endereço inicial da pilha. SP contém 620 imediatamente antes que o controle transfira de m para q, porque *msize* é 20. Subseqüentemente, quando q chama p, a instrução no endereço 320 incrementa o SP para 680, onde começa o registro de ativação para p; SP retrocede a 620 depois que o controle retorna para q. Se as próximas duas chamadas recursivas de q retornarem imediatamente, o valor máximo de SP durante essa execução será 680. Contudo, observe que o último endereço da pilha usado é 739, porque o registro de ativação de q começando no endereço 680 se estende por 60 bytes.

8.3.3 Endereços em tempo de execução para os nomes

A estratégia de alocação de memória e o leiaute dos dados locais em um registro de ativação para um procedimento determinam como a memória para os nomes é acessada. No Capítulo 6, consideramos que um nome em um comando de três endereços é na realidade um apontador para uma entrada da tabela de símbolos para esse nome. Essa abordagem tem uma vantagem significativa; ela torna o compilador mais portável, pois o *front-end* não precisa ser substituído nem mesmo quando o compilador for transferido para uma máquina diferente, onde é necessária uma organização em tempo de execução diferente. Por outro lado, a geração da seqüência específica de passos de acesso enquanto se gera o código intermediário pode ter uma vantagem significativa em um compilador otimizador, pois permite que este tire proveito dos detalhes que ele não veria em uma instrução simples de três endereços.

Em ambos os casos, os nomes serão substituídos pelo código para acessar os endereços de memória. Assim, consideramos algumas elaborações do comando de cópia simples em três endereços x = 0. Depois que as declarações em um procedimento forem processadas, suponha que a entrada da tabela de símbolos para x contenha um endereço relativo 12 para x. Considerando o caso em que x está em uma área alocada estaticamente, começando no endereço *static*, o endereço real de x em tempo de execução é *static* + 12. Embora o compilador possa por fim determinar o valor de *static* + 12 em tempo de compilação, a posição da área estática pode não ser conhecida quando for gerado o código intermediário para acessar o nome. Nesse caso, faz sentido gerar código de três endereços para 'computar' *static* + 12, sabendo que essa computação será efetuada durante a fase de geração de código, ou possivelmente pelo carregador, antes que o programa seja executado. A atribuição x = 0, então, é traduzida para:

```
static[12] = 0
```

Se a área estática começa no endereço 100, o código objeto para essa instrução é:

```
LD 112, #0
```

8.3.4 Exercícios da Seção 8.3

Exercício 8.3.1: Gere código para os seguintes comandos de três endereços, considerando a alocação de pilha onde o registrador SP aponta para o topo da pilha.

```
call p
call q
return
call r
return
return
```

Exercício 8.3.2: Gere código para os seguintes comandos de três endereços, considerando a alocação de pilha onde o registrador SP aponta para o topo da pilha.

a) x = 1
b) x = a
c) x = a + 1
d) x = a + b
e) Os dois comandos

```
x = b * c
y = a + x
```

Exercício 8.3.3: Gere código para os seguintes comandos de três endereços, considerando a alocação de pilha e supondo que a e b sejam arranjos cujos elementos são valores de 4 bytes.

a) A seqüência de quatro comandos

```
x = a[i]
y = b[j]
a[i] = y
b[j] = x
```

b) A seqüência de três comandos

```
x = a[i]
y = b[i]
z = x * y
```

c) A seqüência de três comandos

```
x = a[i]
y = b[x]
a[i] = y
```

8.4 Blocos básicos e grafos de fluxo

Esta seção introduz uma representação do código intermediário na forma de grafo que é útil para discutir a geração de código mesmo que o grafo não seja construído explicitamente por um algoritmo de geração de código. A geração de código se beneficia do contexto. Podemos realizar um trabalho melhor de alocação de registradores se soubermos como os valores são definidos e usados, conforme veremos na Seção 8.8. Podemos realizar um trabalho melhor de seleção de instrução examinando as seqüências de comandos de três endereços, conforme veremos na Seção 8.9.

A representação é construída da seguinte forma:

1. Particione o código intermediário em *blocos básicos*, os quais são seqüências máximas de instruções consecutivas de três endereços com as seguintes propriedades:
   (a) O fluxo de controle só pode entrar no bloco básico por meio da primeira instrução no bloco, ou seja, não existem desvios para o meio do bloco.
   (b) O controle sairá do bloco sem interrupção ou desvio, exceto possivelmente na última instrução do bloco.
2. Os blocos básicos formam os nós de um *grafo de fluxo*, cujas arestas denotam quais blocos podem seguir quaisquer outros blocos.

A partir do Capítulo 9, discutiremos as mudanças efetuadas nos grafos de fluxo que transformam o código intermediário original em um código intermediário 'otimizado', a partir do qual pode ser gerado um código objeto melhor. O código intermediário 'otimizado' é transformado em código de máquina usando as técnicas de geração de código contidas neste capítulo.

8.4.1 Blocos básicos

Nossa primeira tarefa é particionar uma seqüência de instruções de três endereços em blocos básicos. Iniciamos um novo bloco básico com a primeira instrução do programa fonte e continuamos acrescentando instruções até encontrar um desvio incondicional, um desvio condicional ou um rótulo na instrução seguinte. Na ausência de desvios e rótulos, o controle prossegue seqüencialmente de uma instrução para a seguinte. A idéia é formalizada no algoritmo a seguir.

O efeito das interrupções

Exige um pouco de reflexão a noção de que o controle, uma vez atingindo o início de um bloco básico, certamente continuará até o fim. Há muitos motivos para que uma interrupção, não refletida explicitamente no código, faça com que o controle saia do bloco, talvez para nunca retornar. Por exemplo, uma instrução como x = y/z parece não afetar o fluxo de controle, mas se z for 0 ela pode realmente causar o término do programa.

Não vamos nos preocupar com essas possibilidades. O motivo é o seguinte: a finalidade de construir blocos básicos é otimizar o código; geralmente, quando ocorre uma interrupção, ela será tratada e o controle retornará à instrução que a causou, como se o controle nunca tivesse sido desviado, ou o programa parará com um erro. No último caso, não importa como otimizamos o código, mesmo se dependermos do controle alcançar o fim do bloco básico, porque o programa não produziu seu resultado desejado, de qualquer forma.

Algoritmo 8.5: Particionamento das instruções de três endereços em blocos básicos.

ENTRADA: A seqüência de instruções de três endereços.

SAÍDA: Uma lista de blocos básicos para essa seqüência na qual cada instrução é atribuída a exatamente um bloco básico.

MÉTODO: Primeiro, determinamos as instruções no código intermediário que são *líderes*, ou seja, as primeiras instruções em algum bloco básico. A instrução logo após o fim do programa intermediário não é incluída como um líder. As regras para encontrar os líderes são:

1. A primeira instrução de três endereços no código intermediário é um líder.
2. Qualquer instrução que seja o destino de um desvio condicional ou incondicional é um líder.
3. Qualquer instrução que siga imediatamente um desvio condicional ou incondicional é um líder.

Então, para cada líder, seu bloco básico consiste em si mesmo e em todas as instruções até o próximo líder, sem incluí-lo, ou até o fim do programa intermediário.

EXEMPLO 8.6: O código intermediário da Figura 8.7 transforma uma matriz a de 10 × 10 em uma matriz de identidade. Embora não seja importante de onde vem esse código, ele poderia ser a tradução do pseudocódigo da Figura 8.8. Ao gerar o código intermediário, assumimos que os elementos de arranjo com valor real ocupam 8 bytes cada, e que a matriz a é armazenada por linha.

Primeiro, a instrução 1 é um líder pela regra (1) do Algoritmo 8.5. Para encontrar os outros líderes, precisamos primeiro encontrar os desvios. Neste exemplo, existem três desvios, todos condicionais, nas instruções 9, 11 e 17. Pela regra (2), os destinos desses desvios são líderes; eles são representados pelas instruções 3, 2 e 13, respectivamente. Depois, pela regra (3), cada instrução após um desvio é um líder; essas são as instruções 10 e 12. Observe que nenhuma instrução vem após 17 nesse código, mas se houvesse mais instruções a 18ª instrução também seria um líder.

Concluímos que os líderes são as instruções 1, 2, 3, 10, 12 e 13. O bloco básico de cada líder contém todas as instruções a partir de si mesmo até a instrução imediatamente antes do próximo líder. Assim, o bloco básico 1 é apenas 1, para o líder 2 o bloco é apenas 2. O líder 3, contudo, tem um bloco básico consistindo nas instruções de 3 até 9, inclusive. O bloco da instrução 10 é 10 e 11; o bloco da instrução 12 é apenas 12, e o bloco da instrução 13 vai de 13 a 17.

```
1)   i = 1
2)   j = 1
3)   t1 = 10 * i
4)   t2 = t1 + j
5)   t3 = 8 * t2
6)   t4 = t3 - 88
7)   a[t4] = 0.0
8)   j = j + 1
9)   if j <= 10 goto (3)
10)  i = i + 1
11)  if i <= 10 goto (2)
12)  i = 1
13)  t5 = i - 1
14)  t6 = 88 * t5
15)  a[t6] = 1.0
16)  i = i + 1
17)  if i <= 10 goto (13)
```

FIGURA 8.7 Código intermediário para definir uma matriz de 10 × 10 como uma matriz de identidade

for i from 1 to 10 **do**
    for j from 1 to 10 **do**
        $a[i,j] = 0.0$;
for i from 1 to 10 **do**
    $a[i,i] = 1.0$;

FIGURA 8.8 Código fonte para a Figura 8.7

8.4.2 Informação de próximo uso

Saber se o valor de uma variável será usado em seguida é essencial para gerar um bom código. Se o valor de uma variável correntemente em um registrador nunca for referenciado posteriormente, então esse registrador pode ser atribuído a outra variável.

O *uso* de um nome em um comando de três endereços é definido da seguinte forma: suponha que o comando de três endereços i atribua um valor a x; se o comando j tiver x como operando, e o controle puder fluir a partir do comando i para j ao longo de um caminho que não possui atribuições intervenientes para x, então dizemos que o comando j *usa* o valor de x calculado no comando i. Dizemos ainda que x está *vivo* no comando i.

Queremos determinar para cada comando de três endereços $x = y + z$ quais são os próximos usos de x, y e z. Para o presente, não nos preocupamos com os usos fora do bloco básico contendo esse comando de três endereços.

Nosso algoritmo para determinar se uma variável está viva e o seu próximo uso faz uma passada de trás para a frente em cada bloco básico. Armazenamos a informação na tabela de símbolos. Podemos facilmente pesquisar em um fluxo de comandos de três endereços para encontrar as extremidades dos blocos básicos como no Algoritmo 8.5. Como os procedimentos podem ter quaisquer efeitos colaterais, consideramos por conveniência que cada chamada de procedimento inicia um novo bloco básico.

ALGORITMO 8.7: Determinar informação de tempo de vida e próximo uso de variáveis para cada comando em um bloco básico.

ENTRADA: Um bloco básico B com comandos de três endereços. Consideramos que a tabela de símbolos inicialmente mostra todas as variáveis não temporárias em B como estando vivas na saída.

SAÍDA: Em cada comando i: $x = y + z$ em B, associamos a i a informação de tempo de vida e próximo uso de x, y e z.

MÉTODO: Começamos no último comando em B e percorremos a partir do fim até o início de B. Para cada comando i: $x = y + z$ em B, fazemos o seguinte:

1. Associamos ao comando i a informação correntemente encontrada na tabela de símbolos em relação ao próximo uso e tempo de vida de x, y e y.
2. Na tabela de símbolos, definimos x como 'não vivo' e 'nenhum próximo uso'.
3. Na tabela de símbolos, definimos y e z como 'vivo' e os próximos usos de y e z para i.

Aqui, usamos + como um símbolo representando qualquer operador. Se o comando de três endereços i tiver a forma $x = + y$ ou $x = y$, os passos são os mesmos, ignorando z. Observe que a ordem dos passos (2) e (3) não pode ser trocada porque x pode ser y ou z.

8.4.3 Grafos de fluxo

Uma vez que um programa em código intermediário é particionado em blocos básicos, representamos o fluxo de controle entre eles por meio de um grafo de fluxo. Os nós do grafo de fluxo são os blocos básicos. Existe uma aresta do bloco B para o bloco C se e somente se for possível que o primeiro comando no bloco C venha imediatamente após o último comando no bloco B. Existem duas maneiras pelas quais esse tipo de aresta poderia ser justificada:

- Existe um desvio condicional ou incondicional a partir do fim de B para o início de C.
- C vem imediatamente após B na ordem original dos comandos de três endereços, e B não termina com um desvio incondicional.

Dizemos que B é um *predecessor* de C, e C é um *sucessor* de B.

Freqüentemente, incluímos no grafo de fluxo dois nós, chamados de *entrada* e *saída*, que não fazem parte das instruções intermediárias executáveis. Existe uma aresta da entrada para o primeiro nó executável do grafo de fluxo, ou seja, para o bloco básico que contém a primeira instrução do código intermediário. Há uma aresta para a saída a partir de qualquer bloco básico que contenha uma instrução que poderia ser a última instrução executada no programa. Se a instrução final do programa não for um desvio incondicional, então o bloco contendo a instrução final do programa será um predecessor da saída, mas o mesmo acontecerá com qualquer bloco básico que tiver um desvio para o código que não faça parte do programa.

Exemplo 8.8: O conjunto de blocos básicos construídos no Exemplo 8.6 gera o grafo de fluxo da Figura 8.9. A entrada aponta para o bloco básico B_1, porque B_1 contém a primeira instrução do programa. O único sucessor de B_1 é B_2, porque B_1 não termina em um desvio incondicional, e o líder de B_2 vem imediatamente após o fim de B_1.

O bloco B_3 tem dois sucessores. Um é ele mesmo, porque o líder de B_3, a instrução 3, é o destino do desvio condicional no fim de B_3, representando a instrução 9. O outro sucessor é B_4, porque o controle pode seguir pelo desvio condicional no fim de B_3 e em seguida entrar no líder de B_4.

Somente B_6 aponta para a saída do grafo de fluxo, pois a única maneira de chegar ao código que vem após o programa para o qual construímos o grafo de fluxo é via o desvio condicional que encerra B_6.

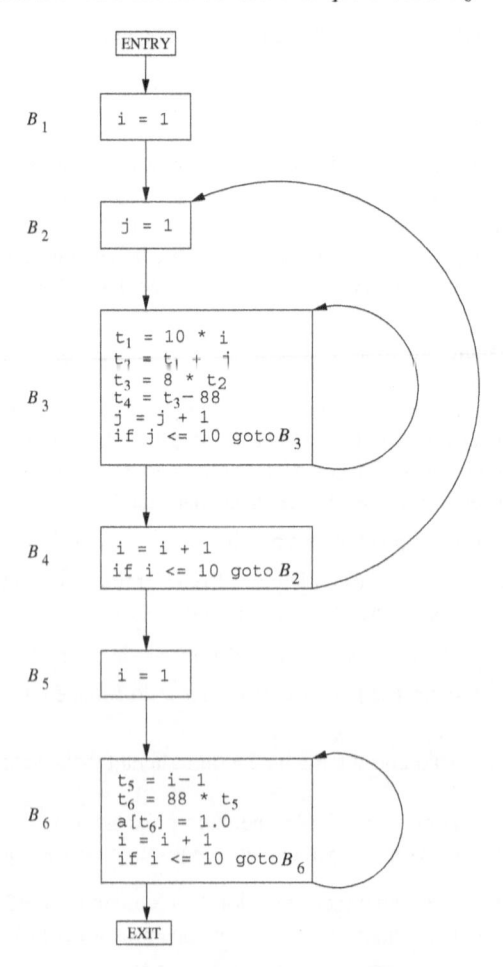

```
ENTRY

B₁:  i = 1

B₂:  j = 1

B₃:  t₁ = 10 * i
     t₂ = t₁ + j
     t₃ = 8 * t₂
     t₄ = t₃ - 88
     j = j + 1
     if j <= 10 goto B₃

B₄:  i = i + 1
     if i <= 10 goto B₂

B₅:  i = 1

B₆:  t₅ = i - 1
     t₆ = 88 * t₅
     a[t₆] = 1.0
     i = i + 1
     if i <= 10 goto B₆

EXIT
```

Figura 8.9 Grafo de fluxo da Figura 8.7.

8.4.4 Representação dos grafos de fluxo

Inicialmente, observe na Figura 8.9 que, no grafo de fluxo, é normal substituir os desvios por números de instrução ou rótulos por desvios para blocos básicos. Lembre-se de que todo desvio condicional ou incondicional é para o líder de algum bloco básico, e é para esse bloco que o desvio agora se referirá. O motivo para essa mudança é que, depois de construir o grafo de fluxo, é comum efetuar alterações substanciais nas instruções dos diversos blocos básicos. Se os desvios fossem para as instruções, teríamos de modificar os destinos dos desvios toda vez que uma das instruções de destino fosse alterada.

Os grafos de fluxo, sendo grafos muito comuns, podem ser representados por qualquer uma das estruturas de dados apropriadas para grafos. O conteúdo dos nós (blocos básicos) precisa de sua própria representação. Poderíamos representar o conteúdo de um nó por um apontador para o líder no arranjo de instruções de três endereços, com um contador do número de instruções ou um segundo apontador para a última instrução. Contudo, como o número de instruções em um bloco básico pode mudar com freqüência, provavelmente será mais eficiente criar uma lista encadeada de instruções para cada bloco básico.

8.4.5 Loops

Construções de linguagem de programação como comandos while, comandos do-while e comandos for naturalmente dão origem aos *loops* nos programas. Como virtualmente todo programa gasta a maior parte do seu tempo executando seus *loops*, é especialmente importante que um compilador gere um bom código para os *loops*. Muitas transformações de código dependem da identificação dos '*loops*' em um grafo de fluxo. Dizemos que um conjunto de nós L em um grafo de fluxo é um *loop* se:

1. Existir um nó em L chamado *entrada do loop* com a propriedade de que nenhum outro nó em L tem um predecessor fora de L, ou seja, todo caminho a partir da entrada do grafo de fluxo inteiro para qualquer nó em L passa pela entrada do *loop*.
2. Cada nó em L possui um caminho não vazio, completamente dentro de L, para a entrada de L.

Exemplo 8.9: O grafo de fluxo da Figura 8.9 possui três *loops*:

1. O próprio B_3.
2. O próprio B_6.
3. $\{B_2, B_3, B_4\}$.

Os dois primeiros são nós individuais com uma aresta para o próprio nó. Por exemplo, B_3 forma um *loop* com B_3 sendo sua entrada. Observe que o segundo requisito para um *loop* é que haja um caminho não vazio de B_3 para si mesmo. Assim, um nó individual como B_2 que não tem uma aresta $B_2 \rightarrow B_2$ não é um *loop*, porque não existe um caminho não-vazio de B_2 para o próprio B_2 dentro de $\{B_2\}$.

O terceiro *loop*, $L = \{B_2, B_3, B_4\}$, possui B_2 como sua entrada de *loop*. Observe que, entre esses três nós, apenas B_2 tem um predecessor, B_1, que não está em L. Além disso, cada um dos três nós tem um caminho não vazio para B_2 permanecendo dentro de L. Por exemplo, B_2 tem o caminho $B_2 \rightarrow B_3 \rightarrow B_4 \rightarrow B_2$.

8.4.6 Exercícios da Seção 8.4

Exercício 8.4.1: A Figura 8.10 é um programa simples de multiplicação de matriz.

a) Traduza o programa para comandos de três endereços do tipo que estivemos usando nesta seção. Suponha que as entradas da matriz sejam números que exigem 8 bytes, e que as matrizes sejam armazenadas por linha.
b) Construa o grafo de fluxo para o seu código a partir de (a).
c) Identifique os *loops* no seu grafo de fluxo a partir de (b).

```
for (i=0; i<n; i++)
    for (j=0; j<n; j++)
        c[i][j] = 0.0;
for (i=0; i<n; i++)
    for (j=0; j<n; j++)
        for (k=0; k<n; k++)
            c[i][j] = c[i][j] + a[i][k]*b[k][j];
```

Figura 8.10 Um algoritmo de multiplicação de matriz.

Exercício 8.4.2: A Figura 8.11 é o código para contar o número de primos de 2 até n, usando o método de crivo em um arranjo a adequadamente grande, ou seja, $a[i]$ é TRUE no fim se não houver um primo $\sqrt{i}$ ou menor que divida i sem gerar resto. Inicializamos todo $a[i]$ como TRUE e então definimos $a[j]$ como FALSE se encontrarmos um divisor de j.

a) Traduza o programa em comandos de três endereços do tipo que estivemos usando nesta seção. Considere que os inteiros exigem 4 bytes.
b) Construa o grafo de fluxo para o seu código a partir de (a).
c) Identifique os *loops* no seu grafo de fluxo a partir de (b).

```
for (i=2; i<=n; i++)
    a[i] = TRUE;
count = 0;
s = sqrt(n);
for (i=2; i<=s; i++)
    if (a[i]) /* descobriu-se que i é um primo */ {
        count++;
        for (j=2*i; j<=n; j = j+i)
            a[j] = FALSE; /* nenhum múltiplo de i é um primo */
    }
```

FIGURA 8.11 Código para o crivo de primos.

8.5 OTIMIZAÇÃO DE BLOCOS BÁSICOS

Freqüentemente, podemos obter uma melhoria substancial no tempo de execução do código simplesmente realizando a otimização *local* dentro de cada bloco básico. A otimização *global* mais completa, que examina como a informação flui entre os blocos básicos de um programa, é explicada em outros capítulos, começando no Capítulo 9. Esse é um assunto complexo, com muitas técnicas diferentes a serem consideradas.

8.5.1 A REPRESENTAÇÃO DAG DOS BLOCOS BÁSICOS

Muitas técnicas importantes para a otimização local começam transformando um bloco básico em um grafo acíclico dirigido (DAG — directed acyclic graph). Na Seção 6.1.1, introduzimos o DAG como uma representação para expressões unitárias. A idéia se estende naturalmente à coleção de expressões que são criadas dentro de um bloco básico. Construímos um DAG para um bloco básico da seguinte forma:

1. Existe um nó no DAG para cada um dos valores iniciais das variáveis que aparecem no bloco básico.
2. Existe um nó N associado a cada comando s dentro do bloco. Os filhos de N são aqueles nós correspondentes aos comandos que são as últimas definições, antes de s, dos operandos usados por s.
3. O nó N é rotulado pelo operador aplicado a s, e também associada a N está a lista de variáveis para as quais essa é a última definição dentro do bloco.
4. Certos nós são designados como *nós de saída*. Estes são os nós cujas variáveis estão *vivas na saída* do bloco, ou seja, seus valores podem ser usados mais tarde, em outro bloco do grafo de fluxo. O cálculo dessas 'variáveis vivas' está relacionado à análise de fluxo global, discutida na Seção 9.2.5.

A representação DAG de um bloco básico nos permite realizar várias transformações de melhoria de código no código representado pelo bloco.

a) Podemos eliminar *subexpressões comuns locais*, ou seja, instruções que calculam um valor que já foi calculado.
b) Podemos eliminar *código morto*, ou seja, instruções que calculam um valor que nunca é usado.
c) Podemos reordenar comandos que não dependam uns dos outros; essa reordenação pode reduzir o tempo que um valor temporário precisa ser preservado em um registrador.
d) Podemos aplicar leis algébricas para reordenar operandos de instruções de três endereços, e, às vezes, simplificar a computação dessa forma.

8.5.2 LOCALIZANDO SUBEXPRESSÕES COMUNS LOCAIS

Subexpressões comuns podem ser detectadas verificando, quando um novo nó M estiver para ser incluído, se há um nó N com os mesmos filhos, na mesma ordem e com o mesmo operador. Se houver, N calcula o mesmo valor que M e pode ser usado em seu lugar. Essa técnica foi introduzida como o método do '*código numérico*' de detecção de subexpressões comuns na Seção 6.1.2.

EXEMPLO 8.10: Um DAG para o bloco

```
a = b + c
b = a - d
c = b + c
d = a - d
```

aparece na Figura 8.12. Quando construímos o nó para a terceira instrução c = b + c, sabemos que o uso de b em b + c se refere ao nó da Figura 8.12 rotulado com -, porque essa é a definição mais recente de b. Assim, não confundimos os valores computados nos comandos um e três.

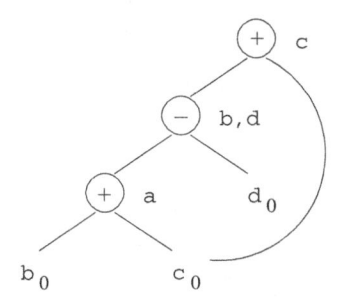

FIGURA 8.12 DAG para o bloco básico do Exemplo 8.10.

Contudo, o nó correspondente ao quarto comando, d = a - d, possui o operador - e os nós com as variáveis associadas a e d_0 como filhos. Como o operador e os filhos são iguais àqueles para o nó correspondente à instrução dois, não criamos esse nó, mas acrescentamos d à lista de definições para o nó rotulado com -.

Poderia parecer que, como existem apenas três nós internos no DAG da Figura 8.12, o bloco básico no Exemplo 8.10 pode ser substituído por um bloco com apenas três comandos. De fato, se b não estiver vivo na saída do bloco, então não precisaremos computar essa variável, e poderemos usar d para receber o valor representado pelo nó rotulado com - na Figura 8.12. O bloco, então, torna-se:

$$\begin{align} a &= b + c \\ d &= a - d \\ c &= d + c \end{align}$$

Contudo, se tanto b quanto d estiverem vivos na saída, um quarto comando precisará ser usado para copiar o valor de um para o outro.[1]

EXEMPLO 8.11: Quando procuramos as subexpressões comuns, na realidade estamos procurando por expressões que seguramente calculam o mesmo valor, não importa como esse valor é calculado. Assim, o método do DAG perceberá que a expressão computada pelo primeiro e quarto comandos na seqüência:

$$\begin{align} a &= b + c; \\ b &= b - d \\ c &= c + d \\ e &= b + c \end{align}$$

é a mesma, a saber $b_0 + c_0$, ou seja, embora b e c mudem entre o primeiro e o último comandos, sua soma continuará sendo a mesma, pois $b + c = (b - d) + (c + d)$. O DAG para essa seqüência aparece na Figura 8.13, mas não exibe nenhuma subexpressão comum. Porém, as identidades algébricas aplicadas ao DAG, conforme discutimos na Seção 8.5.4, podem expor a equivalência.

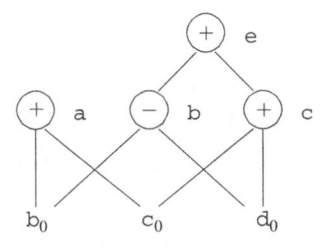

FIGURA 8.13 DAG para o bloco básico do Exemplo 8.11.

---

[1] Em geral, ao reconstruir o código a partir dos DAGs, devemos ter cuidado sobre como escolhemos os nomes das variáveis. Se uma variável x for definida duas vezes, ou se for atribuída uma vez e o valor inicial x_0 também for usado, devemos ter certeza de que não mudaremos o valor de x até que tenhamos feito todos os usos do nó cujo valor x mantinha anteriormente.

8.5.3 Eliminação de código morto

A operação sobre os DAGs correspondente à eliminação do código morto pode ser implementada da seguinte maneira: removemos de um DAG qualquer raiz (nó sem ancestrais) que não tenha variáveis vivas associadas; a aplicação repetida dessa transformação removerá todos os nós do DAG que correspondam ao código morto.

Exemplo 8.12: Se, na Figura 8.13, a e b estiverem vivos mas c e e não estiverem, podemos imediatamente remover a raiz rotulada com e. Então, o nó rotulado com c torna-se uma raiz e pode ser removido. As raízes rotuladas com a e b permanecem, pois cada uma possui variáveis vivas associadas.

8.5.4 O uso de identidades algébricas

Identidades algébricas representam outra classe importante de otimização para os blocos básicos. Por exemplo, podemos aplicar identidades aritméticas, tais como:

$$x + 0 = 0 + x = x \qquad x - 0 = x$$
$$x \times 1 = 1 \times x = x \qquad x/1 = x$$

para eliminar cálculos de um bloco básico.

Outra classe de otimizações algébricas inclui a *redução de força*, (do inglês, reduction in strength) local, ou seja, a substituição de um operador mais caro por um mais barato, como em:

Caro		Barato
x^2	=	$x \times x$
$2 \times x$	=	$x + x$
$x/2$	=	$x \times 0,5$

Uma terceira classe de otimizações relacionadas é o *desdobramento de constante*. Neste caso, avaliamos as expressões constantes em tempo de compilação e substituímos as expressões constantes por seus valores.[2] Assim, a expressão 2 * 3,14 seria substituída por 6,28. Muitas expressões constantes surgem na prática, por causa do uso freqüente de constantes simbólicas nos programas.

O processo de construção do DAG pode ajudar-nos a aplicar estas e outras transformações algébricas mais gerais, como a comutatividade e a associatividade. Por exemplo, suponha que o manual de referência da linguagem especifique que * é comutativo, ou seja, x * y = y * x. Antes de criar um novo nó rotulado com *, com filho esquerdo M e filho direito N, sempre verificamos se esse nó já existe. Contudo, como * é comutativo, devemos verificar um nó que contenha o operador *, filho esquerdo N e filho direito M.

Os operadores relacionais como < e = às vezes geram subexpressões comuns inesperadas. Por exemplo, a condição $x > y$ também pode ser testada subtraindo-se os argumentos e realizando-se um teste no conjunto do código de condição definido pela subtração.[3] Assim, somente um nó do DAG pode precisar ser gerado para $x - y$ e $x > y$.

As leis associativas também poderiam ser aplicáveis para expor as subexpressões comuns. Por exemplo, se o código fonte tiver as atribuições:

```
a = b + c;
e = c + d + b;
```

o código intermediário a seguir poderia ser gerado:

```
a = b + c
t = c + d
e = t + b
```

Se t não for necessário fora desse bloco, podemos substituir essa seqüência por

```
a = b + c
e = a + d
```

usando a associatividade e a comutatividade de +.

---

2 Expressões aritméticas deverão ser avaliadas da mesma maneira em tempo de compilação e em tempo de execução. K. Thompson sugeriu uma solução elegante para o desdobramento de constante: compilar a expressão constante, executar o código objeto no ato e substituir a expressão pelo resultado. Assim, o compilador não precisará conter um interpretador.

3 A subtração, porém, pode introduzir *overflows* e *underflows*, o que não aconteceria com uma instrução de comparação.

O projetista do compilador deverá examinar o manual de referência da linguagem com cuidado, para determinar que reorganizações de cálculos são permitidas, porque, em razão de possíveis overflows ou underflows, a aritmética do computador nem sempre obedece às identidades algébricas da matemática. Por exemplo, o padrão Fortran dita que um compilador pode avaliar qualquer expressão matematicamente equivalente, desde que a integridade dos parênteses não seja violada. Assim, um compilador pode avaliar $x * y - x * z$ como $x * (y - z)$, mas pode não avaliar $a + (b - c)$ como $(a + b) - c$. Um compilador Fortran, portanto, precisa acompanhar onde os parênteses estavam presentes nas expressões da linguagem fonte se tiver de otimizar os programas de acordo com a definição da linguagem.

8.5.5 Representação de referências de arranjos

À primeira vista, pode parecer que as instruções de indexação de arranjos podem ser tratadas como qualquer outro operador. Considere, por exemplo, a seqüência de comandos de três endereços:

```
x = a[i]
a[j] = y
z = a[i]
```

Se pensarmos em a[i] como uma operação envolvendo a e i, semelhante à operação $a + i$, pode parecer que, se os dois usos de a[i] fossem uma subexpressão comum. Nesse caso, poderíamos ser tentados a 'otimizar' substituindo a terceira instrução z = a[i] pela mais simples z = x. Contudo, como j poderia ser igual a i, o comando do meio pode realmente mudar o valor de a[i]; assim, não é válido fazer essa substituição.

O modo correto de representar os acessos ao arranjo em um DAG é o seguinte.

1. Uma atribuição de um arranjo, como x = a[i], é representada criando-se um nó com o operador =[] e dois filhos representando o valor inicial do arranjo, a_0 nesse caso, e o índice i. A variável x torna-se um rótulo desse novo nó.
2. Uma atribuição a um arranjo, como a[j] = y, é representada por um novo nó com operador []= e três filhos representando a_0, j e y. Não existe uma variável rotulando esse nó. O diferente é que a criação desse nó *mata* todos os nós correntemente construídos, cujo valor depende de a_0. Um nó que foi morto não pode receber mais rótulos; ou seja, não pode tornar-se uma subexpressão comum.

EXEMPLO 8.13: O DAG para o bloco básico

```
x = a[i]
a[j] = y
z = a[i]
```

é mostrado na Figura 8.14. O nó N para x é criado primeiro; porém, quando o nó rotulado com [ ] = é criado, N é morto. Assim, quando o nó para z é criado, ele não pode ser identificado com N, e um novo nó com os mesmos operandos a_0 e i_0 deve ser criado ao invés disso.

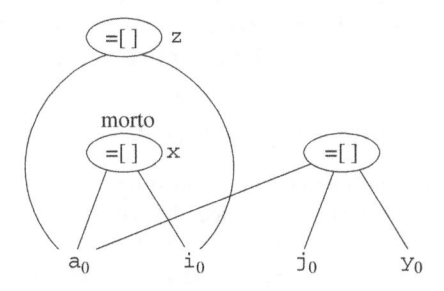

FIGURA 8.14 DAG para uma seqüência de atribuições de arranjo.

EXEMPLO 8.14: Às vezes, um nó deve ser morto mesmo que nenhum de seus filhos tenha como variável associada um arranjo como a_0 no Exemplo 8.13. De modo semelhante, um nó pode morrer se tiver um descendente que é um arranjo, ainda que nenhum de seus filhos seja um nó de arranjo. Por exemplo, considere o código de três endereços:

```
b = 12 + a
x = b[i]
b[j] = y
```

O que está acontecendo aqui é que, por motivos de eficiência, b foi definido como sendo uma posição em um arranjo a. Por exemplo, se os elementos de a tiverem quatro bytes de extensão, então b representará o quarto elemento de a. Se j e i representam o mesmo valor, então b[i] e b[j] representam o mesmo endereço. Portanto, é importante fazer com que a terceira instrução, b[j] = y, mate o nó que tem x como sua variável associada. Entretanto, como vemos na Figura 8.15, o nó morto e o nó que mata têm a_0 como neto e não como filho.

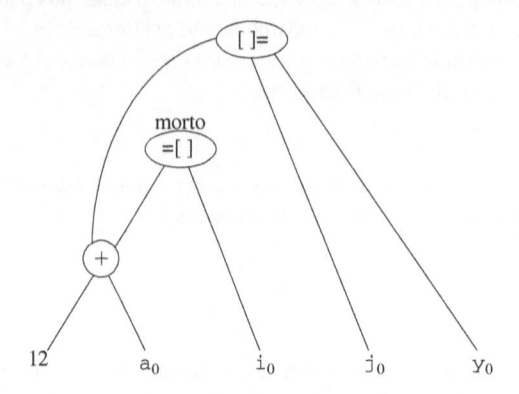

FIGURA 8.15 Um nó que mata um uso de um arranjo não precisa ter esse arranjo como um filho.

8.5.6 ATRIBUIÇÕES DE APONTADORES E CHAMADAS DE PROCEDIMENTO

Quando atribuímos indiretamente por um apontador, como nas atribuições

```
x = *p
*q = y
```

não sabemos para o que p e q apontam. Com efeito, x = *p é um uso de toda e qualquer variável, e *q = y é uma atribuição possível para toda variável. Como conseqüência, o operador =* precisa pegar todos os nós correntemente associados a identificadores como argumentos, o que é relevante para a eliminação do código morto. Mais importante, o operador *= mata todos os outros nós construídos até o momento no DAG.

Existem análises de apontador global que poderiam ser realizadas para limitar o conjunto de variáveis que um apontador poderia referenciar em um dado ponto no código. Até mesmo a análise local poderia restringir o escopo de um apontador. Por exemplo, na seqüência:

```
p = &x
*p = y
```

sabemos que x, e nenhuma outra variável, recebe o valor de y, de modo que não precisamos matar nenhum outro nó além do nó ao qual x foi associado.

As chamadas de procedimento se comportam de modo muito parecido com as atribuições por meio de apontadores. Na ausência de informações globais de fluxo de dados, devemos supor que um procedimento utiliza e muda qualquer dado ao qual tem acesso. Assim, se a variável x estiver no escopo de um procedimento P, uma chamada a P usa o nó com variável conectada x e mata esse nó.

8.5.7 RECONSTRUINDO BLOCOS BÁSICOS A PARTIR DE DAGs

Após realizarmos quaisquer otimizações possíveis enquanto construímos o DAG ou manipularmos o DAG uma vez construído, podemos reconstituir o código de três endereços para o bloco básico do qual montamos o DAG. Para cada nó que tenha uma ou mais variáveis associadas, construímos um comando de três endereços que computa o valor de uma dessas variáveis. Preferimos computar o resultado em uma variável que esteja viva na saída do bloco. Contudo, se não tivermos informações de variável global viva para trabalhar, temos de supor que toda variável do programa (mas não os temporários que são gerados pelo compilador para processar expressões) está viva na saída do bloco.

Se o nó tiver mais de uma variável viva associada, então devemos introduzir comandos de cópia para dar o valor correto a cada uma dessas variáveis. Às vezes, a otimização global pode eliminar essas cópias, se pudermos providenciar para usar uma das duas variáveis no lugar da outra.

EXEMPLO 8.15: Considere o DAG da Figura 8.12. Na discussão após o Exemplo 8.10, decidimos que, se b não está vivo na saída do bloco, então os três comandos:

```
a = b + c
d = a - d
c = d + c
```

são suficientes para reconstruir o bloco básico. A terceira instrução, c = d + c, deve usar d como um operando em vez de b, porque o bloco otimizado nunca calcula b.

Se ambos, b e d estão vivos na saída, ou se não estamos certos se eles estão ou não vivos na saída, temos de calcular b assim como d. Podemos fazer isso com a seqüência

```
a = b + c
d = a - d
b = d
c = d + c
```

Este bloco básico é ainda mais eficiente que o original. Embora o número de instruções seja o mesmo, substituímos uma subtração por uma cópia, que costuma ser mais barato na maioria das máquinas. Além disso, fazendo uma análise global, podemos eliminar o uso desse cálculo de b fora do bloco substituindo-o pelos usos de d. Nesse caso, podemos voltar a esse bloco básico e eliminar b = d mais tarde. Intuitivamente, podemos eliminar essa cópia se, onde quer que esse valor de b seja usado, d ainda continuará contendo o mesmo valor. Essa situação pode ou não ser verdadeira, dependendo da forma como o programa recalcula d.

Ao reconstruir o bloco básico a partir de um DAG, não apenas precisamos nos preocupar com quais variáveis são usadas para conter os valores dos nós do DAG, mas também devemos nos preocupar com a ordem em que listamos as instruções calculando os valores dos vários nós. As regras a serem lembradas são

1. A ordem das instruções deve respeitar a ordem dos nós no DAG, ou seja, não podemos calcular o valor de um nó até termos computado um valor para cada um de seus filhos.
2. As atribuições a um arranjo precisam seguir todas as atribuições anteriores para o mesmo arranho, ou avaliações desse mesmo arranjo, de acordo com a ordem dessas instruções no bloco básico original.
3. As avaliações dos elementos do arranjo devem seguir quaisquer atribuições anteriores (de acordo com o bloco original) para o mesmo arranjo. A única permutação permitida é duas avaliações do mesmo arranjo feitas em qualquer ordem, desde que nenhuma se cruze na atribuição para esse arranjo.
4. Qualquer uso de uma variável deve vir após todas as chamadas de procedimento anteriores (de acordo com o bloco original) ou atribuições indiretas por meio de um apontador.
5. Qualquer chamada de procedimento ou atribuição indireta por meio de um apontador deve vir após todas as avaliações anteriores (de acordo com o bloco original) de qualquer variável.

Assim, ao reordenar o código, nenhuma instrução pode cruzar uma chamada de procedimento ou atribuição por um apontador, e os usos do mesmo arranjo só podem se cruzar se ambos forem acessos a arranjos, mas não atribuições a elementos dos arranjos.

8.5.8 Exercícios da Seção 8.5

Exercício 8.5.1: Construa o DAG para o bloco básico

```
d = b * c
e = a + b
b = b * c
a = e - d
```

Exercício 8.5.2: Simplifique o código de três endereços do Exercício 8.5.1, supondo que:

a) Somente a está vivo na saída do bloco.
b) a, b e c estão vivos na saída do bloco.

Exercício 8.5.3: Construa o bloco básico para o código no bloco B_6 da Figura 8.9. Não se esqueça de incluir a comparação $i \leq 10$.

Exercício 8.5.4: Construa o bloco básico para o código no bloco B_3 da Figura 8.9.

Exercício 8.5.5: Estenda o Algoritmo 8.7 para processar três comandos na forma

```
a) a[i] = b
b) a = b[i]
c) a = *b
d) *a = b
```

Exercício 8.5.6: Construa o DAG para o bloco básico

```
a[i] = b
*p = c
d = a[j]
e = *p
*p = a[i]
```

supondo que

a) p pode apontar para qualquer lugar.
b) p pode apontar apenas para b ou d.

! **Exercício 8.5.7:** Se um apontador ou expressão de arranjo, como a[i] ou *p, for atribuído e então usado, sem a possibilidade de ser alterado nesse ínterim, podemos tirar proveito da situação para simplificar o DAG. Por exemplo, no código do Exercício 8.5.6, como p não é atribuído entre o segundo e o quarto comando, o comando e = *p pode ser substituído por e = c, independentemente do que p aponta. Revise o algoritmo de construção do DAG para aproveitar essas situações, e aplique seu algoritmo ao código do Exercício **8.5.6**.

Exercício 8.5.8: Suponha que um bloco básico seja formado pelos comandos de atribuição em C

$$x = a + b + c + d + e + f;$$
$$y = a + c + e;$$

a) Dê os comandos de três endereços (somente uma adição por comando) para esse bloco.
b) Use as leis associativa e comutativa para modificar o bloco para usar o menor número possível de instruções, assumindo que tanto x quanto y estão vivos na saída do bloco.

8.6 Um gerador de código simples

Nesta seção, consideraremos um algoritmo que gera código para um único bloco básico. Ele considera cada instrução de três endereços por vez, e registra quais valores estão em quais registradores, evitando a geração de instruções de cargas e armazenamentos desnecessários.

Um dos principais problemas durante a geração de código é decidir como tirar o melhor proveito dos registradores. Existem quatro usos principais dos registradores:

- Na maioria das arquiteturas de máquina, alguns ou todos os operandos de uma operação devem estar nos registradores a fim de realizar a operação.
- Os registradores são bons temporários-locais para conter o resultado de uma subexpressão enquanto uma expressão maior estiver sendo avaliada, ou, de modo mais geral, um local para conter uma variável que é usada apenas dentro de um único bloco básico.
- Os registradores são usados para conter valores (globais) que são calculados em um bloco básico e usados em outros blocos, por exemplo, um índice de *loop* que é incrementado a cada iteração e é usado várias vezes dentro dele.
- Os registradores freqüentemente são usados para auxiliar no gerenciamento de memória em tempo de execução, por exemplo, para gerenciar a pilha em tempo de execução, incluindo a administração dos apontadores de pilha e possivelmente os elementos do topo da própria pilha.

Essas são necessidades concorrentes, pois o número de registradores disponíveis é limitado.

O algoritmo nesta seção considera que algum conjunto de registradores está disponível para conter os valores usados dentro do bloco. Tipicamente, esse conjunto de registradores não inclui todos os registradores da máquina, pois alguns registradores são reservados para variáveis globais e gerenciamento da pilha. Consideramos que o bloco básico já foi transformado na seqüência preferida de instruções de três endereços, por transformações tais como a combinação de subexpressões comuns. Consideramos ainda que, para cada operador, existe exatamente uma instrução de máquina que pega os operandos necessários nos registradores e realiza essa operação, deixando o resultado em um registrador. As instruções de máquina são do formato

- LD *reg, mem*
- ST *mem, reg*
- OP *reg, reg, reg*

8.6.1 Descritores de registrador e endereço

Nosso algoritmo de geração de código considera cada instrução de três endereços por vez e decide que cargas precisam ser feitas para colocar os operandos necessários nos registradores. Depois da geração das cargas, ele gera a própria operação. Então, se houver necessidade de armazenar o resultado em um endereço da memória, esse armazenamento também é gerado.

Para tomar as decisões necessárias, precisamos de uma estrutura de dados que nos diga que variáveis do programa correntemente têm seus valores em um registrador, e em qual registrador ou registradores, se houver. Também precisamos saber se o endereço de memória para determinada variável correntemente tem o valor apropriado para essa variável, pois um novo valor para a variável pode ter sido calculado em um registrador e ainda não armazenado. A estrutura de dados desejada tem os seguintes descritores:

1. Para cada registrador disponível, um *descritor de registradores* guarda os nomes de variável cujo valor corrente está nesse registrador. Como usaremos apenas os registradores que estiverem disponíveis para uso local dentro de um bloco

básico, consideramos que, inicialmente, todos os descritores de registradores estarão vazios. À medida que a geração de código avançar, cada registrador conterá o valor de zero ou mais nomes.

2. Para cada variável do programa, um *descritor de endereço* guarda o endereço ou os endereços onde o valor corrente dessa variável pode ser encontrado. O endereço poderia ser um registrador, um endereço de memória, um endereço na pilha ou algum conjunto de mais de um destes. A informação pode ser armazenada na entrada da tabela de símbolos para esse nome de variável.

8.6.2 O algoritmo de geração de código

Uma parte essencial do algoritmo é uma função *getReg(I)*, que seleciona registradores para cada endereço da memória associado à instrução de três endereços *I*. A função *getReg* tem acesso aos descritores de registradores e endereços para todas as variáveis do bloco básico, e também pode ter acesso a certas informações úteis de fluxo de dados, como as variáveis que estão vivas na saída do bloco. Discutiremos sobre a função *getReg* depois de apresentar o algoritmo básico. Embora não saibamos o número total de registradores disponíveis para os dados locais pertencentes a um bloco básico, consideramos que existem registradores suficientes para que, depois de liberar todos os registradores disponíveis armazenando seus valores na memória, existam registradores suficientes para realizar qualquer operação de três endereços.

Em uma instrução de três endereços como x = y + z, trataremos + como um operador genérico e ADD como a instrução de máquina equivalente. Portanto, não tiramos proveito da comutatividade de +. Assim, quando implementarmos a operação, o valor de y deve estar no segundo registrador mencionado na instrução ADD, e nunca no terceiro. Uma melhoria possível do algoritmo é gerar código para x = y + z e x = z + y sempre que + for um operador comutativo, e escolher a melhor seqüência de código.

Instruções de máquina para as operações

Para uma instrução de três endereços como $x = y + z$, faça o seguinte:

1. Use *getReg*($x = y + z$) para selecionar registradores para x, y e z. Chame-os de R_x, R_y e R_z.
2. Se y não estiver em R_y (de acordo com o descritor de registradores para R_y), então emita uma instrução LD R_y, y', onde y' seja um dos endereços da memória para y (de acordo com o descritor de endereço para y).
3. De modo semelhante, se z não estiver em R_z, emita uma instrução LD R_z, z' onde z' é um endereço para z.
4. Emita a instrução ADD R_x, R_y, R_z.

Instruções de máquina para comandos de cópia

Existe um caso especial importante: um comando de cópia de três endereços da forma $x = y$. Consideramos que *getReg* sempre escolherá o mesmo registrador para x e y. Se y ainda não estiver nesse registrador R_y, gere a instrução de máquina LD R_y, y. Se y já estava em R_y, não fazemos nada. Só é preciso que ajustemos a descrição do registrador para R_y de modo que ele inclua x como um dos valores lá encontrados.

Terminação do bloco básico

Conforme descrevemos no algoritmo, as variáveis usadas pelo bloco podem acabar tendo como seu único endereço um registrador. Se a variável for um temporário usado apenas dentro do bloco, tudo bem; quando o bloco terminar, podemos esquecer o valor do temporário e considerar que seu registrador está vazio. Contudo, se a variável estiver viva na saída do bloco, ou se não soubermos quais variáveis estão vivas na saída, precisaremos considerar que o valor da variável será necessário mais tarde. Nesse caso, para cada variável x cujo descritor de endereço não diz que seu valor está armazenado no endereço de memória para x, devemos gerar a instrução ST x, R, onde R é um registrador no qual o valor de x existe no fim do bloco.

Gerenciando descritores de registradores e endereços

À medida que o algoritmo de geração de código emite as instruções de carga e armazenamento, e outras instruções de máquina, ele precisa atualizar os descritores de registradores e endereços. As regras são as seguintes:

1. Para a instrução LD R, x
   (a) Mude o descritor de registradores do registrador R de modo que ele contenha apenas x.
   (b) Mude o descritor de endereço de x acrescentando o registrador R como um endereço adicional.

2. Para a instrução ST x, R, mude o descritor de endereço de x de modo que ele inclua seu próprio endereço de memória.

3. Para uma operação como ADD R_x, R_y, R_z implementando uma instrução de três endereços $x = y + z$
   (a) Mude o descritor de registradores de R_x de modo que contenha apenas x.
   (b) Mude o descritor de endereço de x de modo que seu único endereço seja R_x. Observe que o endereço de memória para x *não* é agora o descritor de endereço de x.
   (c) Remova R_x do descritor de endereço de qualquer variável diferente de x.

4. Quando processamos um comando de cópia $x = y$, após gerar a carga de y no registrador R_y, se for preciso, e depois de gerenciar os descritores como para todos os comandos de carga (pela Regra 1):

   (a) Acrescente x ao descritor de registradores de R_y.
   (b) Mude o descritor de endereço de x de modo que seu único endereço seja R_y.

EXEMPLO 8.16: Vamos traduzir o bloco básico consistindo nos comandos de três endereços

$$t = a - b$$
$$u = a - c$$
$$v = t + u$$
$$a = d$$
$$d = v + u$$

Neste exercício, assumimos que t, u e v são temporários, locais ao bloco, enquanto a, b, c e d são variáveis que estão vivas na saída do bloco. Como ainda não discutimos como a função *getReg* poderia funcionar, simplesmente vamos pressupor que existam tantos registradores quanto precisamos, porém, quando o valor de um registrador não é mais necessário (por exemplo, ele mantém apenas um temporário, cujos usos de todos foram passados), então reutilizamos esse registrador.

Um resumo de todas as instruções em código de máquina geradas está ilustrado na Figura 8.16. Essa figura também mostra os descritores de registradores e endereços antes e depois da tradução de cada instrução de três endereços.

	R1	R2	R3	a	b	c	d	t	u	v
				a	b	c	d			

```
t = a - b
    LD  R1, a
    LD  R2, b
    SUB R2, R1, R2
```

	R1	R2	R3	a	b	c	d	t	u	v
	a	t		a,R1	b	c	d	R2		

```
u = a - c
    LD  R3, c
    SUB R1, R1, R3
```

	R1	R2	R3	a	b	c	d	t	u	v
	u	t	c	a	b	c,R3	d	R2	R1	

```
v = t + u
    ADD R3, R2, R1
```

	R1	R2	R3	a	b	c	d	t	u	v
	u	t	v	a	b	c	d	R2	R1	R3

```
a = d
    LD  R2, d
```

	R1	R2	R3	a	b	c	d	t	u	v
	u	a,d	v	R2	b	c	d,R2		R1	R3

```
d = v + u
    ADD R1, R3, R1
```

	R1	R2	R3	a	b	c	d	t	u	v
	d	a	v	R2	b	c	R1			R3

```
exit
    ST  a, R2
    ST  d, R1
```

	R1	R2	R3	a	b	c	d	t	u	v
	d	a	v	a,R2	b	c	d,R1			R3

FIGURA 8.16 Instruções geradas e as mudanças nos descritores de registradores e endereços.

Para a primeira instrução de três endereços, t = a - b, precisamos emitir três instruções, porque não há nada em um registrador inicialmente. Assim, vemos a e b carregados nos registradores R1 e R2, e o valor t produzido no registrador R2. Observe que podemos usar R2 para t, porque o valor b anteriormente em R2 não é necessário dentro do bloco. Como b está presumivelmente vivo na saída do bloco, se ele não estivesse em seu próprio endereço de memória (conforme indicado por seu descritor de endereço), teríamos de primeiro armazenar R2 em b. A decisão de fazer isso, caso precisássemos de R2, seria tomada por *getReg*.

A segunda instrução, u = a - c, não exige uma carga de a, pois ele já está no registrador R1. Além disso, podemos reutilizar R1 para o resultado, u, pois o valor de a, anteriormente nesse registrador, não é mais necessário dentro do bloco, e seu valor está em seu próprio endereço de memória se a for necessário fora do bloco. Observe que mudamos o descritor de endereço de a para indicar que ele não está mais em R1, mas está no endereço de memória chamado a.

A terceira instrução, v = t + u, exige apenas a adição. Além do mais, podemos usar R3 para o resultado, v, porque o valor de c nesse registrador não é mais necessário dentro do bloco, e c tem seu valor em seu próprio endereço de memória.

A instrução de cópia, a = d, exige uma carga de d, porque ele não está na memória. Mostramos o descritor do registrador R2 contendo tanto a quanto d. A adição de a ao descritor de registradores é o resultado do nosso processamento do comando de cópia, e não é o resultado de alguma instrução de máquina.

A quinta instrução, d = v + u, utiliza dois valores que estão nos registradores. Como u é um temporário cujo valor não é mais necessário, escolhemos reutilizar seu registrador R1 para o novo valor de d. Observe que d agora está apenas em R1, e não está em seu próprio endereço de memória. O mesmo acontece com a, que está em R2 e não no endereço de memória chamado a. Como resultado, precisamos de uma "coda" para o código de máquina do bloco básico que armazena as variáveis vivas na saída a e d em seus endereços de memória. Mostramos isso nas duas últimas instruções.

8.6.3 Projeto da função getReg

Por fim, vamos considerar como implementar *getReg(I)*, para uma instrução de três endereços *I*. Há muitas opções, embora também existam algumas proibições absolutas contra as escolhas que levam a um código incorreto por causa da perda do valor de uma ou mais variáveis vivas. Começamos nosso exame com o caso de um passo de operação, para a qual novamente usamos x = y + z como o exemplo genérico. Primeiro, temos de escolher um registrador para y e um registrador para z. Os problemas são os mesmos, de modo que vamos nos concentrar em escolher o registrador R_y para y. As regras são as seguintes:

1. Se y estiver correntemente em um registrador, escolha um registrador já contendo y como R_y. Não emita uma instrução de máquina para carregar esse registrador, porque nenhum registrador é necessário.
2. Se y não estiver em um registrador, mas houver um que esteja correntemente vazio, selecione um registrador desses, como R_y.
3. A dificuldade ocorre quando y não está em um registrador e não existe um registrador correntemente vazio. Precisamos, de qualquer forma, escolher um dos registradores permitidos, e precisamos torná-lo seguro para reutilização. Considere que *R* seja um registrador candidato e suponha que *v* seja uma das variáveis que o descritor de registrador de *R* diz estar em *R*. Precisamos ter certeza de que o valor de *v* não é realmente necessário ou de que existe algum outro lugar onde podemos ir para obter o valor de *R*. As possibilidades são:

    (a) Se o descritor de endereço de *v* disser que *v* está em algum lugar além de *R*, está tudo certo.

    (b) Se *v* for *x*, o valor sendo computado pela instrução *I*, e *x* também não for um dos outros operandos da instrução *I* (*z*, neste exemplo), está tudo certo. O motivo é que, neste caso, sabemos que esse valor de *x* nunca será usado novamente, de modo que estamos livres para ignorá-lo.

    (c) Caso contrário, se *v* não for usado mais tarde, ou seja, se depois da instrução *I* não houver mais usos de *v* e se *v* estiver vivo na saída do bloco, então *v* será recalculado dentro do bloco e, então estará tudo certo.

    (d) Se não estiver tudo certo em um dos dois primeiros casos, precisaremos gerar a instrução store ST *v,R* para colocar uma cópia de *v* em seu próprio endereço de memória. Essa operação é chamada derramamento (*spill*).

    Como *R* pode conter diversas variáveis no momento, repetimos os passos anteriores para cada uma dessas variáveis *v*. No fim, o 'cômputo' de *R* é o número de instruções de armazenamento que precisamos gerar. Escolha um dos registradores com a menor contagem.

Agora, considere a seleção do registrador R_x. Os problemas e as opções são quase iguais aos de y, de modo que só mencionaremos as diferenças.

1. Como um novo valor de *x* está sendo calculado, um registrador que contém apenas *x* é sempre uma escolha aceitável para R_x. Essa afirmação continua sendo verdadeira mesmo que *x* seja um dentre *y* e *z*, pois nossas instruções de máquina permitem que dois registradores sejam iguais em uma instrução.
2. Se y não for usado depois da instrução *I*, no sentido descrito para a variável *v* no Item (3c), e R_y contiver apenas y depois de ser carregado, se for preciso, então, R_y também pode ser usado como R_x. Uma opção semelhante continua sendo verdadeira em relação à *z* e R_z.

O último caso especial a considerar é aquele em que *I* é uma instrução de cópia x = y. Escolhemos o registrador R_y como antes. Então, sempre escolhemos $R_x = R_y$.

8.6.4 Exercícios da Seção 8.6

Exercício 8.6.1: Para cada um dos comandos de atribuição em C

a) x = a + b*c;
b) x = a/(b+c) - d*(e+f);

c) x = a[i] + 1;
d) a[i] = b[c[i]];
e) a[i][j] = b[i][k] + c[k][j];
f) *p++ = *q++;

gere código de três endereços, supondo que todos os elementos dos arranjos sejam inteiros ocupando quatro bytes cada. Nas partes (d) e (e), suponha que a, b e c sejam constantes fornecendo o endereço dos primeiros elementos (de índice 0) dos arranjos com esses nomes, como em todos os exemplos anteriores de acessos a arranjos neste capítulo.

! Exercício 8.6.2: Repita o Exercício 8.6.1 partes (d) e (e), supondo que os arranjos a, b e c sejam localizados por meio dos apontadores, pa, pb e pc, respectivamente, apontando para os endereços de seus respectivos primeiros elementos.

Exercício 8.6.3: Converta seu código de três endereços do Exercício 8.6.1 para código de máquina para o modelo de máquina desta seção. Você poderá usar tantos registradores quantos forem necessários.

Exercício 8.6.4: Converta seu código de três endereços do Exercício 8.6.1 para código de máquina, usando o algoritmo simples de geração de código desta seção, supondo que três registradores estejam disponíveis. Mostre os descritores de registradores e endereços após cada passo.

Exercício 8.6.5: Repita o Exercício 8.6.4, mas supondo que apenas dois registradores estejam disponíveis.

8.7 Otimização peephole

Enquanto a maioria dos compiladores de produção gera código bom por meio de uma cuidadosa seleção de instrução e alocação de registradores, alguns usam uma estratégia alternativa: geram um código simples e depois melhoram a qualidade do código objeto aplicando transformações de 'otimização' ao programa objeto. O termo 'otimização' é um tanto enganoso, pois não existe garantia de que o código resultante é ótimo sob qualquer medida matemática. Apesar disso, muitas transformações simples podem melhorar significativamente o tempo de execução ou o espaço demandado pelo programa objeto.

Uma técnica simples, porém eficaz, para melhorar o código objeto localmente é a *otimização de janela (peephole)*, que é feita examinando-se umas poucas instruções objeto visíveis em uma janela deslizante (chamada de *janela*) e substituindo-as por uma seqüência menor ou mais rápida, sempre que possível. A otimização de janela também pode ser aplicada diretamente após a geração do código intermediário para melhorar a representação intermediária.

A 'janela' é uma pequena janela deslizante em um programa. O código na janela não precisa ser contíguo, embora algumas implementações o exijam. É característica da otimização de janela que cada melhoria possa gerar oportunidades para melhorias adicionais. Em geral, para se obter o máximo de benefício são necessárias passadas repetidas pelo código objeto. Nesta seção, damos os seguintes exemplos de transformações de programa que são características das otimizações de janela:

- Eliminação de instrução redundante
- Otimizações de fluxo de controle
- Simplificações algébricas
- Uso de idiomas de máquina

8.7.1 Eliminando cargas e armazenamentos redundantes

Dada a seqüência de instruções

```
LD a, R0
ST R0, a
```

em um programa objeto, podemos remover a instrução de armazenamento, pois sempre que ela é executada a primeira instrução garantirá que o valor de a já foi carregado no registrador R0. Observe que, se a instrução de armazenamento tivesse um rótulo, não poderíamos estar certos de que a primeira instrução seria sempre executada antes da segunda, assim não poderíamos remover a instrução de armazenamento. Em outras palavras, as duas instruções precisam estar no mesmo bloco básico para que essa transformação seja segura.

Cargas e armazenamentos redundantes dessa natureza não seriam gerados pelo algoritmo de geração de código simples da seção anterior. Contudo, um algoritmo de geração de código ingênuo como o da Seção 8.1.3 geraria seqüências redundantes como essas.

8.7.2 Eliminando código inalcançável

Outra oportunidade para a otimização de janela é a remoção de instruções inalcançáveis. Uma instrução não rotulada imediatamente após um desvio incondicional pode ser removida. Essa operação pode ser repetida para eliminar uma seqüência de instruções. Por exemplo, para fins de depuração, um programa grande pode ter dentro dele certos fragmentos de código que são executados apenas se uma variável debug for igual a 1. Na representação intermediária, esse código pode se parecer com:

```
        if debug == 1 goto L1
        goto L2
L1:     imprime informação de depuração
L2:
```

Uma otimização de janela óbvia é eliminar desvios sobre desvios. Assim, não importa qual seja o valor de debug, a seqüência de código dada pode ser substituída por:

```
        if debug != 1 goto L2
        imprime informação de depuração
L2:
```

Se debug for definido como 0 no início do programa, a propagação de constante transformaria essa seqüência em:

```
        if 0 != 1 goto L2
        imprime informação de depuração
L2:
```

Agora, o argumento da primeira instrução sempre é avaliado como *true*, de modo que o comando pode ser substituído por goto L2. Então, todos os comandos que imprimem informações de depuração são inalcançáveis e podem ser eliminados um de cada vez.

8.7.3 Otimizações de fluxo de controle

Os algoritmos simples de geração de código intermediário freqüentemente produzem desvios para desvios, desvios para desvios condicionais ou desvios condicionais para desvios. Esses desvios desnecessários podem ser eliminados no código intermediário ou no código objeto pelos tipos de otimizações de janela a seguir. Podemos substituir a seqüência

```
        goto L1
        ...
L1:     goto L2
```

pela seqüência

```
        goto L2
        ...
L1:     goto L2
```

Se agora não houver desvios para L1, talvez seja possível eliminar o comando L1: goto L2, desde que ele seja precedido por um desvio incondicional.

De modo semelhante, a seqüência:

```
        if a < b goto L1
        ...
L1:     goto L2
```

pode ser substituída pela seqüência

```
        if a < b goto L2
        ...
L1:     goto L2
```

Finalmente, suponha que haja apenas um desvio para L1 e L1 seja precedido por um desvio incondicional. Então, a seqüência:

```
                        goto L1
                        ...
                  L1:   if a < b goto L2
                  L3:
```

pode ser substituída pela seqüência

```
                  if a < b goto L2
                  goto L3
                        ...
            L3
```

Embora o número de instruções nas duas seqüências seja o mesmo, às vezes saltamos o desvio incondicional na segunda seqüência, mas nunca na primeira. Assim, a segunda seqüência é superior à primeira em tempo de execução.

8.7.4 Simplificação algébrica e redução de força

Na Seção 8.5, discutimos as identidades algébricas que poderiam ser usadas para simplificar os DAGs. Essas identidades algébricas também podem ser usadas pelo otimizador de janela para eliminar comandos de três endereços como

$$x = x + 0$$

ou

$$x = x * 1$$

na janela.

De modo semelhante, as transformações de redução de força podem ser aplicadas na janela para substituir operações caras por outras equivalentes mais baratas na máquina alvo. Certas instruções de máquina são consideravelmente mais baratas do que outras e freqüentemente podem ser usadas como casos especiais de operadores mais dispendiosos. Por exemplo, x^2 é invariavelmente mais barato de ser implementado como $x * x$ do que como uma chamada a uma rotina de exponenciação. A multiplicação de ponto fixo ou a divisão por uma potência de dois é mais barata de ser implementada como um deslocamento. A divisão de ponto flutuante por uma constante pode ser aproximada como multiplicação por uma constante, que pode ser mais barata.

8.7.5 Uso de idiomas de máquina

A máquina alvo pode ter instruções de hardware para implementar certas operações específicas de modo eficiente. Detectar situações que permitam o uso dessas instruções pode reduzir bastante o tempo de execução. Por exemplo, algumas máquinas possuem modos de endereçamento de auto-incremento e autodecremento. Estas somam ou subtraem 1 de um operando antes ou depois de usar seu valor. O uso desses modos melhora bastante a qualidade do código quando se empilha ou desempilha uma pilha, como na passagem de parâmetros. Esses modos também podem ser usados no código para comandos como $x = x + 1$.

8.7.6 Exercícios da Seção 8.7

Exercício 8.7.1: Construa um algoritmo que efetue eliminação de instruções redundantes em uma janela deslizante no código da máquina alvo.

Exercício 8.7.1: Construa um algoritmo que faça otimizações de fluxo de controle em uma janela deslizante no código da máquina alvo.

Exercício 8.7.1: Construa um algoritmo que faça simplificações algébricas e reduções de força simples em uma janela deslizante no código da máquina alvo.

8.8 Alocação e atribuição de registradores

Instruções envolvendo apenas operandos em registradores são mais rápidas do que aquelas envolvendo operandos na memória. Em máquinas modernas, as velocidades do processador freqüentemente são uma ordem de grandeza ou mais rápidas do que as velocidades da memória, portanto, a utilização eficiente dos registradores tem importância vital na geração de um bom código. Esta seção apresenta diversas estratégias para decidir, em cada ponto de um programa, que valores devem residir nos registradores (alocação de registrador) e em qual registrador cada valor deve residir (atribuição de registrador).

Uma abordagem para alocação e atribuição de registradores é atribuir valores específicos do programa objeto a certos registradores. Por exemplo, poderíamos decidir atribuir endereços de base a um grupo de registradores, cálculos aritméticos a outro, o topo da pilha a um registrador fixo e assim por diante.

Essa abordagem tem a vantagem de simplificar o projeto de um gerador de código. Sua desvantagem é que, aplicada muito estritamente, ela usa os registradores de modo ineficaz; certos registradores podem ficar sem uso por grandes porções do código, enquanto cargas e armazenamentos desnecessários são gerados nos outros registradores. Apesar disso, é razoável na maioria dos ambientes de computação reservar alguns registradores como registradores de base, apontadores de pilha e outros desse tipo, permitindo que os outros registradores sejam usados pelo gerador de código como for preciso.

8.8.1 Alocação global de registradores

O algoritmo de geração de código da Seção 8.6 usava registradores para manter valores pela duração de um único bloco básico. Contudo, todas as variáveis vivas eram armazenadas no fim de cada bloco. Para economizar alguns desses armazenamentos e cargas correspondentes, poderíamos providenciar para registradores serem atribuídos a variáveis usadas mais freqüentemente e esses registradores serem mantidos consistentes nos limites do bloco (*globalmente*). Como os programas gastam a maior parte do seu tempo em *loops* internos, uma técnica natural para a atribuição global de registradores é tentar manter um valor usado mais freqüentemente em um registrador fixo desde o princípio até o fim do *loop*. Por enquanto, considere que conhecemos a estrutura do *loop* de um grafo de fluxo, e que sabemos que valores calculados em um bloco básico são usados fora desse bloco. O capítulo seguinte aborda técnicas para calcular essa informação.

Uma estratégia para a alocação global de registradores é atribuir algum número fixo de registradores para manter os valores ativos em cada *loop* interno. Os valores selecionados podem ser diferentes em *loops* diferentes. Os registradores ainda não alocados podem ser usados para manter valores locais a um bloco, como na Seção 8.6. Essa abordagem tem a desvantagem de que um número fixo de registradores nem sempre é o número certo a tornar disponível para alocação global de registradores. Mesmo assim, o método é simples de implementar e foi usado no Fortran H, o compilador Fortran otimizado, desenvolvido pela IBM para as máquinas da série 360 no fim da década de 1960.

Com os primeiros compiladores C, um programador poderia efetuar alguma alocação de registrador explicitamente, usando declarações de registradores para manter certos valores em registradores pela duração de um procedimento. O uso sensato de declarações de registradores agilizava muitos programas, mas os programadores eram encorajados a primeiro perfilar seus programas para determinar os seus pontos de interesse, antes de realizar sua própria alocação de registradores.

8.8.2 Contagens de uso

Nesta seção, vamos supor que as economias a serem obtidas mantendo uma variável x em um registrador pela duração de um *loop L* sejam de uma unidade de custo para cada referência a x se x já estiver em um registrador. Contudo, se usarmos a abordagem da Seção 8.6 para gerar código para um bloco, haverá uma boa chance de que, depois de x ter sido calculado em um bloco, ele permaneça em um registrador se houver usos subseqüentes de x nesse bloco. Assim, contabilizamos as economias de um para cada uso de x no *loop L* que não seja precedido por uma atribuição a x no mesmo bloco. Também economizamos duas unidades se pudermos evitar um armazenamento de x no fim de um bloco. Assim, se x for alocado a um registrador, contabilizamos uma economia de dois para cada bloco no *loop L* para o qual x está vivo na saída e no qual x recebe um valor.

No lado negativo, se x estiver vivo na entrada do cabeçalho do *loop*, temos de carregar x em seu registrador imediatamente antes de entrar no *loop L*. Essa carga custa duas unidades. De modo semelhante, para cada bloco de saída B do *loop L* em que x está vivo na entrada de algum sucessor de B fora de L, temos de armazenar x a um custo de dois. Contudo, supondo que o *loop* seja repetido muitas vezes, podemos negligenciar esses débitos, porque eles ocorrem apenas uma vez quando entramos no *loop*. Assim, uma fórmula aproximada para o benefício a ser obtido pela alocação de um registrador x dentro do *loop L* é:

$$\sum_{\text{blocos } B \text{ em } L} use(x, B) + 2 * live(x, B) \qquad (8.1)$$

onde $use(x,B)$ é o número de vezes que x é usado em B antes de qualquer definição de x; $live(x, B)$ é 1 se x estiver vivo na saída de B e receber um valor em B, e $live(x, B)$ é 0 caso contrário. Observe que (8.1) é aproximado, pois nem todos os blocos em um *loop* são executados com a mesma freqüência e também porque (8.1) é baseado na suposição de que um *loop* é repetido muitas vezes. Em máquinas específicas, uma fórmula semelhante a (8.1), mas possivelmente muito diferente disso, teria de ser desenvolvida.

Exemplo 8.17: Considere os blocos básicos no *loop* interno representado na Figura 8.17, onde comandos de desvio e desvio condicional foram omitidos. Suponha que os registradores R0, R1 e R2 sejam alocados para manter valores por todo o *loop*. As variáveis vivas na entrada e na saída de cada bloco aparecem na Figura 8.17 por conveniência, imediatamente acima e abaixo de cada bloco, respectivamente. Existem alguns pontos sutis sobre variáveis vivas que resolvemos no capítulo seguinte. Por exemplo, observe que tanto e quanto f estão vivos ao final de B_1, mas, destes, somente e está vivo na entrada de B_2 e somente f na entrada de B_3. Em geral, as variáveis vivas no fim de um bloco são a união daquelas vivas no início de cada um de seus blocos sucessores.

Para avaliar (8.1) para x = a, observamos que a está vivo na saída de B_1 e recebe um valor lá, mas não está vivo na saída de B_2, B_3 ou B_4. Assim, $\sum_{B \text{ em } L} use(\text{a}, B) = 2$. Daí, o valor de (8.1) para x = a ser 4. Ou seja, quatro unidades de custo podem ser economizadas selecionando-se a para um dos registradores globais. Os valores de (8.1) para b, c, d, e e f são 5, 3, 6, 4 e 4, respectivamente. Assim, podemos selecionar a, b e d para os registradores R0, R1 e R2, respectivamente. Usando R0 para e ou f no lugar de a seria outra escolha com o mesmo benefício evidente. A Figura 8.18 mostra o código assembly gerado a partir da Figura 8.17, supondo que a estratégia da Seção 8.6 seja usada para gerar código para cada bloco. Não mostramos o código gerado para os desvios condicionais ou incondicionais omitidos que terminam cada bloco na Figura 8.17, e portanto não mostramos o código gerado como um único fluxo, como apareceria na prática.

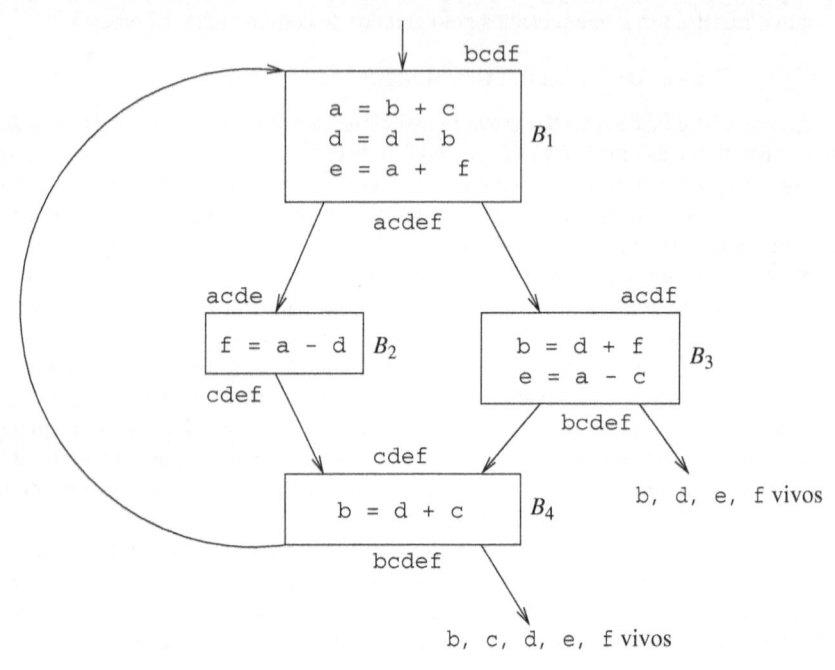

```
                    bcdf
              ┌──────────────┐
              │  a = b + c   │
              │  d = d - b   │ B₁
              │  e = a + f   │
              └──────────────┘
                    acdef

   acde                         acdf
┌──────────┐              ┌──────────────┐
│ f = a - d│ B₂           │  b = d + f   │ B₃
└──────────┘              │  e = a - c   │
                          └──────────────┘
     cdef                        bcdef
                                       ↘
              cdef                       b, d, e, f vivos
        ┌──────────────┐
        │  b = d + c   │ B₄
        └──────────────┘
              bcdef
                 ↓
          b, c, d, e, f vivos
```

FIGURA 8.17 Grafo de fluxo de um *loop* interno.

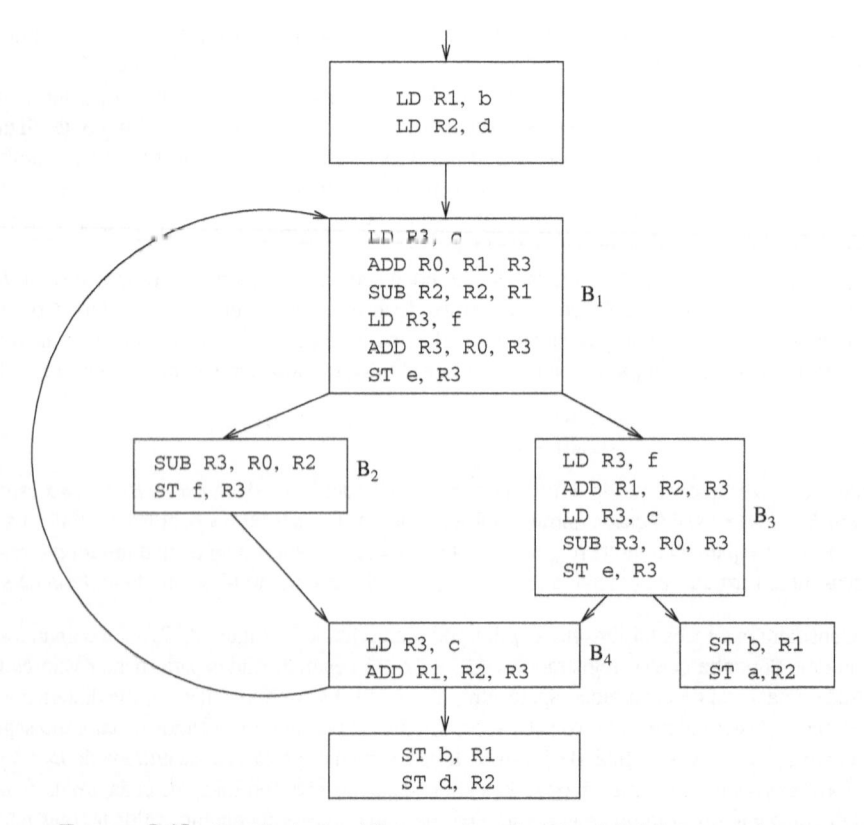

```
        ┌──────────────┐
        │  LD R1, b    │
        │  LD R2, d    │
        └──────────────┘
                ↓
        ┌──────────────────┐
        │ LD R3, c         │
        │ ADD R0, R1, R3   │
        │ SUB R2, R2, R1   │ B₁
        │ LD R3, f         │
        │ ADD R3, R0, R3   │
        │ ST e, R3         │
        └──────────────────┘

┌──────────────┐      ┌──────────────────┐
│ SUB R3,R0,R2 │ B₂   │ LD R3, f         │
│ ST f, R3     │      │ ADD R1, R2, R3   │
└──────────────┘      │ LD R3, c         │ B₃
                      │ SUB R3, R0, R3   │
                      │ ST e, R3         │
                      └──────────────────┘

       ┌──────────────────┐       ┌──────────────┐
       │ LD R3, c         │ B₄    │ ST b, R1     │
       │ ADD R1, R2, R3   │       │ ST a, R2     │
       └──────────────────┘       └──────────────┘
                ↓
        ┌──────────────┐
        │  ST b, R1    │
        │  ST d, R2    │
        └──────────────┘
```

FIGURA 8.18 Seqüência de código usando atribuição global de registradores.

8.8.3 Atribuição de registradores para *loops* externos

Tendo atribuído registradores e gerado código para *loops* internos, podemos aplicar a mesma idéia a *loops* envolventes progressivamente maiores. Se um *loop* externo L_1 tiver um *loop* interno L_2, os nomes dos registradores alocados em L_2 não precisam ser registradores alocados em $L_1 - L_2$. De modo semelhante, se escolhermos alocar para x um registrador em L_2 mas não em L_1, temos de carregar x na entrada de L_2 e armazenar x na saída de L_2. Deixamos como exercício a derivação de um critério para selecionar nomes a receberem registradores em um *loop* externo L, dado que as escolhas já foram feitas para todos os *loops* aninhados em L.

8.8.4 Alocação de registradores por coloração de grafo

Quando um registrador é necessário para uma computação, mas todos os registradores disponíveis estão em uso, o conteúdo de um dos registradores usados deve ser armazenado (*derramado* ou, em inglês, *spilled*) em um endereço da memória, a fim de liberar um registrador. A coloração de grafo é uma técnica simples e sistemática para alocar registradores e gerenciar derramamentos de registradores.

No método, dois passos são usados. No primeiro, as instruções da máquina alvo são selecionadas como se houvesse um número infinito de registradores simbólicos; com efeito, os nomes usados no código intermediário se tornam nomes de registradores e as instruções de três endereços se tornam instruções em linguagem de máquina. Se o acesso às variáveis demandar instruções que usam apontador de pilha, apontador de display, registradores de base ou outras quantidades que auxiliam o acesso, consideraremos que essas quantidades são mantidas em registradores reservados para cada finalidade. Normalmente, seu uso é diretamente traduzível para um modo de acesso de um endereço mencionado na instrução de máquina. Se o acesso for mais complexo, ele precisa ser desmembrado em várias instruções de máquina, e pode ter de ser criado um registrador simbólico temporário (ou vários).

Quando as instruções tiverem sido selecionadas, um segundo passo atribuirá registradores físicos aos simbólicos. O objetivo é encontrar uma atribuição que minimize o custo dos derramamentos.

No segundo passo, para cada procedimento, é construído um *grafo de interferência de registradores*, no qual os nós são registradores simbólicos e uma aresta conecta dois nós se um estiver vivo em um ponto onde o outro é definido. Por exemplo, um grafo de interferência de registradores para a Figura 8.17 teria nós para os nomes a e d. No bloco B_1, a está vivo na segunda instrução, que define d; portanto, no grafo, haveria uma aresta entre os nós a e d.

É feita uma tentativa para colorir o grafo de interferência de registradores usando k cores, onde k é o número de registradores atribuíveis. Um grafo é considerado *colorido* se cada nó tiver recebido uma cor de tal forma que dois nós adjacentes não tenham a mesma cor. Uma cor representa um registrador, e a cor garante que dois registradores simbólicos que possam interferir um com o outro não serão atribuídos ao mesmo registrador físico.

Embora o problema de determinar se um grafo pode ser colorido com k cores seja NP completo em geral, a técnica heurística a seguir usualmente pode ser usada na prática para realizar a coloração rapidamente. Suponha que um nó n em um grafo G tenha menos de k vizinhos (nós conectados a n por uma aresta). Remova n e suas arestas a partir de G para obter um grafo G'. Uma coloração k de G' pode ser estendida para uma coloração k de G atribuindo-se a n uma cor não atribuída a nenhum de seus vizinhos.

Eliminando repetidamente os nós com menos de k arestas do grafo de interferência de registradores, temos duas situações: podemos obter o grafo vazio e, neste caso, produzimos uma coloração k para o grafo original, colorindo os nós na ordem reversa na qual eles foram removidos, ou então obtemos um grafo no qual cada nó possui k ou mais nós adjacentes. No último caso, uma coloração k não é mais possível. Nesse ponto, um nó é derramado introduzindo-se código para armazenar e recarregar o registrador. Chaitin propôs várias heurísticas para escolher o nó a derramar. A regra geral é evitar a introdução de código de derramamento em *loops* internos.

8.8.5 Exercícios da Seção 8.8

Exercício 8.8.1: Construa o grafo de interferência de registradores para o programa na Figura 8.17.

Exercício 8.8.2: Crie uma estratégia de alocação de registradores supondo que armazenamos automaticamente todos os registradores na pilha antes de cada chamada de procedimento e os restauramos após o retorno.

8.9 Seleção de instrução por reescrita de árvore

A seleção de instruções pode ser uma grande tarefa combinatória, especialmente em máquinas ricas em modos de endereçamento, como as CISC, ou em máquinas com instruções de propósito especial, digamos, para processamento de sinais. Mesmo se assumirmos que a ordem de avaliação é dada e que os registradores são alocados por um mecanismo separado, a seleção de instruções — o problema de selecionar as instruções da linguagem objeto para implementar os operadores na representação intermediária — continua sendo uma tarefa combinatória.

Nesta seção, tratamos da seleção de instruções como um problema de reescrita de árvore. As representações de árvore para as instruções alvo têm sido usadas efetivamente nos geradores de geradores de código, que constroem automaticamente a fase de seleção de instrução de um gerador de código a partir de uma especificação de alto nível da máquina alvo. Um código melhor poderia ser obtido para algumas máquinas usando DAGs em vez de árvores, mas o casamento no DAG é mais complexo do que o casamento na árvore.

8.9.1 Esquemas de tradução em árvore

Por toda esta seção, a entrada para o processo de geração de código será uma seqüência de árvores no nível semântico da máquina alvo. As árvores são o que poderíamos obter depois de inserir os endereços em tempo de execução na representação intermediária, conforme descrevemos na Seção 8.3. Além disso, as folhas das árvores contêm informações sobre os tipos de armazenamento de seus rótulos.

Exemplo 8.18: A Figura 8.19 contém uma árvore para o comando de atribuição a[i] = b + 1, onde o arranjo a é armazenado na pilha de execução e b é uma variável global no endereço de memória M_b. Os endereços em tempo de execução das variáveis locais a e i são dados como deslocamentos constantes C_a e C_i a partir do SP, o registrador contendo o apontador para o início do registro de ativação corrente.

A atribuição para a[i] é uma atribuição indireta, em que o valor-r do endereço de a[i] é definido como o valor-r da expressão b + 1. Os endereços do arranjo a e da variável i são dados somando-se os valores das constantes C_a e C_i, respectivamente, ao conteúdo do registrador SP. Simplificamos os cálculos do endereço do arranjo assumindo que todos os valores sejam caracteres de um byte. (Alguns conjuntos de instruções fazem provisões especiais para multiplicações por constantes, como 2, 4 e 8, durante os cálculos de endereço.)

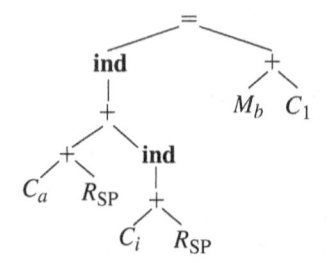

Figura 8.19 Árvore de código intermediário para a [i] = b + 1.

Na árvore, o operador **ind** trata seu argumento como um endereço de memória. Como filho esquerdo do operador de atribuição, o nó fornece o endereço no qual o valor-r do lado direito do operador de atribuição deve ser armazenado. Se um argumento de um operador + ou **ind** for um endereço na memória ou um registrador, então o conteúdo deste endereço de memória ou registrador é tomado como o valor. As folhas na árvore são rotuladas com atributos; um subscrito indica o valor do atributo. ∎

O código objeto é gerado aplicando-se uma seqüência de regras de reescrita de árvore para reduzir a árvore de entrada a um único nó. Cada regra de reescrita de árvore tem a forma

substituto ← *gabarito* { *ação* }

onde *substituto* é um único nó, *gabarito* é uma árvore e *ação* é um fragmento de código, como em um esquema de tradução dirigida por sintaxe.

Um conjunto de regras de reescrita de árvore é chamado de *esquema de tradução de árvore*.

Cada regra de reescrita de árvore representa a tradução de uma parte da árvore dada pelo gabarito. A tradução consiste em uma seqüência possivelmente vazia de instruções de máquina que é emitida pela ação associada ao gabarito. As folhas do gabarito são atributos com subscritos, como na árvore de entrada. Às vezes, certas restrições se aplicam aos valores dos subscritos nos gabaritos; essas restrições são especificadas como predicados semânticos que devem ser satisfeitos antes que o gabarito seja referido para casar. Por exemplo, um predicado poderia especificar que o valor de uma constante está contido em determinado intervalo.

Um esquema de tradução de árvore é uma forma conveniente de representar a fase de seleção de instrução de um gerador de código. Como um exemplo de regra de reescrita de árvore, considere a regra para a instrução add de registrador para registrador:

$$R_i \leftarrow \quad + \quad \{\text{ADD } Ri, Ri, Rj\}$$
$$\quad\quad / \ \backslash$$
$$\quad R_i \quad R_j$$

Essa regra é usada como descrito a seguir. Se a árvore de entrada tiver uma subárvore que case com esse gabarito de árvore, ou seja, uma subárvore cuja raiz é rotulada pelo operador + e cujos filhos à esquerda e à direita são quantidades nos registradores i e j, podemos substituir essa subárvore por um único nó rotulado com R_i e emitir a instrução ADD Ri, Ri, Rj como saída. Chamamos esse substituto de uma *transformação* da subárvore. Mais de um gabarito pode casar uma subárvore em determinado momento; vamos descrever em breve alguns mecanismos para decidir qual regra aplicar em casos de conflito.

Exemplo 8.19: A Figura 8.20 contém regras de reescrita de árvore para algumas instruções da nossa máquina alvo. Essas regras serão usadas em um exemplo no decorrer desta seção. As duas primeiras regras correspondem a instruções de carga, as duas seguintes a instruções de armazenamento, e o restante a cargas indexadas e adições. Observe que a regra (8) exige que o valor da constante seja 1. Essa condição seria especificada por um predicado semântico.

1)	$R_i \leftarrow C_a$	{ LD Ri, #a }
2)	$R_i \leftarrow M_x$	{ LD Ri, x }
3)	$M \leftarrow = (M_x, R_i)$	{ ST x, Ri }
4)	$M \leftarrow = (\text{ind}(R_i), R_j)$	{ ST *Ri, Rj }
5)	$R_i \leftarrow \text{ind}(+(C_a, R_j))$	{ LD Ri, a(Rj) }
6)	$R_i \leftarrow +(R_i, \text{ind}(+(C_a, R_j)))$	{ ADD Ri, Ri, a(Rj) }
7)	$R_i \leftarrow +(R_i, R_j)$	{ ADD Ri, Ri, Rj }
8)	$R_i \leftarrow +(R_i, C_1)$	{ INC Ri }

Figura 8.20 Regras para reescrita de árvore para algumas instruções da máquina alvo.

8.9.2 Geração de código por transformação de uma árvore de entrada

Um esquema de tradução de árvore funciona da seguinte maneira: dada uma árvore de entrada, os gabaritos nas regras de reescrita de árvore são aplicados para transformar suas subárvores. Se um gabarito casar, a subárvore casada na árvore de entrada é substituída pelo nó substituto da regra e a ação associada à regra é efetuada. Se a ação tiver uma seqüência de instruções de máquina, as instruções serão emitidas. Esse processo é repetido até que a árvore seja reduzida a um único nó, ou até que nenhum outro gabarito case. A seqüência de instruções de máquina gerada à medida que a árvore de entrada é reduzida a um único nó constitui a saída do esquema de tradução de árvore na árvore de entrada fornecida.

O processo de especificar um gerador de código se torna semelhante àquele em que se usa um esquema de tradução dirigido por sintaxe para especificar um tradutor. Escrevemos um esquema de tradução de árvore para descrever o conjunto de instruções de uma máquina alvo. Na prática, gostaríamos de encontrar um esquema que faça com que uma seqüência de instruções de custo mínimo seja gerada para cada árvore de entrada. Diversas ferramentas estão disponíveis para auxiliar no projeto de um gerador de código automaticamente a partir de um esquema de tradução de árvore.

Exemplo 8.20: Vamos usar o esquema de tradução de árvore na Figura 8.20 para gerar código para a árvore de entrada na Figura 8.19. Suponha que a primeira regra seja aplicada para carregar a constante C_a no registrador R0:

1) $\qquad R_0 \leftarrow C_a \qquad$ {LD R0, #a}

O rótulo da folha mais à esquerda muda, então, de C_a para R_0 e a instrução LD R0, #a é gerada. A sétima regra agora casa com a subárvore mais à esquerda com raiz rotulada com +:

7)
$$R_0 \leftarrow \underset{R_0 \quad R_{SP}}{+} \quad \{\text{ADD R0, R0, SP}\}$$

Usando essa regra, reescrevemos essa subárvore como um único nó rotulado com R_0 e geramos a instrução ADD R0, R0, SP. Agora, a árvore se parece com:

$$\begin{array}{c} = \\ \diagup \quad \diagdown \\ \text{ind} \quad\quad + \\ | \quad\quad\quad \diagup \diagdown \\ + \quad\quad M_b \quad C_1 \\ \diagup \diagdown \\ R_0 \quad \text{ind} \\ \quad\quad | \\ \quad\quad + \\ \quad\quad \diagup \diagdown \\ \quad\quad C_i \quad R_{SP} \end{array}$$

Neste ponto, poderíamos aplicar a regra (5) para reduzir a subárvore

$$\begin{array}{c} \text{ind} \\ | \\ + \\ \diagup \diagdown \\ C_i \quad R_{SP} \end{array}$$

a um único nó rotulado com, digamos, R_1. Também poderíamos usar a regra (6) para reduzir a subárvore maior

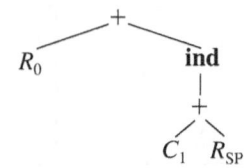

$$\begin{array}{c} + \\ \diagup \diagdown \\ R_0 \quad \text{ind} \\ \quad\quad | \\ \quad\quad + \\ \quad\quad \diagup \diagdown \\ \quad\quad C_1 \quad R_{SP} \end{array}$$

a um único nó rotulado com R_0 e gerar a instrução ADD R0, R0, i(SP). Supondo que seja mais eficiente usar uma única instrução para calcular a subárvore maior, em vez da menor, escolhemos a regra (6) para obter:

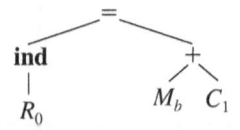

$$\begin{array}{c} = \\ \diagup \quad \diagdown \\ \text{ind} \quad\quad + \\ | \quad\quad \diagup \diagdown \\ R_0 \quad M_b \quad C_1 \end{array}$$

Na subárvore da direita, a regra (2) se aplica à folha M_b. Ela gera uma instrução para carregar b no registrador R1, digamos. Agora, usando a regra (8), podemos casar com a subárvore

$$\begin{array}{c} + \\ \diagup \diagdown \\ R_1 \quad C_1 \end{array}$$

e gerar a instrução INC R1. Nesse ponto, a árvore de entrada foi reduzida para:

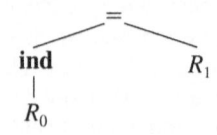

$$\begin{array}{c} = \\ \diagup \quad \diagdown \\ \text{ind} \quad\quad R_1 \\ | \\ R_0 \end{array}$$

Essa árvore restante é casada pela regra (4), que reduz a árvore a um único nó e gera a instrução ST *R0, R1. Geramos a seguinte seqüência de código:

```
LD    R0,   #a
ADD   R0,   R0, SP
ADD   R0,   R0, i(SP)
LD    R1,   b
INC   R1
ST    *R0,  R1
```

no processo de reduzir a árvore a um único nó.

Para implementar o processo de redução de árvore no Exemplo 8.18, precisamos resolver algumas questões relacionadas ao casamento de padrão de árvore:

- Como o casamento de padrão de árvore deve ser feito? A eficiência do processo de geração de código (em tempo de compilação) depende da eficiência do algoritmo de casamento de árvore.
- O que fazemos se mais de um gabarito casar em determinado momento? A eficiência do código gerado (em tempo de execução) pode depender da ordem em que os padrões são casados, pois diferentes seqüências de casamento em geral levarão a diferentes seqüências de código da máquina alvo, algumas mais eficientes do que outras.

Se nenhum padrão casar, o processo de geração de código é bloqueado. No outro extremo, precisamos proteger-nos contra a possibilidade de um único nó ser reescrito indefinidamente, gerando uma seqüência infinita de instruções de movimento de registrador ou uma seqüência infinita de cargas e armazenamentos.

Para evitar o bloqueio, assumimos que cada operador no código intermediário pode ser implementado por uma ou mais instruções na máquina alvo. Além disso, consideramos que existem registradores suficientes para calcular cada nó da árvore isoladamente. Então, não importa como prossegue o casamento da árvore, a árvore restante sempre poderá ser traduzida para instruções da máquina alvo.

8.9.3 Casamento de padrões por análise

Antes de considerar o casamento de árvore geral, consideramos uma abordagem especializada que usa um analisador sintático LR para realizar o casamento de padrão. A árvore de entrada pode ser tratada como uma cadeia usando sua representação prefixada. Por exemplo, a representação prefixada para a árvore na Figura 8.19 é:

$$= \mathbf{ind} + + C_a\, R_{\text{SP}}\, \mathbf{ind} + C_i\, R_{\text{SP}} + M_b\, C_1$$

O esquema de tradução de árvore pode ser convertido em um esquema de tradução dirigido por sintaxe, substituindo-se as regras de reescrita de árvore pelas produções de uma gramática livre de contexto, na qual os lados direitos são representações prefixadas dos gabaritos de instrução.

Exemplo 8.21: O esquema de tradução dirigido por sintaxe da Figura 8.21 é baseado no esquema de tradução de árvore da Figura 8.20.

1) $R_i \rightarrow \mathbf{c}_a$ { LD   Ri, #a }
2) $R_i \rightarrow M_x$ { LD   Ri, x }
3) $M \rightarrow = M_x\, R_i$ { ST   x, Ri }
4) $M \rightarrow = \mathbf{ind}\, R_i\, R_j$ { ST   *Ri, Rj }
5) $R_i \rightarrow \mathbf{ind} + \mathbf{c}_a\, R_j$ { LD   Ri, a(Rj) }
6) $R_i \rightarrow + R_i\, \mathbf{ind} + \mathbf{c}_a\, R_j$ { ADD Ri, Ri, a(Rj) }
7) $R_i \rightarrow + R_i\, R_j$ { ADD Ri, Ri, Rj }
8) $R_i \rightarrow + R_i\, \mathbf{c}_1$ { INC Ri }
9) $R \rightarrow \mathbf{sp}$
10) $M \rightarrow \mathbf{m}$

Figura 8.21 Esquema de tradução dirigido por sintaxe construído a partir da Figura 8;20.

Os não-terminais da gramática subjacente são R e M. O terminal **m** representa um endereço específico da memória, como o endereço para a variável global b no Exemplo 8.18. A produção $M \rightarrow \mathbf{m}$ na Regra (10) pode ser considerada como casando M com **m** antes de usar um dos gabaritos envolvendo M. De modo semelhante, introduzimos um terminal **sp** para o registrador SP e incluímos a produção $R \rightarrow \mathbf{SP}$. Finalmente, o terminal **c** representa constante.

Usando esses terminais, a cadeia para a árvore de entrada da Figura 8.19 é

$$= \mathbf{ind} + + \mathbf{c}_a\, \mathbf{sp}\, \mathbf{ind} + \mathbf{c}_i\, \mathbf{sp} + \mathbf{m}_b\, \mathbf{c}_1$$

Pelas produções do esquema de tradução, construímos um analisador sintático LR usando uma das técnicas de construção de analisadores LR do Capítulo 4. O código objeto é gerado emitindo-se a instrução de máquina correspondente a cada redução.

Uma gramática de geração de código usualmente é bastante ambígua, e é preciso ter cuidado com o modo pelo qual os conflitos de ação de análise são resolvidos quando o analisador é construído. Na ausência de informações de custo, uma regra geral é favorecer reduções maiores em relação a menores. Isso significa que, em um conflito *reduce-reduce*, a redução mais longa é favorecida; em um conflito *shift-reduce*, os movimentos de empilhar e avançar são escolhidos. Essa técnica de 'maior bocado' faz com que um número maior de operações seja realizado com uma única instrução de máquina.

Existem alguns benefícios no uso da análise LR na geração de código. Primeiro, o método de análise é eficiente e bem entendido, de modo que geradores de código confiáveis e eficientes podem ser produzidos usando os algoritmos descritos no Capítulo 4. Segundo, é relativamente fácil redirecionar o gerador de código resultante; um seletor de código para uma nova máquina pode ser construído escrevendo-se uma gramática para descrever as instruções da nova máquina. Terceiro, a qualidade do código gerado pode tornar-se eficiente acrescentando-se produções de caso especial para tirar proveito dos idiomas da máquina.

Contudo, também existem alguns desafios. Uma ordem de avaliação da esquerda para a direita é fixada pelo método de análise. Além disso, para algumas máquinas com grande número de modos de endereçamento, a gramática de descrição de máquina e o analisador sintático resultante podem tornar-se extraordinariamente grandes. Por conseguinte, são necessárias técnicas especializadas para codificar e processar as gramáticas de descrição de máquina. Também devemos ter o cuidado para que o analisador resultante não bloqueie (não tenha o próximo movimento) enquanto analisa uma árvore de expressão, ou porque a gramática não trata alguns padrões de operadores ou porque o analisador resolveu de forma errada algum conflito de ação de análise. Também precisamos ter certeza de que o analisador não entra em um *loop* infinito de reduções segundo produções com símbolos unitários no lado direito. O problema do *looping* infinito pode ser solucionado usando-se uma técnica de divisão de estado no momento em que as tabelas do analisador são geradas.

8.9.4 Rotinas para verificação semântica

Em um esquema de tradução de geração de código, os mesmos atributos aparecem como em uma árvore de entrada, mas freqüentemente com restrições sobre quais valores os subscritos podem ter. Por exemplo, uma instrução de máquina pode exigir que o valor de um atributo esteja dentro de determinado intervalo ou que os valores de dois atributos estejam relacionados.

Essas restrições nos valores do atributo podem ser especificadas como predicados que são invocados antes que uma redução seja feita. Na verdade, o uso geral das ações semânticas e dos predicados pode oferecer maior flexibilidade e facilidade de descrição do que uma especificação puramente gramatical do gerador de código. Gabaritos genéricos podem ser usados para representar classes de instruções e as ações semânticas podem, então, ser usadas para selecionar instruções para casos específicos. Por exemplo, duas formas da instrução de adição podem ser representadas com um gabarito:

$$
\begin{array}{ll}
R_i \leftarrow + & \{\textbf{if } (a = 1) \\
\quad / \ \backslash & \quad \text{INC } Ri \\
\quad R_i \quad R_j & \textbf{else} \\
& \quad \text{ADD } Ri, Ri, \#a\}
\end{array}
$$

Os conflitos de ação de análise podem ser resolvidos por predicados desambiguadores, os quais podem permitir que diferentes estratégias de seleção sejam usadas em diferentes contextos. Uma descrição menor de uma máquina alvo é possível porque certos aspectos da arquitetura de máquina, como os modos de endereçamento, podem ser fatorados nos atributos. A complicação nessa técnica é que pode tornar-se difícil verificar a precisão do esquema de tradução como uma descrição fiel da máquina alvo, embora esse problema seja compartilhado até certo ponto por todos os geradores de código.

8.9.5 Casamento de árvore geral

A abordagem de análise LR para o casamento de padrões, baseada em representações prefixadas, favorece o operando esquerdo de um operador binário. Em uma representação prefixada **op** E_1 E_2, decisões de análise LR com lookahead limitados precisam ser tomadas com base em alguma forma prefixada de E_1, pois E_1 pode ser arbitrariamente longo. Assim, o casamento de padrões pode perder nuances do conjunto de instruções alvo que são devidas a operandos da direita.

Em vez da representação prefixada, poderíamos usar uma representação posfixada. Mas, então, uma abordagem de análise LR para o casamento de padrões favoreceria o operando da direita.

Para um gerador de código escrito à mão, podemos usar gabaritos de árvore, como na Figura 8.20, como um guia, e escrever um casador *ad-hoc*. Por exemplo, se a raiz da árvore de entrada for rotulada com **ind**, o único padrão que poderia casar é o da regra (5); caso contrário, se a raiz for rotulada com +, os padrões que poderiam casar são os das regras (6-8).

Para um gerador de gerador de código, precisamos de um algoritmo geral de casamento de árvore. Um algoritmo de análise sintática descendente eficiente pode ser desenvolvido estendendo-se as técnicas de casamento de padrão de cadeias do Capítulo 3. A idéia é representar cada gabarito como um conjunto de cadeias, onde uma cadeia corresponde a um caminho da raiz para uma folha no gabarito. Tratamos todos os operandos igualmente incluindo o número de posição de um filho, da esquerda para a direita, nas cadeias.

Exemplo 8.22: Ao construir o conjunto de cadeias para um conjunto de instruções, removemos os subscritos, pois o casamento de padrões é baseado apenas nos atributos, e não em seus valores.

Os gabaritos na Figura 8.22 têm o seguinte conjunto de cadeias da raiz para uma folha:

$$
\begin{array}{l}
C \\
+\ 1\ R \\
+\ 2\ \textbf{ind}\ 1 + 1\ C \\
+\ 2\ \textbf{ind}\ 1 + 2\ R \\
+\ 2\ R
\end{array}
$$

A cadeia C representa o gabarito com C na raiz. A cadeia $+\ 1\ R$ representa o $+$ e seu operando esquerdo R nos dois gabaritos que têm $+$ na raiz.

$$R_i \leftarrow C_a \qquad R_i \leftarrow + \qquad R_i \leftarrow +$$

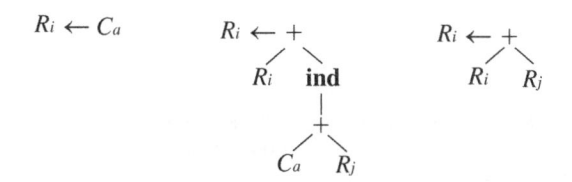

FIGURA 8.22 Um conjunto de instruções para casamento de árvore.

Usando conjuntos de cadeias como no Exemplo 8.22, um casamento de padrão de árvore pode ser construído usando-se as técnicas para casamento eficiente de múltiplas cadeias em paralelo.

Na prática, o processo de reescrita de árvore pode ser implementado efetuando-se o casamento de padrão de árvore durante um caminhamento em profundidade na árvore de entrada e realizando-se as reduções enquanto os nós são visitados pela última vez.

Os custos da instrução podem ser levados em consideração associando-se a cada regra de reescrita de árvore o custo da seqüência de instruções de máquina gerada se essa regra for aplicada. Na Seção 8.11, discutimos um algoritmo de programação dinâmica que pode ser usado em conjunto com casamento de padrão de árvore.

Executando o algoritmo de programação dinâmica concorrentemente, podemos selecionar uma ótima seqüência de casamentos usando a informação de custo associada a cada regra. Podemos ter de adiar a decisão sobre um casamento até que o custo de todas as alternativas seja conhecido. Usando essa técnica, um gerador de código pequeno e eficiente pode ser construído rapidamente a partir de um esquema de reescrita de árvore. Além disso, o algoritmo de programação dinâmica livra o projetista do gerador de código de ter de resolver casamentos com conflito ou decidir sobre uma ordem de avaliação.

8.9.6 Exercícios da Seção 8.9

Exercício 8.9.1: Construa árvores de sintaxe para cada um dos seguintes comandos, supondo que todos os operandos não constantes estejam em endereços da memória:

a) `x = a * b + c * d;`
b) `x[i] = y[j] * z[k];`
c) `x = x + 1;`

Use o esquema de reescrita de árvore na Figura 8.20 para gerar código para cada comando.

Exercício 8.9.2: Repita o Exercício 8.9.1 usando o esquema de tradução dirigido por sintaxe da Figura 8.21 no lugar do esquema de reescrita de árvore.

! Exercício 8.9.3: Estenda o esquema de reescrita de árvore na Figura 8.20 para aplicar ao comando while.

! Exercício 8.9.4: Como você estenderia a reescrita da árvore para que se aplique a DAGs?

8.10 Geração de código ótimo para expressões

Podemos escolher registradores de forma ótima quando um bloco básico consistir em uma única avaliação de expressão, ou se aceitarmos que é suficiente gerar código para um bloco, uma expressão de cada vez. No algoritmo a seguir, introduzimos um esquema de numeração para os nós de uma árvore de expressão (uma árvore de sintaxe para uma expressão). Isto nos permite gerar um código ótimo para uma árvore de expressão quando existe um número fixo de registradores para avaliar a expressão.

8.10.1 Números de Ershov

Começamos atribuindo aos nós de uma árvore de expressão um número que diz quantos registradores são necessários para avaliar esse nó sem armazenar nenhum temporário. Esses números às vezes são chamados de *números de Ershov*, graças a A. Ershov, que usou um esquema semelhante para máquinas com um único registrador aritmético. Para o nosso modelo de máquina, as regras são:

1. Rotule qualquer folha 1.
2. O rótulo de um nó interior com um filho é o rótulo de seu filho.
3. O rótulo de um nó interior com dois filhos é

    (a) O maior dos rótulos de seus filhos, se esses rótulos forem diferentes.
    (b) Um a mais que o rótulo de seus filhos se os rótulos forem iguais.

Exemplo 8.23: Na Figura 8.23, vemos uma árvore de expressão (com operadores omitidos) que poderia ser a árvore para a expressão $(a - b) + e \times (c + d)$ ou o código de três endereços:

```
t1 = a - b
t2 = c + d
t3 = e * t2
t4 = t1 + t3
```

Cada uma das cinco folhas é rotulada com 1 pela regra (1). Então, podemos rotular o nó interior para t1 = a - b, pois ambos os seus filhos estão rotulados. A regra (3b) se aplica, de modo que ele recebe um rótulo a mais do que os rótulos de seus filhos, ou seja, 2. O mesmo acontece para o nó interior t2 = c + d.

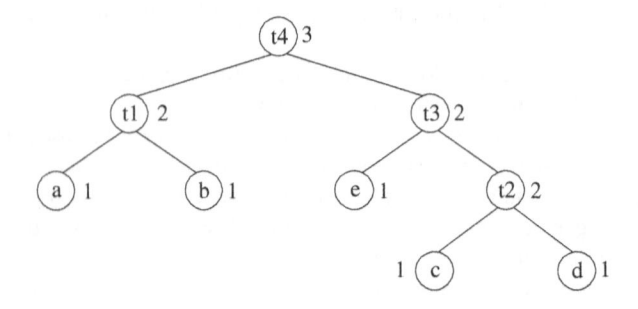

Figura 8.23 Uma árvore rotulada com os números de Ershov

Agora, podemos trabalhar no nó para t3 = e * t2. Seus filhos possuem rótulos 1 e 2, de modo que o rótulo do nó para t3 é o máximo, 2, pela regra (3a). Finalmente, a raiz, o nó para t4 = t1 + t3, tem dois filhos com rótulo 2 e, portanto, recebe o rótulo 3.

8.10.2 Gerando código a partir de árvores de expressão rotuladas

Pode ser provado que, em nosso modelo de máquina, onde todos os operandos devem estar em registradores e os registradores podem ser usados por um operando e pelo resultado de uma operação, o rótulo de um nó representa o menor número de registradores com os quais a expressão pode ser avaliada sem usar armazenamentos dos resultados temporários. Como neste modelo somos forçados a carregar cada operando, e somos forçados a calcular o resultado correspondente a cada nó interior, o único fato que pode tornar o código gerado inferior ao código ótimo é se houver armazenamentos desnecessários de temporários. O argumento para essa afirmação é embutido no algoritmo a seguir para gerar código sem armazenamentos de temporários, usando um número de registradores igual ao rótulo da raiz.

Algoritmo 8.24: Geração de código a partir de uma árvore de expressão rotulada.

ENTRADA: Uma árvore rotulada com cada operando aparecendo uma vez (ou seja, não há subexpressão comum).

SAÍDA: Uma seqüência ótima de instruções de máquina para avaliar a raiz em um registrador.

MÉTODO: A seguir vemos um algoritmo recursivo para gerar o código de máquina. Os passos a seguir são aplicados, começando na raiz da árvore. Se o algoritmo for aplicado a um nó com rótulo k, apenas k registradores serão usados. Contudo, existe uma 'base' $b \geq 1$ para os registradores usados de modo que os registradores reais usados são $R_b, R_{b+1}, ..., R_{b+k-1}$. O resultado sempre aparece em R_{b+k-1}.

1. A fim de gerar código de máquina para um nó interior com rótulo k e dois filhos com rótulos iguais (que precisam ser $k - 1$) faça o seguinte:

    (a) Recursivamente, gere código para o filho da direita, usando a base $b + 1$. O resultado do filho direito aparece no registrador R_{b+k}.
    (b) Recursivamente, gere código para o filho da esquerda, usando a base b; o resultado aparece em R_{b+k-1}.
    (c) Gere a instrução OP R_{b+k}, R_{b+k-1}, R_{b+k}, onde OP é a operação apropriada para o nó interior em questão.

2. Suponha que tenhamos um nó interior com rótulo k e filhos com rótulos desiguais. Então, um dos filhos, que chamaremos de filho 'grande', tem rótulo k, e o outro filho, o filho 'pequeno', tem algum rótulo $m < k$. Faça o seguinte para gerar código para esse nó interior, usando a base b:

   (a) Recursivamente, gere código para o filho grande, usando a base b; o resultado aparece no registrador R_{b+k-1}.

   (b) Recursivamente, gere código para o filho pequeno, usando a base b; o resultado aparece no registrador R_{b+m-1}. Observe que, como $m < k$, nem R_{b+k-1} nem qualquer registrador de número mais alto é utilizado.

   (c) Gere a instrução OP R_{b+k-1}, R_{b+m-1}, R_{b+k-1} ou a instrução OP R_{b+k-1}, R_{b+k-1}, R_{b+m-1}, dependendo se o filho grande for o filho da direita ou da esquerda, respectivamente.

3. Para a folha representando o operando x, se a base for b, gere a instrução LD R_b, x.

EXEMPLO 8.25: Vamos aplicar o Algoritmo 8.24 à árvore da Figura 8.23. Como o rótulo da raiz é 3, o resultado aparecerá em R_3, e somente R_1, R_2 e R_3 serão usados. A base para a raiz é $b = 1$. Como a raiz tem filhos de rótulos iguais, geramos código para o filho direito primeiro, com base 2.

Quando geramos código para o filho direito da raiz, rotulado com t3, descobrimos que o filho grande é o filho da direita, e o filho pequeno é o da esquerda. Assim, geramos código para o filho da direita primeiro, com $b = 2$. Aplicando as regras para filhos e folhas com rótulos iguais, geramos o seguinte código para o nó rotulado com t2:

```
LD  R3, d
LD  R2, c
ADD R3, R2, R3
```

Em seguida, geramos código para o filho da esquerda do filho da direita da raiz; esse nó é a folha rotulada com e. Como $b = 2$, a instrução apropriada é:

```
LD  R2, e
```

Agora, podemos completar o código para o filho da direita da raiz acrescentando a instrução:

```
MUL R3, R2, R3
```

O algoritmo prossegue para gerar código para o filho da esquerda da raiz, deixando o resultado em R_2, e com base 1. A seqüência completa de instruções é mostrada na Figura 8.24.

```
LD  R3, d
LD  R2, c
ADD R3, R2, R3
LD  R2, e
MUL R3, R2, R3
LD  R2, b
LD  R1, a
SUB R2, R1, R2
ADD R3, R2, R3
```

FIGURA 8.24 Código de três registradores ótimo para a árvore da Figura 8.23.

8.10.3 AVALIANDO EXPRESSÕES COM UM NÚMERO INSUFICIENTE DE REGISTRADORES

Quando houver menos registradores disponíveis que o rótulo da raiz da árvore, não podemos aplicar o Algoritmo 8.24 diretamente. Precisaremos introduzir algumas instruções de armazenamento que derramam valores das subárvores na memória, e então teremos de carregar esses valores de volta para os registradores, quando for necessário. Aqui está o algoritmo modificado que leva em consideração uma limitação no número de registradores.

ALGORITMO 8.26: Geração de código a partir de uma árvore de expressão rotulada.

ENTRADA: Uma árvore rotulada com cada operando aparecendo uma vez (ou seja, não há subexpressão comum) e um número de registradores $r \geq 2$.

SAÍDA: Uma seqüência ótima de instruções de máquina para avaliar a raiz em um registrador, usando nada mais do que r registradores, os quais supomos que sejam $R_1, R_2, ..., R_r$.

MÉTODO: Aplique o algoritmo recursivo a seguir, começando na raiz da árvore, com base $b = 1$. Para um nó N com rótulo r ou menor, o algoritmo é exatamente o mesmo do Algoritmo 8.24, e não repetiremos esses passos aqui. Contudo, para nós interiores com um rótulo $k > r$, precisamos trabalhar em cada lado da árvore separadamente e armazenar o resultado da subárvore maior. Esse resultado é trazido de volta para a memória imediatamente antes de o nó N ser avaliado, e o passo final ocorrerá nos registradores R_{r-1} e R_r. As modificações no algoritmo básico são as seguintes:

1. O nó N tem pelo menos um filho com rótulo r ou maior. Escolha o maior filho (ou qualquer um deles, se seus rótulos forem iguais) para ser o filho 'grande', e o outro filho para ser o filho 'pequeno'.
2. Recursivamente, gere código para o filho grande, usando a base $b = 1$. O resultado dessa avaliação aparecerá no registrador R_r.
3. Gere a instrução de máquina ST t_k, R_r, onde t_k é uma variável temporária usada para resultados temporários utilizados para ajudar a avaliar os nós com rótulo k.
4. Gere código para o filho pequeno da seguinte maneira: se o filho pequeno tiver rótulo r ou maior, escolha a base $b = 1$; se o rótulo do filho pequeno for $j < r$, escolha $b = r - j$. Então, aplique recursivamente esse algoritmo ao filho pequeno; o resultado aparecerá em R_r.
5. Gere a instrução LD R_{r-1}, t_k.
6. Se o filho grande for o filho da direita de N, então gere a instrução OP R_r, R_r, R_{r-1}. Se o filho grande for o filho da esquerda, gere OP R_r, R_{r-1}, R_r.

Exemplo 8.27: Vamos retornar à expressão representada pela Figura 8.23, mas agora considere que $r = 2$, ou seja, somente os registradores R1 e R2 estão disponíveis para manter os temporários usados na avaliação das expressões. Quando aplicamos o Algoritmo 8.26 à Figura 8.23, vemos que a raiz, com rótulo 3, tem um rótulo que é maior que $r = 2$. Assim, precisamos identificar um dos filhos como o filho 'grande'. Como possuem rótulos iguais, qualquer um servirá. Suponha que escolhamos o filho da direita como o filho grande.

Como o rótulo do filho grande da raiz é 2, existem registradores suficientes. Assim, aplicamos o Algoritmo 8.24 à subárvore, com $b = 1$ e dois registradores. O resultado será muito parecido com o código que geramos na Figura 8.24, mas com registradores R1 e R2 no lugar de R2 e R3. Esse código é

```
LD   R2, d
LD   R1, c
ADD  R2, R1, R2
LD   R1, e
MUL  R2, R1, R2
```

Agora, como precisamos dos dois registradores para o filho esquerdo da raiz, temos de gerar a instrução:

```
ST   t3, R2
```

Em seguida, o filho da esquerda da raiz é tratado. Novamente, o número de registradores é suficiente para esse filho, e o código é:

```
LD   R2, b
LD   R1, a
SUB  R2, R1, R2
```

Finalmente, recarregamos o temporário que mantém o filho da direita da raiz com a instrução:

```
LD   R1, t3
```

e executamos a operação na raiz da árvore com a instrução

```
ADD R2, R2, R1
```

A seqüência completa de instruções aparece na Figura 8.25.

```
LD   R2, d
LD   R1, c
ADD  R2, R1, R2
LD   R1, e
MUL  R2, R1, R2
ST   t3, R2
LD   R2, b
LD   R1, a
SUB  R2, R1, R2
LD   R1, t3
ADD  R2, R2, R1
```

Figura 8.25 Código ótimo de três registradores para a árvore da Figura 8.23, usando apenas dois registradores.

8.10.4 Exercícios da Seção 8.10

Exercício 8.10.1: Calcule os números de Ershov para as expressões a seguir:
   a) $a / (b + c) - d * (e + f)$.
   b) $a + b * (c * (d + e))$.
   c) $(-a + *p) * ((b - *q) / (-c + *r))$.

Exercício 8.10.2: Gere o código ótimo usando dois registradores para cada uma das expressões do Exercício 8.10.1.

Exercício 8.10.3: Gere o código ótimo usando três registradores para cada uma das expressões do Exercício 8.10.1.

! Exercício 8.10.4: Generalize o cálculo dos números de Ershov para árvores de expressão com nós interiores com três ou mais filhos.

! Exercício 8.10.5: Uma atribuição a um elemento do arranjo, como `a[i] = x`, parece ser um operador com três operandos: a, i e x. Como você modificaria o esquema de rotulagem de árvore para gerar código ótimo para esse modelo de máquina?

! Exercício 8.10.6: Os números de Ershov originais foram usados para uma máquina que permitia que o operando da direita de uma expressão estivesse na memória, em vez de um registrador. Como você modificaria o esquema de rotulagem de árvore para gerar código ótimo para esse modelo de máquina?

! Exercício 8.10.7: Algumas máquinas exigem dois registradores para certos valores de precisão simples. Suponha que o resultado de uma multiplicação de quantidades em um único registrador requeira dois registradores consecutivos e, quando dividimos a/b, o valor de a precisa ser mantido em dois registradores consecutivos. Como você modificaria o esquema de rotulagem de árvore para gerar código ótimo para esse modelo de máquina?

8.11 Geração de código com programação dinâmica

O Algoritmo 8.26, na Seção 8.10, produz código ótimo a partir de uma árvore de expressão usando uma quantidade de tempo que é uma função linear do tamanho da árvore. Esse procedimento funciona para máquinas nas quais toda computação é feita em registradores e as instruções consistem em um operador aplicado a dois registradores ou a um registrador e um endereço de memória.

Um algoritmo baseado no princípio da programação dinâmica pode ser usado para estender a classe de máquina para as quais o código ótimo pode ser gerado a partir de árvores de expressão em tempo linear. O algoritmo de programação dinâmica se aplica a uma grande classe de máquinas de registradores com conjuntos de instrução complexos.

O algoritmo de programação dinâmica pode ser usado para gerar código para qualquer máquina com r registradores intercambiáveis R0, R1, ..., R_{r-1} e instruções de carga, armazenamento e adições. Para simplificar, consideramos que cada instrução custa uma unidade, embora o algoritmo de programação dinâmica possa ser facilmente modificado para funcionar mesmo que cada instrução tenha seu próprio custo.

8.11.1 Avaliação contígua

O algoritmo de programação dinâmica particiona o problema da geração de código ótimo para uma expressão em subproblemas de gerar código ótimo para as subexpressões de uma dada expressão. Como um exemplo simples, considere uma expressão E na forma $E_1 + E_2$. Um programa ótimo para E é formado pela combinação de programas ótimos para E_1 e E_2, em uma ou outra ordem, seguidos pelo código para avaliar o operador $+$. Os subproblemas de gerar código ótimo para E_1 e E_2 são solucionados de forma semelhante.

Um programa ótimo produzido pelo algoritmo de programação dinâmica tem uma propriedade importante. Ele avalia uma expressão $E = E_1$ **op** E_2 'contiguamente'. Podemos apreciar o que isso significa examinando a árvore de sintaxe T para E:

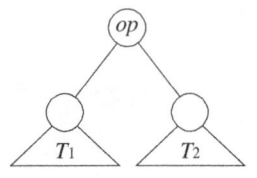

Aqui, T_1 e T_2 são árvores para E_1 e E_2, respectivamente.

Dizemos que um programa P avalia uma árvore T *contiguamente* se ele primeiro avaliar as subárvores de T que precisam ser calculadas para a memória. Então, ele avalia o restante de T ou na ordem T_1, T_2, e então a raiz, ou na ordem T_2, T_1, e então a raiz, em qualquer caso usando os valores previamente calculados a partir da memória sempre que necessário. Como exemplo da avaliação não contígua, P poderia primeiro avaliar parte de T_1 deixando o valor em um registrador (em vez de na memória), em seguida avaliar T_2, e então retornar para avaliar o restante de T_1.

Para a máquina de registrador nesta seção, podemos provar que, dado qualquer programa em linguagem de máquina P para avaliar uma árvore de expressão T, podemos encontrar um programa equivalente P' tal que:

1. P' não tem custo mais alto do que P,
2. P' não usa mais registradores do que P, e,
3. P' avalia a árvore de forma contígua.

Esse resultado implica que cada árvore de expressão pode ser avaliada de forma ótima por um programa contíguo.

Com propósito de contraste, as máquinas com pares de registradores, par e ímpar, nem sempre têm avaliações contíguas ótimas; a arquitetura x86 utiliza pares de registradores para multiplicação e divisão. Para essas máquinas, podemos dar exemplos de árvores de expressão em que um programa em linguagem de máquina ótimo precisa, primeiro, avaliar em um registrador uma porção da subárvore esquerda da raiz, então uma porção da subárvore da direita; então, outra porção da subárvore da esquerda, então outra porção da direita, e assim por diante. Esse tipo de oscilação é desnecessário para uma avaliação ótima de qualquer árvore de expressão usando a máquina nesta seção.

A propriedade de avaliação contígua definida anteriormente garante que, para qualquer árvore de expressão T, sempre existe um programa ótimo que consiste em programas ótimos para subárvores da raiz, seguida por uma instrução para avaliar a raiz. Essa propriedade nos permite usar um algoritmo de programação dinâmica para gerar um programa ótimo para T.

8.11.2 O algoritmo de programação dinâmica

O algoritmo de programação dinâmica opera em três fases (suponha que a máquina alvo tenha r registradores):

1. Calcule de baixo para cima, para cada nó n da árvore de expressão T, um arranjo C de custos, no qual o i-ésimo componente $C[i]$ é o custo ótimo de computar a subárvore S com raiz em n em um registrador, supondo que i registradores estejam disponíveis para a computação, para $1 \leq i \leq r$.
2. Atravesse T, usando os vetores de custo para determinar quais subárvores de T precisam ser calculadas para a memória.
3. Atravesse cada árvore usando os vetores de custo e as instruções associadas para gerar o código objeto final. O código para as subárvores calculadas nos endereços da memória é gerado primeiro.

Cada uma dessas fases pode ser implementada para executar em tempo linearmente proporcional ao tamanho da árvore de expressão.

O custo de calcular um nó n inclui quaisquer cargas e armazenamentos necessários para avaliar S em um dado número de registradores. Também inclui o custo de calcular o operador na raiz de S. O componente de ordem zero do vetor de custo é o custo ótimo de calcular a subárvore S na memória. A propriedade de avaliação contígua garante que um programa ótimo para S pode ser gerado considerando combinações de programas ótimos apenas para as subárvores da raiz de S. Essa restrição reduz o número de casos que precisam ser considerados.

Para calcular os custos $C[i]$ no nó n, vemos as instruções como regras de reescrita de árvore, como na Seção 8.9. Considere cada gabarito E que casa com a árvore de entrada no nó n. Examinando os vetores de custo dos descendentes correspondentes de n, determine os custos de avaliar os operandos nas folhas de E. Para os operandos de E que são registradores, considere todas as ordens possíveis nas quais as subárvores correspondentes de T podem ser avaliadas em registradores. Em cada ordenação, a primeira subárvore correspondendo a um operando registrador pode ser avaliada usando i registradores disponíveis, a segunda usando $i - 1$ registradores, e assim por diante. Para considerar o nó n, acrescente o custo da instrução associada ao gabarito E. O valor $C[i]$ é então o custo mínimo sobre todas as ordens possíveis.

Os vetores de custo para toda a árvore T podem ser calculados de baixo para cima em um tempo linearmente proporcional ao número de nós em T. É conveniente armazenar em cada nó a instrução usada para conseguir o melhor custo de $C[i]$ para cada valor de i. O menor custo no vetor para a raiz de T fornece o custo mínimo de avaliação de T.

EXEMPLO 8.28: Considere uma máquina com dois registradores R0 e R1, e as seguintes instruções, cada uma com custo unitário:

```
LD   Ri, Mj          // Ri = Mj
op   Ri, Ri, Rj      // Ri = Ri op Rj
op   Ri, Ri, Mj      // Ri = Ri op Mj
LD   Ri, Rj          // Ri = Rj
ST   Mi, Rj          // Mi = Rj
```

Nessas instruções, Ri é R0 ou R1, e Mj é um endereço da memória. O operador *op* corresponde a um operador aritmético.

Vamos aplicar o algoritmo de programação dinâmica para gerar o código ótimo para a árvore de sintaxe da Figura 8.26. Na primeira fase, calculamos os vetores de custo mostrados em cada nó. Para ilustrar esse cálculo de custo, considere o vetor de custo na folha a. $C[0]$, o custo de calcular a na memória, é 0, porque ele já está lá. $C[1]$, o custo de calcular a em um registrador, é 1, pois podemos carregá-lo em um registrador com a instrução LD R0, a. $C[2]$, o custo de carregar a em um registrador com dois registradores disponíveis, é o mesmo que aquele com um registrador disponível. O vetor de custo na folha a é, portanto, (0,1,1).

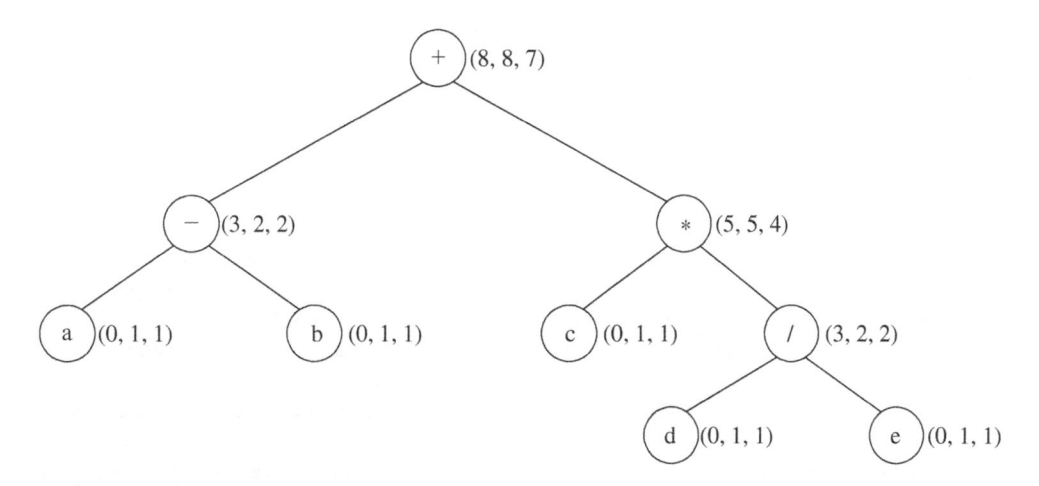

```
                    ( + ) (8, 8, 7)
                   /         \
          ( - )(3,2,2)      ( * )(5,5,4)
          /     \            /     \
     (a)(0,1,1) (b)(0,1,1) (c)(0,1,1) ( / )(3,2,2)
                                      /     \
                                 (d)(0,1,1) (e)(0,1,1)
```

FIGURA 8.26 Árvore de sintaxe para (a-b)+c*(d/e) com vetor de custo em cada nó.

Considere o vetor de custo na raiz. Primeiro, determinamos o custo mínimo de calcular a raiz com um e dois registradores disponíveis. A instrução de máquina ADD R0, R0, M casa com a raiz, porque a raiz é rotulada com o operador +. Usando essa instrução, o custo mínimo de avaliação da raiz com um registrador disponível é o custo mínimo de calcular sua subárvore direita na memória, mais o custo mínimo de calcular sua subárvore esquerda no registrador, mais 1 para a instrução. Não existe outro modo. Os vetores de custo nos filhos da direita e da esquerda da raiz mostram que o custo mínimo de calcular a raiz com um registrador disponível é 5 + 2 + 1 = 8.

Agora, considere o custo mínimo de avaliação da raiz com dois registradores disponíveis. Surgem três casos, dependendo de qual instrução é usada para calcular a raiz e da ordem em que as subárvores esquerda e direita da raiz são avaliadas.

1. Calcule a subárvore esquerda com dois registradores disponíveis no registrador R0, calcule a subárvore direita com um registrador disponível no registrador R1, e use a instrução ADD R0,R0,R1 para calcular a raiz. Essa seqüência tem custo 2 + 5 + 1 = 8.
2. Calcule a subárvore direita com dois registradores disponíveis em R1, calcule a subárvore esquerda com um registrador disponível em R0, e use a instrução ADD R0,R0,R1. Essa seqüência tem custo 4 + 2 + 1 = 7.
3. Calcule a subárvore da direita no endereço da memória M, calcule a subárvore esquerda com dois registradores disponíveis no registrador R0, e use a instrução ADD R0,R0,M. Essa seqüência tem custo 5 + 2 + 1 = 8.

A segunda escolha oferece o custo mínimo 7.

O custo mínimo de calcular a raiz na memória é determinado adicionando um ao custo mínimo de calcular a raiz com todos os registradores disponíveis; ou seja, calculamos a raiz em um registrador e depois armazenamos o resultado. O vetor de custo na raiz é, portanto, (8,8,7).

A partir dos vetores de custo, podemos facilmente construir a seqüência de código fazendo um caminhamento na árvore. A partir da árvore na Figura 8.26, supondo que dois registradores estão disponíveis, uma seqüência de código ótimo é

```
LD   R0, c          // R0 = c
LD   R1, d          // R1 = d
DIV  R1, R1, e      // R1 = R1 / e
MUL  R0, R0, R1     // R0 = R0 * R1
LD   R1, a          // R1 = a
SUB  R1, R1, b      // R1 = R1 - b
ADD  R1, R1, R0     // R1 = R1 + R0
```

Técnicas de programação dinâmicas foram usadas em diversos compiladores, incluindo a segunda versão do compilador C portável, PCC2. A técnica facilita o redirecionamento, devido à aplicabilidade da técnica de programação dinâmica a uma grande classe de máquinas.

8.11.3 Exercícios da Seção 8.11

Exercício 8.11.1: Aumente o esquema de reescrita de árvore na Figura 8.20 com custos, e use a programação dinâmica e o casamento de árvore para gerar código para as instruções no Exercício 8.9.1.

!! Exercício 8.11.2: Como você estenderia a programação dinâmica para realizar a geração de código ótimo nos dags?

8.12 Resumo do Capítulo 8

- *Geração de código* é a fase final de um compilador. O gerador de código mapeia a representação intermediária produzida pelo *front-end*, ou, se houver uma fase de otimização realizada pelo otimizador de código, para o programa objeto.
- *Seleção de instrução* é o processo de escolher instruções da linguagem objeto para cada comando RI.
- *Alocação de registrador* é o processo de decidir que valores da RI devem ser mantidos em registradores. A coloração de grafos é uma técnica efetiva para realizar alocação de registrador em compiladores.
- *Atribuição de registrador* é o processo de decidir que registrador deve manter um determinado valor da RI.
- Um *compilador redirecionável* é aquele que pode gerar código para múltiplos conjuntos de instruções.
- Uma *máquina virtual* é um interpretador para uma linguagem intermediária de bytecode, produzida para linguagens como Java e C#.
- Uma *máquina CISC* tipicamente é uma máquina de dois endereços com relativamente poucos registradores, várias classes de registrador, e instruções de tamanho variável com modos de endereçamento complexos.
- Uma *máquina RISC* tipicamente é uma máquina de três endereços com muitos registradores, na qual as operações são feitas nos registradores.
- Um *bloco básico* é uma seqüência máxima de comandos consecutivos de três endereços, em que o fluxo de controle só pode entrar no primeiro comando do bloco e sair no último comando sem interromper ou desviar, exceto possivelmente no último comando do bloco básico.
- Um *grafo de fluxo* é uma representação gráfica de um programa, em que os nós do grafo são blocos básicos e as arestas do grafo mostram como o controle flui entre os blocos.
- Um *loop* em um grafo de fluxo é uma região fortemente conectada com um único ponto de entrada, chamada de cabeçalho do *loop*.
- Uma representação *DAG* de um bloco básico é um grafo acíclico dirigido, em que os nós do DAG representam os comandos dentro do bloco, e cada filho de um nó corresponde ao comando que é a última definição de um operando usado no comando.
- *Otimizações de janela* são transformações locais de melhoria de código que podem ser aplicadas a um programa, usualmente por meio de uma janela deslizante.
- A *seleção de instrução* pode ser feita por um processo de reescrita de árvore, em que os padrões de árvore correspondentes a instruções de máquina são usados para transformar uma árvore de sintaxe. Podemos associar custos às regras de reescrita de árvore e aplicar a programação dinâmica para obter uma transformação ótima para classes úteis de máquinas e expressão.
- Um *número de Ershov* diz quantos registradores são necessários para avaliar uma expressão sem armazenar nenhum temporário.
- O código de derramamento é uma seqüência de instruções que armazena um valor de um registrador em uma posição de memória a fim de liberar o registrador para conter um outro valor.

8.13 Referências do Capítulo 8

Muitas das técnicas abordadas neste capítulo têm suas origens nos primeiros compiladores. O algoritmo de rotulagem de Ershov apareceu em 1958 [7]. Sethi e Ullman [16] usaram essa rotulagem em um algoritmo que eles provaram gerar código ótimo para expressões aritméticas. Aho e Johnson [1] usaram programação dinâmica para gerar código ótimo para árvores de expressão em máquinas CISC. Hennessy e Patterson [12] apresentam uma boa discussão sobre a evolução de arquiteturas de máquina CISC e RISC e os desafios envolvidos no projeto de um bom conjunto de instruções.

Arquiteturas RISC tornaram-se populares após 1990, embora suas origens venham de computadores como o CDC 6600, divulgados inicialmente em 1964. Muitos dos computadores projetados antes de 1990 eram máquinas CISC, mas a maioria dos computadores de uso geral instalados após 1990 ainda são máquinas CISC, porque se baseiam na arquitetura Intel 80x86 e descendentes, como o Pentium. O Burroughs B5000, entregue em 1963, era uma máquina baseada em pilha.

Muitas das heurísticas para geração de código propostas neste capítulo foram usadas em diversos compiladores. Nossa estratégia de alocação de um número fixo de registradores para manter as variáveis pela duração de um *loop* foi usada na implementação de Fortran H por Lowry e Medlock [13].

Técnicas eficientes de alocação de registradores também têm sido estudadas desde os primeiros compiladores. A coloração de grafo como uma técnica de alocação de registrador foi proposta por Cocke, Ershov [8] e Schwartz [15]. Muitas variantes dos algoritmos de coloração de grafo foram propostas para alocação de registradores. Nosso tratamento da coloração de grafo segue o modelo de Chaitin [3] [4]. Chow e Hennessy descrevem seu algoritmo de coloração baseado em prioridade para alocação de registradores em [5]. Veja em [6] uma discussão sobre as técnicas mais recentes de divisão de grafo e reescrita para alocação de registrador.

O analisador léxico e os geradores de analisadores sintáticos impulsionaram o desenvolvimento da seleção de instrução dirigida por padrão. Glanville e Graham [11] usaram as técnicas de geração de analisadores LR para a seleção automática de instrução. Os geradores de código dirigidos por tabela evoluíram em uma série de ferramentas de geração de código de casamento de árvores de padrões [14]. Aho, Ganapathi e Tjiang [2] combinaram técnicas eficientes de casamento de árvores de padrões com a programação dinâmica na ferramenta de geração de código *twig*. Fraser, Hanson e Proebsting [10] refinaram ainda mais essas idéias em seu gerador de gerador de código eficiente e simples.

1. AHO, A. V. e JOHNSON, S. C. Optimal code generation for expression trees, *J. ACM* 23:3, pp. 488-501.
2. AHO, A. V.; GANAPATHI, M. e TJIANG, S. W. K. Code generation using tree matching and dynamic programming, *ACM Trans. Programming Languages and Systems* 11:4 (1989), pp. 491-516.
3. CHAITIN, G. J., AUSLANDER, M. A.; CHANDRA, A. K.; COCKE, J.; HOPKINS, M. E. e MARKSTEIN, P. W. Register allocation via coloring, *Computer Languages* 6:1 (1981), pp. 47-57.
4. CHAITIN, G. J., Register allocation and spilling via graph coloring, *ACM SIGPLAN Notices* 17:6 (1982), pp. 201-207.
5. CHOW, F. e HENNESSY, J. L. The priority-based coloring approach to register allocation, *ACM Trans. Programming Languages and Systems* 12:4 (1990), pp. 501-536.
6. COOPER, K. D e TORCZON, L. *Engineering a Compiler*, São Francisco: Morgan Kaufmann, 2004.
7. ERSHOV, A. P., On programming of arithmetic operations, *Comm. ACM* 1:8 (1958), pp. 3-6. Veja também *Comm. ACM* 1:9 (1958), p. 16.
8. ERSHOV, A. P., *The Alpha Automatic Programming System*, Nova York: Academic Press, 1971.
9. FISCHER, C. N. e LEBLANC, R. J. *Crafting a Compiler with C*, Redwood City: Benjamin-Cummings, 1991.
10. FRASER, C. W.; HANSON, D. R. e PROEBSTING, T. A. Engineering a simple, efficient code generator generator, *ACM Letters on Programming Languages and Systems* 1:3 (1992), pp. 213-226.
11. GLANVILLE, R. S. e GRAHAM, S. L. A new method for compiler code generation, *Conf. Rec. Fifth ACM Symposium on Principles of Programming Languages* (1978), pp. 231-240.
12. HENNESSY, J. L. e PATTERSON, D. A. *Computer Architecture: A Quantitative Approach*, 3 ed. São Francisco: Morgan Kaufman, 2003.
13. LOWRY, E. S. e MEDLOCK, C. W. Object code optimization, *Comm. ACM* 12:1 (1969), pp. 13-22.
14. PELEGRI-LLOPART, E. e GRAHAM, S. L. Optimal code generation for expressions trees: an application of BURS theory, *Conf. Rec. Fifteenth Annual ACM Symposium on Principles of Programming Languages* (1988), pp. 294-308.
15. SCHWARTZ, J. T., *On Programming: An Interim Report on the SETL Project*, Technical Report. Nova York: Courant Institute of Mathematical Sciences, 1973.
16. SETHI, R. e ULLMAN, J. D. The generation of optimal code for arithmetic expressions, *J. ACM* 17:4 (1970), pp. 715-728.

9 OTIMIZAÇÕES INDEPENDENTES DE MÁQUINA

Construções de linguagem de alto nível podem introduzir um custo substancial em tempo de execução se traduzirmos ingenuamente cada construção independente para código de máquina. Este capítulo discute como eliminar muitas dessas ineficiências. A eliminação de instruções desnecessárias no código objeto, ou a substituição de uma seqüência de instruções por uma seqüência de instruções mais rápida, que efetua a mesma operação, usualmente é denominada 'melhoria do código' ou 'otimização do código'.

A otimização de código *local* (melhoria de código dentro de um bloco básico) foi introduzida na Seção 8.5. Este capítulo trata da otimização de código *global*, no qual as melhorias levam em conta o que acontece entre os blocos básicos. Começamos na Seção 9.1 com uma discussão das principais oportunidades para melhoria de código.

A maioria das otimizações globais é baseada na *análise de fluxo de dados*, que são algoritmos para colher informações sobre um programa. Todos os resultados da análise de fluxo de dados têm o mesmo formato: para cada instrução do programa, especificam alguma propriedade que deve ser mantida toda vez que a instrução for executada. As análises diferem nas propriedades que calculam. Por exemplo, uma análise de propagação de constante calcula, para cada ponto no programa e para cada variável usada pelo programa, se essa variável possui um único valor constante nesse ponto. Essa informação pode ser usada, por exemplo, para substituir referências de variável por valores constantes. Outro exemplo: uma análise de tempo de vida (*liveness*) determina, para cada ponto no programa, se o valor mantido por uma variável particular nesse ponto com certeza será sobrescrito antes de ser lido. Se for, não precisaremos preservar esse valor, seja em um registrador, seja em um endereço da memória.

Apresentamos a análise de fluxo de dados na Seção 9.2, incluindo vários exemplos importantes do tipo de informação que reunimos globalmente, e depois usamos para melhorar o código. A Seção 9.3 apresenta a idéia geral de uma estrutura de fluxo de dados, da qual as análises de fluxo de dados da Seção 9.2 são casos especiais. Podemos usar basicamente os mesmos algoritmos para todos esses casos de análise de fluxo de dados, e também podemos medir o desempenho desses algoritmos e mostrar sua exatidão em todos os casos. A Seção 9.4 é um exemplo da estrutura geral que realiza uma análise mais poderosa do que nos exemplos anteriores. Depois, na Seção 9.5, consideramos uma técnica poderosa, chamada 'eliminação parcial de redundância', para otimizar o posicionamento de cada avaliação de expressão no programa. A solução para esse problema demanda a solução de diversos problemas diferentes de fluxo de dados.

Na Seção 9.6, nos dedicamos à descoberta e análise de *loops* nos programas. A identificação dos *loops* conduz a outra família de algoritmos para solucionar problemas de fluxo de dados, que se baseia na estrutura hierárquica dos *loops* de um programa bem formado ('redutível'). Essa abordagem para a análise de fluxo de dados é explicada na Seção 9.7. Finalmente, a Seção 9.8 usa a análise hierárquica para eliminar as variáveis de indução (basicamente, variáveis que contam o número de iterações de um *loop*). Essa melhoria de código é uma das mais importantes que podemos fazer em programas escritos nas linguagens de programação mais utilizadas.

9.1 AS PRINCIPAIS FONTES DE OTIMIZAÇÃO

Uma otimização de compilador deve preservar a semântica do programa original. Exceto em circunstâncias muito especiais, quando um programador escolhe e implementa um algoritmo particular, o compilador não pode saber o suficiente sobre o programa para substituí-lo por um algoritmo substancialmente diferente e mais eficaz. Um compilador sabe apenas como aplicar transformações semânticas relativamente de baixo nível, usando fatos gerais como identidades algébricas, do tipo $i + 0 = i$, ou a semântica do programa, como o fato de que realizar a mesma operação sobre os mesmos valores gera o mesmo resultado.

9.1.1 CAUSAS DE REDUNDÂNCIA

Existem muitas operações redundantes em um programa típico. Às vezes, a redundância está disponível no nível de fonte. Por exemplo, um programador pode achar mais direto e conveniente recalcular algum resultado, deixando para o compilador reconhecer que somente um desses cálculos é necessário. Porém, mais freqüentemente, a redundância é um efeito colateral de o programa ter sido escrito em uma linguagem de alto nível. Na maioria das linguagens (que não sejam C ou C++, em que a aritmética de apontador é permitida), os programadores não têm escolha, exceto referir-se aos elementos de um arranjo ou aos campos de uma estrutura por meio de acessos do tipo A[i][j] ou X → f1.

Enquanto um programa é compilado, cada um desses acessos à estrutura de dados de alto nível se expande em uma série de operações aritméticas de baixo nível, como o cálculo do endereço do elemento (i, j)-ésimo de uma matriz A. Os acessos à mesma estrutura de dados freqüentemente compartilham muitas operações comuns de baixo nível. Os programadores não conhecem essas operações de baixo nível e não podem eliminar as redundâncias. Realmente é preferível, do ponto de vista da engenharia de software, que os programadores só acessem os elementos de dados por seus nomes em alto nível; os programas são mais fáceis de escrever e, principalmente, mais fáceis de entender e desenvolver. Deixando que um compilador elimine as redundâncias, teremos o melhor dos dois mundos: programas mais eficientes e mais fáceis de administrar.

9.1.2 Um exemplo executável: Quicksort

A seguir, usaremos um fragmento de um programa de ordenação, chamado *quicksort*, para ilustrar várias transformações importantes para melhoria de código. O programa C da Figura 9.1 é derivado de Sedgewick[1], que discutiu a otimização manual de tal programa. Não trataremos aqui dos sutis aspectos algorítmicos desse programa, como por exemplo o fato de que a[0] precisa conter o menor dos elementos ordenados, e a[max] o maior.

```
void quicksort(int m, int n)
    /* ordena recursivamente a[m] até a[n] */
{
    int i, j;
    int v, x;
    if (n <= m) return;
    /* o fragmento começa aqui */
    i = m-1; j = n; v = a[n];
    while (1) {
        do i = i + 1; while (a[i] < v);
        do j = j - 1; while (a[j] > v);
        if (i >= j) break;
        x = a[i]; a[i] = a[j]; a[j] = x; /* troca a[i], a[j] */
    }
    x = a[i]; a[i] = a[n]; a[n] = x; /* troca a[i], a[n] */
    /* fragmento termina aqui */
    quicksort(m,j); quicksort(i+1,n);
}
```

Figura 9.1 Código C para o quicksort.

Antes que possamos otimizar para remover as redundâncias nos cálculos de endereço, as operações de endereço em um programa precisam ser desmembradas em operações aritméticas de baixo nível, para expor as redundâncias. No restante deste capítulo, consideramos que a representação intermediária consiste em comandos de três endereços, onde variáveis temporárias são usadas para manter todos os resultados intermediários das expressões. O código intermediário para o fragmento marcado no programa da Figura 9.1 é mostrado na Figura 9.2.

Neste exemplo, consideramos que os inteiros ocupam quatro bytes. A atribuição x = a[i] é traduzida como na Seção 6.4.4 para as duas instruções de três endereços

$$t6 = 4*i$$
$$x = a[t6]$$

como mostram as etapas (14) e (15) da Figura 9.2. De modo semelhante, a[j] = x torna-se:

$$t10 = 4*j$$
$$a[t10] = x$$

nas etapas (20) e (21). Observe que todo o acesso a arranjo no programa original é traduzido em um par de passos, consistindo em uma multiplicação e uma operação de subscrito de arranjo. Como resultado, esse pequeno fragmento de programa é traduzido para uma seqüência um tanto longa de operações de três endereços.

---

1 R. Sedgewick, "Implementing Quicksoft Programs", *Comm. ACM*, 21, 1978, pp. 847-857.

(1)	i = m-1	(16)	t7 = 4*i
(2)	j = n	(17)	t8 = 4*j
(3)	t1 = 4*n	(18)	t9 = a[t8]
(4)	v = a[t1]	(19)	a[t7] = t9
(5)	i = i+1	(20)	t10 = 4*j
(6)	t2 = 4*i	(21)	a[t10] = x
(7)	t3 = a[t2]	(22)	goto (5)
(8)	if t3<v goto (5)	(23)	t11 = 4*i
(9)	j = j-1	(24)	x = a[t11]
(10)	t4 = 4*j	(25)	t12 = 4*i
(11)	t5 = a[t4]	(26)	t13 = 4*n
(12)	if t5>v goto (9)	(27)	t14 = a[t13]
(13)	if i>=j goto (23)	(28)	a[t12] = t14
(14)	t6 = 4*i	(29)	t15 = 4*n
(15)	x = a[t6]	(30)	a[t15] = x

FIGURA 9.2 Código de três endereços do fragmento da Figura 9.1.

A Figura 9.3 é o grafo de fluxo para o programa da Figura 9.2. O bloco B_1 é o nó de entrada. Todos os desvios condicionais e incondicionais para os comandos da Figura 9.2 foram substituídos na Figura 9.3 por desvios para o bloco no qual os comandos são líderes, como na Seção 8.4. Na Figura 9.3, existem três *loops*. Os blocos B_2 e B_3 são *loops* por si sós. Os blocos B_2, B_3, B_4 e B_5 juntos formam um *loop*, com um único ponto de entrada em B_2.

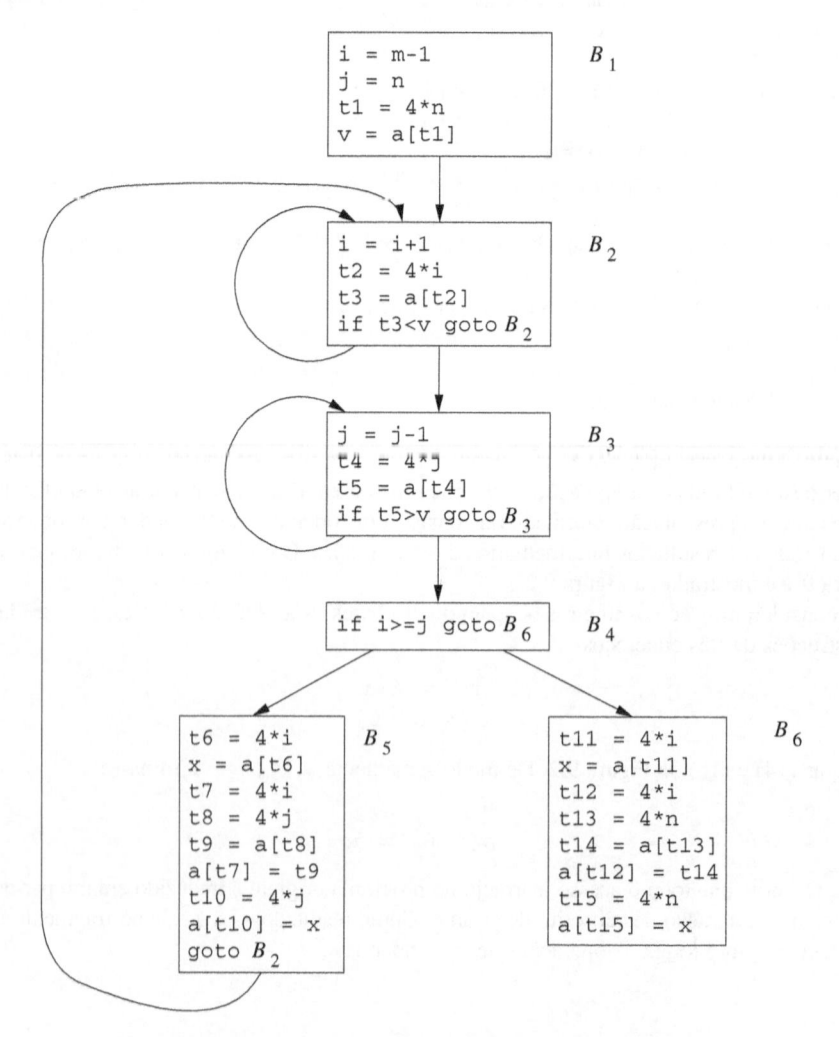

```
i = m-1
j = n
t1 = 4*n
v = a[t1]                B1

i = i+1
t2 = 4*i
t3 = a[t2]
if t3<v goto B2          B2

j = j-1
t4 = 4*j
t5 = a[t4]
if t5>v goto B3          B3

if i>=j goto B6          B4

t6 = 4*i        B5       t11 = 4*i        B6
x = a[t6]                x = a[t11]
t7 = 4*i                 t12 = 4*i
t8 = 4*j                 t13 = 4*n
t9 = a[t8]               t14 = a[t13]
a[t7] = t9               a[t12] = t14
t10 = 4*j                t15 = 4*n
a[t10] = x               a[t15] = x
goto B2
```

FIGURA 9.3 Grafo de fluxo para o fragmento do quicksort.

9.1.3 Transformações com preservação de semântica

Existem várias maneiras pelas quais um compilador pode melhorar um programa sem alterar a função que ele calcula. Eliminação de subexpressão comum, propagação de cópia, eliminação de código morto e desdobramento de constante são exemplos comuns dessas transformações de preservação de função (ou *preservação de semântica*); vamos examinar cada uma delas.

Freqüentemente, um programa incluirá vários cálculos do mesmo valor, como um deslocamento em um arranjo. Conforme dissemos na Seção 9.1.2, alguns desses cálculos duplicados não podem ser evitados pelo programador, porque estão abaixo do nível de detalhe acessível em uma linguagem fonte. Por exemplo, o bloco B_5 mostrado na Figura 9.4(a) recalcula 4 * i e 4 * j, embora nenhum desses cálculos fosse solicitado explicitamente pelo programador.

```
t6  = 4*i
x   = a[t6]
t7  = 4*i
t8  = 4*j
t9  = a[t8]
a[t7] = t9
t10 = 4*j
a[t10] = x
goto B2
```
B_5

(a) Antes

```
t6  = 4*i
x   = a[t6]
t8  = 4*j
t9  = a[t8]
a[t6] = t9
a[t8] = x
goto B2
```
B_5

(b) Depois

FIGURA 9.4 Eliminação de subexpressão comum local.

9.1.4 Subexpressões comuns globais

Uma ocorrência de uma expressão E é chamada de *subexpressão comum* se E tiver sido computado anteriormente e os valores das variáveis em E não tiverem mudado desde a computação anterior. Evitamos recomputar E se pudermos usar seu valor computado anteriormente; ou seja, se a variável x à qual a computação anterior de E foi atribuída não tiver mudado nesse ínterim.[2]

EXEMPLO 9.1: As atribuições a t7 e t10 na Figura 9.4(a) computam as subexpressões comuns 4 * i e 4 * j, respectivamente. Esses passos foram eliminados na Figura 9.4(b), que usa t6 no lugar de t7 e t8 no lugar de t10. ▪

EXEMPLO 9.2: A Figura 9.5 mostra o resultado da eliminação de subexpressões globais e locais nos blocos B_5 e B_6 do grafo de fluxo da Figura 9.3. Primeiro, discutimos a transformação de B_5, e depois mencionamos algumas sutilezas envolvendo arranjos.

Depois que as subexpressões comuns locais forem eliminadas, B_5 ainda avalia 4*i e 4*j, como mostra a Figura 9.4(b). Ambas são subexpressões comuns; em particular, os três comandos:

```
t8 = 4*j
t9 = a[t8]
a[t8] = x
```

em B_5 podem ser substituídos por

```
t9 = a[t4]
a[t4] = x
```

usando *t*4 computado no bloco B_3. Na Figura 9.5, observe que, quando o controle passa da avaliação de 4*j em B_3 para B_5, não há mudança em *j* e nem em *t*4, assim *t*4 pode ser usado se 4*j for necessário.

Outra subexpressão comum aparece em B_5 após *t*4 substituir *t*8. A nova expressão a[*t*4] corresponde ao valor de a[*j*] no nível de fonte. Não apenas *j* retém seu valor quando o controle sai de B_3 e então entra em B_5, mas também a[*j*], um valor computado em um temporário *t*5, pois não existem atribuições aos elementos do arranjo a nesse ínterim. Os comandos:

---

[2] Se *x* tiver mudado, ainda será possível reutilizar o cálculo de E se atribuirmos seu valor a uma nova variável *y*, assim como a x, e usarmos o valor de *y* no lugar de uma recomputação de E.

```
t9 = a[t4]
a[t6] = t9
```

em B_5, portanto, podem ser substituídos por:

```
a[t6] = t5
```

De modo semelhante, o valor atribuído a *x* no bloco B_5 da Figura 9.4(b) é visto como sendo o mesmo que o valor atribuído a *t3* no bloco B_2. O bloco B_5 na Figura 9.5 é o resultado da eliminação das subexpressões comuns correspondentes aos valores das expressões em nível de fonte *a[i]* e *a[j]* de B_5 na Figura 9.4(b). Uma série de transformações semelhantes foi feita em B_6 na Figura 9.5.

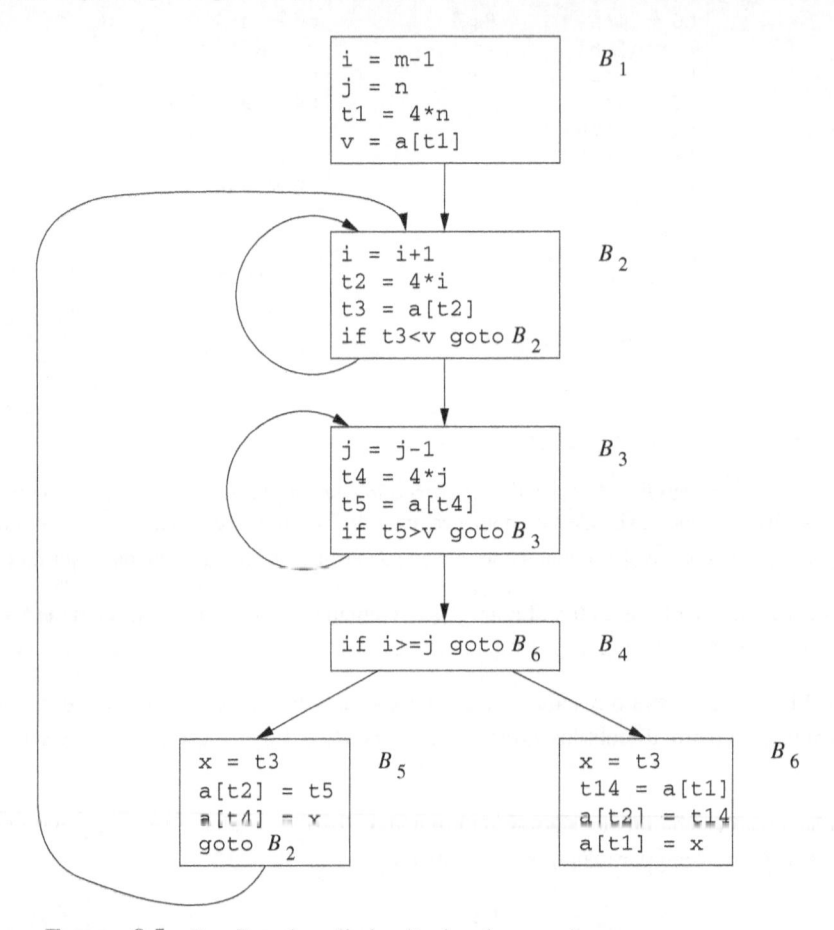

```
B₁:
i = m-1
j = n
t1 = 4*n
v = a[t1]

B₂:
i = i+1
t2 = 4*i
t3 = a[t2]
if t3<v goto B₂

B₃:
j = j-1
t4 = 4*j
t5 = a[t4]
if t5>v goto B₃

B₄:
if i>=j goto B₆

B₅:
x = t3
a[t2] = t5
a[t4] = x
goto B₂

B₆:
x = t3
t14 = a[t1]
a[t2] = t14
a[t1] = x
```

FIGURA 9.5 B_5 e B_6 após a eliminação de subexpressão comum.

A expressão *a[t1]* nos blocos B_1 e B_6 da Figura 9.5 *não* é considerada uma subexpressão comum, embora *t1* possa ser usado nos dois lugares. Depois que o controle sair de B_1 e antes de alcançar B_6, ele pode passar por B_5, onde existem atribuições para *a*. Logo, *a[t1]* pode não ter o mesmo valor ao atingir B_6, como tinha ao sair de B_1, e não é seguro tratar *a[t1]* como uma subexpressão comum.

9.1.5 Propagação de cópia

O bloco B_5, na Figura 9.5, pode ser melhorado ainda mais eliminando-se *x*, por meio de duas novas transformações. Uma delas trata das atribuições da forma u = v, chamadas *instruções de cópia*, ou *cópias*, para abreviar. Se tivéssemos entrado em mais detalhes no Exemplo 9.2, as cópias teriam surgido muito mais cedo, pois o algoritmo normal para eliminar subexpressões comuns as introduz, assim como vários outros algoritmos.

EXEMPLO 9.3: Para eliminar a subexpressão comum do comando c = d+e na Figura 9.6(a), temos de usar uma nova variável *t* para conter o valor de *d+e*. O valor da variável *t*, em vez daquele da expressão *d+e*, é atribuído a *c* na Figura 9.6(b). Como o controle pode alcançar c = d+e depois da atribuição de *a* ou depois da atribuição de *b*, seria incorreto substituir c = d+e por c = a ou por c = b.

```
       a = d+e      b = d+e              t = d+e     t = d+e
          ↘         ↙                    a = t       b = t
           c = d+e                           ↘       ↙
                                              c = t

              (a)                                (b)
```

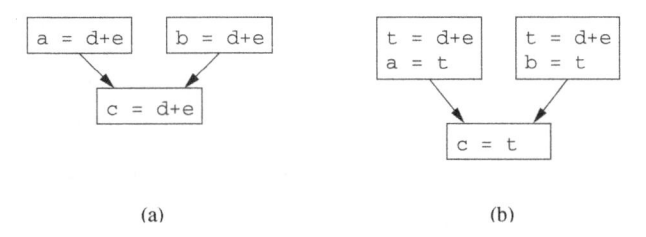

FIGURA 9.6 Cópias introduzidas durante a eliminação de subexpressão comum.

A idéia por trás da transformação por propagação de cópia é usar v por u, sempre que possível, após o comando de cópia $u = v$. Por exemplo, a atribuição x = t3 no bloco B_5 da Figura 9.5 é uma cópia. A propagação de cópia aplicada a B_5 gera o código da Figura 9.7. Essa mudança pode não parecer uma melhoria, mas, conforme veremos na Seção 9.1.6, ela nos dá a oportunidade de eliminar a atribuição a x.

```
x = t3
a[t2] = t5
a[t4] = t3
goto B₂
```

FIGURA 9.7 Bloco básico B_5 após propagação de cópia.

9.1.6 Eliminação de código morto

Uma variável estará *viva* em algum ponto de um programa se seu valor puder ser usado posteriormente; caso contrário, ela está *morta* nesse ponto. Uma idéia relacionada é o *código morto* (ou *inútil*) — comandos que computam valores que nunca serão usados. Embora o programador provavelmente não introduza código morto intencionalmente, ele pode aparecer como resultado de transformações anteriores.

EXEMPLO 9.4: Suponha que debug seja definido como TRUE ou FALSE em vários pontos do programa, e usado em comandos como:

```
if (debug) print ...
```

Talvez seja possível para o compilador deduzir que, toda vez que o programa atinge esse comando, o valor de debug é FALSE. Usualmente, isso acontece porque existe um comando particular:

```
debug = FALSE
```

que deve ser a última atribuição para debug antes de quaisquer testes do valor de debug, não importa a seqüência de desvios que o programa realmente tome. Se a propagação de cópia substituir debug por FALSE, então o comando print estará morto, porque não poderá ser alcançado. Podemos eliminar o teste e a operação print do código objeto. Geralmente, deduzir em tempo de compilação que o valor de uma expressão seja uma constante e usar a constante em seu lugar é algo conhecido como *desdobramento de constante*.

Uma vantagem da propagação de cópia é que ela freqüentemente transforma comandos de cópia em código morto. Por exemplo, a propagação de cópia seguida pela eliminação de código morto remove a atribuição a x e transforma o código da Figura 9.7 em:

```
a[t2] = t5
a[t4] = t3
goto B₂
```

Esse código é outra melhoria para o bloco B_5 da Figura 9.5.

9.1.7 Movimentação de código

Os *loops* constituem um local muito importante para otimizações, especialmente os *loops* internos, nos quais os programas costumam gastar a maior parte de seu tempo. O tempo de execução de um programa pode ser melhorado se diminuirmos o número de instruções em um *loop* interno, mesmo se aumentarmos a quantidade de código fora desse *loop*.

Uma modificação importante que diminui a quantidade de código em um *loop* é a *movimentação de código*. Essa transformação pega uma expressão que gera o mesmo resultado, independentemente do número de vezes que um *loop* é executado (um *cálculo do invariante do loop*) e a avalia antes do *loop*. Observe que a noção 'antes do *loop*' assume a existência de uma entrada para o *loop*, ou seja, um bloco básico para o qual seguirão todos os desvios de fora do *loop* (veja a Seção 8.4.5).

EXEMPLO 9.5: A avaliação de *limit* − 2 é um cálculo do invariante do *loop* no comando while a seguir:

```
while (i <= limit-2) /* comando não muda limit */
```

A movimentação de código resultará no código equivalente

```
t = limit-2
while (i <= t) /* comando não muda limit nem t */
```

Agora, o cálculo de *limit* − 2 é realizado uma vez, antes de entrarmos no *loop*. Anteriormente, haveria $n + 1$ cálculos de *limit* − 2 se tivéssemos n iterações do corpo do *loop*. ∎

9.1.8 VARIÁVEIS DE INDUÇÃO E REDUÇÃO DE FORÇA

Outra otimização importante é encontrar variáveis de indução em *loops* e otimizar seu cálculo. Uma variável x é considerada uma 'variável de indução' se houver uma constante positiva ou negativa c tal que, toda vez que x for atribuído, seu valor aumenta de acordo com c. Por exemplo, i e $t2$ são variáveis de indução no *loop* contendo B_2 da Figura 9.5. Variáveis de indução podem ser computadas com um único incremento (adição ou subtração) a cada iteração de *loop*. A transformação para substituir uma operação cara, como a multiplicação, por outra menos dispendiosa, como a adição, é conhecida como *redução de força*. Mas as variáveis de indução não apenas nos permitem efetuar às vezes uma redução de força; freqüentemente, é possível eliminar tudo, menos um grupo de variáveis de indução cujos valores permanecem em passo sincronizado enquanto percorremos o *loop*.

Quando o *loop* é processado, é útil trabalhar 'de dentro para fora'; ou seja, começar com os *loops* internos e prosseguir para os *loops* envolventes, progressivamente maiores. Assim, veremos como essa otimização se aplica ao nosso exemplo de quicksort, começando com um dos *loops* mais internos: B_3, isoladamente. Observe que os valores de j e $t4$ permanecem em sincronismo; toda vez que o valor de j diminui em 1, o valor de $t4$ diminui em 4, porque $4 * j$ é atribuído a $t4$. Essas variáveis, j e $t4$, formam assim um bom exemplo de um par de variáveis de indução.

Quando há duas ou mais variáveis de indução em um *loop*, pode ser possível livrar-se de todas menos de uma. Para o *loop* interno de B_3 na Figura 9.5, não podemos livrar-nos completamente nem de j nem de $t4$: $t4$ é usada em B_3 e j é usada em B_4. Contudo, podemos ilustrar a redução de força em uma parte do processo de eliminação da variável de indução. Por fim, j será eliminada quando o *loop* externo, consistindo nos blocos B_2, B_3, B_4 e B_5, for considerado.

EXEMPLO 9.6: Como o relacionamento $t4 = 4 * j$ certamente se mantém após a atribuição a $t4$ na Figura 9.5, e $t4$ não é alterado em nenhum outro lugar no *loop* interno de B_3, segue-se que, logo depois do comando `j = j-1`, o relacionamento $t4 = 4 * j + 4$ deverá ser mantido. Portanto, podemos substituir a atribuição `t4=4*j` por `t4=t4-4`. O único problema é que $t4$ não tem um valor quando entramos no bloco B_3 pela primeira vez.

Como devemos manter o relacionamento $t4 = 4*j$ na entrada do bloco B_3, colocamos uma inicialização de $t4$ no fim do bloco onde o próprio j é inicializado, mostrado pela adição da parte tracejada no bloco B_1 da Figura 9.8. Embora tenhamos incluído mais uma instrução, que é executada uma vez no bloco B_1, a substituição de uma multiplicação por uma subtração acelerará o código objeto se a multiplicação exigir mais tempo que a adição ou subtração, como é o caso em muitas máquinas.

Concluímos esta seção com mais um caso de eliminação da variável de indução. Este exemplo trata i e j no contexto do *loop* externo contendo B_2, B_3, B_4 e B_5.

EXEMPLO 9.7: Após a redução de força ser aplicada aos *loops* internos em torno de B_2 e B_3, o único uso de i e j é determinar o resultado do teste no bloco B_4. Sabemos que os valores de i e $t2$ satisfazem o relacionamento $t2 = 4*i$, enquanto os de j e $t4$ satisfazem o relacionamento $t4 = 4 * j$. Assim, o teste $t2 \geq t4$ pode substituir $i \geq j$. Quando essa substituição é feita, i no bloco B_2 e j no bloco B_3 se tornam variáveis mortas, e as atribuições a eles nesses blocos se tornam código morto, podendo ser eliminadas. O grafo de fluxo resultante aparece na Figura 9.9. ∎

As transformações para melhoria de código que discutimos foram eficazes. Na Figura 9.9, o número de instruções nos blocos B_2 e B_3 foi reduzido de 4 para 3, em comparação com o grafo de fluxo original da Figura 9.3. Em B_5, o número foi reduzido de 9 para 3; e em B_6, de 8 para 3. É verdade que B_1 aumentou de quatro instruções para seis, mas B_1 é executado apenas uma vez no fragmento de código, de modo que o tempo total de execução quase não é afetado pelo tamanho de B_1.

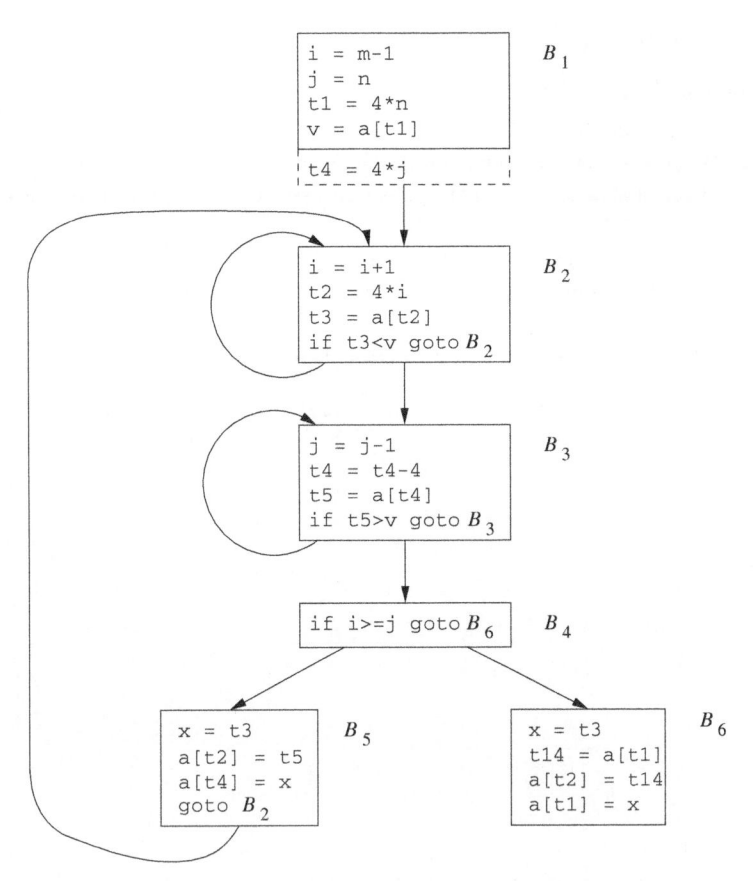

CAPÍTULO 9: OTIMIZAÇÕES INDEPENDENTES DE MÁQUINA

```
           B1
i = m-1
j = n
t1 = 4*n
v = a[t1]

t4 = 4*j
```

```
           B2
i = i+1
t2 = 4*i
t3 = a[t2]
if t3<v goto B2
```

```
           B3
j = j-1
t4 = t4-4
t5 = a[t4]
if t5>v goto B3
```

```
           B4
if i>=j goto B6
```

```
           B5              B6
x = t3              x = t3
a[t2] = t5          t14 = a[t1]
a[t4] = x           a[t2] = t14
goto B2             a[t1] = x
```

FIGURA 9.8 Redução de força aplicada a $4 * j$ no bloco B_3.

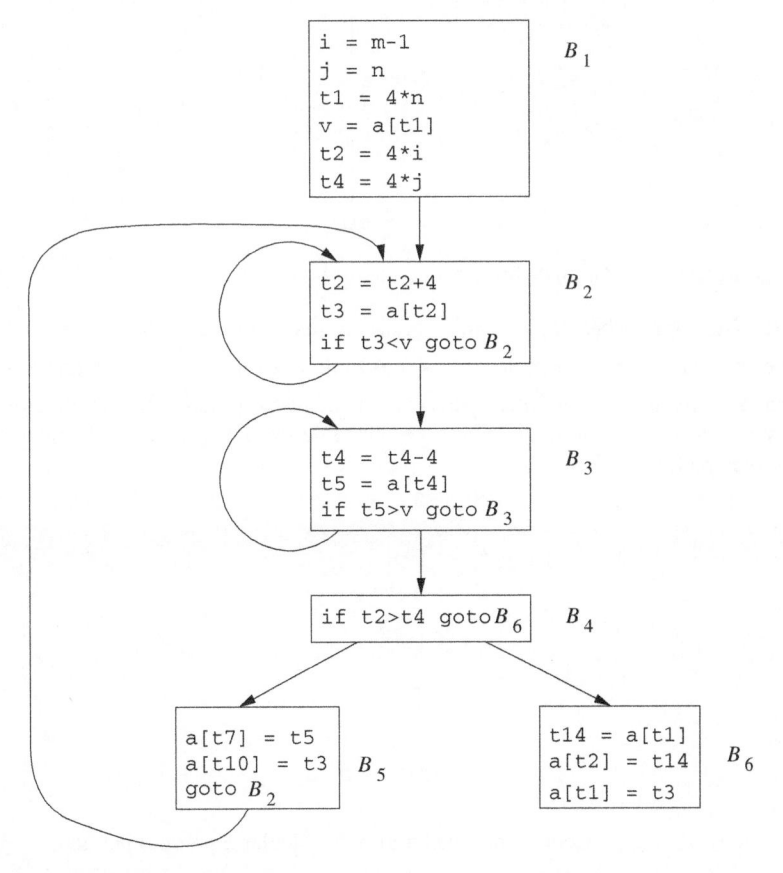

```
           B1
i = m-1
j = n
t1 = 4*n
v = a[t1]
t2 = 4*i
t4 = 4*j
```

```
           B2
t2 = t2+4
t3 = a[t2]
if t3<v goto B2
```

```
           B3
t4 = t4-4
t5 = a[t4]
if t5>v goto B3
```

```
           B4
if t2>t4 goto B6
```

```
           B5              B6
a[t7] = t5          t14 = a[t1]
a[t10] = t3         a[t2] = t14
goto B2             a[t1] = t3
```

FIGURA 9.9 Grafo de fluxo após eliminação da variável de indução.

9.1.9 Exercícios da Seção 9.1

Exercício 9.1.1: Para o grafo de fluxo da Figura 9.10:

a) Identifique os *loops* do grafo de fluxo.
b) Os comandos (1) e (2) em B_1 são ambos comandos de cópia, em que a e b recebem valores constantes. Para quais usos de a e b podemos realizar propagação de cópia e substituir esses usos de variáveis por usos de uma constante? Faça isso, sempre que possível.
c) Identifique todas as subexpressões globais comuns para cada *loop*.
d) Identifique todas as variáveis de indução para cada *loop*. Não se esqueça de levar em conta todas as constantes introduzidas em (b).
e) Identifique todas os cálculos de invariantes de *loop* para cada *loop*.

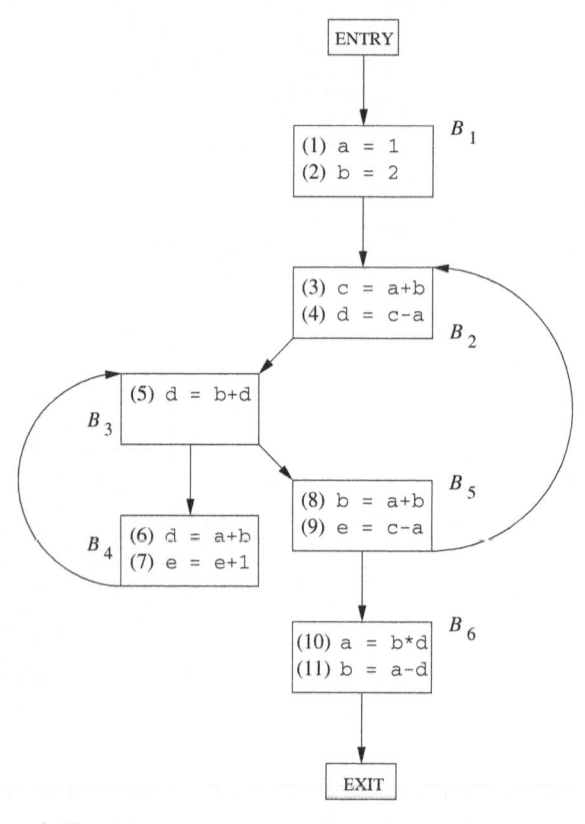

```
                    ENTRY
                      │
                      ▼
              ┌─────────────┐  B₁
              │ (1) a = 1   │
              │ (2) b = 2   │
              └─────────────┘
                      │
                      ▼
              ┌─────────────┐
              │ (3) c = a+b │
              │ (4) d = c-a │  B₂
              └─────────────┘
   ┌──────────────┐        │
   │ (5) d = b+d  │◄───────┤
   │              │ B₃     │
   └──────────────┘        ▼
          │         ┌─────────────┐
          │         │ (8) b = a+b │  B₅
          ▼         │ (9) e = c-a │
   ┌──────────────┐ └─────────────┘
 B₄│ (6) d = a+b  │        │
   │ (7) e = e+1  │        │
   └──────────────┘        │
                           ▼
                   ┌─────────────┐  B₆
                   │(10) a = b*d │
                   │(11) b = a-d │
                   └─────────────┘
                           │
                           ▼
                         EXIT
```

FIGURA 9.10 Grafo de fluxo para o Exercício 9.1.1.

Exercício 9.1.2: Aplique as transformações desta seção ao grafo de fluxo da Figura 8.9.

Exercício 9.1.3: Aplique as transformações desta seção aos seus grafos de fluxo de (a) Exercício 8.4.1; (b) Exercício 8.4.2.

Exercício 9.1.4: Na Figura 9.11 está o código intermediário para calcular o produto pontual de dois vetores A e B. Otimize esse código eliminando subexpressões comuns, realizando a redução de força nas variáveis de indução e eliminando todas as variáveis de indução que você puder.

```
        dp = 0.
        i = 0
   L:   t1 = i*8
        t2 = A[t1]
        t3 = i*8
        t4 = B[t3]
        t5 = t2*t4
        dp = dp+t5
        i = i+1
        if i<n goto L
```

FIGURA 9.11 Código intermediário para calcular o produto pontual.

9.2 Introdução à análise de fluxo de dados

Todas as otimizações introduzidas na Seção 9.1 dependem da *análise de fluxo de dados*. A 'análise de fluxo de dados' refere-se a um conjunto de técnicas que derivam informações sobre o fluxo de dados ao longo dos caminhos de execução do programa. Por exemplo, uma maneira de implementar a eliminação de subexpressão comum global requer que determinemos se duas expressões textualmente idênticas são avaliadas com o mesmo valor em qualquer caminho de execução possível do programa. Como outro exemplo, se o resultado de uma atribuição não for usado ao longo de algum caminho de execução subseqüente, podemos eliminar a atribuição como código morto. Estas e muitas outras questões importantes podem ser respondidas pela análise de fluxo de dados.

9.2.1 A abstração do fluxo de dados

Segundo a Seção 1.6.2, a execução de um programa pode ser vista como uma série de transformações do estado do programa, que consiste nos valores de todas as variáveis do programa, incluindo aquelas associadas aos registros de ativação abaixo do topo da pilha de execução. Cada execução de um comando em código intermediário transforma um estado de entrada em um novo estado de saída. O estado de entrada está associado ao *ponto do programa antes* do comando e o estado de saída está associado ao *ponto do programa após* o comando.

Quando analisamos o comportamento de um programa devemos considerar, usando um grafo de fluxo, todas as seqüências possíveis de pontos do programa ('caminhos') que sua execução pode tomar. Então, extraímos dos possíveis estados do programa em cada ponto a informação de que precisamos para o problema específico de análise de fluxo de dados que queremos solucionar. Nas análises mais complexas, devemos considerar caminhos que desviam para grafos de fluxo associados a diversos procedimentos, enquanto chamadas e retornos são executados. Contudo, para iniciar nosso estudo, vamos concentrar-nos nos caminhos por um único grafo de fluxo para um único procedimento.

Vejamos o que o grafo de fluxo nos diz sobre os possíveis caminhos de execução.

- Em um bloco básico, o ponto do programa após um comando é o mesmo que o ponto do programa antes do próximo comando.
- Se houver uma aresta do bloco B_1 para o bloco B_2, o ponto do programa após o último comando de B_1 pode ser seguido imediatamente pelo ponto do programa antes do primeiro comando de B_2.

Assim, podemos definir um *caminho de execução* (ou apenas *caminho*) a partir do ponto p_1 para o ponto p_n como sendo a seqüência de pontos $p_1, p_2,...,p_n$ tal que, para cada $i = 1,2,...,n-1$, ou

1. p_i é o ponto imediatamente anterior a um comando e p_{i+1} é o ponto imediatamente após esse mesmo comando, ou
2. p_i é o fim de algum bloco e p_{i+1} é o início de um bloco sucessor.

Geralmente, existe um número infinito de caminhos de execução possíveis ao longo de um programa, e não há um limite superior finito para o tamanho de um caminho de execução. As análises de um programa resumem todos os estados de programa possíveis que podem ocorrer em um ponto do programa com um conjunto finito de fatos. Diferentes análises podem escolher abstrair-se de informações diferentes e, em geral, nenhuma análise é necessariamente uma representação perfeita do estado.

Exemplo 9.8: Até mesmo o programa simples da Figura 9.12 descreve um número ilimitado de caminhos de execução. Não entrando no *loop* em momento algum, o caminho de execução completo mais curto consiste nos pontos do programa (1, 2, 3, 4, 9). O próximo caminho mais curto executa uma iteração do *loop* e consiste nos pontos (1, 2, 3, 4, 5, 6, 7, 8, 3, 4, 9). Sabemos que, por exemplo, a primeira vez em que o ponto (5) do programa é executado, o valor de a é 1 devido à definição d_1. Dizemos que d_1 *alcança* o ponto (5) na primeira iteração. Em iterações subseqüentes, d_3 alcança o ponto (5) e o valor de a é 243.

Em geral, não é possível manter o registro de todos os estados do programa para todos os caminhos possíveis. Na análise de fluxo de dados, não distinguimos entre os caminhos tomados para alcançar um ponto do programa. Além do mais, não registramos os estados inteiros; em vez disso, abstraímos certos detalhes, mantendo apenas os dados de que precisamos para efeito de análise. Dois exemplos ilustrarão como os mesmos estados de um programa podem conduzir a diferentes informações abstraídas em um ponto.

1. Para auxiliar os usuários a depurar seus programas, podemos querer descobrir todos os valores que uma variável pode ter em um ponto do programa, e onde esses valores podem ser definidos. Por exemplo, podemos resumir todos os estados do programa no ponto (5) dizendo que o valor de a é um dentre {1,243}, e que ele pode ser definido por um dentre $\{d_1,d_3\}$. As definições que *podem* alcançar um ponto do programa ao longo de algum caminho são conhecidas como *definições de alcance*.

2. Suponha que, em vez disso, estejamos interessados em implementar o desdobramento de constante. Se um uso da variável x for alcançado apenas por uma definição, e essa definição atribuir uma constante a x, podemos simplesmente substituir x pela constante. Se, por outro lado, várias definições de x puderem alcançar um único ponto do programa, não poderemos efetuar o desdobramento de constante para x. Assim, para o desdobramento de constante, queremos encontrar definições

que sejam a definição única de sua variável a alcançar determinado ponto do programa, não importa qual seja o caminho de execução tomado. Para o ponto (5) da Figura 9.12, não existe uma definição que *deva* ser a definição de *a* nesse ponto, de modo que esse conjunto é vazio para *a* no ponto (5). Mesmo que uma variável tenha uma única definição em um ponto, essa definição precisa atribuir uma constante à variável. Assim, podemos simplesmente descrever certas variáveis como 'não constantes', em vez de coletar todos os seus valores possíveis ou todas as suas definições possíveis.

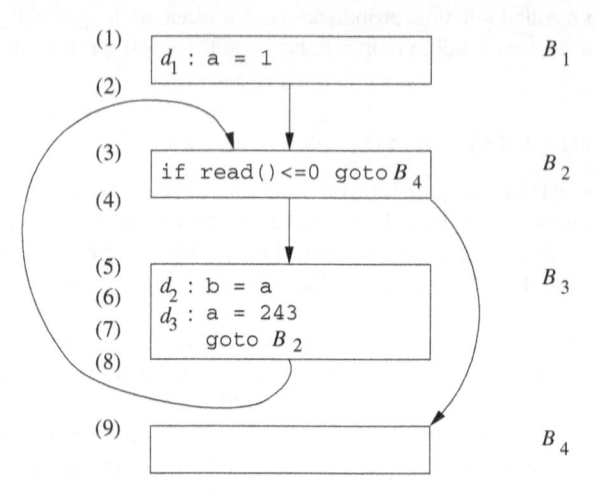

```
(1)
      d₁ : a = 1                  B₁
(2)

(3)
      if read()<=0 goto B₄         B₂
(4)

(5)
(6)   d₂ : b = a
      d₃ : a = 243                 B₃
(7)
         goto B₂
(8)

(9)                                B₄
```

FIGURA 9.12 Exemplo de um programa ilustrando a abstração do fluxo de dados.

Assim, vemos que a mesma informação pode ser resumida de formas diferentes, dependendo da finalidade da análise.

9.2.2 O esquema da análise de fluxo de dados

Em cada aplicação da análise de fluxo de dados, associamos a todo ponto do programa um *valor de fluxo de dados* que representa uma abstração do conjunto de todos os estados do programa possíveis observáveis nesse ponto. O conjunto dos valores de fluxo de dados possíveis é o *domínio* para essa aplicação. Por exemplo, o domínio dos valores de fluxo de dados para alcançar as definições é o conjunto de todos os subconjuntos de definições do programa. Um valor de fluxo de dados particular é um conjunto de definições, e queremos associar a cada ponto do programa o conjunto exato de definições que podem alcançar esse ponto. Conforme discutimos anteriormente, a escolha da abstração depende do objetivo da análise; para ser eficiente, só registramos a informação que é relevante.

Denotamos os valores de fluxo de dados antes e depois de cada comando *s* por IN[*s*] e OUT[*s*], respectivamente. O *problema do fluxo de dados* é encontrar uma solução para um conjunto de restrições nos valores IN[*s*] e OUT[*s*], para todos os comandos *s*. Existem dois conjuntos de restrições: aquelas baseadas na semântica do comando ('funções de transferência') e aquelas baseadas no fluxo de controle.

Funções de transferência

Os valores de fluxo de dados antes e depois de um comando são restringidos pela semântica do comando. Por exemplo, suponha que nossa análise de fluxo de dados envolva determinar o valor constante das variáveis nos pontos. Se a variável *a* tiver valor *v* antes de executar o comando b = a, tanto *a* quanto *b* terão o valor *v* após o comando. O relacionamento entre os valores de fluxo de dados antes e depois do comando de atribuição é conhecido como *função de transferência*.

As funções de transferência são de dois tipos: a informação pode propagar-se para frente, ao longo dos caminhos de execução, ou pode fluir para trás, pelos caminhos de execução. Em um problema de fluxo para frente, a função de transferência de um comando *s*, a qual usualmente denotamos como f_s, pega o valor de fluxo de dados antes do comando e produz um novo valor de fluxo de dados após o comando. Ou seja,

$$\text{OUT}[s] = f_s(\text{IN}[s]).$$

Por outro lado, em um problema de fluxo para trás, a função de transferência f_s para o comando *s* converte um valor de fluxo de dados após o comando para um novo valor de fluxo de dados antes do comando. Ou seja,

$$\text{IN}[s] = f_s(\text{OUT}[s]).$$

Restrições do fluxo de controle

O segundo conjunto de restrições sobre os valores do fluxo de dados é derivado do fluxo de controle. Em um bloco básico, o fluxo de controle é simples. Se um bloco B consiste nos comandos $s_1, s_2, ..., s_n$, nessa ordem, então o valor do fluxo de controle saindo de s_i é o mesmo que o valor de fluxo de controle entrando em s_{i+1}. Ou seja,

$$\text{IN}[s_{i+1}] = \text{OUT}[s_i], \text{ para todo } i = 1, 2, ..., n - 1.$$

Contudo, as arestas do fluxo de controle entre os blocos básicos criam restrições mais complexas entre o último comando de um bloco básico e o primeiro comando do bloco seguinte. Por exemplo, se estivermos interessados em coletar todas as definições que podem alcançar um ponto do programa, então o conjunto de definições alcançando o comando líder de um bloco básico é a união das definições após os últimos comandos de cada um dos blocos predecessores. A seção seguinte contém os detalhes de como os dados fluem entre os blocos.

9.2.3 ESQUEMAS DE FLUXO DE DADOS NOS BLOCOS BÁSICOS

Como um esquema de fluxo de dados tecnicamente envolve os valores de fluxo de dados em cada ponto no programa, podemos economizar tempo e espaço reconhecendo que, em geral, o que acontece em um bloco é muito simples. O controle flui do início até o fim do bloco, sem interrupção ou desvio. Então, podemos redeclarar o esquema em termos dos valores de fluxo de dados entrando e saindo dos blocos. Denotamos os valores de fluxo de dados imediatamente antes e imediatamente após cada bloco básico B por $\text{IN}[B]$ e $\text{OUT}[B]$, respectivamente. As restrições envolvendo $\text{IN}[B]$ e $\text{OUT}[B]$ podem ser derivadas daquelas envolvendo $\text{IN}[s]$ e $\text{OUT}[s]$ para os diversos comandos s em B da forma a seguir.

Suponha que o bloco B consista nos comandos $s_1, ..., s_n$, nessa ordem. Se s_1 é o primeiro comando do bloco básico B, então $\text{IN}[B] = \text{IN}[s_1]$. De modo semelhante, se s_n é o último comando do bloco básico B, então $\text{OUT}[B] = \text{OUT}[s_n]$. A função de transferência de um bloco básico B, a qual denotamos como f_B, pode ser derivada pela composição das funções de transferência dos comandos no bloco. Ou seja, considere que f_{si} seja a função de transferência do comando s_i. Então, $f_B = f_{sn} \circ ... \circ f_{s2} \circ f_{s1}$. O relacionamento entre o início e o fim do bloco é

$$\text{OUT}[B] = f_B(\text{IN}[B]).$$

As restrições devidas ao fluxo de controle entre os blocos básicos podem ser facilmente reescritas substituindo-se $\text{IN}[s_1]$ e $\text{OUT}[s_n]$ por $\text{IN}[B]$ e $\text{OUT}[B]$, respectivamente. Por exemplo, se os valores de fluxo de dados são informações sobre os conjuntos de constantes que *podem* ser atribuídas a uma variável, então temos um problema de fluxo para frente, no qual:

$$\text{IN}[B] = \bigcup\nolimits_{P \text{ um predecessor de } B} \text{OUT}[P].$$

Quando o fluxo de dados é para trás, como veremos em breve na análise de variável viva, as equações são semelhantes, mas com os papéis dos INs e OUTs invertidos. Ou seja,

$$\text{IN}[B] = f_B(\text{OUT}[B])$$
$$\text{OUT}[B] = \bigcup\nolimits_{S \text{ um sucessor de } B} \text{IN}[S].$$

Ao contrário das equações aritméticas lineares, as equações de fluxo de dados não costumam possuir uma única solução. Nosso objetivo é encontrar a solução mais 'precisa' que satisfaça os dois conjuntos de restrições: restrições de fluxo de controle e das funções de transferência. Ou seja, precisamos de uma solução que encoraje as melhorias de código válidas, mas que não justifique transformações inseguras - aquelas que mudam o que o programa computa. Essa questão é discutida resumidamente na caixa 'Conservantismo na análise de fluxo de dados' e com mais profundidade na Seção 9.3.4. Nas subseções seguintes, discutimos alguns dos exemplos mais importantes dos problemas que podem ser solucionados pela análise de fluxo de dados.

9.2.4 DEFINIÇÕES DE ALCANCE

'Definições de alcance' são um dos esquemas de fluxo de dados mais comuns e mais úteis. Sabendo onde em um programa cada variável x pode ter sido definida quando o controle alcança cada ponto p, é possível determinar muitas informações sobre x. Citando apenas dois exemplos, um compilador pode saber se x é uma constante no ponto p, e um depurador pode dizer se é possível que x seja uma variável indefinida, caso x seja usado em p.

Dizemos que uma definição d *alcança* um ponto p se houver um caminho do ponto imediatamente após d para p, tal que d não seja 'morto' ao longo desse caminho. *Matamos* uma definição de uma variável x se houver qualquer outra definição de x em algum outro ponto ao longo do caminho.[3] Intuitivamente, se uma definição d de alguma variável x alcançar o ponto p, então d poderia ser o local no qual o valor de x usado em p foi definido pela última vez.

---

3 Observe que o caminho pode ter *loops*, de modo que poderíamos chegar a outra ocorrência de d ao longo do caminho, o que não 'mata' d.

Uma definição de uma variável *x* é um comando que atribui (ou pode atribuir) um valor a *x*. Parâmetros de procedimento, acessos a arranjo e referências indiretas podem ter *sinônimos (aliases)*, e não é fácil saber se um comando está referindo-se a uma variável *x* em particular. A análise do programa precisa ser conservadora; se não sabemos se um comando *s* está atribuindo um valor a *x*, devemos considerar que ele *pode* atribuir, ou seja, a variável *x* após o comando *s* pode ter seu valor original antes de *s* ou o novo valor criado por *s*. Por questão de simplicidade, o restante do capítulo considera que estamos tratando apenas com variáveis que não possuem *sinônimos*. Essa classe de variáveis inclui todas as variáveis escalares locais na maioria das linguagens; no caso de C e C++, as variáveis locais cujos endereços foram calculados em algum ponto são excluídas.

Detectando possíveis usos antes da definição

Veja aqui como usar uma solução do problema de definição de alcance para detectar os usos antes da definição. O truque é introduzir uma definição fictícia para cada variável *x* na entrada do grafo de fluxo. Se a definição fictícia de *x* alcançar um ponto *p* onde *x* poderia ser usado, então pode haver uma oportunidade de usar *x* antes da definição. Observe que nunca estaremos absolutamente certos de que o programa tem um erro, pois pode haver algum motivo, possivelmente envolvendo um argumento lógico complexo, para que o caminho ao longo do qual *p* é alcançado nunca possa ser tomado sem uma definição real de *x*.

EXEMPLO 9.9: A Figura 9.13 mostra um grafo de fluxo com sete definições. Vamos focalizar nas definições que alcançam o bloco B_2. Todas as definições do bloco B_1 alcançam o início do bloco B_2. A definição d_5: j = j-1 no bloco B_2 também alcança o início do bloco B_2, pois nenhuma outra definição de *j* pode ser encontrada no *loop* levando de volta a B_2. Essa definição, contudo, mata a definição d_2: j = n, impedindo-a de alcançar B_3 ou B_4. No entanto, o comando d_4: i = i+1 em B_2 não alcança o início de B_2, porque a variável *i* é sempre redefinida por d_7: i = u3. Finalmente, a definição d_6: a = u2 também alcança o início do bloco B_2.

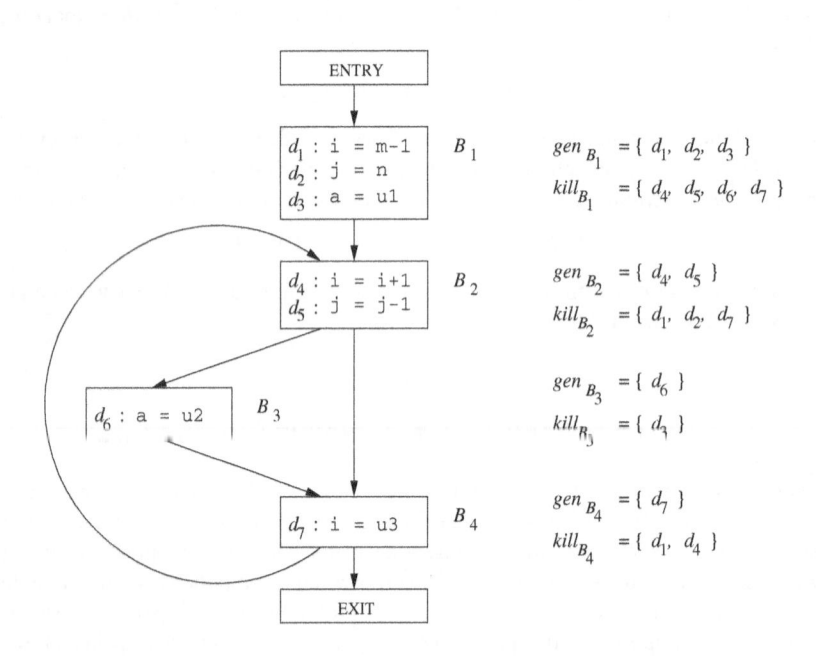

```
                    ENTRY
                      │
                      ▼
              ┌─────────────────┐
              │ d₁ : i = m-1    │  B₁     gen_B₁  = { d₁, d₂, d₃ }
              │ d₂ : j = n      │
              │ d₃ : a = u1     │        kill_B₁ = { d₄, d₅, d₆, d₇ }
              └─────────────────┘
                      │
                      ▼
              ┌─────────────────┐
              │ d₄ : i = i+1    │  B₂     gen_B₂  = { d₄, d₅ }
              │ d₅ : j = j-1    │
              └─────────────────┘        kill_B₂ = { d₁, d₂, d₇ }
                      │
                      ▼
              ┌─────────────────┐        gen_B₃  = { d₆ }
  d₆ : a = u2 │       B₃        │
              └─────────────────┘        kill_B₃ = { d₃ }
                      │
                      ▼
              ┌─────────────────┐        gen_B₄  = { d₇ }
              │ d₇ : i = u3     │  B₄
              └─────────────────┘        kill_B₄ = { d₁, d₄ }
                      │
                      ▼
                    EXIT
```

FIGURA 9.13 Grafo de fluxo para ilustrar as definições de alcance.

A determinação das definições de alcance, como fizemos, às vezes gera imprecisões. Contudo, todas elas estão em direção 'segura', ou 'conservativa'. Observe nossa suposição de que todas as arestas em um grafo de fluxo podem ser atravessadas. Esta suposição pode não ser verdadeira na prática. Por exemplo, no fragmento de programa a seguir, independentemente dos valores de *a* e *b*, o fluxo de controle não pode realmente alcançar *o comando* 2.

       if (a == b) comando 1; else if (a == b) comando 2;

Em geral, decidir se cada um dos caminhos em um grafo de fluxo pode ser seguido é um problema indecidível. Assim, simplesmente consideramos que todo caminho no grafo de fluxo pode ser seguido em alguma execução do programa. Na maioria das aplicações de definições de alcance, a posição conservadora é considerar que uma definição pode alcançar um ponto, mesmo que não possa. Assim, podemos permitir caminhos que nunca são seguidos em nenhuma execução do programa, e podemos permitir que as definições passem com segurança por definições ambíguas da mesma variável.

> **Conservantismo na análise de fluxo de dados**
>
> Como todos os esquemas de fluxo de dados calculam aproximações da verdade básica (conforme definida por todos os caminhos de execução possíveis do programa), somos obrigados a garantir que quaisquer erros são na direção 'segura'. Uma decisão de política é *segura* (ou *conservativa*) se nunca nos permitir mudar o que o programa calcula. Infelizmente, as políticas seguras podem fazer-nos perder algumas melhorias no código, os quais reteriam o significado do programa, mas em praticamente todas as otimizações de código não existe uma política segura, que não perca nada. Geralmente, seria inaceitável usar uma política insegura, ou seja, que acelere o código, mas mude o que o programa calcula.
>
> Assim, ao projetar um esquema de fluxo de dados, devemos estar conscientes de como a informação será usada, e garantir que quaisquer aproximações que fizermos estejam na direção 'conservativa' ou 'segura'. Cada esquema e aplicação devem ser considerados independentemente. Por exemplo, se usarmos definições de alcance para o desdobramento de constante, é seguro pensar que uma definição é alcançada quando ela não é (poderíamos pensar que x não é uma constante, quando de fato ela é e poderia ter sido desdobrada). Mas não é seguro pensar que uma definição não é alcançada quando ela é (poderíamos substituir x por uma constante, quando o programa, às vezes, teria um valor para x diferente dessa constante).

Equações de transferência para definições de alcance

Agora, vamos configurar as restrições para o problema de definições de alcance. Começamos examinando os detalhes de um único comando. Considere a definição

$$d: \mathtt{u\ =\ v+w}$$

Aqui, e freqüentemente no texto a seguir, + é usado como um operador binário genérico.

Esse comando 'gera' uma definição d da variável u e 'mata' todas as outras definições da variável u no programa, enquanto deixa as definições restantes sem serem afetadas. A função de transferência da definição d, assim, pode ser expressa como:

$$f_d(x) = gen_d \cup (x - kill_d) \tag{9.1}$$

onde $gen_d = \{d\}$, o conjunto de definições geradas pelo comando, e $kill_d$ é o conjunto de todas as outras definições de u no programa.

Conforme discutimos na Seção 9.2.2, a função de transferência de um bloco básico pode ser encontrada compondo-se as funções de transferência dos comandos ali contidos. A composição das funções no formato (9.1), ao qual vamos chamar de 'formato *gen-kill*', também tem essa forma, conforme veremos a seguir. Suponha que haja duas funções $f_1(x) = gen_1 \cup (x - kill_1)$ e $f_2(x) = gen_2 \cup (x - kill_2)$. Então,

$$\begin{aligned}f_2(f_1(x)) &= gen_2 \cup (gen_1 \cup (x - kill_1) - kill_2) \\ &= (gen_2 \cup (gen_1 - kill_2)) \cup (x - (kill_1 \cup kill_2))\end{aligned}$$

Essa regra se estende a um bloco que consiste em qualquer quantidade de comandos. Suponha que o bloco B tenha n comandos, com funções de transferência $f_i(x) = gen_i \cup (x - kill_i)$ para $i = 1, 2, \ldots, n$. Então, a função de transferência para o bloco B pode ser escrita como:

$$f_B(x) = gen_B \cup (x - kill_B),$$

onde

$$kill_B = kill_1 \cup kill_2 \cup \ldots \cup kill_n$$

e

$$\begin{aligned}gen_B = {}&gen_n \cup (gen_{n-1} - kill_n) \cup (gen_{n-2} - kill_{n-1} - kill_n) \cup \\ &\ldots \cup (gen_1 - kill_2 - kill_3 - \ldots - kill_n)\end{aligned}$$

Assim, da mesma forma que um comando, um bloco básico também gera um conjunto de definições e mata um conjunto de definições. O conjunto *gen* contém todas as definições dentro do bloco que são 'visíveis' imediatamente após o bloco — referimo-nos a elas como *expostas para baixo*. Uma definição é exposta para baixo em um bloco básico somente se não for 'morta' por uma definição subseqüente à mesma variável dentro do mesmo bloco básico. Um conjunto *kill* de um bloco básico é simplesmente a união de todas as definições mortas pelos comandos individuais. Observe que uma definição pode aparecer no conjunto *gen* e *kill* de um bloco básico. Nesse caso, o fato de estar no *gen* tem precedência, porque no formato *gen-kill*, o conjunto *kill* é aplicado antes do conjunto *gen*.

EXEMPLO 9.10: O conjunto *gen* para o bloco básico

$$d_1: a = 3$$
$$d_2: a = 4$$

é $\{d_2\}$, pois d_1 não é exposto para baixo. O conjunto *kill* contém tanto d_1 quanto d_2, pois d_1 mata d_2 e vice-versa. Apesar disso, como a subtração do conjunto *kill* precede a operação de união com o conjunto *gen*, o resultado da função de transferência para esse bloco sempre inclui a definição d_2.

Equações de fluxo de controle

Em seguida, consideramos o conjunto de restrições derivadas do fluxo de controle entre os blocos básicos. Como uma definição alcança um ponto no programa desde que exista pelo menos um caminho ao longo do qual a definição alcança, OUT[P] $\subseteq$ IN[B] sempre que houver uma aresta de fluxo de controle de P para B. Contudo, como uma definição não pode alcançar um ponto a menos que haja um caminho pelo qual ela o alcance, IN[B] não precisa ser maior do que a união das definições de alcance de todos os blocos predecessores. Ou seja, é seguro considerar que:

$$\text{IN}[B] = \bigcup_{P \text{ um predecessor de } B} \text{OUT}[P]$$

Nós nos referimos à união como o *operador* meet para as definições de alcance. Em qualquer esquema de fluxo de dados, o operador meet é aquele que usamos para criar um resumo das contribuições de diferentes caminhos na confluência desses caminhos.

Algoritmo iterativo para definições de alcance

Consideramos que todo grafo de fluxo de controle contém dois blocos básicos vazios, um nó ENTRY, que representa o ponto inicial do grafo, e um nó EXIT, para o qual vão todas as saídas do grafo. Como nenhuma definição alcança o nó inicial do grafo, a função de transferência para o bloco ENTRY é uma função constante simples, que retorna $\emptyset$ como resposta. Ou seja, OUT[ENTRY] = $\emptyset$.

O problema das definições de alcance é definido pelas seguintes equações:

$$\text{OUT}[\text{ENTRY}] = \emptyset$$

e para todos os blocos básicos B diferentes de ENTRY,

$$\text{OUT}[B] = gen_B \bigcup (\text{IN}[B] - kill_B)$$

$$\text{IN}[B] = \bigcup_{P \text{ um predecessor de } B} \text{OUT}[P]$$

Essas equações podem ser solucionadas usando-se o algoritmo a seguir. O resultado do algoritmo é o *menor ponto fixo* das equações, ou seja, a solução cujos valores atribuídos aos INs e OUTs está contida nos valores correspondentes para qualquer outra solução das equações. O resultado do algoritmo, a seguir, é aceitável, porque qualquer definição em um dos conjuntos IN ou OUT certamente precisa alcançar o ponto descrito. Essa é uma solução desejável, porque não inclui nenhuma definição que não possamos estar certos de alcançar.

Algoritmo 9.11: Definições de alcance.

ENTRADA: Um grafo de fluxo para o qual $kill_B$ e gen_B foram calculados para cada bloco B.

SAÍDA: IN[B] e OUT[B], o conjunto de definições que alcançam a entrada e a saída de cada bloco B no grafo de fluxo.

MÉTODO: Usamos uma abordagem iterativa, em que começamos com a 'estimativa' OUT[B] = $\emptyset$ para todo B e convergimos para os valores desejados de IN e OUT. Como temos de iterar até que os INs (e, portanto, os OUTs) convirjam, poderíamos usar uma variável booliana *change* para registrar, a cada passo pelos blocos, se algum OUT mudou. Contudo, neste e em outros algoritmos semelhantes, descritos mais adiante, consideramos que o mecanismo exato para acompanhar as mudanças já está compreendido, e por isso evitamos esses detalhes.

O algoritmo é esboçado na Figura 9.14. As duas primeiras linhas inicializam certos valores de fluxo de dados.[4] A linha (3) inicia o *loop* ao qual iteramos até a convergência, e o *loop* interno das linhas (4) a (6) aplica as equações de fluxo de dados a cada bloco que não seja a entrada.

Intuitivamente, o Algoritmo 9.11 propaga definições desde que elas sigam sem serem mortas, simulando assim todas as execuções possíveis do programa. O Algoritmo 9.11 em algum momento terminará, pois para todo B, OUT[B] nunca encolhe; quando uma defini-

---

[4] O leitor atento notará que poderíamos facilmente combinar as linhas (1) e (2). Contudo, em algoritmos de fluxo de dados semelhantes, pode ser necessário inicializar o nó de entrada ou de saída de forma diferente do modo como inicializamos os outros nós. Assim, seguimos um padrão em todos os algoritmos iterativos, aplicando uma 'condição de contorno' como na linha (1) separadamente da inicialização da linha (2).

ção é acrescentada, ela permanece lá para sempre. (Veja o Exercício 9.2.6.) Como o conjunto de todas as definições é finito, na prática é preciso haver um passo do *loop* while durante o qual nada será acrescentado a nenhum OUT, e o algoritmo então termina. Estamos, portanto, seguros de que ele termina nesse momento, porque, se os OUTs não mudaram, os INs não mudarão no próximo passo. E, se os INs não mudarem, os OUTs não poderão mudar; dessa forma, em todos os passos subseqüentes não poderá haver mudanças.

1) OUT[ENTRY] = ∅;
2) **for** (cada bloco básico B diferente de ENTRY) OUT[B] = ∅;
3) **while** (mudanças ocorrem em qualquer OUT)
4)   **for** (cada bloco básico B diferente de ENTRY) {
5)   IN[B] = $\bigcup_{P \text{ um predecessor de } B}$ OUT[P];
6)   OUT[B] = $gen_B \cup (\text{IN}[B] - kill_B)$;
   }

FIGURA 9.14 Algoritmo iterativo para calcular definições de alcance.

O número de nós no grafo de fluxo é um limite superior no número de vezes que o *loop* while iterage. O motivo é que, se uma definição alcançar um ponto, ela pode fazer isso por um caminho sem ciclo, e o número de nós no grafo de fluxo é um limite superior no número de nós em um caminho sem ciclos. A cada iteração do *loop* while, cada definição prossegue por pelo menos um nó ao longo do caminho em questão, e freqüentemente prossegue por mais de um nó, dependendo da ordem em que os nós são visitados.

De fato, se ordenarmos corretamente os blocos no *loop* for da linha (5), existe uma evidência empírica de que o número médio de iterações do *loop* while é menor que 5 (veja a Seção 9.6.7). Como os conjuntos de definições podem ser representados por vetores de bits, e as operações sobre esses conjuntos podem ser implementadas por operações lógicas aplicadas aos vetores de bit, o Algoritmo 9.11 é surpreendentemente eficaz na prática.

EXEMPLO 9.12: Vamos representar as sete definições $d_1, d_2, \ldots, d_7$ do grafo de fluxo da Figura 9.13 por vetores de bit, onde o bit i a partir da esquerda representa a definição d_i. A união dos conjuntos é calculada, fazendo-se o OR lógico dos vetores de bit correspondentes. A diferença dos dois conjuntos $S - T$ é calculada, complementando-se o vetor de bits de T e, então, efetuando-se o AND lógico desse complemento, com o vetor de bits de S.

A tabela da Figura 9.15 mostra os valores obtidos para os conjuntos IN e OUT no Algoritmo 9.11. Os valores iniciais, indicados por um sobrescrito 0, como em OUT[B]^0, são atribuídos, pelo *loop* da linha (2) da Figura 9.14. Cada um deles é o conjunto vazio, representado pelo vetor de bits 000 0000. Os valores dos passos subseqüentes do algoritmo também são indicados pelos sobrescritos, e rotulados com IN[B]^1 e OUT[B]^1 para a primeira passada e IN[B]^2 e OUT[B]^2 para a segunda.

Suponha que o *loop* for das linhas (4) a (6) seja executado com B tendo os valores

$$B_1, B_2, B_3, B_4, \text{EXIT}$$

nessa ordem. Com $B = B_1$, como OUT[ENTRY] = ∅, IN[B_1]^1 é o conjunto vazio, e OUT[B_1]^1 é gen_{B1}. Esse valor difere do valor anterior OUT[B_1]^0, de modo que, agora, existe uma mudança na primeira iteração (e prosseguirá para uma segunda iteração).

A seguir, consideramos $B = B_2$ e calculamos:

$$\text{IN}[B_2]^1 = \text{OUT}[B_1]^1 \cup \text{OUT}[B_4]^0$$
$$= 111\ 0000 + 000\ 0000 = 111\ 0000$$
$$\text{OUT}[B_2]^1 = gen[B_2] \cup (\text{IN}[B_2]^1 - kill[B_2])$$
$$= 000\ 1100 + (111\ 0000 - 110\ 0001) = 001\ 1100$$

Esse cálculo é resumido na Figura 9.15. Por exemplo, no fim do primeiro passo, OUT[B_2]^1 = 001 1100, refletindo o fato de que d_4 e d_5 são gerados em B_2, enquanto d_3 alcança o início de B_2 e não é morto em B_2.

Bloco B	OUT[B]^0	IN[B]^1	OUT[B]^1	IN[B]^2	OUT[B]^2
B_1	000 0000	000 0000	111 0000	000 0000	111 0000
B_2	000 0000	111 0000	001 1100	111 0111	001 1110
B_3	000 0000	001 1100	000 1110	001 1110	000 1110
B_4	000 0000	001 1110	001 0111	001 1110	001 0111
EXIT	000 0000	001 0111	001 0111	001 0111	001 0111

FIGURA 9.15 Cálculo de IN e OUT.

Observe que, depois do segundo passo, OUT[B_2] mudou para refletir o fato de que d_6 também alcança o início de B_2 e não é morto por B_2. Não descobrimos esse fato no primeiro passo, porque o caminho de d_6 até o fim de B_2, o qual é B_3 à B_4 à B_2, não é percorrido nessa ordem por um único passo. Ou seja, quando descobrirmos que d_6 alcança o fim de B_4, já teremos calculado IN[B_2] e OUT[B_2] no primeiro passo.

Não há mudanças em nenhum um dos conjuntos OUT após o segundo passo. Assim, após um terceiro passo, o algoritmo termina, com os INs e OUTs como nas duas últimas colunas da Figura 9.15.

9.2.5 Análise de Variável Viva

Algumas transformações de melhoria de código dependem da informação calculada na direção oposta ao fluxo de controle de um programa; vamos, agora, examinar um exemplo. Na *análise de variável viva*, queremos saber para a variável x e o ponto p se o valor de x em p poderia ser usado por algum caminho no grafo de fluxo que comece em p. Caso isso seja possível, dizemos que x está *viva* em p; caso contrário, x está *morta* em p.

Um importante uso da informação sobre variável viva é a alocação de registradores para os blocos básicos. Os aspectos dessa questão foram introduzidos nas Seções 8.6 e 8.8. Após um valor ser calculado em um registrador, e presumivelmente usado em um bloco, não é necessário armazená-lo se ele estiver morto no fim do bloco. Além disso, se todos os registradores estiverem cheios e precisarmos de outro registrador, devemos favorecer o uso de um registrador com um valor morto, porque este não precisará ser armazenado.

Nesta seção, definimos as equações de fluxo de dados diretamente em termos de IN[B] e OUT[B], as quais representam o conjunto de variáveis vivas nos pontos imediatamente antes e depois do bloco B, respectivamente. Essas equações também podem ser derivadas, definindo-se, primeiro, as funções de transferência dos comandos individuais e, depois, compondo-os para criar a função de transferência de um bloco básico. Defina

1. def_B como o conjunto de variáveis *definidas* (ou seja, valores atribuídos definitivamente) em B antes de qualquer uso dessa variável em B, e
2. use_B como o conjunto de variáveis cujos valores podem ser usados em B antes de qualquer definição da variável.

Exemplo 9.13: Por exemplo, o bloco B_2 da Figura 9.13 definitivamente usa i. Ele também usa j antes de qualquer redefinição de j, a menos que seja possível que i e j sejam sinônimos um do outro. Supondo que não existam sinônimos entre as variáveis da Figura 9.13, $use_{B2} = \{i, j\}$. Além disso, B_2 define claramente i e j. Supondo que não existam sinônimos, $def_{B2} = \{i, j\}$ também.

Como conseqüência das definições, qualquer variável em use_B deve ser considerada viva na entrada do bloco B, enquanto definições de variáveis em def_B definitivamente estão mortas no início de B. Com efeito, a inclusão como membro de def_B 'mata' qualquer oportunidade de a variável estar viva por causa dos caminhos que começam em B.

Assim, as equações relacionando *def* e *use* aos desconhecidos IN e OUT são definidas da seguinte forma:

$$IN[EXIT] = \emptyset$$

e para todos os blocos básicos B diferentes de EXIT,

$$IN[B] = use_B \cup (OUT[B] - def_B)$$
$$OUT[B] = \bigcup_{S \text{ um sucessor de } B} IN[S]$$

A primeira equação especifica a condição de contorno, a qual estabelece que nenhuma variável esteja viva na saída do programa. A segunda equação diz que uma variável estará viva na entrada de um bloco se ela for usada antes de sua redefinição no bloco ou se estiver viva saindo do bloco e não for redefinida nele. A terceira equação diz que uma variável estará viva na saída de um bloco se e somente se ela estiver viva entrando em um de seus sucessores.

O relacionamento entre as equações de tempo de vida e as equações de definição de alcance deve ser observado:

- Os dois conjuntos de equações têm a união como o operador meet. O motivo é que, em cada esquema de fluxo de dados, propagamos informações pelos caminhos, e só nos importamos em saber se existe *algum* caminho com propriedades desejadas, e não se algo é verdadeiro por *todos* os caminhos.
- Contudo, o fluxo de informações de tempo de vida trafega 'para trás', oposto à direção do fluxo de controle, porque, nesse problema, queremos ter certeza de que o uso de uma variável x em um ponto p é transmitido a todos os pontos antes de p em um caminho de execução, de modo que no ponto anterior possamos saber que x terá seu valor usado.

Para solucionar um problema para trás, em vez de inicializar OUT[ENTRY], inicializamos IN[EXIT]. Os conjuntos IN e OUT têm seus papéis trocados e substituem *gen* e *kill* por *use* e *def*, respectivamente. Assim como para as definições de alcance, a solução para as equações de tempo de vida não é necessariamente única, e queremos a solução com os menores conjuntos de variáveis vivas. O algoritmo usado é basicamente uma versão para trás do Algoritmo 9.11.

ALGORITMO 9.14: Análise de variável viva.

ENTRADA: Um grafo de fluxo com *def* e *use* computados para cada bloco.

SAÍDA: IN[B] e OUT[B], o conjunto de variáveis vivas na entrada e saída de cada bloco B do grafo de fluxo.

MÉTODO: Execute o programa da Figura 9.16.

$$\text{IN}[\text{EXIT}] = \emptyset;$$
for (cada bloco básico B diferente de EXIT) IN[B] = $\emptyset$;
while (ocorrem mudanças em qualquer IN)
    for (cada bloco básico B diferente de EXIT) {
        OUT[B] = $\bigcup_{S \text{ um sucessor de } B}$ IN[S];
        IN[B] = $use_B \cup (\text{OUT}[B] - def_B)$;
    }

FIGURA 9.16 Algoritmo iterativo para computar variáveis vivas.

9.2.6 EXPRESSÕES DISPONÍVEIS

Uma expressão $x + y$ está disponível em um ponto p se todo o caminho do nó de entrada para p avaliar $x + y$, e depois da última avaliação e antes de alcançar p, não houver atribuições subseqüentes a x ou y.[5] Para um esquema de fluxo de dados de expressões disponíveis, dizemos que um bloco *mata* a expressão $x + y$ se ele atribuir (ou puder atribuir) x ou y e não recalcular $x + y$ posteriormente. Um bloco *gera* a expressão $x + y$ se ele avaliar definitivamente $x + y$ e não definir x ou y subseqüentemente.

Observe que a noção de 'matar' e 'gerar' uma expressão disponível não é exatamente a mesma usada em definições de alcance. Apesar disso, essas noções de 'matar' e 'gerar' se comportam essencialmente como nas definições de alcance.

O principal uso da informação sobre expressão disponível é detectar subexpressões comuns globais. Por exemplo, na Figura 9.17(a), a expressão $4 * i$ no bloco B_3 será uma subexpressão comum se $4 * i$ estiver disponível no ponto de entrada do bloco B_3. Ela estará disponível se i não receber um novo valor no bloco B_2, ou se, como na Figura 9.17(b), $4 * i$ for recalculado depois que i for atribuído em B_2.

Podemos calcular o conjunto de expressões geradas para cada ponto em um bloco, trabalhando do início ao fim desse bloco. No ponto antes do bloco, nenhuma expressão é gerada. Se no ponto p o conjunto S de expressões estiver disponível, e q for o ponto após p, com o comando x = y + z entre eles, então formamos o conjunto de expressões disponíveis em q pelos dois passos a seguir.

1. Acrescente a S a expressão $y + z$.
2. Remova de S qualquer expressão envolvendo a variável x.

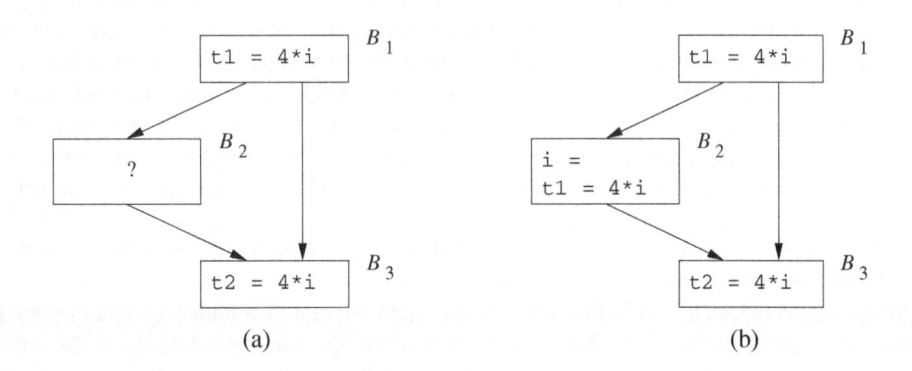

FIGURA 9.17 Subexpressões comuns em potencial entre blocos.

Observe que os passos devem ser seguidos na ordem correta, pois x poderia ser o mesmo que y ou z. Depois de alcançarmos o fim do bloco, S é o conjunto de expressões geradas pelo bloco. O conjunto de expressões mortas são todas as expressões, digamos $y + z$, tal que ou y ou z é definido no bloco, e $y + z$ não é gerado pelo bloco.

---
[5] Observe que, como é usual neste capítulo, usamos o operador + como um operador genérico, não necessariamente significando adição.

EXEMPLO 9.15: Considere os quatro comandos da Figura 9.18. Após o primeiro, $b + c$ está disponível. Depois do segundo comando, $a - d$ torna-se disponível, mas $b + c$ não está mais disponível, porque b foi redefinido. O terceiro comando não torna $b + c$ disponível novamente, porque o valor de c é imediatamente alterado. Depois do último comando, $a - d$ não está mais disponível, pois d mudou. Assim, nenhuma expressão é gerada, e todas as expressões envolvendo a, b, c ou d são mortas.

Comando	Expressões disponíveis
	$\emptyset$
a = b + c	
	$\{b + c\}$
b = a - d	
	$\{a - d\}$
c = b + c	
	$\{a - d\}$
d = a - d	
	$\emptyset$

FIGURA 9.18 Cálculo de expressões disponíveis.

Podemos encontrar expressões disponíveis de uma maneira que lembra o modo como as definições de alcance são calculadas. Suponha que U seja o conjunto 'universal' de todas as expressões aparecendo à direita de um ou mais comandos do programa. Para cada bloco B, considere que IN[B] seja o conjunto de expressões em U que estejam disponíveis no ponto imediatamente antes do início de B. Considere que OUT[B] seja o mesmo para o ponto seguinte ao fim de B. Defina e_gen_B como sendo as expressões geradas por B e e_kill_B como sendo o conjunto das expressões em U mortas em B. Observe que IN, OUT, e_gen e e_kill podem ser representados por vetores de bits. As equações a seguir relacionam os IN e OUT desconhecidos um ao outro e as quantidades conhecidas e_gen e e_kill:

$$\text{OUT[ENTRY]} = \emptyset$$

e para todos os blocos básicos B diferentes de ENTRY,

$$\text{OUT}[B] = e\_gen_B \cup (\text{IN}[B] - e\_kill_B)$$
$$\text{IN}[B] = \bigcap\nolimits_{P \text{ um predecessor de } B} \text{OUT}[P].$$

As equações anteriores são quase idênticas às equações para as definições de alcance. Assim como as definições de alcance, a condição de contorno é OUT[ENTRY] = $\emptyset$, porque na saída do nó ENTRY não existem expressões disponíveis. A diferença mais importante é que o operador meet representa a interseção, e não a união. Esse operador é o apropriado, pois uma expressão está disponível no início de um bloco somente se estiver disponível ao fim de *todos* os seus predecessores. Contrapondo, uma definição alcança o início de um bloco sempre que alcançar o fim de qualquer um ou mais de seus predecessores.

O uso de $\cap$ em vez de $\cup$ faz com que as equações de expressão disponível se comportem de modo diferente daquelas das definições de alcance. Embora nenhum conjunto tenha uma solução única, para as definições de alcance ele é a solução com os menores conjuntos que corresponde à definição de 'alcance', e nós obtemos esse resultado começando com a suposição de que nada alcançou lugar algum, e construindo uma solução. Desse modo, nunca supomos que uma definição d poderia alcançar um ponto p a menos que um caminho real propagando d para p pudesse ser encontrado. Ao contrário, para equações de expressões disponíveis, queremos a solução com os maiores conjuntos de expressões disponíveis, de modo que começamos com uma aproximação bem grande e trabalhamos diminuindo-a.

Pode não ser óbvio que, começando com a suposição de que 'tudo, ou seja, o conjunto U, está disponível em toda parte, exceto no fim do bloco de entrada, e eliminando apenas as expressões para as quais descobrimos um caminho no qual ela não está disponível, alcançamos um conjunto de expressões verdadeiramente disponíveis. No caso das expressões disponíveis, é conservador produzir um subconjunto do conjunto exato de expressões disponíveis. O argumento para os subconjuntos serem conservativos é que o nosso uso pretendido da informação é substituir o cálculo de uma expressão disponível por um valor calculado anteriormente. Não ter conhecimento de que uma expressão está disponível só nos inibe de melhorar o código, enquanto acreditar que uma expressão está disponível, quando não está, pode fazer com que mudemos o que o programa calcula.

EXEMPLO 9.16: Vamos nos concentrar em um único bloco, B_2 na Figura 9.19, para ilustrar o efeito da aproximação inicial de OUT[B_2] em IN[B_2]. Considere que G e K sejam abreviações de $e\_gen_{B_2}$ e $e\_kill_{B_2}$, respectivamente. As equações de fluxo de dados para o bloco B_2 são

CAPÍTULO 9: OTIMIZAÇÕES INDEPENDENTES DE MÁQUINA

$$IN[B_2] = OUT[B_1] \cap OUT[B_2]$$
$$OUT[B_2] = G \cup (IN[B_2] - K)$$

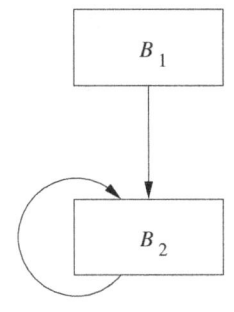

FIGURA 9.19 Inicializar os conjuntos OUT com ∅ é muito restritivo.

Essas equações podem ser reescritas como recorrências, com I^j e O^j sendo as j-ésimas aproximações de IN[B_2] e OUT[B_2], respectivamente:

$$I^{j+1} = OUT[B_1] \cap O^j$$
$$O^{j+1} = G \cup (I^{j+1} - K)$$

Começando com $O^0 = \emptyset$, obtemos $I^1 = OUT[B_1] \cap O^0 = \emptyset$. Contudo, se começarmos com $O^0 = U$, então obtemos $I^1 = OUT[B_1] \cap O^0 = OUT[B_1]$, como deveríamos. Intuitivamente, a solução obtida começando com $O^0 = U$ é mais desejável, porque ela reflete corretamente o fato de as expressões em OUT[B_1] que não são mortas por B_2 estarem disponíveis no fim de B_2.

ALGORITMO 9.17: Expressões disponíveis.

ENTRADA: Um grafo de fluxo com e_kill_B e e_gen_B calculados para cada bloco B. O bloco inicial é B_1.

SAÍDA: IN[B] e OUT[B], o conjunto de expressões disponíveis na entrada e na saída de cada bloco B do grafo de fluxo.

MÉTODO: Execute o algoritmo da Figura 9.20. A explicação dos passos é semelhante àquela da Figura 9.14.

```
OUT[ENTRY] = ∅;
for (cada bloco básico B diferente de ENTRY) OUT[B] = U;
while (ocorrem mudanças em qualquer OUT)
    for (cada bloco básico B diferente de ENTRY) {
        IN[B] = ⋂ P um predecessor de B OUT[P];
        OUT[B] = e_gen_B ∪ (IN[B] - e_kill_B);
    }
```

FIGURA 9.20 Algoritmo iterativo para calcular expressões disponíveis.

9.2.7 RESUMO

Nesta seção, discutimos três casos de problemas de fluxo de dados: definições de alcance, variáveis vivas e expressões disponíveis. Como resumimos na Figura 9.21, a definição de cada problema é dada no domínio dos valores de fluxo de dados, na direção do fluxo de dados, na família de funções de transferência, na condição de contorno e no operador meet. Denotamos o operador meet genericamente como $\wedge$.

A última linha mostra os valores iniciais usados no algoritmo iterativo. Esses valores são escolhidos de modo que o algoritmo iterativo encontrará a solução mais precisa para as equações. Essa escolha não é estritamente parte da definição do problema de fluxo de dados, pois é um artefato necessário para o algoritmo iterativo. Existem outras maneiras de solucionar o problema. Por exemplo, vimos como a função de transferência de um bloco básico pode ser derivada, compondo-se as funções de transferência dos comandos individuais no bloco; uma abordagem composicional semelhante pode ser usada para calcular uma função de transferência para o procedimento inteiro, ou funções de transferência a partir da entrada do procedimento para qualquer ponto do programa. Discutiremos essa abordagem na Seção 9.7.

	Definições de alcance	Variáveis vivas	Expressões disponíveis
Domínio	Conjuntos de definições	Conjuntos de variáveis	Conjuntos de expressões
Direção	Para frente	Para trás	Para frente
Função de transferência	$gen_B \cup (x - kill_B)$	$use_B \cup (x - \text{pt } def_B)$	$e\_gen_B \cup (x - e\_kill_B)$
Condição de contorno	$\text{OUT}[\text{ENTRY}] = \emptyset$	$\text{IN}[\text{EXIT}] = \emptyset$	$\text{OUT}[\text{ENTRY}] = \emptyset$
Operador meet (∧)	$\cup$	$\cup$	$\cap$
Equações	$\text{OUT}[B] = f_B(\text{IN}[B])$	$\text{IN}[B] = f_B(\text{OUT}[B])$	$\text{OUT}[B] = f_B(\text{IN}[B])$
	$\text{IN}[B] = \bigwedge_{P.pred(B)} \text{OUT}[P]$	$\text{OUT}[B] = \bigwedge_{S.suc(B)} \text{IN}[S]$	$\text{IN}[B] = \bigwedge_{P.pred(B)} \text{OUT}[P]$
Inicialização	$\text{OUT}[B] = \emptyset$	$\text{IN}[B] = \emptyset$	$\text{OUT}[B] = U$

FIGURA 9.21 Resumo dos três problemas de fluxo de dados.

Por que o algoritmo de expressões disponíveis funciona

Precisamos explicar por que, iniciando todos os OUTs, com U, exceto aquele para o bloco de entrada, o conjunto de todas as expressões nos conduz a uma solução conservadora para as equações de fluxo de dados, ou seja, por que todas as expressões disponíveis, ditas disponíveis, realmente *estão* disponíveis. Primeiro, devido ao fato de a interseção representar a operação meet nesse esquema de fluxo de dados, qualquer motivo para uma expressão $x + y$ não estar disponível em um ponto propagará para frente no grafo de fluxo, ao longo de todos os caminhos possíveis, até que $x + y$ seja recalculado e se torne disponível novamente. Segundo, existem apenas dois motivos para $x + y$ não estar disponível:

1. $x + y$ é morto no bloco B porque x ou y é definido sem um cálculo subseqüente de $x + y$. Nesse caso, na primeira vez que aplicarmos a função de transferência f_B, $x + y$ será removido de OUT[B].
2. $x + y$ nunca é calculado ao longo de algum caminho. Como $x + y$ nunca está em OUT[ENTRY], e nunca é gerado ao longo do caminho em questão, podemos mostrar por indução no tamanho do caminho que $x + y$, em algum momento, é removido dos INs e OUTs ao longo desse caminho.

Assim, depois das mudanças, a solução fornecida pelo algoritmo iterativo da Figura 9.20 incluirá apenas expressões verdadeiramente disponíveis.

9.2.8 Exercícios da Seção 9.2

Exercício 9.2.1: Para o grafo de fluxo da Figura 9.10 (veja o exercício da Seção 9.1), calcule

a) Os conjuntos *gen* e *kill* para cada bloco.
b) Os conjuntos IN e OUT para cada bloco.

Exercício 9.2.2: Para o grafo de fluxo da Figura 9.10, calcule os conjuntos *e_gen*, *e_kill*, IN e OUT para as expressões disponíveis.

Exercício 9.2.3: Para o grafo de fluxo da Figura 9.10, calcule os conjuntos *def*, *use*, IN e OUT para a análise de variável viva.

! Exercício 9.2.4: Suponha que V seja o conjunto de números complexos. Quais das seguintes operações podem servir como operação meet para um semi-reticulado em V?

a) Adição: $(a + ib) \wedge (c + id) = (a + b) + i(c + d)$.
b) Multiplicação: $(a + ib) \wedge (c + id) = (ac - bd) + i(ad + bc)$.
c) Mínimo em nível de componente: $(a + ib) \wedge (c + id) = \min(a,c) + i \min(b,d)$.
d) Máximo em nível de componente: $(a + ib) \wedge (c + id) = \max(a,c) + i \max(b,d)$.

! Exercício 9.25: Afirmamos que, se um bloco B consiste em n comandos, e o i-ésimo comando tiver conjuntos gen e kill, gen_i e $kill_i$, então a função de transferência para o bloco B possuirá conjuntos gen e kill, gen_B e $kill_B$, dados por

$$kill_B = kill_1 \cup kill_2 \cup ... \cup kill_n$$

$$gen_B = gen_n \cup (gen_{n-1} - kill_n) \cup (gen_{n-2} - kill_{n-1} - kill_n) \cup$$
$$... \cup (gen_1 - kill_2 - kill_3 - ... - kill_n).$$

Prove essa afirmação por indução em n.

! Exercício 9.2.6: Prove por indução no número de iterações do *loop* for das linhas de (4) a (6) do Algoritmo 9.11 que nenhum dos INs ou OUTs diminuirá. Ou seja, quando uma definição é feita em um desses conjuntos em alguma iteração, ela nunca desaparece em uma iteração subseqüente.

! Exercício 9.2.7: Mostre a correção do Algoritmo 9.11. Ou seja, mostre que:

a) Se a definição d for colocada em IN[B] ou OUT[B], existe um caminho de d para o início ou o fim do bloco B, respectivamente, ao longo do qual a variável definida por d não poderá ser redefinida.

b) Se a definição d não for colocada em IN[B] ou OUT[B], então não existe caminho de d para o início ou o fim do bloco B, respectivamente, ao longo do qual a variável definida por d não poderá ser redefinida.

! Exercício 9.2.8: Prove o seguinte sobre o Algoritmo 9.14:

a) Os INs e OUTs nunca diminuem.

b) Se a variável x for colocada em IN[B] ou OUT[B], existe um caminho do início ou do fim do bloco B, respectivamente, ao longo do qual x poderá ser usado.

c) Se a variável x não for colocada em IN[B] ou OUT[B], não existe caminho do início ou do fim do bloco B, respectivamente, ao longo do qual x poderá ser usado.

! Exercício 9.2.9: Prove o seguinte sobre o Algoritmo 9.17:

a) Os INs e OUTs nunca crescem; ou seja, valores sucessivos desses conjuntos são subconjuntos (não necessariamente próprios) de seus valores anteriores.

b) Se a expressão e for removida de IN[B] ou OUT[B], então existe um caminho da entrada do grafo de fluxo para o início ou fim do bloco B, respectivamente, ao longo do qual e nunca é calculado, ou, após seu último cálculo, um de seus argumentos poderia ser redefinido.

c) Se a expressão e permanecer em IN[B] ou OUT[B], então ao longo de todo caminho da entrada do grafo de fluxo até o início ou o fim do bloco B, respectivamente, e é calculado e, após o último cálculo, nenhum argumento de e poderia ser redefinido.

! Exercício 9.2.10: O leitor atento notará que, no Algoritmo 9.11, poderíamos ter economizado algum tempo inicializando OUT[B] como gen_B para todos os blocos B. De modo semelhante, no Algoritmo 9.14, poderíamos ter inicializado IN[B] como gen_B. Não fizemos isso por uniformidade no tratamento da matéria, conforme veremos no Algoritmo 9.25. Contudo, é possível inicializar OUT[B] como e_gen_B no Algoritmo 9.17? Por que sim ou por que não?

! Exercício 9.2.11: Nossas análises de fluxo de dados até este ponto não tiram proveito da semântica dos condicionais. Suponha que encontremos, no fim de um bloco básico, um teste como

```
if (x < 10) goto ...
```

Como poderíamos usar nosso conhecimento do significado do teste $x < 10$ para melhorar nosso conhecimento das definições de alcance? Lembre-se: 'melhorar', aqui, quer dizer que eliminamos certas definições de alcance que realmente nunca podem alcançar um dado ponto do programa.

9.3 Fundamentos da análise de fluxo de dados

Tendo mostrado vários exemplos úteis da abstração de fluxo de dados, estudaremos a família dos esquemas de fluxo de dados como um todo, de forma abstrata. Vamos responder formalmente a diversas perguntas básicas sobre os algoritmos de fluxo de dados:

1. Sob quais circunstâncias o algoritmo iterativo usado na análise de fluxo de dados é correto?
2. Qual é a precisão da solução obtida pelo algoritmo iterativo?
3. O algoritmo iterativo convergirá?
4. Qual é o significado da solução das equações?

Na Seção 9.2, tratamos de cada uma dessas questões informalmente, quando descrevemos o problema das definições de alcance. Em vez de responder as mesmas questões para cada problema subseqüente a partir do zero, nos basearemos em analogias com os problemas já discutidos para explicar os novos problemas. Neste capítulo, apresentamos uma abordagem geral que responde a todas essas questões, de uma vez por todas, rigorosamente, e para uma grande família de problemas de fluxo de dados. Primeiro, identificamos as propriedades desejadas dos esquemas de fluxo de dados e provamos as implicações dessas propriedades sobre a correção, precisão e convergência do algoritmo de fluxo de dados, além do significado da solução. Assim, para entender algoritmos antigos ou formular novos, simplesmente mostramos que as definições do problema de fluxo de dados propostas possuem certas propriedades, e as respostas a todas as questões difíceis enumeradas no início desta seção estão disponíveis imediatamente.

O conceito de ter uma estrutura teórica comum para uma classe de esquemas também possui implicações práticas. A estrutura nos auxilia a identificar os componentes reutilizáveis do algoritmo em nosso projeto de software. Com isso, não apenas o esforço de codificação é reduzido, mas também os erros de programação são reduzidos, já que não é preciso recodificar detalhes semelhantes várias vezes.

Uma *estrutura de análise de fluxo de dados* $(D, V, \wedge, F)$ consiste em:

1. Uma direção do fluxo de dados D, que pode ser PARA FRENTE ou PARA TRÁS.
2. Um semi-reticulado (veja a definição na Seção 9.3.1), que inclui um *domínio* de valores V e um *operador* meet $\wedge$.
3. Uma família F de funções de transferência de V para V. Essa família deve incluir funções adequadas para as condições de contorno, as quais são funções de transferência de constante para os nós especiais ENTRY e EXIT no grafo de fluxo.

9.3.1 SEMI-RETICULADOS

Um *semi-reticulado* é um conjunto V e um operador meet binário $\wedge$ tais que, para todo x, y e z em V:

1. $x \wedge x = x$ (meet é *idempotente*).
2. $x \wedge y = y \wedge x$ (meet é *comutativo*).
3. $x \wedge (y \wedge z) = (x \wedge y) \wedge z$ (meet é *associativo*).

Um semi-reticulado tem um elemento *top*, denotado por $\top$, tal que:

$$\text{para todo } x \text{ em } V, \top \wedge x = x.$$

Opcionalmente, um semi-reticulado pode ter um elemento *bottom*, denotado por $\bot$, tal que:

$$\text{para todo } x \text{ em } V, \bot \wedge x = \bot.$$

Ordens parciais

Conforme veremos, o operador meet de um semi-reticulado define uma ordem parcial sobre os valores do domínio. Uma relação $\leq$ é uma *ordem parcial* sobre um conjunto V se, para todo x, y e z em V:

1. $x \leq x$ (a ordem parcial é *reflexiva*).
2. Se $x \leq y$ e $y \leq x$, então $x = y$ (a ordem parcial é *anti-simétrica*).
3. Se $x \leq y$ e $y \leq z$, então $x \leq z$ (a ordem parcial é *transitiva*).

O par $(V, \leq)$ é chamado *poset*, ou *conjunto parcialmente ordenado (partially ordered set)*. Também é conveniente ter uma relação $<$ para um poset, definida como:

$$x < y \text{ se e somente se } (x \leq y) \text{ e } (x \neq y).$$

A ordem parcial para um semi-reticulado

É útil definir uma ordem parcial $\leq$ para um semi-reticulado $(V, \wedge)$. Para todo x e y em V, definimos:

$$x \leq y \text{ se e somente se } x \wedge y = x.$$

Como o operador meet $\wedge$ é idempotente, comutativo e associativo, a ordem $\leq$ conforme definida é reflexiva, anti-simétrica e transitiva. Para entender por que, observe que:

- Reflexividade: para todo x, $x \leq x$. A prova é que $x \wedge x = x$, pois o meet é idempotente.
- Anti-simetria: se $x \leq y$ e $y \leq x$, então $x = y$. Na prova, $x \leq y$ significa que $x \wedge y = x$ e $y \leq x$ significa que $y \wedge x = y$. Pela comutatividade de $\wedge$, $x = (x \wedge y) = (y \wedge x) = y$.
- Transitividade: se $x \leq y$ e $y \leq z$, então $x \leq z$. Na prova, $x \leq y$ e $y \leq z$ significa que $x \wedge y = x$ e $y \wedge z = y$. Então $(x \wedge z) = ((x \wedge y) \wedge z) = (x \wedge (y \wedge z)) = (x \wedge y) = x$, usando a associatividade do meet. Como $x \wedge z = x$ foi mostrado, temos que $x \leq z$, provando a transitividade.

EXEMPLO 9.18: Os operadores meet usados nos exemplos da Seção 9.2 são união de conjunto e interseção de conjunto. Ambos são idempotentes, comutativos e associativos. Para a união de conjunto, o elemento *top* é $\emptyset$ e o elemento *bottom* é U

o conjunto universal, pois para qualquer subconjunto x de U, $\emptyset \cup x = x$ e $U \cup x = U$. Para a interseção do conjunto, $\top$ é U e $\bot$ é $\emptyset$. V, o domínio de valores do semi-reticulado, é o conjunto de todos os subconjuntos de U, que às vezes é chamado de *conjunto potência* de U e indicado com 2^U.

Para todo x e y em V, $x \cup y = x$ implica que $x \supseteq y$; portanto, a ordem parcial imposta pela união de conjunto é $\supseteq$, *set inclusion*. De modo semelhante, a ordem parcial imposta pela interseção de conjunto é $\subseteq$, *set containment*. Ou seja, para a interseção de conjunto, os conjuntos com poucos elementos são considerados menores na ordem parcial. Contudo, para a união de conjunto, os conjuntos com *mais* elementos são considerados menores na ordem parcial. Dizer que conjuntos maiores em tamanho são menores na ordem parcial vai na direção contrária à nossa intuição; contudo, essa situação é uma conseqüência inevitável das definições.[6]

Conforme discutimos na Seção 9.2, usualmente existem muitas soluções para um conjunto de equações de fluxo de dados, com a maior solução (no sentido da ordem parcial $\leq$) sendo a mais precisa. Por exemplo, nas definições de alcance, a mais precisa entre todas as soluções para as equações de fluxo de dados é aquela com o menor número de definições, que corresponde ao maior elemento na ordem parcial definida pela operação meet, união. Nas expressões disponíveis, a solução mais precisa é aquela com o maior número de expressões. Novamente, essa é a maior solução na ordem parcial definida pela interseção como a operação meet.

Ínfimo

Existe outro relacionamento útil entre a operação meet e a ordenação parcial que ela impõe. Suponha que $(V, \wedge)$ seja um semi-reticulado. O *ínfimo*, também conhecido como a maior das cotas inferiores (ou *glb*, de '*greatest lower bound*') dos elementos do domínio x e y é um elemento g tal que:

1. $g \leq x$,
2. $g \leq y$, e
3. Se z é qualquer elemento tal que $z \leq x$ e $z \leq y$, $z \leq g$.

Acontece que o meet de x e y é seu único ínfimo. Para ver o motivo, considere $g = x \wedge y$. Observe que:

- $g \leq x$ porque $(x \wedge y) \wedge x = x \wedge y$. A prova envolve usos simples da associatividade, comutatividade e idempotência. Ou seja,

$$g \wedge x = ((x \wedge y) \wedge x) = (x \wedge (y \wedge x)) = (x \wedge (x \wedge y)) = ((x \wedge x) \wedge y) = (x \wedge y) = g$$

- $g \leq y$ por um argumento semelhante.
- Suponha que z seja qualquer elemento tal que $z \leq x$ e $z \leq y$. Afirmamos que $z \leq g$ e, portanto, z não pode ser um *glb* de x e y, a menos que também seja g. Na prova: $(z \wedge g) = (z \wedge (x \wedge y)) = ((z \wedge x) \wedge y)$. Como $z \leq x$, sabemos que $(z \wedge x) = z$, de modo que $(z \wedge g) = (z \wedge y)$. Como $z \leq y$, sabemos que $z \wedge y = z$ e, portanto, $z \wedge g = z$. Provamos que $z < g$ e concluímos que $g = x \wedge y$ é o único *glb* de x e y.

Diagramas de reticulado

Freqüentemente, é útil desenhar o domínio V como um diagrama de reticulado, um grafo cujos nós são os elementos de V e cujas arestas são direcionadas para baixo, de x para y se $y \leq x$. Por exemplo, a Figura 9.22 mostra o conjunto V para um esquema de fluxo de dados de definições de alcance onde existem três definições: d_1, d_2 e d_3. Como $\leq$ é $\supseteq$, uma aresta é direcionada para baixo a partir de qualquer subconjunto dessas três definições para cada um de seus superconjuntos. Como $\leq$ é transitivo, por convenção omitimos a aresta de x para y desde que haja outro caminho de x para y à esquerda no diagrama. Assim, embora $\{d_1, d_2, d_3\} \leq \{d_1\}$, não desenhamos essa aresta, pois ela é representada, por exemplo, pelo caminho entre $\{d_1, d_2\}$.

Também é útil observar que podemos ler o meet a partir desses diagramas. Como $x \wedge y$ é o *glb*, ele sempre é o z mais alto para o qual existem caminhos para baixo, até z, a partir de x e y. Por exemplo, se x for $\{d_1\}$ e y for $\{d_2\}$, z na Figura 9.22 é $\{d_1, d_2\}$, que faz sentido, pois o operador meet é união. O elemento *top* aparecerá no topo do diagrama de reticulado, ou seja, existe um caminho para baixo a partir de $\top$ para cada elemento. Do modo semelhante, o elemento *bottom* aparecerá na base, com um caminho para baixo a partir de todo elemento para $\bot$.

---

[6] E, se definíssemos a ordem parcial como $\geq$ em vez de $\leq$, o problema apareceria quando o meet fosse interseção, embora não para união.

```
           { }         (⊤)
          ╱ │ ╲
         ╱  │  ╲
     {d₁}  {d₂}  {d₃}
```

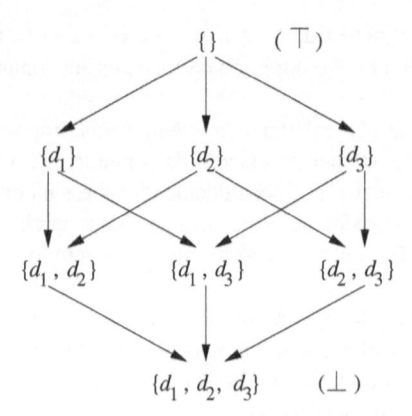

FIGURA 9.22 Reticulado de subconjuntos de definições.

Junções, supremos e reticulados

Em simetria com a operação *glb* nos elementos de um poset, podemos definir o *supremo* (ou *lub*, de 'least upper bound') dos elementos x e y para ser aquele elemento b tal que $x \leq b$, $y \leq b$, e, se z é qualquer elemento tal que $x \leq z$ e $y \leq z$, então $b \leq z$. Pode-se mostrar que existe no máximo um elemento b se ele existir.

Em um reticulado verdadeiro, existem duas operações sobre elementos do domínio, o meet $\wedge$, que já vimos, e o operador de *junção*, indicado por $\vee$, que fornece o *lub* de dois elementos (o qual, portanto, sempre deve existir no reticulado). Discutimos apenas os 'semi' reticulados, onde existe apenas um dos operadores meet e de junção. Ou seja, nossos semi-reticulados são *semi-reticulados de meet*. Também é possível falar de *semi-reticulados de junção*, onde só existe o operador de junção e, de fato, há alguma literatura sobre análise de programa que utiliza a notação de semi-reticulados de junção. Como a literatura tradicional de fluxo de dados fala de semi-reticulados de meet, faremos o mesmo neste livro.

Reticulados produto

Enquanto a Figura 9.22 abrange apenas três definições, o diagrama de reticulado de um programa típico pode ser muito grande. O conjunto de valores de fluxo de dados é o conjunto potência das definições, o qual, portanto, contém 2^n elementos se houver n definições no programa. Contudo, o fato de uma definição alcançar ou não um programa é independente da alcançabilidade das outras definições. Assim, podemos expressar o reticulado[7] das definições em termos de um 'reticulado produto', construído a partir de um reticulado simples para cada definição, ou seja, se houver apenas uma definição d no programa, então o reticulado teria dois elementos: $\{\}$, o conjunto vazio, que é o elemento *top*, e $\{d\}$, que é o elemento *bottom*.

Formalmente, podemos construir *reticulados produto* da seguinte forma. Suponha que $(A, \wedge_A)$ e $(B, \wedge_B)$ sejam (semi)reticulados. O *reticulado produto* para esses dois reticulados é definido da seguinte forma:

1. O domínio do reticulado produto é $A \times B$.
2. O operador meet $\wedge$ para o *reticulado produto* é definido da seguinte forma. Se (a, b) e (a', b') forem elementos de domínio do *reticulado produto*, então

$$(a, b) \wedge (a', b') = (a \wedge a', b \wedge b'). \tag{9.19}$$

É simples expressar a ordem parcial $\leq$ para o *reticulado produto* em termos das ordens parciais $\leq_A$ e $\leq_B$ para A e B

$$(a, b) \leq (a', b') \text{ se e somente se } a \leq_A a' \text{ e } b \leq_B b'. \tag{9.20}$$

Para ver por que (9.20) vem após (9.19), observe que:

$$(a,b) \wedge (a',b') = (a \wedge_A a', b \wedge_B b').$$

Assim, poderíamos perguntar sob que circunstâncias $(a \wedge_A a', b \wedge_B b') = (a,b)$? Isso acontece exatamente quando $a \wedge_A a' = a$ e $b \wedge_B b' = b$. Mas essas duas condições são as mesmas que $a \leq_A a'$ e $b \leq_B b'$.

---

[7] Nesta discussão, e depois dela, freqüentemente retiramos o "semi", pois os reticulados como aquele em discussão têm um operador de junção ou lub, mesmo que não o utilizemos.

O produto dos reticulados é uma operação de associação, de modo que é possível mostrar que as regras (9.19) e (9.20) se estendem a qualquer quantidade de reticulados. Ou seja, se nos forem dados reticulados $(A_i, \wedge_i)$ para $i = 1, 2, ..., K$, então o produto de todos os k reticulados, nessa ordem, tem domínio $A_1 \times A_2 \times ... \times A_k$, um operador meet definido por:

$$(a_1, a_2, ..., a_k) \wedge (b_1, b2, ..., b_k) = (a_1 \wedge_1 b_1, a_2 \wedge_2 b_2, ..., a_k \wedge_k b_k)$$

e uma ordem parcial definida por

$$(a_1, a_2, ..., a_k) \leq (b_1, b_2, ..., b_k) \text{ se e somente se } a_i \leq b_i, \text{ para todo } i.$$

Altura de um semi-reticulado

Podemos aprender algo sobre a velocidade de convergência de um algoritmo de análise de fluxo de dados estudando a 'altura' do semi-reticulado associado. Uma *cadeia ascendente* em um poset $(V, \leq)$ é uma seqüência na qual $x_1 < x_2 < ... < x_n$. A *altura* de um semi-reticulado é o número mais alto de relações $<$ em qualquer cadeia ascendente, ou seja, a altura é um a menos que o número de elementos na cadeia. Por exemplo, a altura do semi-reticulado de definições de alcance de um programa com n definições é n.

Mostrar convergência de um algoritmo de fluxo de dados iterativo é muito mais fácil se o semi-reticulado tiver altura finita. Claramente, um reticulado que consiste em um conjunto finito de valores terá uma altura finita; também é possível que um reticulado com um número infinito de valores tenha uma altura finita. O reticulado usado no algoritmo de propagação de constante é um exemplo que examinaremos mais de perto na Seção 9.4.

9.3.2 Funções de Transferência

A família de funções de transferência $F: V \to V$ em uma estrutura de fluxo de dados possui as seguintes propriedades:

1. F possui uma função identidade I, tal que $I(x) = x$ para todo x em V.
2. F é fechado sob composição; ou seja, para duas funções quaisquer f e g em F, a função h definida por $h(x) = g(f(x))$ está em F.

EXEMPLO 9.21: Em definições de alcance, F tem a identidade, a função onde *gen* e *kill* são ambas o conjunto vazio. O fechamento sob composição na realidade foi mostrado na Seção 9.2.4; repetimos o argumento de forma sucinta aqui. Suponha que tenhamos duas funções

$$f_1(x) = G_1 \cup (x - K_1) \text{ e } f_2(x) = G_2 \cup (x - K_2)$$

Então:

$$f_2(f_1(x)) = G_2 \cup ((G_1 \cup (x - K_1)) - K_2).$$

O lado direito dessa expressão é algebricamente equivalente a

$$(G_2 \cup (G_1 - K_2)) \cup (x - (K_1 \cup K_2)).$$

Se considerarmos $K = K_1 \cup K_2$ e $G = G_2 \cup (G_1 - K_2)$, mostraremos que a composição de f_1 e f_2, que é $f(x) = G \cup (x - K)$, é da forma que a torna um membro de F. Se considerarmos as expressões disponíveis, os mesmos argumentos usados para as definições de alcance também mostrarão que F tem uma identidade e é fechado sob composição. ∎

Estruturas monotônicas

Para criar um algoritmo iterativo de análise de fluxo de dados, precisamos que a estrutura de fluxo de dados satisfaça mais uma condição. Dizemos que uma estrutura é *monotônica* se, quando aplicarmos qualquer função de transferência f em F a dois membros de V, o primeiro não sendo maior que o segundo, o primeiro resultado não for maior que o segundo.

Formalmente, uma estrutura de fluxo de dados $(D, F, V, \wedge)$ é *monotônica* se

$$\text{Para todo } x \text{ e } y \text{ em } V \text{ e } f \text{ em } F, x \leq y \text{ implica } f(x) \leq f(y). \tag{9.22}$$

De modo equivalente, a monotonicidade pode ser definida como:

$$\text{Para todo } x \text{ e } y \text{ em } V \text{ e } f \text{ em } F, f(x \wedge y) \leq f(x) \wedge f(y). \tag{9.23}$$

A equação (9.23) diz que, se tomarmos o meet de dois valores e aplicarmos f, o resultado nunca será maior que aquele obtido pela aplicação de f aos valores individualmente primeiro e, então, 'aplicando' o meet aos resultados. Como as duas definições de monotonicidade parecem tão diferentes, ambas são úteis. Acharemos uma ou outra mais útil sob diferentes circunstâncias. Mais adiante, esboçaremos uma prova para mostrar que elas são realmente equivalentes.

Primeiro, vamos supor (9.22) e mostrar que (9.23) é verdadeira. Como $x \wedge y$ é o ínfimo de x e y, sabemos que

$$x \wedge y \leq x \text{ e } x \wedge y \leq y.$$

Assim, pela (9.22),

$$f(x \wedge y) \leq f(x) \text{ e } f(x \wedge y) \leq f(y).$$

Como $f(x) \wedge f(y)$ é o ínfimo de $f(x)$ e $f(y)$, temos (9.23).

Por outro lado, vamos supor (9.23) e provar (9.22). Assumimos que $x \leq y$ e usamos (9.23) para concluir que $f(x) \leq f(y)$, provando assim (9.22). A equação (9.23) nos diz

$$f(x \wedge y) \leq f(x) \wedge f(y).$$

Mas, como supomos $x \leq y$ verdadeiro, $x \wedge y = x$ por definição. Assim, (9.23) diz

$$f(x) \leq f(x) \wedge f(y)$$

Como $f(x) \wedge f(y)$ é o *glb* de $f(x)$ e $f(y)$, sabemos que $f(x) \wedge f(y) \leq f(y)$. Assim,

$$f(x) \leq f(x) \wedge f(y) \leq f(y)$$

e (9.23) implica (9.22).

Estruturas distributivas

Freqüentemente, uma estrutura obedece a uma condição mais forte que (9.23), a qual chamamos de *condição de distributividade*,

$$f(x \wedge y) = f(x) \wedge f(y)$$

para todo x e y em V e f em F. Com certeza, se $a = b$, então $a \wedge b = a$ por idempotência, de modo que $a \leq b$. Assim, a distributividade implica monotonicidade, embora a recíproca não seja verdadeira.

Exemplo 9.24: Considere y e z conjuntos de definições na estrutura de definições de alcance. Considere f uma função definida por $f(x) = G \cup (x - K)$ para alguns conjuntos de definições G e K. Podemos verificar que a estrutura de definições de alcance satisfaz a condição de distributividade, verificando que:

$$G \cup ((y \cup z) - K) = (G \cup (y - K)) \cup (G \cup (z - K)).$$

Embora a equação dada possa parecer formidável, considere primeiro aquelas definições em G. Essas definições certamente estão nos conjuntos definidos por ambos os lados, esquerdo e direito. Assim, só temos de considerar as definições que não estão em G. Nesse caso, podemos eliminar G em toda a parte, e verificar a igualdade:

$$(y \cup z) - K = (y - K) \cup (z - K).$$

Essa última igualdade é facilmente verificada usando um diagrama de Venn.

9.3.3 Algoritmo iterativo para estruturas gerais

Podemos generalizar o Algoritmo 9.11 para fazer com que funcione para grande variedade de problemas de fluxo de dados.

Algoritmo 9.25: Solução iterativa para estruturas gerais de fluxo de dados.

ENTRADA: Uma estrutura de fluxo de dados com os seguintes componentes:

1. Um grafo de fluxo de dados, com nós ENTRY e EXIT especialmente rotulados,
2. Uma direção do fluxo de dados D,
3. Um conjunto de valores V,
4. Um operador meet $\wedge$,
5. Um conjunto de funções F, onde f_B em F é a função de transferência para o bloco B, e
6. Um valor constante v_{ENTRY} ou v_{EXIT} em V, representando a condição de contorno para estruturas para frente e para trás, respectivamente.

SAÍDA: Valores em V para IN[B] e OUT[B] para cada bloco B no grafo de fluxo de dados.

MÉTODO: Os algoritmos para solucionar problemas de fluxo de dados para frente e para trás aparecem na Figura 9.23(a) e 9.23(b), respectivamente. Assim como os familiares algoritmos de fluxo de dados iterativos da Seção 9.2, calculamos IN e OUT para cada bloco pela aproximação sucessiva.

É possível escrever as versões para frente e para trás do Algoritmo 9.25 de modo que uma função que implemente a operação meet seja um parâmetro, como é uma função que implementa a função de transferência para cada bloco. O próprio grafo de fluxo e o valor de contorno também são parâmetros. Desse modo, o implementador do compilador pode evitar recodificar o algoritmo iterativo básico para cada estrutura de fluxo de dados usada pela fase de otimização do compilador.

Podemos usar a estrutura abstrata discutida até aqui para provar diversas propriedades úteis do algoritmo iterativo:

1. Se o Algoritmo 9.25 convergir, o resultado será uma solução para as equações de fluxo de dados.
2. Se a estrutura for monotônica, a solução encontrada será o ponto fixo máximo (MFP) das equações de fluxo de dados. Um *ponto fixo máximo* é uma solução com a propriedade de que, em qualquer outra solução, os valores de IN[B] e OUT[B] são $\leq$, os valores correspondentes do MFP.
3. Se o semi-reticulado da estrutura for monotônico e de altura finita, o algoritmo terá garantias de convergência.

Argumentaremos esses pontos supondo que a estrutura seja para frente. O caso de estruturas para trás é essencialmente o mesmo. A primeira propriedade é fácil de mostrar. Se as equações não forem satisfeitas no momento em que o *loop* while termina, haverá pelo menos uma mudança no OUT (no caso para frente) ou no IN (no caso para trás), e devemos iterar o *loop* novamente.

Para provar a segunda propriedade, primeiro mostramos que os valores assumidos por IN[B] e OUT[B] para qualquer B só podem diminuir (no sentido da relação $\leq$ para os reticulados) enquanto o algoritmo iterage. Essa afirmação pode ser provada por indução.

BASE: O caso de base é mostrar que o valor de IN[B] e OUT[B] após a primeira iteração não é maior que o valor inicializado. Essa afirmação é trivial, porque IN[B] e OUT[B] para todos os blocos $B \neq$ ENTRY são inicializados com $\top$.

INDUÇÃO: Suponha que, após a iteração k, todos os valores não sejam maiores que aqueles após a iteração $(k-1)$ e mostre o mesmo para a iteração $k+1$ em comparação com a iteração k. A linha (5) da Figura 9.23(a) tem:

$$IN[B] = \bigwedge_{P \text{ um predecessor de } B} OUT[P].$$

Vamos usar a notação IN[B]^i e OUT[B]^i para denotar os valores de IN[B] e OUT[B] após a iteração i. Supondo que OUT[P]^k $\leq$ OUT[P]$^{k-1}$, sabemos que IN[B]$^{k-1}$ $\leq$ IN[B]^k devido às propriedades do operador meet. Em seguida, a linha (6) diz:

$$OUT[B] = f_B(IN[B]).$$

Como IN[B]$^{k+1}$ $\leq$ IN[B]^k, temos OUT[B]$^{k+1}$ $\leq$ OUT[B]^k por monotonicidade.

Note que toda mudança observada para os valores de IN[B] e OUT[B] é necessária para satisfazer a equação. Os operadores meet retornam o ínfimo de suas entradas, e as funções de transferência retornam a única solução que é consistente com o próprio bloco e sua entrada dada. Assim, se o algoritmo iterativo terminar, o resultado deverá ter valores que serão pelo menos tão grandes quanto os valores correspondentes em qualquer outra solução, ou seja, o resultado do Algoritmo 9.25 será o MFP das equações.

Finalmente, considere o terceiro ponto, onde a estrutura de fluxo de dados tem altura finita. Como os valores de todo IN[B] e OUT[B] diminuem a cada mudança, e o algoritmo pára se em alguma iteração nada mudar, o algoritmo tem garantias de convergência após um número de iterações não superior ao produto da altura da estrutura e o número de nós do grafo de fluxo.

```
1) OUT[ENTRY] = v_ENTRY;
2) for (cada bloco básico B diferente de ENTRY) OUT[B] = ⊤;
3) while (ocorrem mudanças para qualquer OUT)
4)     for (cada bloco básico B diferente de EXIT) {
5)         IN[B] = ⋀_P um predecessor de B OUT[P];
6)         OUT[B] = f_B(IN[B]);
       }
```

(a) Algoritmo iterativo para um problema de fluxo de dados para frente.

```
1) IN[EXIT] = v_EXIT;
2) for (cada bloco básico B diferente de EXIT) IN[B] = ⊤;
3) while (ocorrem mudanças para qualquer IN)
4)     for (cada bloco básico B diferente de EXIT) {
5)         OUT[B] = ⋀_S um sucessor de B IN[S];
6)         IN[B] = f_B(OUT[B]);
       }
```

(b) Algoritmo iterativo para um problema de fluxo de dados para trás.

FIGURA 9.23 Versões para frente e para trás do algoritmo iterativo.

9.3.4 Semântica de uma solução de fluxo de dados

Agora, sabemos que a solução encontrada usando o algoritmo iterativo é o ponto fixo máximo, mas o que o resultado representa do ponto de vista da semântica do programa? Para entender a solução de uma estrutura de fluxo de dados $(D, F, V, \wedge)$, descrevemos, primeiro, qual seria a solução ideal para a estrutura. Mostramos que o ideal não pode ser obtido em geral, mas que o Algoritmo 9.25 aproxima o ideal de forma conservadora.

A solução ideal

Sem perda de generalidade, vamos considerar por enquanto que a estrutura de fluxo de dados de interesse é um problema de fluxo para frente. Considere o ponto de entrada de um bloco básico B. A solução ideal começa encontrando todos os caminhos de execução *possíveis* que levam, a partir da entrada do programa, para o início de B. Um caminho é 'possível' somente se houver alguma computação do programa que o siga exatamente. A solução ideal, então, calcularia o valor do fluxo de dados ao fim de cada caminho possível e aplicaria o operador meet a esses valores, para encontrar seu ínfimo. Então, nenhuma execução do programa pode produzir um valor menor para esse ponto do programa. Além disso, o limite é apertado; não existe um valor de fluxo de dados maior que seja um *glb* para o valor calculado ao longo de todo o caminho possível para B no grafo de fluxo.

Agora, tentamos definir a solução ideal mais formalmente. Para cada bloco B em um grafo de fluxo, considere que f_B seja a função de transferência para B. Considere qualquer caminho

$$P = \text{ENTRY} \to B_1 \to B_2 \to \ldots \to B_{k-1} \to B_k$$

a partir do nó inicial ENTRY para algum bloco B_k. O caminho do programa pode ter ciclos, de modo que um bloco básico pode aparecer várias vezes no caminho P. Defina a *função de transferência* de P, f_P, para ser a composição de $f_{B1}, f_{B2}, \ldots, f_{Bk-1}$. Observe que f_{Bk} não faz parte da composição, refletindo o fato de que esse caminho é tomado para chegar ao início do bloco B_k, e não ao seu fim. O valor de fluxo de dados criado pela execução desse caminho é, portanto, $f_P(v_{\text{ENTRY}})$, onde v_{ENTRY} é o resultado da função constante de transferência que representa o nó inicial ENTRY. O resultado ideal para o bloco B é, portanto,

$$\text{IDEAL}[B] = \bigwedge_{P,\text{ um caminho possível de ENTRY para } B} f_P(v_{\text{ENTRY}}).$$

Afirmamos que, em termos da ordem parcial $\leq$ da teoria de reticulado da estrutura em questão,

- Qualquer resposta que seja maior do que IDEAL é incorreta.
- Qualquer valor que seja menor ou igual ao IDEAL é conservador e, portanto, seguro.

Intuitivamente, quanto mais perto o valor estiver do ideal, mais preciso ele será.[8] Para ver por que as soluções devem ser $\leq$ a solução ideal, observe que qualquer solução maior que IDEAL para qualquer bloco poderia ser obtida ignorando-se algum caminho de execução que o programa poderia tomar, e não podemos estar certos da não existência de nenhum efeito ao longo desse caminho para invalidar qualquer melhoria do programa que poderíamos fazer com base na solução maior. Por outro lado, qualquer solução menor que IDEAL pode ser vista como incluindo certos caminhos que, ou não existem no grafo de fluxo, ou existem, mas o programa nunca os poderá seguir. Essa solução menor permitirá apenas transformações que sejam corretas para todas as execuções possíveis do programa, mas poderá proibir algumas transformações que IDEAL permitiria.

A solução de encontro de caminhos

No entanto, conforme discutimos na Seção 9.1, encontrar todos os caminhos de execução possíveis é indecidível. Assim, temos de fazer uma aproximação. Na abstração de fluxo de dados, consideramos que todo caminho no grafo de fluxo pode ser seguido. Assim, podemos definir a solução do encontro de caminhos para B como sendo:

$$\text{MOP}[B] = \bigwedge_{P,\text{ um caminho de ENTRY para } B} f_P(v_{\text{ENTRY}}).$$

Observe que, assim como para IDEAL, a solução MOP[B] fornece valores para IN[B] nas estruturas de fluxo para frente. Se tivéssemos de considerar as estruturas de fluxo para trás, pensaríamos em MOP[B] como o valor para OUT[B].

Os caminhos considerados na solução MOP são um superconjunto de todos os caminhos possivelmente executados. Assim, a solução MOP reúne não apenas os valores de fluxo de dados de todos os caminhos executáveis, mas também valores adicionais associados aos caminhos que possivelmente não podem ser executados. Pegar o meet da solução ideal mais termos adicionais não poderá criar uma solução maior do que a ideal. Assim, para todo B, temos MOP[B] $\leq$ IDEAL[B], e simplesmente diremos que MOP $\leq$ IDEAL.

---

8 Observe que, nos problemas para frente, o valor IDEAL[B] é o que gostaríamos que IN[B] fosse. Nos problemas para trás, que não discutimos aqui, definiríamos IDEAL[B] como o valor ideal de OUT[B].

O ponto fixo máximo *versus* a solução MOP

Observe que, na solução MOP, o número de caminhos considerados ainda será ilimitado se o grafo de fluxo tiver ciclos. Assim, a definição MOP não serve para um algoritmo direto. O algoritmo iterativo, certamente, não encontra primeiro todos os caminhos que conduzem a um bloco básico antes de aplicar o operador meet. Em vez disso,

1. O algoritmo iterativo visita os blocos básicos, não necessariamente na ordem de execução.
2. Em cada ponto de confluência, o algoritmo aplica o operador meet aos valores de fluxo de dados obtidos até esse ponto. Alguns dos valores usados foram introduzidos artificialmente no processo de inicialização, não representando o resultado de nenhuma execução a partir do início do programa.

Logo, qual é o relacionamento entre a solução MOP e a solução MFP produzida pelo Algoritmo 9.25?

Primeiro, discutimos a ordem em que os nós são visitados. Em uma iteração, podemos visitar um bloco básico antes de ter visitado seus predecessores. Se o predecessor for o nó ENTRY, OUT[ENTRY] já terá sido inicializado com o valor constante apropriado. Caso contrário, ele será inicializado com $\top$, um valor que não é menor que a resposta final. Pela monotonicidade, o resultado obtido pelo uso de $\top$ como entrada não é menor que a solução desejada. De certa forma, podemos pensar em $\top$ como não representando nenhuma informação.

Qual é o efeito de aplicar o operador meet mais cedo? Considere o exemplo simples da Figura 9.24, e suponha que estejamos interessados no valor de IN[B_4]. Pela definição de MOP,

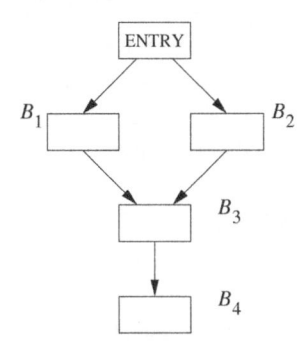

FIGURA 9.24 Grafo de fluxo ilustrando o efeito do meet aplicado mais cedo sobre caminhos.

$$\text{MOP}[B_4] = \big((f_{B3} \circ f_{B1}) \wedge (f_{B3} \circ f_{B2})\big)(v_{\text{ENTRY}})$$

No algoritmo iterativo, se visitarmos os nós na ordem B_1, B_2, B_3, B_4, então:

$$\text{IN}[B_4] = f_{B3}\big((f_{B1}(v_{\text{ENTRY}}) \wedge f_{B2}(v_{\text{ENTRY}}))\big)$$

Enquanto o operador meet é aplicado no fim da definição do MOP, o algoritmo iterativo o aplica mais cedo. A resposta será a mesma somente se a estrutura de fluxo de dados for distributiva. Se a estrutura de fluxo de dados for monotônica, mas não distributiva, ainda teremos IN[B_4] $\leq$ MOP[B_4]. Lembre-se de que, em geral, uma solução IN[B] é segura (conservadora) se IN[B] $\leq$ IDEAL[B] para todos os blocos B. Certamente, MOP[B] $\leq$ IDEAL[B].

Agora, oferecemos um esboço rápido do motivo pelo qual, em geral, a solução MFP fornecida pelo algoritmo iterativo é sempre segura. Uma indução fácil sobre i mostra que os valores obtidos após i iterações são menores ou iguais ao meet aplicado a todos os caminhos de tamanho i ou menor. Mas o algoritmo iterativo só termina se chegar à mesma resposta que obteria pela iteração em um número ilimitado de vezes. Assim, o resultado não é maior que a solução MOP. Como MOP $\leq$ IDEAL e MFP $\leq$ MOP, sabemos que MFP $\leq$ IDEAL, e, portanto a solução MFP fornecida pelo algoritmo iterativo é segura.

9.3.5 Exercícios da Seção 9.3

Exercício 9.3.1: Construa um diagrama de reticulado para o produto de três reticulados, cada um deles baseado em uma única definição d_i, para $i = 1, 2, 3$. Como o seu diagrama de reticulado se relaciona àquele da Figura 9.22?

!Exercício 9.3.2: Na Seção 9.3.3, argumentamos que, se a estrutura tem altura finita, o algoritmo iterativo converge. Aqui está um exemplo em que a estrutura não tem altura finita e o algoritmo iterativo não converge. Considere que o conjunto de valores V seja constituído de números reais não negativos, e considere que o operador meet seja o mínimo. Existem três funções de transferência:

i. A identidade, $f_I(x) = x$.
  ii. 'half', ou seja, a função $f_H(x) = x/2$.
  iii. 'one', ou seja, a função $f_O(x) = 1$.

O conjunto de funções de transferência F inclui estas três mais as funções formadas pela sua composição de todas as maneiras possíveis.

  a) Descreva o conjunto F.
  b) Qual é o relacionamento $\leq$ para essa estrutura?
  c) Dê um exemplo de um grafo de fluxo com funções de transferência atribuídas, de modo que o Algoritmo 9.25 não convirja.
  d) Essa estrutura é monotônica? Ela é distributiva?

! Exercício 9.3.3: Argumentamos que o Algoritmo 9.25 convergirá se a estrutura for monotônica e de altura finita. Aqui está um exemplo de uma estrutura que mostra que a monotonicidade é essencial; a altura finita não é suficiente. O domínio V é $\{1, 2\}$, o operador meet é min, e o conjunto de funções F é apenas a identidade (f_I) e a função 'switch' ($f_S(x) = 3 - x$) que troca 1 e 2.

  a) Mostre que essa estrutura é de altura finita, mas não monotônica.
  b) Dê um exemplo de um grafo de fluxo e atribuição de funções de transferência de modo que o Algoritmo 9.25 não convirja.

! Exercício 9.3.4: Considere que $\text{MOP}_i[B]$ seja o meet por todos os caminhos de tamanho i ou menor a partir da entrada para o bloco B. Prove que, após i iterações do Algoritmo 9.25, $\text{IN}[B] \leq \text{MOP}_i[B]$. Além disso, mostre que, como conseqüência, se o Algoritmo 9.25 convergir, então ele convergirá para algo que é $\leq$ a solução MOP.

! Exercício 9.3.5: Suponha que todas as funções do conjunto F para uma estrutura estejam no formato *gen-kill*. Ou seja, o domínio V é o conjunto potência de algum conjunto, e $f(x) = G \cup (x - K)$ para alguns conjuntos G e K. Prove que, se o operador meet for (a) união ou (b) interseção, a estrutura é distributiva.

9.4 Propagação de constante

Todos os esquemas de fluxo de dados discutidos na Seção 9.2 são, na realidade, exemplos simples de estruturas distributivas com altura finita. Assim, o Algoritmo 9.25 iterativo se aplica a eles em sua versão para frente ou para trás, e produz a solução MOP em cada caso. Nesta seção, examinamos com detalhes uma estrutura de fluxo de dados útil, com propriedades mais interessantes.

Lembre-se de que a propagação de constante, ou o 'desdobramento de constante', substitui expressões que são avaliadas para a mesma constante toda vez que são executadas por essa constante. A estrutura de propagação de constante descrita a seguir é diferente de todos os problemas de fluxo de dados discutidos até aqui, porque:

  a) ela tem um conjunto ilimitado de valores de fluxo de dados possíveis, até mesmo para um grafo de fluxo fixo, e,
  b) ela não é distributiva.

A propagação de constante é um problema de fluxo de dados para frente. O semi-reticulado que representa os valores de fluxo de dados e a família de funções de transferência são apresentados em seguida.

9.4.1 Valores de fluxo de dados para a estrutura de propagação de constante

O conjunto de valores de fluxo de dados é um reticulado produto, com um componente para cada variável de um programa. O reticulado para uma única variável consiste no seguinte:

1. Todas as constantes apropriadas para o tipo da variável.
2. O valor NAC (*not-a-constant*), que significa não uma constante. Uma variável é mapeada para esse valor se ela for determinada como não tendo um valor constante. A variável pode ter recebido um valor de entrada, ou pode ser derivada de uma variável que não é uma constante, ou pode ter recebido diferentes constantes ao longo de diferentes caminhos que conduzem ao mesmo ponto no programa.
3. O valor UNDEF (*undefined*), que significa indefinido. Uma variável é atribuída a esse valor se nada ainda tiver sido declarado; supostamente, nenhuma definição da variável alcançou o ponto em questão.

Observe que NAC e UNDEF não são iguais; eles são basicamente opostos. NAC diz que vimos tantas maneiras pelas quais uma variável poderia ser definida que sabemos que ela não é uma constante; UNDEF diz que vimos tão pouco sobre a variável que não podemos dizer nada.

O semi-reticulado para uma variável típica com valor inteiro aparece na Figura 9.25. Aqui, o elemento *top* é UNDEF, e o elemento *bottom* é NAC. Ou seja, o maior valor na ordem parcial é UNDEF e o menor é NAC. Os valores constantes são desordenados, mas todos eles são menores que UNDEF e maiores que NAC. Conforme discutimos na Seção 9.3.1, o meet de dois valores é seu ínfimo. Assim, para todos os valores v,

Para qualquer constante c,

$$\text{UNDEF} \wedge v = v \text{ e NAC} \wedge v = \text{NAC}.$$

$$c \wedge c = c$$

e dadas duas constantes distintas c_1 e c_2,

$$c_1 \wedge c_2 = \text{NAC}.$$

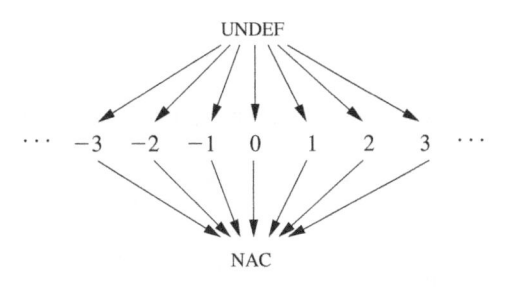

FIGURA 9.25 Semi-reticulado representando os 'valores' possíveis de uma única variável inteira.

Um valor de fluxo de dados para essa estrutura é um mapeamento de cada variável do programa para um dos valores no semi-reticulado de constante. O valor de uma variável v em um mapeamento m é denotado por $m(v)$.

9.4.2 O MEET PARA A ESTRUTURA DE PROPAGAÇÃO DE CONSTANTE

O semi-reticulado dos valores de fluxo de dados é simplesmente o produto dos semi-reticulados como a Figura 9.25, um para cada variável. Assim, $m \leq m'$ se e somente se, para todas as variáveis v, tivermos $m(v) \leq m'(v)$. Em outras palavras, $m \wedge m' = m''$ se $m''(v) = m(v) \wedge m'(v)$ para todas as variáveis v.

9.4.3 FUNÇÕES DE TRANSFERÊNCIA PARA A ESTRUTURA DE PROPAGAÇÃO DE CONSTANTE

A seguir, consideramos que um bloco básico contém apenas um comando. As funções de transferência para os blocos básicos contendo vários comandos podem ser construídas compondo-se as funções correspondentes a comandos individuais. O conjunto F consiste em certas funções de transferência que aceitam um mapeamento das variáveis aos valores no reticulado de constante e retornam outro mapeamento desse tipo.

F contém a função identidade, que recebe um mapeamento como entrada e retorna o mesmo mapeamento como saída. F também contém a função constante de transferência do nó ENTRY. Essa função de transferência, dado qualquer mapeamento de entrada, retorna um mapeamento m_0, onde $m_0(v) = \text{UNDEF}$, para todas as variáveis v. Essa condição de contorno tem sentido porque, antes de executar quaisquer comandos do programa, não existem definições para nenhuma variável.

Em geral, considere que f_s seja a função de transferência do comando s, e considere que m e m' representem os valores de fluxo de dados de modo que $m' = f(m)$. Descreveremos f_s em termos do relacionamento entre m e m'.

1. Se s não for um comando de atribuição, f_s é simplesmente a função identidade.
2. Se s for uma atribuição à variável x, $m'(v) = m(v)$, para todas as variáveis $v \neq x$, desde que uma das seguintes condições seja verdadeira:

   a) Se o lado direito (RHS) do comando s for uma constante c, então $m'(x) = c$.
   b) Se o RHS tiver o formato $y + z$, então[9]

   $$m'(x) = \begin{cases} m(y) + m(z) & \text{se } m(y) \text{ e } m(z) \text{ forem valores constantes} \\ \text{NAC} & \text{se } m(y) \text{ ou } m(z) \text{ for NAC} \\ \text{UNDEF} & \text{caso contrário} \end{cases}$$

   c) Se o RHS for qualquer outra expressão (por exemplo, uma chamada de função ou atribuição por um apontador), então $m'(x) = \text{NAC}$.

---

[9] Como sempre, + representa um operador genérico, e não necessariamente a adição.

9.4.4 Monotonicidade da estrutura de propagação de constante

Vamos mostrar que a estrutura de propagação de constante é monotônica. Primeiro, podemos considerar o efeito de uma função f_s para uma única variável. Em todos, menos no caso 2(b), f_s não muda o valor de $m(x)$ ou muda o mapeamento para retornar uma constante ou NAC. Nesses casos, f_s certamente deve ser monotônico.

Para o caso 2(b), o efeito de f_s é tabulado na Figura 9.26. A primeira e a segunda colunas representam os valores de entrada possíveis de y e z; a última representa o valor de saída de x. Os valores são ordenados do maior para o menor em cada coluna ou subcoluna. Para mostrar que a função é monotônica, verificamos que, para cada valor de entrada possível de y, o valor de x não fica maior quando o valor de z fica menor. Por exemplo, no caso em que y tem um valor constante c_1, como o valor de z varia de UNDEF para c_2 para NAC, o valor de x varia de UNDEF, para $c_1 + c_2$, e então para NAC, respectivamente. Podemos repetir esse procedimento para todos os valores possíveis de y. Devido à simetria, nem mesmo precisamos repetir o procedimento para o segundo operando antes de concluir que o valor de saída não pode tornar-se maior quando a entrada fica menor.

$m(y)$	$m(z)$	$m'(x)$
	UNDEF	UNDEF
UNDEF	c_2	UNDEF
	NAC	NAC
	UNDEF	UNDEF
c_1	c_2	$c_1 + c_2$
	NAC	NAC
	UNDEF	NAC
NAC	c_2	NAC
	NAC	NAC

Figura 9.26 A função de transferência de propagação de constante para x = y + z.

9.4.5 Não distributividade da estrutura de propagação de constante

A estrutura de propagação de constante conforme definida é monotônica, mas não distributiva. Ou seja, a solução iterativa MFP é segura, mas pode ser menor que a solução MOP. Um exemplo provará que a estrutura não é distributiva.

Exemplo 9.26: No programa da Figura 9.27, x e y são definidos como 2 e 3 no bloco B_1, e como 3 e 2, respectivamente, no bloco B_2. Sabemos que, independentemente do caminho seguido, o valor de z no fim do bloco B_3 é 5. Contudo, o algoritmo iterativo não descobre esse fato. Em vez disso, ele aplica o operador meet na entrada de B_3, obtendo NACs como os valores de x e y. Como a adição de dois NACs produz um NAC, a saída gerada pelo Algoritmo 9.25 é que z = NAC na saída do programa. Esse resultado é seguro, mas impreciso. O Algoritmo 9.25 é impreciso porque não acompanha a correlação de que, sempre que x é 2, y é 3, e vice-versa. É possível, porém muito mais caro, usar uma estrutura mais complexa, que rastreia todas as igualdades possíveis que se mantêm entre os pares de expressões que envolvem as variáveis no programa; essa técnica é discutida no Exercício 9.4.2.

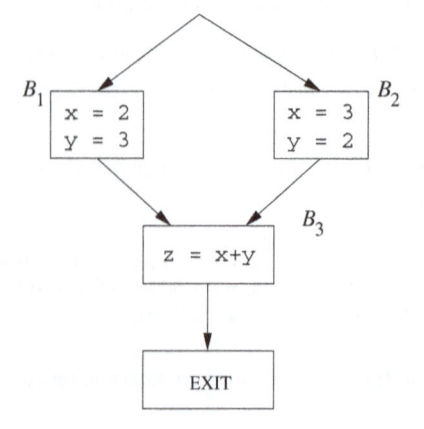

Figura 9.27 Um exemplo demonstrando que a estrutura de propagação de constante não é distributiva.

Teoricamente, podemos atribuir essa perda de precisão à não distributividade da estrutura de propagação de constante. Considere que f_1, f_2 e f_3 sejam as funções de transferência que representam os blocos B_1, B_2 e B_3, respectivamente. Como mostrado na Figura 9.28,

$$f_3(f_1(m_0) \wedge f_2(m_0)) < f_3(f_1(m_0)) \wedge f_3(f_2(m_0))$$

tornando a estrutura não distributiva.

m	$m(x)$	$m(y)$	$m(z)$
m_0	UNDEF	UNDEF	UNDEF
$f_1(m_0)$	2	3	UNDEF
$f_2(m_0)$	3	2	UNDEF
$f_1(m_0) \wedge f_2(m_0)$	NAC	NAC	UNDEF
$f_3(f_1(m_0) \wedge f_2(m_0))$	NAC	NAC	NAC
$f_3(f_1(m_0))$	2	3	5
$f_3(f_2(m_0))$	3	2	5
$f_3(f_1(m_0)) \wedge f_3(f_2(m_0))$	NAC	NAC	5

FIGURA 9.28 Exemplo de funções de transferência não distributivas.

9.4.6 INTERPRETAÇÃO DOS RESULTADOS

O valor UNDEF é usado no algoritmo iterativo para duas finalidades: para inicializar o nó ENTRY e para inicializar os pontos interiores do programa antes das iterações. A semântica é ligeiramente diferente nos dois casos. O primeiro diz que as variáveis são indefinidas no início da execução do programa; o segundo diz que, por falta de informação no início do processo iterativo, aproximamos a solução com o elemento *top* UNDEF. No final do processo iterativo, as variáveis na saída do nó ENTRY ainda manterão o valor UNDEF, pois OUT[ENTRY] nunca muda.

É possível que UNDEFs possam aparecer em alguns outros pontos do programa. Quando isso acontece, significa que nenhuma definição foi observada para essa variável ao longo de qualquer um dos caminhos que levam a esse ponto do programa. Observe que, da forma como definimos o operador meet, desde que exista um caminho que defina uma variável alcançando um ponto do programa, a variável não terá um valor UNDEF. Se todas as definições alcançando um ponto do programa tiverem o mesmo valor constante, a variável será considerada uma constante, embora possa não ser definida ao longo de algum caminho do programa.

Supondo que o programa esteja correto, o algoritmo poderá encontrar mais constantes do que encontraria de outra maneira, ou seja, o algoritmo escolhe convenientemente alguns valores para aquelas variáveis possivelmente indefinidas, a fim de tornar o programa mais eficiente. Essa mudança é válida na maioria das linguagens de programação, pois as variáveis indefinidas têm permissão para conter qualquer valor. Se a semântica da linguagem requer que todas as variáveis indefinidas recebam algum valor específico, devemos por conseqüência mudar nossa formulação do problema. E se, em vez disso, estivermos interessados em encontrar variáveis possivelmente indefinidas em um programa, podemos formular uma análise de fluxo de dados diferente para provar esse resultado (veja o Exercício 9.4.1).

EXEMPLO 9.27: Na Figura 9.29, os valores de x são 10 e UNDEF na saída dos blocos básicos B_2 e B_3, respectivamente. Como UNDEF $\wedge$ 10 = 10, o valor de x é 10 na entrada do bloco B_4. Assim, o bloco B_5, onde x é usado, pode ser otimizado substituindo-se o x por 10. Se o caminho executado fosse $B_1 \rightarrow B_3 \rightarrow B_4 \rightarrow B_5$, o valor de x que alcança o bloco básico B_5 teria sido indefinido. Assim, parece incorreto substituir o uso de x por 10.

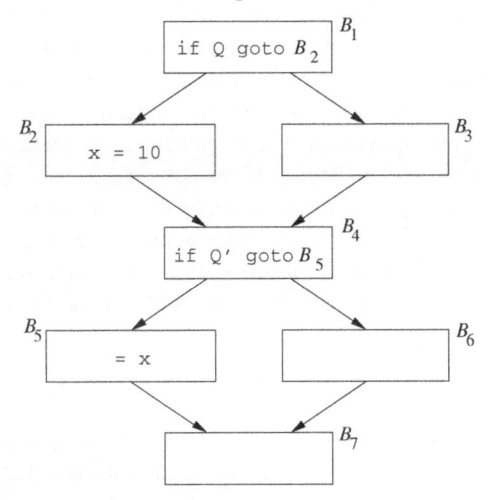

FIGURA 9.29 Meet de UNDEF e uma constante.

Contudo, se for impossível que o predicado Q seja falso enquanto Q' é verdadeiro, então esse caminho de execução nunca irá ocorrer. Embora o programador possa estar ciente desse fato, isso pode estar além da capacidade de determinação de qualquer análise de fluxo de dados. Assim, se considerarmos que o programa está correto e que todas as variáveis são definidas antes de serem usadas, é realmente correto que o valor de x no início do bloco básico B_5 só possa ser 10. E se, para começar, o programa estiver incorreto, escolher 10 como valor de x não pode ser pior do que permitir que x assuma algum valor aleatório.

9.4.7 Exercícios da Seção 9.4

! Exercício 9.4.1: Suponha que queiramos detectar toda a possibilidade de uma variável ser não inicializada ao longo de qualquer caminho até um ponto onde ela é usada. Como você modificaria a estrutura dessa seção para detectar tais situações?

!! Exercício 9.4.2: Uma estrutura de análise de fluxo de dados interessante e poderosa é obtida imaginando-se que o domínio V seja todas as partições possíveis das expressões, de modo que duas expressões estão na mesma classe se e somente se estiverem certas de ter o mesmo valor ao longo de qualquer caminho até o ponto em questão. Para não ter de relacionar uma infinidade de expressões, podemos representar V relacionando apenas os pares mínimos de expressões equivalentes. Por exemplo, se executarmos os comandos:

$$a = b$$
$$c = a + d$$

então o conjunto mínimo de equivalências é $\{a \equiv b, c \equiv a + d\}$. Destas, seguem outras equivalências, como $c \equiv b + d$ e $a + e \equiv b + e$, mas não é preciso relacioná-las explicitamente.

a) Qual é o operador meet apropriado para essa estrutura?
b) Dê uma estrutura de dados para representar valores de domínio e um algoritmo para implementar o operador meet.
c) Quais são as funções apropriadas para associar a comandos? Explique o efeito que um comando como `a = b + c` deverá ter sobre uma partição das expressões, ou seja, sobre um valor em V.
d) Essa estrutura é monotônica? Distributiva?

9.5 Eliminação de redundância parcial

Nesta seção, consideramos em detalhes como minimizar o número de avaliações de expressões, ou seja, quisermos considerar todas as seqüências de execução possíveis em um grafo de fluxo, e examinamos o número de vezes que uma expressão como $x + y$ é avaliada. Movendo-nos pelos pontos onde $x + y$ é avaliado e mantendo o resultado em uma variável temporária onde for necessário, freqüentemente podemos reduzir o número de avaliações dessa expressão ao longo de muitos dos caminhos de execução, embora não aumentando esse número ao longo de qualquer caminho. Observe que o número de localizações diferentes no grafo de fluxo onde $x + y$ é avaliado pode aumentar, mas isso é relativamente sem importância, desde que o número de *avaliações* da expressão $x + y$ seja reduzido.

Aplicar a transformação de código desenvolvida nesta seção melhora o desempenho do código resultante, pois, conforme veremos, uma operação nunca é aplicada a menos que seja absolutamente necessário. Todo compilador otimizado implementa algo como a transformação descrita aqui, mesmo que use um algoritmo menos 'agressivo' do que o desta seção. Contudo, existe outra motivação para discutir o problema. Encontrar o ponto ou os pontos corretos no grafo de fluxo para avaliar cada expressão requer quatro tipos diferentes de análises de fluxo de dados. Assim, o estudo da 'eliminação parcial da redundância', como é chamada a minimização do número de avaliações de expressão, melhorará nosso conhecimento do papel que a análise de fluxo de dados desempenha em um compilador.

Existe redundância nos programas sob vários aspectos. Conforme discutimos na Seção 9.1.4, ela pode existir na forma de subexpressões comuns, em que várias avaliações da expressão produzem o mesmo valor. Também pode existir na forma de uma expressão invariante do *loop*, que é avaliada com o mesmo valor em toda iteração do *loop*. A redundância ainda pode ser parcial, se for encontrada ao longo de alguns dos caminhos, mas não necessariamente em *todos* os caminhos. As subexpressões comuns e as expressões invariantes do *loop* podem ser vistas como casos especiais de redundância parcial; assim, um único algoritmo de eliminação de redundância parcial pode ser idealizado para eliminar as diversas formas de redundância.

A seguir, primeiro discutimos as diferentes formas de redundância, a fim de entender o problema. Depois, descrevemos genericamente o problema da eliminação de redundância e, finalmente, apresentamos o algoritmo. Esse algoritmo é particularmente interessante, pois mostra como solucionar vários problemas de fluxo de dados, nas direções para frente e para trás.

9.5.1 As fontes de redundância

A Figura 9.30 ilustra as três formas de redundância: subexpressões comuns, expressões invariantes no *loop* e expressões parcialmente redundantes. A figura mostra o código antes e depois de cada otimização.

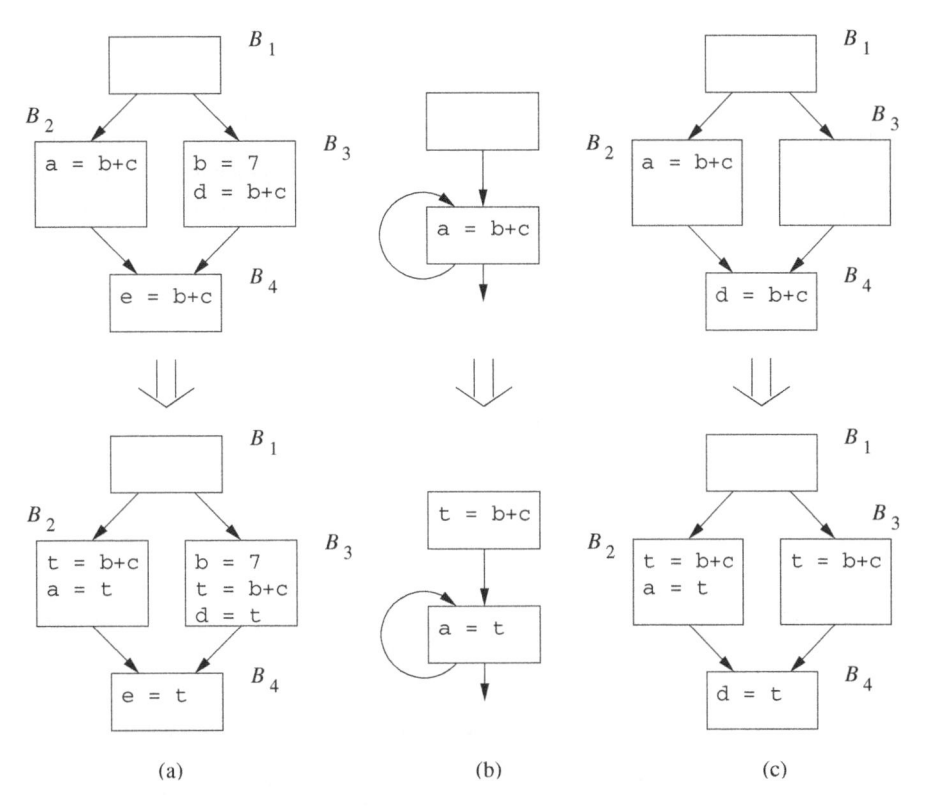

FIGURA 9.30 Exemplos de (a) subexpressão comum global, (b) movimentação de código invariante no *loop* e (c) eliminação de redundância parcial.

Subexpressões comuns globais

Na Figura 9.30(a), a expressão $b + c$ calculada no bloco B_4 é redundante, porque já foi avaliada quando o fluxo de controle alcançou B_4, independentemente do caminho percorrido para chegar lá. Como observamos neste exemplo, o valor da expressão pode ser diferente em diferentes caminhos. Podemos otimizar o código armazenando o resultado dos cálculos de $b + c$ nos blocos B_2 e B_3 na mesma variável temporária, digamos, t, e então atribuir o valor de t à variável e no bloco B_4, em vez de reavaliar a expressão. Se tivesse havido uma atribuição para b ou c após o último cálculo de $b + c$, mas antes do bloco B_4, a expressão no bloco B_4 não seria redundante.

Formalmente, dizemos que uma expressão $b + c$ é (totalmente) *redundante* no ponto p, se ela for uma expressão disponível, no sentido da Seção 9.2.6, nesse ponto. Ou seja, a expressão $b + c$ foi calculada ao longo de todos os caminhos que alcançam p, e as variáveis b e c não foram redefinidas depois que a última expressão foi avaliada. Essa última condição é necessária, porque, embora a expressão $b + c$ seja textualmente executada antes de alcançar o ponto p, o valor de $b + c$ calculado no ponto p teria sido diferente, porque os operandos poderiam ter mudado.

Encontrando subexpressões comuns 'profundas'

O uso da análise de expressões disponíveis para identificar expressões redundantes só funciona para expressões que são textualmente idênticas. Por exemplo, uma aplicação da eliminação de subexpressão comum reconhecerá que t1 no fragmento de código

$$t1 = b + c; a = t1 + d;$$

tem o mesmo valor de t2 em

$$t2 = b + c; e = t2 + d;$$

desde que as variáveis b e c não tenham sido redefinidas nesse ínterim. Contudo, ela não reconhece que a e e também são iguais. É possível encontrar essas subexpressões comuns 'profundas' reaplicando a eliminação de subexpressão comum até que nenhuma subexpressão comum nova seja encontrada em uma rodada. Também é possível usar a estrutura do Exercício 9.4.2 para tratar subexpressões comuns profundas.

Expressões invariantes de *loop*

A Figura 9.30(b) mostra um exemplo de expressão invariante de *loop*. A expressão $b + c$ é uma invariante de *loop*, que supõe que nem a variável b nem a c sejam redefinidas no *loop*. Podemos otimizar o programa substituindo todas as re-execuções em um *loop* por um único cálculo fora do *loop*. Atribuímos o cálculo a uma variável temporária, digamos, t, e então substituímos a expressão no *loop* por t. Há mais um ponto que precisamos considerar ao realizar otimizações de 'movimentação de código' como essa. Não devemos executar nenhuma instrução que não tenha sido executada sem a otimização. Por exemplo, se for possível sair do *loop* sem nem mesmo executar a instrução invariante de *loop*, não devemos mover a instrução para fora do *loop*. Existem dois motivos.

1. Se a instrução causar uma exceção, sua execução poderá lançar uma exceção que não teria acontecido no programa original.
2. Quando o *loop* sai mais cedo, o programa "otimizado" gasta mais tempo do que o programa original.

Para garantir que as expressões invariantes de *loop* possam ser otimizadas em *loops* while, os compiladores, em geral, representam o comando:

```
while c {
    s;
}
```

da mesma maneira que o comando

```
if c {
    repeat
        s;
    until not c;
}
```

Desse modo, as expressões invariantes de *loop* podem ser colocadas imediatamente antes da construção repeat-until.

Diferentemente da eliminação de subexpressão comum, em que um cálculo de expressão redundante é simplesmente removido, a eliminação de expressão invariante de *loop* requer que uma expressão de dentro do *loop* seja colocada fora dele. Assim, essa otimização geralmente é conhecida como 'movimentação de código invariante de *loop*'. A movimentação de código invariante de *loop* pode precisar ser repetida porque, quando uma variável é determinada para ter um valor invariante no *loop*, as expressões que usam essa variável também podem tornar-se invariantes de *loop*.

Expressões parcialmente redundantes

Um exemplo de uma expressão parcialmente redundante aparece na Figura 9.30(c). A expressão $b + c$ no bloco B_4 é redundante no caminho $B_1 \rightarrow B_2 \rightarrow B_4$, mas não no caminho $B_1 \rightarrow B_3 \rightarrow B_4$. Podemos eliminar a redundância no primeiro caminho colocando um cálculo de $b + c$ no bloco B_3. Todos os resultados de $b + c$ são escritos em uma variável temporária t, e o cálculo no bloco B_4 é substituído por t. Assim, da mesma forma que a movimentação de código invariante de *loop*, a eliminação de redundância parcial requer o posicionamento de novos cálculos de expressão.

9.5.2 Toda a redundância pode ser eliminada?

É possível eliminar todos os cálculos redundantes ao longo de todo caminho? A resposta é 'não', a menos que tenhamos permissão para alterar o grafo de fluxo criando novos blocos.

Exemplo 9.28: No exemplo mostrado na Figura 9.31(a), a expressão $b + c$ será calculada de forma redundante no bloco B_4 se o programa seguir o caminho de execução $B_1 \rightarrow B_2 \rightarrow B_4$. Contudo, não podemos simplesmente mover o cálculo de $b + c$ para o bloco B_3, porque isso criaria um cálculo extra de $b + c$ quando o caminho $B_1 \rightarrow B_3 \rightarrow B_5$ fosse seguido.

O que gostaríamos de fazer é inserir o cálculo de $b + c$ somente ao longo da aresta do bloco B_3 para o bloco B_4. Podemos fazer isso colocando a instrução em um novo bloco, digamos, B_6, e fazendo com que o fluxo de controle de B_3 passe por B_6 antes de alcançar B_4. A transformação aparece na Figura 9.31(b).

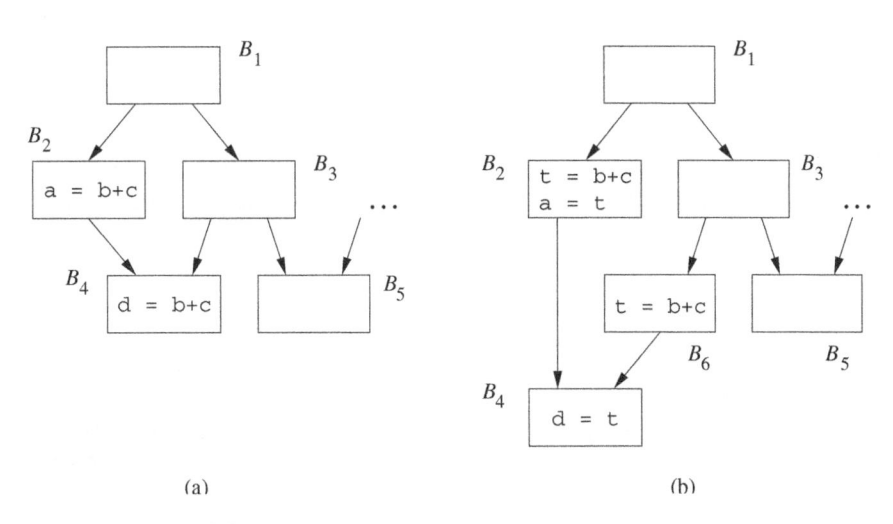

FIGURA 9.31 B_3 à B_4 é uma aresta crítica.

Definimos uma *aresta crítica* em um grafo de fluxo como sendo qualquer aresta que leva de um nó com mais de um sucessor a um nó com mais de um predecessor. Introduzindo novos blocos ao longo das arestas críticas, sempre podemos encontrar um bloco para acomodar o posicionamento da expressão desejada. Por exemplo, a aresta de B_3 para B_4 na Figura 9.31(a) é crítica, por que B_3 tem dois sucessores, e B_4 tem dois predecessores.

A inclusão de blocos pode não ser suficiente para permitir a eliminação de todos os cálculos redundantes. Como veremos no Exemplo 9.29, podemos ter de duplicar o código a fim de isolar o caminho onde a redundância está localizada.

EXEMPLO 9.29: No exemplo mostrado na Figura 9.32(a), a expressão $b + c$ é calculada de forma redundante ao longo do caminho $B_1 \rightarrow B_2 \rightarrow B_4 \rightarrow B_6$. Gostaríamos de remover o cálculo redundante de $b + c$ do bloco B_6 nesse caminho e calcular a expressão apenas ao longo do caminho $B_1 \rightarrow B_3 \rightarrow B_4 \rightarrow B_6$. Contudo, não existe um único ponto do programa ou aresta no programa fonte que corresponda unicamente ao último caminho. Para criar tal ponto do programa, podemos duplicar o par de blocos B_4 e B_6, com um par alcançado por B_2 e o outro alcançado por B_3, como mostra a Figura 9.32(b). O resultado de $b + c$ é atribuído para a variável t no bloco B_2, e movido para a variável d em B'_6, a cópia de B_6 alcançada a partir de B_2. ∎

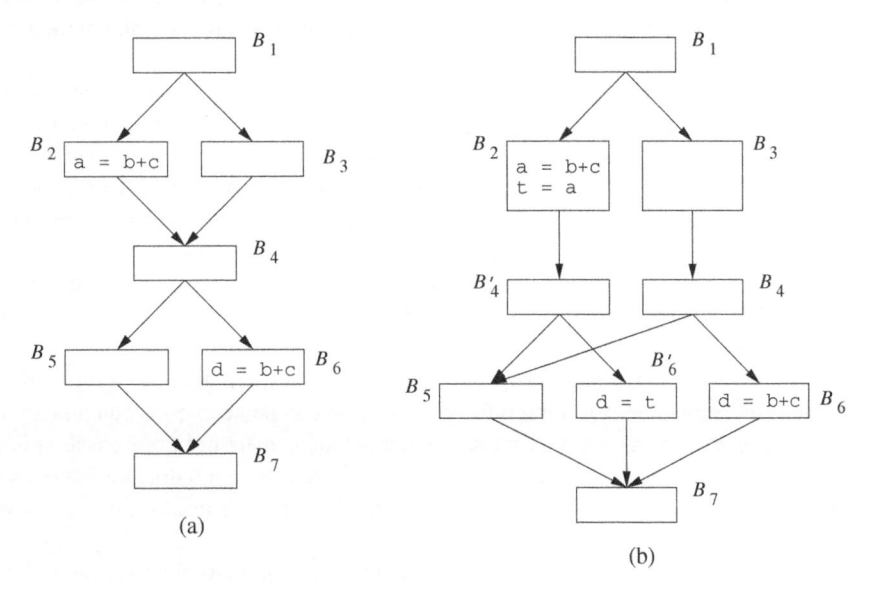

FIGURA 9.32 Duplicação de código para eliminar redundâncias.

Como o número de caminhos é exponencial no número de desvios condicionais do programa, eliminar todas as expressões redundantes pode aumentar bastante o tamanho do código otimizado. Portanto, restringimos nossa discussão das técnicas de eliminação de redundância àquelas que podem introduzir blocos adicionais, mas que não duplicam partes do grafo de fluxo de controle.

9.5.3 O problema da movimentação de código tardio

É desejável que os programas otimizados com um algoritmo de eliminação de redundância parcial tenham as seguintes propriedades:

1. Todos os cálculos redundantes de expressões que podem ser eliminados sem duplicação de código são eliminados.
2. O programa otimizado não realiza nenhum cálculo que não esteja na execução do programa original.
3. Expressões são calculadas o mais tardiamente possível.

A última propriedade é importante porque os valores das expressões ditas redundantes são usualmente mantidos nos registradores até que sejam usados. Calcular um valor o mais tardiamente possível reduz seu tempo de vida — a duração entre o momento em que o valor é definido e o momento em que ele é usado por último, que, por sua vez, minimiza seu uso em um registrador. Vamos referir-nos à otimização para eliminar a redundância parcial com o objetivo de adiar os cálculos o máximo possível como *movimentação de código tardio*.

Para aumentar nossa intuição do problema, primeiro discutimos como raciocinar sobre a redundância parcial de uma única expressão ao longo de um único caminho. Por conveniência, consideramos no restante da discussão que todo comando é um bloco básico por si só.

Redundância total

Uma expressão e no bloco B é redundante se, ao longo de todos os caminhos que alcançam B, e tiver sido avaliada e os operandos de e não tiverem sido redefinidos posteriormente. Considere que S seja o conjunto de blocos, cada um contendo a expressão e, o que torna e em B redundante. O conjunto de arestas que deixam os blocos em S deve, necessariamente, formar um *cutset* que, se removido, desconecta o bloco B da entrada do programa. Além do mais, nenhum operando de e é redefinido ao longo dos caminhos que levam dos blocos em S para B.

Redundância parcial

Se uma expressão e no bloco B for apenas parcialmente redundante, o algoritmo de movimentação de código tardio tentará tornar e totalmente redundante em B, colocando cópias adicionais das expressões no grafo de fluxo. Se a tentativa tiver sucesso, o grafo de fluxo otimizado também terá um conjunto de blocos básicos S, cada um contendo a expressão e, e cujas arestas de saída serão um *cutset* entre a entrada e B. Como no caso totalmente redundante, nenhum operando de e é redefinido ao longo dos caminhos que levam dos blocos em S para B.

9.5.4 Antecipação das expressões

Existe uma restrição adicional imposta às expressões inseridas para garantir que nenhuma operação extra seja executada. As cópias de uma expressão devem ser colocadas apenas nos pontos do programa onde a expressão é *antecipada*. Dizemos que uma expressão $b + c$ é *antecipada* no ponto p se todos os caminhos partindo do ponto p em algum momento calcularem o valor da expressão $b + c$ a partir dos valores de b e c que estão disponíveis nesse ponto.

Agora, vamos examinar o que é necessário para eliminar a redundância parcial ao longo de um caminho acíclico $B_1 \rightarrow B_2 \rightarrow ... \rightarrow B_n$. Suponha que a expressão e seja avaliada apenas nos blocos B_1 e B_n, e que os operandos de e não sejam redefinidos nos blocos ao longo do caminho. Existem arestas chegando, que unem o caminho, e existem arestas saindo, que deixam o caminho. Vemos que e não é antecipado na entrada do bloco B_i se e somente se houver uma aresta de saída deixando o bloco B_j, $i \leq j < n$, que leva a um caminho de execução que não usa o valor de e. Assim, a antecipação limita o quão cedo uma expressão pode ser inserida.

Podemos criar um *cutset* que inclui a aresta $B_{i-1} \rightarrow B_i$ e que torna e redundante em B_n se e estiver disponível ou antecipado na entrada de B_i. Se e for antecipado, mas não estiver disponível na entrada de B_i, devemos colocar uma cópia da expressão e ao longo da aresta de chegada.

Temos a escolha da posição onde ficarão as cópias da expressão, pois, em geral, existem vários *cutsets* no grafo de fluxo que satisfazem todos os requisitos. Nos parágrafos anteriores, a computação é introduzida ao longo das arestas que chegam ao caminho de interesse e, portanto, a expressão é computada o mais próximo possível do uso, sem introduzir redundância. Observe que essas operações introduzidas podem, por si sós, ser parcialmente redundantes com outras ocorrências da mesma expressão no programa. Essa redundância parcial pode ser eliminada movendo-se essas computações mais para cima.

Resumindo, a antecipação das expressões limita o quão cedo uma expressão pode ser incluída; não se pode colocar uma expressão tão cedo que não se possa antecipar onde ela é colocada. Quanto mais cedo uma expressão é colocada, mais redundância pode ser removida e, entre todas as soluções que eliminam as mesmas redundâncias, aquela que calcula as expressões o mais tardiamente possível minimiza os tempos de vida dos registradores que contêm os valores das expressões envolvidas.

9.5.5 O ALGORITMO DE MOVIMENTAÇÃO DE CÓDIGO TARDIO

Esta discussão, portanto, motiva um algoritmo de quatro passos. O primeiro passo usa a antecipação para determinar onde as expressões podem ser colocadas; o segundo passo encontra o *cutset mais do início*, entre aqueles que eliminam o máximo de operações redundantes possível sem duplicar o código e sem introduzir nenhum cálculo indesejado. Esse passo coloca os cálculos nos pontos do programa em que os valores de seus resultados são inicialmente antecipados. O terceiro passo, então, transfere o *cutset* para o ponto em que qualquer outro retardamento alteraria a semântica do programa ou introduziria redundância. O quarto e último passo é um passo simples para limpar o código, removendo atribuições a variáveis temporárias que são usadas apenas uma vez. Cada passo é realizado com um passo de fluxo de dados: o primeiro e o quarto são problemas de fluxo para trás, o segundo e o terceiro são problemas de fluxo para frente.

Visão geral do algoritmo

1. Encontre todas as expressões antecipadas em cada ponto do programa usando um passo de fluxo de dados para trás.
2. O segundo passo coloca a computação onde os valores das expressões são antecipados, primeiro, ao longo de algum caminho. Depois que tivermos colocado cópias de uma expressão onde a expressão é antecipada primeiro, a expressão estaria *disponível* no ponto p do programa se tivesse sido antecipada ao longo de todos os caminhos que alcançam p. A disponibilidade pode ser resolvida usando um passo de fluxo de dados para frente. Se quisermos colocar as expressões nas posições o mais cedo possível, podemos simplesmente encontrar os pontos do programa em que as expressões são antecipadas, mas não estão disponíveis.
3. Executar uma expressão assim que ela for antecipada pode produzir um valor muito tempo antes de ser usado. Uma expressão é *adiável* em um ponto do programa se tiver sido antecipada e ainda estiver prestes a ser usada ao longo do caminho que chega ao ponto do programa. As expressões adiáveis são encontradas usando-se uma passada de fluxo de dados para frente. Colocamos expressões naqueles pontos do programa onde elas não possam ser mais adiadas.
4. Um último passo de fluxo de dados para trás é usado para eliminar atribuições a variáveis temporárias que são usadas apenas uma vez no programa.

Passos de pré-processamento

Agora, apresentamos todo o algoritmo de movimentação de código tardio. Para manter o algoritmo simples, consideramos que, inicialmente, todo comando está em um bloco básico por si só, e apenas introduzimos novos cálculos de expressões nos inícios dos blocos. Para garantir que essa simplificação não reduz a eficiência da técnica, inserimos um novo bloco entre a origem e o destino de uma aresta, caso este tenha mais de um predecessor. Obviamente, isso também cuida de todas as arestas críticas no programa.

Abstraímos a semântica de cada bloco B com dois conjuntos: e_use_B é o conjunto de expressões calculadas em B, e e_kill_B é o conjunto de expressões mortas, ou seja, qualquer conjunto de expressões cujos operandos são definidos em B. O Exemplo 9.30 será usado no decorrer da discussão das quatro análises de fluxo de dados, cujas definições são resumidas na Figura 9.34.

EXEMPLO 9.30: No grafo de fluxo da Figura 9.33(a), a expressão $b + c$ aparece três vezes. Como o bloco B_9 faz parte de um *loop*, a expressão pode ser calculada muitas vezes. A computação no bloco B_9 não é apenas invariante de *loop*; também é uma expressão redundante, pois seu valor já foi usado no bloco B_7. Para este exemplo, precisamos calcular $b + c$ só duas vezes, uma no bloco B_5 e uma ao longo do caminho após B_2 e antes de B_7. O código do algoritmo de movimentação de código tardio colocará os cálculos da expressão no início dos blocos B_4 e B_5. ▬

Expressões antecipadas

Lembre-se de que uma expressão $b + c$ é antecipada em um ponto do programa p se todos os caminhos que levam do ponto p, em algum momento, calcularem o valor da expressão $b + c$ a partir dos valores de b e c que estiverem disponíveis nesse ponto.

Na Figura 9.33(a), todos os blocos que antecipam $b + c$ na entrada são mostrados como caixas levemente sombreadas. A expressão $b + c$ é antecipada nos blocos B_3, B_4, B_5, B_6, B_7 e B_9. Ela não é antecipada na entrada do bloco B_2, porque o valor de c é recalculado nesse bloco e, portanto, o valor de $b + c$, que seria calculado no início de B_2, não é usado ao longo de nenhum caminho. A expressão $b + c$ não é antecipada na entrada de B_1, porque é desnecessária ao longo do desvio de B_1 para B_2 (embora seja usada ao longo do caminho $B_1 \rightarrow B_5 \rightarrow B_6$). De modo semelhante, a expressão não é antecipada no início de B_8, devido ao desvio de B_8 para B_{11}. A antecipação de uma expressão pode oscilar ao longo do caminho, conforme ilustrado por $B_7 \rightarrow B_8 \rightarrow B_9$.

As equações de fluxo de dados para o problema das expressões antecipadas são mostradas na Figura 9.34(a). A análise é feita para trás. Uma expressão antecipada na saída de um bloco B é uma expressão antecipada na entrada somente se não estiver no conjunto e_kill_B. Além disso, um bloco B gera como novos usos o conjunto de expressões e_use_B. Na saída do programa, nenhuma das expressões é antecipada. Como estamos interessados em encontrar expressões que são antecipadas ao longo de todo caminho subseqüente, o operador meet é a interseção de conjunto. Conseqüentemente, os pontos interiores devem ser inicializados com o conjunto universal U, conforme discutimos na Seção 9.2.6 em relação ao problema das expressões disponíveis.

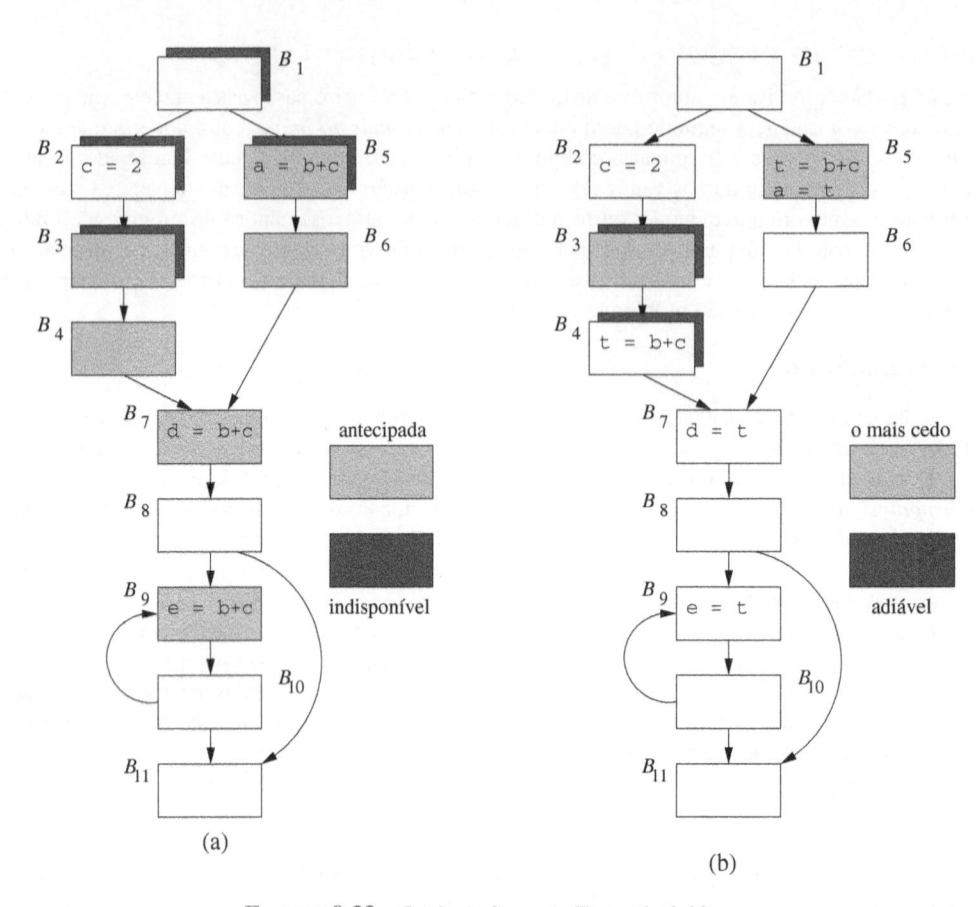

FIGURA 9.33 Grafo de fluxo do Exemplo 9.30.

	(a) Expressões antecipadas	(b) Expressões disponíveis
Domínio	Conjuntos de expressões	Conjuntos de expressões
Direção	Para trás	Para frente
Função de transferência	$f_B(x) = e\_use_B \cup (x - e\_kill_B)$	$f_B(x) = (anticipated[B].in \cup x) - e\_kill_B$
Condição de contorno	$IN[EXIT] = \emptyset$	$OUT[ENTRY] = \emptyset$
Meet ($\wedge$)	$\cap$	$\cap$
Equações	$IN[B] = f_B(OUT[B])$	$OUT[B] = f_B(IN[B])$
	$OUT[B] = \bigwedge_{S,\ succ(B)} IN[S]$	$IN[B] = \bigwedge_{P,\ pred(B)} OUT[P]$
Inicialização	$IN[B] = U$	$OUT[B] = U$

	(c) Expressões adiáveis (*postponable*)	(d) Expressões usadas
Domínio	Conjuntos de expressões	Conjuntos de expressões
Direção	Para frente	Para trás
Função de transferência	$f_B(x) = (earliest[B] \cup x) - e\_use_B$	$f_B(x) = (e\_use_B \cup x) - latest[B]$
Condição de contorno	$OUT[ENTRY] = \emptyset$	$IN[EXIT] = \emptyset$
Meet($\wedge$)	$\cap$	$\cup$
Equações	$OUT[B] = f_B(IN[B])$	$IN[B] = f_B(OUT[B])$
	$IN[B] = \bigwedge_{P,\ pred(B)} OUT[P]$	$OUT[B] = \bigwedge_{S,\ succ(B)} IN[S]$
Inicialização	$OUT[B] = U$	$IN[B] = \emptyset$

$earliest[B] = anticipated[B].in - available[B].in$

$latest\ [B] = (earliest[B] \cup postponable[B].in)\ \cap$
$\quad\quad\quad (e\_use_B \cup \neg\ (\bigcap_{S,succ[B]} (earliest[S] \cup postponable[S].in)))$

FIGURA 9.34 Quatro passos de fluxo de dados na eliminação de redundância parcial.

Completando o quadro

As expressões antecipadas (também chamadas 'expressões muito ocupadas' em outros lugares) é um tipo de análise de fluxo de dados que ainda não vimos. Embora tenhamos visto estruturas de fluxo para trás, como a análise de variável viva (Seção 9.2.5), e estruturas nas quais o meet é interseção, como nas expressões disponíveis (Seção 9.2.6), esse é o primeiro exemplo de uma análise útil que possui ambas as propriedades. Quase todas as análises que usamos podem ser colocadas em um dos quatro grupos, dependendo de fluírem para frente ou para trás e de usarem união ou interseção para o operador meet. Observe também que a análise de união sempre envolve perguntar se existe um caminho ao longo do qual algo é verdadeiro, enquanto as análises de interseção perguntam se algo é verdadeiro ao longo de todos os caminhos.

Expressões disponíveis

No fim deste segundo passo, as cópias de uma expressão serão colocadas nos pontos do programa em que a expressão é antecipada inicialmente. Se isso acontecer, uma expressão estará disponível (*available*) no ponto p do programa se ela for antecipada ao longo de todos os caminhos que alcançam p. Esse problema é semelhante às expressões disponíveis descritas na Seção 9.2.6. Contudo, a função de transferência usada aqui é ligeiramente diferente. Uma expressão está disponível na saída de um bloco se ela estiver

1. Ou
    a) Disponível, ou
    b) No conjunto de expressões antecipadas na entrada (ou seja, ela *poderia* tornar-se disponível se escolhêssemos calculá-la aqui),

e

2. Não morta no bloco.

As equações de fluxo de dados para as expressões disponíveis são mostradas na Figura 9.34(b). Para evitar confusão com o significado de IN, vamos nos referir ao resultado de uma análise mais cedo anexando '$[B].in$' ao nome da análise mais cedo.

Com a estratégia de posicionamento o mais cedo possível, o conjunto de expressões colocadas no bloco B, ou seja, *earliest*$[B]$, é definida como o conjunto de expressões antecipadas que ainda não estão disponíveis. Isto é,

$$earliest[B] = anticipated[B].in - available[B].in.$$

EXEMPLO 9.31: A expressão $b + c$ no grafo de fluxo da Figura 9.35 não é antecipada na entrada do bloco B_3, mas na entrada do bloco B_4. Contudo, não é necessário calcular a expressão $b + c$ no bloco B_4, porque a expressão já está disponível devido ao bloco B_2.

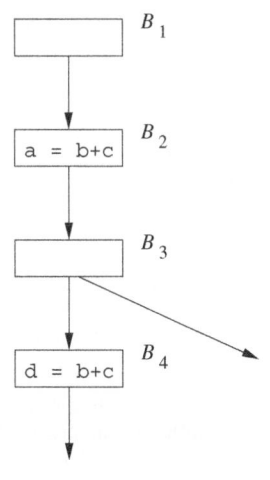

FIGURA 9.35 Grafo de fluxo para o Exemplo 9.31, ilustrando o uso da disponibilidade.

EXEMPLO 9.32: Aparecendo em sombras pretas na Figura 9.33(a) estão os blocos em que a expressão $b + c$ não está disponível; eles são B_1, B_2, B_3 e B_5. As posições de colocação cedo são representadas por caixas cinza com sombras pretas, que são os blocos B_3 e B_5. Observe, por exemplo, que $b + c$ é considerado disponível na entrada de B_4, porque existe um caminho $B_1 \to B_2 \to B_3 \to B_4$ ao longo do qual $b + c$ é antecipado pelo menos uma vez — em B_3 nesse caso — e porque, no início de B_3, nem b nem c foram recomputados.

Expressões adiáveis

O terceiro passo adia a computação das expressões o máximo possível, enquanto preserva a semântica original do programa e minimiza a redundância. O Exemplo 9.33 ilustra a importância desse passo.

EXEMPLO 9.33: No grafo de fluxo mostrado na Figura 9.36, a expressão $b + c$ é calculada duas vezes ao longo do caminho $B_1 \rightarrow B_5 \rightarrow B_6 \rightarrow B_7$. A expressão $b + c$ é antecipada ainda no início do bloco B_1. Se calcularmos a expressão assim que ela for antecipada, teremos calculado a expressão $b + c$ em B_1. O resultado teria de ser salvo desde o início, ao longo da execução do *loop* que compreende os blocos B_2 e B_3, até ele ser usado no bloco B_7. Em vez disso, podemos adiar o cálculo da expressão $b + c$ para o início de B_5 e até que o fluxo de controle esteja para fazer a transição de B_4 para B_7.

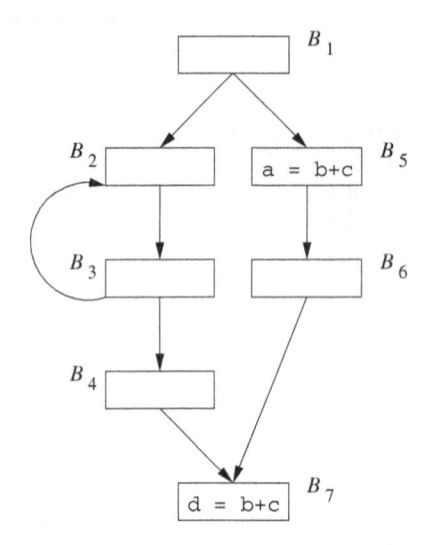

FIGURA 9.36 Grafo de fluxo para o Exemplo 9.33, ilustrando a necessidade de adiar uma expressão.

Formalmente, uma expressão $x + y$ é *adiável* (postponable) para um ponto p do programa se uma posição cedo de $x + y$ for encontrada ao longo de todo caminho a partir do nó de entrada até p, e não existir uso subseqüente de $x + y$ após esse último posicionamento.

EXEMPLO 9.34: Vamos novamente considerar a expressão $b + c$ da Figura 9.33. Os dois pontos, o mais cedo, para $b + c$ são B_3 e B_5; observe que esses são os dois blocos com sombra clara e escura na Figura 9.33(a), indicando que $b + c$ é antecipado e não está disponível para esses blocos, e somente esses blocos. Não podemos adiar $b + c$ de B_5 para B_6, porque $b + c$ é usado em B_5. Contudo, podemos adiá-la de B_3 para B_4.

Mas não podemos adiar $b + c$ de B_4 para B_7. O motivo é que, embora $b + c$ não seja usado em B_4, colocar seu cálculo em B_7 levaria a um cálculo redundante de $b + c$ ao longo do caminho $B_5 \rightarrow B_6 \rightarrow B_7$. Conforme veremos, B_4 é uma das posições o mais tarde que podemos computar $b + c$.

As equações de fluxo de dados para o problema de expressões adiáveis aparecem na Figura 9.34(c). A análise é feita para frente. Não podemos 'adiar' uma expressão para a entrada do programa, de modo que OUT[ENTRY] = Ø. Uma expressão é adiável para a saída do bloco B se não for usada no bloco e, ou é adiável para a entrada de B, ou está em *earliest*[B]. Uma expressão não é adiável para a entrada de um bloco a menos que todos os seus predecessores incluam a expressão em seus conjuntos *postponable* em suas saídas. Assim, o operador meet é a interseção de conjunto, e os pontos interiores devem ser inicializados com o elemento *top* do semi-reticulado — o conjunto universal.

Em termos gerais, uma expressão é colocada na *fronteira* em que uma transição de expressão vai de adiável para não adiável. Mais especificamente, uma expressão e pode ser colocada no início de um bloco B somente se a expressão estiver no conjunto *earliest* ou *postponable* de B na sua entrada. Além disso, B está na fronteira de adiamento de e se um dos seguintes for verdadeiro:

1. e não está em *postponable* [B].*out*. Em outras palavras, e está em e_use_B.
2. e não pode ser adiado para um de seus sucessores. Em outras palavras, existe um sucessor de B tal que e não está no conjunto *earliest* ou *postponable* na entrada desse sucessor.

A expressão e pode ser colocada na frente do bloco B em qualquer um dos cenários anteriores, devido aos novos blocos introduzidos pelo passo de pré-processamento do algoritmo.

EXEMPLO 9.35: A Figura 9.33(b) mostra o resultado da análise. As caixas com sombreado claro representam os blocos cujo conjunto *earliest* inclui $b + c$. As sombras pretas indicam aqueles que incluem $b + c$ em seu conjunto *postponable*. Desse modo, os posicionamentos mais tarde das expressões são as entradas dos blocos B_4 e B_5, porque:

1. $b + c$ está no conjunto *postponable* de B_4, mas não no de B_7, e
2. o conjunto *earliest* de B_5 inclui $b + c$, e usa $b + c$.

A expressão é armazenada na variável temporária t nos blocos B_4 e B_5, e t é usado no lugar de $b + c$ em todos os outros lugares, como mostra a figura.

Expressões usadas

Finalmente, um passo para trás é usado para determinar se as variáveis temporárias introduzidas são usadas além do bloco em que estão. Dizemos que uma expressão é *usada* no ponto p se houver um caminho levando de p que usa a expressão antes que o valor seja reavaliado. Essa é, basicamente, a análise de tempo de vida (para expressões, em vez de variáveis).

As equações de fluxo de dados para o problema das expressões usadas são mostradas na Figura 9.34(d). A análise é feita para trás. Uma expressão usada na saída de um bloco B é uma expressão usada na entrada somente se não estiver no conjunto *latest*. Um bloco gera, como novos usos, o conjunto de expressões em e_use_B. Na saída do programa, nenhuma das expressões é usada. Como estamos interessados em encontrar expressões que são usadas por qualquer caminho subseqüente, o operador meet é a união de conjunto. Assim, os pontos interiores devem ser inicializados com o elemento *top* do semi-reticulado — o conjunto vazio.

Juntando tudo

Todos os passos do algoritmo são resumidos no Algoritmo 9.36.

ALGORITMO 9.36: Movimentação de código tardio.

ENTRADA: Um grafo de fluxo para o qual e_use_B e e_kill_B foram computados para cada bloco B.

SAÍDA: Um grafo de fluxo modificado, que satisfaz as quatro condições de movimentação de código tardio da Seção 9.5.3.

MÉTODO:

1. Insira um bloco vazio ao longo de todas as arestas que entram em um bloco com mais de um predecessor.
2. Encontre *anticipated*[B].*in* para todos os blocos B, conforme definido na Figura 9.34(a).
3. Encontre *available*[B].*in* para todos os blocos B, conforme definido na Figura 9.34(b).
4. Calcule os posicionamentos o mais cedo para todos os blocos B:

$$earliest[B] = anticipated[B].in - available[B].in$$

5. Encontre *postponable*[B].*in* para todos os blocos B, conforme definido na Figura 9.34(c).
6. Calcule os posicionamentos o mais tarde para todos os blocos B:

$$latest[B] = (earliest[B] \cup postponable[B].in) \cap$$
$$\left(e\_use_B \cup \neg(\cap_{S \text{ em } succ[B]} (earliest[S] \cup postponable[S].in))\right)$$

Observe que ¬ denota complemento em relação ao conjunto de todas as expressões calculadas pelo programa.

7. Encontre *used*[B].*out* para todos os blocos B, conforme definido na Figura 9.34(d).
8. Para cada expressão, digamos, $x + y$, calculada pelo programa, faça o seguinte:

   a) Crie um novo temporário, digamos t, para $x + y$.
   b) Para todos os blocos B tais que $x + y$ está em *latest*[B] $\cap$ *used*[B].*out*, acrescente t = x + y no início de B.
   c) Para todos os blocos B tais que $x + y$ está em

$$e\_use_B \cap (\neg latest[B] \cup used.out[B])$$

   substitua todo $x + y$ original por t.

Resumo

A eliminação de redundância parcial encontra muitas formas diferentes de operações redundantes em um algoritmo unificado. Esse algoritmo ilustra como múltiplos problemas de fluxo de dados podem ser usados para encontrar o posicionamento ideal da expressão.

1. As restrições de posicionamento são fornecidas pela análise de expressões antecipadas, a qual é uma análise de fluxo de dados para trás com um operador meet de interseção de conjunto, pois determina se as expressões são usadas *subseqüentes* a cada ponto do programa em *todos* os caminhos.
2. O posicionamento o mais cedo de uma expressão é dado pelos pontos do programa em que a expressão é antecipada, mas não está disponível. As expressões disponíveis são encontradas com uma análise de fluxo de dados *para frente* com um operador meet de interseção de conjunto que calcula se uma expressão foi antecipada *antes* de cada ponto do programa ao longo de *todos* os caminhos.
3. O posicionamento o mais tarde de uma expressão é dado pelos pontos do programa em que uma expressão não pode mais ser adiada. As expressões são adiáveis em um ponto do programa se, para *todos* os caminhos *que alcançam* o ponto do programa, nenhum uso da expressão tiver sido encontrado. As expressões adiáveis são encontradas com uma análise de fluxo de dados *para frente* com um operador meet de interseção de conjunto.
4. Atribuições temporárias são eliminadas, a menos que sejam usadas por *algum* caminho *subseqüentemente*. Encontramos expressões usadas com uma análise de fluxo de dados para trás, desta vez com um operador meet de união de conjunto.

9.5.6 Exercícios para a Seção 9.5

Exercício 9.5.1: Para o grafo de fluxo da Figura 9.37:
a) Calcule *anticipa*ted para o início e o fim de cada bloco.
b) Calcule *available* para o início e o fim de cada bloco.
c) Calcule *earliest* para cada bloco.
d) Calcule *postponable* para o início e o fim de cada bloco.
e) Calcule *used* para o início e o fim de cada bloco.
f) Calcule *latest* para cada bloco.
g) Introduza a variável temporária *t*; mostre onde ela é calculada e onde é usada.

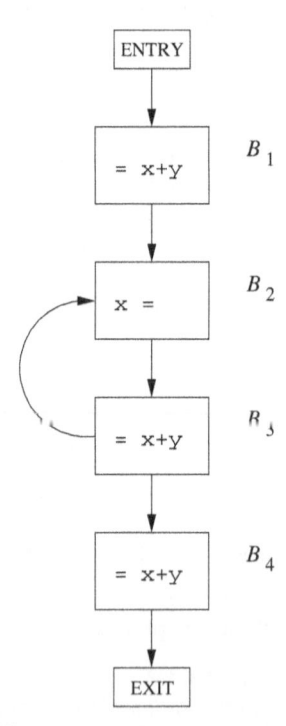

FIGURA 9.37 Grafo de fluxo para o Exercício 9.5.1.

Exercício 9.5.2: Repita o Exercício 9.5.1 para o grafo de fluxo da Figura 9.10 (veja os exercícios da Seção 9.1). Você poderá limitar sua análise às expressões $a + b$, $c - a$, e $b * d$.

!! Exercício 9.5.3: Os conceitos discutidos nesta seção também podem ser aplicados para eliminar parcialmente o código morto. Uma definição de uma variável é *parcialmente morta* se a variável estiver viva em alguns caminhos e não em outros. Podemos otimizar a execução do programa realizando apenas a definição ao longo dos caminhos em que a variável estiver viva. Diferentemente da eliminação de redundância parcial, em que as expressões são movidas para antes da original, as novas definições são colocadas após a original. Desenvolva um algoritmo para mover parcialmente o código morto, de modo que as expressões sejam avaliadas apenas onde serão finalmente usadas.

9.6 LOOPS EM GRAFOS DE FLUXO

Em nossa discussão até aqui, os *loops* não foram tratados de forma diferente; eles têm sido tratados exatamente como qualquer outro tipo de fluxo de controle. Porém, os *loops* são importantes, porque os programas gastam a maior parte do seu tempo executando-os, e as otimizações que melhoram o desempenho dos *loops* podem ter um impacto significativo. Assim, é essencial que identifiquemos os *loops* e os tratemos de modo especial.

Os *loops* também afetam o tempo de execução das análises do programa. Se um programa não contém nenhum *loop*, podemos obter as respostas dos problemas de fluxo de dados efetuando apenas um passo no programa. Por exemplo, um problema de fluxo de dados para frente pode ser solucionado visitando todos os nós uma vez, em ordem topológica.

Nesta seção, introduzimos os seguintes conceitos: dominadores, ordenação em profundidade, arestas para trás (*back edges*, ou arestas refluentes), profundidade de grafo e redutibilidade. Cada um destes conceitos é necessário para nossas discussões posteriores sobre como descobrir os *loops* e a velocidade de convergência da análise iterativa do fluxo de dados.

9.6.1 DOMINADORES

Dizemos que o nó *d* de um grafo de fluxo *domina* o nó *n*, escrito como *d dom n*, se todo caminho a partir do nó de entrada do grafo de fluxo para *n* passar por *d*. Observe que, de acordo com essa definição, todo nó domina a si mesmo.

EXEMPLO 9.37: Considere o grafo de fluxo da Figura 9.38, com o nó de entrada 1. O nó de entrada domina todos os nós (essa afirmação é verdadeira para todo grafo de fluxo). O nó 2 domina somente a si mesmo, porque o controle pode alcançar qualquer outro nó ao longo de um caminho que comece com 1 → 3. O nó 3 domina tudo, menos os nós 1 e 2. O nó 4 domina tudo, menos os nós 1, 2 e 3, porque todos os caminhos a partir de 1 devem começar com 1 → 2 → 3 → 4 ou 1 → 3 → 4. Os nós 5 e 6 dominam apenas a si mesmos, porque o fluxo de controle também pode saltar um ou outro. Finalmente, o nó 7 domina os nós 7, 8, 9 e 10; o nó 8 domina os nós 8, 9 e 10; e os nós 9 e 10 dominam apenas a si mesmos.

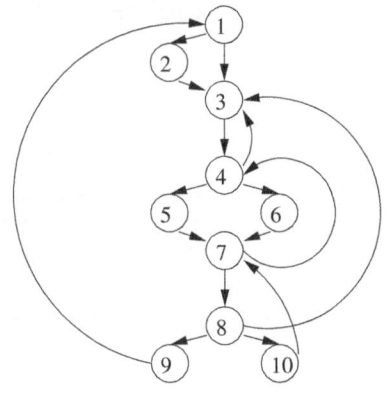

FIGURA 9.38 Um grafo de fluxo.

Um modo útil de apresentar a informação de dominador é em uma árvore, chamada *árvore de dominadores*, em que o nó de entrada é a raiz, e cada nó *d* domina apenas seus descendentes na árvore. Por exemplo, a Figura 9.39 mostra a árvore de dominadores para o grafo de fluxo da Figura 9.38.

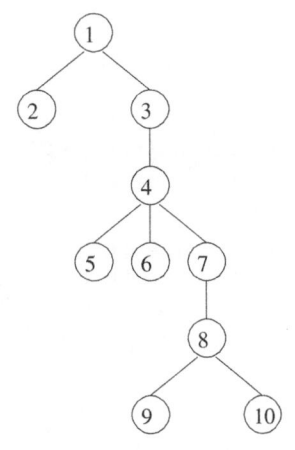

FIGURA 9.39 Árvore de dominadores para o grafo de fluxo da Figura 9.38.

A existência das árvores de dominadores decorre da propriedade dos dominadores: cada nó n possui um *único dominador imediato* m, que é o último dominador de n em qualquer percurso a partir do nó de entrada até n. Em termos da relação *dom*, o dominador imediato m tem essa propriedade de que, se $d \neq n$ e d dom n, então d dom m.

Mostraremos um algoritmo simples para calcular os dominadores de todo nó n em um grafo de fluxo, baseado no princípio de que, se $p_1, p_2, ..., p_k$ são todos os predecessores de n, e $d \neq n$, então d dom n se e somente se d dom p_i, para cada i. Esse problema pode ser formulado como uma análise de fluxo de dados para frente. Os valores de fluxo de dados são conjuntos de blocos básicos. O conjunto de dominadores de um nó, fora si mesmo, é a interseção dos dominadores de todos os seus predecessores; assim, o operador meet é a interseção de conjunto. A função de transferência para o bloco B simplesmente acrescenta o próprio B ao conjunto de nós de entrada. A condição de contorno é que o nó ENTRY domine a si mesmo. Finalmente, a inicialização dos nós interiores é o conjunto universal, ou seja, o conjunto de todos os nós.

Algoritmo 9.38: Determinação de dominadores.

ENTRADA: Um grafo de fluxo G com um conjunto de nós N, um conjunto de arestas E, e nó de entrada ENTRY.

SAÍDA: $D(n)$, o conjunto de nós que domina o nó n, para todos os nós n em N.

MÉTODO: Encontre a solução para o problema de fluxo de dados cujos parâmetros são mostrados na Figura 9.40. Os blocos básicos são os nós. $D(n) = \text{OUT}[n]$ para todo n em N.

É eficiente encontrar dominadores usando esse algoritmo de fluxo de dados. Os nós no grafo precisam ser visitados apenas algumas vezes, como veremos na Seção 9.6.7.

	Dominadores
Domínio	O conjunto potência de N
Direção	Para frente
Função de transferência	$f_B(x) = x \cup \{B\}$
Condição de contorno	OUT[ENTRY] = {ENTRY}
Meet($\wedge$)	$\cap$
Equações	OUTB] = f_B(IN[B])
	IN[B] = $\wedge_{P,\,pred(B)}$ OUT[P]
Inicialização	OUT[B] = N

FIGURA 9.40 Um algoritmo de fluxo de dados para calcular dominadores.

EXEMPLO 9.39: Vamos retornar ao grafo de fluxo da Figura 9.38, e supor que o *loop* for das linhas de (4) a (6) na Figura 9.23 visita os nós em ordem numérica. Considere que $D(n)$ seja o conjunto de nós em OUT[n]. Como 1 é o nó de entrada, $D(1)$ foi atribuído com {1} na linha (1). O nó 2 tem apenas 1 como um predecessor, de modo que $D(2) = \{2\} \cup D(1)$. Assim, $D(2)$ é definido como {1, 2}. Então o nó 3, com predecessores 1, 2, 4 e 8, é considerado. Como todos os nós interiores são inicializados com o conjunto universal N,

$$D(3) = \{3\} \cup (\{1\} \cap \{1, 2\} \cap \{1, 2, ..., 10\} \cap \{1, 2, ..., 10\}) = \{1, 3\}$$

Os cálculos restantes são mostrados na Figura 9.41. Como esses valores não mudam na segunda iteração do *loop* externo das linhas (3) a (6) na Figura 9.23(a), eles são as respostas finais para o problema do dominador.

$$
\begin{aligned}
D(4) &= \{4\} \cup (D(3) \cap D(7)) = \{4\} \cup (\{1, 3\} \cap \{1, 2, ..., 10\}) = \{1, 3, 4\} \\
D(5) &= \{5\} \cup D(4) = \{5\} \cup \{1, 3, 4\} = \{1, 3, 4, 5\} \\
D(6) &= \{6\} \cup D(4) = \{6\} \cup \{1, 3, 4\} = \{1, 3, 4, 6\} \\
D(7) &= \{7\} \cup (D(5) \cap D(6) \cap D(10)) \\
&= \{7\} \cup (\{1, 3, 4, 5\} \cap \{1, 3, 4, 6\} \cap \{1, 2, ..., 10\}) = \{1, 3, 4, 7\} \\
D(8) &= \{8\} \cup D(7) = \{8\} \cup \{1, 3, 4, 7\} = \{1, 3, 4, 7, 8\} \\
D(9) &= \{9\} \cup D(8) = \{9\} \cup \{1, 3, 4, 7, 8\} = \{1, 3, 4, 7, 8, 9\} \\
D(10) &= \{10\} \cup D(8) = \{10\} \cup \{1, 3, 4, 7, 8\} = \{1, 3, 4, 7, 8, 10\}
\end{aligned}
$$

FIGURA 9.41 Término do cálculo do dominador para o Exemplo 9.39.

> **Propriedades da relação dom**
>
> Uma observação importante sobre dominadores é que, se pegarmos qualquer caminho acíclico a partir da entrada para o nó n, todos os dominadores de n aparecem ao longo desse caminho e, além disso, eles devem aparecer *na mesma ordem* ao longo de qualquer caminho desse tipo. Para ver por quê, suponha que houvesse um caminho acíclico P_1 para n ao longo do qual os dominadores a e b apareceram nessa ordem, e outro caminho P_2 para n, ao longo do qual b precedeu a. Então, poderíamos seguir P_1 para a e P_2 para n desse modo, evitando b completamente. Assim, b não dominaria realmente a.
>
> Esse raciocínio nos permite provar que *dom* é transitivo: se a *dom* b e b *dom* c, então a *dom* c. Além disso, *dom* é anti-simétrico: nunca é possível que ambos, a *dom* b e b *dom* a, sejam verdadeiros, se $a \neq b$. Mais do que isso, se a e b são dois dominadores de n, então um dos dois, a *dom* b ou b *dom* a, precisa ser verdadeiro. Finalmente, segue-se que cada nó n, exceto a entrada, deve ter um único dominador imediato — dominador que aparece mais perto de n ao longo de qualquer caminho acíclico a partir entrada para n.

9.6.2 Ordenação em profundidade

Conforme apresentado na Seção 2.3.4, a *busca em profundidade* em um grafo visita todos os nós do grafo uma vez, começando com o nó de entrada e visitando os nós mais distantes dele o mais rapidamente possível. A rota da pesquisa em um caminhamento em profundidade forma uma *árvore geradora em profundidade* (DFST, do inglês *depth-first spanning tree*). Lembre-se da Seção 2.3.4, em que o caminhamento em pré-ordem visita um nó antes de visitar qualquer um de seus filhos, que ele, então, visita recursivamente, da esquerda para a direita. Igualmente, um caminhamento pós-ordem visita os filhos de um nó recursivamente, da esquerda para a direita, antes de visitar o próprio nó.

Existe mais uma variação da ordenação importante para a análise do grafo de fluxo: uma *ordenação em profundidade* é o inverso de um caminhamento em pós-ordem. Ou seja, em uma ordenação em profundidade, visitamos um nó, depois caminhamos no seu filho mais à direita, no filho à sua esquerda, e assim por diante. Contudo, antes de construir a árvore para o grafo de fluxo, temos de fazer algumas escolhas, como qual sucessor de um nó se torna o filho mais à direita na árvore, qual nó se torna o próximo filho, e assim por diante. Antes de dar o algoritmo para a ordenação em profundidade, vamos considerar um exemplo.

Exemplo 9.40: Uma possível apresentação da busca em profundidade no grafo de fluxo da Figura 9.38 é ilustrada na Figura 9.42. Arestas sólidas formam a árvore; arestas tracejadas são as outras arestas do grafo de fluxo. Uma busca em profundidade da árvore é dada por: $1 \to 3 \to 4 \to 6 \to 7 \to 8 \to 10$, então voltamos para 8, então para 9. Voltamos a 8 mais uma vez, retraindo para 7, 6 e 4, e depois avançamos até 5. Retraímos de 5 para 4, então voltamos a 3 e 1. A partir de 1 vamos para 2, depois retraímos de 2, voltamos a 1, e teremos visitado toda a árvore.

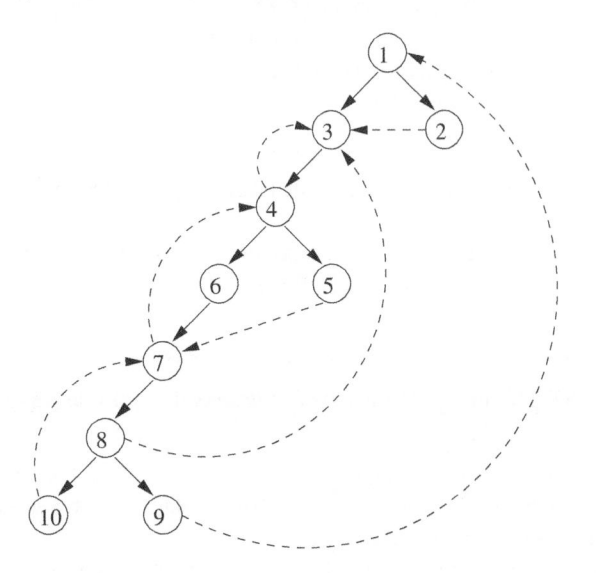

Figura 9.42 Uma apresentação em profundidade do grafo de fluxo da Figura 9.38.

A seqüência em pré-ordem para o caminhamento é, portanto,

1, 3, 4, 6, 7, 8, 10, 9, 5, 2.

A seqüência em pós-ordem para o caminhamento da árvore da Figura 9.42 é

10, 9, 8, 7, 6, 5, 4, 3, 2, 1.

A ordenação em profundidade, que é o inverso da seqüência de pós-ordem, é

1, 2, 3, 4, 5, 6, 7, 8, 9, 10.

Agora, damos o algoritmo que encontra uma árvore geradora em profundidade e uma ordenação em profundidade de um grafo. É esse algoritmo que encontra a DFST da Figura 9.42 a partir da Figura 9.38.

ALGORITMO 9.41: Árvore geradora em profundidade e ordenação em profundidade.

ENTRADA: Um grafo de fluxo G.

SAÍDA: Uma DFST T de G e uma ordenação dos nós de G.

MÉTODO: Usamos o procedimento recursivo *search(n)* da Figura 9.43. O algoritmo inicializa todos os nós de G como '*unvisited*', depois chama *search(n_0)*, onde n_0 é a entrada. Quando ele chama *search(n)*, primeiro marca n como '*visited*' para evitar incluir n na árvore duas vezes. Ele usa c para contar a partir do número de nós de G para baixo, até 1, atribuindo números de profundidade *dfn[n]* aos nós n enquanto prossegue. O conjunto de arestas T forma a árvore geradora em profundidade para G.

```
void search(n) {
    mark n 'visited';
    for (cada sucessor s de n)
        if (s é 'unvisited') {
            adicione aresta n à s a T;
            search(s);
        }
    dfn[n] = c;
    c = c - 1;
}

main() {
    T = ∅; /* conjunto de arestas */
    for (cada nó n de G)
        marque n 'unvisited';
    c = número de nós de G;
    search(n₀);
}
```

FIGURA 9.43 Algoritmo de busca em profundidade.

EXEMPLO 9.42: Para o grafo de fluxo da Figura 9.42, o Algoritmo 9.41 define c como 10 e inicia a busca chamando *search*(1). O restante da seqüência de execução é mostrado na Figura 9.44.

9.6.3 Arestas em uma Árvore Geradora em Profundidade

Quando construímos uma DFST para um grafo de fluxo, as arestas do grafo de fluxo podem ser classificadas em três categorias.

1. Existem arestas, chamadas *arestas de avanço*, que vão de um nó m para um descendente apropriado de m na árvore. Todas as arestas na própria DFST são arestas de avanço. Não existem outras arestas de avanço na Figura 9.42, mas, por exemplo, se $4 \to 8$ fosse uma aresta, estaria nessa categoria.
2. Existem arestas que vão de um nó m para um ancestral de m na árvore (possivelmente para o próprio m). Essas arestas serão chamadas de *arestas de recuo*. Por exemplo, $4 \to 3$, $7 \to 4$, $10 \to 7$ e $9 \to 1$ são arestas de recuo na Figura 9.42.
3. Existem arestas $m \to n$ tais que nem m nem n são antecessores um do outro na DFST. As arestas $2 \to 3$ e $5 \to 7$ são os únicos exemplos desse tipo na Figura 9.42. Chamamos essas arestas de *arestas cruzadas*. Uma propriedade importante das arestas cruzadas é que, se desenharmos a DFST de modo que os filhos de um nó sejam desenhados da esquerda para a direita, na ordem em que foram acrescentados à árvore, todas as arestas cruzadas trafegarão da direita para a esquerda.

CAPÍTULO 9: OTIMIZAÇÕES INDEPENDENTES DE MÁQUINA

Deve-se observar que $m \to n$ é uma aresta de recuo se e somente se $dfn[m] \geq dfn[n]$. Para entender o quê, observe que, se m for um descendente de n na DFST, então $search(m)$ terminará antes de $search(n)$, assim $dfn[m] \geq dfn[n]$. Por outro lado, se $dfn[m] \geq dfn[n]$, $search(m)$ termina antes de $search(n)$, ou $m = n$. Mas $search(n)$ precisa ter sido iniciado antes de $search(m)$ se houver uma aresta $m \to n$; do contrário, o fato de n ser um sucessor de m teria tornado n um descendente de m na DFST. Assim, o tempo em que $search(m)$ está ativo é um subintervalo do tempo em que $search(n)$ está ativo, indicando que n é um ancestral de m na DFST.

Chama $search(1)$	O nó 1 tem dois sucessores. Suponha que $s = 3$ seja considerado primeiro; inclua aresta $1 \to 3$ em T.
Chama $search(3)$	Inclua aresta $3 \to 4$ em T.
Chama $search(4)$	O nó 4 tem três sucessores, 5, 6 e 3. Suponha que $s = 6$ seja considerado primeiro; inclua a aresta $4 \to 6$ em T.
Chama $search(6)$	Inclua $6 \to 7$ em T.
Chama $search(7)$	O nó 7 tem dois sucessores, 4 e 8. Mas 4 já está marcado como '*visited*' por $search(4)$, portanto não faz nada quando $s = 4$. Para $s = 8$, inclua a aresta $7 \to 8$ em T.
Chama $search(8)$	O nó 8 tem três sucessores, 9, 10 e 3. Suponha que $s = 10$ seja considerado primeiro; inclua a aresta $8 \to 10$.
Chama $search(10)$	10 possui um sucessor, 7, mas 7 já está marcado como '*visited*'. Assim, $search(10)$ completa definindo $dfn[10] = 10$ e $c = 9$.
Retorna a $search(8)$	Defina $s = 9$ e inclua aresta $8 \to 9$ em T.
Chama $search(9)$	O único sucessor de 9, o nó 1, já está '*visited*', portanto defina $dfn[9] = 9$ e $c = 8$.
Retorna a $search(8)$	O último sucessor de 8, o nó 3, é '*visited*', por isso não faça nada para $s = 3$. Nesse ponto, todos os sucessores de 8 foram considerados; portanto, defina $dfn[8] = 8$ e $c = 7$.
Retorna a $search(7)$	Todos os sucessores de 7 foram considerados; portanto, defina $dfn[7]$ 7 e $c = 6$.
Retorna a $search(6)$	De modo semelhante, os sucessores de 6 já foram considerados, portanto defina $dfn[6] = 6$ e $c = 5$.
Retorna a $search(4)$	Sucessor 3 de 4 já foi '*visited*', mas 5 não; portanto, inclua $4 \to 5$ à árvore.
Chama $search(5)$	Sucessor 7 de 5 foi '*visited*', portanto defina $dfn[5] = 5$ e $c = 4$.
Retorna a $search(4)$	Todos os sucessores de 4 foram considerados, defina $dfn[4] = 4$ e $c = 3$.
Retorna a $search(3)$	Defina $dfn[3] = 3$ e $c = 2$.
Retorna a $search(1)$	2 não foi visitado ainda, portanto inclua $1 \to 2$ em T.
Chama $search(2)$	Defina $dfn[2] = 2$, $c = 1$.
Retorna a $search(1)$	Defina $dfn[1] = 1$ e $c = 0$.

FIGURA 9.44 Execução do Algoritmo 9.41 usando o grafo de fluxo da Figura 9.43.

9.6.4 Arestas para trás e redutibilidade

Uma *aresta para trás* é uma aresta $a \to b$ cuja cabeça b domina sua cauda a. Para qualquer grafo de fluxo, toda aresta de volta é de recuo, mas nem toda aresta de recuo é uma aresta de volta. Um grafo de fluxo é considerado *redutível* se todas as suas arestas de recuo, em qualquer árvore geradora em profundidade, também forem arestas para trás. Em outras palavras, se um grafo for redutível, todas as DFSTs possuirão o mesmo conjunto de arestas de recuo, e essas serão exatamente as arestas para trás no grafo. Se o grafo for *não redutível*, contudo, todas as arestas para trás serão de recuo em qualquer DFST, mas cada DFST poderá ter arestas de recuo adicionais, que não sejam arestas para trás. Essas arestas de recuo podem ser diferentes de uma DFST para outra. Assim, se removermos todas as arestas para trás de um grafo de fluxo e o grafo restante for cíclico, então o grafo será não redutível, e vice-versa.

Os grafos de fluxo que ocorrem na prática são quase sempre redutíveis. O uso exclusivo dos comandos de fluxo de controle estruturados, como comandos if-then-else, while-do, continue e break, produzem programas cujos grafos de fluxo sempre são redutíveis. Até mesmo programas escritos com comandos goto costumam ser redutíveis, pois o programador pensa logicamente em termos de *loops* e desvios.

> **Por que as arestas para trás são arestas de recuo?**
>
> Suponha que $a \to b$ seja uma aresta para trás, ou seja, sua cabeça domina sua cauda. A seqüência de chamadas da função *search* na Figura 9.43 que leva ao nó a precisa ser um caminho no grafo de fluxo. Esse caminho, naturalmente, deve incluir qualquer dominador de a. Segue-se que uma chamada a *search*(b) deve ser iniciada quando *search*(a) for chamada. Portanto, b já está na árvore quando a é incluído nela, e a é incluído como um descendente de b. Portanto, $a \to b$ precisa ser uma aresta de recuo.

Exemplo 9.43: O grafo de fluxo da Figura 9.38 é redutível. As arestas de recuo no grafo são todas as arestas para trás, ou seja, suas cabeças dominam suas respectivas caudas.

Exemplo 9.44: Considere o grafo de fluxo da Figura 9.45, cujo nó inicial é 1. O nó 1 domina os nós 2 e 3, mas 2 não domina 3, nem vice-versa. Assim, esse grafo de fluxo não possui arestas para trás, pois qualquer cabeça de qualquer aresta domina sua cauda. Existem duas árvores geradoras em profundidade possíveis, dependendo de escolhermos chamar *search*(2) ou *search*(3) primeiro, a partir de *search*(1). No primeiro caso, a aresta $3 \to 2$ é uma aresta de recuo, mas não uma aresta para trás; no segundo caso, $2 \to 3$ é uma aresta de recuo, mas não uma aresta para trás. Intuitivamente, o motivo para esse grafo de fluxo não ser redutível é que o ciclo 2–3 pode ser entrado em dois pontos diferentes, os nós 2 e 3.

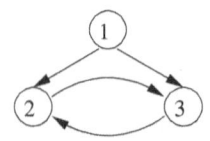

Figura 9.45 O grafo de fluxo não redutível canônico.

9.6.5 Profundidade de um grafo de fluxo

Dada a árvore geradora em profundidade para o grafo, a *profundidade* é o maior número de arestas de recuo em qualquer caminho sem ciclo. Podemos provar que a profundidade nunca é maior do que o que intuitivamente chamaríamos de profundidade de aninhamento do *loop* no grafo de fluxo. Se um grafo de fluxo é redutível, podemos substituir 'recuo' por 'para trás' na definição de 'profundidade', pois as arestas de recuo de qualquer DFST são exatamente as arestas para trás. A noção de profundidade, então, torna-se independente da DFST correntemente escolhida; e podemos verdadeiramente falar da 'profundidade de um grafo de fluxo', em vez de falar da profundidade de um grafo de fluxo em conexão com uma de suas árvore geradoras em profundidade.

Exemplo 9.45: Na Figura 9.42, a profundidade é 3, pois existe um caminho:

$$10 \to 7 \to 4 \to 3$$

com três arestas de recuo, mas nenhum caminho sem ciclo com quatro ou mais arestas de recuo. É uma coincidência que, aqui, o caminho 'mais profundo' tenha apenas arestas de recuo; em geral, em um caminho profundo, podemos ter uma mistura de arestas de recuo, de avanço e cruzadas.

9.6.6 *Loops* naturais

Os *loops* podem ser especificados em um programa fonte de muitas maneiras diferentes: eles podem ser escritos como *loops* for, *loops* while ou *loops* repeat; eles podem, ainda, ser definidos usando rótulos e comandos goto. Do ponto de vista da análise do programa, não importa como os *loops* aparecem no código fonte. O que importa é se eles têm as propriedades que permitem fácil otimização. Em particular, cuidamos de saber se um *loop* tem um único nó de entrada; se tiver, as análises de compiladores podem supor que certas condições iniciais são verdadeiras no início de cada iteração do *loop*. Essa oportunidade motiva a necessidade da definição de um '*loop* natural'.

Um *loop natural* é definido por duas propriedades essenciais.

1. Ele precisa ter um único nó de entrada, chamado *cabeçalho*. Esse nó de entrada domina todos os nós no *loop*; do contrário, não será a única entrada do *loop*.
2. Deve haver uma aresta para trás, que entra no cabeçalho do *loop*. Se não houver, não é possível que o fluxo de controle retorne ao cabeçalho diretamente a partir do '*loop*'; ou seja, não existe realmente um *loop*.

Dada uma aresta para trás $n \rightarrow d$, definimos o *laço natural da aresta* como sendo d mais o conjunto de nós que podem alcançar n sem passar por d. O nó d é o cabeçalho do *loop*.

ALGORITMO 9.46: Construção do *loop* natural de uma aresta para trás.

ENTRADA: Um grafo de fluxo G e uma aresta de volta $n \rightarrow d$.

SAÍDA: O *laço* do conjunto, consistindo em todos os nós do *loop* natural de $n \rightarrow d$.

MÉTODO: Considere que o *laço* seja $\{n,d\}$. Marque d como '*visited*', de modo que a pesquisa não ultrapasse d. Realize uma busca em profundidade no grafo de fluxo de controle em reverso, começando com o nó n. Insira no *loop* todos os nós visitados nessa busca. Esse procedimento encontra todos os nós que alcançam n sem passar por d.

EXEMPLO 9.47: Na Figura 9.38, existem cinco arestas para trás, aquelas cujas cabeças dominam suas caudas: $10 \rightarrow 7$, $7 \rightarrow 4$, $4 \rightarrow 3$, $8 \rightarrow 3$ e $9 \rightarrow 1$. Observe que estas são exatamente as arestas que alguém pensaria estar formando *loops* no grafo de fluxo.

A aresta para trás $10 \rightarrow 7$ possui o *loop* natural $\{7, 8, 10\}$, pois 8 e 10 são os únicos nós que podem alcançar 10 sem passar por 7. A aresta para trás $7 \rightarrow 4$ tem um *loop* natural consistindo em $\{4, 5, 6, 7, 8, 10\}$ e, portanto, contém o *loop* de $10 \rightarrow 7$. Assim, supomos que o último seja um *loop* interno contido dentro do primeiro.

Os *loops* naturais das arestas para trás $4 \rightarrow 3$ e $8 \rightarrow 3$ têm o mesmo cabeçalho, o nó 3, e também têm o mesmo conjunto de nós: $\{3, 4, 5, 6, 7, 8, 10\}$. Portanto, combinaremos esses dois *loops* em um. Esse *loop* contém os dois *loops* menores, descobertos anteriormente.

Finalmente, a aresta $9 \rightarrow 1$ tem como *loop* natural todo o grafo de fluxo e, portanto, é o *loop* mais externo. Neste exemplo, os quatro *loops* são aninhados um dentro do outro. Contudo, é comum ter dois *loops*, nenhum deles sendo subconjunto do outro.

Nos grafos de fluxo redutíveis, como todas as arestas de recuo são arestas para trás, é possível associar um *loop* natural a cada aresta de recuo. Essa afirmação não é válida para grafos não redutíveis. Por exemplo, o grafo de fluxo não redutível da Figura 9.45 possui um ciclo consistindo nos nós 2 e 3. Nenhuma das arestas no ciclo é uma aresta para trás, de modo que esse ciclo não se encaixa na definição de um *loop* natural. Não identificamos o ciclo como um *loop* natural, e ele não é otimizado como tal. Essa situação é aceitável, porque nossas análises de *loop* podem tornar-se mais simples considerando que todos os *loops* têm nós de entrada únicas, e programas não redutíveis são raros na prática, de qualquer forma.

Considerando apenas *loops* naturais como '*loops*', temos a propriedade útil, na qual, a menos que dois *loops* tenham o mesmo cabeçalho, eles são disjuntos ou um é aninhado no outro. Assim, temos uma noção natural de *loops mais internos*: *loops* que não contêm outros *loops*.

Quando dois *loops* naturais têm o mesmo cabeçalho, como na Figura 9.46, é difícil saber qual é o *loop* interno. Assim, vamos considerar que, quando dois *loops* naturais têm o mesmo cabeçalho, e nenhum está devidamente contido dentro do outro, eles são combinados e tratados como um único *loop*.

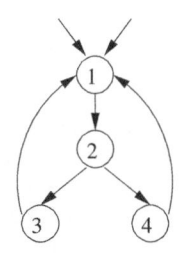

FIGURA 9.46 Dois *loops* com o mesmo cabeçalho.

EXEMPLO 9.48: Os *loops* naturais das arestas para trás $3 \rightarrow 1$ e $4 \rightarrow 1$ da Figura 9.46 são $\{1, 2, 3\}$ e $\{1, 2, 4\}$, respectivamente. Vamos combiná-los em um único *loop*, $\{1, 2, 3, 4\}$.

Contudo, se houvesse outra aresta para trás $2 \rightarrow 1$ na Figura 9.46, seu *loop* natural seria $\{1, 2\}$, um terceiro *loop* com cabeçalho 1. Esse conjunto de nós está devidamente contido em $\{1, 2, 3, 4\}$, de modo que não seria combinado com os outros *loops* naturais, mas tratado como um *loop* interno, aninhado dentro dele.

9.6.7 Velocidade de convergência dos algoritmos de fluxo de dados iterativos

Agora, estamos prontos para discutir a velocidade de convergência dos algoritmos iterativos. Conforme vimos na Seção 9.3.3, o número máximo de iterações que o algoritmo pode ter é o produto da altura do reticulado pelo número de nós no grafo de fluxo. Para muitas análises de fluxo de dados, é possível ordenar a avaliação de modo que o algoritmo convirja para um número muito menor de iterações. A propriedade que nos interessa é se todos os eventos de significado em um nó serão propagados para esse nó ao longo de algum caminho acíclico. Entre as análises de fluxo de dados discutidas até aqui, definições de alcance, expressões disponíveis e variáveis vivas têm essa propriedade, mas a propagação de constante não. Mais especificamente:

- Se uma definição d estiver em IN[B], existe algum caminho acíclico a partir do bloco contendo d para B tal que d está nos INs e OUTs ao longo desse caminho.
- Se uma expressão $x + y$ *não* estiver disponível na entrada do bloco B, existe algum caminho acíclico que demonstra que ou o caminho é a partir do nó de entrada e não inclui comando que mata ou gera $x + y$, ou o caminho é a partir de um bloco que mata $x + y$ e ao longo do caminho não existe geração subseqüente de $x + y$.
- Se x está vivo na saída do bloco B, então existe um caminho acíclico de B para um uso de x, ao longo do qual não existem definições de x.

Devemos verificar que, em cada um desses casos, os caminhos com ciclos não acrescentam nada. Por exemplo, se um uso de x for alcançado a partir do fim do bloco B ao longo de um caminho com um ciclo, podemos eliminar esse ciclo para encontrar um caminho mais curto ao longo do qual o uso de x ainda seja alcançado a partir de B.

Por outro lado, a propagação de constante não tem essa propriedade. Considere um programa simples que possui um *loop* contendo um bloco básico com duas instruções

```
L:   a = b
     b = c
     c = 1
     goto L
```

Na primeira vez em que o bloco básico for visitado, c terá o valor constante 1, mas tanto a quanto b são indefinidos. Visitando o bloco básico pela segunda vez, descobrimos que b e c têm valores constantes 1. São necessárias três visitas ao bloco básico para o valor constante 1 atribuído a c alcançar a.

Se toda a informação útil se propagar ao longo de caminhos acíclicos, teremos a oportunidade de definir a ordem em que visitamos os nós nos algoritmos de fluxo de dados iterativos. Assim, após relativamente poucos passos pelos nós, podemos estar certos de que a informação passou por todos os caminhos acíclicos.

De acordo com a Seção 9.6.3, se $a \rightarrow b$ for uma aresta, então o número de profundidade de b é menor que o de a apenas quando a aresta é uma aresta de recuo. Para problemas de fluxo de dados para frente, é desejável visitar os nós de acordo com a ordenação em profundidade. Especificamente, modificamos o algoritmo da Figura 9.23(a) substituindo a linha (4), que visita os blocos básicos no grafo de fluxo para:

for (cada bloco B diferente de ENTRY, na ordem em profundidade) {

EXEMPLO 9.49: Suponha que tenhamos um caminho ao longo do qual uma definição d se propaga, como:

$$3 \rightarrow 5 \rightarrow 19 \rightarrow 35 \rightarrow 16 \rightarrow 23 \rightarrow 45 \rightarrow 4 \rightarrow 10 \rightarrow 17$$

onde os inteiros representam os números de profundidade dos blocos ao longo do caminho. Então, na primeira iteração do *loop* pelas linhas de (4) a (6) do algoritmo da Figura 9.23(a), d se propagará de OUT[3] para IN[5] para OUT[5], e assim por diante, até OUT[35]. Ele não alcançará IN[16] nessa iteração, porque quando 16 precede 35, já calculamos IN[16] no momento em que d foi colocado em OUT[35]. Contudo, na próxima vez em que passarmos pelo *loop* das linhas (4) a (6), quando calcularmos IN[16], d será incluído, pois está em OUT[35]. A definição d também se propagará para OUT[16], IN[23] e assim por diante, até OUT[45], onde precisará esperar, porque IN[4] já foi calculado nessa iteração. Na terceira iteração, d movimenta-se para IN[4], OUT[4], IN[10], OUT[10] e IN[17], de modo que após três passadas sabemos que d alcança o bloco 17. ∎

Não deverá ser difícil extrair o princípio geral a partir deste exemplo. Se usarmos a ordem em profundidade na Figura 9.23(a), o número de iterações necessárias para propagar qualquer definição de alcance ao longo de qualquer caminho acíclico não será mais do que um a mais que o número de arestas ao longo desse caminho, que vai de um bloco numerado mais alto para um bloco numerado mais baixo. Essas arestas são exatamente as de recuo, de modo que o número de iterações necessárias é um a mais que a profundidade. Naturalmente, o Algoritmo 9.11 não detecta o fato de que todas as definições alcançaram aonde elas podem alcançar, até que uma ou mais iterações não tenha gerado mudanças. Portanto, o limite superior do número de iterações efetuadas por esse algoritmo com ordenação de bloco em profundidade é, na realidade, dois a mais que a profundidade. Um estudo[10] mostrou que os grafos de fluxo típicos possuem uma profundidade média em torno de 2,75. Assim, o algoritmo converge muito rapidamente.

No caso de problemas de fluxo para trás, como variáveis vivas, visitamos os nós ao contrário da ordem em profundidade. Assim, podemos propagar um uso de uma variável no bloco 17 para trás ao longo do caminho:

---

10 D. E. Knuth, "An empirical study of FORTRAN programs", *Software — Practice and Experience* **1**:2 (1971), pp. 105-133.

$$3 \rightarrow 5 \rightarrow 19 \rightarrow 35 \rightarrow 16 \rightarrow 23 \rightarrow 45 \rightarrow 4 \rightarrow 10 \rightarrow 17$$

em um passo para IN[4], onde devemos esperar pelo próximo passo a fim de alcançar OUT[45]. No segundo passo, alcançamos IN[16], e no terceiro passo vamos de OUT[35] para OUT[3].

Em geral, os passos *um-mais-a-profundidade* são suficientes para transportar o uso de uma variável para trás, ao longo de qualquer caminho acíclico. Contudo, temos de escolher o inverso da ordem em profundidade para visitar os nós em um passo, porque, então, os usos se propagam ao longo de qualquer seqüência decrescente em um único passo.

Até aqui, descrevemos um limite superior em todos os problemas nos quais os caminhos cíclicos não acrescentam informações à análise. Em problemas especiais, como dominadores, o algoritmo converge ainda mais rápido. No caso em que o grafo de fluxo de entrada é redutível, o conjunto correto de dominadores para cada nó é obtido na primeira iteração de um algoritmo de fluxo de dados que visita os nós em uma ordenação em profundidade. Se não soubermos que a entrada é redutível antes da hora, será preciso uma iteração extra para determinar se houve convergência.

Uma razão para grafos de fluxo não redutíveis

Existe uma situação na qual, geralmente, não podemos esperar que um grafo de fluxo seja redutível. Se invertermos as arestas do grafo de fluxo de um programa, como fizemos no Algoritmo 9.46 para encontrar os *loops* naturais, podemos não chegar a um grafo de fluxo redutível. A razão intuitiva é que, embora os programas típicos tenham *loops* com entradas únicas, esses *loops*, às vezes, possuem várias saídas, que se tornam entradas quando invertemos as arestas.

9.6.8 Exercícios da Seção 9.6

Exercício 9.6.1: Para o grafo de fluxo da Figura 9.10 (veja os exercícios da Seção 9.1):

i. Calcule a relação de dominador.
ii. Encontre o dominador imediato de cada nó.
iii. Construa a árvore de dominadores.
iv. Encontre uma ordenação em profundidade para o grafo de fluxo.
v. Indique as arestas de avanço, recuo, cruzada e árvore para a sua resposta a iv.
vi. O grafo de fluxo é redutível?
vii. Calcule a profundidade do grafo de fluxo.
viii. Encontre os *loops* naturais do grafo de fluxo.

Exercício 9.6.2: Repita o Exercício 9.6.1 nos seguintes grafos de fluxo:

a) Figura 9.3.
b) Figura 8.9.
c) Seu grafo de fluxo do Exercício 8.4.1.
d) Seu grafo de fluxo do Exercício 8.4.2.

! Exercício 9.6.3: Prove o seguinte sobre a relação *dom*:

a) Se *a dom b* e *b dom c*, então *a com c* (*transitividade*).
b) Nunca é possível que *a dom b* e *b dom a* sejam válidos, se $a \neq b$ (*anti-simetria*).
c) Se *a* e *b* são dois dominadores de *n*, então ou *a dom b* ou *b dom a* precisam ser válidos.
d) Cada nó *n* espera que a entrada tenha um único *dominador imediato* — o dominador que aparece mais perto de *n* ao longo de qualquer caminho acíclico desde a entrada até *n*.

! Exercício 9.6.4: A Figura 9.42 é uma apresentação em profundidade do grafo de fluxo da Figura 9.38. Quantas outras apresentações em profundidade desse grafo de fluxo existem? Lembre-se de que a ordem dos filhos importa nas apresentações em profundidades distintas.

!! Exercício 9.6.5: Prove que um grafo de fluxo é redutível se e somente se, quando removemos todas as arestas para trás (aquelas cujas cabeças dominam suas caudas), o grafo de fluxo resultante é acíclico.

! Exercício 9.6.6: Um *grafo de fluxo completo* em *n* nós possui arcos $i \rightarrow j$ entre dois nós *i* e *j* quaisquer (nas duas direções). Para que valores de *n* esse grafo é redutível?

! Exercício 9.6.7: Um *grafo de fluxo completo, acíclico*, com *n* nós 1, 2,..., *n* possui arcos $i \rightarrow j$ para todos os nós *i* e *j* tais que $i < j$. O nó 1 é a entrada.

a) Para que valores de *n* esse grafo é redutível?
b) Sua resposta para (a) muda se você acrescentar *autoloops* $i \rightarrow i$ para todos os nós *i*?

! **Exercício 9.6.8:** O *loop* natural de uma aresta de volta $n \to h$ foi definido para ser h mais o conjunto de nós que podem alcançar n sem passar por h. Mostre que h domina todos os nós no *loop* natural de $n \to h$.

!! **Exercício 9.6.9:** Afirmamos que o grafo de fluxo da Figura 9.45 é não redutível. Se os arcos fossem substituídos por caminhos de nós disjuntos (exceto para as extremidades, naturalmente), o grafo de fluxo ainda seria não redutível. Na verdade, o nó 1 não precisa ser a entrada; ele pode ser qualquer nó alcançável a partir da entrada ao longo de um caminho cujos nós intermediários não fazem parte de nenhum dos caminhos mostrados explicitamente. Prove o contrário: que todo grafo de fluxo não redutível tem um subgrafo como a Figura 9.45, mas com arcos possivelmente substituídos por caminhos disjuntos dos nós e o nó 1 sendo qualquer nó alcançável a partir da entrada por um caminho, que é disjunto do nó a partir dos quatro outros caminhos.

!! **Exercício 9.6.10:** Mostre que cada apresentação em profundidade para todo grafo de fluxo não redutível tem uma aresta de recuo que não é uma aresta para trás.

!! **Exercício 9.6.11:** Mostre que, se a condição a seguir,

$$f(a) \wedge g(a) \wedge a \leq f(g(a))$$

for mantida para todas as funções f e g, e o valor a, o algoritmo iterativo geral, o Algoritmo 9.25, com iteração seguindo uma ordenação em profundidade, converge dentro de 2-*mais-a-profundidade* passada.

! **Exercício 9.6.12:** Encontre um grafo de fluxo não redutível com dois DFSTs diferentes que tenham profundidades diferentes.

! **Exercício 9.6.13:** Prove o seguinte:

a) Se uma definição d estiver em IN[B], então existe algum caminho acíclico do bloco contendo d para B tal que d está nos INs e OUTs ao longo desse caminho.

b) Se uma expressão $x + y$ *não* estiver disponível na entrada do bloco B, existe algum caminho acíclico que demonstra esse fato; ou o caminho é do nó de entrada e não inclui comando que mata ou gera $x + y$, ou o caminho é de um bloco que mata $x + y$ e ao longo do caminho não existe geração subseqüente de $x + y$.

c) Se x estiver vivo na saída do bloco B, então existe um caminho acíclico de B para um uso de x, ao longo do qual não existem definições de x.

9.7 Análise baseada em região

O algoritmo de análise de fluxo de dados iterativo que discutimos até aqui é apenas uma abordagem para solucionar problemas de fluxo de dados. Nesta seção, discutimos outra abordagem, chamada *análise baseada em região*. Lembre-se de que, na abordagem de análise iterativa, criamos funções de transferência para os blocos básicos, então encontramos a solução do ponto fixo com iterações repetidas pelos blocos. Em vez de criar funções de transferência apenas para blocos individuais, uma análise baseada em região encontra funções de transferência que resumem a execução de regiões progressivamente maiores do programa. Finalmente, as funções de transferência para procedimentos inteiros são construídas e depois aplicadas, para chegar diretamente aos valores de fluxo de dados desejados.

Enquanto uma estrutura de fluxo de dados que usa um algoritmo iterativo é especificada por um semi reticulado de valores de fluxo de dados e uma família de funções de transferência fechada sob composição, a análise baseada em região requer mais elementos. Uma estrutura baseada em região inclui um semi-reticulado de valores de fluxo de dados e um semi-reticulado de funções de transferência que precisa possuir um operador meet, um operador de composição e um operador de fechamento. Veremos o que todos esses elementos acarretam na Seção 9.7.4.

Uma análise baseada em região é particularmente útil para problemas de fluxo de dados, nos quais os caminhos que têm ciclos podem mudar os valores de fluxo de dados. O operador de fechamento permite que o efeito de um *loop* seja resumido mais efetivamente do que a análise iterativa. A técnica também é útil para a análise entre procedimentos, nos quais as funções de transferência associadas a uma chamada de procedimento podem ser tratadas como as funções de transferência associadas aos blocos básicos.

Por simplicidade, consideramos apenas os problemas de fluxo de dados para frente nesta seção. Primeiro, ilustramos como funciona a análise baseada em região, usando o exemplo conhecido de definições de alcance. Na Seção 9.8, mostraremos um uso mais atraente dessa técnica, ao estudarmos a análise das variáveis de indução.

9.7.1 Regiões

Na análise baseada em região, um programa é visto como uma hierarquia de *regiões*, que são (aproximadamente) partes de um grafo de fluxo que têm apenas um ponto de entrada. Devemos achar intuitivo esse conceito de exibir código como uma hierarquia de regiões, pois um procedimento estruturado em bloco é naturalmente organizado como uma hierarquia de regiões. Cada comando em um programa estruturado em bloco é uma região, pois o fluxo de controle só pode entrar no início de um comando. Cada nível de aninhamento de compilador corresponde a um nível na hierarquia de região.

Formalmente, uma *região* de um grafo de fluxo é uma coleção de nós N e arestas E tal que:

1. Existe um cabeçalho h em N que domina todos os nós em N.
2. Se algum nó m puder alcançar um nó n em N sem passar por h, então m também está em N.
3. E é o conjunto de todas as arestas de fluxo de controle entre os nós n_1 e n_2 em N, exceto (possivelmente) por algumas que entram em h.

EXEMPLO 9.50: Claramente, um *loop* natural é uma região, mas uma região não tem necessariamente uma aresta para trás e não precisa conter nenhum ciclo. Por exemplo, na Figura 9.47, os nós B_1 e B_2, juntamente com a aresta $B_1 \rightarrow B_2$, formam uma região; o mesmo ocorre com os nós B_1, B_2 e B_3 com as arestas $B_1 \rightarrow B_2$, $B_2 \rightarrow B_3$ e $B_1 \rightarrow B_3$.

Contudo, o subgrafo com nós B_2 e B_3 com aresta $B_2 \rightarrow B_3$ não forma uma região, pois o controle pode entrar no subgrafo pelos nós B_2 e B_3. Mais precisamente, nem B_2 nem B_3 dominam o outro, de modo que a condição (1) para uma região é violada. Mesmo que pegássemos, digamos, B_2 para ser o 'cabeçalho', violaríamos a condição (2), porque podemos alcançar B_3 a partir de B_1 sem passar por B_2, e B_1 não está na 'região'.

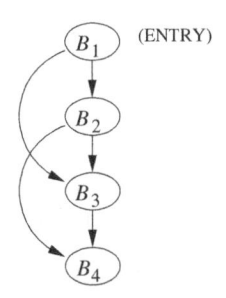

FIGURA 9.47 Exemplos de regiões.

9.7.2 HIERARQUIAS DE REGIÃO PARA GRAFOS DE FLUXO REDUTÍVEIS

A seguir, vamos considerar que o grafo de fluxo é redutível. Se, ocasionalmente, tivermos de lidar com grafos de fluxo não redutíveis, podemos usar uma técnica chamada 'divisão de nó', que será discutida na Seção 9.7.6.

Para construir uma hierarquia de regiões, identificamos os *loops* naturais. Lembre-se, pela Seção 9.6.6, de que em um grafo de fluxo redutível, quaisquer dois *loops* naturais são disjuntos, ou um é aninhado dentro do outro. O processo de 'analisar' um grafo de fluxo redutível em sua hierarquia de *loops* começa com todo o bloco como uma região por si própria. Essas regiões são chamadas *regiões de folha*. Então, ordenamos os *loops* naturais de dentro para fora, ou seja, começando com os *loops* mais internos. Para processar um *loop*, substituímos o *loop* inteiro por um nó em dois passos:

1. Primeiro, o *corpo* do *loop* L (todos os nós e arestas, exceto as arestas para trás para o cabeçalho) é substituído por um nó que representa uma região R. As arestas para o cabeçalho de L agora entram no nó para R. Uma aresta de qualquer saída do *loop* L é substituída por uma aresta de R para o mesmo destino. Contudo, se a aresta é uma aresta para trás, então ela se torna um *loop* em R. Chamamos R de *região de corpo*.
2. Em seguida, construímos uma região R' que representa todo o *loop* natural L. Chamamos R' de *região de loop*. A única diferença entre R e R' é que esse último inclui as arestas para trás para o cabeçalho do *loop* L. Em outras palavras, quando R' substitui R no grafo de fluxo, tudo o que precisamos fazer é remover a aresta de R para si mesma.

Prosseguimos, dessa maneira, reduzindo *loops* maiores e maiores para nós únicos, primeiro com uma aresta de *loop* e depois sem. Como os *loops* de um grafo de fluxo redutível são aninhados ou disjuntos, o nó da região do *loop* pode representar todos os nós do *loop* natural na série de grafos de fluxo que são construídos por esse processo de redução.

Finalmente, todos os *loops* naturais são reduzidos a nós únicos. Nesse ponto, o grafo de fluxo pode ser reduzido a um único nó, ou pode haver vários nós restantes, sem *loops*; ou seja, o grafo de fluxo reduzido é um grafo acíclico de mais de um nó. No primeiro caso, terminamos de construir a hierarquia de regiões, enquanto no segundo, construímos mais uma região de corpo para o grafo de fluxo inteiro.

EXEMPLO 9.51: Considere o grafo de fluxo de controle da Figura 9.48(a). Existe uma aresta para trás nesse grafo de fluxo, que leva de B_4 para B_2. A hierarquia de regiões aparece na Figura 9.48(b); as arestas mostradas são as arestas nos grafos de fluxo da região. Existem 8 regiões ao todo:

1. Regiões $R_1,...,R_5$ são regiões de folha que representam os blocos B_1 a B_5, respectivamente. Todo bloco também é um bloco de saída em sua região.
2. A região de corpo R_6 representa o corpo do único *loop* no grafo de fluxo; ela consiste nas regiões R_2, R_3 e R_4 e em três arestas entre regiões: $B_2 \rightarrow B_3$, $B_2 \rightarrow B_4$ e $B_3 \rightarrow B_4$. Ela apresenta dois blocos de saída, B_3 e B_4, pois ambos têm arestas de

saída não contidas na região. A Figura 9.49(a) mostra o grafo de fluxo com R_6 reduzido a um único nó. Observe que, embora as arestas $R_3 \rightarrow R_5$ e $R_4 \rightarrow R_5$ tenham sido substituídas pela aresta $R_6 \rightarrow R_5$, é importante lembrar que a última aresta representa as duas primeiras, porque, em algum momento, teremos de propagar funções de transferência por essa aresta, e precisamos saber que o que vem dos blocos B_3 e B_4 alcançará o cabeçalho de R_5.

3. A região de *loop* R_7 representa o *loop* natural inteiro. Ela inclui uma sub-região, R_6, e uma aresta para trás $B_4 \rightarrow B_2$. Ela também possui dois nós de saída, novamente B_3 e B_4. A Figura 9.49(b) mostra o grafo de fluxo após todo o *loop* natural ser reduzido a R_7.

4. Finalmente, a região de corpo R_8 é a região do topo. Ela inclui três regiões, R_1, R_7, R_5 e três arestas entre regiões, $B_1 \rightarrow B_2$, $B_3 \rightarrow B_5$ e $B_4 \rightarrow B_5$. Quando reduzimos o grafo de fluxo a R_8, ele se torna um nó único. Como não existem arestas para trás para seu cabeçalho, B_1, não há necessidade de um passo final reduzindo essa região de corpo a uma região de *loop*.

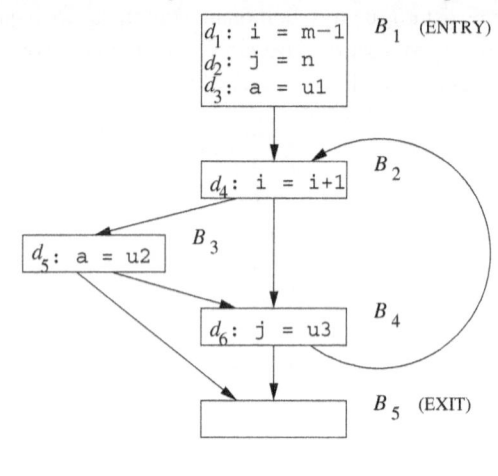

(a)

(b)

FIGURA 9.48 Exemplo de um grafo de fluxo de para o problema das definições de alcance e (b) sua hierarquia de regiões.

(a) Após reduzir para uma região de corpo

(b) Após reduzir para uma região de *loop*

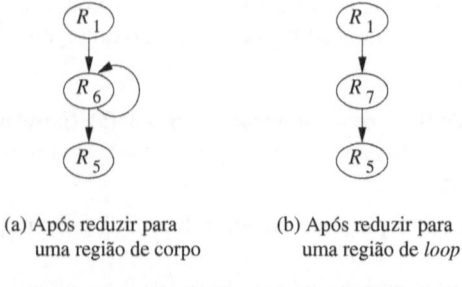

FIGURA 9.49 Passos na redução do grafo de fluxo da Figura 9.47 a uma única região.

Para resumir o processo de decomposição de grafos de fluxo redutíveis hierarquicamente, apresentamos o algoritmo a seguir.

ALGORITMO 9.52: Construção de uma ordem de regiões ascendente de um grafo de fluxo redutível.

ENTRADA: Um grafo de fluxo redutível G.

SAÍDA: Uma lista de regiões de G que podem ser usadas nos problemas de fluxo de dados baseados em região.

MÉTODO:
1. Comece a lista com todas as regiões de folha consistindo em blocos únicos de G, em qualquer ordem.
2. Escolha repetidamente um *loop* natural L, tal que se houver quaisquer *loops* naturais contidos em L, esses *loops* tiveram suas regiões de corpo e *loop* já adicionadas à lista. Inclua primeiro a região que consiste no corpo de L (ou seja, L sem as arestas para trás ao cabeçalho de L) e depois a região do *loop* de L.
3. Se o grafo de fluxo inteiro não for um *loop* natural por si só, inclua no fim da lista a região que consiste no grafo de fluxo inteiro.

De onde vem o nome 'redutível'

Agora, vemos por que os grafos de fluxo redutíveis receberam esse nome. Embora não provemos esse fato, a definição de 'grafo de fluxo redutível' usada neste livro, que se refere às arestas para trás do grafo, é equivalente a várias definições em que reduzimos mecanicamente o grafo de fluxo a um único nó. O processo de encolher *loops* naturais, descrito na Seção 9.7.2, é uma delas. Outra definição interessante é que os grafos de fluxo redutíveis são todos e somente aqueles grafos que podem ser reduzidos a um único nó pelas duas transformações a seguir:

T_1: Remova uma aresta de um nó para si mesmo.

T_2: Se o nó n tiver um único predecessor m, e n não for uma entrada do grafo de fluxo, combine m e n.

9.7.3 Visão geral de uma análise baseada em região

Para cada região R, e para cada sub-região R' dentro de R, calculamos uma função de transferência $f_{R,\text{IN}[R']}$ que resume o efeito de executar todos os caminhos possíveis que levam da entrada de R à entrada de R', enquanto permanece dentro de R. Dizemos que um bloco B dentro de R é um *bloco de saída* da região R se tiver uma aresta de saída para algum bloco fora de R. Também calculamos uma função de transferência para cada bloco de saída B de R, denotado por $f_{R,\text{OUT}[B]}$, que resume o efeito de executar todos os caminhos possíveis dentro de R, que levam da entrada de R para a saída de B.

Depois, prosseguimos, subindo na hierarquia de regiões, calculando funções de transferência para regiões progressivamente maiores. Começamos com regiões que são blocos isolados, nas quais $f_{B,\text{IN}[B]}$ é apenas a função identidade e $f_{B,\text{OUT}[B]}$ é a função de transferência para o próprio bloco B. Enquanto subimos na hierarquia,

- Se R for uma região de corpo, as arestas pertencentes a R formarão um grafo acíclico nas sub-regiões de R. Podemos prosseguir para calcular as funções de transferência em uma ordem topológica das sub-regiões.
- Se R for uma região de *loop*, só precisaremos levar em conta o efeito das arestas para trás para o cabeçalho de R.

Finalmente, alcançamos o topo da hierarquia e calculamos as funções de transferência para a região R_n, que é todo o grafo de fluxo. A maneira pela qual realizamos cada um desses cálculos será vista no Algoritmo 9.53.

O passo seguinte é calcular os valores de fluxo de dados na entrada e saída de cada bloco. Processamos as regiões na ordem inversa, começando com a região R_n e descendo na hierarquia. Para cada região, calculamos os valores de fluxo de dados na entrada. Para a região R_n, aplicamos $f_{R_n,\text{IN}[R]}(\text{IN}[\text{ENTRY}])$ para obter os valores de fluxo de dados na entrada das sub-regiões R e R_n. Repetimos até alcançar os blocos básicos nas folhas da hierarquia da região.

9.7.4 Suposições necessárias sobre as funções de transferência

Para que a análise baseada em região funcione, precisamos fazer algumas suposições sobre as propriedades do conjunto de funções de transferência na estrutura. Especificamente, precisamos de três operações primitivas para as funções de transferência: composição, meet e fechamento; somente a primeira é necessária para as estruturas de fluxo de dados que usam o algoritmo iterativo.

Composição

A função de transferência de uma seqüência de nós pode ser derivada pela composição das funções que representam os nós individuais. Considere que f_1 e f_2 sejam funções de transferência dos nós n_1 e n_2. O efeito de executar n_1 seguido por n_2 é representado por $f_2 \circ f_1$. A composição da função foi discutida na Seção 9.2.2, e um exemplo usando definições de alcance foi mostrado na Seção 9.2.4. Para recordar, considere gen_i e $kill_i$ como conjuntos *gen* e *kill* para f_i. Então:

$$f_2 \circ f_1(x) = gen_2 \cup ((gen_1 \cup (x - kill_1)) - kill_2)$$
$$= (gen_2 \cup (gen_1 - kill_2)) \cup (x - (kill_1 \cup kill_2))$$

Assim, os conjuntos *gen* e *kill* para $f_2 \circ f_1$ são $gen_2 \cup (gen_1 - kill_2)$ e $kill_1 \cup kill_2$, respectivamente. A mesma idéia funciona para qualquer função de transferência da forma *gen-kill*. Outras funções de transferência também podem ser fechadas, mas temos de considerar cada caso separadamente.

O operador meet

Aqui, as próprias funções de transferência são valores de um semi-reticulado com um operador meet $\wedge_f$. O meet de duas funções de transferência f_1 e f_2, $f_1 \wedge_f f_2$, é definido por $(f_1 \wedge_f f_2)(x) = f_1(x) \wedge f_2(x)$, onde $\wedge$ é o operador meet para valores de fluxo de dados. O operador meet nas funções de transferência é usado para combinar o efeito de caminhos de execução alternativos com os mesmos pontos finais. Onde não for ambíguo, daqui por diante, vamos referir-nos ao operador meet das funções de transferência também como $\wedge$. Para a estrutura de definições de alcance, temos:

$$(f_1 \wedge f_2)(x) = f_1(x) \wedge f_2(x)$$
$$= (gen_1 \cup (x - kill_1)) \cup (gen_2 \cup (x - kill_2))$$
$$= (gen_1 \cup gen_2) \cup (x - (kill_1 \cap kill_2))$$

Ou seja, os conjuntos *gen* e *kill* para $f_1 \wedge f_2$ são $gen_1 \cup gen_2$ e $kill_1 \cap kill_2$, respectivamente. Novamente, o mesmo argumento se aplica a qualquer conjunto de funções de transferência *gen-kill*.

Fechamento

Se f representa a função de transferência de um ciclo, f^n representa o efeito de iterar o ciclo n vezes. No caso em que o número de iterações não é conhecido, temos de considerar que o *loop* pode ser executado 0 ou mais vezes. Representamos a função de transferência deste *loop* com f^*, o *fechamento* de f, que é definido por:

$$f^* = \bigwedge_{n \geq 0} f^n.$$

Observe que f^0 precisa ser a função identidade de transferência, pois ela representa o efeito de iterar o *loop* zero vezes, ou seja, começar na entrada e não se mover. Se permitirmos que I represente a função identidade de transferência, é possível escrever,

$$f^* = I \wedge (\bigwedge_{n > 0} f^n).$$

Suponha que a função de transferência f em uma estrutura de definições de alcance tenha um conjunto *gen* e um conjunto *kill*. Então,

$$f^2(x) = f(f(x))$$
$$= \big(gen \cup ((gen \cup (x - kill)) - kill\big)$$
$$= gen \cup (x - kill)$$
$$f^3(x) = f(f^2(x))$$
$$= gen \cup (x - kill)$$

e assim por diante: qualquer $f^n(x)$ é $gen \cup (x - kill)$. Ou seja, fazer iteração no *loop* não afeta a função de transferência, se ela estiver na forma *gen-kill*. Assim,

$$f^*(x) = I \wedge f^1(x) \wedge f^2(x) \wedge ...$$
$$= x \cup (gen \cup (x - kill))$$
$$= gen \cup x$$

Ou seja, os conjuntos *gen* e *kill* para f^* são *gen* e $\emptyset$, respectivamente. Intuitivamente, como poderíamos não fazer a iteração no *loop* de forma alguma, o que estiver em x alcançará a entrada do *loop*. Em todas as iterações seguintes, as definições de alcance incluem aquelas do conjunto *gen*.

9.7.5 Um algoritmo para a análise baseada em região

O algoritmo a seguir soluciona um problema de análise de fluxo de dados para frente em um grafo de fluxo redutível, de acordo com alguma estrutura que satisfaça as suposições da Seção 9.7.4. Lembre-se de que $f_{R,\text{IN}[R']}$ e $f_{R,\text{OUT}[B]}$ se referem a funções de transferência que transformam valores de fluxo de dados na entrada para a região R no valor correto na entrada da sub-região R' e na saída do bloco de saída B, respectivamente.

ALGORITMO 9.53: Análise baseada em região.

ENTRADA: Uma estrutura de fluxo de dados com as propriedades esboçadas na Seção 9.7.4 e um grafo de fluxo redutível G.

SAÍDA: Valores de fluxo de dados IN[B] para cada bloco B de G.

MÉTODO:

1. Use o Algoritmo 9.52 para construir a seqüência, de baixo para cima, das regiões de G, digamos, $R_1, R_2, ..., R_n$, onde R_n é a região mais ao topo.
2. Realize a análise ascendente para calcular as funções de transferência, resumindo o efeito de executar uma região. Para cada região $R_1, R_2, ..., R_n$, em ordem ascendente, faça o seguinte:
   a) Se R for uma região de folha correspondente ao bloco B, considere $f_{R,\text{IN}[B]} = I$ e $f_{R,\text{OUT}[B]} = f_B$, a função de transferência associada ao bloco B.
   b) Se R for uma região de corpo, realize a computação da Figura 9.50(a).
   c) Se R for uma região de *loop*, realize a computação da Figura 9.50(b).
3. Efetue o passo descendente para encontrar os valores de fluxo de dados no início de cada região.
   a) IN[R_n] = IN[ENTRY].
   b) Para cada região R em $\{R_1, ..., R_{n-1}\}$, na ordem descendente, calcule IN[R] = $f_{R',\text{IN}[R]}$(IN[R']), onde R' é a região de fechamento imediata de R.

Primeiro, vejamos os detalhes de como funciona a análise ascendente. Na linha (1) da Figura 9.50(a), visitamos as sub-regiões de uma região de corpo, em alguma ordem topológica. A linha (2) calcula a função de transferência que representa todos os caminhos possíveis do cabeçalho de R para o cabeçalho de S; então, nas linhas (3) e (4), calculamos as funções de transferência que representam todos os caminhos possíveis do cabeçalho de R para as saídas de R — ou seja, para as saídas de todos os blocos que têm sucessores fora de S. Observe que todos os predecessores B' em R devem estar em regiões que precedem S na ordem topológica construída na linha (1). Assim, $f_{R,\text{OUT}[B']}$ já terá sido calculado, na linha (4) em uma iteração anterior pelo *loop* envolvente.

Para regiões de *loop*, efetuamos os passos das linhas de (1) a (4) na Figura 9.50(b). A linha (2) calcula o efeito de iterar a região do corpo do *loop* S zero ou mais vezes. As linhas (3) e (4) computam o efeito nas saídas do *loop* após uma ou mais iterações.

No passo descendente do algoritmo, o passo 3(a) primeiro atribui a condição de contorno à entrada da região mais ao topo. Então, se R estiver imediatamente contido em R', podemos simplesmente aplicar a função de transferência $f_{R',\text{IN}[R]}$ ao valor de fluxo de dados IN[R'] para computar IN[R].

1. **for** (cada sub-região S imediatamente contida em R, em ordem topológica) {
2. $f_{R,\text{IN}[S]} = \bigwedge \text{predecessores } B \text{ em } R \text{ do cabeçalho de } S\, f_{R,\text{OUT}[B]}$;
   /* se S for o cabeçalho da região R, então $f_{R,\text{IN}[S]}$ é o meet sobre nada, que é a função identidade */
3. **for** (cada bloco de saída B em S)
4. $f_{R,\text{OUT}[B]} = f_{S,\text{OUT}[B]} \circ f_{R,\text{IN}[S]}$;
   }

(a) Construção de funções de transferência para uma região do corpo R

1. **let** S seja a região do corpo imediatamente aninhada em R; ou seja, S é R sem arestas para trás de R para o cabeçalho de R;
2. $f_{R,\text{IN}[S]} = (\bigwedge \text{predecessores } B \text{ em } R \text{ do cabeçalho de } S\, f_{S,\text{OUT}[B]})^*$;
3. **for** (cada bloco de saída B em R)
4. $f_{R,\text{OUT}[B]} = f_{S,\text{OUT}[B]} \circ f_{R,\text{IN}[S]}$;

(b) Construção de funções de transferência para uma região de *loop* R'

FIGURA 9.50 Detalhes das computações de fluxo de dados baseadas em região.

EXEMPLO 9.54: Vamos aplicar o Algoritmo 9.53 para encontrar definições de alcance no grafo de fluxo da Figura 9.48(a). O passo 1 constrói na ordem ascendente em que as regiões são visitadas; essa ordem será a ordem numérica de seus subscritos, $R_1, R_2, ..., R_n$.

Os valores dos conjuntos *gen* e *kill* para os cinco blocos são resumidos a seguir:

B	B_1	B_2	B_3	B_4	B_5
gen_B	$\{d_1,d_2,d_3\}$	$\{d_4\}$	$\{d_5\}$	$\{d_6\}$	$\emptyset$
$kill_B$	$\{d_4,d_5,d_6\}$	$\{d_1\}$	$\{d_3\}$	$\{d_2\}$	$\emptyset$

Lembre-se das regras simplificadas para funções de transferência *gen-kill*, a partir da Seção 9.7.4:
- Para obter o *meet* das funções de transferência, pegue a união dos *gen*s e a interseção dos *kill*s.
- Para compor funções de transferência, pegue a união dos *gen*s e dos *kill*s. Contudo, como uma exceção, uma expressão que é gerada pela primeira função, não gerada pela segunda, mas morta pela segunda, *não* está no *gen* do resultado.
- Para pegar o fechamento de uma função de transferência, retenha seu *gen* e substitua o *kill* por $\emptyset$.

As cinco primeiras regiões $R_1, ..., R_5$ são blocos $B_1, ..., B_5$, respectivamente. Para $1 \leq i \leq 5$, $f_{[+],\text{IN}[+]}$ é a função identidade, e $f_{[+],\text{OUT}[+]}$ é a função de transferência para o bloco B_i:

$$f_{Bi,\text{OUT}[Bi]}(x) = (x - kill_{Bi}) \cup gen_{Bi}.$$

As outras funções de transferência construídas no passo 2 do Algoritmo 9.50 são resumidas na Figura 9.51. A região R_6, que consiste nas regiões R_2, R_3 e R_4, representa o corpo do *loop* e, assim, não inclui a aresta de volta $B_4 \rightarrow B_2$. A ordem de processamento dessas regiões será a única ordem topológica: R_2, R_3, R_4. Primeiro, R_2 não possui predecessores dentro de R_6; lembre-se de que a aresta $B_4 \rightarrow B_2$ vai para fora de R_6. Assim, f_{R_6}, IN$[B_2]$ é a função identidade,[11] e f_{R_6}, OUT$[B_2]$ é a função de transferência para o próprio bloco B_2.

	Função de Transferência		gen	kill
R_6	$f_{R_6,\text{IN}[R_2]}$	$= I$	$\emptyset$	$\emptyset$
	$f_{R_6,\text{OUT}[B_6]}$	$= f_{R_2,\text{OUT}[B_2]} \circ f_{R_6,\text{IN}[R_2]}$	$\{d_4\}$	$\{d_1\}$
	$f_{R_6,\text{IN}[R_3]}$	$= f_{R_6,\text{OUT}[B_2]}$	$\{d_4\}$	$\{d_1\}$
	$f_{R_6,\text{OUT}[B_3]}$	$= f_{R_3,\text{OUT}[B_3]} \circ f_{R_6,\text{IN}[R_3]}$	$\{d_4, d_5\}$	$\{d_1, d_3\}$
	$f_{R_6,\text{IN}[R_4]}$	$= f_{R_6,\text{OUT}[B_2]} \wedge f_{R_6,\text{OUT}[B_3]}$	$\{d_4, d_5\}$	$\{d_1\}$
	$f_{R_6,\text{OUT}[R_4]}$	$= f_{R_4,\text{OUT}[B_4]} \circ f_{R_6,\text{IN}[R_4]}$	$\{d_4, d_5, d_6\}$	$\{d_1, d_2\}$
R_7	$f_{R_7,\text{IN}[R_6]}$	$= f^*_{R_6,\text{OUT}[B_4]}$	$\{d_4, d_5, d_6\}$	$\emptyset$
	$f_{R_7,\text{OUT}[B_3]}$	$= f_{R_6,\text{OUT}[B_3]} \circ f_{R_7,\text{IN}[R_6]}$	$\{d_4, d_5, d_6\}$	$\{d_1, d_3\}$
	$f_{R_7,\text{OUT}[B_4]}$	$= f_{R_6,\text{OUT}[B_4]} \circ f_{R_7,\text{IN}[R_6]}$	$\{d_4, d_5, d_6\}$	$\{d_1, d_2\}$
R_8	$f_{R_8,\text{IN}[R_2]}$	$= I$	$\emptyset$	$\emptyset$
	$f_{R_8,\text{OUT}[B_1]}$	$= f_{R_1,\text{OUT}[B_1]}$	$\{d_1, d_2, d_3\}$	$\{d_4, d_5, d_6\}$
	$f_{R_8,\text{IN}[R_7]}$	$= f_{R_8,\text{OUT}[B_1]}$	$\{d_1, d_2, d_3\}$	$\{d_4, d_5, d_6\}$
	$f_{R_8,\text{OUT}[B_3]}$	$= f_{R_7,\text{OUT}[B_3]} \circ f_{R_8,\text{IN}[R_7]}$	$\{d_2, d_4, d_5, d_6\}$	$\{d_1, d_3\}$
	$f_{R_8,\text{OUT}[B_4]}$	$= f_{R_7,\text{OUT}[B_4]} \circ f_{R_8,\text{IN}[R_7]}$	$\{d_3, d_4, d_5, d_6\}$	$\{d_1, d_2\}$
	$f_{R_8,\text{IN}[R_5]}$	$= f_{R_8,\text{OUT}[B_3]} \wedge f_{R_8,\text{OUT}[B_4]}$	$\{d_2, d_3, d_4, d_5, d_6\}$	$\{d_1\}$
	$f_{R_8,\text{OUT}[B_5]}$	$= f_{R_5,\text{OUT}[B_5]} \circ f_{R_8,\text{IN}[R_5]}$	$\{d_2, d_3, d_4, d_5, d_6\}$	$\{d_1\}$

FIGURA 9.51 Cálculo das funções de transferência para o grafo de fluxo da Figura 9.48(a), usando a análise baseada em região.

---

11 Estritamente falando, queremos dizer $f_{R_6,\text{IN}[R_2]}$, mas quando uma região como R_2 é um único bloco, freqüentemente é mais claro usar o nome do bloco em vez do nome da região nesse contexto.

O cabeçalho da região B_3 tem um predecessor dentro de R_6, a saber, R_2. A função de transferência para sua entrada é simplesmente a função de transferência para a saída de $B_2, f_{R_6,\text{OUT}[B_2]}$, que já foi calculada. Compomos essa função com a função de transferência de B_3 dentro de sua própria região para calcular a função de transferência para a saída de B_3.

Finalmente, para a função de transferência da entrada de R_4, temos de calcular,

$$f_{R_6,\text{OUT}[B_2]} \wedge f_{R_6,\text{OUT}[B_3]}$$

porque tanto B_2 quanto B_3 são predecessores de B_4, o cabeçalho de R_4. Essa função de transferência é composta pela função de transferência $f_{R_4,\text{OUT}[B_4]}$ para obter a função desejada $f_{R_6,\text{OUT}[B_4]}$. Observe, por exemplo, que d_3 não é morto nessa função de transferência, pois o caminho $B_2 \to B_4$ não redefine a variável a.

Agora, considere a região de *loop* R_7. Ela contém apenas uma sub-região R_6 a qual representa o corpo do seu *loop*. Como existe apenas uma aresta de volta, $B_4 \to B_2$, para o cabeçalho de R_6, a função de transferência representando a execução do corpo do *loop* 0 ou mais vezes é apenas $f^*_{R_6,\text{OUT}[B_4]}$: o conjunto *gen* é $\{d_4, d_5, d_6\}$ e o conjunto *kill* é $\emptyset$. Existem duas saídas da região R_7, os blocos B_3 e B_4. Assim, essa função de transferência é composta de cada uma das funções de transferência de R_6 para obter as funções de transferência correspondentes de R_7. Observe, por exemplo, como d_6 está no conjunto *gen* para f_{R_7,B_3}, devido a caminhos como $B_2 \to B_4 \to B_2 \to B_3$, ou ainda $B_2 \to B_3 \to B_4 \to B_2 \to B_3$.

Finalmente, considere R_8, o grafo de fluxo inteiro. Suas sub-regiões são R_1, R_7 e R_5, as quais consideraremos nessa ordem topológica. Como antes, a função de transferência $f_{R_8,\text{IN}[B_1]}$ é simplesmente a função identidade, e a função de transferência $f_{R_8,\text{OUT}[B_1]}$ é apenas $f_{R_1,\text{OUT}[B_1]}$, que por sua vez é $f_{[B_1]}$.

O cabeçalho de R_7, que é B_2, tem apenas um predecessor, B_1, de modo que a função de transferência para sua entrada é simplesmente a função de transferência de saída de B_1 na região R_8. Compomos $f_{R_8,\text{OUT}[B_1]}$ com as funções de transferência para as saídas de B_3 e B_4 em R_7 para obter suas funções de transferência correspondentes dentro de R_8. Finalmente, consideramos R_5. Seu cabeçalho, B_5, tem dois predecessores dentro de R_8, a saber, B_3 e B_4. Portanto, calculamos $f_{R_8,\text{OUT}[B_3]} \wedge f_{R_8,\text{OUT}[B_4]}$ para obter $f_{R_8,\text{IN}[B_5]}$. Como a função de transferência do bloco B_5 é a função identidade, $f_{R_8,\text{OUT}[B_5]} = f_{R_8,\text{IN}[B_5]}$.

O passo 3 calcula as definições de alcance reais a partir das funções de transferência. No passo 3(a), $\text{IN}[R_8] = \emptyset$, pois não existem definições de alcance a partir das funções de transferência. No passo 3(a), $\text{IN}[R_8] = \emptyset$, pois não existem definições de alcance no início do programa. A Figura 9.52 mostra como o passo 3(b) calcula o restante dos valores de fluxo de dados. O passo começa com as sub-regiões de R_8. Como a função de transferência do início de R_8 para o início de cada sub-região foi calculada, uma única aplicação da função de transferência encontra o valor de fluxo de dados no início de cada sub-região. Repetimos os passos até obtermos os valores de fluxo de dados das regiões de folha, que são simplesmente os blocos básicos individuais. Observe que os valores de fluxo de dados mostrados na Figura 9.52 são exatamente o que obteríamos se tivéssemos aplicado a análise de fluxo de dados iterativa ao mesmo grafo de fluxo, como deveria ser o caso, naturalmente.

$$
\begin{align}
\text{IN}[R_8] &= \emptyset \\
\text{IN}[R_1] &= f_{R_8,\text{IN}[R_1]}(\text{IN}[R_8]) = \emptyset \\
\text{IN}[R_7] &= f_{R_8,\text{IN}[R_7]}(\text{IN}[R_8]) = \{d_1, d_2, d_3\} \\
\text{IN}[R_5] &= f_{R_8,\text{IN}[R_5]}(\text{IN}[R_8]) = \{d_2, d_3, d_4, d_5, d_6\} \\
\text{IN}[R_6] &= f_{R_7,\text{IN}[R_6]}(\text{IN}[R_7]) = \{d_1, d_2, d_3, d_4, d_5, d_6\} \\
\text{IN}[R_4] &= f_{R_6,\text{IN}[R_4]}(\text{IN}[R_6]) = \{d_2, d_3, d_4, d_5, d_6\} \\
\text{IN}[R_3] &= f_{R_6,\text{IN}[R_3]}(\text{IN}[R_6]) = \{d_2, d_3, d_4, d_5, d_6\} \\
\text{IN}[R_2] &= f_{R_6,\text{IN}[R_2]}(\text{IN}[R_6]) = \{d_1, d_2, d_3, d_4, d_5, d_6\}
\end{align}
$$

FIGURA 9.52 Passos finais da análise de fluxo baseada em região.

9.7.6 Tratamento de grafos de fluxo não redutíveis

Caso se espere que os grafos de fluxo não redutíveis sejam comuns aos programas a ser processados por um compilador ou outro software de processamento de programa, recomendamos usar uma técnica iterativa, em vez de uma baseada em hierarquia para a análise de fluxo de dados. Contudo, se só precisarmos estar preparados para o grafo de fluxo não redutível ocasional, a seguinte técnica de 'divisão de nó' é adequada.

Construa regiões a partir de *loops* naturais até a extensão possível. Se o grafo de fluxo for não redutível, veremos que o grafo resultante de regiões tem ciclos, mas nenhuma aresta para trás, de modo que não podemos continuar analisando o grafo. Uma situação típica é sugerida na Figura 9.53(a), que tem a mesma estrutura do grafo de fluxo não redutível da Figura 9.45, mas os nós na Figura 9.53 podem realmente ser regiões complexas, conforme sugerido pelos nós menores dentro dela.

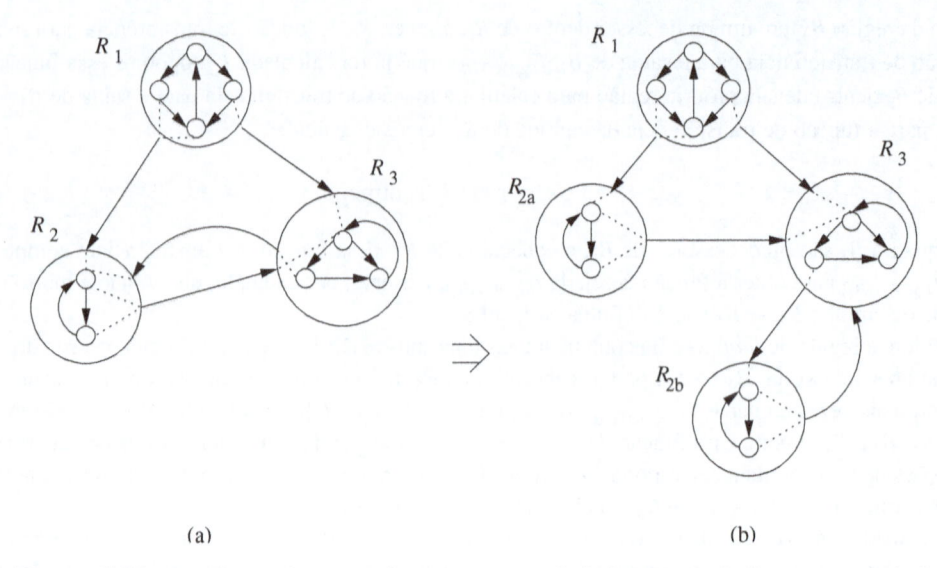

FIGURA 9.53 Duplicação de uma região para tornar redutível um grafo de fluxo não redutível.

Obtemos alguma região R que tem mais de um predecessor e não é o cabeçalho do grafo de fluxo inteiro. Se R tem k predecessores, faça k cópias do grafo de fluxo inteiro R e conecte cada predecessor do cabeçalho de R a uma cópia diferente de R. Lembre-se de que somente o cabeçalho de uma região possivelmente poderia ter um predecessor fora dessa região. Acontece que, embora não iremos provar isso, essa divisão de nó resulta uma redução por, pelo menos, um no número de regiões, depois que novas arestas para trás forem identificadas e suas regiões forem construídas. O grafo resultante ainda pode não ser redutível, mas, alternando uma fase de divisão com uma fase em que novos *loops* naturais são identificados e encolhidos a regiões, finalmente ficamos com uma única região, ou seja, o grafo de fluxo é reduzido.

EXEMPLO 9.55: A divisão mostrada na Figura 9.53(b) transformou a aresta $R_{2b} \rightarrow R_3$ em uma aresta de volta, porque R_3 agora domina R_{2b}. Essas duas regiões podem, assim, ser combinadas em uma. As três regiões resultantes — R_1, R_{2a} e a nova região — formam um grafo acíclico e, portanto, podem ser combinadas em uma única região de corpo. Assim, reduzimos todo o grafo de fluxo a uma única região. Em geral, divisões adicionais podem ser necessárias e, no pior dos casos, o número total de blocos básicos poderia tornar-se exponencial no número de blocos no grafo de fluxo original.

Também devemos pensar em como o resultado da análise de fluxo de dados no grafo de fluxo dividido se relaciona com a resposta que desejamos para o grafo de fluxo original. Existem duas abordagens que podem ser consideradas.

1. Dividir regiões pode ser benéfico para o processo de otimização, e podemos simplesmente revisar o grafo de fluxo para ter cópias de certos blocos. Como cada bloco duplicado é inserido apenas ao longo de um subconjunto dos caminhos que alcançaram o original, os valores de fluxo de dados nesses blocos duplicados tenderão a conter informações mais específicas do que estavam disponíveis no original. Por exemplo, menos definições podem alcançar cada um dos blocos duplicados que alcançam o bloco original.
2. Se quisermos reter o grafo de fluxo original, sem divisão, depois de analisar o grafo de fluxo dividido, olhamos para cada bloco dividido B, e seu conjunto de blocos correspondente $B_1, B_2, ..., B_k$. Podemos calcular IN$[B]$ = IN$[B_1]$ $\wedge$ IN$[B_2]$ $\wedge$ ... $\wedge$ IN$[B_k]$, e da mesma forma para os OUTs.

9.7.7 Exercícios para a Seção 9.7

Exercício 9.7.1: Para o grafo de fluxo da Figura 9.10 (veja os exercícios da Seção 9.1):

  i. Encontre todas as regiões possíveis. No entanto, você pode omitir a lista de regiões que consistem em um único nó e nenhuma aresta.
  ii. Dê o conjunto de regiões aninhadas construídas pelo Algoritmo 9.52.
  iii. Dê uma redução $T_1 - T_2$ para o grafo de fluxo conforme descrito na caixa em 'De onde vem o nome *redutível*', na Seção 9.7.2.

Exercício 9.7.2: Repita o Exercício 9.7.1 nos seguintes grafos de fluxo:

  a) Figura 9.3.
  b) Figura 8.9.
  c) Seu grafo de fluxo do Exercício 8.4.1.
  d) Seu grafo de fluxo do Exercício 8.4.2.

Exercício 9.7.3: Prove que cada *loop* natural é uma região.

!! Exercício 9.7.4: Mostre que um grafo de fluxo é redutível se e somente se puder ser transformado em um único nó usando:

a) As operações T_1 e T_2 descritas na caixa da Seção 9.7.2.
b) A definição de região introduzida na Seção 9.7.2.

! Exercício 9.7.5: Mostre que, quando você aplica a divisão de nó em um grafo de fluxo não redutível e depois realiza a redução T_1-T_2 sobre o grafo de divisão resultante, acaba com nós estritamente menores do que quando começou.

! Exercício 9.7.6: O que acontece se você aplicar a divisão de nó e a redução T_1-T_2 alternadamente, para reduzir um grafo direcionado completo de n nós?

9.8 ANÁLISE SIMBÓLICA

Usaremos a análise simbólica nesta seção para ilustrar o uso da análise baseada em região. Nessa análise, acompanhamos os valores das variáveis nos programas simbolicamente como expressões de variáveis de entrada; e outras variáveis, que chamamos de *variáveis de referência*. Expressar variáveis em termos do mesmo conjunto de variáveis de referência estabelece seus relacionamentos. A análise simbólica pode ser usada para diversas finalidades, como otimização, paralelismo e análises para compreensão do programa.

```
1) x = input();
2) y = x-1;
3) z = y-1;
4) A[x] = 10;
5) A[y] = 11;
6) if (z > x)
7)     z = x;
```

FIGURA 9.54 Exemplo de um programa para motivar a análise simbólica.

EXEMPLO 9.56: Considere o programa simples da Figura 9.54. Neste exemplo, usamos x como única variável de referência. A análise simbólica descobrirá que y tem o valor $x - 1$ e z tem o valor $x - 2$ após seus respectivos comandos de atribuição nas linhas (2) e (3). Essa informação é útil, por exemplo, para determinar que as duas atribuições nas linhas (4) e (5) escrevem em diferentes posições da memória e, portanto, podem ser executadas paralelamente. Além disso, podemos dizer que a condição $z > x$ nunca é verdadeira, permitindo assim que o otimizador remova o comando condicional nas linhas (6) e (7) completamente.

9.8.1 EXPRESSÕES AFINS DE VARIÁVEIS DE REFERÊNCIA

Como não podemos criar expressões simbólicas sucintas e de forma fechada para todos os valores calculados, escolhemos um domínio abstrato e aproximamos os cálculos com as expressões mais precisas dentro do domínio. Já vimos um exemplo dessa estratégia antes: propagação de constante. Na propagação de constante, nosso domínio abstrato consiste nas constantes, um símbolo UNDEF, se ainda não tivermos determinado se o valor é uma constante, e um símbolo NAC especial, que é usado sempre que uma variável é descoberta como não sendo uma constante.

A análise simbólica que apresentamos nesta seção expressa valores como expressões *afins* de variáveis de referência sempre que possível. Uma expressão é afim em relação às variáveis $v_1, v_2, ..., v_n$ se puder ser expressa como $c_0 + c_1v_1 + ... + c_nv_n$, onde $c_0, c_1, ..., c_n$ são constantes. Essas expressões são informalmente conhecidas como expressões lineares. Estritamente falando, uma expressão afim é linear somente se c_0 for zero. Estamos interessados nas expressões afins porque elas freqüentemente são usadas para indexar arranjos em *loops* - essas informações são úteis para otimizações e paralelismo. Veremos muito mais sobre esse assunto no Capítulo 11.

Variáveis de indução

Em vez de usar as variáveis do programa como variáveis de referência, uma expressão afim também pode ser escrita em termos da contagem de iterações do *loop*. As variáveis cujos valores podem ser expressos como $c_1i + c_0$, onde i é o contador de iterações do *loop* envolvente mais próximo, são conhecidas como *variáveis de indução*.

EXEMPLO 9.57: Considere o fragmento de código

```
for (m = 10; m < 20; m++)
    { x = m*3; A[x] = 0; }
```

Suponha que introduzamos ao *loop* uma variável, digamos, i, para representar o número de iterações executadas. O valor i é 0 na primeira iteração do *loop*, 1 na segunda, e assim por diante. Podemos expressar a variável m como uma expressão afim de i, a saber, $m = i + 10$. A variável x, que é $3m$, assume os valores 30, 33,..., 57 durante as iterações sucessivas do *loop*. Assim, x tem a expressão afim $x = 30 + 3i$. Concluímos que tanto m quanto x são variáveis de indução deste *loop*.

O fato de definir variáveis como expressões afins de índices de *loop* torna a série de valores que está sendo calculada explícita e permite várias transformações. A série de valores assumidos por uma variável de indução pode ser calculada com adições em vez de multiplicações. Essa transformação é conhecida como 'redução de força' e foi introduzida nas Seções 8.7 e 9.1. Por exemplo, podemos eliminar a multiplicação x = m*3 do *loop* do Exemplo 9.57 reescrevendo o *loop* como

```
x = 27
for (m = 10; m < 20; m++)
    { x = x+3; A[x] = 0; }
```

Além disso, observe que os endereços atribuídos como 0 nesse *loop*, &A+30, &A+33, ..., &A+57, também são expressões afins do índice do *loop*. Na verdade, esta série de inteiros é a única que precisa ser calculada; apenas m ou x é necessário. O código anterior pode ser substituído simplesmente por:

```
for (x = &A+30; x <= &A+57; x = x+3)
    *x = 0;
```

Além de acelerar o cálculo, a análise simbólica também é útil para o paralelismo. Quando os índices de arranjo em um *loop* são expressões afins dos índices de *loop*, podemos raciocinar sobre as relações dos dados acessados pelas iterações. Por exemplo, podemos dizer que os endereços escritos são diferentes em cada iteração e, portanto, todas as iterações no *loop* podem ser executadas paralelamente em diferentes processadores. Essas informações são usadas nos Capítulos 10 e 11 para extrair o paralelismo de programas seqüenciais.

Outras variáveis de referência

Se uma variável não for uma função linear das variáveis de referência já escolhidas, temos a opção de tratar seu valor como referência para operações futuras. Por exemplo, considere o fragmento de código:

```
a = f();
b = a + 10;
c = a + 11;
```

Embora o valor mantido por a depois da chamada de função não possa ser expresso por si só como uma função linear de quaisquer variáveis de referência, ele pode ser usado como referência para comandos subseqüentes. Por exemplo, usando a como uma variável de referência, podemos descobrir que c é um a mais que b no fim do programa.

Exemplo 9.58: Nosso exemplo executável para esta seção é baseado no código fonte mostrado na Figura 9.55. Os *loops* interno e externo são fáceis de entender, pois f e g não são modificados, exceto se forem exigidos pelos *loops* for. Assim, é possível substituir f e g por variáveis de referência i e j que contam o número de iterações dos *loops* externo e interno, respectivamente. Ou seja, podemos considerar $f = i + 99$ e $g = j + 9$, e substituir f e g em toda a parte. Quando traduzimos para código intermediário, podemos tirar proveito do fato de que cada *loop* iterage pelo menos uma vez, e assim adiar o teste de $i \le 100$ e $j \le 10$ para os fins dos *loops*. A Figura 9.56 mostra o grafo de fluxo para o código da Figura 9.55, depois de introduzir i e j e tratar os *loops* for como se fossem *loops* repeat.

```
1) a = 0;
2) for (f = 100; f < 200; f++) {
3)     a = a + 1;
4)     b = 10 * a;
5)     c = 0;
6)     for (g = 10; g < 20; g++) {
7)         d = b + c;
8)         c = c + 1;
       }
   }
```

Figura 9.55 Código fonte para o Exemplo 9.58.

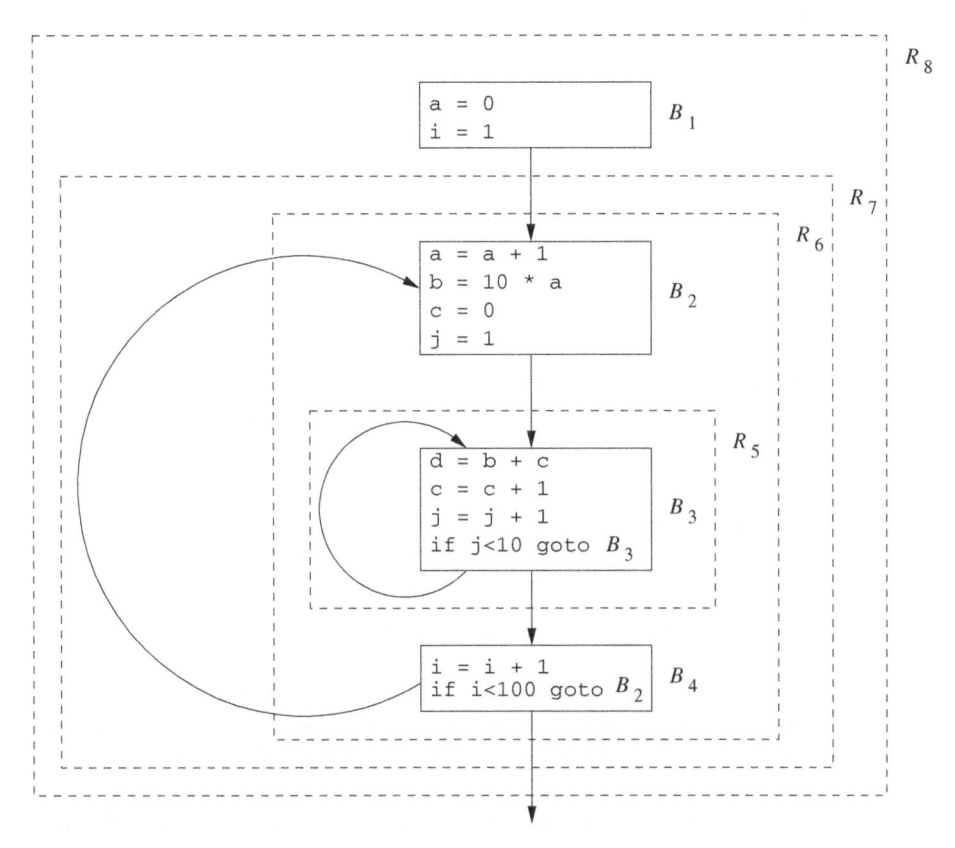

```
                                                        ┌─────────┐
                                                        │ a = 0   │  B₁
                                                        │ i = 1   │
                                                        └────┬────┘
                                                             │
                                                        ┌────▼────┐
                                                        │ a = a+1 │
                                                        │ b = 10*a│  B₂
                                                        │ c = 0   │
                                                        │ j = 1   │
                                                        └────┬────┘
                                                        ┌────▼────┐
                                                        │ d = b+c │
                                                        │ c = c+1 │
                                                        │ j = j+1 │  B₃
                                                        │if j<10 goto B₃│
                                                        └────┬────┘
                                                        ┌────▼────┐
                                                        │ i = i+1 │  B₄
                                                        │if i<100 goto B₂│
                                                        └────┬────┘
```

FIGURA 9.56 Grafo de fluxo e sua hierarquia de região para o Exemplo 9.58.

Acontece que a, b, c e d são todas variáveis de indução. As seqüências de valores atribuídos às variáveis em cada linha do código são mostradas na Figura 9.57. Conforme veremos, é possível descobrir as expressões afins para essas variáveis, em termos das variáveis de referência i e j, ou seja, na linha (4), $a = i$, na linha (7), $d = 10i + j - 1$, e na linha (8), $c = j$.

linha	var	$i=1$ $j=1,...,10$	$i=2$ $j=1,...,10$	$1 \le i \le 100$ $j=1,...,10$	$i=100$ $j=1,...,10$
2	a	1	2	i	100
3	b	10	20	$10i$	1000
7	d	10,...,19	20,..., 29	$10i,...,10i + 9$	1000...,1009
8	c	1,...,10	1,...,10	1...10	1...10

FIGURA 9.57 Seqüência de valores vistos nos pontos do programa do Exemplo 9.58.

9.8.2 Formulação do problema de fluxo de dados

Essa análise encontra expressões afins das variáveis de referência introduzidas (1) para contar o número de iterações executadas em cada *loop*, e (2) para manter valores na entrada das regiões onde for necessário. Essa análise também encontra variáveis de indução, invariantes de *loop*, além de constantes, como expressões afins degeneradas. Observe que essa análise não pode encontrar todas as constantes, pois só procura expressões afins das variáveis de referência.

Valores de fluxo de dados: mapeamentos simbólicos

O domínio dos valores de fluxo de dados para essa análise consiste em mapeamentos simbólicos, que representam funções que mapeiam cada variável do programa a um valor. O valor é uma função afim dos valores de referência, ou o símbolo especial NAA, para representar expressão não afim. Se houver só uma variável, o valor bottom do semi-reticulado será um mapeamento que associa a variável à NAA. O semi-reticulado para n variáveis é simplesmente o produto dos semi-reticulados individuais. Usamos m_{NAA} para denotar a parte bottom do semi-reticulado que mapeia todas as variáveis para NAA. Podemos definir o mapeamento simbólico que associa todas as variáveis a um valor desconhecido como sendo o valor top do fluxo de dados, conforme fizemos para a propagação de constante. Contudo, não precisamos de valores top na análise baseada em região.

Exemplo 9.59: Os mapeamentos simbólicos associados a cada bloco para o código no Exemplo 9.58 são mostrados na Figura 9.58. Mais adiante, veremos como esses mapeamentos são descobertos; eles resultam da análise de fluxo de dados baseada em região no grafo de fluxo da Figura 9.56.

m	$m(a)$	$m(b)$	$m(c)$	$m(d)$
IN[B_1]	NAA	NAA	NAA	NAA
OUT[B_1]	0	NAA	NAA	NAA
IN[B_2]	$i-1$	NAA	NAA	NAA
OUT[B_2]	i	$10i$	0	NAA
IN[B_3]	i	$10i$	$j-1$	NAA
OUT[B_3]	i	$10i$	j	$10i+j-1$
IN[B_4]	i	$10i$	j	$10i+j-1$
OUT[B_4]	$i-1$	$10i-10$	j	$10i+j-11$

Figura 9.58 Mapeamentos simbólicos do programa do Exemplo 9.58.

O mapeamento simbólico associado à entrada do programa é m_{NAA}. Na saída de B_1, o valor de a é definido como 0. Na entrada do bloco B_2, a tem o valor 0 na primeira iteração e incrementa em um a cada iteração subseqüente do *loop* externo. Assim, a tem o valor $i-1$ na entrada da i-ésima iteração e o valor i no fim. O mapeamento simbólico na entrada de B_2 mapeia as variáveis b, c, d a NAA, porque as variáveis possuem valores desconhecidos na entrada para o *loop* interno. Seus valores dependem do número de iterações do *loop* externo, até aqui. O mapeamento simbólico na saída de B_2 reflete os comandos de atribuição para a, b e c nesse bloco. O restante dos mapeamentos simbólicos pode ser deduzido de forma semelhante. Quando tivermos estabelecido a validade dos mapeamentos da Figura 9.58, poderemos substituir cada uma das atribuições para a, b, c e d da Figura 9.55 pelas expressões afins apropriadas, ou seja, poderemos substituir a Figura 9.55 pelo código da Figura 9.59.

```
1) a = 0;
2) for = (i = 1; i <= 100; i++) {
3)     a = i;
4)     b = 10*1;
5)     c = 0;
6)     for (j = 1, j <= 10, j++) {
7)         d = 10*1 + j - 1;
8)         c = j;
       }
   }
```

Figura 9.59 O código da Figura 9.55 com atribuições substituídas por expressões afins das variáveis de referência i e j.

Cuidados em relação a funções de transferência em mapeamentos de valor

Uma sutileza na maneira como definimos as funções de transferência em mapeamentos simbólicos é que temos opções em relação a como os efeitos de um cálculo são expressos. Quando m é o mapeamento para a entrada de uma função de transferência, $m(x)$ é, na realidade, apenas 'qualquer valor que a variável x tenha na entrada'. Fizemos grande esforço para expressar o resultado da função de transferência como uma expressão afim de valores que são descritos pelo mapeamento de entrada.

Você deverá observar a interpretação correta de expressões como $f(m)(x)$, nas quais f é uma função de transferência, m um mapeamento, e x uma variável. Como é convencional na matemática, aplicamos funções a partir da esquerda, significando que, primeiro, calculamos $f(m)$, que é um mapeamento. Como um mapeamento é uma função, podemos então aplicá-la à variável x para produzir um valor.

Função de transferência de uma instrução

As funções de transferência nesse problema de fluxo de dados associam mapeamentos simbólicos a mapeamentos simbólicos. Para calcular a função de transferência de um comando de atribuição, interpretamos a semântica desse comando e determinamos se a variável atribuída pode ser expressa como uma expressão afim dos valores à direita da atribuição. Os valores de todas as outras variáveis permanecem inalterados.

A função de transferência do comando s, denotado por f_s, é definida da seguinte forma:

1. Se s não é um comando de atribuição, f_s é a função identidade.
2. Se s é um comando de atribuição à variável x, então
$f_s(m)(x)$

$$= \begin{cases} m(v) & \text{para todas as variáveis } v \neq x \\ c_0 + c_1 m(y) + c_2 m(z) & \text{se } x \text{ receber } c_0 + c_1 y + c_2 z, \\ & (c_1 = 0, \text{ ou } m(y) \neq \text{NAA}), \text{ e} \\ & (c_2 = 0, \text{ ou } m(z) \neq \text{NAA}) \\ \text{NAA} & \text{caso contrário.} \end{cases}$$

A expressão $c_0 + c_1 m(y) + c_2 m(z)$ tem o propósito de representar todas as formas possíveis de expressões que envolvem variáveis arbitrárias y e z que podem aparecer no lado direito da atribuição para x e dão a x um valor que é uma transformação afim sobre os valores anteriores das variáveis. Estas expressões são: c_0, $c_0 + y$, $c_0 - y$, $y + z$, $x - y$, $c_1 * y$, e $y/(1/c_1)$. Observe que, em muitos casos, um ou mais de c_0, c_1 e c_2 são 0.

EXEMPLO 9.60: Se a atribuição for x = y + z, então $c_0 = 0$ e $c_1 = c_2 = 1$. Se a atribuição for x = y/5, então $c_0 = c_2 = 0$, e $c_1 = 1/5$.

Composição das funções de transferência

Para calcular $f_2 \circ f_1$, onde f_1 e f_2 são definidas em termos do mapeamento de entrada m, substituímos o valor de $m(v_i)$ na definição de f_2 pela definição de $f_1(m)(v_i)$. Substituímos todas as operações sobre valores NAA por NAA. Ou seja,

1. Se $f_2(m)(v) = \text{NAA}$, então $(f_2 \circ f_1)(m)(v) = \text{NAA}$.
2. Se $f_2(m)(v) = c_0 + \sum_i c_i m(v_i)$, então
$(f_2 \circ f_1)(m)(v)$

$$= \begin{cases} \text{NAA} & \text{se } f_1(m)(v_i) = \text{NAA para algum } i \neq 0, c_i \neq 0 \\ c_0 + \sum_i c_i f_1(m)(v_i) & \text{caso contrário.} \end{cases}$$

EXEMPLO 9.61: As funções de transferência dos blocos no Exemplo 9.58 podem ser calculadas compondo-se as funções de transferência dos comandos constituintes do bloco. Essas funções de transferência são definidas na Figura 9.60.

f	$f(m)(a)$	$f(m)(b)$	$f(m)(c)$	$f(m)(d)$
f_{B_1}	0	$m(b)$	$m(c)$	$m(d)$
f_{B_2}	$m(a)+1$	$10m(a)+10$	0	$m(d)$
f_{B_3}	$m(a)$	$m(b)$	$m(c)+1$	$m(b)+m(c)$
f_{B_4}	$m(a)$	$m(b)$	$m(c)$	$m(d)$

FIGURA 9.60 Funções de transferência do Exemplo 9.58.

Solução do problema de fluxo de dados

Usamos a notação $\text{IN}_{i,j}[B_3]$ e $\text{OUT}_{i,j}[B_3]$ para nos referirmos aos valores de fluxo de dados de entrada e saída do bloco B_3 na iteração j do *loop* interno e na iteração i do *loop* externo. Para os outros blocos, usamos $\text{IN}_i[B_k]$ e $\text{OUT}_i[B_k]$ para nos referir a esses valores na i-ésima iteração do *loop* externo. Além disso, podemos ver que os mapeamentos simbólicos mostrados na Figura 9.58 satisfazem as restrições impostas pelas funções de transferência, relacionadas na Figura 9.61.

$$
\begin{aligned}
\text{OUT}[B_k] &= f_B(\text{IN}[B_k]), \text{ para todo } B_k \\
\text{OUT}[B_1] &\geq \text{IN}_1[B_2] \\
\text{OUT}_i[B_2] &\geq \text{IN}_{i,1}[B_3], & 1 \leq i \leq 10 \\
\text{OUT}_{i,j-1}[B_3] &\geq \text{IN}_{i,j}[B_3], & 1 \leq i \leq 100; 2 \leq j \leq 10 \\
\text{OUT}_{i,10}[B_3] &\geq \text{IN}_i[B_4], & 2 \leq i \leq 100 \\
\text{OUT}_{i-1}[B_4] &\geq \text{IN}_i[B_2], & 1 \leq i \leq 100
\end{aligned}
$$

FIGURA 9.61 Restrições satisfeitas em cada iteração dos *loops* aninhados.

A primeira restrição diz que o mapeamento de saída de um bloco básico é obtido pela aplicação da função de transferência do bloco ao mapeamento de entrada. O restante das restrições diz que o mapeamento de saída de um bloco básico deve ser maior ou igual ao mapeamento de entrada de um bloco sucessor na execução.

Observe que nosso algoritmo de fluxo de dados iterativo não pode produzir a solução anterior porque não expressa os valores de fluxo de dados em termos do número de iterações executadas. A análise baseada em região pode ser usada para encontrar essas soluções, conforme veremos na seção seguinte.

9.8.3 ANÁLISE SIMBÓLICA BASEADA EM REGIÃO

Podemos estender a análise baseada em região descrita na Seção 9.7 para encontrar expressões de variáveis na i-ésima iteração de um *loop*. Uma análise simbólica baseada em região tem um passo ascendente e um descendente, como outros algoritmos baseados em região. O passo ascendente resume o efeito de uma região com uma função de transferência que leva um mapeamento simbólico na entrada para um mapeamento simbólico de saída, na saída do bloco. No passo descendente, os valores dos mapeamentos simbólicos são propagados para baixo até as regiões internas.

A diferença está em como tratamos os *loops*. Na Seção 9.7, o efeito de um *loop* é resumido com um operador de fechamento. Dado um *loop* com corpo f, seu fechamento f^* é definido como um meet infinito de todos os números possíveis de aplicações de f. Contudo, para encontrar variáveis de indução, precisamos determinar se um valor de uma variável é uma função afim do número de iterações executadas até aqui. O mapeamento simbólico deve ser parametrizado pelo número da iteração que estiver sendo executada. Além disso, sempre que soubermos o número total de iterações executadas em um *loop*, podemos usar esse número para encontrar os valores das variáveis de indução após o *loop*. Por exemplo, no Exemplo 9.58, afirmamos que a tem o valor i depois de executar a i-ésima iteração. Como o *loop* tem 100 iterações, o valor de a deve ser 100 no fim do *loop*.

A seguir, definimos primeiro os operadores primitivos: meet e composição de funções de transferência para análise simbólica. Depois, mostramos como usá-los para realizar análise baseada em região das variáveis de indução.

Operador meet de funções de transferência

Ao calcular o meet de duas funções, o valor de uma variável é NAA, a menos que as duas funções mapeiem a variável para o mesmo valor e o valor não seja NAA. Assim,

$$
(f_1 \wedge f_2)(m)(v) = \begin{cases} f_1(m)(v) & \text{se } f_1(m)(v) = f_2(m)(v) \\ \text{NAA} & \text{caso contrário} \end{cases}
$$

Composição de função parametrizada

Para expressar uma variável como uma função afim de um índice de *loop*, precisamos calcular o efeito de compor uma função por algum número de vezes. Se o efeito de uma iteração for resumido pela função de transferência f, o efeito de executar i iterações, para algum $i \geq 0$, é denotado por f^i. Observe que, quando $i = 0$, $f^i = f^0 = I$, a função identidade.

As variáveis no programa são divididas em três categorias:

1. Se $f(m)(x) = m(x) + c$, onde c é uma constante, então $f^i(m)(x) = m(x) + ci$ para todo valor de $i \geq 0$. Dizemos que x é uma *variável de indução básica* do *loop* cujo corpo é representado pela função de transferência f.
2. Se $f(m)(x) = m(x)$, então $f^i(m)(x) = m(x)$ para todo $i \geq 0$. A variável x não é modificada e permanece inalterada no fim de qualquer número de iterações do *loop* com a função de transferência f. Dizemos que x é uma *constante simbólica* no *loop*.

3. Se $f(m)(x) = c_0 + c_1 m(x_1) + ... + c_n m(x_n)$, onde cada x_k é uma variável de indução básica ou uma constante simbólica, então, para $i > 0$,

$$f^i(m)(x) = c_0 + c_1 f^i(m)(x_1) + ... + c_n f^i(m)(x_n).$$

Dizemos que x também é uma variável de indução, embora não básica. Observe que a fórmula anterior não se aplica se $i = 0$.

4. Em todos os outros casos, $f^i(m)(x) = \text{NAA}$.

Para determinar o efeito de executar um número fixo de iterações, simplesmente substituímos i anterior por esse número. No caso em que o número de iterações é desconhecido, o valor no início da última iteração é dado por f^*. Nesse caso, as únicas variáveis cujos valores ainda podem ser expressos na forma afim são as variáveis invariantes de *loop*.

$$f^*(m)(v) = \begin{cases} m(v) & \text{se } f(m)(v) = m(v) \\ \text{NAA} & \text{caso contrário} \end{cases}$$

EXEMPLO 9.62: Para o *loop* mais interno no Exemplo 9.58, o efeito de executar i iterações, $i > 0$, é resumido por f_{B3}^i. Para a definição de f_{B3}, vemos que a e b são constantes simbólicas, c é uma variável de indução básica, pois é incrementada de um a cada iteração. O d é uma variável de indução, porque é uma função afim da constante simbólica b e da variável de indução básica c. Assim,

$$f_{B3}^i(m)(v) = \begin{cases} m(a) & \text{se } v = a \\ m(b) & \text{se } v = b \\ m(c) + i & \text{se } v = c \\ m(b) + m(c) + i & \text{se } v = d. \end{cases}$$

Se não pudéssemos saber quantas vezes o *loop* do bloco B_3 se repetiu, não poderíamos usar f^i e teríamos de usar f^* para expressar as condições no fim do *loop*. Nesse caso, teríamos,

$$f_{B3}^*(m)(v) = \begin{cases} m(a) & \text{se } v = a \\ m(b) & \text{se } v = b \\ \text{NAA} & \text{se } v = c \\ \text{NAA} & \text{se } v = d. \end{cases}$$

Um algoritmo baseado em região

ALGORITMO 9.63: Análise simbólica baseada em região.

ENTRADA: Um grafo de fluxo redutível G.

SAÍDA: Mapeamentos simbólicos IN[B] para cada bloco B de G.

MÉTODO: Fazemos as seguintes modificações no Algoritmo 9.53.

1. Substituímos o modo como construímos a função de transferência para uma região do *loop*. No algoritmo original, usamos a função de transferência $f_{R,\text{IN}[S]}$ para relacionar o mapeamento simbólico na entrada da região do *loop* R a um mapeamento simbólico na entrada do corpo do *loop* S após executar um número desconhecido de iterações. Isso é definido para ser o fechamento da função de transferência que representa todos os caminhos que levam de volta à entrada do *loop*, como mostra a Figura 9.50(b). Aqui, definimos $f_{R,i,\text{IN}[S]}$ para representar o efeito da execução a partir do início da região do *loop* até a entrada da i-ésima iteração. Assim,

$$f_{R,i,\text{IN}[S]} = \left(\bigwedge_{\text{predecessores } B \text{ em } R \text{ do cabeçalho de } S} f_{S,\text{OUT}[B]} \right)^{i-1}$$

2. Se o número de iterações de uma região é conhecido, o resumo da região é calculado substituindo-se i pela contagem corrente.

3. No passo descendente, calculamos $f_{R,i,\text{IN}[B]}$ para encontrar o mapeamento simbólico associado à entrada da i-ésima iteração de um *loop*.

4. No caso em que o valor de entrada de uma variável $m(v)$ é usado no lado direito de um mapeamento simbólico na região R, e $m(v) = $ NAA após entrar na região, introduzimos uma nova variável de referência t, acrescentamos a atribuição t = v no início da região R, e todas as referências de $m(v)$ são substituídas por t. Se não introduzíssemos uma variável de referência nesse ponto, o valor NAA mantido por v penetraria nos *loops* internos.

$$f_{R_5, j, \text{IN}[B_3]} = f_{B_3}^{j-i}$$
$$f_{R_5, j, \text{OUT}[B_3]} = f_{B_3}^{j}$$

$$f_{R_6,\text{IN}[B_2]} = I$$
$$f_{R_6,\text{IN}[R_5]} = f_{B_2}$$
$$f_{R_6,\text{OUT}[B_4]} = I \circ f_{R_5, 10, \text{OUT}[B_3]} \circ f_{B_2}$$

$$f_{R_7, i, \text{IN}[R_6]} = f_{R_6, \text{OUT}[B_4]}^{i-1}$$
$$f_{R_7, i, \text{OUT}[B_4]} = f_{R_6, \text{OUT}[B_4]}^{i}$$

$$f_{R_8,\text{IN}[B_1]} = I$$
$$f_{R_8,\text{IN}[R_7]} = f_{B_1}$$
$$f_{R_8,\text{OUT}[B_4]} = f_{R_7, 100, \text{OUT}[B_4]} \circ f_{B_1}$$

FIGURA 9.62 Relações de função de transferência no passo ascendente para o Exemplo 9.58.

EXEMPLO 9.64: Para o Exemplo 9.58, mostramos como as funções de transferência para o programa são calculadas no passo ascendente da Figura 9.62. A região R_5 é o *loop* interno com corpo B_5. A função de transferência que representa o caminho da entrada da região R_5 para o início da j-ésima iteração, $j \geq 1$, é $f_{B_3}^{j-1}$. A função de transferência que representa o caminho para o fim da j-ésima iteração $j \geq 1$, é $f_{B_3}^{j}$.

A região R_6 consiste nos blocos B_2 e B_4, com a região de *loop* R_5 no meio. As funções de transferência a partir da entrada de B_2 e R_5 podem ser calculadas da mesma maneira que no algoritmo original. A função de transferência $f_{R_6,\text{OUT}[B_3]}$ representa a composição do bloco B_2 e toda a execução do *loop* interno, pois $f_{[B_4]}$ é a função identidade. Como sabemos que o *loop* interno é repetido 10 vezes, podemos substituir j por 10 para resumir o efeito do *loop* interno com precisão. O restante das funções de transferência pode ser calculado de modo semelhante. As funções de transferência correntes calculadas aparecem na Figura 9.63.

f	$f(m)(a)$	$f(m)(b)$	$f(m)(c)$	$f(m)(d)$
$f_{R_5,j,\text{IN}[B_3]}$	$m(a)$	$m(b)$	$m(c) + j - 1$	NAA
$f_{R_5,j,\text{OUT}[B_3]}$	$m(a)$	$m(b)$	$m(c) + j$	$m(b) + m(c) + j - 1$
$f_{R_6,\text{IN}[B_2]}$	$m(a)$	$m(b)$	$m(c)$	$m(d)$
$f_{R_6,\text{IN}[R_5]}$	$m(a) + 1$	$10m(a) + 10$	0	$m(d)$
$f_{R_6,\text{OUT}[B_4]}$	$m(a) + 1$	$10m(a) + 10$	10	$10m(a) + 9$
$f_{R_7,i,\text{IN}[R_6]}$	$m(a) + i - 1$	NAA	NAA	NAA
$f_{R_7,i,\text{OUT}[B_4]}$	$m(a) + i$	$10m(a) + 10i$	10	$10m(a) + 10i + 9$
$f_{R_8,\text{IN}[B_1]}$	$m(a)$	$M(b)$	$m(c)$	$m(d)$
$f_{R_8,\text{IN}[R_7]}$	0	$M(b)$	$m(c)$	$M(d)$
$f_{R_8,\text{OUT}[B_4]}$	100	1000	10	1009

FIGURA 9.63 Funções de transferência calculadas no passo ascendente para o Exemplo 9.58.

O mapeamento simbólico na entrada do programa é simplesmente m_{NAA}. Usamos o passo descendente para calcular o mapeamento simbólico para a entrada de regiões sucessivamente aninhadas, até encontrarmos todos os mapeamentos simbólicos para todo o bloco básico. Começamos calculando os valores de fluxo de dados para o bloco B_1 na região R_8:

$$\text{IN}[B_1] = m_{\text{NAA}}$$
$$\text{OUT}[B_1] = f_{B_1}(\text{IN}[B_1])$$

Descendo até as regiões R_7 e R_6, obtemos,

$$\text{IN}_i[B_2] = f_{R_7,\,i,\,\text{IN}[R_6]}(\text{OUT}[B_1])$$
$$\text{OUT}_i[B_2] = f_{B_2}(\text{IN}_i[B_2])$$

Finalmente, na região R_5, obtemos,

$$\text{IN}_{i,j}[B_3] = f_{R_5,\,j,\text{IN}[B_3]}(\text{OUT}_i[B_2])$$
$$\text{OUT}_{i,j}[B_3] = f_{B_3}(\text{IN}_{i,\,j}[B_3])$$

Não é surpresa que essas equações produzam os resultados que mostramos na Figura 9.58.

O Exemplo 9.58 mostra um programa simples, em que toda variável usada no mapeamento simbólico tem uma expressão afim. Usamos o Exemplo 9.65 para ilustrar por que e como introduzimos variáveis de referência no Algoritmo 9.63.

```
1)   for (i = 1; i < n; i++} {
2)       a = input ();
3)       for (j = 1; j < 10; j++} {
4)           a = a - 1;
5)           b = j - a;
6)           a = a + 1;
         }
     }
```

(a) A loop where a fluctuates.

```
for (i = 1; i < n; i++} {
    a = input ();
    t = a;
    for (j = 1; j < 10; j++} {
        a = t - 1;
        b = t - 1 + j;
        a = t;
    }
}
```

(b) A reference variable t makes b an induction variable.

FIGURA 9.64 The need to introduce reference variables

EXEMPLO 9.65: Considere o exemplo simples da Figura 9.64(a). Considere que f_j seja a função de transferência que resume o efeito de executar j iterações do *loop* interno. Embora o valor de *a* possa flutuar durante a execução do *loop*, vemos que *b* é uma variável de indução baseada no valor de *a* na entrada do *loop*; ou seja, $f_j(m)(b) = m(a)-1+j$. Como *a* recebe um valor de entrada, o mapeamento simbólico na entrada do *loop* interior mapeia *a* para NAA. Introduzimos uma nova variável de referência *t* para guardar o valor de *a* na entrada, e realizar as substituições como na Figura 9.64(b).

9.8.4 Exercícios da Seção 9.8

Exercício 9.8.1: Para o grafo de fluxo da Figura 9.10 (veja os exercícios da Seção 9.1), dê as funções de transferência para:

   a) Bloco B_2.
   b) Bloco B_4.
   c) Bloco B_5.

Exercício 9.8.2: Considere o *loop* interno da Figura 9.10, consistindo nos blocos B_3 e B_4. Se i representa o número de vezes que o *loop* é percorrido, e f é a função de transferência para o corpo do *loop* (ou seja, excluindo a aresta de B_4 para B_3), da entrada do *loop* (ou seja, o início de B_3) até a saída de B_4, então o que é f^i? Lembre-se de que f recebe como argumento um mapeamento m, e m atribui um valor a cada uma das variáveis a, b, d e e. Denotamos esses valores como $m(a)$, e assim por diante, embora não saibamos seus valores.

! Exercício 9.8.3: Agora, considere o *loop* externo da Figura 9.10, consistindo nos blocos B_2, B_3, B_4 e B_5. Considere que g seja a função de transferência para o corpo do *loop*, da entrada do *loop* em B_2 até sua saída em B_5. Considere que i meça o número de iterações do *loop* interno de B_3 e B_4 (cuja contagem de iterações nós não podemos saber), e considere que j meça o número de iterações do *loop* externo (que também não podemos saber). O que é g^j?

9.9 Resumo do Capítulo 9

- *Subexpressões comuns globais*: Uma otimização importante é encontrar computações da mesma expressão em dois blocos básicos diferentes. Se um precede o outro, podemos armazenar o resultado da primeira vez que ele é computado e usar o resultado armazenado em ocorrências subseqüentes.

- *Propagação de cópia*: Um comando de cópia, $u = v$, atribui uma variável v a outra, u. Em algumas circunstâncias, podemos substituir todos os usos de u por v, eliminando dessa forma a ambos, tanto a atribuição quanto u.

- *Movimentação de código*: Outra otimização é mover um cálculo para fora do *loop* em que ele aparece. Essa mudança só é correta se o cálculo produzir o mesmo valor cada vez que o *loop* é iterado.

- *Variáveis de indução*: Muitos *loops* possuem variáveis de indução, variáveis que recebem uma seqüência linear de valores a cada passo do *loop*. Algumas delas são usadas apenas para contar iterações e, freqüentemente, podem ser eliminadas, reduzindo assim o tempo gasto para iterar o *loop*.

- *Análise de fluxo de dados*: Um esquema de análise de fluxo de dados define um valor em cada ponto do programa. Os comandos do programa têm funções de transferência associadas, que relacionam os valores antes e depois do comando. Comandos com mais de um predecessor devem ter seu valor definido pela combinação dos valores nos predecessores, usando um operador meet (ou confluência).

- *Análise de fluxo de dados em blocos básicos*: Como a propagação dos valores de fluxo de dados em um bloco costuma ser muito simples, as equações de fluxo de dados geralmente são projetadas para terem duas variáveis em cada bloco, chamadas IN e OUT. Estas duas variáveis representam os valores de fluxo de dados no início e no fim do bloco, respectivamente. As funções de transferência dos comandos em um bloco são compostas para obter a função de transferência para o bloco como um todo.

- *Definição de alcance*: A estrutura de fluxo de dados de definições de alcance tem valores que são conjuntos de comandos no programa que definem valores para uma ou mais variáveis. A função de transferência para um bloco mata as definições de variáveis que são definitivamente redefinidas no bloco e acrescenta ('gera') as definições de variáveis que ocorrem no bloco. O operador de confluência é a união, uma vez que as definições alcançam um ponto se alcançarem qualquer predecessor desse ponto.

- *Variáveis vivas*: Outra estrutura de fluxo de dados importante calcula as variáveis que estão vivas (serão usadas antes da redefinição) em cada ponto. A estrutura é semelhante às definições de alcance, exceto pelo fato que a função de transferência é executada do fim para o início. Uma variável está viva no início de um bloco se for usada antes da definição no bloco ou estiver viva no fim e não for redefinida no bloco.

- *Expressões disponíveis*: Para descobrir as subexpressões comuns globais, determinamos as expressões disponíveis em cada ponto — expressões que foram calculadas, das quais nenhum argumento foi redefinido após o último cálculo. A estrutura de fluxo de dados é semelhante às definições de alcance, mas o operador de confluência é a interseção, em vez da união.

- *Abstração de problemas de fluxo de dados*: Problemas de fluxo de dados comuns, como aqueles já mencionados, podem ser expressos em uma estrutura matemática comum. Os valores são membros de um semi-reticulado, cujo meet é o operador de confluência. As funções de transferência mapeiam os elementos do reticulado para elementos do reticulado. O conjunto de funções de transferência permitido deve ser fechado sob composição e inclui a função identidade.

- *Estruturas monotônicas*: Um semi-reticulado possui uma relação $\leq$ definida por $a \leq b$ se e somente se $a \wedge b = a$. As estruturas monotônicas possuem a propriedade de que cada função de transferência preserva o relacionamento $\leq$; ou seja, $a \leq b$ implica $f(a) \leq f(b)$, para todos os elementos do reticulado a e b e função de transferência f.

- *Estruturas distributivas*: Essas estruturas satisfazem a condição de que $f(a \wedge b) = f(a) \wedge f(b)$, para todos os elementos do reticulado a e b e função de transferência f. Pode-se mostrar que a condição distributiva implica a condição monotônica.

- *Solução iterativa para estruturas abstratas*: Todas as estruturas de fluxo de dados monotônicas podem ser solucionadas por um algoritmo iterativo, em que os valores de IN e OUT para cada bloco são devidamente inicializados (dependendo da estrutura) e novos valores para essas variáveis são repetidamente calculados pela aplicação de operações de

transferência e confluência. Essa solução sempre é segura (as otimizações que ela sugere não mudarão o que o programa faz), mas a solução certamente só será a melhor possível se a estrutura for distributiva.
- *A estrutura de propagação de constante*: Enquanto as estruturas básicas, como as definições de alcance, são distributivas, há estruturas interessantes que são monotônicas, mas não distributivas. Uma delas envolve a propagação de constantes usando um semi-reticulado, cujos elementos são mapeamentos a partir das variáveis do programa para constantes, mais dois valores especiais que representam 'nenhuma informação' e 'definitivamente não uma constante'.
- *Eliminação de redundância parcial*: Muitas otimizações úteis, como movimentação de código e eliminação de subexpressão comum global, podem ser generalizadas a um único problema, chamado eliminação de redundância parcial. Expressões que são necessárias, mas estão disponíveis apenas ao longo de alguns dos caminhos até um ponto, são calculadas apenas ao longo dos caminhos onde não estão disponíveis. A aplicação correta dessa idéia requer a solução de uma seqüência de quatro problemas de fluxo de dados diferentes, além de outras operações.
- *Dominadores*: Um nó em um grafo de fluxo domina outro se todo caminho para o último tiver de passar pelo primeiro. Um dominador próprio é um dominador diferente do próprio nó. Cada nó, exceto o nó de entrada, tem um dominador imediato — aquele dos seus dominadores próprios que é dominado por todos os outros dominadores próprios.
- *Ordenação em profundidade dos grafos de fluxo*: Se realizarmos uma pesquisa em profundidade em um grafo de fluxo, começando em sua entrada, produziremos uma árvore geradora em profundidade. A ordem em profundidade dos nós é o inverso de um caminhamento pós-ordem dessa árvore.
- *Classificação das arestas*: Quando construímos uma árvore geradora em profundidade, todas as arestas do grafo de fluxo podem ser divididas em três grupos: arestas para frente ou afluentes (aquelas que vão do ancestral para o descendente apropriado), arestas de recuo ou refluentes (aquelas que são do descendente ao ancestral) e arestas cruzadas (outras). Uma propriedade importante é que todas as arestas cruzadas vão da direita para a esquerda na árvore. Outra propriedade importante é que, dessas arestas, somente as arestas de recuo têm uma cabeça inferior à sua cauda na ordem em profundidade (pós-ordem reversa).
- *Arestas para trás*: Uma aresta para trás é aquela cuja cabeça domina sua cauda. Toda aresta de volta é uma aresta de recuo, independentemente da escolha da árvore geradora em profundidade para o seu grafo de fluxo.
- *Grafos de fluxo redutíveis*: Se toda aresta de recuo é uma aresta para trás, independentemente da árvore geradora em profundidade escolhida, então o grafo de fluxo é considerado redutível. A grande maioria dos grafos de fluxo é redutível; aqueles cujos únicos comandos de fluxo de controle são os comandos normais de formação de *loop* e desvio, certamente são redutíveis.
- *Loops naturais*: Um *loop* natural é um conjunto de nós com um nó de cabeçalho que domina todos os nós no conjunto e tem, pelo menos, uma aresta para trás entrando nesse nó. Dada qualquer aresta para trás, podemos construir seu *loop* natural, pegando a cabeça da aresta mais todos os nós que podem alcançar a cauda da aresta sem passar pela cabeça. Dois *loops* naturais com cabeçalhos diferentes ou são disjuntos ou um está completamente contido no outro; esse fato nos permite falar sobre uma hierarquia de *loops* aninhados, desde que os '*loops*' sejam considerados *loops* naturais.
- *Ordem em profundidade torna o algoritmo iterativo eficiente*: O algoritmo iterativo requer poucos passos, desde que a propagação de informações ao longo de caminhos acíclicos seja suficiente, ou seja, os ciclos não incluem nada. Se visitarmos nós na ordem em profundidade, qualquer estrutura de fluxo de dados que propaga informações para frente, por exemplo, definições de alcance, convergirão em não mais do que 2 mais o maior número de arestas de recuo em qualquer caminho acíclico. O mesmo acontece para as estruturas de propagação para trás, como variáveis vivas, se visitarmos no reverso da ordem em profundidade (ou seja, na pós-ordem).
- *Regiões*: Regiões são conjuntos de nós e arestas com um cabeçalho *h* que domina todos os nós na região. Os predecessores de qualquer nó diferente de *h* na região também devem estar na região. As arestas da região são todas as que se encontram entre os nós da região, com a possível exceção de algumas ou todas as que entram no cabeçalho.
- *Regiões e grafos de fluxo redutíveis*: Grafos de fluxo redutíveis podem ser analisados em uma hierarquia de regiões. Estas são regiões de *loop*, que incluem todas as arestas no cabeçalho, ou regiões de corpo, que não possuem arestas para o cabeçalho.
- *Análise de fluxo de dados baseada em região*: Uma alternativa à abordagem iterativa à análise de fluxo de dados é trabalhar de forma ascendente e descendente na hierarquia da região, calculando funções de transferência a partir do cabeçalho de cada região para cada nó nessa região.
- *Detecção de variável de indução baseada em região*: Uma aplicação importante da análise baseada em região está em uma estrutura de fluxo de dados que tenta calcular fórmulas para cada variável em uma região de *loop*, cujo valor é uma função afim (linear) do número de vezes em que o *loop* é executado.

9.10 Referências do Capítulo 9

Os dois primeiros compiladores que realizaram otimização de código extensa foram Alpha [7] e Fortran H [16]. O tratado fundamental sobre técnicas para otimização de *loop* (por exemplo, movimentação de código) é [1], embora as versões anteriores de algumas dessas idéias apareçam em [8]. Um livro distribuído informalmente [4] foi influente na disseminação das idéias de otimização de código.

A primeira descrição do algoritmo iterativo para análise de fluxo de dados vem do relatório técnico não publicado de Vyssotsky e Wegner [20]. Considera-se que o estudo científico sobre análise de fluxo de dados tenha iniciado com os artigos de Allen [2] e Cocke [3].

A abstração teórica de reticulado descrita aqui é baseada no trabalho de Kildall [13]. Essas estruturas assumiram a distributividade, que muitas estruturas não satisfazem. Depois que diversas dessas estruturas vieram à luz, a condição de monotinicidade foi embutida no modelo por [5] e [11].

A eliminação de redundância parcial foi iniciada por [17]. O algoritmo de movimentação de código tardio, descrito neste capítulo, é baseado em [4].

Os dominadores foram usados inicialmente no compilador descrito em [13]; contudo, a idéia existe desde [18].

A noção de grafos de fluxo redutíveis vem de [2]. A estrutura desses grafos de fluxo, conforme apresentada aqui, é de [9] e [10]. [12] e [15] conectaram inicialmente a redutibilidade dos grafos de fluxo às estruturas de fluxo de controle aninhadas, o que explica por que essa classe de grafos de fluxo é tão comum.

A definição da redutibilidade por redução T_1-T_2, conforme usada na análise baseada em região, é de [19]. A abordagem baseada em região foi usada inicialmente em um compilador descrito em [21].

A forma de atribuição única estática (SSA) da representação intermediária, introduzida na Seção 6.1, incorpora tanto o fluxo de dados quanto o fluxo de controle em sua representação. SSA facilita a implementação de muitas transformações de otimização a partir de uma estrutura comum [6].

1. ALLEN, F. E. Program optimization, *Annual Review in Automatic Programming 5* (1969), pp. 239-307.
2. ALLEN, F. E., Control flow analysis, *ACM Sigplan Notices* 5:7 (1970), pp. 1-19.
3. COCKE, J. Global common subexpression elimination, *ACM Sigplan notices* 5:7 (1970), pp. 20-24.
4. COCKE, J. e SCHWARTZ, J. T. *Programming languages and their compilers: preliminary notes.* Nova York: Courant Institute of Mathematical Sciences, New York Univ., 1970.
5. COUSOT, P. e COUSOT, R. Abstract interpretation: a unified lattice model for static analysis of programs by construction or approximation of fixpoints, *Fourth ACM Symposium on Principles of Programming Languages* (1977), pp. 238-252.
6. CYTRON, R.; FERRANTE J.; ROSEN B. K.; WEGMAN M. N. e ZADECK, F. K. Efficiently computing static single assignment form and the control dependence graph, *ACM Transactions on Programming Languages and Systems* 13:4 (1991), pp. 451-490.
7. ERSHOV, A. P. Alpha - an automatic programming system of high efficiency, *J. ACM* 13:1 (1966), pp. 17-24.
8. GEAR, C. W. High speed compilation of efficient object code, *Comm. ACM* 8:8 (1965), pp. 483-488.
9. HECHT, M. S. e ULLMAN, J. D. Flow graph reducibility, *SIAM J. Computing* 1 (1972), pp. 188-202.
10. HECHT, M. S. e ULLMAN, J. D. Characterizations of reducible flow graphs, *J. ACM* 21 (1974), pp. 367-375.
11. KAM, J. B. e ULLMAN, J. D. Monotone data flow analysis frameworks, *Acta Informatica* 7:3 (1977), pp. 305-318.
12. KASAMI, T.; PETERSON W. W. e TOKURA N. On the capabilities of while, repeat, and exit statements, *Comm. ACM* 16:8 (1973), pp. 503-512.
13. KILDALL, G. A unified approach to global program optimization, *ACM Symposium on Principles of Programming Languages* (1973), pp. 194-206.
14. KNOOP, J. Lazy code motion, *Proc. ACM SIGPLAN 1992 conference on Programming Language Design and Implementation*, pp. 224-234.
15. KOSARAJU, S. R. Analysis of structured programs, *J. Computer and System Sciences* 9:3 (1974), pp. 232-255.
16. LOWRY, E. S. e MEDLOCK, C. W. Object code optimization, *Comm. ACM* 12:1 (1969), pp. 13-22.
17. MOREL, E. e RENVOISE, C. Global optimization by suppression of partial redundancies, *Comm. ACM* 22 (1979), pp. 96-103.
18. PROSSER, R. T. Application of boolean matrices to the analysis of flow diagrams, *AFIPS Eastern Joint Computer Conference* (1959), Spartan Books, Baltimore MD, pp. 133-138.
19. ULLMAN, J. D. Fast algorithms for the elimination of common subexpressions, *Acta Informatica* 2 (1973), pp. 191-213.
20. VYSSOTSKY, e V. WEGNER P. A graph theoretical Fortran source language analyzer, unpublished technical report, Bell Laboratories, Murray Hill NJ, 1963.
21. WULF, W. A. JOHNSON, R. K.; WEINSTOCK, C. B.; HOBBS, S. O.; GESCHKE, C. M. *The design of an optimizing compiler.* Nova York: Elsevier, 1975.

10 PARALELISMO DE INSTRUÇÃO

Todo processador moderno de alto desempenho pode executar várias operações em um único ciclo de relógio. A 'pergunta de um bilhão de dólares" é: com que velocidade um programa pode ser executado em um processador com paralelismo em nível de instrução? A resposta depende do seguinte:

1. O paralelismo potencial no programa.
2. O paralelismo disponível no processador.
3. Nossa capacidade de extrair o paralelismo do programa seqüencial original.
4. Nossa capacidade de encontrar o melhor escalonamento paralelo, dadas as restrições de escalonamento.

Se todas as operações em um programa forem altamente dependentes umas das outras, não há hardware ou técnica de paralelismo que faça o programa executar mais rápido em paralelo. Muitas pesquisas têm sido realizadas com o objetivo de compreender os limites do paralelismo. As aplicações não numéricas típicas possuem muitas dependências inerentes. Por exemplo, esses programas têm muitos desvios dependentes de dados, que dificultam prever até mesmo que instruções devem ser executadas, quanto mais decidir que operações podem ser executadas em paralelo. Portanto, o trabalho nessa área está focado em aliviar as restrições de escalonamento, incluindo a introdução de novos recursos arquitetônicos, em vez de nas próprias técnicas de escalonamento.

Aplicações numéricas, como cálculo científico e processamento de sinal, costumam ter mais paralelismo. Essas aplicações lidam com grandes agregações de estruturas de dados; as operações sobre elementos distintos da estrutura costumam ser independentes umas das outras e podem ser executadas em paralelo. Recursos adicionais de hardware podem tirar proveito desse paralelismo e são fornecidos em máquinas de alto desempenho, de uso geral, e por processadores de sinais digitais. Esses programas costumam ter estruturas de controle simples e padrões regulares de acesso a dados, e técnicas estáticas têm sido desenvolvidas para extrair o paralelismo disponível desses programas. O escalonamento de código para essas aplicações é interessante e significativo, pois oferece uma grande quantidade de operações independentes, para serem mapeadas em um grande número de recursos.

Ambos, tanto a extração do paralelismo quanto o escalonamento para execução paralela, podem ser realizados estaticamente no software, ou dinamicamente no hardware. De fato, até mesmo máquinas com escalonamento por hardware podem ser auxiliadas pelo escalonamento por software. Este capítulo começa explicando os aspectos fundamentais ao uso do paralelismo em nível de instrução, que se aplicam tanto ao paralelismo gerenciado por software quanto por hardware. Depois, apresentamos as análises de dependência de dados básicas necessárias para a extração do paralelismo. Essas análises são úteis para vários tipos de otimizações, além do paralelismo em nível de instrução, conforme veremos no Capítulo 11.

Finalmente, tratamos das idéias básicas do escalonamento de código. Descrevemos uma técnica para escalonar blocos básicos, um método para tratar o fluxo de controle altamente dependente de dados encontrado nos programas de uso geral e, finalmente, uma técnica chamada software pipelining, usada principalmente para escalonamento de programas numéricos.

10.1 ARQUITETURAS DE PROCESSADORES

Quando pensamos em paralelismo de instrução, usualmente imaginamos um processador que omite várias operações em um único ciclo de relógio. Na verdade, é possível que uma máquina emita apenas uma operação por ciclo[1] e ainda consiga paralelismo em nível de instrução usando o conceito de *pipelining*. A seguir, primeiro explicamos como funciona o pipelining e depois discutimos a questão da instrução múltipla.

10.1.1 LINHA DE MONTAGEM DE INSTRUÇÃO E ATRASOS DE DESVIOS

Praticamente todo processador, seja um supercomputador de alto desempenho ou uma máquina padrão, utiliza uma *linha de montagem* (do inglês, *pipeline*) *de instrução*. Com uma linha de montagem de instrução, uma nova instrução pode ser bus-

---

[1] Vamos referir-nos a um 'pulso' de relógio ou ciclo de relógio simplesmente como 'ciclo', quando a intenção for clara.

cada a todo ciclo, enquanto as instruções anteriores ainda passam pela linha de montagem. Na Figura 10.1, mostramos uma linha de montagem simples de cinco estágios: primeiro, ela busca a instrução (IF), a decodifica (ID), executa a operação (EX), acessa a memória (MEM) e escreve de volta o resultado (WB). A figura mostra como as instruções $i, i+1, i+2, i+3$ e $i+4$ podem ser executadas ao mesmo tempo. Na figura, cada linha corresponde a um pulso do relógio, e cada coluna especifica o estágio em que cada instrução se encontra a cada pulso do relógio.

	i	$i+1$	$i+2$	$i+3$	$i+4$
1.	IF				
2.	ID	IF			
3.	EX	ID	IF		
4.	MEM	EX	ID	IF	
5.	WB	MEM	EX	ID	IF
6.		WB	MEM	EX	ID
7.			WB	MEM	EX
8.				WB	MEM
9.					WB

FIGURA 10.1 Cinco instruções consecutivas em uma linha de montagem de instruções de cinco estágios.

Se o resultado de uma instrução estiver disponível quando a instrução seguinte precisar dos dados, o processador poderá emitir uma instrução a cada ciclo. As instruções de desvio são especialmente problemáticas porque, até que sejam buscadas, decodificadas e executadas, o processador não sabe qual instrução executar em seguida. Muitos processadores buscam especulativamente e decodificam as instruções imediatamente seguintes, caso um desvio não seja efetuado. Quando se determina que o desvio será efetuado, a linha de montagem de instruções é esvaziada, e o destino do desvio é buscado. Assim, os desvios efetuados introduzem um atraso na busca do destino do desvio e introduzem 'soluços' na linha de montagem da instrução. Os processadores avançados usam hardware para prever os destinos dos desvios com base em seu histórico de execução e para buscá-los previamente, a partir dos endereços de destino previstos. Apesar disso, são observados atrasos no desvio, se estes forem mal prognosticados.

10.1.2 EXECUÇÃO NA LINHA DE MONTAGEM

Algumas instruções usam vários ciclos para sua execução. Um exemplo comum é a operação de carga (*load*) na memória. Até mesmo quando se acessa a memória cache, costumam ser necessários vários ciclos para a cache retornar os dados. Dizemos que a execução de uma instrução está em linha de montagem se as instruções seguintes, não dependentes do resultado, tiverem permissão para prosseguir. Assim, mesmo que um processador só possa emitir uma operação por ciclo, várias operações poderiam estar em seus estágios de execução ao mesmo tempo. Se a linha de montagem de execução mais profunda tiver n estágios, potencialmente n operações podem estar 'em vôo' ao mesmo tempo. Observe que nem todas as instruções estão totalmente na linha de montagem. Embora, freqüentemente, as adições e multiplicações de ponto flutuante estejam totalmente na linha de montagem, as divisões de ponto flutuante, sendo mais complexas e executadas com menos freqüência, em geral não estão.

A maioria dos processadores de uso geral detecta dinamicamente as dependências entre instruções consecutivas e protela automaticamente a execução das instruções se seus operandos não estiverem disponíveis. Alguns processadores, especialmente aqueles embutidos em dispositivos portáteis, deixam a verificação de dependência para o software, a fim de simplificar o hardware e reduzir o consumo de energia. Nesse caso, o compilador é responsável por inserir instruções 'no-op' no código, se for necessário, para garantir que os resultados estejam disponíveis quando necessários.

10.1.3 EMISSÃO MÚLTIPLA DE INSTRUÇÕES

Emitindo várias operações por ciclo, os processadores podem manter ainda mais operações em vôo. O maior número de operações executáveis simultaneamente pode ser calculado multiplicando-se a largura de emissão de instrução pelo número médio de estágios na linha de montagem de execução.

Assim como a linha de montagem, o paralelismo nas máquinas com emissão múltipla pode ser administrado por software ou por hardware. As máquinas que contam com o software para controlar seu paralelismo são conhecidas como máquinas *VLIW* (*Very-Long-Instruction-Word*), enquanto aquelas que administram seu paralelismo por hardware são conhecidas como máquinas *superescalares*. As máquinas VLIW, como o nome indica, possuem palavras de instrução mais longas que o normal, que codificam as operações a serem emitidas em um único ciclo. O compilador decide quais operações devem ser emitidas em paralelo e codifica a informação explicitamente no código de máquina. As máquinas superescalares, por outro lado, possuem um conjunto regular de instruções, com uma semântica de execução seqüencial comum. As máquinas superescalares detectam automaticamente as dependências entre as instruções e as emitem quando seus operandos se tornam disponíveis. Alguns processadores incluem funcionalidades *VLIW* e superescalar.

Escalonadores de hardware simples executam instruções na ordem em que elas são buscadas. Se um escalonador deparar com uma instrução dependente, ela e todas as instruções seguintes precisarão esperar até que as dependências sejam resolvidas, ou seja, que os resultados necessários estejam disponíveis. Essas máquinas, obviamente, podem beneficiar-se de ter um escalonador estático que coloca operações independentes umas ao lado das outras na ordem de execução.

Escalonadores mais sofisticados podem executar instruções 'fora de ordem'. As operações são proteladas independentemente e não têm permissão para executar até que todos os valores dos quais dependem tenham sido produzidos. Até mesmo esses escalonadores se beneficiam do escalonamento estático, porque os escalonadores de hardware possuem um espaço limitado para armazenar as operações que precisam ser proteladas. O escalonamento estático pode colocar operações independentes juntas, para permitir melhor utilização do hardware. Mais importante que isso, independentemente da sofisticação de um escalonador dinâmico, ele não pode executar instruções não buscadas. Quando o processador precisa seguir um desvio inesperado, só pode encontrar o paralelismo entre as instruções recém-buscadas. O compilador pode melhorar o desempenho do escalonador dinâmico, garantindo que essas instruções recém-buscadas possam ser executadas em paralelo.

10.2 Restrições no escalonamento de código

O escalonamento de código é uma forma de otimização do programa, que se aplica ao código de máquina produzido pelo gerador de código. O escalonamento de código está sujeito a três tipos de restrições:

1. *Restrições de dependência de controle*. Todas as operações executadas no programa original devem ser executadas no programa otimizado.
2. *Restrições de dependência de dados*. As operações no programa otimizado devem produzir os mesmos resultados das operações correspondentes no programa original.
3. *Restrições de recursos*. O escalonamento não deve reter demasiadamente os recursos da máquina.

Essas restrições de escalonamento garantem que o programa otimizado produza os mesmos resultados do original. Contudo, como o escalonamento de código muda a ordem em que as operações são executadas, o estado da memória em qualquer ponto pode ser diferente de qualquer um dos estados da memória em uma execução seqüencial. Essa situação é um problema se a execução de um programa for interrompida, por exemplo, por uma exceção lançada ou por um ponto de interrupção inserido pelo usuário. Os programas otimizados, portanto, são mais difíceis de depurar. Observe que esse problema não é específico do escalonamento de código, mas se aplica às demais otimizações, incluindo a eliminação de redundância parcial (Seção 9.5) e a alocação de registrador (Seção 8.8).

10.2.1 Dependência de dados

É fácil perceber que, se mudarmos a ordem de execução de duas operações que não interferem em nenhuma das mesmas variáveis, possivelmente não poderemos afetar seus resultados. Na verdade, ainda que essas duas operações leiam a mesma variável, podemos permutar sua execução. Apenas se uma operação escrever em uma variável lida ou escrita por outra é que mudar sua ordem de execução poderá alterar seus resultados. Considera-se que esses pares de operações compartilham uma *dependência de dados*, e sua ordem de execução relativa deve ser preservada. Existem três tipos de dependência de dados:

1. *Dependência verdadeira:* ler após escrever. Se uma operação de escrita for seguida por uma operação de leitura do mesmo endereço, a leitura depende do valor escrito; essa dependência é conhecida como dependência verdadeira.
2. *Antidependência*: escrever após ler. Se uma leitura for seguida por uma escrita no mesmo endereço, dizemos que existe uma antidependência da leitura para a escrita. A escrita não depende da leitura em si, mas, se a escrita acontecer antes da leitura, a operação de leitura lerá o valor errado. Antidependência é um subproduto da programação imperativa, na qual os mesmos endereços de memória são utilizados para armazenar valores diferentes. Não é uma dependência 'verdadeira' e pode ser potencialmente eliminada, armazenando-se os valores em diferentes endereços.
3. *Dependência de saída*: escrever após escrever. Duas escritas no mesmo endereço compartilham uma dependência de saída. Se a dependência for violada, o valor do endereço de memória escrito terá o valor errado após as duas operações serem efetuadas.

Antidependência e dependências de saída são chamadas *dependências relacionadas ao endereçamento*. Não são dependências 'verdadeiras' e podem ser eliminadas usando-se diferentes endereços para armazenar diferentes valores. Observe que as dependências de dados se aplicam tanto a acessos à memória quanto a acessos ao registrador.

10.2.2 Encontrando dependências entre acessos à memória

Para verificar se dois acessos à memória compartilham uma dependência de dados, só precisamos saber se eles se referem ao mesmo endereço; não temos de saber que posição está sendo acessada. Por exemplo, podemos dizer que os dois acessos *p e (*p)+4 não podem referir-se ao mesmo endereço, embora não possamos saber para onde p aponta. A dependência de dados geralmente é indecidível em tempo de compilação. O compilador deve considerar que as operações podem referir-se ao mesmo endereço, a menos que possa provar o contrário.

EXEMPLO 10.1: Dada a seqüência de código

```
1.  a  =  1;
2. *p  =  2;
3.  x  =  a;
```

a não ser que o compilador saiba que p possivelmente não pode apontar para a, ele deve concluir que as três operações precisam ser executadas seqüencialmente. Existe uma dependência de saída fluindo do comando (1) para o comando (2), e existem dependências verdadeiras fluindo dos comandos (1) e (2) para o comando (3).

A análise de dependência de dados é altamente sensível à linguagem de programação utilizada no programa. Para linguagens com tipo inseguro, como C e C++, em que um apontador pode ser convertido para apontar para qualquer tipo de objeto, uma análise mais sofisticada é necessária para provar a independência entre qualquer par de acessos à memória baseado em apontador. Até mesmo variáveis escalares locais ou globais podem ser acessadas indiretamente, a menos que possamos provar que seus endereços não tenham sido armazenados em qualquer lugar por qualquer instrução no programa. Em linguagens com tipo seguro, como Java, objetos de diferentes tipos são necessariamente distintos uns dos outros. De modo semelhante, variáveis primitivas locais na pilha não podem receber sinônimos (aliases) com os acessos por meio de outros nomes.

Uma descoberta correta das dependências de dados requer um número de formas diferentes de análise. Vamos focalizar nas principais questões que terão de ser resolvidas se o compilador tiver de detectar todas as dependências existentes em um programa, e em como usar essa informação no escalonamento de código. Outros capítulos mostram como essas análises são realizadas.

Análise de dependência de dados em arranjo

A dependência de dados em arranjo é um problema de retirada da ambigüidade entre os valores dos índices nos acessos a elemento do arranjo. Por exemplo, o *loop*

```
for (i = 0; i < n; i++)
    A[2*i] = A[2*i+1];
```

copia os elementos ímpares do arranjo A para os elementos pares imediatamente anteriores. Como todos os endereços de leitura e escrita no *loop* são distintos uns dos outros, não existem dependências entre os acessos, e todas as iterações no *loop* podem ser executadas em paralelo. A análise de dependência de dados do arranjo, em geral conhecida simplesmente como *análise de dependência de dados*, é muito importante para a otimização de aplicações numéricas. Esse tópico será discutido com detalhes na Seção 11.6.

Análise de sinônimos de apontadores

Dizemos que dois apontadores são sinônimos se puderem referir-se ao mesmo objeto. A análise de sinônimo de apontador é difícil porque existem muitos apontadores potencialmente sinônimos em um programa, e cada um pode apontar para um número ilimitado de objetos dinâmicos em diferentes momentos. Para obter qualquer precisão, a análise de sinônimo de apontador precisa ser aplicada por todas as funções em um programa. Esse assunto será discutido a partir da Seção 12.4.

Análise entre procedimentos

Para linguagens que passam parâmetros por referência, a análise entre procedimentos é necessária para determinar se a mesma variável é passada como dois ou mais argumentos diferentes. Esses sinônimos podem criar dependências entre parâmetros aparentemente distintos. De modo semelhante, as variáveis globais podem ser usadas como parâmetros e, assim, criar dependências entre acessos a parâmetro e acessos a variável global.

A análise entre procedimentos, discutida no Capítulo 12, é necessária para determinar esses sinônimos.

10.2.3 ESCOLHA ENTRE USO DE REGISTRADOR E PARALELISMO

Neste capítulo, consideramos que a representação intermediária independente de máquina do programa fonte utiliza um número ilimitado de *pseudo-registradores* para representar variáveis que podem ser alocadas a registradores. Essas variáveis incluem variáveis escalares do programa fonte, que não podem ser referenciadas por nenhum outro nome, além de variáveis temporárias, que são geradas pelo compilador para conter os resultados parciais das expressões. Ao contrário dos endereços de memória, os registradores possuem nomes exclusivos. Assim, restrições precisas de dependência de dados podem ser geradas facilmente para acesso ao registrador.

O número ilimitado de pseudo-registradores utilizados na representação intermediária deve, em algum momento, ser mapeado em um pequeno número de registradores físicos disponíveis na máquina alvo. O mapeamento de vários pseudo-registradores para o mesmo registrador físico tem como efeito colateral indesejável a criação de dependências de armazenamento artificiais, que restringem o paralelismo de instrução. Ao contrário, executar instruções em paralelo cria a necessidade de mais memória para conter os valores que estiverem sendo computados simultaneamente. Assim, o objetivo de minimizar o número de registradores usados entra em conflito direto com o objetivo de maximizar o paralelismo em nível de instrução. Os exemplos 10.2 e 10.3, a seguir, ilustram essa escolha clássica entre memória e paralelismo.

Troca de nome do registrador por hardware

O paralelismo em nível de instrução foi usado inicialmente em arquiteturas de computadores como um meio de acelerar o código de máquina seqüencial. Nessa época, os compiladores não tinham conhecimento do paralelismo em nível de instrução de máquina e eram projetados para otimizar o uso dos registradores. Eles reordenavam as instruções deliberadamente para reduzir o número de registradores usados e, como resultado, também minimizavam a quantidade de paralelismo disponível. O Exemplo 10.3 ilustra como minimizar o uso de registrador na computação de árvores de expressão também limita seu paralelismo.

O grau de paralelismo deixado no código seqüencial era tão pouco que os arquitetos de computadores inventaram o conceito de *troca de nome de registrador por hardware* para desfazer os efeitos da otimização dos registradores nos compiladores. A troca de nome de registrador por hardware substitui dinamicamente a atribuição dos registradores enquanto o programa é executado. Ele interpreta o código de máquina, armazena valores intencionados para o mesmo registrador em diferentes registradores internos e atualiza todos os seus usos, para que se refiram conseqüentemente aos registradores corretos.

Como as restrições artificiais de dependência de registrador foram introduzidas pelo compilador em primeiro lugar, elas podem ser eliminadas usando um algoritmo de alocação de registradores que esteja ciente do paralelismo em nível de instrução. A troca de nome de registrador por hardware ainda é útil no caso em que o conjunto de instruções de máquina só pode referir-se a um pequeno número de registradores. Essa capacidade permite a uma implementação da arquitetura mapear dinamicamente o pequeno número de registradores arquitetônicos no código em um número muito maior de registradores internos.

Exemplo 10.2: O código a seguir copia os valores das variáveis nos endereços a e c para variáveis nos endereços b e d, respectivamente, usando pseudo-registradores t1 et2.

```
LD t1, a    // t1 = a
ST b, t1    // b  = t1
LD t2, c    // t2 = c
ST d, t2    // d  = t2
```

Se soubermos que todos os endereços de memória acessados são distintos uns dos outros, as cópias poderão prosseguir em paralelo. Contudo, se t1 e t2 forem atribuídas ao mesmo registrador, de modo a minimizar o número de registradores usados, as cópias serão necessariamente serializadas.

Exemplo 10.3: As técnicas tradicionais de alocação de registradores buscam minimizar o número de registradores usados quando se efetua uma computação. Considere a expressão

$$(a + b) + c + (d + e)$$

mostrada como uma árvore de sintaxe na Figura 10.2. É possível realizar esse cálculo usando três registradores, conforme ilustrado pelo código de máquina na Figura 10.3.

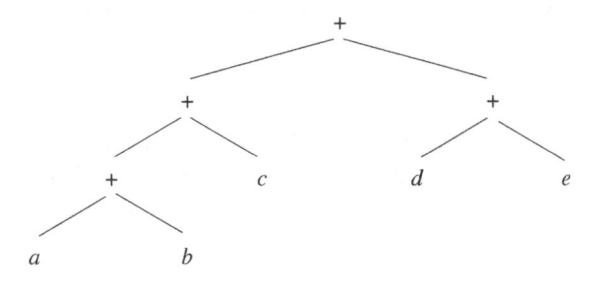

Figura 10.2 Árvore de expressões do Exemplo 10.3.

```
LD   r1, a          // r1 = a
LD   r2, b          // r2 = b
ADD  r1, r1, r2     // r1 = r1+r2
LD   r2, c          // r2 = c
ADD  r1, r1, r2     // r1 = r1+r2
LD   r2, d          // r2 = d
LD   r3, e          // r3 = e
ADD  r2, r2, r3     // r2 = r2+r3
ADD  r1, r1, r2     // r1 = r1+r2
```

FIGURA 10.3   Código de máquina para a expressão da Figura 10.2.

No entanto, a reutilização de registradores torna a computação seqüencial. As únicas operações permitidas para execução em paralelo são as cargas dos valores nos endereços a e b, e as cargas dos valores nos endereços d e e. Assim, é preciso um total de 7 passos para completar o cálculo em paralelo.

Se tivéssemos usado diferentes registradores para toda soma parcial, a expressão poderia ser avaliada em quatro passos, que é a altura da árvore de expressão da Figura 10.2. O cálculo paralelo é sugerido pela Figura 10.4.

r1 = a	r2 = b	r3 = c	r4 = d	r5 = e
r6 = r1+r2	r7 = r4+r5			
r8 = r6+r3				
r9 = r8+r7				

FIGURA 10.4   Avaliação paralela da expressão da Figura 10.2.

10.2.4 ORDENAÇÃO DE FASE ENTRE ALOCAÇÃO DE REGISTRADORES E ESCALONAMENTO DE CÓDIGO

Se os registradores são alocados antes do escalonamento, o código resultante tende a ter muitas dependências de armazenamento que limitam seu escalonamento. Por outro lado, se o código é escalonado antes da alocação de registradores, o escalonamento criado pode demandar tantos registradores que o *derramamento* destes (armazenar o conteúdo de um registrador em um endereço da memória, de modo que o registrador possa ser usado para alguma outra finalidade) pode anular as vantagens do paralelismo em nível de instrução. Um compilador deve alocar registradores primeiro, antes de escalonar o código, ou deve ser o contrário? Esses dois problemas devem ser resolvidos ao mesmo tempo?

Para responder a essas perguntas, devemos considerar as características dos programas que estiverem sendo compilados. Muitas aplicações não numéricas não possuem tanto paralelismo disponível. Basta dedicar um pequeno número de registradores para conter os resultados temporários das expressões. Podemos primeiro aplicar um algoritmo de coloração, como na Seção 8.8.4, a fim de alocar registradores para todas as variáveis não temporárias, então escalonar o código e, finalmente, atribuir registradores às variáveis temporárias.

Essa abordagem não funciona para aplicações numéricas, em que há muito mais expressões grandes. Podemos usar uma abordagem hierárquica, na qual o código é otimizado de dentro para fora, começando com os *loops* mais internos. Primeiro, as instruções são escalonadas, supondo que todo pseudo-registrador será alocado para o seu próprio registrador físico. A alocação de registrador é aplicada após o escalonamento e o código de derramamento é adicionado onde for necessário, e então o código é novamente escalonado. Esse processo é repetido para o código dos *loops* externos. Quando vários *loops* internos são considerados juntos em um *loop* externo comum, a mesma variável pode ter sido atribuída a diferentes registradores. Podemos alterar a atribuição de registradores para evitar ter de copiar os valores de um registrador para outro. Na Seção 10.5, discutiremos a interação entre a alocação de registradores e o escalonamento no contexto de um algoritmo de escalonamento específico.

10.2.5 DEPENDÊNCIA DE CONTROLE

Escalonar operações dentro de um bloco básico é algo relativamente fácil, pois todas as instruções têm garantia de execução quando o fluxo de controle alcança o início do bloco. As instruções em um bloco básico podem ser reordenadas arbitrariamente, desde que todas as dependências de dados sejam satisfeitas. Infelizmente, os blocos básicos, especialmente em programas não numéricos, são tipicamente muito pequenos; na média, existem apenas cerca de cinco instruções em um bloco básico. Além disso, as operações no mesmo bloco quase sempre estão altamente relacionadas e, portanto, possuem pouco paralelismo. Assim, é fundamental explorar o paralelismo além dos blocos básicos.

Um programa otimizado deve executar todas as operações do programa original. Ele pode executar mais instruções que o original, desde que as instruções extras não mudem o que o programa faz. Por que a execução de instruções extras aceleraria a execução de um programa? Se soubermos que uma instrução provavelmente será executada, e se um recurso ocioso estiver disponível para efetuar a operação 'gratuitamente', podemos executar a instrução *especulativamente*. O programa será executado mais rapidamente quando a especulação se tornar a opção correta.

Uma instrução i_1 é considerada *dependente de controle* da instrução i_2 se o resultado de i_2 determina se i_1 precisa ser executada. A noção de dependência de controle corresponde ao conceito de níveis de aninhamento nos programas estruturados em bloco. Especificamente, no comando if-else

```
if (c) s1; else s2;
```

s1 e s2 são dependentes de controle de *c*. De modo semelhante, no comando while

```
while (c) s;
```

o corpo *s* é dependente de controle de *c*.

EXEMPLO 10.4: No fragmento de código

```
if (a > t)
    b = a*a;
d = a+c;
```

os comandos b = a*a e d = a+c não possuem dependência de dados com nenhuma outra parte do fragmento. O comando b = a*a depende da comparação $a > t$. O comando d = a+c, contudo, não depende da comparação e pode ser executado a qualquer momento. Supondo que a multiplicação $a * a$ não cause efeitos colaterais, ela pode ser realizada de forma especulativa, desde que *b* seja escrita somente após se descobrir que *a* é maior que *t*. ■

10.2.6 Suporte à execução especulativa

Cargas de memória são um tipo de instrução que se pode beneficiar bastante da execução especulativa. As cargas de memória são muito comuns, naturalmente. Elas têm latências de execução relativamente longas, os endereços usados nas cargas em geral estão disponíveis antecipadamente, e o resultado pode ser armazenado em uma nova variável temporária sem destruir o valor de nenhuma outra variável.

Infelizmente, as cargas de memória podem causar exceções se seus endereços forem ilegais, de modo que o acesso especulativo a endereços ilegais pode fazer com que um programa correto termine inesperadamente. Além disso, cargas de memória mal prognosticadas podem causar falhas extra de cache e de página, que são extremamente caras.

EXEMPLO 10.5: No fragmento

```
if (p != null)
    q = *p;
```

o seguimento do apontador *p*, especulativamente, fará com que esse programa correto termine com erro se *p* for null. ■

Muitos processadores de alto desempenho oferecem recursos especiais, que dão suporte a acessos especulativos à memória. Mencionamos os mais importantes a seguir.

Pré-busca

A instrução de *pré-busca* foi inventada para trazer dados da memória para a cache antes de eles serem usados. Uma instrução de *pré-busca* indica ao processador que o programa provavelmente usará uma palavra de memória em particular no futuro próximo. Se o endereço especificado for inválido ou se seu acesso causar uma falha de página, o processador poderá simplesmente ignorar a operação. Caso contrário, o processador trará os dados da memória para a cache, se ainda não estiverem lá.

Bits de veneno

Outro recurso arquitetônico chamado *bits de veneno* foi inventado para permitir a carga especulativa dos dados da memória para o arquivo de registrador. Cada registrador na máquina é aumentado com um *bit de veneno*. Se a memória ilegal for acessada ou a página acessada não estiver na memória, o processador não causará a exceção imediatamente, mas, em vez disso, apenas definirá o bit de veneno do registrador de destino. Uma exceção é causada somente se o conteúdo do registrador com um bit de veneno marcado for utilizado.

Execução com predicado

Como os desvios são caros, e os desvios mal prognosticados, ainda mais (veja a Seção 10.1), as *instruções com predicados* foram inventadas para reduzir o número de desvios em um programa. Uma instrução com predicado é como uma instrução normal, mas tem um operando predicado extra para guardar sua execução; a instrução é executada somente se o predicado for verdadeiro.

Como exemplo, uma instrução de movimentação condicional `CMOVZ R2,R3,R1` tem a semântica de que o conteúdo do registrador R3 é movido para o registrador R2 somente se o registrador R1 for zero. Um código como

```
if (a == 0)
    b = c+d;
```

pode ser implementado com duas instruções de máquina, supondo que *a*, *b*, *c* e *d* estejam alocadas nos registradores R1, R2, R4, R5, respectivamente, da seguinte forma:

```
ADD    R3, R4, R5
CMOVZ  R2, R3, R1
```

Essa conversão substitui uma série de instruções que compartilham uma dependência de controle por instruções, as quais compartilham apenas dependências de dados. Essas instruções podem, então, ser combinadas com blocos básicos adjacentes para criar um bloco básico maior. Mais importante: com esse código, o processador não tem chance de fazer predições erradas, garantindo assim que a linha de montagem de instruções seja executada facilmente.

A execução com predicado tem um custo. As instruções com predicados são buscadas e decodificadas, mesmo se não forem executadas no fim. Os escalonadores estáticos devem reservar todos os recursos necessários para sua execução e garantir que todas as dependências de dados potenciais sejam satisfeitas. A execução com predicado não deve ser usada agressivamente, a menos que a máquina tenha mais recursos do que possivelmente possam ser usados de outra forma.

Máquinas escalonadas dinamicamente

O conjunto de instruções de uma máquina escalonada estaticamente define de modo explícito o que pode executar em paralelo. Contudo, recorde a partir da Seção 10.1.2 que algumas arquiteturas de máquina permitem que a decisão a respeito do que pode ser executado em paralelo seja feita em tempo de execução. Com o escalonamento dinâmico, o mesmo código de máquina pode ser executado em diferentes membros da mesma família (máquinas que implementam o mesmo conjunto de instruções) que possui quantidades variadas de suporte à execução paralela. De fato, a compatibilidade de código de máquina é uma das principais vantagens das máquinas escalonadas dinamicamente.

Os escalonadores estáticos, implementados no compilador por software, podem auxiliar os escalonadores dinâmicos (implementados no hardware da máquina) a utilizar melhor os recursos da máquina. Para construir um escalonador estático para uma máquina escalonada dinamicamente, podemos usar quase o mesmo algoritmo de escalonamento utilizado pelas máquinas escalonadas estaticamente, exceto pelo fato de que instruções `no-op` deixadas no escalonamento não precisam ser geradas explicitamente. A questão é discutida com mais detalhes na Seção 10.4.7.

10.2.7 Um modelo de máquina básica

Muitas máquinas podem ser representadas usando o seguinte modelo simples. Uma máquina $M = \langle R, T \rangle$ consiste em:

1. Um conjunto de tipos de operação T, como cargas, armazenamentos, operações aritméticas e assim por diante.
2. Um vetor $R = [r_1, r_2,...]$ representando recursos de hardware, onde r_i é o número de unidades disponíveis do i-ésimo tipo de recurso. Alguns exemplos de recursos típicos são: unidades de acesso à memória, *ALUs* e unidades funcionais de ponto flutuante.

Cada operação tem um conjunto de operandos de entrada, um conjunto de operandos de saída e um requisito de recurso. Associada a cada operando de entrada existe uma latência de entrada, indicando quando o valor da entrada deve estar disponível (relativo ao início da operação). Os operandos de entrada típicos possuem latência zero, significando que os valores são necessários imediatamente, no ciclo em que a operação for emitida. De modo semelhante, associado a cada operação de saída existe uma latência de saída, que indica quando o resultado está disponível, em relação ao início da operação.

O uso de recurso para cada tipo de operação de máquina *t* é modelado por uma tabela bidimensional *de reserva de recurso*, RT_t. A largura da tabela corresponde ao número de tipos de recursos na máquina, e seu comprimento representa a duração do uso dos recursos pela operação. A entrada $RT_t[i,j]$ é o número de unidades do *j*-ésimo recurso usado por uma operação do tipo *t*, *i* ciclos após ser emitida. Para simplificar a notação, consideramos $RT_t[i,j] = 0$ se *i* se referir a uma entrada inexistente na tabela, ou seja, se *i* for maior que o número de ciclos necessários para executar a operação. Naturalmente, para qualquer *t*, *i* e *j*, $RT_t[i,j]$ deve ser menor ou igual a $R[j]$, o número de recursos do tipo *j* que a máquina possui.

Operações de máquina típicas ocupam apenas uma unidade de recurso no momento em que uma operação é emitida. Algumas operações podem usar mais de uma unidade funcional. Por exemplo, uma operação para *multiplicar-e-somar* pode usar um multiplicador no primeiro ciclo e um somador no segundo. Algumas operações, como uma divisão, podem ter de ocupar um recurso por vários ciclos. Operações *totalmente na linha de montagem* são aquelas que podem ser emitidas a cada ciclo, embora seus resultados não estejam disponíveis até algum número de ciclos mais adiante. Não precisamos modelar os recursos de todo estágio de uma linha de montagem explicitamente; basta uma única unidade para representar o primeiro estágio. Qualquer operação que ocupe o primeiro estágio de uma linha de montagem tem garantido o direito de prosseguir para estágios subseqüentes em ciclos subseqüentes.

10.2.8 Exercícios da Seção 10.2

Exercício 10.2.1: As atribuições na Figura 10.5 possuem certas dependências. Para cada um dos seguintes pares de comandos, classifique a dependência como (*i*) dependência verdadeira, (*ii*) antidependência, (*iii*) dependência de saída ou (*iv*) nenhuma dependência, ou seja, as instruções podem aparecer em qualquer ordem:

a) Comandos (1) e (4).
b) Comandos (3) e (5).
c) Comandos (1) e (6).
d) Comandos (3) e (6).
e) Comandos (4) e (6).

```
1)  a = b
2)  c = d
3)  b = c
4)  d = a
5)  c = d
6)  a = b
```

Figura 10.5 Uma seqüência de atribuições exibindo dependências de dados.

Exercício 10.2.2: Avalie a expressão $((u+v)+(w+x))+(y+z)$ exatamente como ela aparece entre parênteses, ou seja, não use as leis comutativa ou associativa para reordenar as adições. Dê o código de máquina em nível de registrador para oferecer o máximo paralelismo possível.

Exercício 10.2.3: Repita o Exercício 10.2.2 para as seguintes expressões:

a) $(u + (v + (w + x))) + (y + z)$.
b) $(u + (v + w)) + (x + (y + z))$.

Se, em vez de maximizar o paralelismo, minimizássemos o número de registradores, quantos passos o cálculo exigiria? Quantos passos são economizados usando o paralelismo máximo?

Exercício 10.2.4: A expressão do Exercício 10.2.2 pode ser executada pela seqüência de instruções mostrada na Figura 10.6. Se tivermos o máximo paralelismo de que precisamos, quantos passos serão necessárias para executar as instruções?

```
1)LD   r1, u       // r1 = u
2)LD   r2, v       // r2 = v
3)ADD  r1, r1, r2  // r1 = r1 + r2
4)LD   r2, w       // r2 = w
5)LD   r3, x       // r3 = x
6)ADD  r2, r2, r3  // r2 = r2 + r3
7)ADD  r1, r1, r2  // r1 = r1 + r2
8)LD   r2, y       // r2 = y
9)LD   r3, z       // r3 = z
10)ADD r2, r2, r3  // r2 = r2 + r3
11)ADD r1, r1, r2  // r1 = r1 + r2
```

Figura 10.6 Implementação do mínimo de registradores de uma expressão aritmética.

! Exercício 10.2.5: Traduza o fragmento de código discutido no Exemplo 10.4, usando a instrução de cópia condicional CMOVZ da Seção 10.2.6. Quais são as dependências de dados no seu código?

10.3 Escalonamento de bloco básico

Agora, estamos prontos para começar a falar sobre os algoritmos de escalonamento de código. Começamos com o problema mais fácil: escalonar operações em um bloco básico, que consiste em instruções de máquina. A solução desse problema de forma ótima é NP completo. Mas, na prática, um bloco básico típico contém apenas um pequeno número de operações altamente restritas, de modo que técnicas de escalonamento simples são suficientes. Vamos apresentar um algoritmo simples, porém altamente eficaz para esse problema, chamado *escalonamento de lista*.

10.3.1 Grafos de dependência de dados

Representamos cada bloco básico de instruções de máquina com um grafo de dependência de dados, $G = (N,E)$, tendo um conjunto de nós N, que representa as operações das instruções de máquina no bloco, e um conjunto de arestas dirigidas E, que representa as restrições de dependência de dados entre as operações. Os nós e as arestas de G são construídos da seguinte forma:

1. Cada operação n em N tem uma tabela de reserva de recurso RT_n, cujo valor é simplesmente a tabela de reserva de recurso associada ao tipo de operação de n.
2. Cada aresta e em E é rotulada com o atraso d_e indicando que o nó de destino precisa ser emitido não antes de d_e ciclos após o nó de origem ser emitido. Suponha que a operação n_1 seja seguida pela operação n_2, e o mesmo endereço seja acessado por ambas, com latências l_1 e l_2, respectivamente. Ou seja, o valor do endereço é produzido l_1 ciclos após o início da primeira instrução, e o valor é necessário pela segunda instrução l_2 ciclos após o início dessa instrução (observe que $l_1 = 1$ e $l_2 = 0$ é típico). Então, existe uma aresta $n_1 \rightarrow n_2$ em E rotulada com atraso $l_1 - l_2$.

Exemplo 10.6: Considere uma máquina simples que pode executar duas operações a todo ciclo. A primeira deve ser uma operação de desvio ou uma operação da ALU da forma:

```
OP dst, src1, src2
```

A segunda precisa ser uma operação de carga ou armazenamento da forma:

```
LD dst, addr
ST addr, src
```

A operação de carga (LD) está totalmente na linha de montagem e utiliza dois ciclos. Contudo, uma carga pode ser seguida imediatamente por um armazenamento ST que escreve no endereço de memória lido. Todas as outras operações completam em um ciclo.

Na Figura 10.7, vemos o grafo de dependência de um exemplo de um bloco básico e seu requisito de recursos. Poderíamos imaginar que R1 seja um apontador de pilha, usado para acessar dados na pilha com movimentações como 0 ou 12. A primeira instrução carrega o registrador R2, e o valor carregado não está disponível até dois ciclos depois. Essa observação explica o rótulo 2 nas arestas da primeira instrução para a segunda e quinta instruções, cada uma das quais precisa do valor de R2. De modo semelhante, existe um atraso de 2 na aresta da terceira instrução para a quarta; o valor carregado em R3 é necessário pela quarta instrução e não está disponível antes de dois ciclos após a terceira começar.

Visto que não sabemos como os valores de R1 e R7 se relacionam, temos de considerar a possibilidade de que um endereço como 8(R1) seja o mesmo que o endereço 0(R7), ou seja, de que a última instrução possa estar armazenada no mesmo endereço do qual a terceira instrução foi carregada.

Tabela pictorial de reserva de recurso

Constantemente, é útil visualizar uma tabela de reserva de recurso para uma operação por uma grade de quadrados sólidos e abertos. Cada coluna corresponde a um dos recursos da máquina, e cada linha corresponde a um dos ciclos durante os quais a operação é executada. Supondo que a operação nunca precise de mais de uma unidade de qualquer recurso, podemos representar os 1s por quadrados sólidos, e os 0s por quadrados abertos. Além disso, se a operação estiver totalmente na linha de montagem, só precisaremos indicar os recursos usados na primeira linha, e a tabela de reserva de recurso se tornará uma única linha.

Essa representação é usada, por exemplo, no Exemplo 10.6. Na Figura 10.7, vemos as tabelas de reserva de recurso como linhas. As duas operações de adição exigem o recurso 'alu', enquanto as cargas e os armazenamentos demandam o recurso 'mem'.

O modelo de máquina que estamos usando nos permite armazenar em um endereço um ciclo após carregarmos a partir desse endereço, embora o valor a ser carregado não apareça em um registrador até um ciclo depois. Essa observação explica o rótulo 1 na aresta da terceira instrução para a última. O mesmo raciocínio explica as arestas e rótulos da primeira instrução para a última. As outras arestas com rótulo 1 são explicadas por uma dependência ou possível dependência condicionada ao valor deR7.

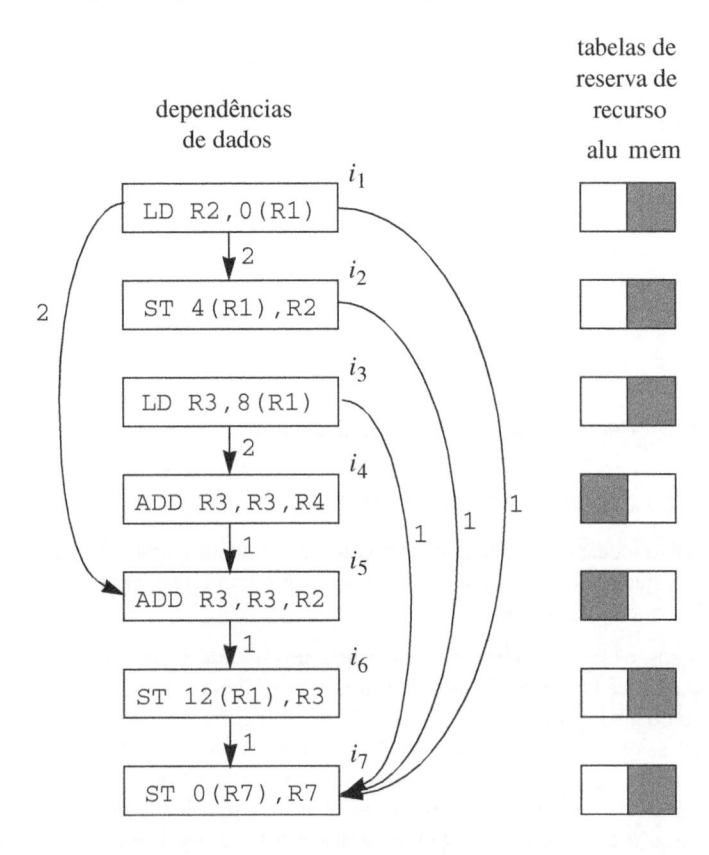

```
                                    tabelas de
                                    reserva de
              dependências            recurso
               de dados              alu  mem
                    i₁
            ┌─────────────┐          ┌──┬──┐
            │ LD R2,0(R1) │          │  │▓▓│
            └──────┬──────┘          └──┴──┘
                   │2    i₂
            ┌──────▼──────┐          ┌──┬──┐
        2   │ ST 4(R1),R2 │          │  │▓▓│
            └──────┬──────┘          └──┴──┘
                   │     i₃
            ┌──────▼──────┐          ┌──┬──┐
            │ LD R3,8(R1) │          │  │▓▓│
            └──────┬──────┘          └──┴──┘
                   │2    i₄
            ┌──────▼──────┐          ┌──┬──┐
            │ ADD R3,R3,R4│          │▓▓│  │
            └──────┬──────┘          └──┴──┘
                   │1    i₅
            ┌──────▼──────┐          ┌──┬──┐
            │ ADD R3,R3,R2│          │▓▓│  │
            └──────┬──────┘          └──┴──┘
                   │1    i₆
            ┌──────▼──────┐          ┌──┬──┐
            │ ST 12(R1),R3│          │  │▓▓│
            └──────┬──────┘          └──┴──┘
                   │1    i₇
            ┌──────▼──────┐          ┌──┬──┐
            │ ST 0(R7),R7 │          │  │▓▓│
            └─────────────┘          └──┴──┘
```

FIGURA 10.7 Grafo de dependência de dados para o Exemplo 10.6.

10.3.2 ESCALONAMENTO DE LISTA DOS BLOCOS BÁSICOS

A abordagem mais simples para o escalonamento de blocos básicos envolve a visita de cada nó do grafo de dependência de dados em 'ordem topológica priorizada'. Como não pode haver ciclos em um grafo de dependência de dados, há sempre pelo menos uma ordem topológica para os nós. Contudo, entre as ordens topológicas possíveis, algumas podem ser preferíveis a outras. Na Seção 10.3.3, discutimos algumas das estratégias para selecionar uma ordem topológica, mas, por enquanto, apenas consideramos que existe algum algoritmo que fornece uma ordem preferida.

O algoritmo de escalonamento de lista que descreveremos em seguida visita os nós na ordem topológica priorizada escolhida. Os nós podem ou não acabar sendo escalonados na mesma ordem em que são visitados. Mas as instruções são colocadas no escalonamento tão cedo quanto possível, de modo que há uma tendência de as instruções serem escalonadas aproximadamente na ordem visitada.

Com mais detalhes, o algoritmo calcula o intervalo de tempo o mais cedo em que cada nó pode ser executado, de acordo com suas restrições de dependência de dados com os nós escalonados anteriormente. Em seguida, os recursos necessários pelo nó são verificados em uma tabela de reserva de recurso, que coleta todos os recursos comprometidos até o momento. O nó é escalonado no intervalo de tempo o mais cedo que tenha recursos suficientes.

ALGORITMO 10.7: Escalonamento de lista de um bloco básico.

ENTRADA: Um vetor de recurso de máquina $R = [r_1, r_2,...]$, onde r_i é o número de unidades disponíveis do i-ésimo tipo de recurso, e um grafo de dependência de dados $G = (N,E)$. Cada operação n em N é rotulada com sua tabela de reserva de recurso RT_n; cada aresta $E = n_1 \rightarrow n_2$ em E é rotulada com d_e, indicando que n_2 deve ser executada não antes de d_e ciclos após n_1.

SAÍDA: Um escalonamento S que mapeia as operações de N nos intervalos de tempo em que as operações podem ser iniciadas, satisfazendo todas as restrições de dados e recursos.

MÉTODO: Execute o programa da Figura 10.8. Uma discussão sobre o que poderia ser a 'ordem topológica priorizada' pode ser vista na Seção 10.3.3.

```
RT = uma tabela de reserva de recurso vazia;
for (cada n em N na ordem topológica priorizada) {
    s = max_{e=p \to n \ in \ E}(S(p) + d_e);
        /* Encontra o tempo o mais cedo que essa instrução pode começar,
           dado quando seus predecessores começaram. */
    while (existe i tal que RT[s + i] + RT_n[i] > R)
        s = s + 1;
            /* Atrasa mais a instrução até que os recursos
               necessários estejam disponíveis. */
    S(n) = s;
    for (todo i)
        RT[s + i] = RT[s + i] + RT_n[i]
}
```

FIGURA 10.8 Um algoritmo de escalonamento de lista.

10.3.3 ORDENS TOPOLÓGICAS PRIORIZADAS

O escalonamento de lista não recua; ele escalona cada nó uma vez e apenas uma. Ele usa uma função de prioridade heurística para escolher entre os nós que estão aptos para serem escalonados sem provocar atrasos. A seguir, há algumas observações sobre possíveis ordens de prioridades dos nós:

- Sem restrições de recursos, o escalonamento menor é dado pelo *caminho crítico*, que é o mais longo no grafo de dependência de dados. Uma métrica útil como função da prioridade é a *altura* do nó, o qual é a extensão do caminho mais longo no grafo originando a partir do nó.
- Por outro lado, se todas as operações forem independentes, o tamanho do escalonamento é restrito pelos recursos disponíveis. O recurso crítico é aquele com a maior razão entre usos e o número de unidades disponíveis desse recurso. As operações que usam recursos mais críticos podem receber uma prioridade mais alta.
- Finalmente, podemos usar a ordenação da origem para desempatar as operações; a operação que aparecer mais cedo no programa fonte deverá ser escalonada em primeiro lugar.

EXEMPLO 10.8: Para o grafo de dependência de dados da Figura 10.7, o caminho crítico, incluindo o tempo para executar a última instrução, são seis ciclos. Ou seja, o caminho crítico são os cinco últimos nós, a partir da carga de R3 até o armazenamento de R7. O total dos atrasos nas arestas ao longo desse caminho é de 5, ao qual somamos 1 para o ciclo necessário à última instrução.

Usando a altura como função de prioridade, o Algoritmo 10.7 encontra um escalonamento ótimo, como mostra a Figura 10.9. Observe que escalonamos a carga de R3 primeiro, porque ela tem a maior altura. A adição de R3 e R4 tem os recursos a serem escalonados no segundo ciclo, mas o atraso de 2 para uma carga nos força a esperar até o terceiro ciclo para escalonar essa adição, ou seja, não podemos ter certeza de que R3 terá o valor necessário até o início do ciclo 3.

escalonamento		tabela de reserva de recurso	
		alu	mem
	LD R3,8(R1)		■
	LD R2,0(R1)		■
ADD R3,R3,R4		■	
ADD R3,R3,R2	ST 4(R1),R4	■	■
	ST 12(R1),R3		■
	ST 0(R7),R7		■

FIGURA 10.9 Resultado da aplicação do escalonamento de lista ao exemplo da Figura 10.7.

```
1) LD  R1, a         LD  R1, a         LD  R1, a
2) LD  R2, b         LD  R2, b         LD  R2, b
3) SUB R3, R1, R2    SUB R1, R1, R2    SUB R3, R1, R2
4) ADD R2, R1, R2    ADD R2, R1, R2    ADD R4, R1, R2
5) ST  a, R3         ST  a, R1         ST  a, R3
6) ST  b, R2         ST  b, R2         ST  b, R4
       (a)                (b)                (c)
```

FIGURA 10.10 Código de máquina para o Exercício 10.7.

10.3.4 Exercícios da Seção 10.3

Exercício 10.3.1: Para cada um dos fragmentos de código da Figura 10.10, desenhe o grafo de dependência de dados.

Exercício 10.3.2: Considere uma máquina com um recurso ALU (para as operações ADD e SUB) e um recurso MEM (para as operações LD e ST). Suponha que todas as operações requeiram um ciclo, exceto por LD, que requer dois. Contudo, tal qual no Exemplo 10.6, um ST no mesmo endereço de memória pode começar um ciclo depois do início de um LD nesse endereço. Encontre o escalonamento mais curto para cada um dos fragmentos da Figura 10.10.

Exercício 10.3.3: Repita o Exercício 10.3.2, supondo que:

  i. A máquina tem um recurso ALU e dois recursos MEM.
  ii. A máquina tem dois recursos ALU e um recurso MEM.
  iii. A máquina tem dois recursos ALU e dois recursos MEM.

Exercício 10.3.4: Considerando o modelo de máquina do Exemplo 10.6 (como no Exercício 10.3.2):

a) Desenhe o grafo de dependência de dados para o código da Figura 10.11.
b) Quais são todos os caminhos críticos no seu grafo da parte (a)?
c) Considerando recursos MEM ilimitados, quais são os escalonamentos possíveis para as sete instruções?

```
1) LD  R1, a
2) ST  b, R1
3) LD  R2, c
4) ST  c, R1
5) LD  R1, d
6) ST  d, R2
7) ST  a, R1
```

FIGURA 10.11 Código de máquina para o Exercício 10.3.4.

10.4 Escalonamento global do código

Para uma máquina com uma quantidade moderada de paralelismo de instrução, os escalonamentos criados pela compactação de blocos básicos individuais tendem a deixar muitos recursos ociosos. Para usar melhor os recursos da máquina, é necessário considerar as estratégias de geração de código que movem instruções de um bloco básico para outro. Estratégias que consideram mais de um bloco básico de cada vez são conhecidas como algoritmos de *escalonamento global*. Para realizar esse escalonamento corretamente, devemos considerar não apenas as dependências de dados, mas também as de controle. Temos de garantir que

1. Todas as instruções no programa original sejam executadas no programa otimizado, e
2. Embora o programa otimizado possa executar instruções extras especulativamente, estas não devem ter nenhum efeito colateral indesejado.

10.4.1 Movimentação de código primitivo

Primeiro, vamos estudar os aspectos envolvidos na movimentação de operações por meio de um exemplo simples.

EXEMPLO 10.9: Suponha que tenhamos uma máquina capaz de executar duas operações quaisquer em um único ciclo. Toda operação é executada com um atraso de um ciclo, exceto a operação de carga, que possui uma latência de dois ciclos. Por simplicidade, supomos que todos os acessos à memória no exemplo sejam válidos e alcançarão a cache. A Figura 10.12(a) mostra um grafo de fluxo simples, com três blocos básicos. O código é expandido em operações de máquina na Figura 10.12(b). Todas as instruções em cada bloco básico devem ser executadas seqüencialmente, devido às dependências de dados; na verdade, uma instrução *no-op* precisa ser inserida em cada bloco básico.

```
         ┌─────────────────┐
         │ if (a==0) goto L│
         └─────────────────┘
                    │  ┌─────────┐
                    │  │  c = b  │
                    ▼  └─────────┘
                    ▼   ▼
         ┌─────────────────┐
    L:   │    e = d+d      │
         └─────────────────┘
```

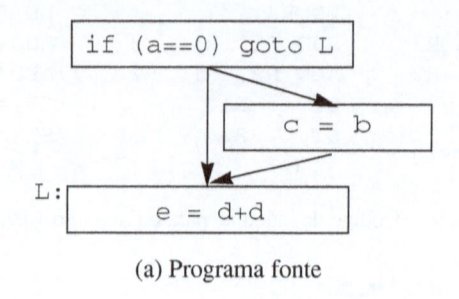

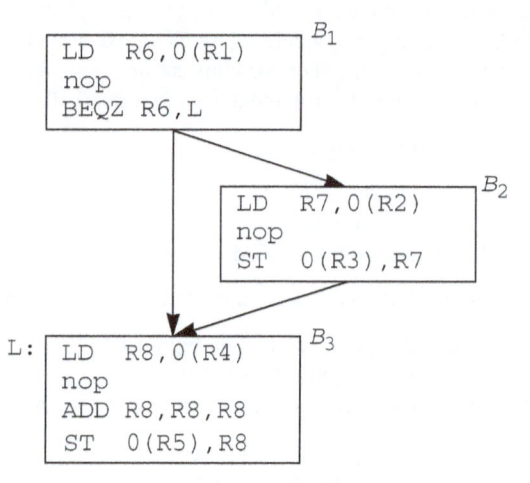

(a) Programa fonte

```
         ┌─────────────────┐ B₁
         │ LD   R6,0(R1)   │
         │ nop             │
         │ BEQZ R6,L       │
         └─────────────────┘
              │       │
              │       ▼
              │   ┌─────────────────┐ B₂
              │   │ LD   R7,0(R2)   │
              │   │ nop             │
              │   │ ST   0(R3),R7   │
              │   └─────────────────┘
              ▼       ▼
         ┌─────────────────┐ B₃
    L:   │ LD   R8,0(R4)   │
         │ nop             │
         │ ADD  R8,R8,R8   │
         │ ST   0(R5),R8   │
         └─────────────────┘
```

(b) Código de máquina escalonado localmente

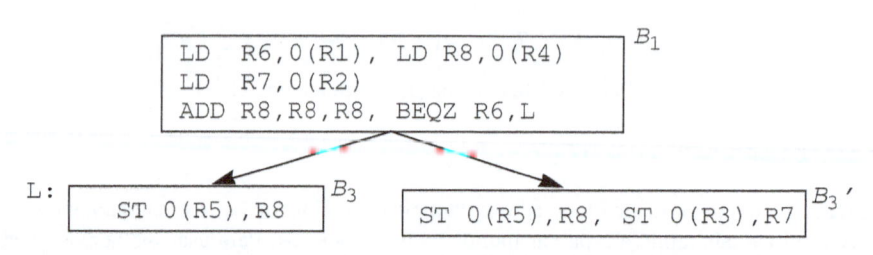

```
     ┌──────────────────────────────────────┐ B₁
     │ LD   R6,0(R1),   LD R8,0(R4)         │
     │ LD   R7,0(R2)                        │
     │ ADD  R8,R8,R8,   BEQZ R6,L           │
     └──────────────────────────────────────┘
              │                    │
              ▼                    ▼
     ┌──────────────┐ B₃   ┌────────────────────────────┐ B₃'
L:   │ ST 0(R5),R8  │      │ ST 0(R5),R8, ST 0(R3),R7   │
     └──────────────┘      └────────────────────────────┘
```

(c) Código de máquina escalonado globalmente

FIGURA 10.12 Grafos de fluxo antes e depois do escalonamento global do Exemplo 10.9.

Considere que os endereços das variáveis a, b, c, d e e sejam distintos e que sejam armazenados nos registradores R1 até R5, respectivamente. Os cálculos a partir de diferentes blocos básicos, portanto, não compartilham dependências de dados. Observamos que todas as operações no bloco B_3 são executadas, independentemente de o desvio ser efetuado, e, portanto, podem ser executadas em paralelo com as operações a partir do bloco B_1. Não podemos mover operações de B_1 para B_3, porque elas são necessárias para determinar o resultado do desvio.

As operações no bloco B_2 são dependentes de controle do teste no bloco B_1. Podemos, especulativamente, efetuar a carga de B_2 no bloco B_1 gratuitamente e reduzir dois ciclos do tempo de execução sempre que o desvio for efetuado.

Os armazenamentos não devem ser realizados especulativamente, porque eles sobrescrevem o valor antigo em um endereço da memória; contudo, é possível atrasar uma operação de armazenamento. Não podemos apenas colocar a operação de armazenamento do bloco B_2 no bloco B_3, pois ela só deve ser executada se o fluxo de controle passar pelo bloco B_2, mas podemos colocar a operação de armazenamento em uma cópia duplicada de B_3. A Figura 10.12(c) mostra esse escalonamento otimizado. O código otimizado é executado em quatro ciclos, o qual corresponde ao mesmo tempo gasto para executar B_3 isoladamente.

O Exemplo 10.9 mostra que é possível mover operações para cima e para baixo em um caminho de execução. Todo par de blocos básicos nesse exemplo possui uma 'relação de dominância' diferente; e por isso, as considerações de quando e como as instruções podem ser movidas entre cada par são diferentes. Conforme discutimos na Seção 9.6.1, diz-se que um bloco B domina o bloco B' se todo caminho a partir da entrada do grafo de fluxo de controle para B' passar por B. Da mesma forma, um bloco B *pós-domina* o bloco B' se todo caminho a partir de B' para a saída do grafo passar por B. Quando B domina B' e B' pós-domina B, dizemos que B e B' são *equivalentes por controle*, significando que um é executado quando e somente quando o outro também é. Para o exemplo da Figura 10.12, supondo que B_1 seja a entrada e B_3 a saída,

1. B_1 e B_3 são equivalentes por controle: B_1 domina B_3 e B_3 pós-domina B_1,
2. B_1 domina B_2, mas B_2 não pós-domina B_1, e
3. B_2 não domina B_3, mas B_3 pós-domina B_2.

Também é possível que um par de blocos ao longo de um caminho não compartilhe uma relação nem de dominância nem de pós-dominância.

10.4.2 Movimentação de código para cima

Agora, examinaremos cuidadosamente o que significa mover uma operação para cima em um caminho. Suponha que queiramos mover uma operação do bloco *src* para cima em um caminho de fluxo de controle para o bloco *dst*. Consideramos que esse movimento não viola nenhuma dependência de dados e faz com que os caminhos por *dst* e *src* sejam executados mais rapidamente. Se *dst* domina *src*, e *src* pós-domina *dst*, a operação movida é executada uma e somente uma vez, quando devido.

Se *src* não pós-domina *dst*

Existe um caminho que passa por *dst* e não alcança *src*. Uma operação extra deve ser executada nesse caso. Essa movimentação de código é ilegal, a menos que a operação movida não possua efeitos colaterais indesejados. Se a operação movida for executada 'gratuitamente', ou seja, usando apenas recursos que estariam ociosos, essa movimentação não terá custo. Ela será benéfica apenas se o fluxo de controle alcançar *src*.

Se *dst* não domina *src*

Existe um caminho que alcança *src* sem passar primeiro por *dst*. Precisamos inserir cópias da operação movida ao longo desses caminhos. Sabemos exatamente como obter isso pela nossa discussão sobre eliminação de redundância parcial, na Seção 9.5. Colocamos cópias da operação ao longo dos blocos básicos que formam um *cutset* separando o bloco de entrada de *src*. Em cada endereço onde a operação é inserida, as seguintes restrições devem ser satisfeitas:

1. Os operandos da operação devem conter os mesmos valores que no original,
2. O resultado não sobrescreve um valor que ainda é necessário, e
3. Ela própria não é sobrescrita posteriormente antes de alcançar *src*.

Essas cópias tornam a instrução original em *src* totalmente redundante, e por isso podem ser eliminadas.

Vamos referir-nos às cópias extras da operação como *código de compensação*. Conforme discutimos na Seção 9.5, blocos básicos podem ser inseridos ao longo das arestas críticas para criar endereços para acomodar tais cópias. O código de compensação pode, potencialmente, fazer com que alguns caminhos se tornem mais lentos. Assim, essa movimentação de código melhora a execução do programa somente se os caminhos otimizados forem executados mais freqüentemente que os não otimizados.

10.4.3 Movimentação de código para baixo

Suponha que estejamos interessados em mover uma operação a partir do bloco *src* para baixo por um caminho de fluxo de controle para o bloco *dst*. Podemos raciocinar sobre essa movimentação de código da mesma maneira que antes.

Se *src* não domina *dst*

Existe um caminho que alcança *dst* sem antes visitar *src*. Novamente, uma operação extra é executada nesse caso. Infelizmente, a movimentação de código para baixo costuma ser aplicada a escritas que têm o efeito colateral de sobrescrever valores antigos. Podemos contornar esse problema replicando os blocos básicos ao longo dos caminhos de *src* para *dst*, e colocando a operação apenas na nova cópia de *dst*. Outra abordagem, se disponível, é usar instruções com predicados. Guardamos a operação movida com o predicado que guarda o bloco *src*. Observe que a instrução com predicado deve ser escalonada somente em um bloco dominado pelo cálculo do predicado, porque este não estaria disponível de outra forma.

Se *dst* não pós-domina *src*

Assim como na discussão anterior, o código de compensação precisa ser inserido de modo que a operação movida seja executada em todos os caminhos que não visitam *dst*. Essa transformação, novamente, é semelhante à eliminação de redundância parcial, exceto pelo fato de as cópias serem colocadas abaixo do bloco *src*, em um *cutset* que separa *src* da saída.

Resumo da movimentação de código para cima e para baixo

A partir dessa discussão, vemos que existe um intervalo de movimentações possíveis de código global, que variam de acordo com o benefício, o custo e a complexidade da implementação. A Figura 10.13 mostra um resumo dessas diversas movimentações de código; as linhas correspondem aos quatro casos a seguir:

acima: *src* pós-domina *dst*	*dst* domina *src*	especulação	código de compensação
abaixo: *src* domina *dst*	*dst* pós-domina *src*	dupl. código	
1	sim	sim	não	não
2	não	sim	sim	não
3	sim	não	não	sim
4	não	não	sim	sim

FIGURA 10.13 Resumo das movimentações de código.

1. Mover instruções entre blocos equivalentes por controle é mais simples e mais econômico. Nenhuma operação extra é executada e nenhum código de compensação é necessário.
2. Operações extras podem ser executadas se a origem não pós-dominar (dominar) o destino na movimentação de código para cima (para baixo). Essa movimentação de código será benéfica se as operações extras puderem ser executadas gratuitamente, e o caminho passando pelo bloco de origem for executado.
3. O código de compensação é necessário se o destino não dominar (pós-dominar) a origem na movimentação de código para cima (para baixo). Os caminhos com o código de compensação podem ser atrasados, de modo que é importante que os caminhos otimizados sejam executados com mais freqüência.
4. O último caso combina as desvantagens do segundo e do terceiro caso: operações extras podem ser executadas e o código de compensação é necessário.

10.4.4 Atualizando dependências de dados

Conforme ilustrado pelo Exemplo 10.10 a seguir, a movimentação de código pode mudar as relações de dependência de dados entre as operações. Assim, as dependências de dados devem ser atualizadas após cada movimentação de código.

EXEMPLO 10.10: Para o grafo de fluxo mostrado na Figura 10.14, qualquer atribuição a *x* pode ser movida para cima até o bloco superior, desde que todas as dependências no programa original sejam preservadas com essa transformação. Contudo, uma vez que tivermos movido uma atribuição para cima, não poderemos mover a outra. Mais especificamente, vemos que a variável *x* não está viva na saída do bloco superior antes da movimentação do código, mas estará viva após a movimentação. Se uma variável estiver viva em um ponto do programa, não poderemos mover definições especulativas para a variável acima desse ponto do programa.

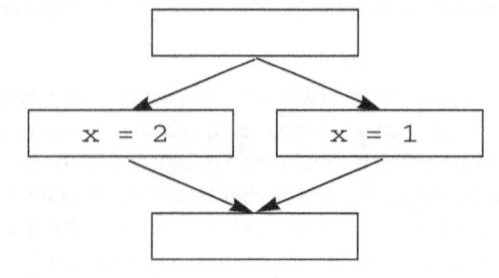

FIGURA 10.14 Exemplo ilustrando a mudança nas dependências de dados devido a movimentação do código.

10.4.5 Algoritmos de escalonamento global

Vimos na seção anterior que a movimentação de código pode beneficiar alguns caminhos enquanto prejudica o desempenho de outros. A boa notícia é que as instruções não são todas criadas da mesma forma. Na verdade, sabe-se bem que mais de 90% do tempo de execução de um programa é gasto em menos de 10% do código. Assim, devemos tentar fazer com que os caminhos executados com mais frequência sejam mais rápidos, enquanto, possivelmente, os caminhos menos frequentes serão mais lentos.

Existem várias técnicas que um compilador pode usar para estimar as frequências de execução. É razoável considerar que as instruções nos *loops* mais internos sejam executadas com mais frequência do que o código nos *loops* mais externos, e que os desvios para trás sejam mais prováveis de serem efetuados do que o contrário. Além disso, as instruções de desvio que guardam as saídas do programa ou as rotinas de tratamento de exceção são, provavelmente, menos executadas. Contudo, as melhores estimativas de frequência vêm da construção do perfil dinâmico. Nessa técnica, os programas são instrumentados para registrar os resultados dos desvios condicionais enquanto são executados. Os programas são, então, executados com entradas representativas para determinar como eles provavelmente se comportarão em geral. Os resultados obtidos por essa técnica são muito precisos. Essas informações podem ser alimentadas no compilador para serem usadas em suas otimizações.

Escalonamento baseado em região

Agora, descrevemos um escalonador global simples, que dá suporte às formas mais fáceis de movimentação de código:

1. Movimentar operações para cima até blocos básicos equivalentes por controle, e
2. Movimentar operações especulativamente por um caminho para cima, até um predecessor dominante.

Na Seção 9.7.1, vimos que uma região é um subconjunto de um grafo de fluxo de controle que pode ser alcançado somente por um bloco de entrada. Podemos representar qualquer procedimento como uma hierarquia de regiões. O procedimento inteiro constitui a região de nível superior, e aninhada nela há sub-regiões que representam os *loops* naturais da função. Consideramos que o grafo de fluxo de controle é redutível.

ALGORITMO 10.11: Escalonamento baseado em região.

ENTRADA: Um grafo de fluxo de controle e uma descrição de recursos de máquina.

SAÍDA: Um escalonamento S mapeando cada instrução a um bloco básico e um intervalo de tempo.

MÉTODO: Execute o programa da Figura 10.15. Alguma terminologia de abreviação deverá ser aparente: *ControlEquiv*(B) é o conjunto de blocos que são equivalentes por controle com o bloco B, e *DominatedSucc* aplicado a um conjunto de blocos é o conjunto de blocos que são sucessores de pelo menos um bloco no conjunto e são dominados por todos.

```
for (cada região R em ordem topológica, de modo que as regiões internas
        são processadas antes das regiões envolventes) {
    calcular dependências de dados;
    for (cada bloco básico B de R em ordem topológica priorizada) {
        CandBlocks = ControlEquiv(B) ∪
                DominatedSucc(ControlEquiv(B));
        CandInsts = instruções prontas em CandBlocks;
        for (t = 0, 1, ... até que todas as instruções de B sejam escalonadas) {
            for (cada instrução n em CandInsts em ordem de prioridade)
                if (n não tem conflitos de recurso no tempo t) {
                    S(n) = ⟨B,t⟩;
                    atualizar comprometimento de recursos;
                    atualizar dependências de dados;
                }
            atualizar CandInsts;
        }
    }
}
```

FIGURA 10.15 Um algoritmo de escalonamento global baseado em região.

O escalonamento de código no Algoritmo 10.11 prossegue a partir das regiões mais internas para as mais externas. Quando se escalona uma região, cada sub-região aninhada é tratada como uma caixa preta; as instruções não têm permissão para se movimentar para dentro ou para fora de uma sub-região. Contudo, elas podem se movimentar em uma sub-região, desde que suas dependências de dados e de controle sejam satisfeitas.

Todas as arestas de controle e de dependência que fluem de volta ao cabeçalho da região são ignoradas, de modo que os grafos de fluxo de controle e dependência de dados resultantes são acíclicos. Os blocos básicos em cada região são visitados em ordem topológica. Essa ordenação garante que um bloco básico não seja escalonado até que todas as instruções das quais ele depende tenham sido escalonadas. As instruções a serem escalonadas em um bloco básico *B* são retiradas de todos os blocos que são equivalentes por controle a *B* (incluindo *B*), além de seus sucessores imediatos, que são dominados por *B*.

Um algoritmo de escalonamento de lista é usado para criar o escalonamento para cada bloco básico. O algoritmo mantém uma lista de instruções candidatas, *CandInsts*, a qual contém todas as instruções dos blocos candidatos cujos predecessores foram escalonados, criando o escalonamento ciclo a ciclo. Para cada ciclo, o algoritmo verifica cada instrução da *CandInsts* em ordem de prioridade e a escalona nesse ciclo, se os recursos permitirem. O Algoritmo 10.11 atualiza então *CandInsts* e repete o processo, até que todas as instruções de *B* sejam escalonadas.

A ordem de prioridade das instruções em *CandInsts* usa uma função de prioridade semelhante à que foi discutida na Seção 10.3. Contudo, fazemos uma modificação importante: fornecemos as instruções dos blocos que são equivalentes por controle com *B* prioridade mais alta do que àquelas dos blocos sucessores. O motivo é que as instruções na última categoria são executadas apenas especulativamente no bloco *B*.

Desdobramento de *loop*

No escalonamento baseado em região, o limite de uma iteração de *loop* é uma barreira à movimentação do código. As operações da iteração não podem sobrepor as de outra iteração. Uma técnica simples, mas altamente eficaz para aliviar esse problema, é desdobrar o *loop* em um pequeno número de vezes antes do escalonamento do código. Um *loop* for como

```
for (i = 0; i < N; i++) {
    S(i);
}
```

pode ser escrito como na Figura 10.16(a). De modo semelhante, um *loop* repeat, como

```
repeat
    S;
until C;
```

pode ser escrito como na Figura 10.16(b). O desdobramento cria mais instruções no corpo do *loop*, permitindo que algoritmos de escalonamento globais encontrem mais paralelismo.

```
for (i = 0; i+4 < N; i+=4) {
    S(i);
    S(i+1);
    S(i+2);
    S(i+3);
}
for ( ; i < N; i++) {
    S(i);
}
```
(a) Desdobrando um *loop* for.
```
repeat {
    S;
    if (C) break;
    S;
    if (C) break;
    S;
    if (C) break;
    S;
} until C;
```
(b) Desdobrando um *loop* repeat.

FIGURA 10.16 *Loops* desdobrados.

Compactação da vizinhança

O Algoritmo 10.11 só admite as duas primeiras formas de movimentação de código descritas na Seção 10.4.1. As movimentações de código que requerem a introdução de código de compensação às vezes podem ser úteis. Uma forma de prover essas movimentações de código é seguir o escalonamento baseado em região com um passo simples. Nesse passo, podemos examinar cada par de blocos básicos que são executados um após o outro, e verificar se qualquer operação pode ser movida para cima ou para baixo entre eles para melhorar o tempo de execução desses blocos. Se esse par for encontrado, verificaremos se a instrução a ser movida precisará ser duplicada ao longo de outros caminhos. A movimentação de código será feita se resultar em um ganho líquido esperado.

Esta extensão simples pode ser muito eficiente na melhoria do desempenho dos *loops*. Por exemplo, ela pode mover uma operação no início de uma iteração para o fim da iteração anterior, enquanto também move a operação da primeira iteração para fora do *loop*. Essa otimização é particularmente atraente para *loops* curtos, que são os que executam apenas algumas poucas instruções por iteração. Contudo, o impacto dessa técnica é limitado pelo fato de que cada decisão de movimentação de código é feita de modo local e independente.

10.4.6 Técnicas avançadas de movimentação de código

Se nossa máquina alvo for escalonada estaticamente e tiver muito paralelismo de instrução, podemos precisar de um algoritmo mais agressivo. Esta seção mostra uma descrição em alto nível de outras extensões:

1. Para facilitar as extensões a seguir, podemos acrescentar novos blocos básicos ao longo das arestas de fluxo de controle que originam de blocos com mais de um predecessor. Esses blocos básicos, se estiverem vazios, serão eliminados no fim do escalonamento de código. Uma heurística útil é mover as instruções para fora de um bloco básico que esteja quase vazio, de modo que o bloco possa ser eliminado completamente.
2. No Algoritmo 10.11, o código a ser executado em cada bloco básico é escalonado de uma vez por todas à medida que cada bloco é visitado. Essa abordagem simples é suficiente, porque o algoritmo só pode mover operações para cima até os blocos dominantes. Para permitir movimentações que demandam o acréscimo de código de compensação, usamos uma abordagem um pouco diferente. Quando visitamos o bloco *B*, só escalonamos instruções de *B* e todos os seus blocos equivalentes por controle. Primeiro, tentamos colocar essas instruções em blocos predecessores, os quais já foram visitados e para os quais já existe um escalonamento parcial. Tentamos encontrar um bloco de destino, que levaria a uma melhoria em um caminho executado com freqüência, e então colocamos cópias da instrução em outros caminhos para garantir a correção. Se as instruções não puderem ser movidas para cima, elas serão escalonadas no bloco básico corrente, como antes.
3. Implementar a movimentação de código para baixo é mais difícil em um algoritmo que visita os blocos básicos em ordem topológica, pois os blocos de destino ainda precisam ser escalonados. Contudo, existem relativamente menos oportunidades, de qualquer forma, para essa movimentação de código. Movemos todas as operações que
   a) podem ser movidas, e
   b) não podem ser executadas gratuitamente em seu bloco nativo.

Essa estratégia simples funciona bem se a máquina alvo for rica, com muitos recursos de hardware não usados.

10.4.7 Interação com escalonadores dinâmicos

Um escalonador dinâmico tem a vantagem de poder criar novos escalonamentos de acordo com as condições em tempo de execução, sem ter de codificar todos esses escalonamentos possíveis antes da hora. Se uma máquina alvo possui um escalonador dinâmico, a principal função do escalonador estático é garantir que as instruções com alta latência sejam buscadas logo, para que o escalonador dinâmico possa emiti-las tão cedo quanto possível.

As perdas de cache são classes de eventos imprevisíveis que podem fazer grande diferença no desempenho de um programa. Se as instruções de pré-busca de dados estiverem disponíveis, o escalonador estático poderá auxiliar o escalonador dinâmico significativamente, colocando essas instruções de pré-busca com antecedência suficiente para que os dados estejam na cache quando forem necessários. Se a pré-busca de instruções não estiver disponível, será útil para um compilador estimar quais operações provavelmente serão perdidas e tentar emiti-las cedo.

Se o escalonamento dinâmico não estiver disponível na máquina alvo, o escalonador estático deverá ser conservador e separar todo par de operações dependentes dos dados pelo atraso mínimo. Contudo, se o escalonamento dinâmico estiver disponível, o compilador só precisará colocar as operações dependentes de dados na ordem correta para garantir a correção do programa. Para obter o melhor desempenho, o compilador deverá atribuir atrasos longos a dependências que provavelmente ocorrerão e atrasos curtos às que, provavelmente, não ocorrerão.

O erro de predição de desvio é uma causa importante de perda de desempenho. Devido à longa penalidade da falsa predição, as instruções em caminhos raramente executados ainda podem ter um efeito significativo no tempo de execução total. Uma prioridade mais alta deverá ser dada a tais instruções, para reduzir o custo do erro de prognóstico.

10.4.8 Exercícios para a Seção 10.4

Exercício 10.4.1: Mostre como desdobrar o *loop* genérico while

```
while (C)
    S;
```

! Exercício 10.4.2: Considere o fragmento de código

```
if (x == 0) a = b;
else a = c;
d = a;
```

Considere uma máquina que usa o modelo de atraso do Exemplo 10.6 (cargas usam dois ciclos; todas as outras instruções usam apenas um). Considere também que a máquina pode executar duas instruções quaisquer ao mesmo tempo. Encontre o menor tempo de execução possível desse fragmento. Não se esqueça de considerar qual registrador é mais usado para cada um dos passos de cópia. Lembre-se também de explorar a informação dada pelos descritores de registrador, conforme descrevemos na Seção 8.6, para evitar cargas e armazenamentos desnecessários.

10.5 Software pipelining

Conforme discutimos na introdução deste capítulo, as aplicações numéricas tendem a ter muito paralelismo. Em particular, elas em geral possuem *loops* cujas iterações são completamente independentes umas das outras. Esses *loops*, conhecidos como *loops do-all*, são particularmente atraentes do ponto de vista do paralelismo, pois suas iterações podem ser executadas em paralelo para obter um ganho em velocidade linear no número de iterações do *loop*. *Loops* do-all com muitas iterações possuem paralelismo suficiente para saturar todos os recursos em um processador. Cabe ao escalonador tirar o máximo proveito do paralelismo disponível. Esta seção descreve um algoritmo, conhecido como software pipelining, que escalona um *loop* inteiro de uma só vez, tirando proveito total do paralelismo entre as iterações.

10.5.1 Introdução

Usaremos o *loop* do-all do Exemplo 10.12 desta seção para explicar o funcionamento do algoritmo de software pipelining. Primeiro, mostramos que o escalonamento entre as iterações é de grande importância, porque há relativamente pouco paralelismo entre as operações em uma única iteração. Em seguida, mostramos que o desdobramento de *loop* melhora o desempenho, sobrepondo o cálculo das iterações desdobradas. Contudo, o limite do *loop* desdobrado ainda se impõe como uma barreira para a movimentação de código, e o desdobramento ainda deixa grande parte do desempenho 'sobre a mesa'. A técnica de software pipelining, por outro lado, sobrepõe diversas iterações consecutivas continuamente, até que as iterações se esgotem. Essa técnica produz um código altamente eficiente e compacto.

Exemplo 10.12: Este exemplo mostra um *loop* do-all típico:

```
for (i = 0; i < n; i++)
    D[i] = A[i]*B[i] + c;
```

As iterações no *loop* anterior escrevem em diferentes endereços de memória, os quais são distintos de qualquer um dos endereços lidos. Portanto, não existem dependências de memória entre as iterações, e todas as iterações podem prosseguir em paralelo.

Adotamos o seguinte modelo como nossa máquina alvo ao longo desta seção. Nesse modelo,

- a máquina pode emitir em um único ciclo: uma carga, um armazenamento, uma operação aritmética e uma operação de desvio.
- A máquina tem uma operação de *loop-back* (laço-de-volta) no formato

```
BL R, L
```

que decrementa o registrador R e, a menos que o resultado seja 0, desvia para o endereço L.
- Operações de memória possuem um modo de endereçamento de auto-incremento, denotado por ++ após o registrador. O registrador é incrementado automaticamente para apontar para o próximo endereço consecutivo após cada acesso.
- As operações aritméticas estão totalmente na linha de montagem; elas podem ser iniciadas a todo ciclo, mas seus resultados não estão disponíveis até dois ciclos depois. Todas as outras instruções possuem latência de um único ciclo.

Se as iterações são escalonadas uma de cada vez, o melhor escalonamento que podemos obter em nosso modelo de máquina é mostrado na Figura 10.17. Algumas suposições sobre o leiaute dos dados também indicado nessa figura: os registradores R1, R2 e R3 contêm os endereços dos inícios dos arranjos *A*, *B* e *D*, o registrador R4 contém a constante *c* e o registrador R10 contém o valor *n* − 1, que foi calculado fora do *loop*. A computação é principalmente serial, ocupando um total de 7 ciclos; somente a instrução de *loop-back* é sobreposta com a última operação na iteração.

```
        //    R1, R2, R3 = &A, &B, &D
        //    R4         = c
        //    R10        = n-1

    L:  LD   R5,  0(R1++)
        LD   R6,  0(R2++)
        MUL  R7,  R5,  R6
        nop
        ADD  R8,  R7,  R4
        nop
        ST   0(R3++),  R8        BL R10, L
```

FIGURA 10.17   Código escalonado localmente para o Exemplo 10.12.

Em geral, obtemos melhor utilização de hardware desdobrando várias iterações de um *loop*. Contudo, isso também aumenta o tamanho do código, o que, por sua vez, pode ter um impacto negativo sobre o desempenho geral. Assim, temos de nos comprometer a escolher um número de vezes para desdobrar um *loop*, de modo a obter o máximo de melhoria de desempenho, sem, no entanto, expandir muito o código. O próximo exemplo ilustra esta solução de compromisso.

EXEMPLO 10.13: Embora dificilmente possa ser encontrado qualquer paralelismo em cada iteração do *loop* do Exemplo 10.12, existe muito paralelismo entre as iterações. O desdobramento do *loop* coloca várias iterações do *loop* em um grande bloco básico, e um simples algoritmo de escalonamento de lista pode ser usado para escalonar as operações para execução em paralelo. Se desdobrarmos o *loop* de nosso exemplo quatro vezes e aplicarmos o Algoritmo 10.7 ao código, poderemos obter o escalonamento mostrado na Figura 10.18. (Para simplificar, ignoramos os detalhes da alocação de registradores por enquanto.) O *loop* é executado em 13 ciclos, ou uma iteração a cada 3,25 ciclos.

```
    L:  LD
        LD
                 LD
        MUL     LD
                 MUL    LD
        ADD     LD
                 ADD           LD
        ST              MUL   LD
                 ST            MUL   LD
                         ADD
                                ADD
                         ST
                                ST    BL(L)
```

FIGURA 10.18   Código desdobrado para o Exemplo 10.12.

Um *loop* desdobrado *k* vezes utiliza pelo menos $2k + 5$ ciclos, alcançando a produção de uma iteração a cada $2 + 5/k$ ciclos. Assim, quanto mais iteração desdobrarmos, mais rapidamente o *loop* será executado. Como $n \to \infty$, um *loop* totalmente desdobrado pode executar, em média, uma iteração a cada dois ciclos. Contudo, quanto mais iterações desdobrarmos, maior será o código. Certamente, não podemos arcar com o desdobramento de todas as iterações em um *loop*. O desdobramento do *loop* 4 vezes produz código com 13 instruções, ou otimizado em 163 por cento; o desdobramento do *loop* 8 vezes produz código com 21 instruções, ou otimizado em 131% por cento. Por outro lado, se quisermos operar, digamos, com uma otimização de apenas 110 por cento, precisaremos desdobrar o *loop* 25 vezes, o que resultaria em um código com 55 instruções.

10.5.2 Software pipelining de LOOPS

O software pipelining oferece uma forma conveniente de obter um uso ótimo de recurso e, ao mesmo tempo, um código compacto. Vamos ilustrar a idéia com nosso exemplo executável.

Exemplo 10.14: Na Figura 10.19 está o código do Exemplo 10.12 desdobrado cinco vezes, novamente, omitimos considerações sobre o uso de registradores. Na linha *i* estão todas as operações emitidas no ciclo *i*; na coluna *j* estão todas as operações da iteração *j*. Observe que toda iteração possui o mesmo escalonamento relativo ao seu início, e observe também que toda iteração é iniciada dois ciclos após a anterior. É fácil ver que esse escalonamento satisfaz todas as restrições de dependência de recurso e dados.

Ciclo	j = 1	j = 2	j = 3	j = 4	j = 5
1	LD				
2	LD				
3	MUL	LD			
4		LD			
5		MUL	LD		
6	ADD		LD		
7			MUL	LD	
8	ST	ADD		LD	
9			MUL	LD	
10		ST	ADD		LD
11					MUL
12			ST	ADD	
13					
14				ST	ADD
15					
16					ST

Figura 10.19 Cinco iterações desdobradas do código no Exemplo 10.12.

Observamos que as operações executadas nos ciclos 7 e 8 são as mesmas executadas nos ciclos 9 e 10. Os ciclos 7 e 8 executam operações das quatro primeiras iterações no programa original. Os ciclos 9 e 10 também executam operações de quatro iterações, desta vez das iterações 2 a 5. De fato, podemos continuar executando esse mesmo par de instruções de multioperações para conseguir o efeito de retirar a iteração mais antiga e acrescentar uma nova, até que se acabem as iterações.

Esse comportamento dinâmico pode ser codificado sucintamente com o código que aparece na Figura 10.20, se considerarmos que o *loop* tem pelo menos 4 iterações. Cada linha na figura corresponde a uma instrução de máquina. As linhas 7 e 8 formam um *loop* de dois ciclos, que é executado $n - 3$ vezes, onde n é o número de iterações no *loop* original. ∎

1)		LD			
2)		LD			
3)		MUL	LD		
4)			LD		
5)			MUL	LD	
6)		ADD		LD	
7) L:				MUL	LD
8)		ST	ADD		LD	BL(L)
9)					MUL
10)			ST	ADD	
11)					
12)				ST	ADD
13)					
14)					ST

Figura 10.20 Código resultante do software pipelining para o Exemplo 10.12.

A técnica descrita anteriormente é chamada de *software pipelining*, porque é o análogo em software de uma técnica usada para o escalonamento em linha de montagem de hardware. Podemos pensar no escalonamento executado por meio de cada iteração neste exemplo como uma linha de montagem de oito estágios. Uma nova iteração pode ser iniciada na linha de montagem a cada dois ciclos. No início, existe apenas uma iteração na linha de montagem. À medida que a primeira iteração prossegue para o estágio 3, a segunda iteração começa a ser executada no primeiro estágio da linha de montagem.

Por volta do ciclo 7, a linha de montagem está totalmente cheia com as quatro primeiras iterações. No estado estável, quatro iterações consecutivas estão executando ao mesmo tempo. Uma nova iteração é iniciada quando a iteração mais antiga na linha de montagem se retira. Quando não houver mais iterações, a linha de montagem se esgotará, e todas as iterações na linha de montagem serão executadas até o término. A seqüência de instruções usadas para preencher a linha de montagem, das linhas de 1 a 6 em nosso exemplo, é chamada de *prólogo*; as linhas 7 e 8 correspondem ao *estado estável*; e a seqüência de instruções usada para esgotar a linha de montagem, nas linhas de 9 até 14, é chamada de *epílogo*.

Para este exemplo, sabemos que o *loop* não pode ser executado em uma velocidade mais rápida que dois ciclos por iteração, porque a máquina só pode emitir uma leitura a cada ciclo, e existem duas leituras em cada iteração. O *loop* após o software pipelining anterior é executado em $2n + 6$ ciclos, onde n é o número de iterações no *loop* original. Como $n \to \infty$, o resultado do *loop* aproxima-se da velocidade de uma iteração a cada dois ciclos. Assim, o escalonamento por software, ao contrário do desdobramento, pode potencialmente codificar o escalonamento ótimo com uma seqüência de código muito compacta.

Observe que o escalonamento adotado para cada iteração individual não é o mais curto possível. Uma comparação com o escalonamento otimizado localmente, ilustrado na Figura 10.17, mostra que um atraso é introduzido antes da operação ADD. O atraso é colocado estrategicamente, de modo que o escalonamento possa ser iniciado a cada dois ciclos sem conflitos de recurso. Se tivéssemos ficado com o escalonamento compactado localmente, o intervalo de iniciação teria sido esticado para quatro ciclos, para evitar conflitos de recurso, e a velocidade do resultado teria sido a metade. Esse exemplo ilustra um princípio importante do escalonamento em linha de montagem: o escalonamento deve ser escolhido cuidadosamente, a fim de otimizar o resultado. Um escalonamento compactado localmente, embora minimize o tempo para completar uma iteração, pode produzir um resultado abaixo do ótimo, quando em linha de montagem.

10.5.3 Alocação de Registradores e Geração de Código

Vamos começar discutindo a alocação de registradores para o *loop* resultante do software pipelining no Exemplo 10.14.

Exemplo 10.15: No Exemplo 10.14, o resultado da operação de multiplicação na primeira iteração é produzido no ciclo 3 e usado no ciclo 6. Entre esses ciclos de relógio, um novo resultado é gerado pela operação de multiplicação na segunda iteração no ciclo 5; esse valor é usado no ciclo 8. Os resultados dessas duas iterações precisam ser mantidos em diferentes registradores para impedi-los de interferir um no outro. Como a interferência ocorre somente entre pares adjacentes de iterações, ela pode ser evitada com o uso de dois registradores, um para as iterações ímpares e outro para as pares. Como o código para as iterações ímpares é diferente daquele para as iterações pares, o tamanho do *loop* do estado estável é dobrado. Esse código pode ser usado para executar qualquer *loop* que tenha um número ímpar de iterações maior ou igual a 5.

Para tratar *loops* que possuem menos de 5 iterações e *loops* com um número par de iterações, geramos um código equivalente ao código fonte que aparece na Figura 10.21. O primeiro *loop* é submetido ao software pipelining, como é mostrado no código de máquina equivalente da Figura 10.22. O segundo *loop* da Figura 10.21 não precisa ser otimizado, pois pode ser repetido no máximo quatro vezes.

```
if (N >= 5)
    N2 = 3 + 2 * floor((N-3)/2);
else
    N2 = 0;
for (i = 0; i < N2; i++)
    D[i] = A[i]* B[i] + c;
for (i = N2; i < N; i++)
    D[i] = A[i]* B[i] + c;
```

Figura 10.21 Desdobramento em nível de fonte do *loop* do Exemplo 10.12.

```
 1.        LD R5,0(R1++)
 2.        LD R6,0(R2++)
 3.        LD R5,0(R1++)    MUL R7,R5,R6
 4.        LD R6,0(R2++)
 5.        LD R5,0(R1++)    MUL R9,R5,R6
 6.        LD R6,0(R2++)    ADD R8,R7,R4
 7.  L:    LD R5,0(R1++)    MUL R7,R5,R6
 8.        LD R6,0(R2++)    ADD R8,R9,R4    ST 0(R3++),R8
 9.        LD R5,0(R1++)    MUL R9,R5,R6
10.        LD R6,0(R2++)    ADD R8,R7,R4    ST 0(R3++),R8    BL R10,L
11.                         MUL R7,R5,R6
12.                         ADD R8,R9,R4    ST 0(R3++),R8
13.
14.                         ADD R8,R7,R4    ST 0(R3++),R8
15.
16.                                         ST 0(R3++),R8
```

FIGURA 10.22 Código após software pipelining e alocação de registrador no Exemplo 10.15.

10.5.4 *Loops* do-across

O software pipelining também pode ser aplicado a *loops* cujas iterações compartilham dependências de dados. Esses *loops* são conhecidos como *loops do-across*.

EXEMPLO 10.16: O código

```
for (i = 0; i < n; i++) {
    sum = sum + A[i];
    B[i] = A[i] * b;
}
```

possui uma dependência de dados entre iterações consecutivas, porque o valor anterior de sum é somado com A[i] para criar um novo valor de sum. É possível executar o somatório em tempo $O(\log n)$ se a máquina puder oferecer paralelismo suficiente, mas, para os propósitos desta discussão, simplesmente consideramos que todas as dependências seqüenciais precisam ser obedecidas, e que as adições devem ser efetuadas na ordem seqüencial original. Como nosso modelo de máquina estabelece dois ciclos para completar um ADD, o *loop* não pode ser executado mais rápido do que uma iteração a cada dois ciclos. Prover a máquina com mais somadores ou multiplicadores não fará com que esse *loop* seja executado mais rapidamente. O resultado de *loops do-across* como este é limitado pela cadeia de dependências entre as iterações.

O melhor escalonamento compactado localmente para cada iteração é mostrado na Figura 10.23(a), e o código após o software pipelining está na Figura 10.23(b). Esse *loop* software-pipelined inicia uma iteração a cada dois ciclos, e por isso opera na velocidade ótima.

10.5.5 Objetivos e restrições do software pipelining

O principal objetivo do software pipelining é maximizar o resultado de um *loop* de longa duração. Um objetivo secundário é manter o tamanho do código gerado razoavelmente pequeno. Em outras palavras, o *loop* resultante do software pipelining deverá ter um pequeno estado estável na linha de montagem. Podemos conseguir um estado estável pequeno exigindo que o escalonamento relativo de cada iteração seja o mesmo, e que as iterações sejam iniciadas em intervalos constantes. Como o resultado do *loop* é simplesmente o inverso do intervalo de iniciação, o objetivo do software pipelining é minimizar esse intervalo.

Um escalonamento de uma linha de montagem de software para um grafo de dependência de dados $G = (N, E)$ pode ser especificado por:

1. Um intervalo de iniciação T e
2. Um escalonamento relativo S, que especifica, para cada operação, quando essa operação é executada em relação ao início da iteração à qual pertence.

Assim, uma operação n na i-ésima iteração, contando a partir de 0, é executada no ciclo $i \times T + S(n)$. Assim como todos os outros problemas de escalonamento, o software pipelining possui dois tipos de restrições: dependências de recursos e de dados. A seguir, discutimos cada um deles, detalhadamente.

```
                // R1 = &A; R2 = &B
                // R3 = sum
                // R4 = b
                // R10 = n-1

        L:      LD  R5, 0(R1++)
                MUL R6, R5, R4
                ADD R3, R3, R4
                ST  R6, 0(R2++)    BL R10, L
```
(a) O melhor escalonamento compactado localmente.

```
                // R1 = &A; R2 = &B
                // R3 = sum
                // R4 = b
                // R10 = n-2

                LD  R5, 0(R1++)
                MUL R6, R5, R4
        L:      ADD R3, R3, R4     LD  R5, 0(R1++)
                ST  R6, 0(R2++)    MUL R6, R5, R4    BL R10, L
                                   ADD R3, R3, R4
                                   ST  R6, 0(R2++)
```
(b) A versão resultante do software pipelining.

FIGURA 10.23 Software pipelining de um *loop do-across*.

Reserva de recurso modular

Considere que os recursos de uma máquina sejam representados por $R = [r_1, r_2, ...]$, onde r_i é o número de unidades do i-ésimo tipo de recurso disponível. Se uma iteração do *loop* requer n_i unidades do recurso i, então o intervalo de iniciação médio de um *loop* na linha de montagem usa pelo menos $\max_i(n_i/r_i)$ ciclos de relógio. O software pipelining requer que os intervalos de iniciação entre qualquer par de iterações tenham um valor constante. Assim, o intervalo de iniciação deve ter pelo menos $\max_i[n_i/r_i]$ ciclos. Se $\max_i(n_i/r_i)$ for menor que 1, é útil desdobrar o código fonte em um pequeno número de vezes.

EXEMPLO 10.17: Vamos retornar ao nosso *loop* resultante do software pipelining da Figura 10.20. Lembre-se de que a máquina alvo pode emitir uma carga, uma operação aritmética, um armazenamento e um desvio de *loop-back* por ciclo. Como o *loop* tem duas cargas, duas operações aritméticas e uma operação de armazenamento, o intervalo mínimo de iniciação baseado nas restrições de recursos é de dois ciclos.

A Figura 10.24 mostra os requisitos de recursos de quatro iterações consecutivas através do tempo. Mais recursos são usados à medida que mais iterações são iniciadas, culminando no comprometimento máximo de recursos no estado estável. Considere que RT seja a tabela de reserva de recursos que representa o comprometimento de uma iteração, e considere que RT_s represente o comprometimento do estado estável. RT_s combina o comprometimento de quatro iterações consecutivas iniciadas a T ciclos de distância. O comprometimento da linha 0 na tabela RT_s corresponde à soma dos recursos comprometidos em $RT[0]$, $RT[2]$, $RT[4]$ e $RT[6]$. De modo semelhante, o comprometimento da linha 1 na tabela corresponde à soma dos recursos comprometidos em $RT[1]$, $RT[3]$, $RT[5]$ e $RT[7]$. Ou seja, os recursos comprometidos na i-ésima linha no estado estável são dados por:

$$RT_S[i] = \sum_{\{t \mid t(mod\ 2) = i\}} RT[t]$$

Vamos referir-nos à tabela de reserva de recurso que representa o estado estável como a *tabela de reserva de recurso modular* do *loop* na linha de montagem.

Para verificar se o escalonamento na linha de montagem de software tem algum conflito de recurso, podemos simplesmente verificar o comprometimento da tabela de reserva de recurso modular. Certamente, se o comprometimento no estado estável puder ser satisfeito, o mesmo acontecerá com os comprometimentos no prólogo e no epílogo, as partes do código antes e depois do *loop* de estado estável.

Em geral, dado um intervalo de iniciação T e uma tabela de reserva de recurso de uma iteração RT, o escalonamento na linha de montagem não terá conflitos de recurso em uma máquina com vetor de recursos R se e somente se $RT_S[i] \leq R$ para todo $i = 0, 1, ..., T - 1$.

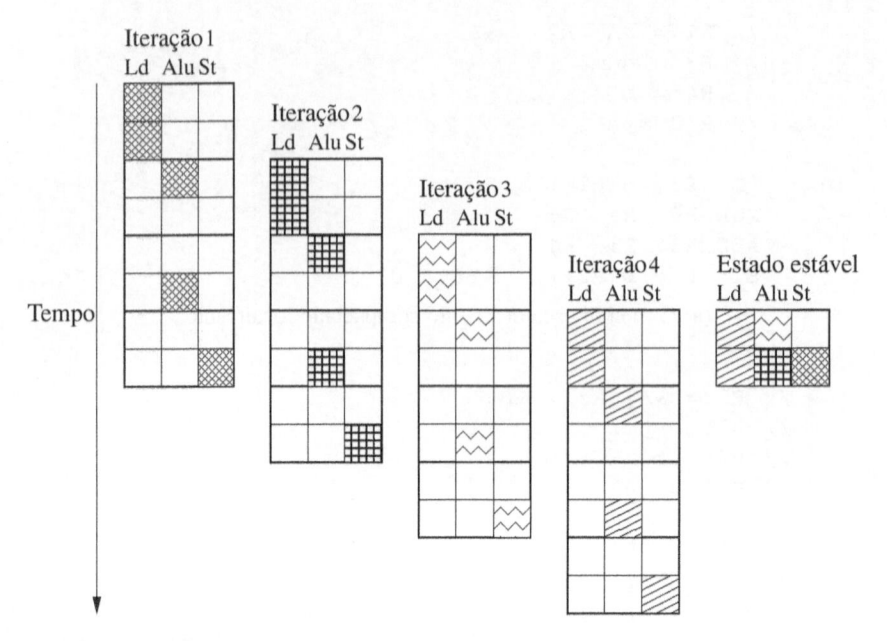

FIGURA 10.24 Requisitos de recursos para quatro iterações consecutivas do código do Exemplo 10.13.

Restrições de dependência de dados

As dependências de dados no software pipelining são diferentes daquelas que encontramos até aqui, pois podem formar ciclos. Uma operação pode depender do resultado da mesma operação de uma iteração anterior. Não é mais suficiente rotular uma aresta de dependência apenas com o atraso; precisamos também distinguir entre as instâncias da mesma operação em diferentes iterações. Rotulamos uma aresta de dependência $n_1 \rightarrow n_2$ com o rótulo $\langle \delta, d \rangle$ se a operação n_2 na iteração i tiver de ser atrasada por pelo menos d ciclos após a execução da operação n_1 na iteração $i - \delta$. Considere que S, uma função dos nós do grafo de dependência de dados para inteiros, seja o escalonamento da linha de montagem de software, e considere que T seja o destino do intervalo de iniciação. Então,

$$(\delta \times T) + S(n_2) - S(n_1) \geq d.$$

A diferença da iteração, δ, não deve ser negativa. Além disso, dado um ciclo de arestas de dependência de dados, pelo menos uma das arestas tem uma diferença de iteração positiva.

EXEMPLO 10.18: Considere o *loop* a seguir, e suponha que não saibamos os valores de p e q:

```
for (i = 0; i < n; i++)
    *(p++) = *(q++) + c;
```

Devemos assumir que qualquer par de acessos *(p++) e *(q++) pode referir-se ao mesmo endereço de memória. Assim, todas as leituras e escritas devem ser executadas na ordem seqüencial original. Supondo que a máquina alvo tenha as mesmas características descritas no Exemplo 10.13, as arestas de dependência de dados para esse código são conforme mostramos na Figura 10.25. Contudo, observe que ignoramos as instruções de controle do *loop* que deveriam estar presentes, seja calculando e testando i ou fazendo o teste com base no valor de R1 ou R2.

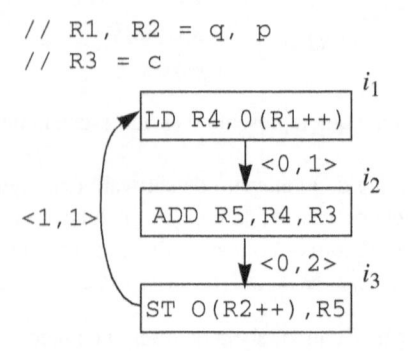

FIGURA 10.25 Grafo de dependência de dados para o Exemplo 10.18.

A diferença de iteração entre as operações relacionadas pode ser maior que um, como mostrado no exemplo a seguir:

```
for (i = 2; i < n; i++)
    A[i] = B[i] + A[i-2]
```

Aqui, o valor escrito na iteração i é usado duas iterações mais para a frente. A aresta de dependência entre o armazenamento de $A[i]$ e a carga de $A[i-2]$, por conseguinte, possui uma diferença de duas iterações.

A presença de ciclos de dependência de dados em um *loop* impõe outro limite sobre seu resultado de execução. Por exemplo, o ciclo de dependência de dados na Figura 10.25 impõe um atraso de quatro batidas de relógio entre operações de carga em iterações consecutivas, ou seja, os *loops* não podem ser executados em uma velocidade mais rápida do que uma iteração a cada quatro ciclos.

O intervalo de iniciação de um *loop* resultante do software pipelining não é menor que

$$\max_{c \text{ um ciclo em } G} \left\lceil \frac{\sum_{e \text{ em } c} d_e}{\sum_{e \text{ em } c} \delta_e} \right\rceil$$

ciclos

Resumindo, o intervalo de iniciação de cada *loop* resultante do software pipelining é limitado pelo uso de recurso em cada iteração. A saber, o intervalo de iniciação não deve ser menor que a razão das unidades necessárias de cada recurso e as unidades disponíveis na máquina. Além disso, se os *loops* tiverem ciclos de dependência de dados, o intervalo de iniciação será restrito ainda pela soma dos atrasos no ciclo dividido pela soma das diferenças de iteração. A maior dessas quantidades define um limite inferior no intervalo de iniciação.

10.5.6 Um algoritmo de software-pipelining

O objetivo do software pipelining é encontrar um escalonamento com o menor intervalo de iniciação possível. O problema é NP completo e pode ser formulado como um problema de programação linear com inteiros. Mostramos que, se soubermos qual é o intervalo de iniciação mínimo, o algoritmo de escalonamento poderá evitar conflitos de recurso usando a tabela de reserva de recurso modular no posicionamento de cada operação. Mas não sabemos qual é o intervalo mínimo de iniciação até que possamos encontrar um escalonamento. Como resolvemos esse problema de circularidade?

Sabemos que o intervalo de iniciação deve ser maior que o limite calculado a partir do requisito de recurso e ciclos de dependência do *loop*, conforme discutimos anteriormente. Se pudermos encontrar um escalonamento que atenda a esse limite, encontraremos o escalonamento ótimo. Se não pudermos, deveremos tentar novamente com intervalos de iniciação maiores, até que um escalonamento seja encontrado. Observe que, se forem usadas heurísticas, em vez da busca exaustiva, esse processo pode não encontrar o escalonamento ótimo.

Encontrar ou não um escalonamento perto do limite inferior depende das propriedades do grafo de dependência de dados e da arquitetura da máquina alvo. Poderemos facilmente encontrar o escalonamento ótimo se o grafo de dependência for acíclico e se toda instrução de máquina só precisar de uma unidade de um recurso. Também será fácil encontrar um escalonamento perto do limite inferior se houver mais recursos de hardware do que podem ser usados nos grafos com ciclos de dependência. Para esses casos, é aconselhável começar com o limite inferior como destino do intervalo de iniciação inicial e então continuar aumentando o destino por apenas um ciclo a cada tentativa de escalonamento. Outra possibilidade é encontrar o intervalo de iniciação usando uma pesquisa binária. Podemos usar como limite superior do intervalo de iniciação o comprimento do escalonamento para uma iteração produzida pelo escalonamento de lista.

10.5.7 Escalonando grafos de dependência de dados acíclicos

Para simplificar, consideramos, por enquanto, que o *loop* a ser submetido ao software pipelining contém apenas um bloco básico. Essa suposição será relaxada na Seção 10.5.11.

Algoritmo 10.19: Aplicação do software pipelining em um grafo de dependência acíclico.

ENTRADA: Um vetor de recurso de máquina $R = [r_1, r_2, ...]$, onde r_i é o número de unidades disponíveis do i-ésimo tipo de recurso, e um grafo de dependência de dados $G = (N, E)$. Cada operação n em N é rotulada com sua tabela de reserva de recursos RT_n; cada aresta $e = n_1 \rightarrow n_2$ em E é rotulada com $\langle \delta_e, d_e \rangle$, indicando que n_2 não deve ser executado mais cedo que d_e ciclos após o nó n_1 a partir da δ_e-ésima iteração anterior.

SAÍDA: Um escalonamento S resultante do software pipelining e um intervalo de iniciação T.

MÉTODO: Execute o programa da Figura 10.26.

```
main() {
```
$$T_0 = \max \left\lceil \frac{\sum_{n,i} RT_n(i,j)}{r_j} \right\rceil$$

```
    for (T = T₀, T₀ + 1, ..., até que todos os nós em N sejam escalonados) {
        RT = uma tabela de reserva vazia com T linhas;
        for (cada n em N em ordem topológica priorizada) {
            s₀ = max_{e=p→n em E} (S(p)+d_e);
            for (s = s₀, s₀ + 1,..., s₀ + T - 1)
                if (NodeScheduled(RT,T,n,s) break;
            if (N não pode ser escalonado em RT) break;
        }
    }
}

NodeScheduled(RT,T,n,s) {
    RT' = RT;
    for (cada linha i em RT_n)
        RT'[(s+i) mod T] = RT'[(s + i) mod T] + RT_n[i];
    if (para todo i, RT'(i) ≤ R) {
        RT = RT';
        S(n) = s;
        return true;
    }
    else return false;
}
```

FIGURA 10.26 Algoritmo de software-pipelining para grafos acíclicos.

O Algoritmo 10.19 realiza o software pipelining dos grafos acíclicos de dependência de dados. O algoritmo, primeiro, encontra um limite no intervalo de iniciação, T_0, com base nos requisitos de recurso das operações no grafo. Depois, tenta encontrar um escalonamento resultante do software pipelining começando com T_0 como intervalo de iniciação de destino. O algoritmo repete com intervalos de iniciação cada vez maiores se não conseguir encontrar um escalonamento.

O algoritmo usa uma abordagem de escalonamento de lista em cada tentativa. Utiliza uma reserva de recurso modular RT para acompanhar o comprometimento de recursos no estado estável. As operações são escalonadas em ordem topológica, de modo que as dependências de dados sempre possam ser satisfeitas, atrasando-se as operações. Para escalonar uma operação, ele primeiro encontra um limite inferior s_0 de acordo com as restrições de dependência de dados. Então, invoca NodeScheduled para verificar os possíveis conflitos de recursos no estado estável. Se houver um conflito de recurso, o algoritmo tenta escalonar a operação no próximo ciclo. Se a operação se mantiver em conflito por T ciclos consecutivos, devido à natureza modular da detecção dos conflitos de recursos, outras tentativas são garantidamente inúteis. Nesse ponto, o algoritmo considera a tentativa como uma falha, e outro intervalo de iniciação é experimentado.

As heurísticas das operações de escalonamento costumam minimizar a extensão do escalonamento de uma iteração assim que possível. Contudo, escalonar uma instrução muito cedo pode esticar os tempos de vida de algumas variáveis. Por exemplo, cargas de dados tendem a ser escalonadas cedo, às vezes muito tempo antes de serem usadas. Uma heurística simples é escalonar o grafo de dependência para trás, porque usualmente existem mais cargas do que armazenamentos.

10.5.8 Escalonamento em grafos de dependência cíclicos

Ciclos de dependência complicam significativamente o software pipelining. Ao escalonar operações em um grafo acíclico em ordem topológica, as dependências de dados com operações escalonadas podem impor apenas um limite inferior no posicionamento de cada operação. Como resultado, sempre é possível satisfazer restrições de dependência de dados atrasando-se as operações. O conceito de 'ordem topológica' não se aplica aos grafos cíclicos. Na verdade, dado um par de operações que compartilham um ciclo, o posicionamento de uma operação imporá um limite inferior e superior sobre o posicionamento da segunda.

Considere que n_1 e n_2 sejam duas operações em um ciclo de dependência, S seja um escalonamento de linha de montagem de software, e T seja o intervalo de iniciação para o escalonamento. Uma aresta de dependência $n_1 \to n_2$ com rótulo $\langle \delta_1, d_1 \rangle$ impõe a seguinte restrição em $S(n_1)$ e $S(n_2)$:

$$(\delta_1 \times T) + S(n_2) - S(n_1) \geq d_1.$$

De modo semelhante, uma aresta de dependência (n_1, n_2) com rótulo $\langle \delta_2, d_2 \rangle$ impõe a restrição

$$(\delta_2 \times T) + S(n_1) - S(n_2) \geq d_2.$$

Assim,

$$S(n_1) + d_1 - (\delta_1 \times T) \leq S(n_2) \leq S(n_1) - d_2 + (\delta_2 \times T).$$

Um *componente fortemente conectado* (*SCC — Strongly Connected Component*) em um grafo é um conjunto dos nós onde todo nó no componente pode ser alcançado por todos os outros nós no componente. O escalonamento de um nó em um SCC limitará o tempo de todo outro nó no componente tanto de cima quanto de baixo. Transitivamente, se houver um caminho p levando de n_1 para n_2, então,

$$S(n_2) - S(n_1) \geq \sum_{e \text{ em } p} (d_e - (\delta_e \times T)) \tag{10.1}$$

Observe que

- Durante qualquer ciclo, a soma dos δs deve ser positiva. Se fosse 0 ou negativa, então ela diria que uma operação no ciclo deveria ou preceder a si mesma ou ser executada no mesmo ciclo para todas as iterações.
- O escalonamento das operações dentro de uma iteração é o mesmo para todas as iterações; esse requisito é essencialmente o significado de uma 'linha de montagem de software'. Como resultado, a soma dos atrasos (segundos componentes dos rótulos das arestas em um grafo de dependência de dados) durante um ciclo é um limite inferior sobre o intervalo de iniciação T.

Quando combinamos esses dois pontos, vemos que, para qualquer intervalo de iniciação viável T, o valor do lado direito da Equação (10.1) deve ser negativo ou zero. Como resultado, as restrições mais fortes sobre o posicionamento dos nós são obtidas dos caminhos *simples* — aqueles que não contêm ciclos.

Assim, para cada T viável, calcular o efeito transitivo das dependências de dados em cada par de nós é equivalente a encontrar o tamanho do caminho simples mais longo a partir do primeiro nó até o segundo. Além do mais, como os ciclos não podem aumentar o comprimento de um caminho, podemos usar um algoritmo simples de programação dinâmica para encontrar os caminhos mais longos sem o requisito de 'caminho simples' e assegurar-nos de que os tamanhos resultantes também serão os comprimentos dos caminhos simples mais longos (veja o Exercício 10.5.7).

Exemplo 10.20: A Figura 10.27 mostra um grafo de dependência de dados com quatro nós a, b, c, d. Conectada a cada nó está sua tabela de reserva de recurso; conectada a cada aresta está sua diferença de iteração e atraso. Para este exemplo, suponha que a máquina alvo tenha uma unidade de cada tipo de recurso. Como existem três usos do primeiro recurso e dois do segundo, o intervalo de iniciação não pode ser menor que três ciclos. Existem dois SCCs nesse grafo: o primeiro é um componente trivial, consistindo apenas no nó a, e o segundo consiste nos nós b, c e d. O ciclo mais longo, b, c, d, b, possui um atraso total de três ciclos conectando os nós que estão a uma iteração de distância. Assim, o limite inferior no intervalo de iniciação fornecido pelas restrições do ciclo de dependência de dados também é de três ciclos.

A colocação de qualquer um dos nós b, c ou d em um escalonamento restringe todos os outros nós no componente. Considere que T seja o intervalo de iniciação. A Figura 10.28 mostra as dependências transitivas. A parte (a) mostra o atraso e a diferença de iteração δ, para cada aresta. O atraso é representado diretamente, mas δ é representado 'somando-se' ao atraso o valor $-\delta T$.

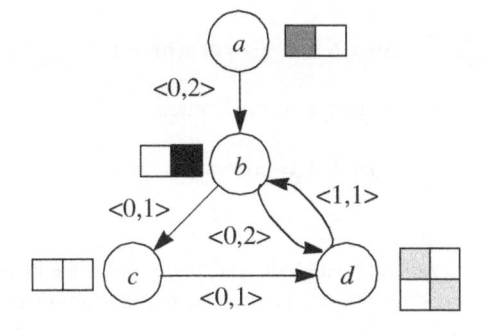

Figura 10.27 Grafo de dependência e requisito de recursos do Exemplo 10.20.

	a	b	c	d
a		2		
b			1	2
c				1
d		1−T		

(a) Arestas originais.

	a	b	c	d
a		2	3	4
b			1	2
c		2−T		1
d		1−T	2−T	

b) Caminhos simples mais longos.

	a	b	c	d
a		2	3	4
b			1	2
c		−1		1
d		−2	−1	

(c) Caminhos simples mais longos (T=3).

	a	b	c	d
a		2	3	4
b			1	2
c		−2		1
d		−3	−2	

(d) Caminhos simples mais longos (T=4).

FIGURA 10.28 Dependências transitivas do Exemplo 10.20.

A Figura 10.28(b) mostra o comprimento do caminho simples mais longo entre dois nós, quando esse caminho existe; suas entradas são as somas das expressões dadas pela Figura 10.28(a), para cada aresta ao longo do caminho. Depois, em (c) e (d), vemos as expressões de (b) com os dois valores relevantes de T, ou seja, 3 e 4, substituídos por T. A diferença entre o escalonamento dos nós $S(n_2) - S(n_1)$ não deve ser menor que o valor dado na entrada (n_1, n_2) em cada uma das tabelas (c) ou (d), dependendo do valor de T escolhido.

Por exemplo, considere a entrada na Figura 10.28 para o caminho mais longo (simples) de c para b, o qual é $2 - T$. O caminho simples mais longo de c para b é $c \rightarrow d \rightarrow b$. O atraso total é de 2 ao longo desse caminho, e a soma dos δs é 1, representando o fato de que o número da iteração deve aumentar de 1. Como T é o tempo pelo qual cada iteração segue a anterior, o ciclo no qual b precisa ser escalonado é de pelo menos $2 - T$ ciclos *após* o ciclo no qual c é escalonado. Como T é pelo menos 3, na realidade estamos dizendo que b pode ser escalonado $T - 2$ ciclos *antes* de c, ou depois desse ciclo, mas não antes.

Observe que considerar caminhos não simples de c para b não produz uma restrição mais forte. Podemos acrescentar ao caminho $c \rightarrow d \rightarrow b$ qualquer número de iterações do ciclo envolvendo d e b. Se acrescentarmos k desses ciclos, obteremos um tamanho de caminho $2 - T + k(3 - T)$, porque o atraso total ao longo do caminho será 3, e a soma dos δs será 1. Como $T \geq 3$, esse comprimento nunca pode exceder $2 - T$; ou seja, o limite inferior mais forte no ciclo de b em relação ao ciclo de c é $2 - T$, o limite que obtemos considerando o caminho simples mais longo.

Por exemplo, das entradas (b,c) e (c,b), vemos que

$$S(c) - S(b) \geq 1$$
$$S(b) - S(c) \geq 2 - T.$$

Ou seja,

$$S(b) + 1 \leq S(c) \leq S(b) - 2 + T.$$

Se $T = 3$,

$$S(b) + 1 \leq S(c) \leq S(b) + 1.$$

De modo equivalente, C deve ser escalonado um ciclo após b. Contudo, se $T = 4$,

$$S(b) + 1 \leq S(c) \leq S(b) + 2.$$

Ou seja, c é escalonado um ou dois ciclos após b.

Fornecida a informação de caminho mais longo para todos os pontos, podemos facilmente calcular o intervalo onde é válido colocar um nó devido a dependências de dados. Vemos que não existe retardo no caso quando $T = 3$, e o retardo aumenta à medida que T aumenta.

ALGORITMO 10.21: Software pipelining.

ENTRADA: Um vetor de recurso de máquina $R = [r_1, r_2, ...]$, onde r_i é o número de unidades disponíveis do i-ésimo tipo de recurso, e um grafo de dependência de dados $G = (N, E)$. Cada operação n em N é rotulada com sua tabela de reserva de recurso RT_n; cada aresta $e = n_1 \rightarrow n_2$ em E é rotulada com $\langle \delta_e, d_e \rangle$, indicando que n_2 não deve ser executada antes de d_e ciclos após o nó n_1 da δ_e-ésima iteração anterior.

OUTPUT: Um escalonamento S resultante do software pipelining e um intervalo de iniciação T.

MÉTODO: Execute o programa da Figura 10.29.

```
main() {
    E' = { e|e em E, δ_e = 0 };
```

$$T_0 = \max \left(\max_j \left\lceil \frac{\sum_{n,i} RT_n(i,j)}{r_j} \right\rceil \quad \max_{c \text{ acyclein em } G} \left\lceil \frac{\sum_{e \text{ em } c} d_e}{\sum_{e \text{ em } c} \delta_e} \right\rceil \right)$$

```
    for (T = T_0, T_0 + 1, ... ou até que todos os SCCs em G sejam escalonados) {
        RT = uma tabela de reserva vazia com T linhas;
        E* = AllPairsLongestPath(G,T);
        for (cada SCC C em G em ordem topológica priorizada) {
            for (todo n em C)
                s_0(n) = max_{e = p → n em E*, p escalonado} (S(p)+d_e);
            first = algum n tal que s_0(n) seja um mínimo;
            s_0 = s_0(first);
            for (s = s_0; s < s_0 + T; s = s + 1)
                if (SccScheduled (RT, T, C, first, s)) break;
            if (C não pode ser escalonado em RT) break;
        }
    }
}
SccScheduled(RT, T, c, first, s) {
    RT' = RT;
    if (not NodeScheduled (RT', T, first, s)) return false;
    for (cada n restante em c em ordem topológica
                priorizada de arestas em E') {
        s_l = max_{e = n' → n em E*, n' em c,n' escalonado} S(n') + d_e - (δ_e × T);
        s_u = min_{e = n → n' em E*, n' em c,n' escalonado} S(n') - d_e + (δ_e × T);
        for (s = s_l; ≤ min(s_u, s_l + T − 1); s = s + 1)
            if NodeScheduled(RT', T, n, s) break;
        if (n não pode ser escalonado em RT') return false;
    }
    RT = RT';
    return true;
}
```

FIGURA 10.29 Um algoritmo de software pipelining para grafos cíclicos de dependência.

O Algoritmo 10.21 tem uma estrutura de alto nível semelhante à do Algoritmo 10.19, que só trata de grafos acíclicos. O intervalo de iniciação mínimo nesse caso está limitado não apenas pelos requisitos de recurso, mas também pelos ciclos de dependência de dados no grafo. O grafo é escalonado considerando um componente fortemente conectado de cada vez. Tratando cada componente fortemente conectado como uma unidade, as arestas entre os componentes fortemente conectados necessariamente formam um grafo acíclico. Embora o *loop* mais externo do Algoritmo 10.19 escalone os nós no grafo em ordem topológica, o *loop* mais externo do Algoritmo 10.21 escalona os componentes fortemente conectados em ordem topológica. Como antes, se o algoritmo falha ao escalonar todos os componentes, um intervalo de iniciação maior é tentado. Observe que o Algoritmo 10.21 se comporta exatamente como o Algoritmo 10.19 se dado um grafo acíclico de dependência de dados.

O Algoritmo 10.21 calcula dois ou mais conjuntos de arestas: E' é o conjunto de todas as arestas cuja diferença de iteração é 0, $E*$ são as arestas de caminho mais longo em todos os pontos, ou seja, para cada par de nós (p,n), existe uma aresta e em $E*$

cuja distância associada d_e é o comprimento do caminho simples mais longo de p para n, com a condição de que haja pelo menos um caminho de p para n. E^* é calculado para cada valor de T, o destino do intervalo de iniciação. Também é possível realizar esse cálculo apenas uma vez com um valor simbólico de T e então substituir T em cada iteração, como foi feito no Exemplo 10.20.

O Algoritmo 10.21 usa o retrocesso (*backtracking*). Se ele falhar ao escalonar um SCC, tenta reescalonar o SCC inteiro um ciclo depois. Essas tentativas de escalonamento continuam por até T ciclos. O retrocesso é importante porque, como mostramos no Exemplo 10.20, o posicionamento do primeiro nó em um SCC pode ditar totalmente o escalonamento para todos os outros nós. Se o escalonamento não se encaixar no escalonamento criado até aqui, a tentativa falha.

Para escalonar um SCC, o algoritmo determina o tempo o mais cedo que cada nó no componente pode ser escalonado satisfazendo as dependências de dados transitivas em E^*. Depois, ele escolhe aquele com o tempo de partida mais antigo como *primeiro* nó a escalonar. O algoritmo, então, invoca *SccScheduled* para tentar escalonar o componente no tempo de partida mais antigo. O algoritmo faz no máximo T tentativas com tempos de partida sucessivamente maior. Se ele falhar, então o algoritmo tenta outro intervalo de iniciação.

O algoritmo *SccScheduled* lembra o Algoritmo 10.19, mas possui três diferenças principais.

1. O objetivo de *SccScheduled* é escalonar o componente fortemente conectado em determinado intervalo de tempo S. Se o *primeiro* nó do componente fortemente conectado não puder ser escalonado em S, *SccScheduled* retorna falso. A função *main* pode invocar *SccScheduled* novamente com um intervalo de tempo mais tarde, se isso for desejado.
2. Os nós no componente fortemente conectado são escalonados em ordem topológica, com base nas arestas em E'. Como as diferenças de iteração em todas as arestas em E' são 0, essas arestas não cruzam nenhum limite de iteração e não podem formar ciclos (as arestas que cruzam os limites de iteração são conhecidas como *loop carried*, ou *transportadas do laço*). Somente as dependências transportadas do *loop* estabelecem limites superiores sobre os quais as operações podem ser escalonadas. Assim, essa ordem de escalonamento, com a estratégia de escalonamento de cada operação o mais cedo possível, maximiza os intervalos nos quais os nós subseqüentes podem ser escalonados.
3. Para os componentes fortemente conectados, as dependências impõem um limite inferior e superior no intervalo em que um nó pode ser escalonado. *SccScheduled* calcula esses intervalos e os utiliza para limitar ainda mais as tentativas de escalonamento.

EXEMPLO 10.22: Vamos aplicar o Algoritmo 10.21 ao grafo de dependência de dados cíclicos do Exemplo 10.20. O algoritmo, primeiro, calcula que o limite sobre o intervalo de iniciação para esse exemplo seja três ciclos. Observamos que não é possível atender esse limite inferior. Quando o intervalo de iniciação T é 3, as dependências transitivas da Figura 10.28 ditam que $S(d) - S(b) = 2$. O escalonamento dos nós b e d dois ciclos de distância produzirá um conflito em uma tabela de reserva de recurso modular de tamanho 3.

A Figura 10.30 mostra como o Algoritmo 10.21 se comporta com esse exemplo. Ele, primeiro, tenta encontrar um escalonamento com um intervalo de iniciação de três ciclos. A tentativa começa escalonando os nós a e b tão cedo quanto possível. Contudo, quando o nó b é colocado no ciclo 2, o nó c só pode ser colocado no ciclo 3, que entra em conflito com o recurso usado no nó a. Ou seja, tanto a quanto c precisam do primeiro recurso nos ciclos que possuem um resto de 0 módulo 3.

O algoritmo retrocede e tenta escalonar o componente fortemente conectado $\{b, c, d\}$ um ciclo depois. Desta vez, o nó b é escalonado no ciclo 3, e o nó c é escalonado com sucesso no ciclo 4. O nó d, contudo, não pode ser escalonado no ciclo 5, ou seja, tanto b quanto d precisam do segundo recurso nos ciclos que têm um resto 0 módulo 3. Observe que é apenas uma coincidência que os dois conflitos descobertos até aqui sejam nos ciclos com um resto de 0 módulo 3; os conflitos poderiam ter ocorrido nos ciclos com resto 1 ou 2 em outro exemplo.

O algoritmo é repetido atrasando o início do SCC $\{b, c, d\}$ em mais um ciclo. Mas, como discutido anteriormente, esse SCC nunca pode ser escalonado com um intervalo de iniciação de três ciclos, de modo que a tentativa está condenada a falhar. Nesse ponto, o algoritmo desiste e tenta encontrar um escalonamento com um intervalo de iniciação de quatro ciclos. O algoritmo em algum momento encontra o escalonamento ótimo em sua sexta tentativa.

10.5.9 MELHORIAS NOS ALGORITMOS DE PIPELINING

O Algoritmo 10.21 é um tanto simples, embora funcione bem nas máquinas alvo atuais. Os elementos importantes nesse algoritmo são:

1. O uso de uma tabela de reserva de recurso modular para verificar conflitos de recurso no estado estável.
2. A necessidade de calcular as relações de dependência transitiva para encontrar o intervalo válido no qual um nó pode ser escalonado na presença de ciclos de dependência.
3. O retrocesso é útil, e os nós em *ciclos críticos* (ciclos que colocam o maior dos limites inferiores no intervalo de iniciação T) devem ser reescalonados juntos, pois não existe folga entre eles.

Há muitas maneiras de melhorar o Algoritmo 10.21. Por exemplo, o algoritmo leva um tempo para constatar que um intervalo de iniciação de três ciclos é inviável para o Exemplo 10.22 simples. Podemos, primeiro, escalonar os componentes fortemente conectados independentemente para determinar se o intervalo de iniciação é viável para cada componente.

Tentativa	Intervalo de iniciação	Nó	Intervalo	Escalonamento	Reserva de recurso modular
1	$T = 3$	a	$(0, \infty)$	0	
		b	$(2, \infty)$	2	
		c	$(3, 3)$	– –	
2	$T = 3$	a	$(0, \infty)$	0	
		b	$(2, \infty)$	3	
		c	$(4, 4)$	4	
		d	$(5, 5)$	– –	
3	$T = 3$	a	$(0, \infty)$	0	
		b	$(2, \infty)$	4	
		c	$(5, 5)$	5	
		d	$(6, 6)$	– –	
4	$T = 4$	a	$(0, \infty)$	0	
		b	$(2, \infty)$	2	
		c	$(3, 4)$	3	
		d	$(4, 5)$	– –	
5	$T = 4$	a	$(0, \infty)$	0	
		b	$(2, \infty)$	3	
		c	$(4, 5)$	5	
		d	$(5, 5)$	– –	
6	$T = 4$	a	$(0, \infty)$	0	
		b	$(2, \infty)$	4	
		c	$(5, 6)$	5	
		d	$(6, 7)$	6	

FIGURA 10.30 Comportamento do Algoritmo 10.21 no Exemplo 10.20.

Também podemos modificar a ordem em que os nós são escalonados. A ordem usada no Algoritmo 10.21 tem algumas desvantagens. Primeiro, porque, como os SCCs não triviais são mais difíceis de escalonar, é desejável escaloná-los primeiro. Segundo, alguns dos registradores podem ter tempos de vida desnecessariamente longos. É desejável colocar as definições mais perto dos usos. Uma possibilidade é começar com o escalonamento de componentes fortemente conectados com ciclos críticos e, depois, estender o escalonamento às duas extremidades.

Existem alternativas para as heurísticas?

Podemos formular o problema de encontrar simultaneamente um escalonamento de software pipeline e atribuição de registrador ótimo como um problema de programação linear de inteiros. Embora muitos programas lineares de inteiros possam ser solucionados rapidamente, alguns deles podem demandar um tempo exorbitante. Para usar uma solução de programação linear de inteiros em um compilador, precisamos ser capazes de abortar o procedimento se ele não for completado dentro de algum limite predefinido.

Essa abordagem foi experimentada em uma máquina alvo (SGI R80000) empiricamente, e descobriu-se que o solucionador poderia encontrar a solução ótima para uma grande porcentagem dos programas no experimento dentro de uma quantidade de tempo razoável. Acontece que os escalonamentos produzidos a partir de uma abordagem heurística também ficaram próximos do ótimo. Os resultados sugerem que, pelo menos para essa máquina, não faz sentido usar a abordagem de programação linear de inteiros, especialmente do ponto de vista da engenharia de software. Como a solução de programação linear de inteiros pode não terminar, ainda é necessário implementar algum tipo de escalonador de heurística no compilador. Quando houver um escalonador de heurística desse tipo, também haverá pouco incentivo para implementar um escalonador com base nas técnicas de programação de inteiros.

10.5.10 Expansão de Variável Modular

Uma variável escalar é considerada *privatizável* em um *loop* se seu tempo de vida estiver contido em uma iteração do *loop*. Em outras palavras, uma variável privatizável não pode estar viva na entrada ou na saída de alguma iteração. Essas variáveis têm esse nome porque diferentes processadores executando diferentes iterações em um *loop* podem ter suas próprias cópias privadas e, assim, não interferir umas nas outras.

Expansão de variável refere-se à transformação de converter uma variável escalar privatizável em um arranjo e fazer com que a *i*-ésima iteração do *loop* leia e escreva o *i*-ésimo elemento. Essa transformação elimina as restrições de antidependência entre as leituras em uma iteração e as escritas nas iterações subseqüentes, além das dependências de saída entre as escritas em diferentes iterações. Se todas as dependências transportadas do *loop* puderem ser eliminadas, todas as iterações no *loop* poderão ser executadas em paralelo.

Eliminando dependências transportadas do *loop* e, portanto, eliminando ciclos no grafo de dependência de dados, podemos melhorar bastante a eficácia do software pipelining. Conforme ilustramos no Exemplo 10.15, não precisamos expandir uma variável privatizável totalmente pelo número de iterações no *loop*. Somente um pequeno número de iterações pode estar em execução em dado momento, e as variáveis privatizáveis podem estar simultaneamente vivas em um número ainda menor de iterações. A mesma memória pode, assim, ser reutilizada para conter variáveis com tempos de vida não sobrepostos. Mais especificamente, se o tempo de vida de um registrador for de l ciclos, e o intervalo de iniciação for T, então somente $q = \left\lceil \frac{l}{T} \right\rceil$ valores podem estar vivos em qualquer ponto. Podemos alocar q registradores à variável, com a variável na *i*-ésima iteração usando o $(i \bmod q)$-ésimo registrador. Nós nos referimos a essa transformação como *expansão de variável modular*.

ALGORITMO 10.23: *Software* pipelining com expansão de variável modular.

ENTRADA: Um grafo de dependência de dados e uma descrição de recurso de máquina.

SAÍDA: Dois *loops*, um resultante do software pipelining e um sem aplicação do software pipelining.

MÉTODO:

1. Remova as antidependências transportadas do *loop* e as dependências de saída associadas a variáveis privatizáveis do grafo de dependência de dados.
2. Realize o software pipelining no grafo de dependência resultante usando o Algoritmo 10.21. Considere que T seja o intervalo de iniciação para o qual um escalonamento é encontrado, e L seja o comprimento do escalonamento para uma iteração.
3. A partir do escalonamento resultante, calcule q_v, o número mínimo de registradores necessários a cada variável privatizável v. Considere $Q = \max_v q_v$.
4. Gere dois *loops*: um *loop* resultante do software pipelining e um *loop* sem software pipelining. O *loop* resultante do software pipelining tem

$$\left\lceil \frac{L}{T} \right\rceil + Q - 1$$

cópias das iterações, colocadas a T ciclos de distância. Ele tem um prólogo com

$$\left(\left\lceil \frac{L}{T} \right\rceil - 1\right)T$$

instruções, um estado estável com QT instruções, e um epílogo de $L - T$ instruções. Insira uma instrução de *loop-back* que desvia da base do estado estável para o topo do estado estável.

O número de registradores atribuídos à variável privatizável v é

$$q'_v = \begin{cases} q'_v & \text{se } Q \bmod q_v = 0 \\ Q & \text{caso contrário} \end{cases}$$

A variável v na iteração i usa o $(i \bmod q'_i)$-ésimo registrador atribuído.

Considere que n seja a variável que representa o número de iterações no *loop* de origem. O *loop* resultante do software pipelining é executado se

$$n \geq \left\lceil \frac{L}{T} \right\rceil + Q - 1$$

O número de vezes em que o desvio de *loop-back* é efetuado é

$$n_1 = \left\lfloor \frac{n - \left\lceil \frac{L}{T} \right\rceil + 1}{Q} \right\rfloor$$

Assim, o número de iterações de origem executadas pelo *loop* resultante do software pipelining é

$$n_2 = \begin{cases} \left\lceil \frac{L}{T} \right\rceil - 1 + Qn_1 & \text{se } n \geq \left\lceil \frac{L}{T} \right\rceil + Q - 1 \\ 0 & \text{caso contrário} \end{cases}$$

O número de iterações executadas pelo *loop* sem aplicação do software pipelining é $n_3 = n - n_2$.

EXEMPLO 10.24: Para o *loop* resultante do software pipelining da Figura 10.22, $L = 8$, $T = 2$ e $Q = 2$. O *loop* resultante do software pipelining tem sete cópias das iterações, com o prólogo, estado estável e epílogo tendo 6, 4 e 6 instruções, respectivamente. Considere n o número de iterações no *loop* de origem. O *loop* resultante do software pipelining é executado se $n \geq 5$, e neste caso o desvio de *loop-back* é efetuado

$$\left\lceil \frac{n-3}{2} \right\rceil$$

vezes, e o *loop* resultante do software pipelining é responsável por

$$3 + 2 \times \left\lceil \frac{n-3}{2} \right\rceil$$

das iterações no *loop* de origem.

A expansão modular aumenta o tamanho do estado estável por um fator de Q. Apesar desse aumento, o código gerado pelo Algoritmo 10.23 ainda é bastante compacto. No pior dos casos, o *loop* resultante do software pipelining usaria três vezes o número de instruções do escalonamento para uma iteração. Por alto, com o *loop* extra gerado para tratar as iterações restantes, o tamanho total do código é cerca de quatro vezes o original. Essa técnica geralmente é aplicada a *loops* internos pequenos, de modo que esse aumento é razoável.

O Algoritmo 10.23 minimiza a expansão de código à custa do uso de mais registradores. Podemos reduzir o uso do registrador gerando mais código. Podemos usar no mínimo q_v registradores para cada variável v se usarmos um estado estável com

$$T \times \text{LCM}_v q_v$$

instruções. Aqui, LCM_v representa a operação para obter o *mínimo múltiplo comum* de todos os q_vs, enquanto v varia por todas as variáveis privatizáveis, ou seja, o menor inteiro que é um múltiplo inteiro de todos os q_vs. Infelizmente, o mínimo múltiplo comum pode ser muito grande, até mesmo para alguns poucos q_vs pequenos.

10.5.11 COMANDOS CONDICIONAIS

Se as instruções com predicados estiverem disponíveis, podemos converter instruções dependentes de controle em instruções com predicados. As instruções com predicados podem ser submetidas ao software pipelining como quaisquer outras operações. Contudo, se houver grande quantidade de fluxo de controle dependente de dados dentro do corpo do *loop*, as técnicas de escalonamento descritas na Seção 10.4 poderão ser mais apropriadas.

Se uma máquina não tiver instruções com predicados, podemos usar o conceito de *redução hierárquica*, descrito a seguir, para tratar uma pequena quantidade de fluxo de controle dependente dos dados. Assim como o Algoritmo 10.11, na redução hierárquica, as construções de controle do *loop* são escalonadas de dentro para fora, começando com as estruturas mais profundamente aninhadas. À medida que cada construção é escalonada, a construção inteira é reduzida a um único nó, representando todas as restrições de escalonamento de seus componentes em relação às outras partes do programa. Esse nó pode então ser escalonado como se fosse um nó simples dentro da construção de controle envolvente. O processo de escalonamento é completado quando o programa inteiro é reduzido a um único nó.

No caso de um comando condicional com desvios 'then' e 'else', escalonamos cada um dos desvios independentemente. Então:

1. As restrições do comando condicional inteiro são vistas conservadoramente como sendo a união das restrições dos dois desvios.
2. Seu uso de recurso é o máximo dos recursos usados em cada desvio.
3. Suas restrições de precedência são as uniões daquelas em cada desvio, obtidas pela suposição de que os dois desvios são executados.

Esse nó pode, então, ser escalonado como qualquer outro nó. Dois conjuntos de código, correspondendo aos dois desvios, são gerados. Qualquer código escalonado em paralelo com o comando condicional é duplicado nos dois desvios. Se vários comandos condicionais foram sobrepostos, um código separado terá de ser gerado para cada combinação de desvios executados em paralelo.

10.5.12 SUPORTE DE HARDWARE PARA O SOFTWARE PIPELINING

O suporte de hardware especializado foi proposto para reduzir o tamanho do código resultante do software pipelining. O *arquivo de registrador de rotação* na arquitetura Itanium é um exemplo desse tipo. Um arquivo de registrador de rotação possui um *registrador base*, que é acrescentado ao número de registrador especificado no código para derivar o registrador corrente acessado. Podemos fazer com que diferentes iterações em um *loop* usem diferentes registradores simplesmente alterando o conteúdo do registrador base no limite de cada iteração. A arquitetura Itanium também possui bastante suporte para instrução com predicado. O predicado pode ser usado não apenas para converter a dependência de controle em dependência de dados, mas também para evitar a geração de prólogos e epílogos. O corpo de um *loop* resultante de software pipelining contém um superconjunto das instruções emitidas no prólogo e epílogo. Podemos simplesmente gerar o código para o estado estável e usar o predicado de forma apropriada para suprimir as operações extras a fim de obter os efeitos de ter um prólogo e um epílogo.

Embora o suporte de hardware do Itanium melhore a densidade do código resultante do software pipelining, devemos observar que o suporte não é barato. Como o software pipelining é uma técnica voltada para *loops* internos pequenos, os *loops* resultantes também costumam ser pequenos. O suporte especializado para software pipelining é garantido principalmente para máquinas que pretendem executar muitos *loops* resultantes do software pipelining e em situações nas quais é muito importante reduzir o tamanho do código.

10.5.13 EXERCÍCIOS DA SEÇÃO 10.5

Exercício 10.5.1: No Exemplo 10.20, mostramos como estabelecer os limites nos relógios relativos em que b e c são escalonados. Calcule os limites para cada um dos cinco outros pares de nós (*i*) para T geral (*ii*) para $T = 3$ (*iii*) para $T = 4$.

Exercício 10.5.2: Na Figura 10.31 está o corpo de um *loop*. Endereços como a(R9) são endereços de memória, onde a é uma constante, e R9 é o registrador que conta iterações do *loop*. Você pode considerar que cada iteração do *loop* acessa diferentes endereços, pois R9 tem um valor diferente. Usando o modelo de máquina do Exemplo 10.12, escalone o *loop* da Figura 10.31 das seguintes maneiras:

a) Mantendo cada iteração o mais estreita possível (ou seja, somente introduza um nop após cada operação aritmética), desdobre o *loop* duas vezes. Escalone a segunda iteração para começar no momento o mais cedo possível sem violar a restrição de que a máquina só pode realizar uma carga, um armazenamento, uma operação aritmética e um desvio a cada ciclo.

b) Repita a parte (a), mas desdobre o *loop* três vezes. Novamente, comece cada iteração o mais cedo possível, sujeito às restrições da máquina.

! c) Construa um código totalmente na linha de montagem, sujeito às restrições da máquina. Nessa parte, você pode introduzir nops extras, se for preciso, mas deve iniciar uma nova iteração a cada duas batidas de relógio.

```
1)   L:   LD   R1, a(R9)
2)        ST   b(R9), R1
3)        LD   R2, c(R9)
4)        ADD  R3, R1, R2
5)        ST   c(R9), R3
6)        SUB  R4, R1, R2
7)        ST   b(R9), R4
8)        BL   R9, L
```

FIGURA 10.31 Código de máquina para o Exercício 10.5.2.

Exercício 10.5.3: Certo *loop* exige 5 cargas, 7 armazenamentos e 8 operações aritméticas. Qual é o intervalo de iniciação mínimo para um software pipelining desse *loop* em uma máquina que executa cada operação em uma batida de relógio e possui recursos suficientes para fazer, em uma batida de relógio:
  a) 3 cargas, 4 armazenamentos e 5 operações aritméticas.
  b) 3 cargas, 3 armazenamentos e 3 operações aritméticas.

! Exercício 10.5.4: Usando o modelo de máquina do Exemplo 10.12, encontre o intervalo de iniciação mínimo e um escalonamento uniforme para as iterações, para o seguinte *loop*:

```
for (i = 1; i < n; i++) {
    A[i] = B[i-1] + 1;
    B[i] = A[i-1] + 2;
}
```

Lembre-se de que a contagem de iterações é tratada pelo auto-incremento de registradores e nenhuma operação é necessária unicamente para a contagem associada ao *loop* for.

! Exercício 10.5.5: Prove que o Algoritmo 10.19, no caso especial em que toda operação requer apenas uma unidade de um recurso, sempre pode encontrar um escalonamento na linha de montagem de software encontrando o limite inferior.

! Exercício 10.5.6: Suponha que tenhamos um grafo de dependência de dados cíclico com nós *a*, *b*, *c* e *d*. Existem arestas de *a* para *b* e de *c* para *d* com rótulo $\langle 0, 1 \rangle$ e existem arestas de *b* para *c* e de *d* para *a* com rótulo $\langle 1, 1 \rangle$. Não existem outras arestas.
  a) Desenhe o grafo de dependência cíclica.
  b) Calcule a tabela dos caminhos simples mais longos entre os nós.
  c) Mostre os comprimentos dos caminhos simples mais longos se o intervalo de iniciação T for 2.
  d) Repita (c) se $T = 3$.
  e) Para $T = 3$, quais são as restrições sobre os tempos relativos que cada uma das instruções representadas por *a*, *b*, *c* e *d* podem ser escalonadas?

! Exercício 10.5.7: Dê um algoritmo $O(n^3)$ para encontrar o comprimento do caminho simples mais longo em um grafo de *n* nós, supondo que nenhum ciclo tenha um tamanho positivo. *Dica:* Adapte o algoritmo de Floyd para os caminhos mais curtos (veja, por exemplo, AHO, A. V.; ULLMAN, J. D. *Foundations of Computer Science*. Nova York: Computer Science Press, 1992).

!! Exercício 10.5.8: Suponha que tenhamos uma máquina com três tipos de instrução, que chamaremos de *A*, *B* e *C*. Todas as instruções exigem uma batida de relógio, e a máquina pode executar uma instrução de cada tipo em cada ciclo. Suponha que um *loop* consista em seis instruções, duas de cada tipo. Então, é possível executar o *loop* em uma linha de montagem de software com um intervalo de iniciação de dois. Contudo, algumas seqüências das seis instruções exigem a inserção de um atraso, e algumas exigem a inserção de dois atrasos. Das 90 seqüências possíveis de dois *A*s, dois *B*s e dois *C*s, quantas não exigem atraso? Quantas exigem um atraso? *Dica:* Existe simetria entre os três tipos de instrução, de modo que duas seqüências que podem ser transformadas uma na outra permutando-se os nomes *A*, *B* e *C* deverão exigir o mesmo número de atrasos. Por exemplo, *ABBCAC* deverá ser o mesmo que *BCCABA*.

10.6 Resumo do Capítulo 10

- *Aspectos arquitetônicos*: O escalonamento de código otimizado tira proveito dos recursos das modernas arquiteturas de computador. Essas máquinas freqüentemente permitem a execução em uma linha de montagem, em que várias instruções estão em diferentes estágios de execução ao mesmo tempo. Algumas máquinas permitem que várias instruções iniciem a execução ao mesmo tempo.
- *Dependências de dados*: Ao escalonar instruções, devemos estar cientes do efeito que as instruções têm sobre cada endereço de memória e registrador. As dependências de dados verdadeiras ocorrem quando uma instrução deve ler um endereço após outra tê-lo escrito. Antidependências ocorrem quando existe uma escrita após uma leitura, e dependências de saída ocorrem quando há duas escritas no mesmo endereço.
- *Eliminação de dependências*: Usando endereços adicionais para armazenar dados, antidependências e dependências de saída podem ser eliminadas. Somente as dependências verdadeiras não podem ser eliminadas e certamente devem ser respeitadas quando o código é escalonado.
- *Grafos de dependência de dados para blocos básicos*: Esses grafos representam as restrições de temporização entre os comandos de um bloco básico. Os nós correspondem aos comandos. Uma aresta de *n* para *m* rotulada com *d* diz que a instrução *m* deve iniciar pelo menos *d* ciclos de relógio após a instrução *n* iniciar.
- *Ordens topológicas priorizadas*: O grafo de dependência de dados para um bloco básico é sempre acíclico, e usualmente existem muitas ordens topológicas coerentes com o grafo. Uma das várias heurísticas pode ser usada para sele-

cionar uma ordem topológica preferida para determinado grafo, por exemplo, escolher primeiro nós com o caminho crítico mais longo.
- *Escalonamento de lista*: Dada uma ordem topológica priorizada para determinado grafo de dependência de dados, podemos considerar os nós nessa ordem. Escalone cada nó no ciclo de relógio mais antigo que seja consistente com as restrições de temporização indicadas pelas arestas do grafo, os escalonamentos de todos os nós escalonados anteriormente, e as restrições de recursos da máquina.
- *Movimentação de código entre blocos*: Sob algumas circunstâncias, é possível mover as instruções do bloco em que aparecem para um bloco predecessor ou sucessor. A vantagem é que pode haver oportunidades de executar instruções em paralelo no novo endereço, as quais não existiam no endereço original. Se não houver uma relação de dominância entre o endereço antigo e o novo, pode ser preciso inserir código de compensação ao longo de certos caminhos, a fim de garantir que exatamente a mesma seqüência de instruções seja executada, independentemente do fluxo de controle.
- *Loops do-all*: Um *loop do-all* não possui dependências entre iterações, de modo que quaisquer iterações podem ser executadas em paralelo.
- *Software pipelining dos loops do-all*: O software pipelining é uma técnica para explorar a capacidade de uma máquina executar várias instruções ao mesmo tempo. Escalonamos iterações do *loop* para começar em intervalos pequenos, talvez colocando instruções *no-op* nas iterações para evitar conflitos entre iterações em relação aos recursos da máquina. O resultado é que o *loop* pode ser executado rapidamente, com um preâmbulo, uma coda e, normalmente, um pequeno *loop* interno.
- *Loops do-across*: A maioria dos *loops* possui dependências de dados de cada iteração para iterações posteriores. Estes são chamados *loops do-across*.
- *Grafos de dependência de dados para loops do-across*: Para representar as dependências entre instruções de um *loop do-across*, é preciso que as arestas sejam rotuladas por um par de valores: o atraso exigido (como para grafos representando blocos básicos) e o número de iterações que acontecem entre as duas instruções que têm uma dependência.
- *Escalonamento de lista dos loops*: Para escalonar um *loop*, é preciso escolher o escalonamento para todas as iterações, e também escolher o intervalo de iniciação em que as iterações sucessivas começam. O algoritmo envolve derivar as restrições sobre os escalonamentos relativos das várias instruções no *loop*, descobrindo o tamanho dos caminhos acíclicos mais longos entre os dois nós. Esses tamanhos têm o intervalo de iniciação como um parâmetro, e portanto impõem um limite inferior sobre o intervalo de iniciação.

10.7 Referências do Capítulo 10

Para ver uma discussão mais profunda sobre arquitetura e projeto de processador, recomendamos Hennessy e Patterson [5].

O conceito de dependência de dados foi discutido inicialmente em Kuck, Muraoka e Chen [6] e Lamport [8] no contexto da compilação de código para multiprocessadores e máquinas de vetor.

O escalonamento de instruções foi usado inicialmente no escalonamento do microcódigo horizontal ([2, 3, 11 e 12]). O trabalho de Fisher sobre compactação de microcódigo o levou a propor o conceito de uma máquina VLIW, na qual os compiladores podem controlar diretamente a execução paralela das operações [3]. Gross e Hennessy [4] usaram o escalonamento de instruções para tratar os desvios com atrasos no primeiro conjunto de instruções RISC do MIPS. O algoritmo deste capítulo é baseado no tratamento mais genérico de Bernstein e Rodeh [1] sobre o escalonamento de operações para máquinas com paralelismo de instrução.

A idéia básica por trás do pipelining de software foi desenvolvida inicialmente por Patel e Davidson [9] para o escalonamento de pipelines de hardware. O pipelining de software foi usado inicialmente por Rau e Glaeser [10] para compilação para uma máquina com hardware especializado, projetado para dar suporte ao pipelining de software. O algoritmo descrito aqui é baseado em Lam [7], que não presume nenhum apoio de hardware especializado.

1. BERNSTEIN, D. e RODEH, M. Global instruction scheduling for superscalar machines, *Proc. ACM Sigplan 1991 Conference on Programming Language Design and Implementation*, pp. 241-255.
2. DASGUPTA, S. The organization of microprogram stores, *Computing Surveys* 11:1 (1979), pp. 39-65.
3. FISHER, J. A. Trace scheduling: a technique for global microcode compaction, *IEEE Trans. on Computers* C-30:7 (1981), pp. 478-490.
4. GROSS, T. R. e HENNESSY, J. L. Optimizing delayed branches, *Proc. 15th Annual Workshop on Microprogramming* (1982), pp. 114-120.
5. HENNESSY, J. L. e PATTERSON, D. A. *Computer architecture: a quantitative approach*, 3 ed., Morgan Kaufman. São Francisco, 2003.
6. KUCK, D.; MURAOKA, Y. e CHEN, S. On the number of operations simultaneously executable in Fortran-like programs and their resulting speedup, *IEEE Transactions on Computers* C-21:12 (1972), pp. 1293-1310.
7. LAM, M. S., Software pipelining: an effective scheduling technique for VLIW machines, *Proc. ACM Sigplan 1988 Conference on Programming Language Design and Implementation*, pp. 318-328.

8. LAMPORT, L. The parallel execution of DO loops, *Comm. ACM* 17:2 (1974), pp. 83-93.
9. PATEL, J. H. e DAVIDSON, E. S. Improving the throughput of a pipeline by insertion of delays, *Proc. Third Annual Symposium on Computer Architecture* (1976), pp. 159-164.
10. RAU, B. R e GLAESER, C. D. Some scheduling techniques and an easily schedulable horizontal architecture for high performance scientific computing, *Proc. 14th Annual Workshop on Microprogramming* (1981), pp. 183-198.
11. TOKORO, M.; TAMURA, E. e TAKIZUKA, T. Optimization of microprograms, *IEEE Trans. on Computers* C-30:7 (1981), pp. 491-504.
12. WOOD, G., Global optimization of microprograms through modular control constructs, *Proc. 12th Annual Workshop in Microprogramming* (1979), pp. 1-6.

11 OTIMIZAÇÃO DE PARALELISMO E LOCALIDADE

Este capítulo mostra como um compilador pode melhorar o paralelismo e a localidade em programas computacionalmente intensos, envolvendo arranjos para acelerar os programas objetos em execução em sistemas multiprocessadores. Muitas aplicações científicas, de engenharia e comerciais, têm uma necessidade voraz de ciclos de computação. Alguns exemplos incluem previsão de tempo, desdobramento de proteínas para a criação de drogas, dinâmica de fluidos para o projeto de sistemas de aeropropulsão e cromodinâmica quântica para estudar as fortes iterações da física de alta energia.

Um modo de acelerar uma computação é usar o paralelismo. Infelizmente, não é fácil desenvolver softwares capazes de tirar proveito das máquinas paralelas. Dividir a computação em unidades que podem ser executadas em diferentes processadores em paralelo já é muito difícil; e apenas isso não garante um ganho de velocidade. Também devemos minimizar a comunicação entre processadores, pois o custo da comunicação pode facilmente fazer o código paralelo executar ainda mais lentamente do que a execução seqüencial!

Minimizar a comunicação pode ser considerado um caso especial de melhoria da *localidade de dados* de um programa. Em geral, dizemos que um programa tem boa localidade de dados se um processador acessa com freqüência os mesmos dados que ele usou recentemente. Com certeza, se um processador em uma máquina paralela tem boa localidade, ele não precisa comunicar-se com outros processadores freqüentemente. Assim, o paralelismo e a localidade de dados precisam ser considerados lado a lado. A localidade de dados, por si só, também é importante para o desempenho de processadores individuais. Os processadores modernos possuem um ou mais nível de caches na hierarquia de memória; um acesso à memória pode exigir dezenas de ciclos de máquina, enquanto um acerto na cache demandaria apenas alguns ciclos. Se um programa não possui boa localidade e gera perdas de cache com freqüência, seu desempenho sofre.

Outro motivo para o paralelismo e a localidade serem tratados juntos neste mesmo capítulo é que eles compartilham a mesma teoria. Se sabemos como otimizar para localidade de dados, sabemos onde está o paralelismo. Você verá neste capítulo que o modelo de programa que usamos para a análise do fluxo de dados do Capítulo 9 é inadequado ao paralelismo e à otimização da localidade. O motivo é que a análise de fluxo de dados presume que não distinguimos entre as formas como determinado comando é alcançado, e de fato as técnicas do Capítulo 9 tiram proveito do fato de não distinguirmos entre diferentes execuções do mesmo comando, por exemplo, em um *loop*. Para paralelizar um código, precisamos levar em conta as dependências entre diferentes execuções dinâmicas do mesmo comando para determinar se eles podem ser executados em diferentes processadores simultaneamente.

Este capítulo focaliza as técnicas para otimizar a classe de aplicações numéricas que utilizam arranjos como estruturas de dados e os acessam com padrões regulares simples. Mais especificamente, estudamos programas que possuem arranjo de acessos *afins* em relação aos índices do *loop* envolvente. Por exemplo, se i e j são as variáveis de índice dos *loops* envolventes, então $Z[i][j]$ e $Z[i][i+j]$ são acessos afins. Uma função de uma ou mais variáveis, $i_1, i_2,..., i_n$ é *afim* se puder ser expressa como uma soma de uma constante, mais múltiplas constantes das variáveis, ou seja, $c_0 + c_1x_1 + c_2x_2 + ... + c_nx_n$, onde $c_0, c_1,...,c_n$ são constantes. Funções afins, em geral, são conhecidas como funções lineares, embora, estritamente falando, as funções lineares não têm o termo c_0.

Aqui está um exemplo simples de um *loop* nesse domínio:

```
for (i = 0; i < 10; i++) {
    Z[i] = 0;
}
```

Como as iterações do *loop* escrevem em diferentes endereços, diferentes processadores podem executar diferentes iterações concorrentemente. Por outro lado, se houver outro comando `Z[j] = 1` sendo executado, precisamos preocupar-nos se i poderia ser o mesmo que j, e, se for, em que ordem executamos aquelas instâncias dos dois comandos que compartilham um valor comum do índice do arranjo.

É importante saber quais iterações podem referir-se ao mesmo endereço da memória. Esse conhecimento nos permite especificar as dependências de dados que devem ser honradas quando se escalona código para uniprocessadores e multiprocessadores. Nosso objetivo é encontrar um escalonamento que honre todas as dependências de dados, tal que as operações que acessam o mesmo endereço e linhas da cache sejam realizadas o mais próximo possível, e no mesmo processador, no caso de multiprocessadores.

A teoria que apresentamos neste capítulo é baseada em técnicas de álgebra linear e programação de inteiros. Modelamos as iterações em um *loop* de profundidade n aninhado como um poliedro de n dimensões, cujos limites são especificados pelos limites dos *loops* no código. As funções afins mapeiam cada iteração aos endereços de arranjo que ela acessa. Podemos usar a programação linear inteira para determinar se existem duas iterações que podem referir-se ao mesmo endereço.

O conjunto de transformações de código que discutimos aqui se enquadra em duas categorias: *particionamento de afins* e *formação de blocos*. O particionamento de afins divide os poliedros de iterações em componentes a serem executados ou em diferentes máquinas ou um por um seqüencialmente. Por outro lado, a formação de blocos cria uma hierarquia de iterações. Suponha que recebamos um *loop* que varre um arranjo linha por linha. Podemos, em vez disso, subdividir o arranjo em blocos e visitar todos os elementos de um bloco antes de passar para o seguinte. O código resultante consistirá nos *loops* mais externos, que percorrem os blocos e, então, os *loops* mais internos para varrer os elementos dentro de cada bloco. Técnicas da álgebra linear são usadas para determinar as melhores partições de afins e os melhores esquemas de formação de blocos.

A seguir, começamos com uma visão geral dos conceitos de computação paralela e otimização de localidade, na Seção 11.1. Depois, a Seção 11.2 mostra um exemplo concreto estendido — multiplicação de matriz — que ilustra como as *transformações de loop*, que reordenam a computação dentro de um *loop*, podem melhorar a localidade e a eficácia do paralelismo.

As seções 11.3 a 11.6 apresentam a informação preliminar necessária para as transformações de *loop*. A Seção 11.3 mostra como modelamos as iterações individuais em um ninho de *loop*; a Seção 11.4 mostra como modelamos as funções de índice de arranjo que mapeiam cada iteração de *loop* nos endereços de arranjo acessados pela iteração; a Seção 11.5 mostra como determinar quais iterações em um *loop* se referem ao mesmo endereço de arranjo ou à mesma linha de cache usando algoritmos padrões da álgebra linear; e a Seção 11.6 mostra como encontrar todas as dependências de dados entre referências de arranjo em um programa.

O restante do capítulo aplica essas informações preliminares para obter as otimizações. A Seção 11.7 primeiro examina um problema mais simples de encontrar paralelismo sem a exigência de sincronização. Para encontrar o melhor particionamento de afins, simplesmente encontramos solução para a restrição de que as operações que compartilham uma dependência de dados devem ser atribuídas ao mesmo processador.

Bem, não existem muitos programas que podem ser executados em paralelo sem exigir nenhuma sincronização. Assim, nas seções 11.8 a 11.9.9, consideramos o caso geral de encontrar paralelismo que exige sincronização. Introduzimos o conceito de pipelining, mostrando como encontrar o particionamento de afins que maximiza o grau de pipelining permitido por um programa. Mostramos como otimizar a localidade, na Seção 11.10. Finalmente, discutimos como as transformações de afins são úteis para a otimização de outras formas de paralelismo.

11.1 CONCEITOS BÁSICOS

Esta seção introduz os conceitos básicos relacionados à paralelização e otimização de localidade. Se as operações puderem ser executadas em paralelo, elas também poderão ser reordenadas para outros objetivos, como a localidade. Por outro lado, se as dependências de dados em um programa estabelecerem que as instruções em um programa devam ser executadas em série, obviamente não haverá paralelismo nem oportunidade para reordenar instruções a fim de melhorar a localidade. Assim, a análise de paralelização também busca as oportunidades disponíveis para movimentação de código, a fim de melhorar a localidade de dados.

Para minimizar a comunicação no código paralelo, agrupamos todas as operações relacionadas e lhes atribuímos o mesmo processador. O código resultante, portanto, deve ter localidade de dados. Uma abordagem primitiva para obter boa localidade de dados em um uniprocessador é fazer com que o processador execute o código atribuído a cada processador em seqüência.

Nesta introdução, começamos apresentando uma visão geral das arquiteturas de computador paralelas. Depois, mostramos os conceitos básicos da paralelização, os tipos de transformações que podem fazer uma grande diferença, além dos conceitos úteis à paralelização. Então, discutimos como considerações semelhantes podem ser utilizadas para a otimização de localidade. Finalmente, introduzimos informalmente os conceitos matemáticos usados neste capítulo.

11.1.1 MULTIPROCESSADORES

A arquitetura de máquina mais popular é o multiprocessador simétrico (SMP). Computadores pessoais de alto desempenho freqüentemente possuem dois processadores, e muitas máquinas servidoras possuem quatro, oito e até mesmo dezenas de processadores. Além disso, como tem sido viável à colocação de vários processadores de alto desempenho em um único chip, os multiprocessadores têm se tornado ainda mais utilizados.

Os processadores em um multiprocessador simétrico compartilham o mesmo espaço de endereços. Para se comunicar, um processador pode simplesmente escrever em um endereço da memória, que então é lido por qualquer outro processador. Os multiprocessadores simétricos têm esse nome porque todos os processadores podem acessar toda a memória do sistema em um tempo de acesso uniforme. A Figura 11.1 mostra a arquitetura em alto nível de um multiprocessador. Os processadores podem ter sua própria cache de primeiro nível, de segundo nível e, em alguns casos, até mesmo de terceiro nível. As caches de nível mais alto são conectadas à memória física, em geral por meio de um barramento compartilhado.

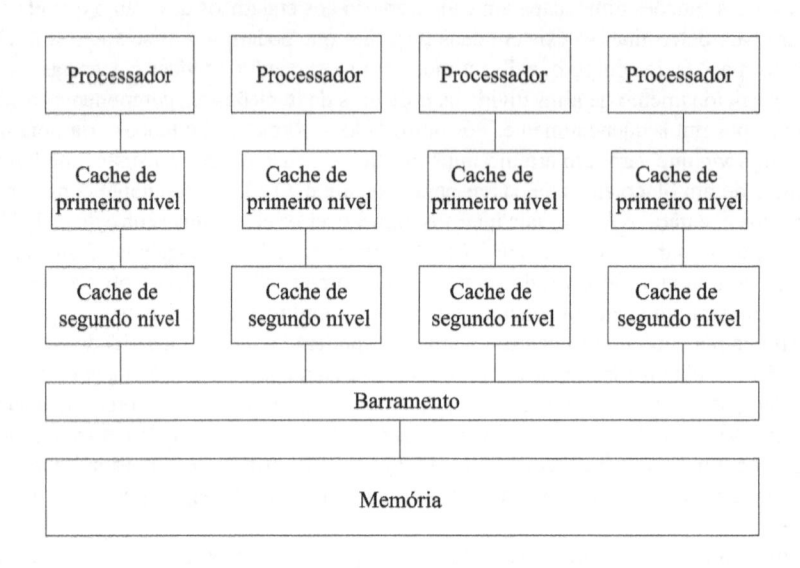

FIGURA 11.1 A arquitetura de um multiprocessador simétrico.

Os multiprocessadores simétricos utilizam um *protocolo de cache coerente* para esconder do programador a presença de caches. Sob tal protocolo, vários processadores têm permissão para manter cópias da mesma linha de cache[1] ao mesmo tempo, desde que estejam apenas lendo os dados. Quando um processador deseja escrever em uma linha de cache, as cópias de todas as outras caches são removidas. Quando um processador solicita dados não encontrados em sua cache, a solicitação sai do barramento compartilhado, e os dados serão trazidos ou da memória ou da cache de outro processador.

O tempo gasto para um processador se comunicar com outro é praticamente o dobro do custo de um acesso à memória. Os dados, em unidades de linhas de cache, primeiro devem ser escritos da cache do primeiro processador para a memória, e depois trazidos da memória para a cache do segundo processador. Você pode pensar que a comunicação entre processadores é relativamente barata, pois ela é somente cerca de duas vezes mais lenta que um acesso à memória. Contudo, deve ser lembrado que os acessos à memória são muito caros quando comparados a acertos de cache — eles podem ser cem vezes mais lentos. Essa análise faz lembrar a semelhança entre a paralelização eficiente e a análise de localidade. Para um processador funcionar bem, ou por conta própria ou no contexto de um multiprocessador, ele deve encontrar a maioria dos dados em que opera na sua cache.

No início da década de 2000, o projeto dos multiprocessadores simétricos não podia expandir-se para além de dezenas de processadores, porque o barramento compartilhado, ou qualquer outro tipo de interconexão para o mesmo motivo, não podia operar na mesma velocidade com o número crescente de processadores. Para tornar os projetos de processador expansíveis, os arquitetos introduziram ainda outro nível na hierarquia de memória. Em vez de ter uma memória igualmente distante para cada processador, eles distribuíram as memórias de modo que cada processador pudesse acessar sua memória local rapidamente, como mostra a Figura 11.2. As memórias remotas, assim, constituíam o próximo nível de hierarquia de memória; elas são coletivamente maiores, mas também se gasta mais tempo para acessá-las. Semelhantemente ao princípio do projeto de hierarquia de memória de que armazenamentos rápidos são necessariamente pequenos, as máquinas que dão suporte à comunicação veloz entre processadores necessariamente têm um número pequeno de processadores.

---

1 Você talvez queira rever a discussão sobre caches e linhas de cache na Seção 7.4.

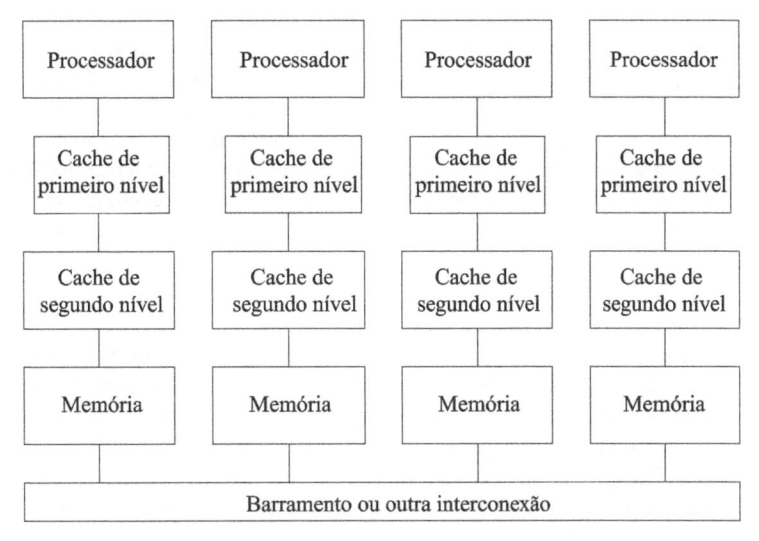

FIGURA 11.2 Máquinas de memória distribuída.

Existem duas variantes de uma máquina paralela com memória distribuída: máquinas NUMA (*Nonuniform Memory Access*) e máquinas de passagem de mensagem. Arquiteturas NUMA oferecem um espaço de endereço compartilhado ao software, permitindo que os processadores se comuniquem lendo e escrevendo na memória compartilhada. Contudo, em máquinas de passagem de mensagem, os processadores possuem espaços de endereço disjuntos, e os processadores se comunicam enviando mensagens uns para os outros. Observe que, embora seja mais simples escrever código para máquinas de memória compartilhada, o *software* deve ter boa localidade para que qualquer tipo de máquina funcione bem.

11.1.2 Paralelismo nas aplicações

Usamos duas métricas de alto nível para estimar como uma aplicação paralela funcionará: *cobertura de paralelismo,* que é a porcentagem da computação que executa em paralelo, e *granularidade de paralelismo*, que é a quantidade de computação que cada processador pode executar sem sincronização ou comunicação com outros. Um alvo particularmente atraente de paralelismo são os *loops*: um *loop* pode ter muitas iterações, e, se elas forem independentes umas das outras, encontraremos uma grande fonte de paralelismo.

Lei de Amdahl

O significado da cobertura de paralelismo é capturado de forma sucinta pela Lei de Amdahl. A *Lei de Amdahl* diz que, se f é a fração do código paralelizado, e se a versão paralelizada executa em uma máquina com p processadores sem custo adicional de comunicação ou paralelização, o ganho em velocidade é:

$$\frac{1}{(1-f)+(f/p)}$$

Por exemplo, se metade da computação permanecer seqüencial, a computação só poderá dobrar em velocidade, independentemente de quantos processadores usarmos. O ganho de velocidade alcançável será um fator de 1,6 se tivermos quatro processadores. Mesmo que a cobertura de paralelismo seja de 90 por cento, obteremos no máximo um fator de velocidade 3 em 4 processadores, e um fator de 10 em um número ilimitado de processadores.

Granularidade de paralelismo

Isso será ideal se a computação inteira de uma aplicação puder ser particionada em muitas tarefas independentes de granularidade grossa, pois poderemos simplesmente atribuir as diferentes tarefas a diferentes processadores. Um exemplo desse tipo é o projeto SETI (*Search for Extra-Terrestrial Intelligence*), um experimento que usa computadores domésticos conectados pela Internet para analisar diferentes porções de dados de um telescópio de rádio em paralelo. Cada unidade de trabalho que exija apenas uma pequena quantidade de entrada e gere uma pequena quantidade de saída pode ser executada independentemente de todas as outras. Como resultado, essa computação executa bem em máquinas pela Internet, que possui latência de comunicação (atraso) relativamente alta e largura de banda baixa.

A maioria das aplicações exige mais comunicação e interação entre processadores, embora ainda permita paralelismo de granularidade grossa. Considere, por exemplo, o servidor Web responsável por atender a um grande número de solicitações, principalmente independentes, a partir de um banco de dados comum. Podemos executar a aplicação em um multiprocessador, com uma thread que implemente o banco de dados, e diversas outras threads que atendam às solicitações do usuário. Outros exemplos incluem o projeto de drogas ou simulação de aerofólio, em que os resultados de muitos parâmetros diferentes podem ser avaliados independentemente. Às vezes, a avaliação até mesmo de um conjunto de parâmetros em uma simulação leva tanto tempo que é desejável acelerar sua velocidade com a paralelização. À medida que a granularidade do paralelismo disponível em uma aplicação diminui, melhor suporte para comunicação entre processadores e mais esforços de programação são necessários.

Muitas aplicações científicas e de engenharia de execução longa, com estruturas de controle simples e grandes conjuntos de dados, podem ser prontamente paralelizáveis de forma mais minuciosa do que as aplicações que mencionamos anteriormente. Assim, este capítulo é dedicado principalmente às técnicas que se empregam em aplicações numéricas e, particularmente, a programas que gastam a maior parte de seu tempo manipulando dados em arranjos multidimensionais. Examinaremos essa classe de programas em seguida.

11.1.3 Paralelismo de *loop*

Loops são alvos principais para paralelização, especialmente em aplicações que usam arranjos. Aplicações de execução longa costumam ter grandes arranjos, os quais conduzem a *loops* que possuem muitas iterações, uma para cada elemento no arranjo. Não é raro encontrar *loops* cujas iterações são independentes umas das outras. Podemos dividir o grande número de iterações desses *loops* entre os processadores. Se a quantidade de trabalho realizada em cada iteração for aproximadamente a mesma, o simples fato de dividir as iterações uniformemente entre os processadores fará com que se alcance o máximo de paralelismo. O Exemplo 11.1 é extremamente simples e mostra como podemos tirar proveito do paralelismo de *loop*.

Paralelismo de tarefa

É possível encontrar paralelismo fora das iterações de um *loop*. Por exemplo, podemos atribuir duas invocações de função diferentes, ou dois *loops* independentes, a dois processadores. Essa forma de paralelismo é conhecida como *paralelismo de tarefa*. Tarefa não é uma fonte de paralelismo tão atraente quanto *loop*. O motivo é que o número de tarefas independentes é uma constante para cada programa e não escala com o tamanho dos dados, como o número de iterações de um *loop* típico. Além disso, as tarefas geralmente não têm o mesmo tamanho, de modo que é difícil manter todos os processadores ocupados o tempo inteiro.

Exemplo 11.1: O *loop*

```
for (i = 0; i < n; i++) {
    Z[i] = X[i] - Y[i];
    Z[i] = Z[i] * Z[i];
}
```

computa o quadrado das diferenças entre os elementos nos vetores X e Y e o armazena em Z. O *loop* é paralelizável porque cada iteração acessa um conjunto de dados diferente. Podemos executar o *loop* em um computador com M processadores, fornecendo a cada processador uma única ID $p = 0, 1, ..., M - 1$ e fazendo com que cada processador execute o mesmo código:

```
b = ceil(n/M);
for (i = b*p; i < min(n,b*(p+1)); i++) {
    Z[i] = X[i] - Y[i];
    Z[i] = Z[i] * Z[i];
}
```

Dividimos as iterações do *loop* uniformemente entre os processadores; o processador de ordem p recebe o p-ésimo fluxo de iterações para executar. Observe que o número de iterações pode não ser divisível por M, de modo que garantimos que o último processador não executará além do limite do *loop* original introduzindo uma operação mínima. ∎

O código paralelo mostrado no Exemplo 11.1 é um programa SPMD (*Single Program Multiple Data*). O mesmo código é executado por todos os processadores, mas é parametrizado por um identificador único para cada processador, de modo que diferentes processadores podem efetuar ações diferentes. Tipicamente, um processador conhecido como *mestre* executa toda a parte serial da computação. O processador mestre, ao atingir uma seção paralelizada do código, acorda todos os processadores *escravos*. Todos os processadores executam as regiões paralelizadas do código. No fim de cada região paralelizada do código, todos os processadores participam de uma *sincronização de barreira*. Qualquer operação executada antes que um processador entre em uma barreira de sincronização tem garantia de ser completada antes que qualquer outro processador tenha permissão para sair da barreira e executar operações que vêm após a barreira.

Se paralelizarmos apenas *loops* pequenos, como aqueles do Exemplo 11.1, o código resultante provavelmente terá baixa cobertura de paralelismo e paralelismo de grão relativamente fino. Preferimos paralelizar os *loops* mais externos em um programa, pois isso gera a granularidade mais grossa de paralelismo. Considere, por exemplo, a aplicação de uma transformação FFT bidimensional que opera sobre um conjunto de dados n x n. Esse programa realiza n FFTs nas linhas dos dados, depois outros n FFTs nas colunas. É preferível atribuir cada um dos n FFTs diferentes a um processador, em vez de tentar usar vários processadores para colaborar em um FFT. O código é mais fácil de escrever, a cobertura do paralelismo do algoritmo é 100 por cento e o código tem boa localidade de dados, pois não exige comunicação alguma durante a computação de um FFT.

Muitas aplicações não têm grandes *loops* externos que podem ser paralelizáveis. O tempo de execução dessas aplicações, porém, geralmente é dominado pelo tempo gasto nos núcleos (*kernels*), que podem ter centenas de linhas de código consistindo em *loops* com diferentes níveis de aninhamento. Às vezes, é possível pegar o núcleo, reorganizar sua computação e particioná-lo em unidades independentes, focalizando sua localidade.

11.1.4 LOCALIDADE DE DADOS

Existem duas noções um tanto diferentes de localidade de dados que precisam ser consideradas quando se paralelizam programas. A localidade *temporal* ocorre quando os mesmos dados são usados várias vezes dentro de um pequeno período de tempo. A localidade *espacial* ocorre quando diferentes elementos de dados localizados próximos uns dos outros são usados dentro de um pequeno período de tempo. Uma forma importante de localidade espacial ocorre quando todos os elementos que aparecem em uma linha de cache são usados juntos. O motivo é que, assim que um elemento de uma linha de cache é necessário, todos os elementos na mesma linha são trazidos para a cache e provavelmente ainda estarão lá se forem usados logo. O efeito dessa localidade espacial é que as perdas de cache são minimizadas, resultando um importante ganho de velocidade do programa.

Os núcleos com freqüência podem ser escritos de muitas maneiras semanticamente equivalentes, mas com localidades de dados e desempenhos bastante variados. O Exemplo 11.2 mostra uma forma alternativa de expressar a computação do Exemplo 11.1.

EXEMPLO 11.2: Assim como o Exemplo 11.1, o seguinte também encontra os quadrados das diferenças entre os elementos dos vetores X e Y.

```
for (i = 0; i < n; i++)
    Z[i] = X[i] - Y[i];
for (i = 0; i < n; i++)
    Z[i] = Z[i] * Z[i];
```

O primeiro *loop* encontra as diferenças, o segundo encontra os quadrados. Um código como esse freqüentemente aparece nos programas reais, porque é assim que podemos otimizar um programa para *máquinas de vetor*, supercomputadores com instruções que realizam operações aritméticas simples sobre um vetor de cada vez. Vemos que os corpos dos dois *loops* deste exemplo são *fundidos* como um só corpo no Exemplo 11.1.

Dado que os dois programas realizam a mesma computação, qual deles tem um melhor desempenho? O *loop* fundido do Exemplo 11.1 tem melhor desempenho, porque possui melhor localidade de dados. Cada diferença é imediatamente elevada ao quadrado assim que é produzida; de fato, podemos manter a diferença em um registrador, calcular seu quadrado e escrever o resultado somente uma vez no endereço de memória $Z[i]$. Ao contrário, o código no Exemplo 11.2 busca $Z[i]$ uma vez e o escreve duas vezes. Além disso, neste exemplo, se o tamanho do arranjo for maior que a cache, $Z[i]$ precisará ser novamente trazido da memória na segunda vez que for usado. Assim, esse código poderá ser executado de modo significativamente mais lento.

```
for (j = 0; j < n; j++)
    for (i = 0; i < n; i++)
        Z[i,j] = 0;
```

(a) Zerando um arranjo coluna por coluna.

```
for (i = 0; i < n; i++)
    for (j = 0; j < n; j++)
        Z[i,j] = 0;
```

(b) Zerando um arranjo linha por linha.

```
b = ceil(n/M);
for (i = b*p; i < min(n,b*(p+1)); i++)
    for (j = 0; j < n; j++)
        Z[i,j] = 0;
```

(c) Zerando um arranjo linha por linha em paralelo.

FIGURA 11.3 Código seqüencial e paralelo para zerar um arranjo.

Exemplo 11.3: Suponha que queiramos inicializar o arranjo Z, armazenado por linha (lembre-se da Seção 6.4.3), com zeros. A Figura 11.3(a) e (b) percorre o arranjo coluna por coluna e linha por linha, respectivamente. Podemos transpor os *loops* da Figura 11.3(a) para chegar à Figura 11.3(b). Em termos de localidade espacial, é preferível zerar o arranjo linha por linha, porque todas as palavras em uma linha de cache são zeradas consecutivamente. Na abordagem coluna por coluna, embora cada linha de cache seja reutilizada por iterações consecutivas do *loop* externo, elas serão removidas antes do reúso se o tamanho de uma coluna for maior que o da cache. Para obter o melhor desempenho, paralelizamos o *loop* externo da Figura 11.3(b) de maneira semelhante ao que foi feito no Exemplo 11.1.

Os dois exemplos anteriores ilustram várias características importantes associadas a aplicações numéricas operando sobre arranjos:

- O código do arranjo freqüentemente possui muitos *loops* paralelizáveis.
- Quando os *loops* possuem paralelismo, suas iterações podem ser executadas em uma ordem arbitrária; elas podem ser reordenadas para melhorar bastante a localidade dos dados.
- Como criamos grandes unidades de computação paralela independentes umas das outras, executá-las serialmente tende a produzir boa localidade de dados.

11.1.5 Introdução à teoria de transformação de afins

É difícil escrever programas seqüenciais corretos e eficientes; escrever programas paralelos que sejam corretos e eficientes é ainda mais difícil. O grau de dificuldade aumenta à medida que a granularidade do paralelismo explorado diminui. Como mostramos, os programadores precisam prestar atenção à localidade dos dados para obter alto desempenho. Além disso, a tarefa de pegar um programa seqüencial existente e paralelizá-lo é extremamente complexa. É difícil capturar todas as dependências do programa, especialmente se não for um com o qual estejamos familiarizados. A depuração de um programa paralelo é ainda mais difícil, porque os erros podem ser não determinísticos.

O ideal é que um compilador paralelizável traduza automaticamente os programas seqüenciais comuns em programas paralelos eficientes e otimize a localidade desses programas. Infelizmente, os compiladores sem elevado grau de conhecimento da aplicação só podem preservar a semântica do algoritmo original, que pode não ser favorável à paralelização. Além disso, os programadores podem ter feito escolhas arbitrárias que limitam o paralelismo do programa.

Sucesso na paralelização e na otimização de localidade foram demonstrados nas aplicações numéricas em Fortran, que operam em arranjos com acessos afins. Sem apontadores e aritmética de apontador, Fortran é mais fácil de analisar. Observe que nem todas as aplicações possuem acessos afins; notoriamente, muitas aplicações numéricas operam sobre matrizes esparsas cujos elementos são acessados indiretamente por meio de outro arranjo. Este capítulo focaliza a paralelização e as otimizações de núcleo, que consistem principalmente em dezenas de linhas.

Conforme ilustrado pelos exemplos 11.2 e 11.3, a paralelização e a otimização de localidade exigem que raciocinemos sobre as diferentes instâncias de um *loop* e suas relações entre si. Essa situação é muito diferente da análise de fluxo de dados, na qual combinamos informações associadas a todas as instâncias juntas.

Para o problema de otimizar *loops* com acessos a arranjo, usamos três tipos de espaços. Cada espaço pode ser considerado como pontos em uma grade de uma ou mais dimensões.

1. O *espaço de iteração* é o conjunto de instâncias de execução dinâmicas em uma computação, ou seja, o conjunto de combinações de valores assumidos pelos índices do *loop*.
2. O *espaço de dados* é o conjunto dos elementos de arranjo acessados.
3. O *espaço de processador* é o conjunto de processadores do sistema. Normalmente, esses processadores recebem números inteiros ou vetores de inteiros para se distinguirem entre si.

Como entrada, são dadas a ordem seqüencial em que as iterações são executadas e as funções de acesso de arranjo afim (por exemplo, $X[i, j + 1]$), que especificam quais instâncias do espaço de iteração acessam quais elementos do espaço de dados.

A saída da otimização, novamente representada como funções afins, define o que cada processador faz e quando o faz. Para especificar o que cada processador faz, usamos uma função afim para atribuir instâncias contidas no espaço de iteração original aos processadores. Para especificar quando o faz, usamos uma função afim com vistas a mapear instâncias no espaço de iteração a uma nova ordenação. O escalonamento é derivado da análise das funções de acesso a arranjo, que considera as dependências de dados e os padrões de reúso.

O exemplo a seguir ilustrará os três espaços — iteração, dados e processador. Também introduzirá informalmente os importantes conceitos e questões que precisam ser tratados no uso desses espaços para paralelizar o código. Os conceitos são explicados com detalhes nas seções seguintes.

Exemplo 11.4: A Figura 11.4 ilustra os diferentes espaços e suas relações usadas no programa a seguir:

```
float Z[100];
for (i = 0; i < 10; i++)
    Z[i+10] = Z[i];
```

Os três espaços e os mapeamentos entre eles são os seguintes:

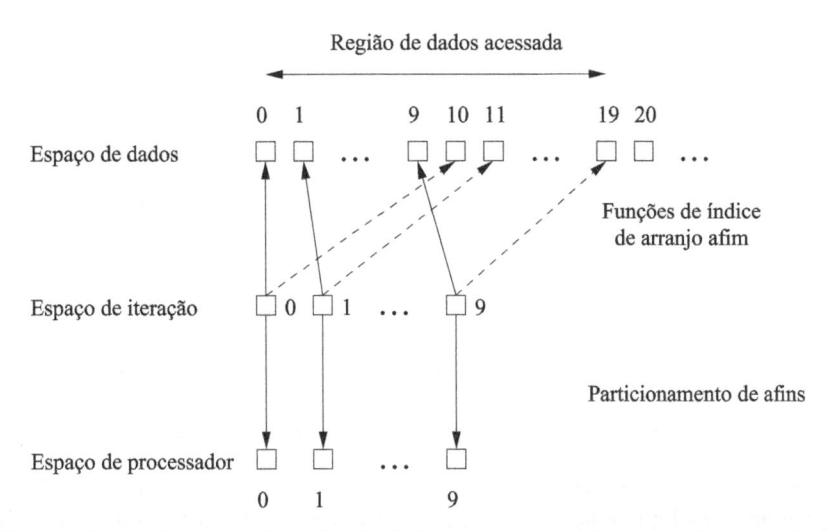

FIGURA 11.4 Espaço de iteração, de dados e de processador para o Exemplo 11.4.

1. *Espaço de iteração*: O espaço de iteração é o conjunto de iterações, cujos IDs são dados pelos valores contidos nas variáveis de índice de *loop*. Um *ninho de loop* com profundidade d (ou seja, d *loops* aninhados) possui d variáveis de índice, e assim é modelado por um espaço de d dimensões. O espaço de iterações é limitado pelos limites inferior e superior dos índices de *loop*. O *loop* deste exemplo define um espaço unidimensional de 10 iterações, rotuladas pelos valores de índice de *loop*: $i = 0,1,...,9$.
2. *Espaço de dados*: O espaço de dados é fornecido diretamente pelas declarações de arranjo. Neste exemplo, os elementos do arranjo são indexados por $a = 0, 1, ..., 99$. Embora todos os arranjos sejam linearizados no espaço de endereços de um programa, tratamos arranjos de n dimensões como espaços de n dimensões, e consideramos que os índices individuais permanecem dentro de seus limites. Neste exemplo, de qualquer forma, o arranjo é unidimensional.
3. *Espaço de processador*: Vamos imaginar que exista um número ilimitado de processadores virtuais no sistema como nosso alvo de paralelização inicial. Os processadores são organizados em um espaço multidimensional, uma dimensão para cada *loop* do ninho que queremos paralelizar. Após a paralelização, se tivermos menos processadores físicos que processadores virtuais, dividiremos os processadores virtuais em blocos uniformes e atribuiremos cada bloco a cada processador. Neste exemplo, só precisamos de dez processadores, um para cada iteração do *loop*. Consideramos na Figura 11.4 que os processadores são organizados em um espaço unidimensional e numerados de 0,1, ...,9 com a iteração de *loop i* atribuída ao processador *i*. Se houvesse, digamos, apenas cinco processadores, poderíamos atribuir as iterações 0 e 1 ao processador 0, as iterações 2 e 3 ao processador 1, e assim por diante. Como as iterações são independentes, não importa de que maneira realizamos a atribuição, desde que cada um dos cinco processadores receba duas iterações.
4. *Função de índice de arranjo afim*: Cada acesso ao arranjo no código especifica um mapeamento entre uma iteração no espaço de iteração e um elemento do arranjo no espaço de dados. A função de acesso é afim se envolver a multiplicação das variáveis de índice de *loop* por constantes e a soma de constantes. Ambas as funções de índice de arranjo $i +$ 10 e i são afins. A partir da função de acesso, podemos identificar a *dimensão* dos dados acessados. Nesse caso, como cada função de índice tem uma variável de *loop*, o espaço dos elementos de arranjo acessados é unidimensional.
5. *Particionamento de afins*: Paralelizamos um *loop* usando uma função afim para atribuir iterações em um espaço de iteração aos processadores no espaço do processador. Em nosso exemplo, simplesmente atribuímos iteração *i* ao processador *i*. Também podemos especificar uma nova ordem de execução com funções afins. Se quisermos executar o *loop* anterior seqüencialmente, mas ao reverso, podemos especificar a função de ordenação sucintamente com uma expressão afim $10 - i$. Então, a iteração 9 será a primeira iteração a ser executada, e assim por diante.
6. *Região de dados acessada*: Para encontrar o melhor particionamento de afins, é útil conhecer a região dos dados acessada por uma iteração. Podemos capturar a região de dados acessada combinando a informação do espaço de iteração com a função do índice de arranjo. Nesse caso, o acesso ao arranjo $Z[i+10]$ são relativos a região $\{ a \mid 10 \leq a < 20 \}$ e o acesso a $Z[i]$ são relativos a região $\{ a \mid 0 \leq a < 10 \}$.
7. *Dependência de dados*: Para determinar se o *loop* é paralelizável, perguntamos se existe uma dependência de dados que cruza o limite de cada iteração. Para este exemplo, primeiro consideramos as dependências dos acessos de escrita no *loop*. Como a função de acesso $Z[i+10]$ mapeia diferentes iterações a diferentes endereços de arranjo, não existem dependências em relação à ordem em que as várias iterações escrevem valores no arranjo. Existe uma dependência entre os acessos de leitura e escrita? Como somente $Z[10],Z[11],...,Z[19]$ são escritos (pelo acesso a $Z[i+10]$) e somente $Z[0],Z[1],...,Z[9]$ são lidos (pelo acesso a $Z[i]$), pode não haver dependências em relação à ordem relativa de uma leitura e uma escrita. Portanto, esse *loop* é paralelizável. Ou seja, cada iteração do *loop* é independente de todas as

outras iterações, e podemos executar as iterações em paralelo, ou em qualquer ordem que escolhermos. Observe, porém, que, se fizéssemos uma pequena mudança, digamos, aumentando o limite superior do índice de *loop i* para 10 ou mais, então haveria dependências, pois alguns elementos do arranjo Z seriam escritos em uma iteração e depois lidos 10 iterações adiante. Nesse caso, o *loop* poderia não ser completamente paralelizado, e teríamos de pensar cuidadosamente sobre como as iterações foram particionadas entre os processadores e como ordenamos as iterações.

Formular o problema em termos de espaços multidimensionais e mapeamentos de afins entre esses espaços nos permite usar técnicas matemáticas padronizados para solucionar o problema de paralelização e otimização da localidade de modo geral. Por exemplo, a região de dados acessada pode ser encontrada pela eliminação de variáveis usando o algoritmo de eliminação de Fourier-Motzkin. A dependência de dados é mostrada como sendo equivalente ao problema da programação linear inteira. Finalmente, encontrar o particionamento de afins corresponde a solucionar um conjunto de restrições lineares. Não se preocupe se não estiver acostumado com esses conceitos, pois eles serão explicados a partir da Seção 11.3.

11.2 Multiplicação de matriz: um exemplo detalhado

Introduziremos muitas das técnicas usadas por compiladores paralelos em um exemplo estendido. Nesta seção, exploramos o conhecido algoritmo de multiplicação de matriz, para mostrar que não é trivial otimizar até mesmo um programa simples e facilmente paralelizável. Veremos como a reescrita do código pode melhorar a localidade dos dados, ou seja, os processadores são capazes de realizar seu trabalho com muito menos comunicação (com memória global ou com outros processadores, dependendo da arquitetura) do que quando o programa original é escolhido. Também discutimos como o conhecimento da existência de linhas de cache que mantêm vários elementos de dados consecutivos pode melhorar o tempo de execução de programas tais como multiplicação de matriz.

11.2.1 O algoritmo de multiplicação de matriz

Na Figura 11.5, vemos um programa típico de multiplicação de matriz.[2] Ele recebe duas matrizes $n \times n$, X e Y, e gera seu produto em uma terceira matriz $n \times n$, Z. Lembre-se de que Z_{ij} — o elemento da matriz Z na linha *i* e coluna *j* — precisa tornar-se $\sum_{k=1}^{n} X_{ik} Y_{kj}$.

```
for (i = 0; i < n; i++)
   for (j = 0; j < n; j++) {
      Z[i,j] = 0.0;
      for (k = 0; k < n; k++)
         Z[i,j] = Z[i,j] + X[i,k]*Y[k,j];
   }
```

Figura 11.5 O algoritmo básico de multiplicação de matriz.

O código da Figura 11.5 gera n^2 resultados, cada um sendo um produto interno entre uma linha e uma coluna dos dois operandos de matriz. Claramente, os cálculos de cada um dos elementos de Z são independentes e podem ser executados em paralelo.

Quanto maior for *n*, mais vezes o algoritmo acessa cada elemento. Ou seja, existem $3n^2$ endereços entre as três matrizes, mas o algoritmo realiza n^3 operações, cada qual multiplicando um elemento de X por um elemento de Y, e somando o produto a um elemento de Z. Assim, o algoritmo utiliza muitos cálculos e, a princípio, os acessos à memória não devem constituir um gargalo.

Execução seqüencial da multiplicação de matriz

Primeiro, vamos considerar como esse programa se comporta quando executado seqüencialmente em um uniprocessador. O *loop* mais interno lê e escreve o mesmo elemento de Z, e usa uma linha de X e uma coluna de Y. $Z[i,j]$ pode facilmente ser armazenado em um registrador e não exigir acessos à memória. Considere, sem perda de generalidade, que a matriz é disposta por linha, e que *c* é o número de elementos de arranjo em uma linha de cache.

---

[2] Nos programas em pseudocódigo deste capítulo, geralmente usamos a sintaxe de C, mas, para tornar os acessos a arranjo multidimensional — a questão central para a maior parte deste capítulo — mais fáceis de ler, usamos as referências de arranjo em estilo Fortran, ou seja, $Z[i,j]$ em vez de $Z[i][j]$.

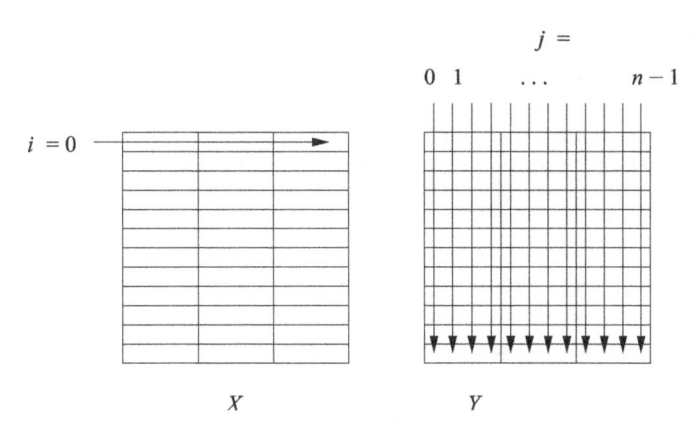

FIGURA 11.6 O padrão de acesso aos dados na multiplicação de matriz.

A Figura 11.6 sugere o padrão de acesso enquanto executamos uma iteração do *loop* mais externo da Figura 11.5. Em particular, a figura mostra a primeira iteração, com $i = 0$. Cada vez que movemos de um elemento da primeira linha de X para o seguinte, visitamos cada elemento em uma única coluna de Y. Veremos, na Figura 11.6, a pressuposta organização das matrizes nas linhas de cache. Ou seja, cada pequeno retângulo representa uma linha de cache que contém quatro elementos de arranjo, isto é, $c = 4$ e $n = 12$ na figura.

O acesso a X coloca pouco peso sobre a cache. Uma linha de X é espalhada entre apenas n/c linhas de cache. Supondo que todos esses caibam na cache, apenas n/c perdas de cache ocorrem para um valor fixo do índice i, e o número total de perdas para tudo de X é n^2/c, o mínimo possível (consideramos que n é divisível por c, por conveniência).

Contudo, enquanto usa uma linha de X, o algoritmo de multiplicação de matriz acessa todos os elementos de Y, coluna por coluna, ou seja, quando $j = 0$, o *loop* interno traz para a cache a primeira coluna inteira de Y. Observe que os elementos dessa coluna estão armazenados entre n diferentes linhas de cache. Se a cache for grande o suficiente (ou n pequeno o suficiente) para conter n linhas, e nenhum outro uso da cache forçar algumas dessas linhas de cache a serem removidas, então a coluna para $j = 0$ ainda estará lá quando precisarmos da segunda coluna de Y. Nesse caso, não haverá outras n perdas de cache lendo Y, até $j = c$, quando precisaremos trazer para a cache um conjunto totalmente diferente de linhas de cache para Y. Assim, para completar a primeira iteração do *loop* externo (com $i = 0$), são necessárias entre n^2/c e n^2 perdas de cache, dependendo de as colunas das linhas de cache poderem sobreviver a uma iteração do segundo *loop* para a seguinte.

Além do mais, ao completarmos o *loop* externo, para $i = 1, 2$ e assim por diante, podemos ter muitas perdas de cache adicionais enquanto lemos Y, ou nenhuma perda. Se a cache for grande o suficiente para que todas as n^2/c linhas mantendo Y possam residir juntas na cache, não precisamos de mais perdas de cache. O número total de perdas de cache é, portanto, $2n^2/c$, metade para X e metade para Y. Contudo, se a cache puder manter uma coluna de Y, mas não todo o Y, será preciso trazer todo o Y para a cache novamente, cada vez que realizarmos uma iteração do *loop* externo, ou seja, o número de perdas de cache será $n^2/c + n^3/c$; o primeiro termo será para X e o segundo será para Y. Pior, se não pudermos sequer manter uma coluna de Y na cache, teremos n^2 perdas de cache por iteração do *loop* externo e um total de $n^2/c + n^3$ perdas de cache.

Paralelização linha por linha

Agora, vamos considerar como poderíamos usar algum número de processadores, digamos, p processadores, para acelerar a execução da Figura 11.5. Uma abordagem óbvia para paralelizar a multiplicação de matrizes é atribuir diferentes linhas de Z a diferentes processadores. Um processador é responsável por n/p linhas consecutivas (consideramos que n é divisível por p, por conveniência). Com essa divisão de trabalho, cada processador precisa acessar n/p linhas das matrizes X e Z, mas a matriz Y inteira. Um processador calculará n^2/p elementos de Z, realizando n^3/p operações de multiplicação e adição para fazer isso.

Embora o tempo de cálculo diminua assim em proporção a p, o custo de comunicação realmente aumenta em proporção a p, ou seja, cada um dos p processadores precisa ler n^2/p elementos de X, mas todos os n^2 elementos de Y. O número total de linhas de cache que precisam ser entregues às caches dos p processadores é pelo menos $n^2/c + pn^2/c$; os dois termos são para a entrega de X e cópias de Y, respectivamente. À medida que p se aproxima de n, o tempo de cálculo se torna $O(n^2)$, enquanto o custo de comunicação é $O(n^3)$. Ou seja, o barramento em que os dados são movidos entre a memória e as caches dos processadores se torna o gargalo. Assim, com o leiaute de dados proposto, usar um grande número de processadores para compartilhar o cálculo pode realmente atrasá-lo, em vez de acelerá-lo.

11.2.2 Otimizações

O algoritmo de multiplicação de matriz da Figura 11.5 mostra que, embora um algoritmo possa *reusar* os mesmos dados, ele pode ter pouca localidade de dados. Um reúso dos dados resulta um acerto de cache somente se acontecer muito cedo, antes que os dados sejam removidos da cache. Nesse caso, n^2 operações de *multiplicação* e *adição* separam o reúso do mesmo elemento de dado na matriz Y, de modo que a localidade é fraca. De fato, n operações separam o reúso da mesma linha de cache em Y. Além disso, em um multiprocessador, o reúso pode resultar um acerto de cache somente se os dados forem reutilizados pelo mesmo processador. Quando consideramos uma implementação paralela na Seção 11.2.1, vimos que os elementos de Y tiveram de ser usados por todo processador. Assim, o reúso de Y não é transformado em localidade.

Alteração do leiaute dos dados

Uma maneira de melhorar a localidade de um programa é alterando o leiaute de suas estruturas de dados. Por exemplo, armazenar Y por coluna teria melhorado o reúso das linhas de cache da matriz Y. A aplicabilidade dessa abordagem é limitada, porque a mesma matriz normalmente é usada em diferentes operações. Se Y desempenhasse o papel de X em outra multiplicação de matriz, então ele sofreria por ser armazenado por coluna, porque a primeira matriz em uma multiplicação é mais bem armazenada por linha.

Formação de blocos

Às vezes, é possível alterar a ordem de execução das instruções para melhorar a localidade dos dados. Contudo, a técnica de intercâmbio de *loops* não melhora a rotina de multiplicação de matriz. Suponha que a rotina fosse escrita para gerar uma coluna da matriz Z de cada vez, em vez de uma linha de cada vez, ou seja, tornar o *loop j* o externo e o *loop i* o segundo *loop*. Supondo que as matrizes ainda estejam armazenadas por linha, a matriz Y goza de melhor localidade espacial e temporal, mas somente à custa da matriz X.

A *formação de blocos* é outra maneira de reordenar as iterações em um *loop*, o que pode melhorar bastante a localidade de um programa. Em vez de calcular o resultado uma linha ou uma coluna de cada vez, dividimos a matriz em submatrizes, ou *blocos*, como sugere a Figura 11.7, e ordenamos as operações de modo que um bloco inteiro seja usado por um curto período de tempo. Em geral, os blocos são quadrados com um lado de tamanho B. Se B dividir n exatamente, todos os blocos serão quadrados. Se B não dividir n exatamente, os blocos nas arestas inferior e direita terão um ou ambos os lados de tamanho menor que B.

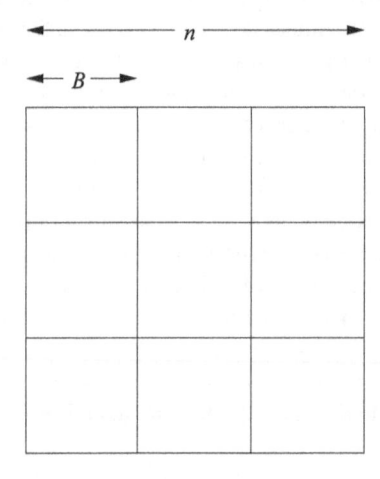

FIGURA 11.7 Uma matriz dividida em blocos de lado B.

A Figura 11.8 mostra uma versão do algoritmo básico de multiplicação de matriz, em que todas as três matrizes foram particionadas em blocos quadrados de lado B. Como na Figura 11.5, Z é considerado como tendo sido inicializado com 0. Consideramos que B divide n; do contrário, precisamos modificar a linha (4) de modo que o limite superior seja min($ii + B,n$), e de forma semelhante para as linhas (5) e (6).

```
1)  for (ii = 0; ii < n; ii = ii+B)
2)    for (jj = 0; jj < n; jj = jj+B)
3)      for (kk = 0; kk < n; kk = kk+B)
4)        for (i = ii; i < ii+B; i++)
5)          for (j = jj; j < jj+B; j++)
6)            for (k = kk; k < kk+B; k++)
7)              Z[i,j] = Z[i,j] + X[i,k]*Y[k,j];
```

FIGURA 11.8 Multiplicação de matriz com bloqueio.

Os três *loops* externos, as linhas (1) a (3), usam índices *ii*, *jj* e *kk*, que são sempre incrementados por *B*, e portanto sempre marcam a borda esquerda ou superior de alguns blocos. Com valores fixos de *ii*, *jj* e *kk*, as linhas (4) a (7) permitem que os blocos com cantos superiores esquerdos *X*[*ii*,*kk*] e *Y*[*kk*,*jj*] façam todas as contribuições possíveis ao bloco com canto superior esquerdo *Z*[*ii*,*jj*].

Outra visão da multiplicação de matriz baseada em bloco

Podemos imaginar que as matrizes *X*, *Y* e *Z* da Figura 11.8 não sejam matrizes $n \times n$ de números de ponto flutuante, mas sim $(n/B) \times (n/B)$ cujos elementos são matrizes $B \times B$ de números de ponto flutuante. As linhas (1) a (3) da Figura 11.8 são então como os três *loops* do algoritmo básico da Figura 11.5, mas com *n/B* como o tamanho das matrizes, em vez de *n*. Podemos pensar nas linhas (4) a (7) da Figura 11.8 como implementando uma única operação de *multiplicação-e-adição* da Figura 11.5. Observe que, nessa operação, o único passo de multiplicação é um passo de multiplicação de matriz, e ele usa o algoritmo básico da Figura 11.5 nos números de ponto flutuante, que são elementos das duas matrizes envolvidas. A adição de matriz é a adição de números de ponto flutuante, elemento por elemento.

Se escolhermos *B* corretamente, poderemos diminuir significativamente o número de perdas de cache, em comparação com o algoritmo básico, quando todos *X*, *Y* ou *Z* não couberem na cache. Escolha *B* de modo que seja possível colocar um bloco de cada uma das matrizes na cache. Devido à ordem dos *loops*, na realidade precisamos de cada bloco de *Z* na cache apenas uma vez, de modo que, assim como na análise do algoritmo básico da Seção 11.2.1, não contaremos as perdas de cache devido a *Z*.

Para trazer um bloco de *X* ou *Y* para a cache, são necessárias B^2/c perdas de cache; lembre-se de que *c* é o número de elementos em uma linha de cache. Contudo, com blocos fixos de *X* e *Y*, realizamos B^3 operações de *multiplicação-e-adição* nas linhas (4) a (7) da Figura 11.8. Como a multiplicação de matriz inteira exige n^3 operações de *multiplicação-e-adição*, o número de vezes que precisamos trazer um par de blocos para a cache é n^3/B^3. Ao exigirmos $2B^2/c$ perdas de cache a cada vez, o número total de perdas de cache é $2n^3/Bc$.

É interessante comparar esse valor $2n^3/Bc$ com as estimativas dadas na Seção 11.2.1. Lá, dissemos que, se matrizes inteiras couberem na cache, então $O(n^2/c)$ perdas de cache serão suficientes. Contudo, nesse caso, podemos escolher $B = n$, ou seja, fazer com que cada matriz seja um único bloco. Novamente, obtemos $O(n^2/c)$ como nossa estimativa de perdas de cache. Por outro lado, observamos que, se matrizes inteiras não couberem na cache, demandaremos $O(n^3/c)$ perdas de cache, ou mesmo $O(n^3)$ perdas de cache. Nesse caso, supondo que ainda podemos escolher um *B* significativamente grande (por exemplo, *B* poderia ser 200, e ainda poderíamos colocar três blocos de 8 bytes em uma cache de um megabyte), existe grande vantagem no uso da formação de blocos na multiplicação de matriz.

A técnica de formação de blocos pode ser reaplicada para cada nível da hierarquia de memória. Por exemplo, podemos querer otimizar o uso de registrador mantendo os operandos de uma multiplicação de matriz de 2×2 nos registradores. Escolhemos tamanhos de bloco sucessivamente maiores para os diferentes níveis de memórias caches e física.

De modo semelhante, podemos distribuir os blocos entre os processadores, para reduzir o tráfego de dados. As experiências mostraram que essas otimizações podem melhorar o desempenho de um uniprocessador por um fator de 3, e o ganho de velocidade em um multiprocessador é próximo de linear em relação ao número de processadores utilizados.

11.2.3 Interferência de cache

Infelizmente, existe um pouco mais nesta história de utilização de cache. A maioria das caches não é totalmente associativa (veja a Seção 7.4.2). Em uma cache mapeada diretamente, se *n* for um múltiplo do tamanho da cache, todos os elementos na mesma linha de um arranjo $n \times n$ estarão competindo pelo mesmo endereço da cache. Nesse caso, trazer o segundo elemento de uma coluna removerá a linha de cache do primeiro, embora a cache tenha capacidade de manter essas duas linhas ao mesmo tempo. Essa situação é conhecida como *interferência de cache*.

Há várias soluções para esse problema. A primeira é reorganizar os dados de uma vez por todas de modo que os dados acessados estejam dispostos em endereços de dados consecutivos. A segunda é embutir o arranjo $n \times n$ em um arranjo $m \times n$ maior, onde *m* é escolhido para minimizar o problema da interferência. Terceiro, em alguns casos, podemos escolher um tamanho de bloco para o qual se garante que a interferência é evitada.

11.2.4 Exercícios da Seção 11.2

Exercício 11.2.1: O algoritmo de multiplicação de matriz baseado em bloco da Figura 11.8 não inicializa a matriz *Z* com zero, como acontece no código da Figura 11.5. Inclua os passos para inicializar *Z* com valores zeros na Figura 11.8.

11.3 ESPAÇOS DE ITERAÇÃO

A motivação para esse estudo é explorar as técnicas que, em configurações simples como a na multiplicação de matriz, da Seção 11.2, foram bastante diretas. Em uma configuração mais geral, as mesmas técnicas se aplicam, mas são muito menos intuitivas. No entanto, aplicando alguma álgebra linear, podemos fazer com que tudo funcione na configuração geral.

Conforme discutimos na Seção 11.1.5, existem três tipos de espaços em nosso modelo de transformação: espaço de iteração, espaço de dados e espaço de processador. Nesta seção, tratamos do espaço de iteração. O espaço de iteração de um ninho de *loop* é definido como sendo todas as combinações de valores de índice de *loop* no ninho.

Freqüentemente, o espaço de iteração é retangular, como no exemplo de multiplicação de matriz da Figura 11.5. Ali, cada um dos *loops* aninhados tinha um limite inferior de 0 e um limite superior de $n - 1$. Contudo, em ninhos de *loop* mais complicados, mas ainda bastante realistas, os limites superiores e/ou inferiores em um índice de *loop* podem depender dos valores dos índices dos *loops* externos. Veremos um exemplo em breve.

11.3.1 Construção de espaços de iteração a partir de ninhos de *loop*

Para começar, vamos descrever o tipo de ninhos de *loop* que podem ser tratados pelas técnicas a serem desenvolvidas. Cada *loop* possui um único índice de *loop*, o qual considera ser incrementado de 1 em cada iteração. Essa suposição não tem perda de generalidade, pois, se o incremento for de um inteiro $c > 1$, sempre podemos substituir os usos do índice i pelos usos de $ci + a$ para alguma constante a, positiva ou negativa, e então incrementar i de 1 no *loop*. Os limites do *loop* devem ser escritos como expressões afins dos índices de *loops* externos.

EXEMPLO 11.5: Considere o *loop*

```
for (i = 2; i <= 100; i = i+3)
    Z[i] = 0;
```

que incrementa i de 3 em cada iteração do *loop*. O efeito desse *loop* é definir como 0 cada um dos elementos $Z[2]$, $Z[5]$, $Z[8]$, ..., $Z[98]$. Podemos obter o mesmo efeito com:

```
for (j = 0; j <= 32; j++)
    Z[3*j+2] = 0;
```

Ou seja, substituímos i por $3j + 2$. O limite inferior $i = 2$ torna-se $j = 0$ (basta solucionar $3j + 2 = 2$ para j), e o limite superior $i \leq 100$ torna-se $j \leq 32$ (simplifique $3j + 2 \leq 100$ para obter $j \leq 32.67$ e arredonde para baixo, pois j precisa ser um inteiro). ∎

Na maioria ds vezes, usaremos *loops* for em ninhos de *loop*. Um *loop* while ou repeat pode ser substituído por um *loop* for se houver um índice e limites superior e inferior para o índice, como seria o caso em algo como o *loop* da Figura 11.9(a). Um *loop* for como `for (i=0; i<100; i++)` tem exatamente a mesma finalidade.

```
i = 0;
while (i<100) {
    <alguns comandos não envolvendo i>
    i = i+1;
}
```
(a) Um *loop* while com limites óbvios.

```
i = 0;
while (1) {
    <alguns comandos>
    i = i+1;
}
```
(b) Não está claro quando ou se esse *loop* termina.

```
i = 0;
while (i<n) {
    <alguns comandos sem envolver i ou n>
    i = i+1;
}
```
(c) Não sabemos o valor de n e por isso não sabemos quando esse *loop* termina.

FIGURA 11.9 Alguns *loops* while.

Contudo, alguns *loops* while ou repeat não possuem limite óbvio. Por exemplo, o *loop* da Figura 11.9(b) pode ou não terminar, mas não há como saber que condição em *i*, no corpo não visto do *loop*, causa a sua interrupção. A Figura 11.9(c) é outro caso problemático. A variável *n* poderia ser um parâmetro de uma função, por exemplo. Sabemos que o *loop* iterage *n* vezes, mas não conhecemos o valor de *n* durante a compilação, e de fato podemos esperar que diferentes execuções do *loop* executem diferentes números de vezes. Em situações como (b) e (c), devemos tratar o limite superior em *i* como infinito.

Um ninho de *loop* de profundidade *d* pode ser modelado por um espaço com *d* dimensões. As dimensões são ordenadas, com a *k*-ésima dimensão representando o *k*-ésimo *loop* aninhado, contando a partir do *loop* mais externo para dentro. Um ponto $(x_1, x_2,..., x_d)$ nesse espaço representa valores de todos os índices de *loop*; o índice de *loop* mais externo tem o valor x_1, o segundo índice de *loop* tem o valor x_2, e assim por diante. O índice do *loop* mais interno possui valor x_d.

Contudo, nem todos os pontos nesse espaço representam combinações de índices que realmente ocorrem durante a execução do ninho de *loop*. Como uma função afim dos índices do *loop* externo, cada limite de *loop* inferior e superior define uma desigualdade que divide o espaço de iteração em dois meio os espaços: aqueles que são iterações no *loop* (o meio espaço *positivo*) e aqueles que não são (o meio espaço *negativo*). A conjunção (AND lógico) de todas as igualdades lineares representa a interseção dos meios espaços positivos, a qual define um poliedro convexo, que é chamado de *espaço de interação* do ninho de *loop*. Um *poliedro convexo* tem a seguinte propriedade: se dois pontos estão no poliedro, todos os pontos na linha entre eles também estão no poliedro. Todas as iterações no *loop* são representadas pelos pontos com coordenadas inteiras encontradas dentro do poliedro descrito pelas desigualdades vinculadas ao *loop*. Por outro lado, todos os pontos inteiros dentro do poliedro representam iterações do ninho de *loop* em algum momento.

EXEMPLO 11.6: Considere o ninho de *loop* bidimensional da Figura 11.10. Podemos modelar esse ninho de *loop* de profundidade dois pelo poliedro bidimensional mostrado na Figura 11.11. Os dois eixos representam os valores dos índices de *loop i* e *j*. O índice *i* pode conter qualquer valor inteiro entre 0 e 5; o índice *j* pode conter qualquer valor inteiro tal que $i \leq j \leq 7$.

```
for (i = 0; i <= 5; i++)
    for (j = i; j <= 7; j++)
        Z[j,i] = 0;
```

FIGURA 11.10 Um ninho de *loop* bidimensional.

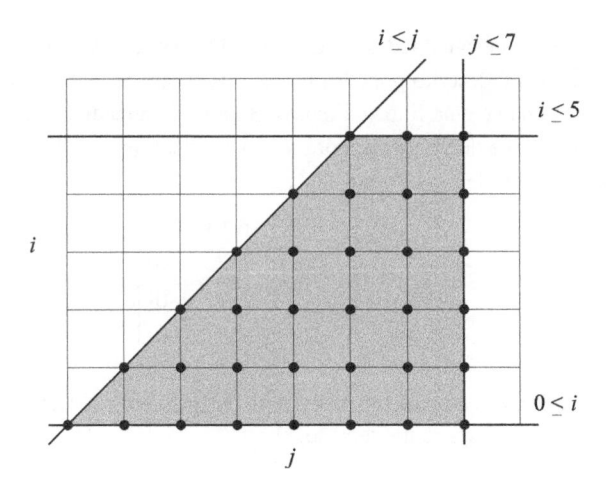

FIGURA 11.11 O espaço de iteração do Exemplo 11.6.

Espaços de iteração e acessos a arranjo

No código da Figura 11.10, o espaço de iteração também é a porção do arranjo *A* que o código acessa. Esse tipo de acesso, em que os índices do arranjo também são índices de *loop* em alguma ordem, é muito comum. Contudo, não devemos confundir o espaço de iterações, cujas dimensões são índices de *loop*, com o espaço de dados. Se tivéssemos usado na Figura 11.10 um acesso a arranjo como $A[2*i, i+j]$ em vez de $A[i,j]$, a diferença teria sido evidente.

11.3.2 Ordem de execução dos ninhos de *loop*

Uma execução seqüencial de um ninho de *loop* percorre as iterações em seu espaço de iteração em uma ordem lexicográfica crescente. Um vetor $\mathbf{i} = [i_0, i_1, \ldots, i_n]$ é *lexicograficamente menor que* outro vetor $\mathbf{i}' = [i'_0, i'_1, \ldots, i'_{n'}]$, escrito como $\mathbf{i} \prec \mathbf{i}'$, se e somente se houver um $m < \min(n, n')$ tal que $[i_0, i_1, \ldots, i_m] = [i'_0, i'_1, \ldots, i'_m]$ e $i_{m+1} < i'_{m+1}$. Observe que $m = 0$ é possível e, na verdade, comum.

Exemplo 11.7: Com i como *loop* externo, as iterações no ninho de *loop* do Exemplo 11.6 são executadas na ordem mostrada na Figura 11.12.

```
[0,0], [0,1], [0,2], [0,3], [0,4], [0,5], [0,6], [0,7]
       [1,1], [1,2], [1,3], [1,4], [1,5], [1,6], [1,7]
              [2,2], [2,3], [2,4], [2,5], [2,6], [2,7]
                     [3,3], [3,4], [3,5], [3,6], [3,7]
                            [4,4], [4,5], [4,6], [4,7]
                                   [5,5], [5,6], [5,7]
```

Figura 11.12 Ordem de iteração para o ninho de *loop* da Figura 11.10.

11.3.3 Formulação de matriz de desigualdades

As iterações em um *loop* de profundidade d podem ser representadas matematicamente como

$$\{\mathbf{i} \text{ em } Z^d \mid \mathbf{Bi} + \mathbf{b} \geq \mathbf{0}\} \tag{11.1}$$

Aqui,

1. Z, como é convencional na matemática, representa o conjunto de inteiros — positivos, negativos e zero,
2. $\mathbf{B}$ é uma matriz de inteiros $d \times d$,
3. $\mathbf{b}$ é um vetor de inteiros de tamanho d, e,
4. $\mathbf{0}$ é um vetor com d 0s.

Exemplo 11.8: Podemos escrever as desigualdades do Exemplo 11.6 como na Figura 11.13. Ou seja, o intervalo de i é descrito por $i \geq 0$ e $i \leq 5$; o intervalo de j é descrito por $j \geq i$ e $j \leq 7$. Precisamos colocar cada uma dessas desigualdades na forma $ui + vj + w \geq 0$. Então, $[u, v]$ torna-se uma linha da matriz $\mathbf{B}$ na desigualdade (11.1), e w torna-se o componente correspondente do vetor $\mathbf{b}$. Por exemplo, $i \geq 0$ é dessa forma, com $u = 1$, $v = 0$ e $w = 0$. Essa desigualdade é representada pela primeira linha de $\mathbf{B}$ e pelo elemento de topo de $\mathbf{b}$ na Figura 11.13.

$$\begin{bmatrix} 1 & 0 \\ -1 & 0 \\ -1 & 1 \\ 0 & -1 \end{bmatrix} \begin{bmatrix} i \\ j \end{bmatrix} + \begin{bmatrix} 0 \\ 5 \\ 0 \\ 7 \end{bmatrix} \geq \begin{bmatrix} 0 \\ 0 \\ 0 \\ 0 \end{bmatrix}$$

Figura 11.13 A multiplicação matriz-vetor e uma desigualdade de vetor representam as desigualdades definindo um espaço de iteração.

Como outro exemplo, a desigualdade $i \leq 5$ é equivalente a $(-1)i + (0)j + 5 \geq 0$, e é representada pela segunda linha de $\mathbf{B}$ e $\mathbf{b}$ na Figura 11.13. Além disso, $j \geq i$ torna-se $(-1)i + (1)j + 0 \geq 0$, e é representada pela terceira linha. Finalmente, $j \leq 7$ torna-se $(0)i + (-1)j + 7 \geq 0$, e é a última linha da matriz e do vetor.

Manipulando desigualdades

Para converter desigualdades, como no Exemplo 11.8, podemos realizar transformações da mesma forma que fazemos para as igualdades, ou seja, somando ou subtraindo ambos os lados, ou multiplicando-os por uma constante. A única regra especial que devemos lembrar é que, quando multiplicamos os dois lados por um número negativo, devemos inverter a direção da desigualdade. Assim, $i \geq 5$, multiplicado por -1, torna-se $-i \geq -5$. Somando 5 aos dois lados, obtemos $-i + 5 \geq 0$, que é basicamente a segunda linha da Figura 11.13.

11.3.4 Incorporação de constantes simbólicas

Às vezes, precisamos otimizar um ninho de *loop* envolvendo certas variáveis que são invariantes de *loop* para todos os *loops* no ninho. Chamamos tais variáveis de *constantes simbólicas*, mas, para descrever os limites de um espaço de iteração, precisamos tratá-las como variáveis e criar uma entrada para elas no vetor de índices de *loop*, ou seja, o vetor **i** na formulação geral das desigualdades (11.1).

Exemplo 11.9: Considere o *loop* simples:

```
for (i = 0; i <= n; i++) {
    ...
}
```

Esse *loop* define um espaço de iteração unidimensional, com índice i, limitado por $i \geq 0$ e $i \leq n$. Como n é uma constante simbólica, precisamos incluí-la como uma variável, dando origem a um vetor de índices de *loop* $[i, n]$. Na forma de matriz-vetor, esse espaço de iteração é definido por:

$$\left\{ i \text{ em } Z \,\middle|\, \begin{bmatrix} -1 & 1 \\ 1 & 0 \end{bmatrix} \begin{bmatrix} i \\ n \end{bmatrix} \geq \begin{bmatrix} 0 \\ 0 \end{bmatrix} \right\}$$

Observe que, embora o vetor de índices de arranjo tenha duas dimensões, somente a primeira delas, representando i, faz parte da saída – o conjunto de pontos dispostos com o espaço de iteração.

11.3.5 Controlando a ordem de execução

As desigualdades lineares extraídas dos limites inferior e superior do corpo de um *loop* definem um conjunto de iterações sobre um poliedro convexo. Dessa forma, a representação não supõe nenhuma ordenação de execução entre as iterações dentro do espaço de iteração. O programa original impõe uma ordem seqüencial sobre as iterações, que é a ordem lexicográfica em relação às variáveis de índice de *loops* ordenados da mais externa para a mais interna. Contudo, as iterações no espaço podem ser executadas em qualquer ordem, desde que suas dependências de dados sejam respeitadas, ou seja, a ordem em que as escritas e leituras de qualquer elemento do arranjo são efetuadas pelos diversos comandos de atribuição dentro do ninho do *loop* não mude.

O problema de escolher uma ordenação que respeite as dependências de dados e otimize a localidade de dados e o paralelismo é difícil e deverá ser tratado a partir da Seção 11.7. Aqui, consideramos que é dada uma ordenação válida e desejável, e mostramos como gerar código que faz cumprir a ordenação. Vamos começar mostrando uma ordenação alternativa para o Exemplo 11.6.

Exemplo 11.10: Não existem dependências entre as iterações no programa do Exemplo 11.6. Portanto, podemos executar as iterações em uma ordem qualquer, seqüencial ou concorrentemente. Como a iteração $[i, j]$ acessa o elemento $Z[j, i]$ no código, o programa original visita o arranjo na ordem da Figura 11.14(a). Para melhorar a localidade espacial, preferimos visitar palavras contíguas no arranjo consecutivamente, como na Figura 11.14(b).

$Z[0,0]$, $Z[1,0]$, $Z[2,0]$, $Z[3,0]$, $Z[4,0]$, $Z[5,0]$, $Z[6,0]$, $Z[7,0]$
$Z[1,1]$, $Z[2,1]$, $Z[3,1]$, $Z[4,1]$, $Z[5,1]$, $Z[6,1]$, $Z[7,1]$
$Z[2,2]$, $Z[3,2]$, $Z[4,2]$, $Z[5,2]$, $Z[6,2]$, $Z[7,2]$
$Z[3,3]$, $Z[4,3]$, $Z[5,3]$, $Z[6,3]$, $Z[7,3]$
$Z[4,4]$, $Z[5,4]$, $Z[6,4]$, $Z[7,4]$
$Z[5,5]$, $Z[6,5]$, $Z[7,5]$

(a) Ordem de acesso original.

$Z[0,0]$
$Z[1,0]$, $Z[1,1]$
$Z[2,0]$, $Z[2,1]$, $Z[2,2]$
$Z[3,0]$, $Z[3,1]$, $Z[3,2]$, $Z[3,3]$
$Z[4,0]$, $Z[4,1]$, $Z[4,2]$, $Z[4,3]$, $Z[4,4]$
$Z[5,0]$, $Z[5,1]$, $Z[5,2]$, $Z[5,3]$, $Z[5,4]$, $Z[5,5]$
$Z[6,0]$, $Z[6,1]$, $Z[6,2]$, $Z[6,3]$, $Z[6,4]$, $Z[6,5]$
$Z[7,0]$, $Z[7,1]$, $Z[7,2]$, $Z[7,3]$, $Z[7,4]$, $Z[7,5]$

(b) Ordem de acesso preferida.

continua

continuação

```
[0,0]
[0,1], [1,1]
[0,2], [1,2], [2,2]
[0,3], [1,3], [2,3], [3,3]
[0,4], [1,4], [2,4], [3,4], [4,4]
[0,5], [1,5], [2,5], [3,5], [4,5], [5,5]
[0,6], [1,6], [2,6], [3,6], [4,6], [5,6]
[0,7], [1,7], [2,7], [3,7], [4,7], [5,7]
```

(c) Ordem das iterações preferida.

FIGURA 11.14 Reordenando os acessos e iterações em um ninho de *loop*.

Esse padrão de acesso é obtido quando executamos as iterações na ordem mostrada na Figura 11.14(c). Ou seja, em vez de percorrermos o espaço de iteração da Figura 11.11 horizontalmente, percorremos o espaço de iteração verticalmente, de modo que *j* se torna o índice do *loop* externo. O código que executa as iterações na ordem anterior é

```
for (j = 0; j <= 7; j++)
    for (i = 0; i <= min(5,j); i++)
        Z[j,i] = 0;
```

Dado um poliedro convexo e uma ordenação das variáveis de índice, como geramos os limites do *loop* que percorrem o espaço na ordem lexicográfica das variáveis? No exemplo anterior, a restrição $i \leq j$ aparece como um limite inferior para o índice *j* no *loop* interno do programa original, mas como um limite superior para o índice *i*, novamente no *loop* interno, do programa transformado.

Os limites do *loop* mais externo, expressos como combinações lineares de constantes simbólicas e constantes, definem o intervalo de todos os valores possíveis que ele pode conter. Os limites para as variáveis de *loops* internos são expressos como combinações lineares das variáveis de índice do *loop* externo, constantes simbólicas e constantes. Eles definem o intervalo que a variável pode ter para cada combinação de valores nas variáveis do *loop* externo.

Projeção

Geometricamente falando, podemos encontrar os limites de *loop* do índice de *loop* externo em um ninho de *loop* de profundidade dois *projetando* o poliedro convexo, que representa o espaço de iteração na dimensão externa do espaço. A projeção de um poliedro em um espaço dimensional inferior é intuitivamente a sombra gerada pelo objeto nesse espaço. A projeção do espaço de iteração bidimensional da Figura 11.11 no eixo *i* é a linha vertical de 0 até 5; e a projeção no eixo *j* é a linha horizontal de 0 até 7. Quando projetamos um objeto tridimensional ao longo do eixo *z* em um plano bidimensional *x* e *y*, eliminamos a variável *z*, perdendo a altura dos pontos individuais e simplesmente registramos a pegada bidimensional do objeto no plano *x-y*.

A geração de limite de *loop* é apenas um dos muitos usos da projeção. A projeção pode ser definida formalmente como segue. Seja *S* um poliedro de *n* dimensões. A projeção de *S* no primeiro *m* de suas dimensões é o conjunto de pontos $(x_1, x_2, ..., x_m)$ tais que, para algum $x_{m+1}, x_{m+1}, ..., x_n$, o vetor $[x_1, x_2, ..., x_n]$ está em *S*. Podemos calcular a projeção usando a *eliminação de Fourier-Motzkin*, da seguinte forma:

ALGORITMO 11.11: Eliminação de Fourier-Motzkin.

ENTRADA: Um poliedro *S* com variáveis $x_1, x_2, ..., x_n$. Ou seja, *S* é um conjunto de restrições lineares que envolve as variáveis x_i. Determinada variável x_m é especificada como a variável a ser eliminada.

SAÍDA: Um poliedro *S'* com variáveis $x_1, ..., x_{m-1}, x_{m+1}, x_{m+1}, ..., x_n$ (ou seja, todas as variáveis de *S* exceto x_m), que é a projeção de *S* nas dimensões diferentes da *m*-ésima.

MÉTODO: Seja *C* todas as restrições em *S* envolvendo x_m. Faça o seguinte:

1. Para todo par de um limite inferior e de um limite superior de x_m em *C*, tal que,

$$L \leq c_1 x_m$$
$$c_2 x_m \leq U$$

crie uma nova restrição

$$c_2 L \leq c_1 U$$

Observe que c_1 e c_2 são inteiros, mas L e U podem ser expressões com variáveis diferentes de x_m.
2. Se os inteiros c_1 e c_2 tiverem um fator comum, divida os dois lados por esse fator.
3. Se a nova restrição não puder ser satisfeita, não existe solução para S, ou seja, os poliedros S e S' são espaços vazios.
4. S' é o conjunto de restrições $S - C$, mais todas as restrições geradas no passo 2.

A propósito, observe que, se x_m tiver u limites inferiores e v limites superiores, eliminar x_m produz até uv desigualdades, mas não mais.

As restrições acrescentadas no passo (1) do Algoritmo 11.11 correspondem às implicações das restrições C nas variáveis restantes do sistema. Portanto, existe uma solução em S' se e somente se houver pelo menos uma solução correspondente em S. Dada uma solução em S', o intervalo do x_m correspondente pode ser encontrado substituindo-se todas as variáveis menos x_m nas restrições C por seus valores correntes.

Exemplo 11.12: Considere as desigualdades definindo o espaço de iteração da Figura 11.11. Suponha que queiramos usar a eliminação de Fourier-Motzkin para projetar o espaço bidimensional fora da dimensão i e dentro da dimensão j. Existe um limite inferior em i: $0 \leq i$ e dois limites superiores: $i \leq j$ e $i \leq 5$. Isso gera duas restrições: $0 \leq j$ e $0 \leq 5$. A última é trivialmente verdadeira e pode ser ignorada. A primeira fornece o limite inferior de j, e o limite superior original $j \leq 7$ fornece o limite superior.

Geração dos limites do *loop*

Agora que definimos a eliminação de Fourier-Motzkin, o algoritmo para gerar os limites do *loop* para iterar por um poliedro convexo (Algoritmo 11.13) é simples. Calculamos os limites do *loop* em ordem, dos *loops* mais internos para os externos. Todas as desigualdades envolvendo as variáveis de índice de *loop* mais interno são escritas como limites inferior ou superior da variável. Depois, projetamos a dimensão que representa o *loop* mais interno e obtemos um poliedro com uma dimensão a menos. Repetimos até que os limites para todas as variáveis de índice de *loop* sejam encontrados.

Algoritmo 11.13: Calculando os limites para determinada ordem de variáveis.

ENTRADA: Um poliedro convexo S sobre as variáveis $v_1, ..., v_n$.

SAÍDA: Um conjunto de limites inferior L_i e de limites superior U_i para cada v_i, expressos apenas em termos dos v_js, para $j < i$.

MÉTODO: O algoritmo é descrito na Figura 11.15.

```
S_n = S; /* Use o Algoritmo 11.11 para encontrar os limites*/
for ( i = n; i ≥ 1; i-- ) {
    L_vi = todos os limites inferiores sobre v_i em S_i;
    U_vi = todos os limites superiores sobre v_i em S_i;
    S_{i-1} = Restrições retornadas pela aplicação do Algoritmo 11.11
            para eliminar v_i das restrições S_i;
}
/* Remove redundâncias */
S' = ∅;
for ( i = 1; i ≤ n; i++ ) {
    Remove quaisquer limites em L_vi e U_vi implicados por S';
    Inclui as restrições restantes de L_vi e U_vi sobre v_i para S';
}
```

Figura 11.15 Código para expressar limites de variável em relação a determinada ordenação de variáveis.

Exemplo 11.14: Aplicamos o Algoritmo 11.13 para gerar os limites de *loop* que percorrem o espaço de iteração da Figura 11.11 verticalmente. As variáveis são ordenadas como j,i. O algoritmo gera esses limites:

$$\begin{array}{ll} L_i: & 0 \\ U_i: & 5, j \\ L_j: & 0 \\ U_j: & 7 \end{array}$$

Precisamos satisfazer todas as restrições, de modo que o limite sobre i é $\min(5,j)$. Não existem redundâncias neste exemplo.

```
[0,0],  [1,1],  [2,2],  [3,3],  [4,4],  [5,5]
[0,1],  [1,2],  [2,3],  [3,4],  [4,5],  [5,6]
[0,2],  [1,3],  [2,4],  [3,5],  [4,6],  [5,7]
[0,3],  [1,4],  [2,5],  [3,6],  [4,7]
[0,4],  [1,5],  [2,6],  [3,7]
[0,5],  [1,6],  [2,7]
[0,6],  [1,7]
[0,7]
```

FIGURA 11.16 Ordenação pela diagonal do espaço de iteração da Figura 11.11.

11.3.6 ALTERANDO EIXOS

Observe que varrer o espaço de iteração horizontal e verticalmente, como discutimos antes, são apenas duas das formas mais comuns de visitar o espaço de iteração. Existem muitas outras possibilidades; por exemplo, podemos percorrer o espaço de iteração do Exemplo 11.6 diagonal por diagonal, como discutimos a seguir, no Exemplo 11.15.

EXEMPLO 11.15: Podemos varrer o espaço de iteração mostrado na Figura 11.11 diagonalmente, usando a ordem mostrada na Figura 11.16. A diferença entre as coordenadas j e i em cada diagonal é uma constante, começando com 0 e terminando com 7. Assim, definimos uma nova variável $k = j - i$ e varremos o espaço de iteração na ordem lexicográfica em relação a k e j. Substituindo $i = j - k$ nas desigualdades, obtemos:

$$0 \leq j - k \leq 5$$
$$j - k \leq j \leq 7$$

Para criar os limites de *loop* para a ordem descrita, podemos aplicar o Algoritmo 11.13 ao conjunto de desigualdades anterior com ordenação de variável k, j.

$$L_j: \quad k$$
$$U_j: \quad 5 + k, 7$$
$$L_k: \quad 0$$
$$U_k: \quad 7$$

A partir dessas desigualdades, geramos o código a seguir, substituindo i por $j - k$ nos acessos a arranjo.

```
for (k = 0; k <= 7; k++)
    for (j = k; j <= min(5+k,7); j++)
        Z[j,j-k] = 0;
```

Em geral, podemos alterar os eixos de um poliedro criando novas variáveis de índice de *loop* que representam combinações afins das variáveis originais e definindo uma ordenação sobre essas variáveis. O problema difícil está em escolher os eixos certos para satisfazer as dependências de dados enquanto se conseguem os objetivos de paralelismo e localidade. Discutiremos esse problema a partir da Seção 11.7. O que estabelecemos aqui é que, quando os eixos são escolhidos, é fácil gerar o código desejado, conforme mostramos no Exemplo 11.15.

Existem muitas outras ordens de travessia de iteração não tratadas por essa técnica. Por exemplo, podemos querer visitar todas as linhas ímpares em um espaço de iteração antes de visitar as linhas pares. Ou, então, podemos querer começar com as iterações no meio do espaço de iteração e seguir para as bordas. Contudo, para aplicações que possuem funções de acesso afins, as técnicas descritas aqui cobrem a maioria das ordenações de iteração desejáveis.

11.3.7 EXERCÍCIOS DA SEÇÃO 11.3

Exercício 11.3.1: Converta cada um dos *loops* para uma forma em que cada um dos índices do *loop* seja incrementado por 1:

a) `for (i=10; i<50; i=i+7) X[i,i+1] = 0;`.
b) `for (i=-3; i<=10; i=i+2) X[i] = x[i+1];`.
c) `for (i=50; i>=10; i--) X[i] = 0;`.

Exercício 11.3.2: Desenhe ou descreva os espaços de iteração para cada um dos seguintes ninhos de *loop*:

a) O ninho de *loop* da Figura 11.17(a).

b) O ninho de *loop* da Figura 11.17(b).
c) O ninho de *loop* da Figura 11.17(c).

```
for (i = 1; i < 30; i++)
    for (j = i+2; j < 40-i; j++)
        X[i,j] = 0;
```

(a) Ninho de *loop* para o Exercício 11.3.2(a).

```
for (i = 10; i <= 1000; i++)
    for (j = i; j < i+10; j++)
        X[i,j] = 0;
```

(b) Ninho de *loop* para o Exercício 11.3.2(b).

```
for (i = 0; i < 100; i++)
    for (j = 0; j < 100+i; j++)
        for (k = i+j; k < 100-i-j; k++)
            X[i,j,k] = 0;
```

(c) Ninho de *loop* para o Exercício 11.3.2(c).

FIGURA 11.17   Ninhos de *loop* para o Exercício 11.3.2.

Exercício 11.3.3: Escreva as restrições envolvidas em cada um dos ninhos de *loop* da Figura 11.17 na forma de (11.1). Ou seja, dê os valores dos vetores **i** e **b** e a matriz **B**.

Exercício 11.3.4: Reverta cada uma das ordens de aninhamento de *loop* para os ninhos da Figura 11.17.

Exercício 11.3.5: Use o algoritmo de eliminação de Fourier-Motzkin para eliminar i de cada um dos conjuntos de restrições obtidos no Exercício 11.3.3.

Exercício 11.3.6: Use o algoritmo de eliminação de Fourier-Motzkin para eliminar j de cada um dos conjuntos de restrições obtidos no Exercício 11.3.3.

Exercício 11.3.7: Para cada um dos ninhos de *loop* da Figura 11.17, reescreva o código de modo que o eixo i seja substituído pela diagonal principal, ou seja, a direção do eixo se caracterize por $i = j$. O novo eixo deverá corresponder ao *loop* mais externo.

Exercício 11.3.8: Repita o Exercício 11.3.7 para as seguintes trocas de eixos:

a). Substitua i por $i + j$; ou seja, a direção do eixo são as linhas para as quais $i + j$ é uma constante. O novo eixo corresponde ao *loop* mais externo.
b) Substitua j por $i - 2j$. O novo eixo corresponde ao *loop* mais externo.

! Exercício 11.3.9: Sejam A, B e C constantes inteiras no *loop* a seguir, com $C > 1$ e $B > A$:

```
for (i = A; i <= B; i = i + C)
    Z[i] = 0;
```

Reescreva o *loop*, de modo que o incremento da variável de *loop* seja 1 e a inicialização seja de 0, isto é, da forma,

```
for (j = 0; j <= D; j++)
    Z[E*j + F] = 0;
```

para inteiros D, E e F. Expresse D, E e F em termos de A, B e C.

Exercício 11.3.10: Para um ninho genérico de dois *loops*

```
for (i = 0; i <= A; i++)
    for(j = B*i+C; j <= D*i+E; j++)
```

com A até E constantes inteiras, escreva as restrições que definem o espaço de iteração do ninho de *loop* no formato de matriz-vetor, ou seja, da forma **Bi** + **b** = **0**.

Exercício 11.3.11: Repita o Exercício 11.3.10 para um ninho genérico de dois *loops* com constantes inteiras simbólicas m e n, como em:

```
for (i = 0; i <= m; i++)
    for(j = A*i+B; j <= C*i+n; j++)
```

Como antes, *A*, *B* e *C* representam constantes inteiras específicas. Somente *i*, *j*, *m* e *n* devem ser mencionados no vetor de incógnitas. Além disso, lembre-se de que apenas *i* e *j* são variáveis de saída para a expressão.

11.4 ÍNDICES DE ARRANJO AFINS

O foco deste capítulo é na classe de acessos a arranjo afins, em que cada índice de arranjo é expresso como expressões afins de índices de *loop* e constantes simbólicas. As funções afins provêem um mapeamento sucinto a partir do espaço de iteração para o espaço de dados, facilitando a determinação de quais iterações mapeiam para os mesmos dados ou para a mesma linha de cache.

Assim como os limites superior e inferior afins de um *loop* podem ser representados como um cálculo de matriz-vetor, podemos fazer o mesmo para as funções de acesso afins. Uma vez colocadas na forma de matriz-vetor, podemos aplicar a álgebra linear padrão para encontrar informações pertinentes, como as dimensões dos dados acessados, e que iterações se referem aos mesmos dados.

11.4.1 Acessos afins

Dizemos que um acesso a arranjo em um *loop* é *afim* se

1. Os limites do *loop* são expressos como expressões afins das variáveis de *loop* envolventes e constantes simbólicas, e
2. O índice para cada dimensão do arranjo também é uma expressão afim das variáveis de *loop* envolventes e constantes simbólicas.

EXEMPLO 11.16: Suponha que *i* e *j* sejam variáveis de índices de *loop* limitado por expressões afins. Alguns exemplos de acessos a arranjo afins são $Z[i]$, $Z[i+j+1]$, $Z[0]$, $Z[i,i]$ e $Z[2*i+1, 3*j-10]$. Se *n* é uma constante simbólica de um ninho de *loop*, então $Z[3*n, n-j]$ é outro exemplo de acesso a arranjo afim. Porém, $Z[i*j]$ e $Z[n*j]$ não são acessos afins.

Cada acesso ao arranjo afim pode ser descrito por duas matrizes e dois vetores. O primeiro par matriz-vetor é **B** e **b** que descrevem o espaço de iteração para o acesso, como na desigualdade da Equação (11.1). O segundo par, que usualmente chamamos de **F** e **f**, representa as funções das variáveis de índice de *loop* que produzem os índices de arranjo usados nas diversas dimensões de acesso de arranjo.

Formalmente, representamos um acesso a arranjo em um ninho de *loop* que usa um vetor de variáveis de índice **i** pela tupla $\mathcal{F} = \langle \mathbf{F}, \mathbf{F}, \mathbf{B}, \mathbf{b} \rangle$; ela mapeia um vetor **i** dentro dos limites

$$\mathbf{Bi} + \mathbf{b} \geq 0$$

no endereço do elemento de arranjo

$$\mathbf{Fi} + \mathbf{f}$$

EXEMPLO 11.17: A Figura 11.18 exibe alguns acessos a arranjo comuns, expressos na notação de matriz. Os dois índices de *loop* são *i* e *j*, e estes formam o vetor **i**. Além disso, *X*, *Y* e *Z* são arranjos com 1, 2 e 3 dimensões, respectivamente.

ACESSO	EXPRESSÃO A FIM
X[i-1]	$\begin{bmatrix} 1 & 0 \end{bmatrix} \begin{bmatrix} i \\ j \end{bmatrix} + \begin{bmatrix} -1 \end{bmatrix}$
Y[i,j]	$\begin{bmatrix} 1 & 0 \\ 0 & 1 \end{bmatrix} \begin{bmatrix} i \\ j \end{bmatrix} + \begin{bmatrix} 0 \\ 0 \end{bmatrix}$
Y[j,j+1]	$\begin{bmatrix} 0 & 1 \\ 0 & 1 \end{bmatrix} \begin{bmatrix} i \\ j \end{bmatrix} + \begin{bmatrix} 0 \\ 1 \end{bmatrix}$
Y[1,2]	$\begin{bmatrix} 0 & 0 \\ 0 & 0 \end{bmatrix} \begin{bmatrix} i \\ j \end{bmatrix} + \begin{bmatrix} 1 \\ 2 \end{bmatrix}$
Z[1,i,2*i+j]	$\begin{bmatrix} 0 & 0 \\ 1 & 0 \\ 2 & 1 \end{bmatrix} \begin{bmatrix} i \\ j \end{bmatrix} + \begin{bmatrix} 1 \\ 0 \\ 0 \end{bmatrix}$

FIGURA 11.18 Alguns acessos a arranjo e suas representações matriz-vetor.

O primeiro acesso, $A[i-1]$, é representado por uma matriz de 1×2 **F** e um vetor **f** de tamanho 1. Observe que, quando realizamos a multiplicação matriz-vetor e adicionamos no vetor **f**, ficamos com uma única função, $i - 1$, a qual é exatamente a fórmula para o acesso ao arranjo unidimensional X. Observe também o terceiro acesso, $Y[j, j+1]$, o qual, após a multiplicação e a adição de matriz-vetor, produz um par de funções, $(j, j+1)$. Estes são os índices das duas dimensões do acesso ao arranjo.

Finalmente, vamos observar o quarto acesso $Y[1, 2]$. Esse acesso é uma constante, e sem surpresa a matriz **F** é composta de 0s. Assim, vetor de índices de *loop*, **i**, não aparece na função de acesso.

11.4.2 Acessos afins e não afins na prática

Existem certos padrões comuns de acesso a dados encontrados em programas numéricos que não são afins. Programas que envolvem matrizes esparsas são exemplos importantes. Uma representação popular para as matrizes esparsas consiste em armazenar apenas os elementos não nulos em um vetor; os arranjos de índice auxiliar são usados para marcar onde uma linha começa e quais colunas contêm valores diferentes de zero. Os acessos indiretos a arranjo são usados no acesso a esses dados. Um acesso desse tipo, como $X[Y[i]]$, é um acesso não afim para o arranjo X. Se o esparsamento for regular, como nas *matrizes banda (banded matrices)* com valores não nulos apenas em torno da diagonal, os arranjos densos podem ser usados para representar as sub-regiões com elementos não nulos. Nesse caso, os acessos podem ser afins.

Outro exemplo comum de acessos não afins são os arranjos linearizados. Os programadores às vezes usam um arranjo linear para armazenar um objeto logicamente multidimensional. Um motivo pelo qual isso acontece é que as dimensões do arranjo podem não ser conhecidas durante a compilação. Um acesso que normalmente se pareceria com $Z[i,j]$ seria expresso como $Z[i*n+j]$, que é uma função quadrática. Podemos converter o acesso linear em um acesso multidimensional se todo acesso puder ser decomposto em dimensões separadas com a garantia de que nenhum dos componentes exceda seu limite. Finalmente, observamos que as análises de variável de indução podem ser usadas para converter alguns acessos não afins em acessos afins, como mostra o Exemplo 11.18.

Exemplo 11.18: Podemos reescrever o código

```
j = n;
for (i = 0; i <= n; i++) {
    Z[j] = 0;
    j = j+2;
}
```

como

```
j = n;
for (i = 0; i <= n; i++) {
    Z[n+2*i] = 0;
}
```

para tornar o acesso à matriz Z afim.

11.4.3 Exercícios da Seção 11.4

Exercício 11.4.1: Para cada um dos acessos a arranjo a seguir, dê o vetor **f** e a matriz **F** que os descrevem. Considere que o vetor de índices **i** seja $i, j, ...$, e que todos os índices de *loop* tenham limites afins.

a) $X[2*i+3, 2*j - i]$.
b) $Y[i - j, j - k, k - i]$.
c) $Z[3, 2*j, k - 2*i + 1]$.

11.5 Reúso de dados

A partir das funções de acesso a arranjo, derivamos dois tipos de informação úteis para a otimização de localidade e a paralelização:

1. *Reúso de dados*: para a otimização da localidade, queremos identificar conjuntos de iterações que acessam os mesmos dados ou a mesma linha de cache.
2. *Dependência de dados:* para a correção das transformações de paralelização e localidade de *loop*, queremos identificar *todas* as dependências de dados no código. Lembre-se de que dois acessos (não necessariamente distintos) têm uma dependência de dados se as instâncias dos acessos puderem referir-se ao mesmo endereço de memória, e pelo menos um deles for uma escrita.

Em muitos casos, sempre que identificamos iterações que reusam os mesmos dados, existem dependências de dados entre eles.

Sempre que houver uma dependência de dados, obviamente, os mesmos dados serão reutilizados. Por exemplo, na multiplicação de matriz, o mesmo elemento no arranjo de saída é escrito $O(n)$ vezes. As operações de escrita precisam ser executadas na ordem de execução original[3]; existe reúso porque podemos alocar o mesmo elemento a um registrador.

Contudo, nem todo reúso pode ser explorado nas otimizações de localidade; aqui está um exemplo para ilustrar essa questão.

EXEMPLO 11.19: Considere o *loop* a seguir:

```
for (i = 0; i < n; i++)
    Z[7i+3] = Z[3i+5];
```

Observamos que o *loop* escreve em um endereço diferente a cada iteração, de modo que não existem reúsos ou dependências nas diferentes operações de escrita. Contudo, o *loop* lê os endereços 5, 8, 11, 14, 17,..., e escreve nos endereços 3, 10, 17, 24,.... As iterações de leitura e escrita acessam os mesmos elementos 17, 38 e 59, e assim por diante. Ou seja, os inteiros da forma $17+21j$ para $j = 0, 1, 2,...$, são todos aqueles inteiros que podem ser escritos como $7i_1 + 3$ e como $3i_2 + 5$, para alguns inteiros i_1 e i_2. No entanto, esse reúso raramente ocorre e não pode ser explorado com facilidade, se é que pode. ▪

A dependência de dados é diferente da análise de reúso, porque um dos acessos que compartilham uma dependência de dados deve ser um acesso de escrita. Mais importante, a dependência de dados precisa ser correta e precisa. Ela deve encontrar todas as dependências para a correção, e não deve encontrar dependências falsas, pois estas podem causar seriação desnecessária.

Com o reúso de dados, só precisamos encontrar onde está a maioria dos reúsos exploráveis. Esse problema é muito mais simples, de modo que focalizamos o assunto nesta seção e as dependências de dados na seguinte. Simplificamos a análise de reúso ignorando limites de *loop*, pois eles raramente mudam a forma de reúso. Grande parte do reúso explorável pelo particionamento de afins reside entre as instâncias dos mesmos acessos a arranjo, e acessos que compartilham a mesma *matriz de coeficientes* (que tipicamente chamamos de **F** na função de índice afim). Como acabamos de ver, padrões de acesso como $7i + 3$ e $3i + 5$ não possuem nenhum reúso de interesse.

11.5.1 Tipos de Reúso

Primeiro, começamos com o Exemplo 11.20 para ilustrar os diferentes tipos de reúso de dados. A seguir, precisamos distinguir entre o acesso como uma instrução em um programa, por exemplo, x = Z[i,j], da execução dessa instrução muitas vezes, à medida que executamos o ninho do *loop*. Para enfatizar, vamos nos referir ao próprio comando como um *acesso estático*, enquanto as diversas iterações do comando, à medida que executamos seu ninho de *loop*, são chamadas de *acessos dinâmicos*.

O reúso pode ser classificado como *próprio* ou *de grupo*. Se as iterações que reutilizam os mesmos dados vierem do mesmo acesso estático, faremos referência ao reúso como um reúso próprio; se eles vierem de acessos diferentes, nós nos referiremos a ele como um reúso de grupo. O reúso será *temporal* se exatamente o mesmo endereço for referenciado; e será *espacial se a mesma linha de cache for referenciada*.

EXEMPLO 11.20: Considere o seguinte ninho de *loop*:

```
float Z[n];
for (i = 0; i < n; i++)
    for (j = 0; j < n; j++)
        Z[j+1] = (Z[j] + Z[j+1] + Z[j+2])/3;
```

Os acessos $Z[j]$, $Z[j+1]$ e $Z[j+2]$ possuem reúso espacial próprio, porque iterações consecutivas do mesmo acesso se referem a elementos de arranjo contíguos. Presume-se que os elementos contíguos, provavelmente, residam na mesma linha de cache. Além disso, todos eles possuem reúso temporal próprio, porque os elementos exatos são usados repetidamente em cada iteração do *loop* externo. Além disso, todos eles têm a mesma matriz de coeficiente, e por isso apresentam reúso de grupo. Existe reúso de grupo, tanto temporal quanto espacial, entre os diferentes acessos. Embora existam $4n^2$ acessos nesse código, se o reúso puder ser explorado, só precisaremos trazer cerca de n/c linhas de cache para a cache, onde c é o número de palavras em uma linha de cache. Incluímos um fator de n devido ao reúso espacial próprio, um fator de c devido à localidade espacial, e, finalmente, um fator de 4 devido ao reúso do grupo. ▪

---

[3] Há um ponto sutil aqui. Devido à comutatividade da adição, obteríamos a mesma resposta para a soma, independentemente da ordem em que a tivéssemos realizado. Contudo, esse caso é muito especial. Em geral, é muito complexo para o compilador determinar que cálculo está sendo realizado por uma seqüência de passos de aritmética seguidos por escritas, e não podemos confiar que regras algébricas nos ajudarão a reordenar os passos com segurança.

A seguir, mostramos como podemos utilizar a álgebra linear para extrair a informação de reúso a partir dos acessos a arranjo afins. Estamos interessados não apenas em descobrir quanta economia em potencial existe, mas também em quais iterações estão reutilizando os dados, para podermos tentar juntá-las a fim de explorar o reúso.

11.5.2 Reúso próprio

Pode haver economias substanciais nos acessos à memória com a exploração do reúso próprio. Se os dados referenciados por um acesso estático tiverem k dimensões e o acesso for aninhado em um *loop* de profundidade d, para algum $d > k$, então os mesmos dados poderão ser reusados n^{d-k} vezes, onde n será o número de iterações em cada *loop*. Por exemplo, se um ninho de *loop* de profundidade 3 acessar uma coluna de um arranjo, existe um fator de economia potencial de n^2 acessos. Acontece que a dimensionalidade de um acesso corresponde ao conceito de *posto* da matriz de coeficiente no acesso, e podemos encontrar quais iterações se referem ao mesmo endereço encontrando o *espaço nulo* da matriz, conforme explicamos a seguir.

Posto de uma matriz

O posto (do inglês *rank*, também conhecido na área de programação linear como 'característica') de uma matriz $\mathbf{F}$ é o maior número de colunas (ou, de modo equivalente, linhas) de $\mathbf{F}$ que são linearmente independentes. Um conjunto de vetores é *linearmente independente* se nenhum deles puder ser escrito como uma combinação linear de um número finito de vetores do conjunto.

Exemplo 11.21: Considere a matriz

$$\begin{bmatrix} 1 & 2 & 3 \\ 5 & 7 & 9 \\ 4 & 5 & 6 \\ 2 & 1 & 0 \end{bmatrix}$$

Observe que a segunda linha é a soma da primeira e da terceira linhas, enquanto a quarta linha é a terceira linha menos o dobro da primeira. Contudo, a primeira e a terceira linhas são linearmente independentes; nenhuma é múltiplo da outra. Assim, o posto da matriz é 2.

Também poderíamos chegar a essa conclusão examinando as colunas. A terceira coluna é o dobro da segunda coluna menos a primeira. Por outro lado, quaisquer duas colunas são linearmente independentes. Novamente, concluímos que o posto é 2.

Exemplo 11.22: Vejamos os acessos ao arranjo da Figura 11.18. O primeiro acesso, $X[i-1]$, tem dimensão 1, pois o posto da matriz [1 0] é 1. Ou seja, a linha um é linearmente independente, assim como a primeira coluna.

O segundo acesso, $Y[i, j]$, tem dimensão 2. O motivo é que a matriz

$$\begin{bmatrix} 1 & 0 \\ 0 & 1 \end{bmatrix}$$

tem duas linhas independentes e, portanto, duas colunas independentes, naturalmente. O terceiro acesso, $Y[j, j+1]$, tem dimensão 1, porque a matriz,

$$\begin{bmatrix} 0 & 1 \\ 0 & 1 \end{bmatrix}$$

tem posto 1. Observe que as duas linhas são idênticas; assim, somente uma é linearmente independente. De modo equivalente, a primeira coluna é 0 vezes a segunda coluna, de modo que as colunas não são independentes. Intuitivamente, em um arranjo grande e quadrado Y, os únicos elementos acessados estão ao longo de uma linha unidimensional, imediatamente acima da diagonal principal.

O quarto acesso, $Y[1,2]$, tem dimensão 0, porque uma matriz onde todos os seus elementos são 0s tem posto 0. Observe que, para tal matriz, não podemos encontrar uma soma linear até mesmo de uma linha que seja diferente de zero. Finalmente, o último acesso, $Z[i, i, 2 * i + j]$, tem dimensão 2. Observe que, na matriz para esse acesso,

$$\begin{bmatrix} 0 & 0 \\ 1 & 0 \\ 2 & 1 \end{bmatrix}$$

as duas últimas linhas são linearmente independentes; nenhuma é um múltiplo da outra. Contudo, a primeira linha é uma 'soma' linear das outras duas linhas, ambas com coeficientes 0.

Espaço nulo de uma matriz

Uma referência em um ninho de *loop* de profundidade d com posto r acessa $O(n^r)$ elementos de dados em $O(n^d)$ iterações, de modo que, na média, $O(n^{d-r})$ iterações devem referir-se ao mesmo elemento do arranjo. Quais iterações acessam os mesmos dados? Suponha que um acesso neste ninho de *loop* seja representado pela combinação matriz-vetor **F** e **f**. Sejam **i** e **i′** duas iterações que se referem ao mesmo elemento de arranjo. Então, **Fi** + **f** = **Fi′** + **f**. Reorganizando os termos, obtemos,

$$\mathbf{F}(\mathbf{i} - \mathbf{i'}) = \mathbf{0}.$$

Existe um conceito bem conhecido da álgebra linear que caracteriza quando **i** e **i′** satisfazem à equação anterior. O conjunto de todas as soluções da equação **Fv** = **0** é chamado de *espaço nulo* de **F**. Assim, duas iterações se referem ao mesmo elemento de arranjo se a diferença de seus vetores de índice de *loop* pertencer ao espaço nulo da matriz **F**.

É fácil ver que o vetor nulo, **v** = **0**, sempre satisfaz **Fv** = **0**. Ou seja, duas iterações certamente se referem ao mesmo elemento de arranjo se sua diferença for **0**; em outras palavras, se elas forem realmente a mesma iteração. Além disso, o espaço nulo é verdadeiramente um espaço de vetor. Ou seja, se $\mathbf{Fv}_1 = \mathbf{0}$ e $\mathbf{Fv}_2 = \mathbf{0}$, então $\mathbf{F}(\mathbf{v}_1 + \mathbf{v}_2) = \mathbf{0}$ e $\mathbf{F}(c\mathbf{v}_1) = \mathbf{0}$.

Se a matriz **F** tem *posto completo*, ou seja, se seu posto é d, o espaço nulo de **F** consiste apenas no vetor nulo. Nesse caso, todas as iterações em um ninho de *loop* se referem a dados diferentes. Em geral, a dimensão do espaço nulo, também conhecida como *nulidade*, é $d - r$. Se $d > r$, então, para cada elemento, existe um espaço com $(d - r)$ dimensões de iterações que acessam esse elemento.

O espaço nulo pode ser representado por seus vetores básicos, ou que pertençam à base do espaço. Um espaço nulo de dimensão k é representado por k vetores independentes; qualquer vetor que possa ser expresso como uma combinação linear dos vetores básicos pertence ao espaço nulo.

EXEMPLO 11.23: Vamos reconsiderar a matriz do Exemplo 11.21:

$$\begin{bmatrix} 1 & 2 & 3 \\ 5 & 7 & 9 \\ 4 & 5 & 6 \\ 2 & 1 & 0 \end{bmatrix}$$

Determinamos nesse exemplo que o posto da matriz é 2; assim, a nulidade é $3 - 2 = 1$. Para encontrar uma base para o espaço nulo, que nesse caso deve ser um único vetor diferente de zero de comprimento 3, podemos supor que um vetor no espaço nulo seja $[x, y, z]$ e tentar solucionar a equação

$$\begin{bmatrix} 1 & 2 & 3 \\ 5 & 7 & 9 \\ 4 & 5 & 6 \\ 2 & 1 & 0 \end{bmatrix} \begin{bmatrix} x \\ y \\ z \end{bmatrix} = \begin{bmatrix} 0 \\ 0 \\ 0 \\ 0 \end{bmatrix}$$

Se multiplicarmos as duas primeiras linhas pelo vetor de incógnitas, obtemos as duas equações

$$\begin{aligned} x + 2y + 3z &= 0 \\ 5x + 7y + 9z &= 0 \end{aligned}$$

Também poderíamos escrever as equações decorrentes da terceira e da quarta linhas, mas, como não existem três linhas linearmente independentes, sabemos que as equações adicionais não acrescentam novas restrições sobre x, y e z. Por exemplo, a equação que obtemos da terceira linha, $4x + 5y + 6z = 0$, pode ser obtida subtraindo-se a primeira equação da segunda.

Devemos eliminar o máximo de variáveis que pudermos a partir das equações anteriores. Comece usando a primeira equação para solucionar x; ou seja, $x = -2y - 3z$. Depois, substitua x na segunda equação, para obter $-3y = 6z$, ou $y = -2z$. Como $x = -2y - 3z$, e $y = -2z$, segue-se que $x = z$. Assim, o vetor $[x, y, z]$ é realmente $[z, -2z, z]$. Podemos escolher qualquer valor diferente de zero de z para formar um e um único vetor básico para o espaço nulo. Por exemplo, podemos escolher $z = 1$ e usar $[1, -2, 1]$ como base do espaço nulo.

EXEMPLO 11.24: O posto, nulidade e espaço nulo para cada uma das referências no Exemplo 11.17 aparecem na Figura 11.19. Observe que a soma do posto e nulidade em todos os casos é a profundidade do ninho do *loop*, 2. Como os acessos $Y[i,j]$ e $Z[1, i, 2 * i + j]$ têm posto de ordem 2, todas as iterações se referem a endereços diferentes.

ACESSO	EXPRESSÃO A FIM	POSTO	NULIDADE	BASE DO ESPAÇO NULO
X[i-1]	$\begin{bmatrix} 1 & 0 \end{bmatrix} \begin{bmatrix} i \\ j \end{bmatrix} + \begin{bmatrix} -1 \end{bmatrix}$	1	1	$\begin{bmatrix} 0 \\ 1 \end{bmatrix}$
Y[i,j]	$\begin{bmatrix} 1 & 0 \\ 0 & 1 \end{bmatrix} \begin{bmatrix} i \\ j \end{bmatrix} + \begin{bmatrix} 0 \\ 0 \end{bmatrix}$	2	0	
Y[j,j+1]	$\begin{bmatrix} 0 & 1 \\ 0 & 1 \end{bmatrix} \begin{bmatrix} i \\ j \end{bmatrix} + \begin{bmatrix} 0 \\ 1 \end{bmatrix}$	1	1	$\begin{bmatrix} 1 \\ 0 \end{bmatrix}$
Y[1,2]	$\begin{bmatrix} 0 & 0 \\ 0 & 0 \end{bmatrix} \begin{bmatrix} i \\ j \end{bmatrix} + \begin{bmatrix} 1 \\ 2 \end{bmatrix}$	0	2	$\begin{bmatrix} 1 \\ 0 \end{bmatrix}, \begin{bmatrix} 0 \\ 1 \end{bmatrix}$
Z[1,i,2*i+j]	$\begin{bmatrix} 0 & 0 \\ 1 & 0 \\ 2 & 1 \end{bmatrix} \begin{bmatrix} i \\ j \end{bmatrix} + \begin{bmatrix} 1 \\ 0 \\ 0 \end{bmatrix}$	2	0	

FIGURA 11.19 Posto e nulidade dos acessos afins.

Os acessos $X[i-1]$ e $Y[j,j+1]$ possuem matrizes de posto 1, assim $O(n)$ iterações se referem ao mesmo endereço. No primeiro caso, linhas inteiras no espaço de iteração se referem ao mesmo endereço. Em outras palavras, as iterações que diferem apenas na dimensão j compartilham o mesmo endereço, o qual é representado sucintamente pela base do espaço nulo, [0,1]. Para $Y[j,j+1]$, colunas inteiras no espaço de iteração se referem ao mesmo endereço, e esse fato é sucintamente representado pela base do espaço nulo, [1, 0].

Finalmente, o acesso $Y[1, 2]$ refere-se ao mesmo endereço em todas as iterações. O espaço nulo correspondente tem dois vetores básicos, [0, 1], [1, 0], significando que todos os pares de iterações no ninho de *loop* se referem exatamente ao mesmo endereço.

11.5.3 REÚSO ESPACIAL PRÓPRIO

A análise do reúso espacial depende do leiaute de dados da matriz. As matrizes em C são armazenadas por linhas, e as matrizes em Fortran são armazenadas por colunas. Em outras palavras, os elementos de arranjo $X[i,j]$ e $X[i,j+1]$ são contíguos em C, e $X[i,j]$ e $X[i+1,j]$ são contíguos em Fortran. Sem perda de generalidade, no restante do capítulo, adotaremos o leiaute de arranjo de C (por linhas).

Como primeira aproximação, consideramos que dois elementos de arranjo compartilham a mesma linha de cache se e somente se compartilham a mesma linha em um arranjo bidimensional. De modo mais geral, em um arranjo de d dimensões, consideramos que os elementos do arranjo compartilham uma linha de cache se diferem apenas na última dimensão. Desde que, para um arranjo típico e cache, muitos elementos do arranjo podem caber em uma linha de cache, há um ganho de velocidade significativo, obtido pelo acesso de uma linha inteira em ordem, embora, estritamente falando, ocasionalmente tenhamos de esperar para carregar uma nova linha de cache.

O truque para descobrir e tirar proveito do reúso espacial próprio é remover a última linha da matriz de coeficiente **F**. Se a matriz *truncada* resultante tiver posto menor que a profundidade do ninho de *loop*, podemos garantir a localidade espacial certificando-nos de que o *loop* mais interno varie apenas a última coordenada do arranjo.

EXEMPLO 11.25: Considere o último acesso, $Z[1, i, 2* i+j]$, da Figura 11.19. Se removermos a última linha, ficamos com a matriz truncada

$$\begin{bmatrix} 0 & 0 \\ 1 & 0 \end{bmatrix}$$

O posto dessa matriz é, evidentemente, 1, e, como o ninho de *loop* tem profundidade 2, existe a oportunidade para o reúso espacial. Nesse caso, como j é o índice do *loop* interno, este *loop* visita elementos contíguos do arranjo Z armazenados por linha. Tornar i o índice do *loop* interno não produzirá localidade espacial, pois quando i muda, a segunda e a terceira dimensões também mudam.

A regra geral para determinar se existe reúso espacial próprio é a seguinte: como sempre, consideramos que os índices de *loop* correspondem a colunas da matriz de coeficientes em ordem, com o *loop* mais externo primeiro, e o *loop* mais interno por último; então, para que haja reúso espacial, o vetor [0, 0,..., 0, 1] deve estar no espaço nulo da matriz truncada. A razão é que, se esse vetor estiver no espaço nulo, então, quando fixarmos todos os índices de *loop* menos o mais interno, saberemos que todos os acessos dinâmicos durante uma execução do *loop* interno variaram apenas no último índice do arranjo. Se o arranjo for armazenado por linha, esses elementos estarão todos próximos um do outro, talvez na mesma linha de cache.

EXEMPLO 11.26: Observe que [0,1] (transposto como um vetor de colunas) está no espaço nulo da matriz truncada do Exemplo 11.25. Assim, como mencionamos ali, esperamos que, com *j* como índice de *loop* mais interno, haja localidade espacial. Por outro lado, se revertermos a ordem dos *loops*, de modo que *i* seja o *loop* mais interno, a matriz de coeficiente se torna

$$\begin{bmatrix} 0 & 0 \\ 0 & 1 \end{bmatrix}$$

Agora, [0, 1] não está no espaço nulo dessa matriz. Em vez disso, o espaço nulo é gerado pelo vetor básico [1,0]. Assim, conforme sugerimos no Exemplo 11.25, não esperamos a localidade espacial se *j* for o *loop* mais interno.

Contudo, devemos observar que o teste para [0, 0,..., 0, 1] estando no espaço nulo, não é suficiente para garantir a localidade espacial. Por exemplo, suponha que o acesso não fosse $Z[1, i, 2*i+j]$, mas $Z[1, i, 2*i+50*j]$. Então, somente cada qüinquagésimo elemento de Z seria acessado durante uma execução do *loop* interno, e não reutilizaríamos uma linha de cache, a menos que ela fosse longa o suficiente para conter mais de 50 elementos.

11.5.4 REÚSO DE GRUPO

Calculamos o reúso de grupo apenas entre os acessos em um *loop* que compartilham a mesma matriz de coeficientes. Dados dois acessos dinâmicos $\mathbf{Fi}_1 + \mathbf{f}_1$ e $\mathbf{Fi}_2 + \mathbf{f}_2$, o reúso dos mesmos dados requer que,

$$\mathbf{Fi}_1 + \mathbf{f}_1 = \mathbf{Fi}_2 + \mathbf{f}_2$$

ou

$$\mathbf{F}(\mathbf{i}_1 - \mathbf{i}_2) = (\mathbf{f}_2 - \mathbf{f}_1).$$

Suponha que **v** seja uma solução para essa equação. Então, se **w** for qualquer vetor no espaço nulo de $\mathbf{F}_1$, $\mathbf{w} + \mathbf{v}$ também é uma solução e, de fato, essas são todas as soluções para a equação.

EXEMPLO 11.27: O seguinte ninho de *loop* de profundidade 2

```
for (i = 1; i <= n; i++)
    for (j = 1; j <= n; j++)
        Z[i,j] = Z[i-1,j];
```

têm dois acessos ao arranjo, $Z[i,j]$ e $Z[i-1,j]$. Observe que esses dois acessos são caracterizados pela matriz de coeficientes

$$\begin{bmatrix} 1 & 0 \\ 0 & 1 \end{bmatrix}$$

como o segundo acesso, $Y[i,j]$ da Figura 11.19. Essa matriz tem posto 2, de modo que não existe reúso temporal próprio.

Contudo, cada acesso exibe reúso espacial próprio. Conforme descrito na Seção 11.5.3, quando removemos a linha inferior da matriz, ficamos com apenas a linha superior, [1, 0], a qual tem posto 1. Como [0, 1] está no espaço nulo dessa matriz truncada, esperamos reúso espacial. À medida que cada incremento de índice de *loop* interno *j* aumenta o segundo índice de arranjo de um, de fato acessamos elementos de arranjo adjacentes, e faremos o uso máximo de cada linha de cache.

Embora não exista reúso temporal próprio para nenhum dos acessos, observe que as duas referências $Z[i,j]$ e $Z[i-1,j]$ acessam quase o mesmo conjunto de elementos do arranjo. Ou seja, existe reúso temporal de grupo porque os dados lidos pelo acesso $Z[i-1,j]$ são os mesmos que os dados escritos pelo acesso $Z[i,j]$, exceto para o caso $i = 1$. Esse padrão simples se aplica ao espaço de iterações inteiro e pode ser explorado para melhorar a localidade de dados no código. Formalmente, descontando os limites do *loop*, os dois acessos $Z[i,j]$ e $Z[i-1,j]$ se referem ao mesmo endereço nas iterações (i_1, j_1) e (i_2, j_2), respectivamente, desde que

$$\begin{bmatrix} 1 & 0 \\ 0 & 1 \end{bmatrix}\begin{bmatrix} i_1 \\ j_1 \end{bmatrix} + \begin{bmatrix} 0 \\ 0 \end{bmatrix} = \begin{bmatrix} 1 & 0 \\ 0 & 1 \end{bmatrix}\begin{bmatrix} i_2 \\ j_2 \end{bmatrix} + \begin{bmatrix} -1 \\ 0 \end{bmatrix}.$$

Reescrevendo os termos, obtemos

$$\begin{bmatrix} 1 & 0 \\ 0 & 1 \end{bmatrix} \begin{bmatrix} i_1 - i_2 \\ j_1 - j_2 \end{bmatrix} = \begin{bmatrix} -1 \\ 0 \end{bmatrix}$$

Ou seja, $j_1 = j_2$ e $i_2 = i_1 + 1$.

Observe que o reúso ocorre ao longo do eixo i do espaço de iterações. Ou seja, a iteração (i_2, j_2) ocorre n iterações (do *loop* interno) após a iteração (i_1, j_1). Assim, muitas iterações são executadas antes que os dados escritos sejam reutilizados. Esses dados podem ou não ainda estar na cache. Se a cache conseguir manter duas linhas consecutivas da matriz Z, o acesso $Z[i - 1, j]$ não perde a cache, e o número total de perdas de cache para o ninho de *loop* inteiro é n^2/c, onde c é o número de elementos por linha de cache. Caso contrário, haverá o dobro de perdas, pois os acessos estáticos requerem uma nova linha de cache para cada c acessos dinâmicos.

Exemplo 11.28: Suponha que existam dois acessos

$$A[i, j, i + j] \text{ e } A[i + 1, j - 1, i + j]$$

em um ninho de *loop* de profundidade 3, com índices i, j e k, a partir do *loop* mais externo para o mais interno. Então, dois acessos $\mathbf{i}_1 = [i_1, j_1, k_1]$ e $\mathbf{i}_2 = [i_2, j_2, k_2]$ reusam o mesmo elemento sempre que

$$\begin{bmatrix} 1 & 0 & 0 \\ 0 & 1 & 0 \\ 1 & 1 & 0 \end{bmatrix} \begin{bmatrix} i_1 \\ j_1 \\ k_1 \end{bmatrix} + \begin{bmatrix} 0 \\ 0 \\ 0 \end{bmatrix} = \begin{bmatrix} 1 & 0 & 0 \\ 0 & 1 & 0 \\ 1 & 1 & 0 \end{bmatrix} \begin{bmatrix} i_2 \\ j_2 \\ k_2 \end{bmatrix} + \begin{bmatrix} 1 \\ -1 \\ 0 \end{bmatrix}.$$

Uma solução dessa equação para um vetor $\mathbf{v} = [i_1 - i_2, j_1 - j_2, k_1 - k_2]$ é $\mathbf{v} = [1, -1, 0]$; ou seja, $i_1 = i_2 + 1$, $j_1 = j_2 - 1$ e $k_1 = k_2$.[4] Contudo, o espaço nulo da matriz

$$\mathbf{F} = \begin{bmatrix} 1 & 0 & 0 \\ 0 & 1 & 0 \\ 1 & 1 & 0 \end{bmatrix}$$

é gerado pelo vetor básico $[0, 0, 1]$; ou seja, o terceiro índice de *loop*, k, pode ser arbitrário. Assim, $\mathbf{v}$, a solução para a equação anterior, é qualquer vetor $[1, -1, m]$ para algum m. Em outras palavras, um acesso dinâmico a $A[i, j, i + j]$, em um ninho de *loop* com índices i, j e k, é reutilizado não apenas por outros acessos dinâmicos $A[i, j, i + j]$ com os mesmos valores de i e j e um valor diferente de k, mas também pelos acessos dinâmicos $A[i + 1, j - 1, i + j]$ com valores de índice de *loop* $i + 1$, $j - 1$ e qualquer valor de k.

Embora não façamos isso aqui, podemos raciocinar sobre o reúso espacial de grupo de forma semelhante. Quanto à discussão sobre reúso espacial próprio, simplesmente não levamos em consideração a última dimensão.

A extensão do reúso é diferente para as diferentes categorias de reúso. O reúso temporal próprio fornece o máximo de benefício: uma referência com um espaço nulo de dimensão k reúsa os mesmos dados $O(n^k)$ vezes. A extensão do reúso espacial próprio é limitada pelo comprimento da linha de cache. Finalmente, a extensão do reúso de grupo é limitada pelo número de referências em um grupo compartilhando o reúso.

11.5.5 Exercícios da Seção 11.5

Exercício 11.5.1: Calcule o posto de cada uma das matrizes da Figura 11.20. Dê um conjunto máximo de colunas linearmente dependentes e um conjunto máximo de linhas linearmente dependentes.

$$\begin{bmatrix} 0 & 1 & 5 \\ 1 & 2 & 6 \\ 2 & 3 & 7 \\ 3 & 4 & 8 \end{bmatrix} \quad \begin{bmatrix} 1 & 2 & 3 & 4 \\ 5 & 6 & 7 & 8 \\ 9 & 10 & 12 & 15 \\ 3 & 2 & 2 & 3 \end{bmatrix} \quad \begin{bmatrix} 0 & 0 & 1 \\ 0 & 1 & 1 \\ 1 & 1 & 1 \\ 5 & 6 & 3 \end{bmatrix}$$

(a) (b) (c)

Figura 11.20 Calcule os postos e espaços nulos dessas matrizes.

Exercício 11.5.2: Encontre uma base para o espaço nulo de cada matriz da Figura 11.20.

---

[4] É interessante observar que, embora exista uma solução nesse caso, esta não existiria se mudássemos um dos terceiros componentes de $i + j$ para $i + j + 1$. Ou seja, no exemplo dado, os dois acessos são relativos aos elementos de arranjo que se encontram no subespaço bidimensional S definido por 'o terceiro componente é a soma dos dois primeiros componentes'. Se mudássemos $i + j$ para $i + j + 1$, nenhum dos elementos relativos ao segundo acesso estaria em S, e não haveria nenhum reúso.

Exercício 11.5.3: Suponha que o espaço de iterações tenha dimensões (variáveis) i, j e k. Para cada um dos acessos a seguir, descreva os subespaços que se referem aos seguintes elementos individuais do arranjo:

  a) $A[i, j, i + j]$
  b) $A[i, i + 1, i + 2]$
  !c) $A[i, i, j + k]$
  !d) $A[i - j, j - k, k - i]$

! Exercício 11.5.4: Suponha que o arranjo A seja armazenado por linha e acessado dentro do seguinte ninho de *loop*:

```
for (i = 0; i < 100; i++)
    for (j = 0; j < 100; j++)
        for (k = 0; k < 100; k++)
            <algum acesso a A>
```

Indique, para cada um dos seguintes acessos, se é possível reescrever os *loops* de modo que o acesso a A exiba reúso espacial próprio, ou seja, de modo que linhas de cache inteiras sejam usadas consecutivamente. Mostre como reescrever os *loops*, se for possível. Nota: a reescrição dos *loops* pode envolver reordenação e introdução de novos índices de *loop*. Contudo, você pode não mudar o leiaute do arranjo, por exemplo, alterando-o para ser por coluna. Observe também: em geral, a reordenação dos índices de *loop* pode ser válida ou inválida, dependendo dos critérios que desenvolvermos na seção seguinte. Contudo, nesse caso, em que o efeito de cada acesso é simplesmente definir um elemento de arranjo como 0, você não precisa preocupar-se com o efeito da reordenação de *loops* em relação à semântica do programa.

  a) `A[i+1,i+k,j] = 0`.
  !! b) `A[j+k,i,i] = 0`.
  c) `A[i,j,k,i+j+k] = 0`.
  !! d) `A[i,j-k,i+j,i+k] = 0`.

Exercício 11.5.5: Na Seção 11.5.3, comentamos que obtemos localidade espacial se o *loop* mais interno variar apenas como a última coordenada de um acesso a arranjo. Contudo, essa afirmação dependia de nossa suposição de que o arranjo foi armazenado por linha. Que condição garantiria a localidade espacial se o arranjo fosse armazenado por coluna?

! Exercício 11.5.6: No Exemplo 11.28, observamos que a existência de reúso entre dois acessos semelhantes dependia bastante das expressões particulares para as coordenadas do arranjo. Generalize essa nossa observação para determinar para quais funções $f(i, j)$ existe reúso entre os acessos $A[i, j, i + j]$ e $A[i + 1, j - 1, f(i, j)]$.

! Exercício 11.5.7: No Exemplo 11.27, sugerimos que haverá mais perdas de cache do que o necessário se as linhas da matriz Z forem tão longas que não caibam na cache. Se isso acontecer, como você poderia reescrever o ninho de *loop* a fim de garantir o reúso espacial em grupo?

11.6 Análise de dependência de dados de arranjo

As otimizações de paralelização ou localidade freqüentemente reordenam as operações executadas no programa original. Assim como em todas as otimizações, as operações só podem ser reordenadas se isso não mudar a saída do programa. Como, em geral, não é possível entender profundamente o que um programa faz, a otimização de código costuma adotar um teste mais simples e conservador para saber quando podemos ter certeza de que a saída do programa não será afetada: verificamos se as operações sobre qualquer endereço de memória são efetuadas na mesma ordem dos programas original e modificado. No estudo atual, focalizamos os acessos a arranjo, de modo que os elementos de arranjo sejam os endereços de memória que nos interessam.

Dois acessos, seja de leitura ou de escrita, são claramente *independentes* (podem ser reordenados) se se referirem a dois endereços diferentes. Além disso, as operações de leitura não mudam o estado da memória e, portanto, também são independentes. De acordo com a Seção 11.5, dizemos que dois acessos são *dependentes de dados* se se referirem ao mesmo endereço de memória e pelo menos um deles for uma operação de escrita. Para ter certeza de que o programa modificado fará a mesma coisa que o original, a ordem de execução relativa entre todo par de operações dependente de dados no programa original deve ser preservada no novo programa.

Lembre-se, como vimos na Seção 10.2.1, de que há três tipos de dependência de dados:

1. *Dependência verdadeira*, em que uma escrita é seguida por uma leitura do mesmo endereço.
2. *Antidependência*, em que uma leitura é seguida por uma escrita no mesmo endereço.
3. *Dependência de saída*, em que são duas escritas no mesmo endereço.

Na discussão anterior, a dependência de dados foi definida para acessos dinâmicos. Dizemos que um acesso estático em um programa depende de outro enquanto houver uma instância dinâmica do primeiro acesso que dependa de alguma instância do segundo.[5]

É fácil ver como a dependência dos dados pode ser usada na paralelização. Por exemplo, se nenhuma dependência de dados for encontrada nos acessos de um *loop*, podemos facilmente atribuir cada iteração a um processador diferente. A Seção 11.7 discute como usamos essa informação sistematicamente na paralelização.

11.6.1 DEFINIÇÃO DE DEPENDÊNCIA DE DADOS DOS ACESSOS A ARRANJO

Vamos considerar dois acessos estáticos ao mesmo arranjo em *loops* possivelmente diferentes. O primeiro é representado pela função de acesso e limites $\mathcal{F} = \langle \mathbf{F}, \mathbf{f}, \mathbf{B}, \mathbf{b} \rangle$ e está em um ninho de *loop* de profundidade d; o segundo é representado por $\mathcal{F}' = \langle \mathbf{F}', \mathbf{f}', \mathbf{B}', \mathbf{b}' \rangle$ e está em um ninho de *loop* de profundidade d'. Esses acessos são dependentes de dados se

1. Pelo menos um deles for uma referência de escrita; e
2. Houver vetores $\mathbf{i}$ em Z^d e $\mathbf{i}'$ em $Z^{d'}$ tais que
   (a) $-\mathbf{B}\mathbf{i} \geq \mathbf{0}$,
   (b) $+\mathbf{B} = \mathbf{B}'\mathbf{i}' \geq \mathbf{0}$, e
   (c) $\mathbf{F}\mathbf{i} + \mathbf{f} = \mathbf{F}'\mathbf{i}' + \mathbf{f}'$.

Como um acesso estático normalmente incorpora muitos acessos dinâmicos, também é significativo perguntar se seus acessos dinâmicos podem referir-se ao mesmo endereço de memória. Para procurar dependências entre instâncias do mesmo acesso estático, consideramos $\mathcal{F} = \mathcal{F}'$ e aumentamos a definição anterior com a restrição adicional de que $\mathbf{i} \neq \mathbf{i}'$ para rejeitar a solução trivial.

EXEMPLO 11.29: Considere o seguinte ninho de *loop* de profundidade 1:

```
for (i = 1; i ≤ 10; i++) {
    Z[i] = Z[i-1];
}
```

Esse *loop* tem dois acessos: $Z[i-1]$ e $Z[i]$; o primeiro é uma referência de leitura e o segundo, uma escrita. Para encontrar todas as dependências de dados neste programa, precisamos verificar se a referência de escrita compartilha uma dependência com si mesma e com a referência de leitura:

1. *Dependência de dados entre* $Z[i-1]$ *e* $Z[i]$. Exceto pela primeira iteração, cada iteração lê o valor escrito na iteração anterior. Matematicamente, sabemos que existe uma dependência porque existem inteiros i e i' tais que,

$$1 \leq i \leq 10, 1 \leq i' \leq 10, \text{ e } i - 1 = i'.$$

Existem nove soluções para o sistema de restrições apresentado: $(i = 2, i' = 1)$, $(i = 3, i' = 2)$, e assim por diante.

2. *Dependência de dados entre* $Z[i]$ *e si mesmo*. É fácil ver que diferentes iterações no *loop* escrevem em diferentes endereços; ou seja, não existem dependências de dados entre as instâncias da referência de escrita $Z[i]$. Matematicamente, sabemos que não existe uma dependência porque não existem inteiros i e i' satisfazendo

$$1 \leq i \leq 10, 1 \leq i' \leq 10, i = i', \text{ e } i \neq i'.$$

Observe que a terceira condição, $i = i'$, vem do requisito de que $Z[i]$ e $Z[i']$ são o mesmo endereço de memória. A quarta condição contraditória, $i \neq i'$, vem do requisito de que a dependência seja não trivial – entre diferentes acessos dinâmicos. Não é preciso considerar dependências de dados entre a referência de leitura $Z[i-1]$ e si mesmo, porque dois acessos de leitura quaisquer são independentes.

11.6.2 PROGRAMAÇÃO LINEAR INTEIRA

A dependência de dados requer descobrir se existem ou não inteiros que satisfaçam um sistema que consiste em igualdades e desigualdades. As igualdades são derivadas das matrizes e vetores que representam os acessos; as desigualdades são derivadas dos limites do *loop*. As igualdades podem ser expressas como desigualdades: uma igualdade $x = y$ pode ser substituída por duas desigualdades, $x \geq y$ e $y \geq x$.

Assim, a dependência de dados pode ser expressa como uma busca por soluções inteiras que satisfaçam a um conjunto de desigualdades lineares, que é exatamente o problema bem conhecido da *programação linear inteira*. A programação linear inteira é um problema NP completo. Embora nenhum algoritmo polinomial seja conhecido, heurísticas têm sido desenvolvidas

---
[5] Lembre-se da diferença entre acessos estáticos e dinâmicos. Um acesso estático é uma referência de arranjo em determinado endereço de um programa, enquanto um acesso dinâmico é uma execução dessa referência.

para solucionar programas lineares envolvendo muitas variáveis, e eles podem ser muito rápidos em muitos casos. Infelizmente, tais heurísticas padrão são impróprias para análise de dependência de dados, na qual o desafio seja solucionar muitos programas lineares inteiros pequenos e simples, em vez de programas lineares inteiros grandes e complicados.

O algoritmo da análise de dependência de dados consiste em três partes:

1. Aplique o teste do MDC (Máximo Divisor Comum), que verifica se existe uma solução inteira para as igualdades, usando a teoria das equações lineares diofantinas. Se não houver soluções inteiras, não haverá dependências de dados. Caso contrário, usamos as igualdades para substituir por algumas das variáveis, obtendo assim desigualdades mais simples.
2. Use um conjunto de heurísticas simples para tratar dos grandes números de desigualdades típicas.
3. No caso raro em que as heurísticas não funcionam, usamos uma solução da programação linear inteira, que utiliza uma técnica de *branch-and-bound* (desvio-e-limite), baseada na eliminação de Fourier-Motzkin.

11.6.3 O teste do MDC

O primeiro subproblema é verificar a existência de soluções inteiras para as igualdades. As equações com a estipulação de que as soluções devem ser inteiras são conhecidas como *equações diofantinas*. O exemplo a seguir mostra como surge a questão das soluções inteiras; também demonstra que, embora muitos de nossos exemplos envolvam um único ninho de *loop* por vez, a formulação da dependência de dados se aplica aos acessos em *loops* possivelmente diferentes.

EXEMPLO 11.30: Considere o seguinte fragmento de código:

```
for (i = 1; i < 10; i++) {
    Z[2*i] = ...;
}
for (j = 1; j < 10; j++) {
    Z[2*j+1] = ...;
}
```

O acesso $Z[2 * i]$ só é relativo aos elementos pares de Z, enquanto o acesso $Z[2 * j + 1]$ só é relativo aos elementos ímpares. Claramente, esses dois acessos não compartilham dependência de dados, independentemente dos limites do *loop*. Podemos executar iterações no segundo *loop* antes do primeiro ou intercalar as iterações. Esse exemplo não é tão inventado quanto pode parecer. Um exemplo no qual números pares e ímpares são tratados de forma diferente é um arranjo de números complexos, em que os componentes, real e imaginário, são dispostos lado a lado.

Para provar a ausência de dependências de dados neste exemplo, raciocinamos como segue. Suponha que existam inteiros i e j tais que $Z[2 * i]$ e $Z[2 * j + 1]$ são o mesmo elemento de arranjo. Obtemos a equação diofantina

$$2i = 2j + 1.$$

Não existem inteiros i e j que possam satisfazer a equação anterior. A prova é que, se i for um inteiro, então $2i$ é par. Se j é um inteiro, então $2j$ é par, de modo que $2j + 1$ é ímpar. Nenhum número par também é um número ímpar. Portanto, a equação não possui soluções inteiras, e por isso não existe dependência entre os acessos de leitura e escrita.

Para descrever quando existe uma solução para uma equação diofantina linear, precisamos do conceito do *máximo divisor comum* (MDC) de dois ou mais inteiros. O MDC dos inteiros $a_1, a_2, ..., a_n$, indicado por mdc$(a_1, a_2, ..., a_n)$, é o maior inteiro que divide todos esses inteiros exatamente. Os MDCs podem ser calculados de modo eficiente pelo bem conhecido algoritmo euclideano (leia a caixa a seguir sobre o assunto).

EXEMPLO 11.31: mdc$(24, 36, 54) = 6$, porque 24/6, 36/6 e 54/6 possuem resto 0, embora qualquer inteiro maior que 6 deva deixar um resto diferente de zero quando divide pelo menos um de 24, 36 e 54. Por exemplo, 12 dividem 24 e 36 exatamente, mas não 54.

A importância do MDC está no teorema a seguir.

TEOREMA 11:32: A equação diofantina

$$a_1x_1 + a_2x_2 + ... + a_nx_n = c$$

possui uma solução inteira para $x_1, x_2, ..., x_n$ se e somente se mdc$(a_1, a_2, ..., a_n)$ dividir c.

EXEMPLO 11.33: Observamos no Exemplo 11.30 que a equação diofantina $2i = 2j + 1$ não tem solução. Podemos escrever essa equação como

$$2i - 2j = 1.$$

Agora, mdc(2, −2) = 2, e 2 não divide 1 exatamente. Assim, não existe solução.

Para ver outro exemplo, considere a equação,

$$24x + 36y + 54z = 30.$$

Como mdc(24, 36, 54) = 6, e 30/6 = 5, existe uma solução nos inteiros para x, y e z. Uma solução é $x = -1$, $y = 0$ e $z = 1$, mas existe uma infinidade de outras soluções.

O algoritmo euclideano

O *algoritmo euclideano* para encontrar mdc(a, b) funciona como segue. Primeiro, considere que a e b são inteiros positivos, e $a \geq b$. Observe que o MDC dos números negativos, ou o MDC de um número negativo e um positivo, é o mesmo que o MDC de seus valores absolutos, de modo que podemos considerar que todos os inteiros são positivos.

Se $a = b$, então mdc(a, b) = a. Se $a > b$, considere que c seja o resto de a/b. Se $c = 0$, então b divide exatamente a, de modo que mdc(a, b) = b. Caso contrário, calcule mdc(b, c); esse resultado também será mdc(a,b).

Para calcular mdc($a_1, a_2, ..., a_n$), para $n > 2$, use o algoritmo euclideano para calcular mdc(a_1, a_2) = c. Depois, calcule recursivamente mdc($c, a_3, a_4, ..., a_n$).

O primeiro passo para o problema de dependência de dados é usar um método padrão como a eliminação de Gauss para solucionar as igualdades dadas. Toda vez que uma equação linear for construída, aplique o Teorema 11.32 para rejeitar, se possível, a existência de uma solução inteira. Se pudermos rejeitar essas soluções, responda 'não'. Caso contrário, usamos a solução das equações para reduzir o número de variáveis nas desigualdades.

EXEMPLO 11.34: Considere as duas igualdades

$$x - 2y + z = 0$$
$$3x + 2y + z = 5$$

Examinando cada igualdade isoladamente, parece que pode haver uma solução. Para a primeira igualdade, mdc(1, −2, 1) = 1 divide 0, e para a segunda igualdade, mdc(3, 2, 1) = 1 divide 5. Contudo, se usarmos a primeira igualdade para obter o valor de $z = 2y - x$ e substituir o z na segunda igualdade, obtemos $2x + 4y = 5$. Essa equação diofantina não tem solução, porque mdc(2, 4) = 2 não divide 5 exatamente.

11.6.4 HEURÍSTICAS PARA SOLUCIONAR PROGRAMAS LINEARES INTEIROS

O problema da dependência de dados requer que muitos programas lineares inteiros simples sejam solucionados. Agora, discutimos diversas técnicas para tratar desigualdades simples e uma técnica para tirar proveito da semelhança encontrada na análise de dependência de dados.

Teste de variáveis independentes

Muitos dos programas lineares inteiros da dependência de dados consistem em desigualdades que envolvem apenas uma incógnita. Os programas podem ser solucionados simplesmente testando se existem inteiros entre os limites superiores constantes e os limites inferiores constantes, independentemente.

EXEMPLO 11.35: Considere o *loop* aninhado

```
for (i = 0; i <= 10; i++)
    for (j = 0; j <= 10; j++)
        Z[i,j] = Z[j+10,i+9];
```

Para descobrir se existe dependência de dados entre $Z[i,j]$ e $Z[j + 10, i + 9]$, perguntamos se existem inteiros i, j, i' e j' tais que

$$0 \leq i, j, i', j' \leq 10$$
$$i = j' + 10$$
$$j = i' + 11$$

O teste do MDC, aplicado às duas igualdades anteriores, determina que *pode* existir uma solução inteira. As soluções inteiras das igualdades são expressas por

$$i = t_1, j = t_2, i' = t_2 - 11, j' = t_1 - 10.$$

para quaisquer inteiros t_1 e t_2. Substituindo as variáveis t_1 e t_2 nas desigualdades lineares, obtemos:

$$0 \leq t_1 \leq 10$$
$$0 \leq t_2 \leq 10$$
$$0 \leq t_2 - 11 \leq 10$$
$$0 \leq t_1 - 10 \leq 10$$

Assim, combinando os limites inferiores das duas últimas desigualdades com os limites superiores das duas primeiras, deduzimos

$$10 \leq t_1 \leq 10$$
$$11 \leq t_2 \leq 10$$

Como o limite inferior em t_2 é maior que seu limite superior, não existe solução inteira, e portanto nenhuma dependência de dados. Esse exemplo mostra que, mesmo que haja igualdades envolvendo diversas variáveis, o teste do MDC ainda pode criar desigualdades lineares que envolvem uma variável de cada vez.

Teste acíclico

Outra heurística simples é descobrir se existe uma variável que está limitada abaixo ou acima por uma constante. Em certas circunstâncias, podemos seguramente substituir a variável pela constante; as desigualdades simplificadas têm uma solução se e somente se as desigualdades originais tiverem uma solução. Especificamente, suponha que todo limite inferior em v_i seja da forma

$$c_0 \leq c_i v_i \text{ para algum } c_i > 0.$$

embora os limites superiores em v_i sejam todos da forma

$$c_i v_i \leq c_0 + c_1 v_1 + \ldots + c_{i-1} v_{i-1} + c_{i+1} v_{i+1} + \ldots c_n + v_n.$$

onde $c_1, c_1, \ldots, c_i$ são todos não negativos. Então, podemos substituir a variável v_i por seu menor valor inteiro possível. Se não houver tal limite inferior, simplesmente substituímos v_i por $-\infty$. De modo semelhante, se cada restrição envolvendo v_i puder ser expressa nas duas formas anteriores, mas com as direções das desigualdades reversas, podemos substituir a variável v_i pelo maior valor inteiro possível, ou por ∞ se não houver limite superior constante. Esse passo pode ser repetido para simplificar as desigualdades e, em alguns casos, determinar se existe uma solução.

EXEMPLO 11.36: Considere as seguintes desigualdades:

$$1 \leq v_1, v_2 \leq 10$$
$$0 \leq v_3 \leq 4$$
$$v_2 \leq v_1$$
$$v_1 \leq v_3 + 4$$

A variável v_i é limitada por baixo por v_2 e por cima por v_3. Contudo, v_2 é limitado por baixo apenas pela constante 1, e v_3 é vinculada por cima apenas pela constante 4. Assim, substituindo v_2 por 1 e v_3 por 4 nas desigualdades, obtemos:

$$1 \leq v_1 \leq 10$$
$$1 \leq v_1$$
$$v_1 \leq 8$$

que agora pode ser solucionado facilmente com o teste de variáveis independentes.

O teste de resíduo de *loop*

Agora, vamos considerar o caso em que toda variável é limitada inferior e superiormente por outras variáveis. São muito comuns na análise de dependência de dados situações em que as restrições têm a forma $v_i \leq v_j + c$, que pode ser solucionada usando uma versão simplificada do *teste de resíduo de loop* creditado a Shostack. Um conjunto dessas restrições pode ser representado por um grafo direcionado cujos nós são rotulados com variáveis. Existe uma aresta de v_i para v_j rotulada com c sempre que houver uma restrição $v_i \leq v_j + c$.

Definimos o *peso* de um caminho como a soma dos rótulos de todas as arestas ao longo do caminho. Cada caminho do grafo representa uma combinação das restrições no sistema. Ou seja, podemos deduzir que $v \leq v' + c$ sempre que houver um caminho de v para v' com peso c. Um ciclo no grafo com peso c representa a restrição $v \leq v + c$ para cada nó v no ciclo. Se pudermos encontrar um ciclo negativamente pesado no grafo, podemos deduzir que $v < v$, o que é impossível. Nesse caso, podemos concluir que não existe solução e, assim, nenhuma dependência.

Também podemos incorporar no teste de resíduo de *loop* restrições da forma $c \leq v$ e $v \leq c$ para a variável v e a constante c. Introduzimos no sistema de desigualdades uma nova variável fictícia v_0, que é somada a cada limite superior e inferior constante. Naturalmente, v_0 precisa ter valor 0, mas como o teste de resíduo de *loop* só procura ciclos, os valores correntes das variáveis nunca se tornam significativos. Para tratar limites constantes, substituímos,

$$v \leq c \text{ por } v \leq v_0 + c$$
$$c \leq v \text{ por } v_0 \leq v - c.$$

EXEMPLO 11.37: Considere as desigualdades

$$\begin{array}{rcccc} 1 & \leq & v_1, v_2 & \leq & 10 \\ 0 & \leq & v_3 & \leq & 4 \\ v_2 & \leq & v_1 & & \\ & & 2v_1 & \leq & 2v_3 - 7 \end{array}$$

Os limites superior e inferior de constantes em v_1 se tornam $v_0 \leq v_1 - 1$ e $v_1 \leq v_0 + 10$; os limites de constante em v_2 e v_3 são tratados de modo semelhante. Depois, convertendo a última restrição para $v_1 \leq v_3 - 4$, podemos criar o grafo mostrado na Figura 11.21. O ciclo v_1, v_3, v_0, v_1 tem peso -1, de modo que não existe solução para esse conjunto de desigualdades.

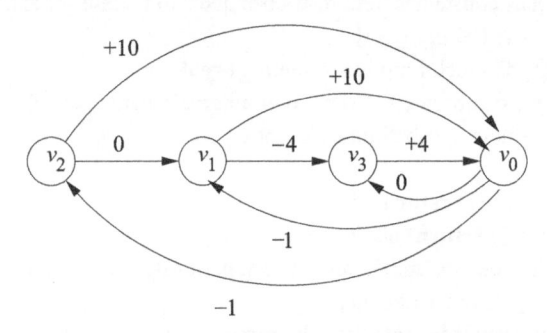

FIGURA 11.21 Grafo para as restrições do Exemplo 11.37.

Memoização

Com freqüência, problemas de dependência de dados semelhantes são resolvidos repetidamente, porque padrões de acesso simples são repetidos durante todo o programa. Uma técnica importante para acelerar o processamento da dependência de dados é usar a *memoização*. A memoização tabula os resultados para os problemas enquanto eles são gerados. A tabela de soluções armazenadas é consultada à medida que cada problema é apresentado; o problema precisa ser resolvido somente se o seu resultado não puder ser encontrado na tabela.

11.6.5 SOLUCIONANDO PROGRAMAS LINEARES INTEIROS GERAIS

Agora, descrevemos uma técnica geral para solucionar o problema da programação linear inteira. O problema é NP completo; nosso algoritmo utiliza uma abordagem de *branch-and-bound* que pode gastar uma quantidade de tempo exponencial no pior caso. Contudo, é raro que a heurística da Seção 11.6.4 não possa resolver o problema e, mesmo que precisemos aplicar o algoritmo dessa seção, raramente é preciso realizar o passo de *branch-and-bound*.

A abordagem, primeiro, verifica a existência de soluções racionais para as desigualdades. Esse é o problema clássico de programação linear. Se não houver solução racional para as desigualdades, as regiões dos dados relativos aos acessos em questão não se sobrepõem, e certamente não existe dependência de dados. Se houver uma solução racional, primeiro tentamos provar que existe uma solução inteira, o que normalmente é o caso. Falhando isso, dividimos o poliedro limitado pelas desigualdades em dois problemas menores e efetuamos a recursão.

EXEMPLO 11.38: Considere o seguinte *loop* simples:

```
for (i = 1; i < 10; i++)
    Z[i] = Z[i+10];
```

Os elementos relativos ao acesso $Z[i]$ são $Z[1],...,Z[9]$, enquanto os elementos relativos a $Z[i + 10]$ são $Z[11],...,Z[19]$. Os intervalos não se sobrepõem e, portanto, não existem dependências de dados. Mais formalmente, precisamos mostrar que não existem dois acessos dinâmicos i e i', com $1 \leq i \leq 9$, $1 \leq i' \leq 9$, e $i = i' + 10$. Se houvesse inteiros i e i', poderíamos substituir $i' + 10$ por i e obter as quatro restrições sobre i': $1 \leq i' \leq 9$ e $1 \leq i' + 10 \leq 9$. Contudo, $i' + 10 \leq 9$ implica em $i' \leq -1$, que contradiz $1 \leq i'$. Assim, não existe um inteiro i e i'.

O Algoritmo 11.39 descreve como determinar se uma solução inteira pode ser encontrada para um conjunto de desigualdades lineares baseada no algoritmo de eliminação de Fourier-Motzkin.

ALGORITMO 11.39: Solução de *branch-and-bound* para problemas de programação linear inteira.

ENTRADA: Um poliedro convexo S_n sobre variáveis $v_1, ..., v_n$.

SAÍDA: 'sim' se S_n tiver uma solução inteira; caso contrário, 'não'.

MÉTODO: O algoritmo aparece na Figura 11.22.

1. aplique o Algoritmo 11.13 a S_n para projetar variáveis
   $v_n, v_{n-1}, ..., v_1$ nessa ordem;
2. considere que S_i seja o poliedro após projetar v_{i+1}, para
   $i=n-1, n-2,..., 0$;
3. **if** S_0 é falso **return** 'não';
   /* Não existe solução racional se S_0, que envolve
   apenas constantes, tem restrições que não podem ser satisfeitas */
4. **for** $(i = 1; i \leq n; i++)$ {
5.   **if** (S_i não inclui um valor inteiro) **break**;
6.   pegue c_i, um inteiro no meio do intervalo para v_i em S_i;
7.   modifique S_i substituindo v_i por c_i;
8. }
9. **if** $(i == n+1)$ **return** 'sim';
10. **if** $(i == 1)$ **return** 'não';
11. considere que os limites inferior e superior de v_i em S_i são
    l_i e u_i, respectivamente;
12. aplique recursivamente este algoritmo a $S_n \cup \{v_i \leq \lfloor l_i \rfloor\}$ e
    $S_n \cup \{v_i \geq \lceil u_i \rceil\}$;
13. **if** (um deles retornar 'sim') **return** 'sim' **else return** 'não';

FIGURA 11.22 Encontrando uma solução inteira nas desigualdades.

As linhas (1) a (3) tentam encontrar uma solução racional para as desigualdades. Se não houver uma solução racional, não existe solução inteira. Se uma solução racional for encontrada, isso significa que as desigualdades definem um poliedro não vazio. É relativamente raro que tal poliedro não inclua soluções inteiras — para que isso aconteça, o poliedro deve ser relativamente fino ao longo de alguma dimensão e caber entre pontos inteiros.

Assim, as linhas (4) a (9) tentam verificar rapidamente se existe uma solução inteira. Cada passo do algoritmo de eliminação de Fourier-Motzkin produz um poliedro com uma dimensão a menos que a anterior. Consideramos os poliedros em ordem reversa. Começamos com o poliedro com uma variável e atribuímos a essa variável uma solução inteira aproximadamente no meio do intervalo de valores possíveis, se for possível. Depois, substituímos a variável por um valor em todos os outros poliedros, decrementando suas variáveis incógnitas de um. Repetimos o mesmo processo até que tenhamos processado todos os poliedros, quando uma solução inteira é encontrada, ou então encontramos uma variável para a qual não existe solução inteira.

Se não pudermos encontrar um valor inteiro até mesmo para a primeira variável, não existe solução inteira (linha 10). Caso contrário, tudo o que sabemos é que não existe solução inteira incluindo a combinação de inteiros específicos que escolhemos até aqui, e o resultado é inconclusivo. As linhas (11) a (13) representam o passo *branch-and-bound*. Se a variável v_i tiver uma solução racional, porém não inteira, dividimos o poliedro em dois, com o primeiro exigindo que v_i seja um inteiro menor que a solução racional encontrada, e o segundo exigindo que v_i seja um inteiro maior que a solução racional encontrada. Se nenhum tiver uma solução, então não existe dependência.

11.6.6 RESUMO

Mostramos que as partes essenciais de informação que um compilador pode colher das referências de arranjo são equivalentes a certos conceitos matemáticos padrão. Dada uma função de acesso $\mathcal{F} = \langle \mathbf{F, f, B, b} \rangle$:

1. A dimensão da região de dados acessada é dada pelo posto da matriz **F**. A dimensão do espaço dos acessos ao mesmo endereço é dada pela nulidade de **F**. As iterações cujas diferenças pertencem ao espaço nulo de **F** referem-se aos mesmos elementos do arranjo.
2. As iterações que compartilham o reúso temporal próprio de um acesso são separadas por vetores no espaço nulo de **F**. O reúso espacial próprio pode ser calculado de modo semelhante, perguntando-se quando duas iterações usam a mesma linha, em vez de o mesmo elemento. Dois acessos **F**$\mathbf{i}_1$ + $\mathbf{f}_1$ e **F**$\mathbf{i}_2$ + $\mathbf{f}_2$ compartilham a localidade facilmente explorável ao longo da direção **d**, se **d** for a solução particular para a equação **Fd** = ($\mathbf{f}_1$ − $\mathbf{f}_2$). Em particular, se **d** for a direção correspondente ao *loop* mais interno, ou seja, o vetor [0, 0, ..., 0, 1], existe localidade espacial se o arranjo for armazenado por linha.
3. O problema de dependência de dados — se duas referências podem referir-se ao mesmo endereço — é equivalente à programação linear inteira. Duas funções de acesso compartilham uma dependência de dados se existirem vetores com valor inteiro **i** e **i′** tais que **Bi** ≥ **0**, **B′i′** ≥ **0**, e **Fi** + **f** = **F′i′** + **f′**.

11.6.7 Exercícios da Seção 11.6

Exercício 11.6.1: Encontre o MDC dos seguintes conjuntos de inteiros:

a) {16, 24, 56}.
b) {−45, 105, 240}.
! c) {84, 105, 180, 315, 350}.

Exercício 11.6.2: Para o *loop* a seguir

```
for (i = 0; i < 10; i++)
    A[i] = A[10-i];
```

indique todas as

a) Dependências verdadeiras (escrita seguida por leitura do mesmo endereço).
b) Antidependências (leitura seguida pela escrita no mesmo endereço).
c) Dependências de saída (escrita seguida por outra escrita no mesmo endereço).

! **Exercício 11.6.3:** Na caixa sobre o algoritmo euclideano, fizemos diversas afirmações sem prova. Prove cada uma das seguintes:

a) O algoritmo euclideano, conforme indicado, sempre funciona. Em particular, mdc(b, c) = mdc(a, b), onde *c* é o resto diferente de zero de *a*/*b*.
b) mdc(*a*, *b*) = mdc(*a*, −*b*).
c) mdc($a_1, a_2, ..., a_n$) = mdc(mdc(a_1, a_2), $a_3, a_4, ..., a_n$) para $n > 2$.
d) O MDC é, na realidade, uma função sobre conjuntos de inteiros, ou seja, a ordem não importa. Mostre a *lei comutativa* para o MDC: mdc(a, b) = mdc(b, a). Depois, mostre o comando mais difícil, a *lei associativa* para o MDC: mdc(mdc(*a*, *b*), *c*) = mdc(*a*, mdc(*b*, *c*)). Finalmente, mostre que, juntas, essas leis implicam que o MDC de um conjunto de inteiros é o mesmo, independentemente da ordem em que os MDCs dos pares de inteiros são calculados.
e) Se *S* e *T* são conjuntos de inteiros, então mdc($S \cup T$) = mdc(mdc(*S*), mdc(*T*)).

! **Exercício 11.6.4:** Encontre outra solução para a segunda equação diofantina no Exemplo 11.33.

Exercício 11.6.5: Aplique o teste de variáveis independentes na situação a seguir. O ninho de *loop* é

```
for (i=0; i<100; i++)
    for (j=0; j<100; j++)
        for (k=0; k<100; k++)
```

e dentro do ninho há uma atribuição envolvendo acessos a arranjo. Determine se existem dependências de dados devido a cada uma das seguintes instruções:

a) `A[i,j,k] = A[i+100,j+100,k+100]`.
b) `A[i,j,k] = A[j+100,k+100,i+100]`.
c) `A[i,j,k] = A[j−50,k−50,i−50]`.
d) `A[i,j,k] = A[i+99,k+100,j]`.

Exercício 11.6.6: Nas duas restrições

$$\begin{array}{rcl} 1 \leq x & \leq & y - 100 \\ 3 \leq x & \leq & 2y - 50 \end{array}$$

elimine *x* substituindo-o por um limite inferior de constante sobre *y*.

Exercício 11.6.7: Aplique o teste de resíduo de *loop* ao seguinte conjunto de restrições:

$$0 \leq x \leq 99 \quad y \leq x - 50$$
$$0 \leq y \leq 99 \quad z \leq y - 60$$
$$0 \leq z \leq 99$$

Exercício 11.6.8: Aplique o teste de resíduo de *loop* ao seguinte conjunto de restrições:

$$0 \leq x \leq 99 \quad y \leq x - 50$$
$$0 \leq y \leq 99 \quad z \leq y + 40$$
$$0 \leq z \leq 99 \quad x \leq z + 20$$

Exercício 11.6.9: Aplique o teste de resíduo de *loop* ao seguinte conjunto de restrições:

$$0 \leq x \leq 99 \quad y \leq x - 100$$
$$0 \leq y \leq 99 \quad z \leq y + 60$$
$$0 \leq z \leq 99 \quad x \leq z + 50$$

11.7 Localizando o paralelismo sem sincronização

Tendo desenvolvido a teoria dos acessos a arranjo afins, seu reúso de dados e as dependências entre eles, começamos agora a aplicar essa teoria para paralelizar e otimizar programas reais. Conforme discutimos na Seção 11.1.4, é importante encontrar o paralelismo enquanto minimizamos a comunicação entre os processadores. Vamos começar estudando o problema da paralelização de uma aplicação sem permitir nenhuma comunicação ou sincronização entre processadores. Essa restrição pode parecer ser um exercício puramente acadêmico; com que freqüência podemos encontrar programas e rotinas que possuem tal forma de paralelismo? Na verdade, existem muitos desses programas na vida real, e o algoritmo para solucionar esse problema é útil por conta própria. Além disso, os conceitos usados para solucionar esse problema podem ser estendidos para tratar a sincronização e a comunicação.

11.7.1 Um exemplo introdutório

Na Figura 11.23, mostramos um fragmento de uma tradução em C (com acessos a arranjo em estilo Fortran retidos por clareza) de um algoritmo multigrid Fortran com 5000 linhas para solucionar equações de Euler tridimensionais. O programa gasta a maior parte do seu tempo em um pequeno número de rotinas, como a que aparece na figura. Isso é típico em muitos programas numéricos. Estas, freqüentemente, consistem em diversos *loops* for, com diferentes níveis de aninhamento, e possuem muitos acessos a arranjo, todos sendo expressões afins de índices de *loop* envolvente. Para encurtar o exemplo, omitimos as linhas do programa original com características semelhantes.

```
for (j = 2; j <= jl; j++)
   for (i = 2, i <= il, i++) {
      AP[j,i]      = ... ;
      T            = 1.0/(1.0 + AP[j,i]);
      D[2,j,i]     = T*AP[j,i];
      DW[1,2,j,i]  = T*DW[1,2,j,i];
   }
for (k = 3; k <= kl-1; k++)
   for (j = 2; j <= jl; j++)
      for (i = 2; i <= il; i++) {
         AM[j,i]     = AP[j,i];
         AP[j,i]     = ...;
         T           = ...AP[j,i] - AM[j,i]*D[k-1,j,i]...;
         D[k,j,i]    = T*AP[j,i];
         DW[1,k,j,i] = T*(DW[1,k,j,i] + DW[1,k-1,j,i])...;
      }
...
   for (k = kl-1; k >= 2; k--)
      for (j = 2; j <= jl; j++)
         for (i = 2; i <= il; i++)
            DW[1,k,j,i] = DW[1,k,j,i] + D[k,j,i]*DW[1,k+1,j,i];
```

FIGURA 11.23 Fragmento de código de um algoritmo multigrid.

O código da Figura 11.23 opera sobre a variável escalar *T* e diversos arranjos diferentes com dimensões diferentes. Vamos examinar primeiro o uso da variável *T*. Uma vez que cada iteração no *loop* usa a mesma variável *T*, não podemos executar as iterações em paralelo. Contudo, *T* é usada apenas como um meio de manter uma subexpressão comum usada duas vezes na mesma iteração. Nos dois primeiros dos três ninhos de *loop* da Figura 11.23, cada iteração do *loop* mais interno escreve um valor em *T* e usa o valor duas vezes imediatamente após, na mesma iteração. Podemos eliminar as dependências substituindo cada uso de *T* pela expressão do lado direito da atribuição anterior de *T*, sem alterar a semântica do programa. Ou então podemos substituir a variável escalar *T* por um arranjo. Depois, fazemos com que cada iteração (*j*, *i*) use seu próprio elemento de arranjo *T*[*j*, *i*].

Com essa modificação, a computação de um elemento de arranjo em cada comando de atribuição depende apenas de outros elementos do arranjo com os mesmos valores para os dois últimos componentes (*j* e *i*, respectivamente). Assim, podemos agrupar todas as operações que operam sobre o (*j*,*i*)-ésimo elemento de todos os arranjos em uma unidade de computação, e executá-las na ordem seqüencial original. Essa modificação produz (jl - 1) × (il - 1) unidades de computação que são todas independentes umas das outras. Observe que o segundo e o terceiro ninhos no programa fonte envolvem um terceiro *loop*, com índice *k*. Contudo, como não existe dependência entre os acessos dinâmicos com os mesmos valores para *j* e *i*, podemos seguramente efetuar os *loops* sobre *k* dentro dos *loops* em *j* e *i*, ou seja, dentro de uma unidade de computação.

Saber que essas unidades de computação são independentes permite diversas transformações legais sobre esse código. Por exemplo, em vez de executar o código como escrito originalmente, um uniprocessador pode efetuar o mesmo cálculo executando as unidades de operação independentes uma unidade de cada vez. O código resultante, mostrado na Figura 11.24, tem uma localidade temporal melhor, porque os resultados produzidos são consumidos imediatamente.

```
for (j = 2; j <= jl; j++)
   for (i = 2; i <= il; i++) {
      AP[j,i]      = ...;
      T[j,i]       = 1.0/(1.0 + AP[j,i]);
      D[2,j,i]     = T[j,i]*AP[j,i];
      DW[1,2,j,i]  = T[j,i]*DW[1,2,j,i];
      for (k = 3; k <= kl-1; k++) {
         AM[j,i]      = AP[j,i];
         AP[j,i]      = ...;
         T[j,i]       = ...AP[j,i] - AM[j,i]*D[k-1,j,i]...;
         D[k,j,i]     = T[j,i]*AP[j,i];
         DW[1,k,j,i]  = T[j,i]*(DW[1,k,j,i] + DW[1,k-1,j,i])...;
      }
      ...
      for (k = kl-1; k >= 2; k--)
         DW[1,k,j,i] = DW[1,k,j,i] + D[k,j,i]*DW[1,k+1,j,i];
   }
```

FIGURA 11.24 Código da Figura 11.23 transformado para ter *loops* paralelos mais externos.

As unidades de computação independentes também podem ser atribuídas a diferentes processadores e executadas em paralelo, sem exigir nenhuma sincronização ou comunicação. Como existem (jl - 1) × (il - 1) unidades de computação independentes, podemos utilizar no máximo (jl - 1) × (il - 1) processadores. Organizando os processadores como se estivessem em um arranjo bidimensional, com IDs (*j*, *i*), onde 2 ≤ *j* < jl e 2 ≤ *i* < il, o programa SPMD, a ser executado em cada processador é simplesmente o corpo no *loop* interno da Figura 11.24.

O exemplo da Figura 11.24 ilustra a abordagem básica para encontrar paralelismo sem sincronização. Primeiro, dividimos a computação em tantas unidades independentes quanto for possível. Esse particionamento expõe as escolhas de escalonamento disponíveis. Depois, atribuímos as unidades de computação aos processadores, dependendo do número de processadores que temos. Finalmente, geramos um programa SPMD que é executado em cada processador.

11.7.2 Partições de espaço afins

Um ninho de *loop* é considerado como tendo *k* graus de paralelismo se ele tiver, dentro do ninho, *k* *loops* paralelizáveis, ou seja, *loops* tais que não existam dependências de dados entre diferentes iterações dos *loops*. Por exemplo, o código na Figura 11.24 tem dois graus de paralelismo. É conveniente atribuir as operações em uma computação com *k* graus de paralelismo a um arranjo de processadores com *k* dimensões.

Vamos supor, inicialmente, que cada dimensão do arranjo de processadores tenha tantos processadores quanto as iterações do *loop* correspondente. Depois que todas as unidades de computação independentes forem encontradas, vamos mapear esses processadores 'virtuais' aos processadores reais. Na prática, cada processador deverá ser responsável por uma quantidade muito grande de iterações, porque de outra forma não haverá trabalho suficiente para amortizar o gasto adicional da paralelização.

Desmembramos o programa a ser paralelizado em comandos elementares, como comandos de três endereços. Para cada comando, encontramos uma *partição de espaço afim* que mapeia cada instância dinâmica do comando, identificada por seus índices de *loop*, em um ID de processador.

Exemplo 11.40: Conforme já discutimos, o código da Figura 11.24 possui dois graus de paralelismo. Vemos o arranjo de processadores como um espaço bidimensional. Seja (p_1, p_2) o ID de um processador no arranjo. O esquema de paralelização discutido na Seção 11.7.1 pode ser descrito por funções de partição de afins simples. Todos os comandos no primeiro ninho de *loop* têm essa mesma partição de afins:

$$\begin{bmatrix} p_1 \\ p_2 \end{bmatrix} = \begin{bmatrix} 1 & 0 \\ 0 & 1 \end{bmatrix} \begin{bmatrix} j \\ i \end{bmatrix} + \begin{bmatrix} 0 \\ 0 \end{bmatrix}.$$

Todos os comandos no segundo e terceiro ninhos de *loop* têm a mesma partição de afins a seguir:

$$\begin{bmatrix} p_1 \\ p_2 \end{bmatrix} = \begin{bmatrix} 0 & 1 & 0 \\ 0 & 0 & 1 \end{bmatrix} \begin{bmatrix} k \\ j \\ i \end{bmatrix} + \begin{bmatrix} 0 \\ 0 \end{bmatrix}.$$

O algoritmo para encontrar o paralelismo sem sincronização consiste em três passos:

1. Para cada comando no programa, encontre uma partição de afins que maximize o grau de paralelismo. Observe que geralmente tratamos o comando, em vez de um único acesso, como unidade de computação. A mesma partição de afins precisa ser aplicada a cada acesso no comando. Esse agrupamento de acessos faz sentido, pois quase sempre existe dependência entre os acessos do mesmo comando, de qualquer forma.
2. Atribua as unidades de computação independentes resultantes entre os processadores e escolha uma intercalação dos passos em cada processador. Essa atribuição é controlada por considerações de localidade.
3. Gere um programa SPMD para ser executado em cada processador.

Em seguida, discutiremos como encontrar as funções de partição de afins, como gerar um programa seqüencial que executa as partições em série, e como gerar um programa SPMD que executa cada partição em um processador diferente. Depois de discutir como o paralelismo com sincronizações é tratado nas seções 11.8 a 11.9.9, retornamos na Seção 11.10 ao passo 2, anterior, e discutimos a otimização de localidade para uniprocessadores e múltiprocessadores.

11.7.3 Restrições de partição de espaço

Para não exigir comunicação, cada par de operações que compartilha uma dependência de dados deve ser atribuído ao mesmo processador. Nós nos referimos a essas restrições como 'restrições de partição de espaço'. Qualquer mapeamento que satisfaça essas restrições cria partições independentes umas das outras. Observe que essas restrições podem ser satisfeitas colocando-se todas as operações em uma única partição. Infelizmente, essa 'solução' não produz nenhum paralelismo. Nosso objetivo é criar o máximo possível de partições independentes, enquanto se satisfazem as restrições de partição de espaço, ou seja, as operações não são colocadas no mesmo processador, a menos que isso seja necessário.

Quando nos restringimos a partições de afins, então, em vez de maximizar o número de unidades independentes, podemos maximizar o grau (número de dimensões) de paralelismo. Às vezes, é possível criar mais unidades independentes se pudermos usar partições de afins *por partes*. Uma partição de afins por partes divide as instâncias de um único acesso em diferentes conjuntos e permite uma partição de afins diferente para cada conjunto. Contudo, não consideraremos essa opção aqui.

Formalmente, uma partição de afins de um programa é *sem sincronização* se e somente se, para cada dois acessos (não necessariamente distintos) que compartilham uma dependência, $\mathcal{F}_1 = \langle \mathbf{F}_1, \mathbf{f}_1, \mathbf{B}_1, \mathbf{b}_1 \rangle$ no comando s_1 aninhado em *loops* d_1, e $\mathcal{F}_2 = \langle \mathbf{F}_2, \mathbf{f}_2, \mathbf{B}_2, \mathbf{b}_2 \rangle$ em comando s_2 aninhado em *loops* d_2, as partições $\langle \mathbf{C}_1, \mathbf{c}_1 \rangle$ e $\langle \mathbf{C}_2, \mathbf{c}_2 \rangle$ para comandos s_1 e s_2, respectivamente, satisfazem as seguintes *restrições de partição de espaço*:

- Para todo $\mathbf{i}_1$ em Z^{d1} e $\mathbf{i}_2$ em Z^{d2} tal que

  a) $\mathbf{B}_1 \mathbf{i}_1 + \mathbf{b}_1 \geq 0$,
  b) $\mathbf{B}_2 \mathbf{i}_2 + \mathbf{b}_2 \geq 0$, e
  c) $\mathbf{F}_1 \mathbf{i}_1 + \mathbf{f}_1 = \mathbf{F}_2 \mathbf{i}_2 + \mathbf{f}_2$,

este é o caso em que $\mathbf{C}_1 \mathbf{i}_1 + \mathbf{c}_1 = \mathbf{C}_2 \mathbf{i}_2 + \mathbf{c}_2$.

O objetivo do algoritmo de paralelização é encontrar, para cada comando, a partição com o posto mais alto que satisfaça essas restrições.

A Figura 11.25 mostra um diagrama que ilustra a essência das restrições de partição de espaço. Suponha que haja dois acessos estáticos em dois ninhos de *loop* com vetores de índice $\mathbf{i}_1$ e $\mathbf{i}_2$. Esses acessos são dependentes no sentido de que acessam pelo menos um elemento de arranjo em comum, e pelo menos um deles é uma escrita. A figura mostra acessos dinâmicos em particular nos dois *loops* que acessam o mesmo elemento de arranjo, de acordo com as funções de acesso afins $\mathbf{F}_1\mathbf{i}_1 + \mathbf{f}_1$ e $\mathbf{F}_2\mathbf{i}_2 + \mathbf{f}_2$. A sincronização é necessária a menos que as partições de afins para os dois acessos estáticos, $\mathbf{C}_1\mathbf{i}_1 + \mathbf{c}_1$ e $\mathbf{C}_2\mathbf{i}_2 + \mathbf{c}_2$, atribuam acessos dinâmicos ao mesmo processador.

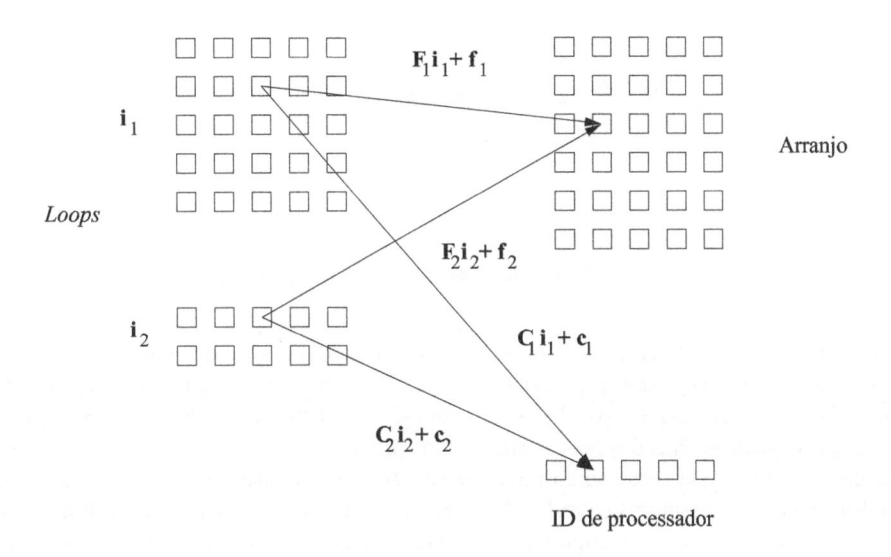

Figura 11.25 Restrições de partição de espaço.

Se escolhermos uma partição de afins cujo posto seja o máximo dos postos de todos os comandos, obteremos o máximo de paralelismo possível. Contudo, sob esse particionamento, alguns processadores podem estar ociosos às vezes, enquanto outros estarão executando comandos cujas partições de afins têm um posto menor. Essa situação pode ser aceitável se o tempo gasto para executar esses comandos for relativamente curto. Caso contrário, poderemos escolher uma partição de afins cujo posto seja menor que o máximo possível, desde que esse posto seja maior que 0.

Mostramos, no Exemplo 11.41, um pequeno programa projetado para ilustrar o poder da técnica. As aplicações reais usualmente são muito mais simples do que isso, mas podem ter condições de contorno semelhantes a alguns dos aspectos mostrados aqui. Usaremos esse exemplo em todo o capítulo para ilustrar que programas com acessos afins têm restrições de partição de espaço relativamente simples, que essas restrições podem ser solucionadas usando técnicas padrão da álgebra linear, e que o programa SPMD desejado pode ser gerado mecanicamente a partir das partições de afins.

Exemplo 11.41: Este exemplo mostra como formulamos as restrições de partição de espaço para o programa que consiste em um pequeno ninho de *loop* com dois comandos, s_1 e s_2, mostrados na Figura 11.26.

```
for (i = 1; i <= 100; i++)
    for (j = 1; j <= 100; j++) {
        X[i,j] = X[i,j] + Y[i-1,j];    /* (s1) */
        Y[i,j] = Y[i,j] + X[i,j-1];    /* (s2) */
    }
```

Figura 11.26 Um ninho de *loop* exibindo longas cadeias de operações dependentes.

Mostramos as dependências de dados no programa da Figura 11.27. Ou seja, cada ponto preto representa uma instância do comando s_1, e cada ponto branco representa uma instância do comando s_2. O ponto localizado nas coordenadas (i,j) representa a instância do comando que é executado para esses valores dos índices de *loop*. Contudo, observe que a instância de s_2 está localizada logo abaixo da instância de s_1 para o mesmo par (i,j), de modo que a escala vertical de j é maior que a escala horizontal de i.

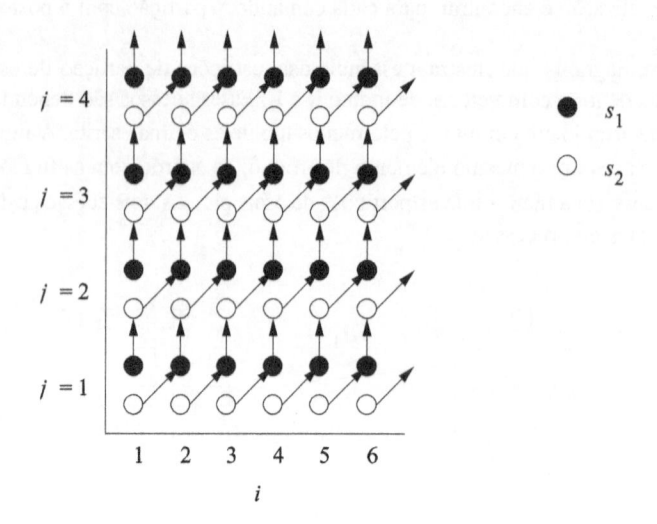

FIGURA 11.27 Dependências do código no Exemplo 11.41.

Observe que $X[i,j]$ é escrito por $s_1(i,j)$, ou seja, pela instância do comando s_1 com valores de índice i e j. Mais tarde, ele é lido por $s_2(i, j+1)$, de modo que $s_1(i,j)$ deve preceder $s_2(i, j+1)$. Essa observação explica as setas verticais dos pontos pretos aos pontos brancos. De modo semelhante, $Y[i,j]$ é escrito por $s_2(i,j)$ e mais tarde lido por $s_1(i+1, j)$. Assim, $s_2(i,j)$ deve preceder $s_1(i+1,j)$, o que explica as setas dos pontos brancos aos pretos.

É fácil ver por esse diagrama que esse código pode ser colocado em paralelo, sem sincronização, atribuindo-se cada cadeia de operações dependentes ao mesmo processador. Contudo, não é fácil escrever o programa SPMD que implementa esse esquema de mapeamento. Embora os *loops* no programa original tenham 100 iterações cada, existem 200 cadeias, com a metade originando e terminando com o comando s_1 e a outra metade originando e terminando com s_2. Os comprimentos das cadeias variam de 1 até 100 iterações.

Como existem dois comandos, estamos procurando duas partições de afins, uma para cada comando. Só precisamos expressar as restrições de partição de espaço para partições de afins unidimensionais. Essas restrições serão usadas mais adiante pelo método de solução que tenta encontrar todas as partições de afins unidimensionais independentes e combiná-las para obter partições de afins multidimensionais. Assim, podemos representar a partição de afins para cada comando por uma matriz 1×2 e um vetor 1×1 para traduzir o vetor de índices $[i, j]$ em um único número de processador. Sejam $\langle [C_{11}\ C_{12}], [c_1] \rangle$, $\langle [C_{21}\ C_{22}], [c_2] \rangle$ as partições de afins unidimensionais para os comandos s_1 e s_2, respectivamente.

Aplicamos seis testes de dependência de dados:

1. Escreva o acesso $X[i,j]$ e ele próprio no comando s_1,
2. Escreva o acesso $X[i,j]$ com acesso de leitura $X[i,j]$ no comando s_1,
3. Escreva o acesso $X[i,j]$ no comando s_1 com acesso de leitura $X[i, j-1]$ no comando s_2,
4. Escreva o acesso $Y[i,j]$ e ele próprio no comando s_2,
5. Escreva o acesso $Y[i,j]$ com acesso de leitura $Y[i,j]$ no comando s_2,
6. Escreva o acesso $Y[i,j]$ no comando s_2 com acesso de leitura $Y[i,j]$ no comando s_1.

Vemos que os testes de dependência são todos simples e altamente repetitivos. As únicas dependências presentes nesse código ocorrem no caso (3) entre instâncias de acessos $X[i,j]$ e $X[i, j-1]$ e, no caso (6) entre $Y[i,j]$ e $Y[i-1, j]$.

As restrições de partição de espaço impostas pela dependência de dados entre $X[i,j]$ no comando s_1 e $X[i, j-1]$ no comando s_2 podem ser expressas nos seguintes termos:

Para todo (i,j) e (i',j') tal que

$$1 \leq i \leq 100 \qquad 1 \leq j \leq 100$$
$$1 \leq i' \leq 100 \qquad 1 \leq j' \leq 100$$
$$i = i' \qquad j = j' - 1$$

temos

$$[\ C_{11}\ \ C_{12}\ ] \begin{bmatrix} i \\ j \end{bmatrix} + [\ c_1\ ] = [\ C_{21}\ \ C_{22}\ ] \begin{bmatrix} i' \\ j' \end{bmatrix} + [\ c_2\ ].$$

CAPÍTULO 11: OTIMIZAÇÃO DE PARALELISMO E LOCALIDADE   523

Ou seja, as quatro primeiras condições dizem que (i, j) e (i', j') se encontram dentro do espaço de iteração do ninho de *loop*, e as duas últimas condições dizem que os acessos dinâmicos $X[i, j]$ e $X[i, j-1]$ são relativos ao mesmo elemento de arranjo. Podemos derivar a restrição de partição de espaço para os acessos $Y[i-1, j]$ no comando s_2 e $Y[i, j]$ no comando s_1, de modo semelhante.

11.7.4 Solucionando restrições de partição de espaço

Quando as restrições de partição de espaço tiverem sido extraídas, as técnicas padrão da álgebra linear poderão ser usadas para encontrar as partições de afins que satisfazem as restrições. Vamos, primeiro, mostrar como encontrar a solução do Exemplo 11.41.

Exemplo 11.42: Podemos encontrar as partições de afins para o Exemplo 11.41 com os seguintes passos:

1. Para 'crie as restrições de partição de espaço mostradas no Exemplo 11.41', usamos os limites de *loop* na determinação das dependências de dados, mas eles não são usados no restante do algoritmo, de outras maneiras.
2. Para 'as variáveis incógnitas nas igualdades são: $i, i', j, j', C_{11}, C_{12}, c_1, C_{21}, C_{22}$ e c_2, reduza o número de incógnitas usando as igualdades devido às funções de acesso: $i = i'$ e $j = j' - 1$. Fazemos isso usando a eliminação de Gauss, que reduz as quatro variáveis em duas: digamos $t_1 = i = i'$, e $t_2 = j + 1 = j'$. A igualdade para a partição se torna

$$[\; C_{11} - C_{21} \quad C_{12} - C_{22} \;] \begin{bmatrix} t_1 \\ t_2 \end{bmatrix} + [\; c_1 - c_2 - C_{22} \;] = 0.$$

3. A equação anterior se mantém para todas as combinações de t_1 e t_2. Assim, é preciso que

$$C_{11} - C_{21} = 0$$
$$C_{12} - C_{22} = 0$$
$$c_1 - c_2 - C_{22} = 0.$$

Se efetuarmos os mesmos passos na restrição entre os acessos $Y[i - 1, j]$ e $Y[i, j]$, obteremos

$$C_{11} - C_{21} = 0$$
$$C_{12} - C_{22} = 0$$
$$c_1 - c_2 + C_{21} = 0.$$

Simplificando todas as restrições juntas, obtemos os seguintes relacionamentos:

$$C_{11} = C_{21} = -C_{22} = -C_{12} = c_2 - c_1.$$

4. Encontre todas as soluções independentes para as equações que envolvam apenas incógnitas na matriz de coeficientes, ignorando aquelas nos vetores de constantes neste passo. Há somente uma escolha independente na matriz de coeficientes, de modo que as partições de afins que buscamos podem ter no máximo um posto de um. Conservamos a partição o mais simples possível definindo $C_{11} = 1$. Não podemos atribuir 0 para C_{11} porque isso cria uma matriz de coeficientes de posto 0, que mapeia todas as iterações ao mesmo processador. Então, segue-se que $C_{21} = 1$, $C_{22} = -1$, $C_{12} = -1$.
5. Encontre os termos constantes. Sabemos que a diferença entre os termos constantes, $c_2 - c_1$, deve ser -1. Contudo, pegamos os valores correntes. Para manter as partições simples, pegamos $c_2 = 0$; assim, $c_1 = -1$.

Seja p o ID do processador executando a iteração (i, j). Em termos de p, a partição de afins é

$$s_1 : [\; p \;] = [\; 1 \quad -1 \;] \begin{bmatrix} i \\ j \end{bmatrix} + [\; -1 \;].$$

$$s_1 : [\; p \;] = [\; 1 \quad -1 \;] \begin{bmatrix} i \\ j \end{bmatrix} + [\; 0 \;].$$

Ou seja, a (i, j)-ésima iteração de s_1 é atribuída ao processador $p = i - j - 1$, e a (i, j)-ésima iteração de s_2 é atribuída ao processador $p = i - j$.

Algoritmo 11.43: Encontrar uma partição de afins sem sincronização de posto mais alto para um programa.

ENTRADA: Um programa com acessos a arranjo afins.

SAÍDA: Uma partição.

MÉTODO: Faça o seguinte:

1. Encontre todos os pares de acessos dependentes de dados em um programa para cada par de acessos dependentes de dados, $\mathcal{F}_1 = \langle \mathbf{F}_1, \mathbf{f}_1, \mathbf{B}_1, \mathbf{b}_1 \rangle$ no comando s_1 aninhado em d_1 *loops* e $\mathcal{F}_2 = \langle \mathbf{F}_2, \mathbf{f}_2, \mathbf{B}_2, \mathbf{b}_2 \rangle$ no comando s_2 aninhado em d_2 *loops*. Considere que $\langle \mathbf{C}_1, \mathbf{c}_1 \rangle$ e $\langle \mathbf{C}_2, \mathbf{c}_2 \rangle$ representam as partições (correntemente desconhecidas) dos comandos s_1 e s_2, respectivamente. As restrições de partição de espaço declaram que se

$$\mathbf{F}_1 \mathbf{i}_1 + \mathbf{f}_1 = \mathbf{F}_2 \mathbf{i}_2 + \mathbf{f}_2$$

então

$$\mathbf{C}_1 \mathbf{i}_1 + \mathbf{c}_1 = \mathbf{C}_2 \mathbf{i}_2 + \mathbf{c}_2$$

para todo $\mathbf{i}_1$ e $\mathbf{i}_2$, dentro de seus respectivos limites de *loop*. Vamos generalizar o domínio de iterações para incluir todos os $\mathbf{i}_1$ em Z^{d_1} e $\mathbf{i}_2$ em Z^{d_2}; ou seja, os limites são todos considerados como sendo menos infinito a infinito. Essa suposição faz sentido, porque uma partição de afins não pode fazer uso do fato de que uma variável de índice pode possuir apenas um conjunto limitado de valores inteiros.

2. Para cada par de acessos dependentes, reduzimos o número de incógnitas nos vetores de índice.
   (a) Observe que $\mathbf{F}\mathbf{i} + \mathbf{f}$ é o mesmo vetor que

   $$\begin{bmatrix} \mathbf{F} & \mathbf{f} \end{bmatrix} \begin{bmatrix} \mathbf{i} \\ 1 \end{bmatrix}$$

   Ou seja, somando um componente extra 1 no fim do vetor de colunas $\mathbf{i}$, podemos fazer com que o vetor de colunas $\mathbf{f}$ seja uma última coluna adicional da matriz $\mathbf{F}$. Assim, podemos reescrever a igualdade das funções de acesso $\mathbf{F}_1 \mathbf{i}_1 + \mathbf{f}_1 = \mathbf{F}_2 \mathbf{i}_2 + \mathbf{f}_2$ como

   $$\begin{bmatrix} \mathbf{F}_1 & -\mathbf{F}_2 & (\mathbf{f}_1 - \mathbf{f}_2) \end{bmatrix} \begin{bmatrix} \mathbf{i}_1 \\ \mathbf{i}_2 \\ 1 \end{bmatrix} = 0$$

   (b) As equações anteriores em geral terão mais de uma solução. Contudo, ainda podemos usar a eliminação de Gauss para solucionar as equações para os componentes de $\mathbf{i}_1$ e $\mathbf{i}_2$ da melhor forma possível. Ou seja, elimine o máximo de variáveis possível até que fiquemos apenas com as variáveis que não podem ser eliminadas. A solução resultante para $\mathbf{i}_1$ e $\mathbf{i}_2$ terá a forma

   $$\begin{bmatrix} \mathbf{i}_1 \\ \mathbf{i}_2 \\ 1 \end{bmatrix} = \mathbf{U} \begin{bmatrix} \mathbf{t} \\ 1 \end{bmatrix}$$

   onde $\mathbf{U}$ é uma matriz triangular superior e $\mathbf{t}$ é um vetor de variáveis livres variando por todos os inteiros.

   (c) Podemos usar o mesmo truque do passo (2a) para reescrever a igualdade das partições. Substituindo o vetor $(\mathbf{i}_1, \mathbf{i}_2, 1)$ pelo resultado do passo (2b), podemos escrever as restrições sobre as partições como

   $$\begin{bmatrix} \mathbf{C}_1 & -\mathbf{C}_2 & (\mathbf{c}_1 - \mathbf{c}_2) \end{bmatrix} \mathbf{U} \begin{bmatrix} \mathbf{t} \\ 1 \end{bmatrix} = \mathbf{0}.$$

3. Remova as variáveis não de partição. As equações anteriores se mantêm para todas as combinações de $\mathbf{t}$ se

   $$\begin{bmatrix} \mathbf{C}_1 & -\mathbf{C}_2 & (\mathbf{c}_1 - \mathbf{c}_2) \end{bmatrix} \mathbf{U} = \mathbf{0}.$$

   Reescreva essas equações na forma $\mathbf{A}\mathbf{x} = \mathbf{0}$, onde $\mathbf{x}$ é um vetor de todos os coeficientes incógnitos das partições de afins.

4. Encontre o posto da partição de afins e resolva as matrizes de coeficientes. Como o posto de uma partição de afins é independente do valor dos termos constantes na partição, eliminamos todas as incógnitas que vêm de vetores constantes como $\mathbf{c}_1$ ou $\mathbf{c}_2$, substituindo assim $\mathbf{A}\mathbf{x} = \mathbf{0}$ pelas restrições simplificadas $\mathbf{A}'\mathbf{x}' = \mathbf{0}$. Encontre as soluções para $\mathbf{A}'\mathbf{x}' = \mathbf{0}$, expressando-as como $\mathbf{B}$, um conjunto de vetores básicos que se espalham pelo espaço nulo de $\mathbf{A}'$.

5. Encontre os termos constantes. Derive uma linha da partição de afins desejada de cada vetor básico em $\mathbf{B}$, e derive os termos constantes usando $\mathbf{A}\mathbf{x} = \mathbf{0}$.

Observe que o passo 3 ignora as restrições impostas pelos limites de *loop* sobre as variáveis **t**. As restrições são apenas mais estritas como um resultado, e o algoritmo, portanto, deve ser seguro. Ou seja, impomos restrições sobre os **C**s e **c**s considerando que **t** é arbitrário. Teoricamente, haveria outras soluções para os **C**s e **c**s válidas apenas porque alguns valores de **t** são impossíveis. Não procurar estas outras soluções pode levar-nos a perder uma otimização, mas não pode levar o programa a ser alterado para um programa que faz algo diferente daquilo que o programa original faz.

11.7.5 UM ALGORITMO SIMPLES DE GERAÇÃO DE CÓDIGO

O Algoritmo 11.43 gera partições de afins que dividem as computações em partições independentes. As partições podem ser atribuídas arbitrariamente a diferentes processadores, desde que eles sejam independentes uns dos outros. Um processador pode receber mais de uma partição e pode intercalar a execução de suas partições, desde que as operações dentro de cada partição, que normalmente têm dependências de dados, sejam executadas seqüencialmente.

É relativamente fácil gerar um programa correto dada uma partição de afins. Primeiro, apresentamos o Algoritmo 11.45, uma abordagem simples para gerar código para um único processador que executa cada uma das partições independentes seqüencialmente. Esse código otimiza a localidade temporal, desde que os acessos a arranjo que possuem vários usos estejam muitos próximos no tempo. Além disso, o código pode ser facilmente transformado em um programa SPMD, que executa cada partição em um processador diferente. Infelizmente, o código gerado é ineficaz; em seguida, discutimos as otimizações para fazer com que o código seja executado de forma eficaz.

A idéia essencial é a seguinte: recebemos limites para as variáveis de índice de um ninho de *loop* e determinamos, no Algoritmo 11.43, uma partição para os acessos de um comando em particular *s*. Suponha que queiramos gerar código seqüencial que efetue a ação de cada processador seqüencialmente. Criamos um *loop* mais externo que percorre os IDs de processador, ou seja, cada iteração deste *loop* efetua as operações atribuídas a determinado ID de processador. O programa original é inserido como o corpo deste *loop*; além disso, é acrescentado um teste para guardar cada operação no código a fim de garantir que cada processador só execute as operações atribuídas a ele. Desse modo, garantimos que o processador executará todas as instruções a ele atribuídas, e ele fará isso na ordem seqüencial original.

EXEMPLO 11.44: Vamos gerar código que executa as partições independentes do Exemplo 11.41 seqüencialmente. O programa seqüencial original da Figura 11.26 é repetido aqui na Figura 11.28.

```
for (i = 1; i <= 100; i++)
    for (j = 1; j <= 100; j++) {
        X[i,j] = X[i,j] + Y[i-1,j];    /* (s1) */
        Y[i,j] = Y[i,j] + X[i,j-1];    /* (s2) */
    }
```

FIGURA 11.28 Repetição da Figura 11.26.

No Exemplo 11.41, o algoritmo de particionamento de afins encontrou um grau de paralelismo. Assim, o espaço do processador pode ser representado por uma única variável *p*. Lembre-se também, por esse exemplo, de que selecionamos uma partição de afins que, para todos os valores das variáveis de índice *i* e *j* com $1 \leq i \leq 100$ e $1 \leq j \leq 100$, atribuímos

1. A instância (i, j) do comando s_1 ao processador $p = i - j - 1$, e
2. A instância (i, j) do comando s_2 ao processador $p = i - j$.

Podemos gerar o código em três passos:

1. Para cada comando, encontre todos os IDs de processador que participam da computação. Combinamos as restrições $1 \leq i \leq 100$ e $1 \leq j \leq 100$ com uma das equações $p = i - j - 1$ ou $p = i - j$, e projetamos *i* e *j* para obter as novas restrições

   (a) $-100 \leq p \leq 98$ se usarmos a função $p = i - j - 1$ que obtemos para o comando s_1, e
   (b) $-99 \leq p \leq 99$ se usarmos $p = i - j$ a partir do comando s_2.

2. Encontre todos os IDs de processador participantes de qualquer um dos comandos. Quando pegamos a união desses intervalos, obtemos $-100 \leq p \leq 99$; esses limites são suficientes para cobrir todas as instâncias dos dois comandos s_1 e s_2.

3. Gere o código para iterar seqüencialmente pelas computações em cada partição seqüencialmente. O código, mostrado na Figura 11.29, tem um *loop* externo que itera ao longo de todos os IDs de partição participante da computação (linha (1)). Cada partição passa pela ação de gerar os índices de todas as iterações no programa seqüencial original nas linhas (2) e (3), de modo que pode selecionar as iterações que o processador *p* deve executar. Os testes das linhas (4) e (6) garantem que os comandos s_1 e s_2 sejam executados apenas quando o processador *p* os executar.

O código gerado, embora correto, é extremamente ineficiente. Primeiro embora cada processador execute a computação a partir de no máximo 99 iterações, ele gera índices de *loop* para 100 × 100 iterações, uma ordem de magnitude a mais do que o necessário. Segundo, cada adição no *loop* mais interno é guardada por um teste, criando outro fator constante de custo adicional. Esses dois tipos de ineficiências são tratados nas seções 11.7.6 e 11.7.7, respectivamente.

```
1)   for (p = -100; p <= 99; p++)
2)      for (i = 1; i <= 100; i++)
3)         for (j = 1; j <= 100; j++) {
4)            if (p == i-j-1)
5)               X[i,j] = X[i,j] + Y[i-1,j];   /* (s1) */
6)            if (p == i-j)
7)               Y[i,j] = X[i,j-1] + Y[i,j];   /* (s2) */
8)         }
```

FIGURA 11.29 Uma reescrita simples da Figura 11.28 que itera no espaço do processador.

Embora o código da Figura 11.29 pareça ser projetado para execução em um uniprocessador, poderíamos pegar os *loops* internos, nas linhas (2) a (8) e executá-los em 200 processadores diferentes, cada um tendo um valor diferente para p, de -100 até 99. Ou então, poderíamos dividir a responsabilidade dos *loops* internos entre qualquer quantidade de processadores menor que 200, desde que arrumássemos para que cada processador soubesse quais valores de p ele era responsável e executássemos as linhas (2) a (8) apenas para esses valores de p.

ALGORITMO 11.45: Geração de código que executa partições de um programa seqüencialmente.

ENTRADA: Um programa p com acessos a arranjo afins. Cada comando s no programa tem limites associados da forma $\mathbf{B}_s\mathbf{i} + \mathbf{b}_s \geq 0$, onde $\mathbf{i}$ é o vetor de índices de *loop* para o ninho de *loop* no qual o comando s aparece. Também associado ao comando s há uma partição $\mathbf{C}_s\mathbf{i} + \mathbf{c}_s = \mathbf{p}$, onde $\mathbf{p}$ é um vetor de dimensão m de variáveis, representando um ID de processador; m é o valor máximo, sobre todos os comandos no programa P, do posto da partição para esse comando.

SAÍDA: Um programa equivalente a P, mas iterando sobre o espaço de processadores em vez dos índices de *loop*.

MÉTODO: Faça o seguinte:

1. Para cada comando, use a eliminação de Fourier-Motzkin para projetar todas as variáveis de índice de *loop* a partir dos limites.
2. Use o Algoritmo 11.13 para determinar os limites sobre os IDs de partição.
3. Gere *loops*, um para cada uma das m dimensões do espaço do processador. Seja $\mathbf{p} = [p_1, p_2, ..., p_m]$ o vetor de variáveis para esses *loops*; isto é, existe uma variável para cada dimensão do espaço de processadores. Cada variável de *loop* p_i varia pela união dos espaços de partição para todos os comandos no programa P.

Observe que a união dos espaços de partição não é necessariamente convexa. Para manter o algoritmo simples, em vez de enumerar apenas as partições que possuem uma computação não vazia para efetuar, defina o limite inferior de cada p_i como o menor de todos os limites inferiores impostos por todos os comandos, e o limite superior de cada p_i como o maior de todos os limites superiores impostos por todos os comandos. Por isso, alguns valores de $\mathbf{p}$ podem não ter operações.

O código a ser executado em cada partição é o programa seqüencial original. Contudo, todo comando é guardado por um predicado, de modo que somente as operações pertencentes à partição são executadas.

Um exemplo do Algoritmo 11.45 aparecerá em breve. Portanto, tenha em mente que ainda estamos longe do código ideal para os exemplos típicos.

11.7.6 ELIMINANDO ITERAÇÕES VAZIAS

Agora, discutiremos a primeira das duas transformações necessárias para gerar código SPMD eficiente. O código executado em cada processador circula por todas as iterações no programa original e escolhe as operações que ele deveria executar. Se o código tiver k graus de paralelismo, isso faz com que cada processador execute trabalhos k ordens de grandeza a mais. A finalidade da primeira transformação é encurtar os limites dos *loops* para eliminar todas as iterações vazias.

Começamos considerando os comandos do programa um de cada vez. O espaço de iteração de um comando a ser executado em cada partição é o espaço de iteração original mais a restrição imposta pela partição de afins. Podemos gerar limites apertados para cada comando aplicando o Algoritmo 11.13 ao novo espaço de iteração; o novo vetor de índice é como o vetor de índice seqüencial original, com IDs de processador acrescentados como índices mais externos. Lembre-se de que o algoritmo gerará limites apertados para cada índice em termos dos índices de *loop* envolventes.

Depois de encontrar os espaços de iteração dos diferentes comandos, nós os combinamos, *loop* por *loop*, fazendo com que os limites sejam a união dos limites de cada comando. Alguns *loops* acabam tendo uma única iteração, como ilustrado pelo Exemplo 11.46 a seguir, e podemos simplesmente eliminar o *loop* e definir o índice do *loop* como o valor para essa iteração.

EXEMPLO 11.46: Para o *loop* da Figura 11.30(a), o Algoritmo 11.43 criará a partição de afins

$$s_1: p = i$$
$$s_2: p = j$$

```
for (i=1; i<=N; i++)
    Y[i] = Z[i];   /* (s1) */
for (j=1; j<=N; j++)
    X[j] = Y[j];   /* (s2) */
```

(a) Código inicial.

```
for (p=1; p<=N; p++) {
    for (i=1; i<=N; i++)
        if (p == i)
            Y[i] = Z[i];   /* (s1) */
    for (j=1; j<=N; j++)
        if (p == j)
            X[j] = Y[j];   /* (s2) */
}
```

(b) Resultado da aplicação do Algoritmo 11.45.

```
for (p=1; p<=N; p++) {
    i = p;
    if (p == i)
        Y[i] = Z[i];   /* (s1) */
    j = p;
    if (p == j)
        X[j] = Y[j];   /* (s2) */
}
```

(c) Depois de aplicar o Algoritmo 11.13.

```
for (p=1; p<=N; p++) {
    Y[p] = Z[p];   /* (s1) */
    X[p] = Y[p];   /* (s2) */
}
```

(d) Código final.

FIGURA 11.30 Código para o Exemplo 11.46.

O Algoritmo 11.45 criará o código da Figura 11.30(b). A aplicação do Algoritmo 11.13 ao comando s_1 produz o limite: $p \leq i \leq p$, ou simplesmente $i = p$. De modo semelhante, o algoritmo determina $j = p$ para o comando s_2. Assim, obtemos o código da Figura 11.30(c). A propagação de cópia das variáveis *i* e *j* eliminará o teste desnecessário e produzirá o código da Figura 11.30(d).

Agora, retornamos ao Exemplo 11.44 e ilustramos o passo para intercalar múltiplos espaços de iteração a partir de diferentes comandos.

EXEMPLO 11.47: Vamos agora estreitar os limites de *loop* do código do Exemplo 11.44. O espaço de iteração executado pela partição *p* para o comando s_1 é definido pelas seguintes igualdades e desigualdades:

$$-100 \leq p \leq 99$$
$$1 \leq i \leq 100$$
$$1 \leq j \leq 100$$

$$i - p - 1 = j$$

A aplicação do Algoritmo 11.13 a isso cria as restrições mostradas na Figura 11.31(a). O Algoritmo 11.13 gera a restrição $p + 2 \leq i \leq 100 + p + 1$ a partir de $i - p - 1 = j$ e $1 \leq j \leq 100$, e estreita o limite superior de p para 98. De modo semelhante, os limites para cada uma das variáveis do comando s_2 aparecem na Figura 11.31(b).

$$j: \quad i-p-1 \leq j \leq i-p-1$$
$$1 \leq j \leq 100$$

$$i: \quad p+2 \leq i \leq 100+p+1$$
$$1 \leq i \leq 100$$

$$p: \quad -100 \leq p \leq 98$$

(a) Limites para o comando s_1.

$$j: \quad i-p \leq j \leq i-p$$
$$1 \leq j \leq 100$$

$$i: \quad p+1 \leq i \leq 100+p$$
$$1 \leq i \leq 100$$

$$p: \quad -99 \leq p \leq 99$$

(b) Limites para o comando s_2.

FIGURA 11.31 Limites mais estritos sobre p, i e j para a Figura 11.29.

Os espaços de iteração para s_1 e s_2 da Figura 11.31 são semelhantes, mas, conforme esperado pela Figura 11.27, certos limites diferem de 1 entre os dois. O código na Figura 11.32 é executado sobre essa união de espaços de iteração. Por exemplo, para i, use $\min(1, p + 1)$ como limite inferior e $\max(100, 100 + p + 1)$ como limite superior. Observe que o *loop* mais interno tem duas iterações, exceto por ter apenas uma na primeira e última vez que é executado. O custo adicional na geração de índices de *loop* é, portanto, reduzido por uma ordem de grandeza. Como o espaço de iteração executado é maior que o de s_1 ou s_2, testes condicionais ainda são necessários para selecionar quando esses comandos são executados.

```
for (p = -100; p <= 99; p++)
    for (i = max(1,p+1); i <= min(100,101+p); i++)
        for (j = max(1,i-p-1); j <= min(100,i-p); j++) {
            if (p == i-j-1)
                X[i,j] = X[i,j] + Y[i-1,j];   /* (s1) */
            if (p == i-j)
                Y[i,j] = X[i,j-1] + Y[i,j];   /* (s2) */
        }
```

FIGURA 11.32 Código da Figura 11.29 melhorado por limites de *loop* mais estritos.

11.7.7 ELIMINAÇÃO DE TESTES DOS *LOOPS* MAIS INTERNOS

A segunda transformação é remover os testes condicionais dos *loops* internos. Como vimos no exemplo anterior, os testes condicionais permanecem se os espaços de iteração dos comandos no *loop* tiverem interseção, mas não completamente. Para evitar a necessidade de testes condicionais, dividimos o espaço de iteração em subespaços, cada um executando o mesmo conjunto de comandos. Essa otimização requer que o código seja duplicado e só deve ser usado para remover testes condicionais nos *loops* internos.

Para dividir um espaço de iteração com o objetivo de reduzir testes nos *loops* internos, aplicamos os seguintes passos, repetidamente, até remover todos os testes nos *loops* internos:

1. Selecione um *loop* que consista em comandos com diferentes limites.

2. Divida o *loop* usando uma condição tal que algum comando seja removido de, pelo menos, um de seus componentes. Escolhemos a condição dentre os limites dos diferentes poliedros superpostos. Se algum comando tiver todas as suas iterações em apenas um dos meios planos da condição, então essa condição é útil.
3. Gere o código para cada um desses espaços de iteração separadamente.

EXEMPLO 11.48: Vamos remover os testes condicionais do código da Figura 11.32. Os comandos s_1 e s_2 são mapeados para o mesmo conjunto dos IDs da partição, exceto para as partições de limite em qualquer extremo. Assim, separamos o espaço da partição em três subespaços:

1. $p = -100$,
2. $-99 \leq p \leq 98$, e
3. $p = 99$.

O código para cada subespaço pode então ser especializado para o(s) valor(es) de p contidos. A Figura 11.33 mostra o código resultante para cada um dos três espaços de iteração.

```
/* espaço (1) */
p = -100;
i = 1;
j = 100;
X[i,j] = X[i,j] + Y[i-1,j];   /* (s1) */

/* espaço (2) */
for (p = -99; p <= 98; p++)
    for (i = max(1,p+1); i <= min(100,101+p); i++)
        for (j = max(1,i-p-1); j <= min(100,i-p); j++) {
            if (p == i-j-1)
                X[i,j] = X[i,j] + Y[i-1,j];   /* (s1) */
            if (p == i-j)
                Y[i,j] = X[i,j-1] + Y[i,j];   /* (s2) */
        }
/* espaço (3) */
p = 99;
i = 100;
j = 1;
Y[i,j] = X[i,j-1] + Y[i,j];   /* (s2) */
```

FIGURA 11.33 Dividindo o espaço de iteração sobre o valor de p.

Observe que o primeiro e terceiro espaços não precisam de *loops* em i ou j, porque, para o valor em particular de p que define cada espaço, esses *loops* são degenerados; eles só têm uma iteração. Por exemplo, no espaço (1), substituir $p = -100$ nos limites do *loop* restringe i a 1, e subseqüentemente j a 100. As atribuições para p nos espaços (1) e (3) são evidentemente código morto e podem ser eliminadas.

Em seguida, dividimos o *loop* com índice i no espaço (2). Novamente, a primeira e a última iteração do índice de *loop* i são diferentes. Assim, dividimos o *loop* em três subespaços:

(a) $\max(1, p + 1) \leq i < p + 2$, onde somente s_2 é executado,
(b) $\max(1, p + 2) \leq i \leq \min(100, 100 + p)$, onde tanto s_1 quanto s_2 são executados, e
(c) $101 + p < i \leq \min(101 + p, 100)$, onde somente s_1 é executado.

O ninho de *loop* para o espaço (2) na Figura 11.33 pode, portanto, ser escrito como na Figura 11.34(a).

```
        /* espaço (2) */
        for (p = -99; p <= 98; p++) {
            /* espaço (2a) */
            if (p >= 0) {
                i = p+1;
                j = 1;
                Y[i,j] = X[i,j-1] + Y[i,j];     /* (s2) */
            }
            /* espaço (2b) */
            for (i = max(1,p+2); i <= min(100,100+p); i++) {
                j = i-p-1;
                X[i,j] = X[i,j] + Y[i-1,j];     /* (s1) */
                j = i-p;
                Y[i,j] = X[i,j-1] + Y[i,j];     /* (s2) */
            }
            /* espaço (2c) */
            if (p <= -1) {
                i = 101+p;
                j = 100;
                X[i,j] = X[i,j] + Y[i-1,j];     /* (s1) */
            }
        }
```
(a) Dividindo o espaço (2) no valor de *i*.

```
/* espaço (1); p = -100 */
X[1,100] = X[1,100] + Y[0,100];                                       /* (s1) */

/* espaço (2) */
for (p = -99; p <= 98; p++) {
    if (p >= 0)
        Y[p+1,1] = X[p+1,0] + Y[p+1,1];                               /* (s2) */
    for (i = max(1,p+2); i <= min(100,100+p); i++) {
        X[i,i-p-1] = X[i,i-p-1] + Y[i-1,i-p-1];      /* (s1) */
        Y[i,i-p]   = X[i,i-p-1] + Y[i,i-p];          /* (s2) */
    }
    if (p <= -1)
        X[101+p,100] = X[101+p,100] + Y[101+p-1,100]; /* (s1) */
}
/* espaço (3); p = 99 */
Y[100,1] = X[100,0] + Y[100,1];                                       /* (s2) */
```
(b) Código otimizado equivalente à Figura 11.28.

FIGURA 11.34 Código para o Exemplo 11.48.

A Figura 11.34(b) mostra o programa otimizado. Substituímos a Figura 11.34(a) pelo ninho de *loop* da Figura 11.33. Também propagamos as atribuições a *p*, *i* e *j* para os acessos de arranjo. Ao otimizar no nível de código intermediário, algumas dessas atribuições serão identificadas como subexpressões comuns e reextraídas do código de acesso ao arranjo.

11.7.8 Transformações de código fonte

Vimos como podemos derivar a partir de partições de afins simples de cada comando programas significativamente diferentes do programa fonte original. Não é evidente, pelos exemplos vistos até aqui, como as partições de afins se correlacionam às mudanças no nível de fonte. Esta seção mostra que podemos raciocinar sobre as mudanças do código fonte de modo relativamente fácil, desmembrando as partições de afins em uma série de transformações primitivas.

Sete transformações primitivas de afins

Toda partição de afins pode ser expressa como uma série de transformações primitivas de afins, cada uma correspondendo a uma mudança simples no nível de fonte. Existem sete tipos de transformações primitivas: as quatro primeiras são ilustradas na Figura 11.35; as três últimas, também conhecidas como *transformações unimodulares*, são ilustradas na Figura 11.36.

Transformações unimodulares

Uma transformação unimodular é representada por apenas uma matriz de coeficiente unimodular e nenhum vetor constante. Uma *matriz unimodular* é uma matriz quadrada cujo determinante é ± 1. O significado de uma transformação unimodular é que ela mapeia um espaço de iteração de n dimensões para outro poliedro de n dimensões, no qual existe uma correspondência um-a-um entre as iterações dos dois espaços.

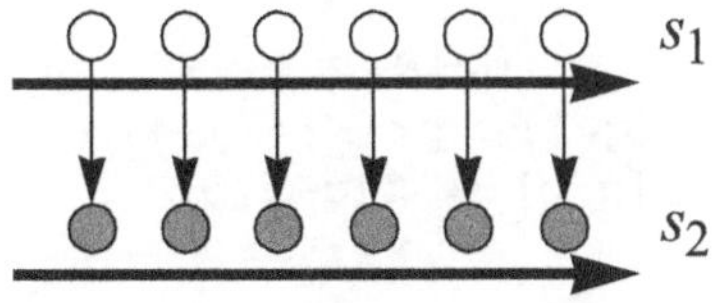

CÓDIGO FONTE	PARTIÇÃO	CÓDIGO TRANSFORMADO

```for (i=1; i<=N; i++)```
`  Y[i] = Z[i];  /*s1*/`
`for (j=1; j<=N; j++)`
`  X[j] = Y[j];  /*s2*/`
	Fusão
	$s_1 : p = i$
	$s_2 : p = j$
		`for (p=1; p<=N; p++) {`
		`  Y[p] = Z[p];`
		`  X[p] = Y[p];`
		`}`

`for (p=1; p<=N; p++){`
`  Y[p] = Z[p];`
`  X[p] = Y[p];`
`}`
	Fissão
	$s_1 : i = p$
	$s_2 : j = p$
		`for (i=1; i<=N; i++)`
		`  Y[i] = Z[i];  /*s1*/`
		`for (j=1; j<=N; j++)`
		`  X[j] = Y[j];  /*s2*/`

`for (i=1; i<=N; i++) {`
`  Y[i] = Z[i];     /*s1*/`
`  X[i] = Y[i-1];  /*s2*/`
`}`
	Reindexação
	$s_1 : p = i$
	$s_2 : p = i - 1$
		`if (N>=1) X[1]=Y[0]`
		`for (p=1; p<=N; p++) {`
		`  Y[p] = Z[p];`
		`  X[p+1] = Y[p];`
		`}`
		`if (N>=1) Y[N]=Z[N]`

`for (i=1; i<=N; i++)`
`  Y[2*i] = Z[2*i];  /*s1*/`
`for (j=1; j<=2N; j++)`
`  X[j] = Y[j];`
	Scaling
	$s_1 : p = 2 * i$
	$(s_2 : p = j)$
		`for (p=1; p<=2*N; p++) {`
		`  if (p mod 2 == 0)`
		`    Y[p] = Z[p];`
		`  X[p] = Y[p];`
		`}`

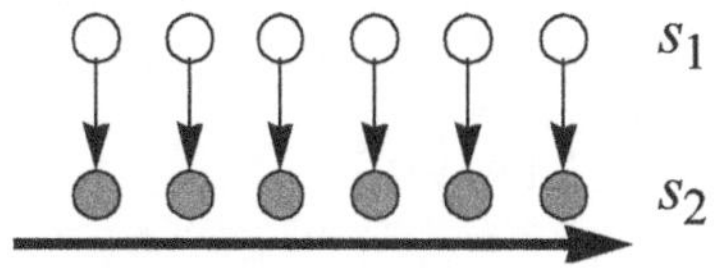

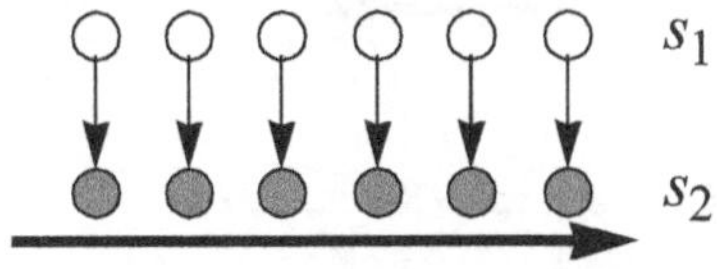

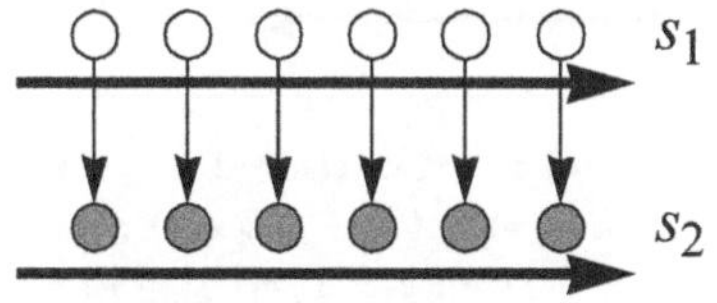

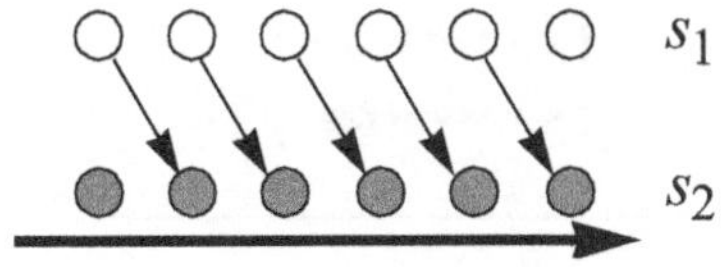

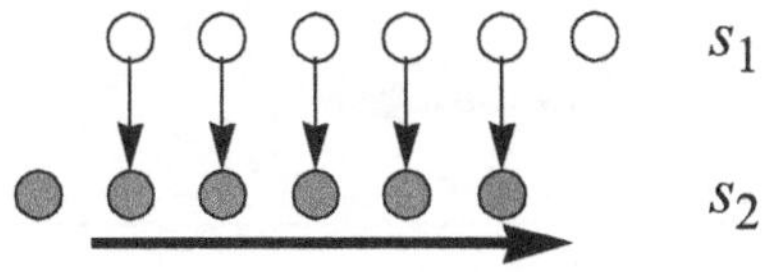

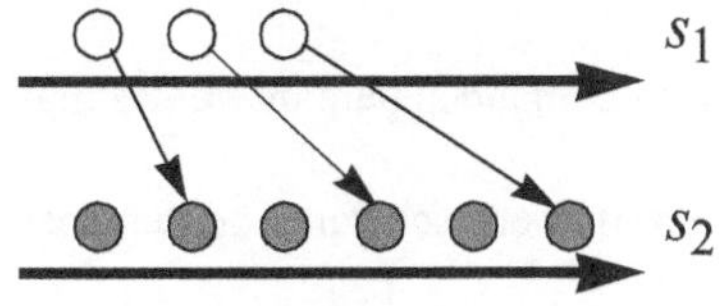

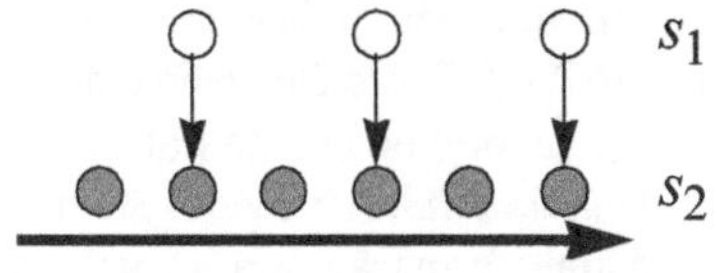

FIGURA 11.35 Transformações primitivas de afins (I).

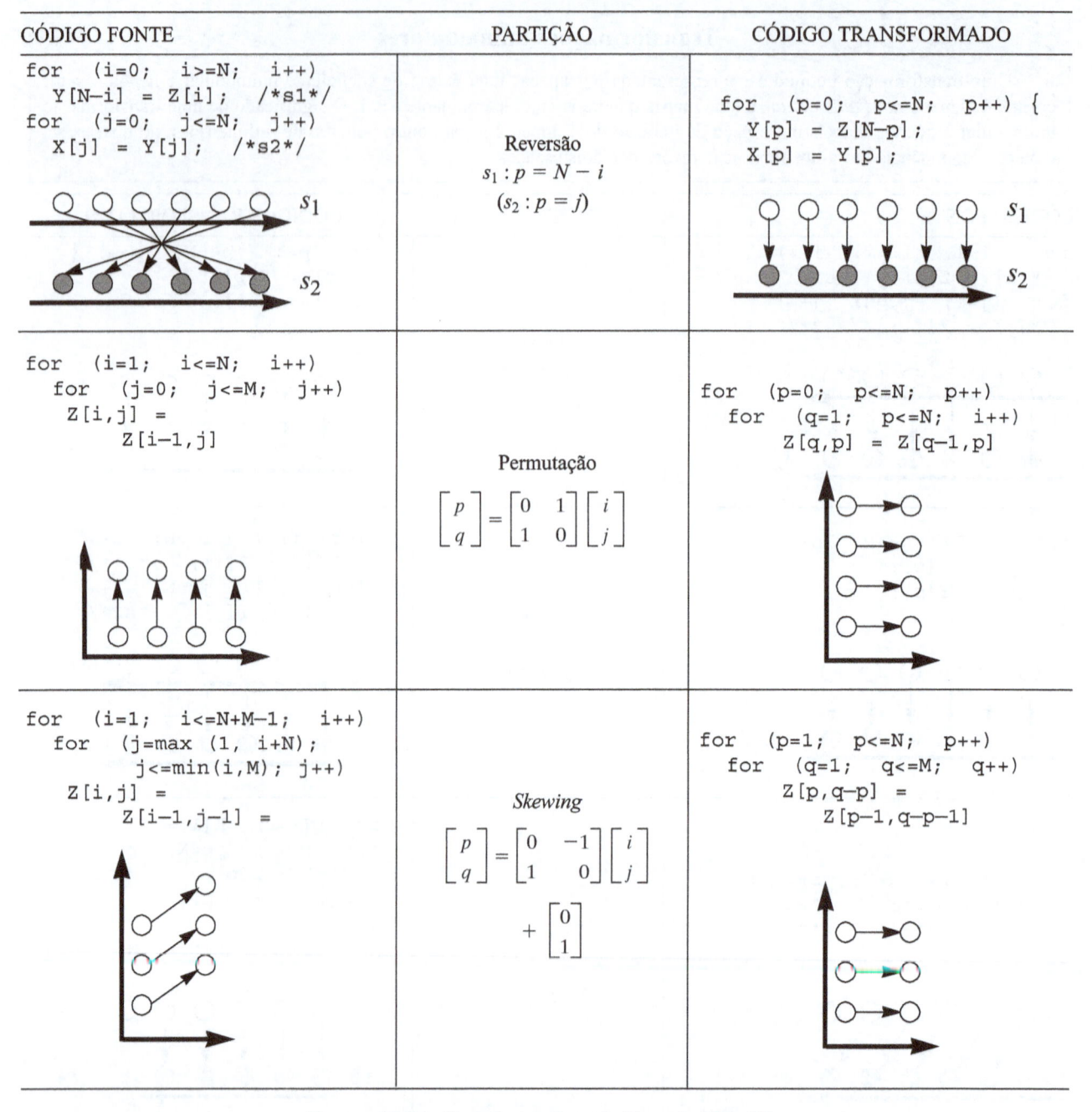

CÓDIGO FONTE	PARTIÇÃO	CÓDIGO TRANSFORMADO

`for (i=0; i>=N; i++)`
`  Y[N-i] = Z[i]; /*s1*/`
`for (j=0; j<=N; j++)`
`  X[j] = Y[j]; /*s2*/`
	Reversão
	$s_1 : p = N - i$
	$(s_2 : p = j)$
		`for (p=0; p<=N; p++) {`
		`  Y[p] = Z[N-p];`
		`  X[p] = Y[p];`

`for (i=1; i<=N; i++)`
`  for (j=0; j<=M; j++)`
`    Z[i,j] =`
`        Z[i-1,j]`
	Permutação
	$\begin{bmatrix} p \\ q \end{bmatrix} = \begin{bmatrix} 0 & 1 \\ 1 & 0 \end{bmatrix} \begin{bmatrix} i \\ j \end{bmatrix}$
		`for (p=0; p<=N; p++)`
		`  for (q=1; p<=N; i++)`
		`    Z[q,p] = Z[q-1,p]`

`for (i=1; i<=N+M-1; i++)`
`  for (j=max (1, i+N);`
`       j<=min(i,M); j++)`
`    Z[i,j] =`
`        Z[i-1,j-1] =`
	Skewing
	$\begin{bmatrix} p \\ q \end{bmatrix} = \begin{bmatrix} 0 & -1 \\ 1 & 0 \end{bmatrix} \begin{bmatrix} i \\ j \end{bmatrix}$
	$+ \begin{bmatrix} 0 \\ 1 \end{bmatrix}$
		`for (p=1; p<=N; p++)`
		`  for (q=1; q<=M; q++)`
		`    Z[p,q-p] =`
		`        Z[p-1,q-p-1]`

FIGURA 11.36 Transformações primitivas de afins (II).

A figura mostra um exemplo para cada primitivo: um fonte, uma partição de afins e o código resultante. Também desenhamos as dependências de dados para o código antes e depois das transformações. A partir dos diagramas de dependência de dados, vemos que cada primitiva corresponde a uma transformação geométrica simples e induz uma transformação de código relativamente simples. As sete primitivas são:

1. *Fusão.* A transformação de fusão é caracterizada pelo mapeamento de múltiplos índices de *loop* no programa original para o mesmo índice de *loop*. O novo *loop* funde comandos de diferentes *loops*.
2. *Fissão.* A fissão é o inverso da fusão. Ela mapeia o mesmo índice de *loop* de diferentes comandos para diferentes índices de *loop* no código transformado. Isso divide o *loop* original em múltiplos *loops*.
3. *Reindexação.* A reindexação desloca as execuções dinâmicas de um comando por um número constante de iterações. A transformação de afins tem um termo constante.
4. *Scaling.* Iterações consecutivas no programa fonte são espaçadas por um fator constante. A transformação de afins tem um coeficiente não unitário positivo.
5. *Reversão.* Executa iterações em um *loop* na ordem reversa. A reversão é caracterizada por ter -1 como coeficiente.

6. *Permutação*. Permuta os *loops* internos e externos. A transformação de afins consiste em linhas permutadas da matriz identidade.
7. *Skewing*. Itera pelo espaço de iteração nos *loops* em um ângulo. A transformação de afins é uma matriz unimodular com 1s na diagonal.

Uma interpretação geométrica da paralelização

As transformações de afins mostradas em todos menos no exemplo de fissão são derivadas pela aplicação do algoritmo de partição de afins sem sincronização aos respectivos códigos fonte. (Na seção seguinte, discutiremos como a fissão pode paralelizar o código com sincronização.) Em cada um dos exemplos, o código gerado tem um *loop* paralelizável (o mais externo) cujas iterações podem ser atribuídas a diferentes processadores e nenhuma sincronização é necessária.

Esses exemplos mostram que existe uma interpretação geométrica simples de como funciona a paralelização. As arestas de dependência sempre apontam de uma instância anterior para uma instância posterior. Assim, as dependências entre comandos separados não aninhados em nenhum *loop* comum seguem a ordem léxica; as dependências entre comandos aninhados no mesmo *loop* seguem a ordem lexicográfica. Geometricamente, as dependências de um ninho de *loop* bidimensional sempre apontam dentro do intervalo [0°, 180°], significando que o ângulo da dependência deve ser inferior a 180°, mas não menor que 0°.

As transformações de afins mudam a ordenação das iterações de modo que todas as dependências são encontradas apenas entre as operações aninhadas dentro da mesma iteração do *loop* mais externo. Em outras palavras, não existem arestas de dependência nos limites das iterações do *loop* mais externo. Podemos paralelizar códigos fonte simples, desenhando suas dependências e encontrando essas transformações geometricamente.

11.7.9 Exercícios da Seção 11.7

Exercício 11.7.1: Para o *loop* a seguir

```
for (i = 2; i < 100; i++)
    A[i] = A[i-2];
```

a) Qual é o maior número de processadores que pode ser usado de modo eficaz para executar esse *loop*?
b) Reescreva o código com o processador p como um parâmetro.
c) Configure e encontre uma solução para as restrições de partição de espaço para esse *loop*.
d) Qual é a partição de afins do posto mais alto para esse *loop*?

Exercício 11.7.2: Repita o Exercício 11.7.1 para os ninhos de *loop* da Figura 11.37.

```
for (i = 0; i <= 97; i++)
    A[i] = A[i+2];
```

(a)

```
for (i = 1; i <= 100; i++)
    for (j = 1; j <= 100; j++)
        for (k = 1; k <= 100; k++) {
            A[i,j,k] = A[i,j,k] + B[i-1,j,k];
            B[i,j,k] = B[i,j,k] + C[i,j-1,k];
            C[i,j,k] = C[i,j,k] + A[i,j,k-1];
        }
```

!(b)

```
for (i = 1; i <= 100; i++)
    for (j = 1; j <= 100; j++)
        for (k = 1; k <= 100; k++) {
            A[i,j,k] = A[i,j,k] + B[i-1,j,k];
            B[i,j,k] = B[i,j,k] + A[i,j-1,k];
            C[i,j,k] = C[i,j,k] + A[i,j,k-1] + B[i,j,k];
        }
```

!(c)

Figura 11.37 Código para o Exercício 11.7.2.

Exercício 11.7.3: Reescreva o código a seguir

```
for (i = 0; i < 100; i++)
    A[i] = 2*A[i];
for (j = 0; j < 100; j++)
    A[j] = A[j] + 1;
```

de modo que consista em um único *loop*. Reescreva o *loop* em termos de um processador número p de modo que o código possa ser particionado entre 100 processadores, com a iteração p executada pelo processador p.

Exercício 11.7.4: No código a seguir

```
        for (i = 1; i < 100; i++)
           for (j = 1; j < 100; j++)
/* (s) */     A[i,j] =
                  (A[i-1,j] + A[i+1,j] + A[i,j-1] + A[i,j+1])/4;
```

as únicas restrições são que comando s, que forma o corpo do ninho de *loop*, precisa executar as iterações $s(i-1,j)$ e $s(i,j-1)$ antes de executar a iteração $s(i,j)$. Verifique se essas são as únicas restrições necessárias. Depois, reescreva o código de modo que o *loop* externo tenha variável de índice p, e na p-ésima iteração do *loop* externo, todas as instâncias de $s(i,j)$ tais que $i+j=p$ sejam executadas.

Exercício 11.7.5: Repita o Exercício 11.7.4, mas faça com que na p-ésima iteração do *loop* externo as instâncias de s em que $i-j=p$ sejam executadas.

! Exercício 11.7.6: Combine os *loops* a seguir

```
for (i = 0; i < 100; i++)
    A[i] = B[i];
for (j = 98; j >= 0; j = j-2)
    B[i] = i;
```

em um único *loop*, preservando todas as dependências.

Exercício 11.7.7: Mostre que a matriz

$$\begin{bmatrix} 2 & 1 \\ 1 & 1 \end{bmatrix}$$

é unimodular. Descreva a transformação que ela realiza sobre um ninho de *loop* bidimensional.

Exercício 11.7.8: Repita o Exercício 11.7.7 sobre a matriz

$$\begin{bmatrix} 1 & 3 \\ 2 & 5 \end{bmatrix}$$

11.8 Sincronização entre *loops* paralelos

A maioria dos programas não possui paralelismo se não permitirmos que os processadores realizem quaisquer sincronizações. Mas incluir até mesmo um pequeno número constante de operações de sincronização a um programa pode expor mais paralelismo. Discutimos, primeiro, nesta seção, o paralelismo que é possível por um número constante de sincronizações, e a seguir o caso geral, no qual incorporamos as operações de sincronização em *loops*.

11.8.1 Um número constante de sincronizações

Os programas sem paralelismo e sem sincronização podem conter uma seqüência de *loops*, alguns paralelizáveis se forem considerados independentemente. Podemos paralelizar esses *loops* introduzindo barreiras de sincronismo antes e depois de sua execução. O Exemplo 11.49 ilustra esse ponto.

Exemplo 11.49: A Figura 11.38 contém um programa que representa um algoritmo de integração implícita, ADI (*Alternating Direction Implicit*). Não existe paralelismo sem sincronização. As dependências no primeiro ninho de *loop* exigem que cada processador funcione em uma coluna do arranjo X; contudo, as dependências no segundo ninho de *loop* exigem que cada processador trabalhe sobre uma linha do arranjo X. Para que não haja comunicação, o arranjo inteiro precisa residir no mesmo processador, daí não haver paralelismo. Contudo, observamos que os dois *loops* são paralelizáveis independentemente.

```
for (i = 1; i < n; i++)
    for (j = 0; j < n; j++)
        X[i,j] = f(X[i,j] + X[i-1,j]);
for (i = 0; i < n; i++)
    for (j = 1; j < n; j++)
        X[i,j] = g(X[i,j] + X[i,j-1]);
```

FIGURA 11.38 Dois ninhos de *loop* seqüenciais.

Uma maneira de paralelizar o código é ter diferentes processadores trabalhando em diferentes colunas do arranjo no primeiro *loop*, sincronizar e esperar que todos os processadores terminem e, depois, operar sobre as linhas individuais. Desse modo, toda a computação no algoritmo pode ser paralelizada com a introdução de apenas uma operação de sincronização. No entanto, observamos que, embora somente uma sincronização seja realizada, essa paralelização requer que quase todos os dados na matriz X sejam transferidos entre os processadores. É possível reduzir a quantidade de comunicação introduzindo mais sincronizações, o que discutiremos na Seção 11.9.9.

Pode parecer que essa abordagem se aplica apenas a programas que consistem em uma seqüência de ninhos de *loop*. Contudo, podemos criar oportunidades adicionais para a otimização por meio de transformações de código. Podemos aplicar a fissão de *loop* para decompor *loops* do programa original em vários *loops* menores, e, então, podemos paralelizá-los individualmente, separando-os com barreiras. Ilustramos essa técnica com o Exemplo 11.50.

EXEMPLO 11.50: Considere o *loop* a seguir:

```
for (i=1; i<=n; i++) {
    X[i] = Y[i] + Z[i];      /* (s1) */
    W[A[i]] = X[i];          /* (s2) */
}
```

Sem conhecimento dos valores no arranjo A, devemos considerar que o acesso no comando s_2 pode escrever em qualquer um dos elementos de W. Assim, as instâncias de s_2 devem ser executadas seqüencialmente na ordem em que são executadas no programa original.

Não existe paralelismo sem sincronização, e o Algoritmo 11.43 simplesmente atribui toda a computação ao mesmo processador. Contudo, no mínimo, as instâncias do comando s_1 podem ser executadas em paralelo. Podemos paralelizar parte desse código, fazendo com que diferentes processadores executem diferentes instâncias do comando s_1. Depois, em um *loop* seqüencial separado, um processador, digamos, o de número 0, executa s_2, como no código SPMD mostrado na Figura 11.39.

```
X[p] = Y[p] + Z[p];      /* (s1) */
/* barreira de sincronização */
if (p == 0)
    for (i=1; i<=n; i++)
        W[A[i]] = X[i];  /* (s2) */
```

FIGURA 11.39 Código SPDM para o *loop* do Exemplo 11.50, com p sendo uma variável contendo o ID do processador.

11.8.2 GRAFOS DE DEPENDÊNCIA DE PROGRAMA

Para encontrar todo o paralelismo possibilitado por um número constante de sincronizações, podemos aplicar a fissão ao programa original avidamente. Desmembre os *loops* no máximo de *loops* separados possível e, depois, coloque em paralelo cada *loop* independentemente.

Para expor todas as oportunidades de fissão de *loop*, usamos a abstração de um *grafo de dependência de programa* (PDG). Um grafo de dependência de programa é um grafo cujos nós são comandos de atribuição do programa e cujas arestas capturam as dependências de dados, e as direções da dependência de dados entre os comandos. Uma aresta a partir do comando s_1 para o comando s_2 existe sempre que alguma instância dinâmica de s_1 compartilha uma dependência de dados com uma instância dinâmica *posterior* de s_2.

Para construir o PDG de um programa, primeiro encontramos as dependências de dados entre todo par de acessos estáticos (não necessariamente distintos) em todo par de comandos (não necessariamente distintos). Suponha que determinemos que exista uma dependência entre o acesso $\mathcal{F}_1$ no comando s_1 e o acesso $\mathcal{F}_2$ no comando s_2. Lembre-se de que uma instância de um comando é especificada por um vetor de índice $\mathbf{i} = [i_1, i_2, ..., i_m]$, onde i_k é o índice de *loop* do k-ésimo *loop* mais externo no qual o comando está inserido.

1. Se houver um par de instâncias dependente de dados, i_1 de s_1 e i_2 de s_2, e i_1 for executado antes de i_2 no programa original, escrito como $i_1 \prec_{s_1 s_2} i_2$, então existe uma aresta de s_1 para s_2.
2. De modo semelhante, se houver um par de instâncias dependente de dados, i_1 de s_1 e i_2 de s_2, e $i_2 \prec_{s_1 s_2} i_1$, então existe uma aresta de s_2 para s_1.

Observe que é possível que uma dependência de dados entre dois comandos s_1 e s_2 gere uma aresta de s_1 para s_2 e uma aresta de s_2 de volta para s_1.

No caso especial em que os comandos s_1 e s_2 não são distintos, $i_1 \prec_{s_1 s_2} i_2$ se e somente se $i_1 \prec i_2$ (i_1 é lexicograficamente menor que i_2). No caso geral, s_1 e s_2 podem ser comandos diferentes, possivelmente pertencendo a diferentes ninhos de *loop*.

EXEMPLO 11.51: Para o programa do Exemplo 11.50, não existem dependências entre as instâncias do comando s_1. Contudo, a *i*-ésima instância do comando s_2 deve seguir a *i*-ésima instância do comando s_1. Pior que isso, como a referência $W[A[i]]$ pode escrever em qualquer elemento do arranjo W, a *i*-ésima instância de s_2 depende de todas as instâncias anteriores de s_2, ou seja, o comando s_2 depende de si mesmo. O PDG para o programa do Exemplo 11.50 aparece na Figura 11.40. Observe que existe um ciclo no grafo, contendo apenas s_2.

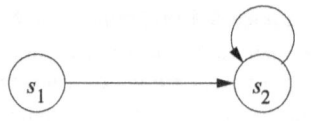

FIGURA 11.40 Grafo de dependência de programa para o programa do Exemplo 11.50.

O grafo de dependência de programa facilita determinar se podemos dividir os comandos em um *loop*. Os comandos conectados em um ciclo no PDG não podem ser divididos. Se $s_1 \rightarrow s_2$ for uma dependência entre dois comandos em um ciclo, alguma instância de s_1 deve ser executada antes de alguma instância de s_2 e vice-versa. Observe que essa dependência mútua ocorre somente se s_1 e s_2 estiverem inseridos em algum *loop* comum. Devido à dependência mútua, não podemos executar todas as instâncias de um comando antes do outro, e, portanto, a fissão do *loop* não é permitida. Por outro lado, se a dependência $s_1 \rightarrow s_2$ for unidirecional, podemos dividir o *loop* e executar todas as instâncias de s_1 primeiro, e depois as de s_2.

EXEMPLO 11.52: A Figura 11.41(b) mostra o grafo de dependência de programa para o programa da Figura 11.41(a). Os comandos s_1 e s_3 pertencem a um ciclo do grafo e, portanto, não podem ser colocados em *loops* separados. Contudo, podemos dividir o comando s_2 e executar todas as suas instâncias antes de executar o restante da computação, como na Figura 11.42. O primeiro *loop* é paralelizável, mas o segundo não é. Podemos paralelizar o primeiro *loop* colocando barreiras antes e depois de sua execução paralela.

```
for (i = 0; i < n; i++) {
    Z[i] = Z[i] / W[i];           /* (s1) */
    for (j = i; j < n; j++) {
        X[i,j] = Y[i,j]*Y[i,j];   /* (s2) */
        Z[j] = Z[j] + X[i,j];     /* (s3) */
    }
}
```

(a) Um programa.

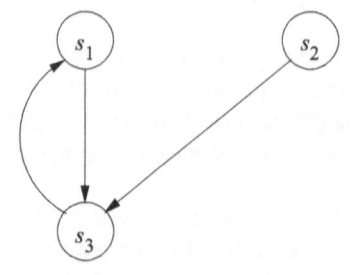

(b) Seu grafo de dependência.

FIGURA 11.41 Programa e grafo de dependência para o Exemplo 11.52.

```
        for (i = 0; i < n; i++)
            for (j = i; j < n; j++)
                X[i,j] = Y[i,j]*Y[i,j];      /* (s2) */
        for (i = 0; i < n; i++) {
            Z[i] = Z[i] / W[i];              /* (s1) */
            for (j = i; j < n; j++)
                Z[j] = Z[j] + X[i,j];        /* (s3) */
        }
```

FIGURA 11.42 Agrupando componentes fortemente conectados de um ninho de *loop*.

11.8.3 TEMPO HIERÁRQUICO

Embora em geral a relação $\prec_{s_1 s_2}$ possa ser muito difícil de calcular, existe uma família de programas na qual as otimizações dessa seção são normalmente aplicadas e para as quais existe um modo simples de calcular as dependências. Suponha que o programa seja estruturado em bloco, consistindo em *loops* e operações aritméticas simples, e nenhuma outra construção de controle. Um comando no programa é um comando de atribuição, uma seqüência de comandos ou uma construção de *loop* cujo corpo é um comando. A estrutura de controle, assim, representa uma hierarquia. No topo da hierarquia está o nó que representa o comando do programa inteiro. Um comando de atribuição é um nó de folha. Se um comando for uma seqüência, seus filhos são os comandos dentro da seqüência, dispostos da esquerda para a direita, de acordo com sua ordem léxica. Se um comando for um *loop*, seus filhos são os componentes do corpo do *loop*, o qual é tipicamente uma seqüência de um ou mais comandos.

```
        s0;
        L1: for (i = 0; ...) {
                s1;
                L2: for (j = 0; ...) {
                        s2;
                        s3;
                    }
                L3: for (k = 0; ... )
                        s4;
                s5;
            }
```

FIGURA 11.43 Um programa estruturado hierarquicamente.

EXEMPLO 11.53: A estrutura hierárquica do programa da Figura 11.43 aparece na Figura 11.44. A natureza hierárquica da seqüência de execução é destacada na Figura 11.45. A única instância de s_0 precede todas as outras operações, porque é o primeiro comando executado. Em seguida, executamos todas as instruções a partir da primeira iteração do *loop* externo antes daquelas na segunda iteração, e assim por diante. Para todas as instâncias dinâmicas cujo índice de *loop i* tem valor 0, os comandos s_1, L_2, L_3 e s_5 são executados em ordem léxica. Podemos repetir o mesmo argumento para gerar o restante da ordem de execução.

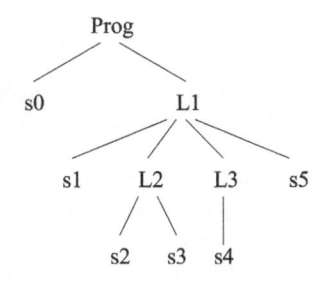

```
                  Prog
                 /    \
                s0    L1
                    / | | \
                  s1 L2 L3 s5
                    /\  |
                  s2 s3 s4
```

FIGURA 11.44 Estrutura hierárquica do programa do Exemplo 11.53.

1 :	s_0				
2 :	L_1	$i = 0$	s_1		
3 :			L_2	$j = 0$	s_2
4 :					s_3
5 :				$j = 1$	s_2
6 :					s_3
7 :				...	
8 :			L_3	$k = 0$	s_4
9 :				$k = 1$	s_4
10 :				...	
11 :			s_5		
12 :		$i = 1$	s_1		
13 :			...		

FIGURA 11.45 Ordem de execução do programa do Exemplo 11.53.

Podemos resolver a ordenação das duas instâncias a partir de dois comandos diferentes de maneira hierárquica. Se os comandos compartilham *loops* comuns, comparamos os valores de seus índices de *loop* comuns, começando com o *loop* mais externo. Assim que encontramos uma diferença entre seus valores de índice, a diferença determina a ordenação. Somente se os valores de índice para os *loops* externos forem iguais é que precisaremos comparar os índices do próximo *loop* interno. Esse processo é semelhante ao modo pelo qual compararíamos o tempo expresso em termos de horas, minutos e segundos. Para comparar dois tempos, primeiro comparamos as horas, e somente se forem iguais é que comparamos os minutos, e assim por diante. Se os valores de índice forem iguais para todos os *loops* comuns, resolveremos a ordem com base em seu posicionamento léxico relativo. Assim, a ordem de execução para os programas simples de *loop* aninhado que vimos até aqui freqüentemente é considerada 'tempo hierárquico'.

Seja s_1 um comando aninhado em um *loop* de profundidade d_1, e s_2 em um *loop* de profundidade d_2, compartilhando d *loops* comuns (externos); observe que $d \leq d_1$ e $d \leq d_2$ certamente. Suponha que $\mathbf{i} = [i_1, i_2, ..., i_{d_1}]$ seja uma instância de s_1 e $\mathbf{j} = [j_1, j_2, ..., j_{d_2}]$ seja uma instância de s_2.

$\mathbf{i} \prec_{s_1 s_2} \mathbf{j}$ se e somente se

1. $[i_1, i_2, ..., i_d] \prec [j_1, j_2, ..., j_d]$, ou
2. $[i_1, i_2, ..., i_d] = [j_1, j_2, ..., j_d]$, e s_1 aparece lexicamente antes de s_2.

O predicado $[i_1, i_2, ..., i_d] \prec [j_1, j_2, ..., j_d]$ pode ser escrito como uma disjunção de desigualdades lineares:

$$(i_1 < j_1) \vee (i_1 = j_1 \wedge i_2 < j_2) \vee ... \vee (i_1 = j_1 \wedge ... \wedge i_{d-1} = j_{d-1} \wedge i_d < j_d)$$

Existe uma aresta PDG de s_1 para s_2 desde que a condição de dependência de dados e uma das cláusulas disjuntivas possa se tornar verdadeira simultaneamente. Assim, podemos ter de resolver até d ou $d + 1$ programas inteiros lineares, dependendo se s_1 aparece lexicamente antes de s_2, para determinar a existência de uma aresta.

11.8.4 O ALGORITMO DE PARALELIZAÇÃO

Agora, apresentamos um algoritmo simples que, primeiro, divide a computação no máximo de *loops* diferentes possível, depois, os paraleliza independentemente.

ALGORITMO 11.54: Maximize o grau de paralelismo permitido por $O(1)$ sincronizações.

ENTRADA: Um programa com acessos a arranjo.

SAÍDA: O código SPMD com um número constante de barreiras de sincronização.

MÉTODO:

1. Construa o grafo de dependência de programa e particione os comandos em componentes fortemente conectados (SCCs). Lembre-se, a partir da Seção 10.5.8, de que um componente fortemente conectado é um subgrafo máximo do original cujo único nó no subgrafo pode alcançar cada outro nó.
2. Transforme o código para executar SCCs em ordem topológica aplicando a fissão, se for necessário.
3. Aplique o Algoritmo 11.43 a cada SCC para encontrar todo o seu paralelismo sem sincronização. As barreiras são inseridas antes e depois de cada SCC paralelizado.

Embora o Algoritmo 11.54 encontre todos os graus de paralelismo com $O(1)$ sincronizações, ele tem diversos pontos fracos. Primeiro, ele pode introduzir sincronizações desnecessárias. Na verdade, se aplicarmos esse algoritmo a um programa que pode ser paralelizado sem sincronização, o algoritmo colocará em paralelo cada comando independentemente e introduzirá uma barreira de sincronização entre os *loops* paralelos executando cada comando. Segundo, embora só possa haver um número constante de sincronizações, o esquema de paralelização pode transferir muitos dados entre os processadores a cada sincronização. Em alguns casos, o custo da comunicação torna o paralelismo muito caro, e pode ser melhor até mesmo executar o programa seqüencialmente em um uniprocessador. Nas seções seguintes, assumiremos maneiras de aumentar a localidade de dados e, assim, reduzir a quantidade de comunicação.

11.8.5 Exercícios da Seção 11.8

Exercício 11.8.1: Aplique o Algoritmo 11.54 ao código da Figura 11.46.

```
for (i=0; i<100; i++)
    A[i] = A[i] + X[i];        /* (s1) */
for (i=0; i<100; i++)
    for (j=0; j<100; j++)
        B[i,j] = Y[i,j] + A[i] + A[j];   /* (s2) */
```

Figura 11.46 Código para o Exercício 11.8.1.

Exercício 11.8.2: Aplique o Algoritmo 11.54 ao código da Figura 11.47.

```
for (i=0; i<100; i++)
    A[i] = A[i] + X[i];        /* (s1) */
for (i=0; i<100; i++) {
    B[i] = B[i] + A[i];        /* (s2) */
    for (j=0; j<100; j++)
        C[j] = Y[j] + B[j];    /* (s3) */
}
```

Figura 11.47 Código para o Exercício 11.8.2.

Exercício 11.8.3: Aplique o Algoritmo 11.54 ao código da Figura 11.48.

```
for (i=0; i<100; i++)
    A[i] = A[i] + X[i];        /* (s1) */
for (i=0; i<100; i++) {
    for (j=0; j<100; j++)
        B[j] = A[i] + Y[j];    /* (s2) */
    C[i] = B[i] + Z[i];        /* (s3) */
    for (j=0; j<100; j++)
        D[i,j] = A[i] + B[j];  /* (s4) */
}
```

Figura 11.48 Código para o Exercício 11.8.3.

11.9 Pipelining

Na pipelining, uma tarefa é decomposta em uma série de estágios a serem efetuados em diferentes processadores. Por exemplo, uma tarefa computada usando um *loop* de *n* iterações pode ser estruturada como uma linha de montagem de *n* estágios. Cada estágio é atribuído a um processador diferente; quando um processador termina um estágio, os resultados são passados como entrada ao próximo processador na linha de montagem.

A seguir, começamos explicando o conceito de pipelining com mais detalhes. Na Seção 11.9.2 mostramos um algoritmo numérico da vida real, conhecido como sobre relaxação sucessiva (*successive over-relaxation* — *SOR*), para ilustrar as condições sob as quais a pipelining pode ser aplicada. Depois, definimos formalmente as restrições que precisam ser solucionadas na Seção 11.9.6, e descrevemos um algoritmo para solucioná-las na Seção 11.9.7. Os programas que possuem múltiplas soluções independentes para as restrições de partição de tempo são conhecidos como tendo *loops totalmente permutáveis* mais externos; esses *loops* podem ser facilmente executados na linha de montagem, conforme discutimos na Seção 11.9.8.

11.9.1 O que é pipelining?

Nossas tentativas iniciais de paralelizar os *loops* particionaram as iterações de um ninho de *loop* de modo que duas iterações que compartilhavam dados eram atribuídas ao mesmo processador. A pipelining permite que os processadores compartilhem dados, mas geralmente faz isso somente de uma forma 'local', com os dados passados de um processador para outro processador adjacente no espaço de processadores. Aqui está um exemplo simples.

Exemplo 11.55: Considere o *loop*:

```
for (i = 1; i <= m; i++)
    for (j = 1; j <= n; j++)
        X[i] = X[i] + Y[i,j];
```

Esse código soma toda i-ésima linha de Y e adiciona o resultado ao i-ésimo elemento de X. O *loop* interno, correspondente ao somatório, deve ser efetuado seqüencialmente devido à dependência de dados;[6] contudo, as diferentes tarefas do somatório são independentes. Podemos paralelizar esse código fazendo com que cada processador efetue um somatório separado. O processador i acessa a linha i de Y e atualiza o i-ésimo elemento de X.

Como alternativa, podemos estruturar os processadores para executar o somatório em uma linha de montagem e derivar o paralelismo sobrepondo a execução dos somatórios, como mostra a Figura 11.49. Mais especificamente, cada iteração do *loop* interno pode ser tratada como um estágio de uma linha de montagem: o estágio j pega um elemento de X gerado no estágio anterior, soma a ele um elemento de Y e passa o resultado ao estágio seguinte. Observe que, nesse caso, cada processador acessa uma coluna de Y, em vez de uma linha. Se Y for armazenado por coluna, existe um ganho em localidade particionando de acordo com as colunas, em vez de linhas.

Tempo	Processadores		
	1	2	3
1	$X[1]+=Y[1,1]$		
2	$X[2]+=Y[2,1]$	$X[1]+=Y[1,2]$	
3	$X[3]+=Y[3,1]$	$X[2]+=Y[2,2]$	$X[1]+=Y[1,3]$
4	$X[4]+=Y[4,1]$	$X[3]+=Y[3,2]$	$X[2]+=Y[2,3]$
5		$X[4]+=Y[4,2]$	$X[3]+=Y[3,3]$
6			$X[4]+=Y[4,3]$

Figura 11.49 Execução em linha de montagem do Exemplo 11.55 com $m = 4$ e $n = 3$.

Podemos iniciar uma nova tarefa assim que o primeiro processador terminar o primeiro estágio da tarefa anterior. No início, a linha de montagem está vazia e somente o primeiro processador está executando o primeiro estágio. Depois de completar, os resultados são passados ao segundo processador, enquanto o primeiro começa na segunda tarefa, e assim por diante. Desse modo, a linha de montagem vai se enchendo gradualmente até que todos os processadores estejam ocupados. Quando o primeiro processador termina a primeira tarefa, a linha de montagem começa a drenar, com mais e mais processadores se tornando ociosos até que o último processador termine a última tarefa. No estado estável, n tarefas podem ser executadas concorrentemente em uma linha de montagem de n processadores.

É interessante comparar a pipelining com o paralelismo simples, no qual diferentes processadores executam diferentes tarefas:

- A pipelining só pode ser aplicada a ninhos de profundidade de pelo menos dois. Podemos tratar cada iteração do *loop* externo como uma tarefa e as iterações no *loop* interno como estágios dessa tarefa.
- As tarefas executadas em uma linha de montagem podem compartilhar dependências. Informações pertencentes ao mesmo estágio de cada tarefa são mantidas no mesmo processador; assim, os resultados gerados pelo i-ésimo estágio de uma tarefa podem ser usados pelo i-ésimo estágio de tarefas subseqüentes sem custo de comunicação. De modo semelhante, cada elemento de dado de entrada usado por um único estágio de tarefas diferentes precisa residir apenas em um processador, conforme ilustrado pelo Exemplo 11.55.
- Se as tarefas forem independentes, a paralelização simples tem melhor utilização de processador, porque os processadores podem executar tudo ao mesmo tempo sem ter de pagar pelo custo adicional de preencher e drenar a linha de montagem. Contudo, como vemos no Exemplo 11.55, o padrão de acessos a dados em um esquema de linha de montagem é diferente daquele da paralelização simples. A pipelining pode ser preferível se ela reduzir a comunicação.

---

[6] Lembre-se de que não tiramos proveito da comutatividade e associatividade da adição.

11.9.2 Sobre relaxação sucessiva (SOR): um exemplo

Sobre relaxação sucessiva (SOR) é uma técnica para acelerar a convergência de métodos de relaxação para resolver sistemas de equações lineares. Um modelo relativamente simples que ilustra seu padrão de acesso a dados aparece na Figura 11.50(a). Aqui, o novo valor de um elemento no arranjo depende dos valores dos elementos em sua vizinhança. Essa operação é realizada repetidamente, até que algum critério de convergência seja atendido.

```
for (i = 0; i <= m; i++)
    for (j = 0; j <= n; j++)
        X[j+1] = 1/3 * (X[j] + X[j+1] + X[j+2])
```

(a) Fonte original.

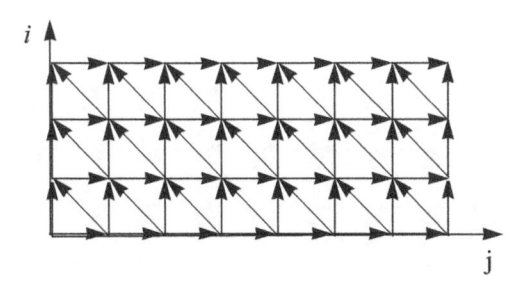

(b) Dependências de dados no código.

FIGURA 11.50 Um exemplo de sobre relaxação sucessiva (SOR)

A Figura 11.50(b) é uma imagem das principais dependências de dados. Não mostramos as dependências que podem ser deduzidas pelas dependências já incluídas na figura. Por exemplo, a iteração $[i, j]$ depende das iterações $[i, j - 1]$, $[i, j - 2]$ e assim por diante. Fica claro, pelas dependências, que não existe paralelismo sem sincronização. Como a maior cadeia de dependências consiste em $O(m + n)$ arestas, introduzindo a sincronização, devemos ser capazes de encontrar um grau de paralelismo e executar as $O(mn)$ operações em $O(m + n)$ unidades de tempo.

Em particular, observamos que as iterações que se encontram ao longo das diagonais[7] de 150° na Figura 11.50(b) não compartilham nenhuma dependência. Elas só dependem das iterações que se encontram ao longo das diagonais mais próximas da origem. Portanto, podemos paralelizar esse código executando iterações em cada diagonal em ordem, começando na origem e prosseguindo para fora. Nós nos referimos às iterações ao longo de cada diagonal como um *wavefront*, e esse esquema de paralelização como *wavefronting*.

11.9.3 *Loops* totalmente permutáveis

Primeiro, introduzimos a noção de *permutabilidade total*, um conceito útil para a pipelining e outras otimizações. Os *loops* são *totalmente permutáveis* se puderem ser permutados arbitrariamente sem mudar a semântica do programa original. Quando os *loops* são colocados em uma forma totalmente permutável, podemos facilmente colocar o código na linha de montagem e aplicar transformações, como a formação de blocos, para melhorar a localidade dos dados.

O código SOR, conforme escrito na Figura 11.50(a), não é totalmente permutável. Como mostramos na Seção 11.7.8, permutar dois *loops* significa que as iterações no espaço de iteração original são executadas coluna por coluna, em vez de linha por linha. Por exemplo, a computação original na iteração [2,3] seria executada antes da de [1,4], violando as dependências mostradas na Figura 11.50(b).

Porém, podemos transformar o código para torná-lo totalmente permutável. A aplicação da transformação de afins

$$\begin{bmatrix} 1 & 0 \\ 1 & 1 \end{bmatrix}$$

ao código produz o código que aparece na Figura 11.51(a). Esse código transformado é totalmente permutável, e sua versão permutada aparece na Figura 11.51(c). Também mostramos o espaço de iteração e as dependências de dados desses dois programas na Figura 11.51(b) e (d), respectivamente. A partir da figura, podemos facilmente ver que essa ordenação preserva a ordenação relativa entre todo par de acessos dependente de dados.

---

7 Ou seja, as seqüências de pontos formadas pela movimentação repetida de 1 para baixo e de 2 para a direita.

Quando permutamos *loops*, mudamos o conjunto de operações executadas em cada iteração do *loop* mais externo drasticamente. O fato de ter esse grau de liberdade no escalonamento significa que existe muita folga na ordenação das operações no programa. A folga no escalonamento significa oportunidades de paralelização. Mais adiante, nesta seção, mostramos que, se um *loop* tiver k *loops* mais externos totalmente permutáveis, introduzindo apenas $O(n)$ sincronizações podemos obter $O(k-1)$ graus de paralelismo (n é o número de iterações em um *loop*).

```
for (i = 0; i <= m; i++)
    for (j = i; j <= i+n; j++)
        X[j-i+1] = 1/3 * (X[j-i] + X[j-i+1] + X[j-i+2])
```

(a) O código da Figura 11.50 transformado por $\begin{bmatrix} 1 & 0 \\ 1 & 1 \end{bmatrix}$

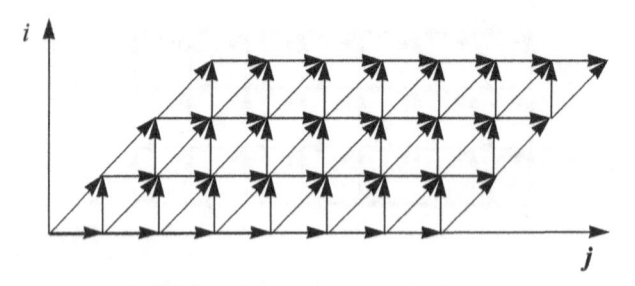

(b) Dependências de dados do código em (a).

```
for (j = 0; j <= m+n; j++)
    for (i = max(0,j); i <= min(m,j), i++)
        X[j-i+1] = 1/3 * (X[j-i] + X[j-i+1] + X[j-i+2])
```

(c) Uma permutação dos *loops* em (a).

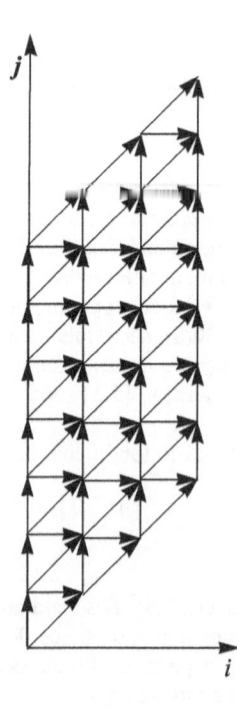

(d) Dependências de dados do código em (b).

FIGURA 11.51 Versão totalmente permutável do código da Figura 11.50.

11.9.4 Pipelining de *LOOPS* totalmente permutáveis

Um *loop* com *k loops* mais externos totalmente permutáveis pode ser estruturado como uma linha de montagem com $O(k-1)$ dimensões. No exemplo de SOR, $k = 2$, de modo que podemos estruturar os processadores como uma linha de montagem linear.

Podemos colocar na linha de montagem o código SOR de duas maneiras diferentes, mostradas na Figura 11.52(a) e na Figura 11.52(b), correspondendo às duas permutações possíveis mostradas na Figura 11.51(a) e (c), respectivamente. Em cada caso, toda coluna do espaço de iteração constitui uma tarefa, e toda linha constitui um estágio. Atribuímos o estágio *i* ao processador *i*, de modo que cada processador executa o *loop* interno do código. Ignorando as condições de contorno, um processador pode executar a iteração *i* somente depois que o processador $p - 1$ tiver executado a iteração $i - 1$.

```
/* 0 <= p <= m */
for (j = p; j <= p+n; j++) {
    if (p > 0) wait (p-1);
    X[j-p+1] = 1/3 * (X[j-p] + X[j-p+1] + X[j-p+2]);
    if (p < min (m,j)) signal (p+1);
}
```

(a) Processadores atribuídos por linhas.

```
/* 0 <= p <= m+n */
for (i = max(0,p); i <= min(m,p); i++) {
    if (p > max(0,i)) wait (p-1);
    X[p-i+1] = 1/3 * (X[p-i] + X[p-i+1] + X[p-i+2])
    if (p < m+n) & (p > i) signal (p+1);
}
```

(b) Processadores atribuídos por colunas.

FIGURA 11.52 Duas implementações de pipelining do código da Figura 11.51.

Suponha que todo processador use exatamente a mesma quantidade de tempo para executar uma iteração e a sincronização aconteça instantaneamente. Esses dois esquemas em linha de montagem executariam as mesmas iterações em paralelo; a única diferença é que elas têm diferentes atribuições de processador. Todas as iterações executadas em paralelo se encontram ao longo das diagonais de 135° no espaço de iteração da Figura 11.51(b), que corresponde às diagonais de 150° no espaço de iteração do código original; veja a Figura 11.50(b).

Contudo, na prática, os processadores com caches nem sempre executam o mesmo código na mesma quantidade de tempo, e o tempo para a sincronização também varia. Diferentemente do uso das barreiras de sincronização, que forçam todos os processadores a operar em passo sincronizado, a pipelining exige que os processadores se sincronizem e se comuniquem, com no máximo, dois outros processadores. Assim, a pipelining possui wavefronts relaxados, permitindo que alguns processadores se adiantem, enquanto outros se atrasam momentaneamente. Essa flexibilidade reduz o tempo que os processadores gastam esperando por outros processadores e melhora o desempenho paralelo.

Os dois esquemas de pipelining mostrados anteriormente são apenas duas das muitas formas pelas quais a computação pode ser feita em linha de montagem. Como dissemos, quando um *loop* é totalmente permutável, temos muita liberdade quanto ao modo pelo qual desejamos paralelizar o código. O primeiro esquema de linha de montagem mapeia a iteração $[i,j]$ ao processador *i*; o segundo mapeia a iteração $[i,j]$ ao processador *j*. Podemos criar linha de montagens alternativas mapeando a iteração $[i,j]$ ao processador $c_0 i + c_1 j$, desde que c_0 e c_1 sejam constantes positivas. Esse esquema criaria linhas de montagens com wavefronts relaxados entre 90° e 180°, ambos exclusivos.

11.9.5 Teoria geral

O exemplo recém-completado ilustra a seguinte teoria geral por trás da pipelining: se pudermos criar pelo menos dois *loops* mais externos diferentes para um ninho de *loop* e satisfazer todas as dependências, podemos realizar a computação na linha de montagem. Um *loop* com *k loops* mais externos totalmente permutáveis tem $k - 1$ graus de paralelismo de linha de montagem.

Os *loops* que não podem ser colocados em linha de montagem não possuem *loops* mais externos alternativos. O Exemplo 11.56 mostra um caso assim. Para honrar todas as dependências, cada iteração no *loop* mais externo precisa executar exatamente a computação encontrada no código original. Contudo, esse código ainda pode conter paralelismo nos *loops* internos, que podem ser explorados pela introdução de pelo menos *n* sincronizações, onde *n* é o número de iterações no *loop* mais externo.

Exemplo 11.56: A Figura 11.53 é uma versão mais complexa do problema que vimos no Exemplo 11.50. Como mostramos no grafo de dependência de programa da Figura 11.53(b), os comandos s_1 e s_2 pertencem ao mesmo componente fortemente conectado. Como não sabemos o conteúdo da matriz A, precisamos supor que o acesso no comando s_2 pode ler de qualquer um dos elementos de X. Existe uma dependência verdadeira do comando s_1 para o comando s_2, e uma antidependência do comando s_2 para o comando s_1. Também não existe oportunidade para colocá-lo na linha de montagem, porque todas as operações pertencentes à iteração i no *loop* externo devem preceder aquelas na iteração $i + 1$. Para encontrar mais paralelismo, repetimos o processo de paralelização no *loop* interno. As iterações no segundo *loop* podem ser paralelizadas sem sincronização. Assim, 200 barreiras são necessárias, com uma antes e uma após cada execução do *loop* interno.

```
for (i = 0; i < 100; i++) {
    for (j = 0; j < 100; j++)
        X[j] = X[j] + Y[i,j];    /* (s1) */
    Z[i] = X[A[i]];              /* (s2) */
}
```

(a)

(b)

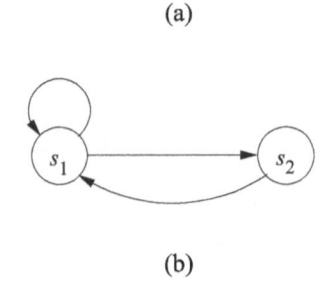

Figura 11.53 Um *loop* externo seqüencial (a) e seu PDG (b).

11.9.6 Restrições de Partição de Tempo

Agora, vamos focalizar o problema de encontrar o paralelismo de linha de montagem. Nosso objetivo é transformar uma computação em um conjunto de tarefas passíveis de serem executadas em linha de montagem. Para encontrar paralelismo em linha de montagem, não resolvemos diretamente o que deve ser executado em cada processador, como fizemos com a paralelização do *loop*. Em vez disso, fazemos a seguinte pergunta fundamental: quais são todas as seqüências de execução possíveis que respeitam as dependências de dados originais no *loop*? Obviamente, a seqüência de execução original satisfaz todas as dependências de dados. A pergunta é se existem transformações de afins capazes de criar um escalonamento alternativo, em que as iterações do *loop* mais externo executem um conjunto de operações diferente do original, e ainda assim todas as dependências sejam satisfeitas. Se pudermos encontrar tais transformações, poderemos colocar o *loop* em linha de montagem. O ponto principal é que, se houver liberdade no escalonamento de operações, haverá paralelismo; os detalhes de como derivar o paralelismo de linha de montagem a partir dessas transformações são explicados mais adiante.

Para encontrar reordenações aceitáveis do *loop* externo, queremos encontrar as transformações de afins unidimensionais, uma para cada comando, que mapeiam os valores de índice do *loop* original para um número de iteração no *loop* mais externo. As transformações são válidas se a atribuição puder satisfazer a todas as dependências de dados no programa. As 'restrições de partição de tempo', mostradas a seguir, simplesmente dizem que, se uma operação for dependente da outra, então, uma iteração no *loop* mais externo não pode ser atribuída à primeira antes de o ser à segunda. Se elas forem atribuídas na mesma iteração, então se entenderá que a primeira será executada depois da segunda dentro da iteração.

Um mapeamento de partição de afins de um programa é uma *partição de tempo válido* se e somente se, para cada dois acessos (não necessariamente distintos) que compartilham uma dependência, digamos

$$\mathcal{F}_1 = \langle \mathbf{F}_1, \mathbf{f}_1, \mathbf{B}_1, \mathbf{b}_1 \rangle$$

no comando s_1, que está aninhado em d_1 *loops*, e

$$\mathcal{F}_2 = \langle \mathbf{F}_2, \mathbf{f}_2, \mathbf{B}_2, \mathbf{b}_2 \rangle$$

no comando s_2, aninhado em d_2 *loops*, os mapeamentos de partição unidimensional $\langle \mathbf{C}_1, \mathbf{c}_1 \rangle$ e $\langle \mathbf{C}_2, \mathbf{c}_2 \rangle$ para os comandos s_1 e s_2, respectivamente, satisfizerem as *restrições de partição de tempo*:

- Para todo $\mathbf{i}_1$ em Z^{d_1} e $\mathbf{i}_2$ em Z^{d_2} tal que

   a) $\mathbf{i}_1 \prec_{s_1 s_2} \mathbf{i}_2$,
   b) $\mathbf{B}_1 \mathbf{i}_1 + \mathbf{b}_1 \geq 0$,
   c) $\mathbf{B}_2 \mathbf{i}_2 + \mathbf{b}_2 \geq 0$, e
   d) $\mathbf{F}_1 \mathbf{i}_1 + \mathbf{f}_1 = \mathbf{F}_2 \mathbf{i}_2 + \mathbf{f}_2$,

temos que $C_1 \mathbf{i}_1 + c_1 \leq C_2 \mathbf{i}_2 + c_2$.

Essa restrição, ilustrada na Figura 11.54, se parece muito com as restrições de partição de espaço. É um relaxação das restrições de partição de espaço, porque se duas iterações se referem ao mesmo endereço, não necessariamente precisam ser mapeadas para a mesma partição; só precisamos que a ordem de execução relativa original entre as duas iterações seja preservada. Ou seja, as restrições aqui têm $\leq$ onde as restrições de partição de espaço têm $=$.

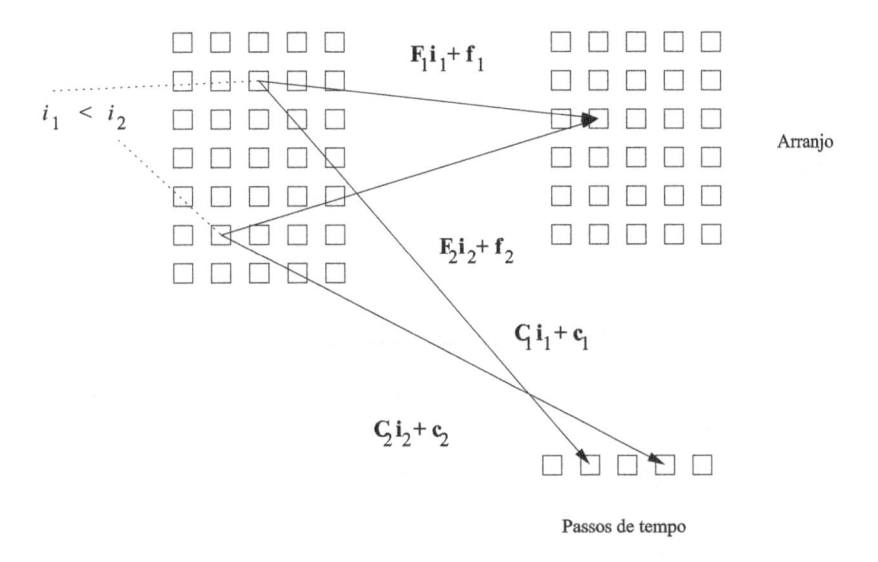

FIGURA 11.54 Restrições de partição de tempo.

Sabemos que existe pelo menos uma solução para as restrições de partição de tempo. Podemos mapear as operações em cada iteração do *loop* mais externo de volta para a mesma iteração, e todas as dependências de dados serão satisfeitas. Essa é a única solução para as restrições de partição de tempo para programas que não podem ser colocados em linha de montagem. Por outro lado, se pudermos encontrar várias soluções independentes para as restrições de partição de tempo, o programa poderá ser colocado em linha de montagem. Cada solução independente corresponde a um *loop* no ninho totalmente permutável mais externo. Como poderíamos esperar, existe apenas uma solução independente para as restrições de sincronização extraídas do programa no Exemplo 11.56, onde não existe paralelismo de linha de montagem, e existem duas soluções para o exemplo de código SOR.

EXEMPLO 11.57: Vamos considerar o Exemplo 11.56 e, em particular, as dependências de dados das referências ao arranjo X nos comandos s_1 e s_2. Como o acesso não é afim no comando s_2, aproximamos o acesso modelando a matriz X simplesmente como uma variável escalar na análise de dependência que envolve o comando s_2. Seja (i, j) o valor de índice de uma instância dinâmica de s_1 e considere que i' seja o valor de índice de uma instância dinâmica de s_2. Considere que os mapeamentos de computação dos comandos s_1 e s_2 sejam $\langle [C_{11}, C_{12}], c_1 \rangle$ e $\langle [C_{21}], c_2 \rangle$, respectivamente.

Primeiro, vamos considerar as restrições de partição de tempo impostas pelas dependências do comando s_1 para s_2. Assim, $i \leq i'$, a (i, j)-ésima iteração transformada de s_1, não deve ser posterior a i-ésima iteração transformada de s_2; ou seja,

$$[\, C_{11}\ C_{12}\,] \begin{bmatrix} i \\ j \end{bmatrix} + c_1 \leq C_{21} i' + c_2.$$

Expandindo, obtemos

$$C_{11} i + C_{12} j + c_1 \leq C_{21} i' + c_2.$$

Como j pode ser arbitrariamente grande, independentemente de i e i', é preciso que $C_{12} = 0$. Assim, uma solução possível para as restrições é

$$C_{11} = C_{21} = 1 \text{ e } C_{12} = c_1 = c_2 = 0.$$

Argumentos semelhantes sobre a dependência de dados de s_2 para s_1 e de s_2 de volta para si mesmo produzirá uma resposta semelhante. Nesta solução em particular, a i-ésima iteração do *loop* externo, que consiste na instância i de s_2, e todas as instâncias (i, j) de s_1, são todas atribuídas ao intervalo de tempo i. Outras opções válidas de C_{11}, C_{21}, c_1 e c_2 produzem atribuições semelhantes, embora possa haver intervalos de tempo em que nada acontece. Ou seja, todas as maneiras de escalonar o *loop* externo requerem que as iterações executem na mesma ordem do código original. Essa afirmação vale se todas as 100 iterações forem executadas no mesmo processador, em 100 processadores diferentes, ou em qualquer número intermediário.

EXEMPLO 11.58: No código SOR mostrado na Figura 11.50(a), a referência de escrita $X[j + 1]$ compartilha uma dependência consigo mesma e com as três referências de leitura no código. Estamos buscando o mapeamento de computação $\langle [C_1, C_2], c \rangle$ para o comando de atribuição tal que

$$[C_1 \ C_2] \begin{bmatrix} i \\ j \end{bmatrix} + [c] \leq [C_1 \ C_2] \begin{bmatrix} i' \\ j' \end{bmatrix} + [c]$$

se houver uma dependência de (i, j) para (i', j'). Por definição, $(i, j) \prec (i', j')$; ou seja, ou $i < i'$ ou $(i = i' \wedge j < j')$.

Vamos considerar três dos pares de dependências de dados:

1. Dependência verdadeira do acesso de escrita $X[j + 1]$ para o acesso de leitura $X[j + 2]$. Como as instâncias devem acessar o mesmo endereço, $j + 1 = j' + 2$ ou $j = j' + 1$. Substituindo $j = j' + 1$ nas restrições de sincronização, obtemos

$$C_1 (i' - i) - C_2 \geq 0.$$

Como $j = j' + 1, j > j'$, as restrições de precedência se reduzem a $i < i'$. Portanto,

$$C_1 - C_2 \geq 0.$$

2. Antidependência do acesso de leitura $X[j + 2]$ para o acesso de escrita $X[j + 1]$. Aqui, $j + 2 = j' + 1$, ou $j = j' - 1$. Substituindo $j = j' - 1$ nas restrições de sincronização, obtemos

$$C_1 (i' - i) + C_2 \geq 0.$$

Quando $i = i'$, obtemos

$$C_2 \geq 0.$$

Quando $i < i'$, como $C_2 \geq 0$, obtemos

$$C_1 \geq 0.$$

3. A dependência de saída do acesso de escrita $X[j + 1]$ de volta a si mesmo. Aqui, $j = j'$. As restrições de sincronização se reduzem a

$$C_1 (i' - i) \geq 0.$$

Como somente $i < i'$ é relevante, obtemos novamente

$$C_1 \geq 0.$$

O restante das dependências não produz nenhuma nova restrição. No total, existem três restrições:

$$\begin{array}{l} C_1 \geq 0 \\ C_2 \geq 0 \\ C_1 - C_2 \geq 0 \end{array}$$

Aqui estão duas soluções independentes para essas restrições.

$$\begin{bmatrix} 1 \\ 0 \end{bmatrix}, \begin{bmatrix} 1 \\ 1 \end{bmatrix}$$

A primeira solução preserva a ordem de execução das iterações no *loop* mais externo. Tanto o código SOR original da Figura 11.50(a) quanto o código transformado mostrado na Figura 11.51)(a) são exemplos dessa arrumação. A segunda solução coloca iterações ao longo das diagonais de 135° no mesmo *loop* externo. O código mostrado na Figura 11.51(b) é um exemplo de um código com essa composição de *loop* mais externo.

Observe que existem muitos outros pares possíveis de soluções independentes. Por exemplo,

$$\begin{bmatrix} 1 \\ 1 \end{bmatrix}, \begin{bmatrix} 2 \\ 1 \end{bmatrix}$$

também seria uma solução independente para as mesmas restrições. Escolhemos os vetores mais simples para simplificar a transformação de código.

11.9.7 Solucionando restrições de partição de tempo pelo lema de Farkas

Como as restrições de partição de tempo são semelhantes às restrições de partição de espaço, podemos usar um algoritmo semelhante para solucioná-las? Infelizmente, a pequena diferença entre os dois problemas se traduz em uma grande diferença técnica entre os dois métodos de solução. O Algoritmo 11.43 simplesmente soluciona para C_1, c_1, C_2 e c_2, de modo que, para todo i_1 em Z^{d_1} e i_2 em Z^{d_2}, se

$$F_1 i_1 + f_1 = F_2 i_2 + f_2$$

então

$$C_1 i_1 + c_1 = C_2 i_2 + c_2.$$

As desigualdades lineares devidas aos limites de *loop* são usadas apenas para determinar se duas referências compartilham uma dependência de dados, e não são usadas de outra forma.

Para encontrar soluções para as restrições de partição de tempo, não podemos ignorar as desigualdades lineares $i \prec i'$; ignorá-las freqüentemente permitiria apenas a solução trivial de colocar todas as iterações na mesma partição. Assim, o algoritmo para encontrar soluções para as restrições de partição de tempo deve tratar com as igualdades e desigualdades.

O problema geral que queremos resolver é: dada uma matriz A, encontre um vetor c tal que, para todos os vetores x tais que $Ax \geq 0$, tem-se que $c^T x \geq 0$. Em outras palavras, estamos procurando c tal que o produto interno de c e quaisquer coordenadas no poliedro definido pelas desigualdades $Ax \geq 0$ sempre produzam uma resposta não negativa.

Esse problema é resolvido pelo *lema de Farkas*. Considere que A seja uma matriz $m \times n$ de números reais, e c seja um vetor de n reais diferente de zero. O lema de Farkas diz que, ou o sistema *primal* de desigualdades

$$Ax \geq 0, \quad c^T x < 0$$

tem uma solução de valor real x, ou o sistema *dual*

$$A^T y = c, \quad y \geq 0$$

tem uma solução de valor real y, mas nunca ambos.

O sistema dual pode ser tratado usando-se a eliminação de Fourier-Motzkin para projetar as variáveis de y. Para cada c que tem uma solução no sistema dual, o lema garante que não existem soluções para o sistema primal. Em outras palavras, podemos provar a negação do sistema primal, ou seja, podemos provar que $c^T x \geq 0$ para todo x tal que $Ax \geq 0$, encontrando uma solução y para o sistema dual: $A^T y = c$ e $y \geq 0$.

Sobre o lema de Farkas

A prova do lema pode ser encontrada em muitos textos padrão sobre programação linear. O lema de Farkas, provado originalmente em 1901, é um dos *teoremas da alternativa*. Esses teoremas são todos equivalentes, mas, apesar das tentativas no decorrer dos anos, não foi encontrada uma prova intuitiva simples para esse lema nem para qualquer um de seus equivalentes.

ALGORITMO 11.59: Encontrar um conjunto de mapeamentos de partição de tempo de afins válidos, independentes ao máximo, para um *loop* seqüencial externo.

ENTRADA: Um ninho de *loop* com acessos de arranjo.

SAÍDA: Um conjunto máximo de mapeamentos de partição de tempo independentes linearmente.

MÉTODO: Os passos a seguir constituem o algoritmo.

1. Encontre todos os pares de acessos dependentes de dados em um programa.
2. Para cada par de acessos dependentes de dados, $\mathcal{F}_1 = \langle \mathbf{F}_1, \mathbf{f}_1, \mathbf{B}_1, \mathbf{b}_1 \rangle$ no comando s_1 aninhado em d_1 *loops* e $\mathcal{F}_2 = \langle \mathbf{F}_2, \mathbf{f}_2, \mathbf{B}_2, \mathbf{b}_2 \rangle$ no comando s_2 aninhado em d_2 *loops*, considere que $\langle \mathbf{C}_1, \mathbf{c}_1 \rangle$ e $\langle \mathbf{C}_2, \mathbf{c}_2 \rangle$ sejam os mapeamentos de partição de tempo (desconhecidos) dos comandos s_1 e s_2, respectivamente. Lembre-se que as restrições de partição de tempo dizem que

   - Para todo $\mathbf{i}_1$ em Z^{d_1} e $\mathbf{i}_2$ em Z^{d_2} tal que

     a) $\mathbf{i}_1 \prec_{s_1 s_2} \mathbf{i}_2$,
     b) $\mathbf{B}_1 \mathbf{i}_1 + \mathbf{b}_1 \geq 0$,
     c) $\mathbf{B}_2 \mathbf{i}_2 + \mathbf{b}_2 \geq 0$, e
     d) $\mathbf{F}_1 \mathbf{i}_1 + \mathbf{f}_1 = \mathbf{F}_2 \mathbf{i}_2 + \mathbf{f}_2$,

     temos que $\mathbf{C}_1 \mathbf{i}_1 + \mathbf{c}_1 \leq \mathbf{C}_2 \mathbf{i}_2 + \mathbf{c}_2$.

   Como $\mathbf{i}_1 \prec_{s_1 s_2} \mathbf{i}_2$ é uma união disjuntiva de diversas cláusulas, podemos criar um sistema de restrições para cada cláusula e solucionar cada uma delas separadamente, da seguinte forma:

   a) De forma semelhante ao passo (2a) do Algoritmo 11.43, aplique a eliminação de Gauss às equações

   $$\mathbf{F}_1 \mathbf{i}_1 + \mathbf{f}_1 = \mathbf{F}_2 \mathbf{i}_2 + \mathbf{f}_2$$

   para reduzir o vetor

   $$\begin{bmatrix} \mathbf{i}_1 \\ \mathbf{i}_2 \\ 1 \end{bmatrix}$$

   a algum vetor de incógnitas, $\mathbf{x}$.

   b) Considere que $\mathbf{c}$ seja todas as incógnitas nos mapeamentos da partição. Expresse as restrições de desigualdade linear devidas aos mapeamentos de partição como

   $$\mathbf{c}^T \mathbf{D} \mathbf{x} \geq \mathbf{0}$$

   para alguma matriz $\mathbf{D}$.

   c) Expresse as restrições de precedência nas variáveis de índice de *loop* e os limites do *loop* como

   $$\mathbf{A} \mathbf{x} \geq \mathbf{0}$$

   para alguma matriz $\mathbf{A}$.

   d) Aplique o lema de Farkas. Encontrar $\mathbf{x}$ para satisfazer as duas restrições anteriores é equivalente a encontrar $\mathbf{y}$ tal que
   $$\mathbf{A}^T \mathbf{y} = \mathbf{D}^T \mathbf{c} \quad \text{e} \quad \mathbf{y} \geq \mathbf{0}.$$

   Observe que $\mathbf{c}^T \mathbf{D}$ aqui é $\mathbf{c}^T$ no comando do lema de Farkas, e estamos usando a forma negada do lema.

   e) Dessa forma, aplique a eliminação de Fourier-Motzkin para proteger as variáveis $\mathbf{y}$, e expresse as restrições sobre os coeficientes $\mathbf{c}$ como $\mathbf{E}\mathbf{c} \geq \mathbf{0}$.

   f) Considere que $\mathbf{E'}\mathbf{c'} \geq \mathbf{0}$ seja o sistema sem os termos constantes.

3. Encontre um conjunto máximo de soluções linearmente independentes para $\mathbf{E'}\mathbf{c'} \geq \mathbf{0}$ usando o Algoritmo B.1 do Apêndice B. A abordagem desse algoritmo complexo é registrar o conjunto corrente de soluções para cada um dos comandos, depois procurar incrementalmente soluções mais independentes inserindo restrições que forçam a solução a ser linearmente independente para pelo menos um comando.

4. A partir de cada solução de **c'** encontrada, derive um mapeamento de partição de tempo afim. Os termos constantes são derivados usando **Ec ≥ 0**.

EXEMPLO 11.60: As restrições para o Exemplo 11.57 podem ser escritas como

$$[\ -C_{11}\quad -C_{12}\quad C_{21}\quad (c_2 - c_1)\ ] \begin{bmatrix} i \\ j \\ i' \\ 1 \end{bmatrix} \geq \mathbf{0}$$

$$[\ -1\quad 0\quad 1\quad 0\ ] \begin{bmatrix} i \\ j \\ i' \\ 1 \end{bmatrix} \geq \mathbf{0}$$

O lema de Farkas diz que essas restrições são equivalentes a

$$\begin{bmatrix} -1 \\ 0 \\ 1 \\ 0 \end{bmatrix} [z] = \begin{bmatrix} -C_{11} \\ -C_{12} \\ C_{21} \\ c_2 - c_1 \end{bmatrix} \ e\ z \geq 0$$

Resolvendo esse sistema, obtemos

$$C_{11} = C_{21} \geq 0\ \ e\ \ C_{12} = c_2 - c_1 = 0.$$

Observe que essas restrições são satisfeitas pela solução em particular que obtemos no Exemplo 11.57.

11.9.8 Transformações de código

Se houver k soluções independentes para as restrições de partição de tempo de um ninho de *loop*, é possível transformar o ninho de *loop* para ter k *loops* externos totalmente permutáveis, que podem ser transformados para criar $k - 1$ graus de pipelining, ou para criar $k - 1$ *loops* paralelizáveis internos. Além disso, podemos aplicar a formação de blocos aos *loops* totalmente permutáveis para melhorar a localidade de dados dos uniprocessadores, e, também, reduzir a sincronização entre os processadores em uma execução paralela.

Explorando *loops* totalmente permutáveis

Podemos criar um ninho de *loop* com k *loops* externos totalmente permutáveis com facilidade a partir de k soluções independentes para as restrições de partição de tempo. Podemos fazer isso simplesmente fazendo a k-ésima solução a k-ésima linha da nova transformação. Quando a transformação de afins é criada, o Algoritmo 11.45 pode ser usado para gerar o código.

EXEMPLO 11.61: As soluções encontradas no Exemplo 11.58 para nosso exemplo de SOR foram

$$\begin{bmatrix} 1 \\ 0 \end{bmatrix}, \begin{bmatrix} 1 \\ 1 \end{bmatrix}$$

Fazendo a primeira solução a primeira linha e a segunda solução a segunda linha, obtemos a transformação

$$\begin{bmatrix} 1 & 0 \\ 1 & 1 \end{bmatrix}$$

a qual produz o código na Figura 11.51(a).

Fazendo a segunda solução a primeira linha, em vez disso, obtemos a transformação

$$\begin{bmatrix} 1 & 1 \\ 1 & 0 \end{bmatrix}$$

a qual produz o código na Figura 11.51(c).

É fácil ver que essas transformações produzem um programa seqüencial válido. A primeira linha divide o espaço de iteração inteiro de acordo com a primeira solução. As restrições de sincronização garantem que essa decomposição não viola nenhuma dependência de dados. Então, dividimos as iterações em cada um dos *loops* mais externos de acordo com a segunda solução. Novamente, isso deve ser válido porque estamos tratando apenas subconjuntos do espaço de iteração original. O mesmo acontece para o restante das linhas na matriz. Como podemos ordenar as soluções de modo arbitrário, os *loops* são totalmente permutáveis.

Explorando a pipelining

Podemos facilmente transformar um *loop* com k *loops* externos totalmente permutáveis em um código com $k - 1$ graus de paralelismo de linha de montagem.

EXEMPLO 11.62: Vamos retornar ao nosso exemplo de SOR. Depois que os *loops* forem transformados para serem totalmente permutáveis, sabemos que a iteração $[i_1, i_2]$ poderá ser executada desde que as iterações $[i_1, i_2 - 1]$ e $[i_1 - 1, i_2]$ tenham sido executadas. Podemos garantir essa ordem em uma linha de montagem da seguinte forma. Atribuímos a iteração i_1 ao processador p_1. Cada processador executa as iterações no *loop* interno na ordem seqüencial original, garantindo assim que a iteração $[i_1, i_2]$ seja executada depois de $[i_1, i_2 - 1]$. Além disso, exigimos que o processador p espere pelo sinal do processador $p - 1$ de que ele executou a iteração $[p - 1, i_2]$ antes de executar a iteração $[p, i_2]$. Essa técnica gera o código executado na linha de montagem da Figura 11.52(a) e (b) a partir dos *loops* totalmente permutáveis da Figura 11.51(a) e (c), respectivamente.

Em geral, dados k *loops* externos totalmente permutáveis, a iteração com valores de índice $(i_1, ..., i_k)$ pode ser executada sem violar as restrições dependentes de dados, desde que as iterações

$$[i_1-1, i_2, ..., i_k], [i_1, i_2-1, i_3, ..., i_k], ...,[i_1, ..., i_k-1, i_k - 1]$$

tenham sido executadas. Assim, podemos atribuir as partições das primeiras $k - 1$ dimensões do espaço de iteração a $O(n^{k-1})$ processadores como a seguir. Cada processador é responsável por um conjunto de iterações cujos índices combinam nas primeiras $k - 1$ dimensões, e variam por todos os valores do k-ésimo índice. Cada processador executa as iterações no k-ésimo *loop* seqüencialmente. O processador correspondente aos valores $[p_1, p_2, ..., p_{k-1}]$ para os primeiros $k - 1$ índices de *loop* pode executar a iteração i no k-ésimo *loop* desde que ele receba um sinal dos processadores

$$[p_1 - 1, p_2, ..., p_{k-1}], ..., [p_1, ..., p_{k-2}, p_{k-1} - 1]$$

de que eles executaram sua i-ésima iteração no k-ésimo *loop*.

Wavefronting

Também é fácil gerar $k - 1$ *loops* paralelizáveis internos a partir de um *loop* com k *loops* externos totalmente permutáveis. Embora a pipelining seja preferível, incluímos essa informação aqui por completeza.

Dividimos a computação de um *loop* com k *loops* externos totalmente permutáveis usando uma nova variável de índice i', onde i' é definido para ser alguma combinação de todos os índices do ninho de k *loops* permutáveis. Por exemplo, $i' = i_1 + ... + i_k$ é uma combinação desse tipo.

Criamos um *loop* seqüencial mais externo, que percorre as i' partições em ordem crescente; a computação aninhada dentro de cada partição é ordenada como antes. Os primeiros $k - 1$ *loops* dentro de cada partição são, por garantia, paralelizáveis. Intuitivamente, dado um espaço de iteração bidimensional, essa transformação agrupa as iterações ao longo de diagonais de 135° como uma execução do *loop* mais externo. Essa estratégia garante que as iterações dentro de cada iteração do *loop* mais externo não tenham dependência de dados.

Formação de blocos

Um ninho de *loop* totalmente permutável de profundidade k pode ser bloqueado em k dimensões. Em vez de atribuir as iterações aos processadores com base no valor dos índices de *loops* externos ou internos, podemos agregar blocos de iterações em uma unidade. A formação de blocos é útil para melhorar a localidade dos dados e também para minimizar o custo adicional da pipelining.

Suponha que tenhamos um ninho de *loop* bidimensional totalmente permutável, como na Figura 11.55(a), e queiramos desmembrar a computação em $b \times b$ blocos. A ordem de execução do código bloqueado aparece na Figura 11.56, e o código equivalente é mostrado na Figura 11.55(b).

```
for (i=0; i<n; i++)
   for (j=1; j<n; j++) {
      <S>
   }
```

(a) Um ninho de *loop* simples.

```
for (ii = 0; ii<n; i+=b)
   for (jj = 0; jj<n; jj+=b)
      for (i = ii*b; i <= min(ii*b-1, n); i++)
         for (j = ii*b; j <= min(jj*b-1, n); j++)
{
         <S>
   }
```

(b) Uma versão bloqueada deste ninho de *loop*.

FIGURA 11.55 Um ninho de *loop* bidimensional e sua versão bloqueada.

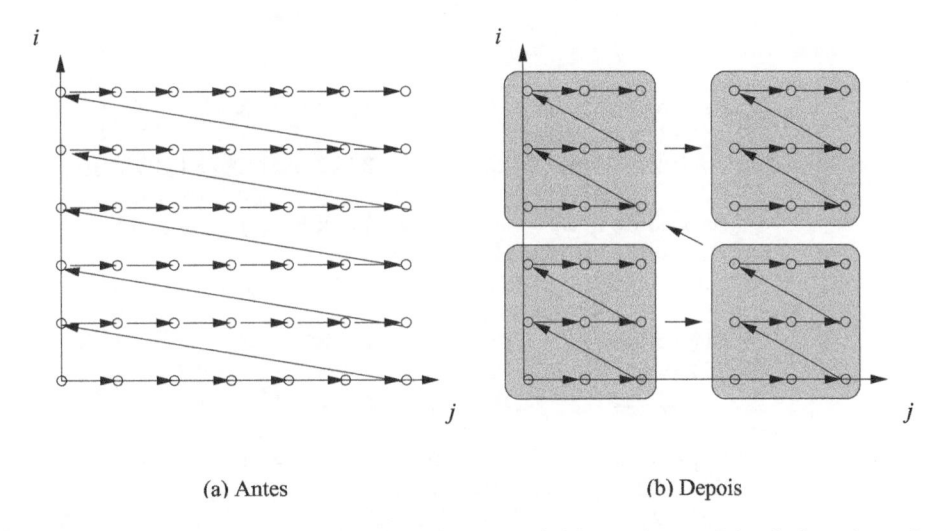

(a) Antes   (b) Depois

FIGURA 11.56 Ordem de execução antes e depois da formação de blocos de um ninho de *loop* de profundidade 2.

Se atribuirmos cada bloco a um processador, toda a passagem de dados de uma iteração para outra que estiver dentro de um bloco não exigirá comunicação entre processadores. Como alternativa, podemos aumentar a granularidade da pipelining atribuindo uma coluna de blocos a um processador. Observe que cada processador sincroniza com seus predecessores e sucessores apenas nos limites de bloco. Assim, outra vantagem da formação de blocos é que os programas só precisam comunicar dados acessados nos limites do bloco com seus blocos vizinhos. Os valores que são interiores a um bloco são gerenciados por somente um processador.

EXEMPLO 11.63: Agora, usamos um algoritmo numérico real — a decomposição de Cholesky — para ilustrar como o Algoritmo 11.59 trata de ninhos de *loop* únicos somente com o paralelismo da pipelining. O código, mostrado na Figura 11.57, implementa um algoritmo $O(n^3)$, operando sobre um arranjo de dados bidimensional. O espaço de iteração executado é uma pirâmide triangular, pois *j* somente itera até o valor do índice de *loop* externo *i*, e *k* só itera até o valor de *j*. O *loop* tem quatro comandos, todos aninhados em diferentes *loops*.

```
for (i = 1; i <= N; i++) {
    for (j = 1; j <= i-1; j++) {
        for (k = 1; k <= j-1; k++)
            X[i,j] = X[i,j] - X[i,k] * X[j,k];
        X[i,j] = X[i,j] / X[j,j];
    }
    for (m = 1; m <= i-1; m++)
        X[i,i] = X[i,i] - X[i,m] * X[i,m];
    X[i,i] = sqrt(X[i,i]);
}
```

FIGURA 11.57   Decomposição de Cholesky.

A aplicação do Algoritmo 11.59 a esse programa encontra três dimensões de tempo legítimas. Ele aninha todas as operações, algumas das quais aninhadas originalmente em ninhos de *loop* de profundidade 1 e 2, para um ninho de *loop* tridimensional totalmente permutável. O código, juntamente com os mapeamentos, aparece na Figura 11.58.

```
for (i2 = 1; i2 <= N; i2++)
    for (j2 = 1; j2 <= i2; j2++) {
        /* início do código para o processador (i2,j2) */
        for (k2 = 1; k2 <= i2; k2++) {

            // Mapeando: i2 = i, j2 = j, k2 = k
            if (j2<i2 && k2<j2)
                X[i2,j2] = X[i2,j2] - X[i2,k2] * X[j2,k2];

            // Mapeando: i2 = i, j2 = j, k2 = j
            if (j2==k2 && j2<i2)
                X[i2,j2] = X[i2,j2] / X[j2,j2];

            // Mapeando: i2 = i, j2 = i, k2 = m
            if (i2==j2 && k2<i2)
                X[i2,i2] = X[i2,i2] - X[i2,k2] * X[i2,k2];

            // Mapeando: i2 = i, j2 = i, k2 = i
            if (i2==j2 && j2==k2)
                X[k2,k2] = sqrt(X[k2,k2]);
        }
        /* fim do código para o processador (i2,j2) */
    }
```

FIGURA 11.58   A Figura 11.57 escrita como um ninho de *loop* totalmente permutável.

A rotina de geração de código guarda a execução das operações com os limites de *loops* originais, para garantir que os novos programas executem apenas operações que estiverem no código original. Podemos colocar esse código na linha de montagem mapeando a estrutura tridimensional para um espaço de processador bidimensional. As iterações ($i2, j2, k2$) são atribuídas ao processador com ID ($i2, j2$). Cada processador executa o *loop* mais interno, o *loop* com o índice $k2$. Antes de executar a k-ésima iteração, o processador espera por sinais dos processadores com IDs ($i2 - 1, j2$) e ($i2, j2 - 1$). Depois de executar sua iteração, ele sinaliza os processadores ($i2 + 1, j2$) e ($i2, j2 + 1$).

11.9.9 PARALELISMO COM SINCRONIZAÇÃO MÍNIMA

Descrevemos três algoritmos de paralelização poderosos nas três últimas seções: o Algoritmo 11.43 encontra todo o paralelismo não exigindo sincronizações, o Algoritmo 11.54 encontra todo o paralelismo exigindo apenas um número constante de sincronizações, e o Algoritmo 11.59 encontra todo o paralelismo passível de ser colocado em linha de montagem exigindo $O(n)$ sincronizações, onde n é o número de iterações do *loop* mais externo. Como uma primeira aproximação, nosso objetivo é paralelizar o máximo de computação possível, enquanto introduzimos o mínimo de sincronização necessário.

O Algoritmo 11.64, a seguir, encontra todos os graus de paralelismo em um programa, começando com a granularidade grossa de paralelismo. Na prática, a fim de paralelizar um código para um multiprocessador, não precisamos explorar todos os níveis de paralelismo, apenas os mais externos possíveis, até que toda a computação seja paralelizada e todos os processadores sejam totalmente utilizados.

ALGORITMO 11.64: Encontre todos os graus de paralelismo em um programa, com todo o paralelismo sendo da maior granularidade grossa possível.

ENTRADA: Um programa a ser paralelizado.

SAÍDA: Uma versão paralelizada do mesmo programa.

MÉTODO: Faça o seguinte:

1. Encontre o grau máximo de paralelismo que não requer sincronização. Aplique o Algoritmo 11.43 ao programa.
2. Encontre o grau máximo de paralelismo que requer $O(1)$ sincronizações. Aplique o Algoritmo 11.54 a cada uma das partições de espaço encontradas no passo 1. (Se nenhum paralelismo sem sincronização for encontrado, a computação inteira é deixada em uma partição).
3. Encontre o grau máximo de paralelismo que exige $O(n)$ sincronizações. Aplique o Algoritmo 11.59 a cada uma das partições encontradas no passo 2 para encontrar o paralelismo de linha de montagem. Depois, aplique o Algoritmo 11.54 a cada uma das partições atribuídas a cada processador, ou ao corpo do *loop* seqüencial, se nenhuma pipelining for encontrada.
4. Encontre o grau máximo de paralelismo com graus de sincronização sucessivamente maiores. Aplique recursivamente o passo 3 à computação pertencente a cada uma das partições de espaço geradas pelo passo anterior.

EXEMPLO 11.65: Vamos retornar agora ao Exemplo 11.56. Nenhum paralelismo é encontrado nos passos 1 e 2 do Algoritmo 11.54, ou seja, precisamos de mais do que um número constante de sincronizações para paralelizar esse código. No passo 3, a aplicação do Algoritmo 11.59 determina que só existe um *loop* externo válido, que é aquele no código original da Figura 11.53. Assim, o *loop* não possui paralelismo de linha de montagem. Na segunda parte do passo 3, aplicamos o Algoritmo 11.54 para paralelizar o *loop* interno. Tratamos o código dentro de uma partição como um programa inteiro, sendo que a única diferença é que o número da partição é tratado como uma constante simbólica. Nesse caso, descobrimos que o *loop* interno é paralelizável e, portanto, o código pode ser paralelizado com n barreiras de sincronização.

O Algoritmo 11.64 encontra todo o paralelismo de um programa em cada nível de sincronização. O algoritmo prefere esquemas de paralelização que possuem menos sincronização, mas menos sincronização não significa que a comunicação é reduzida. Aqui, discutimos duas extensões do algoritmo para resolver seus pontos fracos.

Considerando o custo de comunicação

O passo 2 do Algoritmo 11.64 paraleliza cada componente fortemente conectado, independentemente de algum paralelismo sem sincronização ser encontrado. Contudo, pode ser possível paralelizar diversos componentes sem sincronização e comunicação. Uma solução é buscar vorazmente o paralelismo sem sincronização entre os subconjuntos do grafo de dependência de programa que compartilham a maioria dos dados.

Se for necessária a comunicação entre componentes fortemente conectados, observamos que alguma comunicação é mais dispendiosa do que outras. Por exemplo, o custo de transpor uma matriz é significativamente mais alto do que apenas ter de comunicar entre processadores vizinhos. Suponha que s_1 e s_2 sejam comandos em dois componentes separados fortemente conectados acessando os mesmos dados nas iterações $\mathbf{i}_1$ e $\mathbf{i}_2$, respectivamente. Se não pudermos encontrar mapeamentos de partição $\langle \mathbf{C}_1, \mathbf{c}_1 \rangle$ e $\langle \mathbf{C}_2, \mathbf{c}_2 \rangle$ para os comandos s_1 e s_2, respectivamente, de modo que

$$\mathbf{C}_1\mathbf{i}_1 + \mathbf{c}_1 - \mathbf{C}_2\mathbf{i}_2 + \mathbf{c}_2 = \mathbf{0},$$

tentamos em vez disso satisfazer a restrição

$$\mathbf{C}_1\mathbf{i}_1 + \mathbf{c}_1 - \mathbf{C}_2\mathbf{i}_2 + \mathbf{c}_2 \leq \delta$$

onde δ é uma constante pequena.

Negociando comunicação por sincronização

Às vezes, preferiríamos efetuar mais sincronizações para minimizar a comunicação. O Exemplo 11.66 discute um exemplo desse tipo. Assim, se não pudermos paralelizar um código apenas com a comunicação vizinha entre componentes fortemente conectados, teremos de tentar fazer a linha de montagem da computação em vez de paralelizar cada componente independente do modo como vemos no Exemplo 11.66, a pipelining pode ser aplicada a uma seqüência de *loops*.

EXEMPLO 11.66: Para o algoritmo de integração ADI do Exemplo 11.49, mostramos que otimizar o primeiro e o segundo ninho de *loop* independentemente encontra paralelismo em cada um dos ninhos. Contudo, esse esquema exigiria que a matriz fosse transposta entre os *loops*, incorrendo em $O(n^2)$ tráfego de dados. Se usarmos o Algoritmo 11.59 para encontrar o paralelismo de linha de montagem, descobriremos que é possível transformar o programa inteiro em um ninho de *loop* totalmente permutável, como na Figura 11.59. Depois, podemos aplicar a formação de blocos para reduzir o custo adicional de comunicação. Esse esquema incorreria em $O(n)$ sincronizações, mas exigiria menos comunicação.

```
for (j = 0; j < n; j++)
    for (i = 1; i < n+1; i++) {
        if (i < n) X[i,j] = f(X[i,j] + X[i-1,j])
        if (j > 0) X[i-1,j] = g(X[i-1,j],X[i-1,j-1]);
    }
```

FIGURA 11.59 Um ninho de *loop* totalmente permutável para o código do Exemplo 11.49.

11.9.10 Exercícios da Seção 11.9

Exercício 11.9.1: Na Seção 11.9.4, discutimos a possibilidade de usar diagonais em vez de eixos horizontal e vertical para fazer a linha de montagem do código da Figura 11.51. Escreva um código semelhante aos *loops* da Figura 11.52 para as diagonais: (a) 135° (b) 120°.

Exercício 11.9.2: A Figura 11.55(b) pode ser simplificada se b dividir n sem resto. Reescreva o código sob essa suposição.

Exercício 11.9.3: Na Figura 11.60 está um programa para calcular as primeiras 100 linhas do triângulo de Pascal, ou seja, $P[i,j]$ se tornará o número de maneiras de escolher j opções a partir de i, para $0 \leq j \leq i < 100$.

a) Reescreva o código como um único ninho de *loop* totalmente permutável.
b) Use 100 processadores em uma linha de montagem para implementar esse código. Escreva o código para cada processador p, em termos de p, e indique a sincronização necessária.
c) Reescreva o código usando blocos quadrados de 10 iterações em um lado. Como as iterações formam um triângulo, haverá somente $1 + 2 + \ldots + 10 = 55$ blocos. Mostre o código para um processador (p_1, p_2) atribuído ao p_1-ésimo bloco na direção i e o p_2-ésimo bloco na direção j, em termos de p_1 e p_2.

```
for (i=0; i<100; i++) {
    P[i,0] = 1;   /* s1 */
    P[i,i] = 1;   /* s2 */
}
for (i=2; i<100; i++)
    for (j=1; j<i; j++)
        P[i,j] = P[i-1,j-1] + P[i-1,j];   /* s3 */
```

FIGURA 11.60 Computando o triângulo de Pascal.

! Exercício 11.9.4: Repita o Exercício 11.9.2 para o código da Figura 11.61. Contudo, observe que as iterações para esse problema formam um cubo tridimensional de lado 100. Assim, os blocos para a parte (c) deverão ser de $10 \times 10 \times 10$, e existem 1000 deles.

```
for (i=0; i<100; i++) {
    A[i, 0,0] = B1[i];   /* s1 */
    A[i,99,0] = B2[i];   /* s2 */
}
for (j=1; j<99; j++) {
    A[ 0,j,0] = B3[j];   /* s3 */
    A[99,j,0] = B4[j];   /* s4 */
}
for (i=0; i<99; i++)
    for (j=0; j<99; j++)
        for (k=1; k<100; k++)
            A[i,j,k] = (4*A[i,j,k-1] + A[i-1,j,k-1] +
                        A[i+1,j,k-1] + A[i,j-1,k-1] +
                        A[i,j+1,k-1];   /* s5 */
```

FIGURA 11.61 Código para o Exercício 11.9.4.

! Exercício 11.9.5: Vamos aplicar o Algoritmo 11.59 a um exemplo simples das restrições de partição de tempo. A seguir, considere que o vetor $\mathbf{i}_1$ é (i_1, j_1), e o vetor $\mathbf{i}_2$ é (i_2, j_2); tecnicamente, esses dois vetores são transpostos. A condição $\mathbf{i}_1 \prec_{s_1 s_2} \mathbf{i}_2$ consiste na seguinte disjunção:

  i. $i_1 < i_2$, ou
  ii. $i_1 = i_2$ e $j_1 < j_2$.

As outras igualdades e desigualdades são

$$\begin{aligned} 2i_1 + j_1 - 10 &\geq 0 \\ i_2 + 2j_2 - 20 &\geq 0 \\ i_1 &= i_2 + j_2 - 50 \\ j_1 &= j_2 + 40 \end{aligned}$$

Finalmente, a desigualdade de partição de tempo, com as incógnitas c_1, d_1, e_1, c_2, d_2 e e_2, é

$$c_1 i_1 + d_1 j_1 + e_1 \leq c_2 i_2 + d_2 j_2 + e_2.$$

a) Solucione as restrições de partição de tempo para o caso *i*, ou seja, onde $i_1 < i_2$. Em particular, elimine o máximo de i_1, j_1, i_2 e j_2 que puder e configure as matrizes D e A como no Algoritmo 11.59. Depois, aplique o lema de Farkas às desigualdades de matriz resultantes.

b) Repita a parte (a) para o caso *ii*, onde $i_1 = i_2$ e $j_1 < j_2$.

11.10 Otimizações de localidade

O desempenho de um processador, seja uma parte de um multiprocessador ou não, é altamente sensível ao comportamento de sua cache. As perdas na cache podem exigir dezenas de ciclos de relógio, de modo que altas taxas de perda de cache podem conduzir a um fraco desempenho do processador. No contexto de um multiprocessador com um barramento de memória comum, a disputa pelo barramento pode aumentar ainda mais a penalidade da localidade de dados fraca.

Como veremos, mesmo que só quiséssemos melhorar a localidade dos uniprocessadores, o algoritmo de particionamento afim para paralelização seria útil como um meio de identificar oportunidades para transformações de *loop*. Nesta seção, descreveremos três técnicas para melhorar a localidade dos dados nos uniprocessadores e multiprocessadores.

1. Melhoramos a localidade temporal dos resultados calculados, tentando usar os resultados assim que eles são gerados. Fazemos isso dividindo uma computação em partições independentes e executando juntas todas as operações dependentes em cada partição.
2. *Contração de arranjo* reduz as dimensões de um arranjo e reduz o número de endereços de memória acessados. Podemos aplicar a contração de arranjo se apenas um endereço do arranjo for usado em determinado momento.
3. Além de melhorar a localidade temporal dos resultados calculados, também precisamos otimizar para a localidade espacial dos resultados calculados, e para a localidade temporal e espacial dos dados somente de leitura. Em vez de executar cada partição uma após a outra, intercalamos diversas partições de modo que os reúsos entre as partições ocorram juntos.

11.10.1 Localidade temporal dos dados computados

O algoritmo de particionamento afim reúne todas as operações dependentes; executando essas partições de modo serial, melhoramos a localidade temporal dos dados computados. Vamos retornar ao exemplo do algoritmo multigrid discutido na Seção 11.7.1. Aplicando o Algoritmo 11.43 para paralelizar o código da Figura 11.23, encontramos dois graus de paralelismo. O código da Figura 11.24 contém dois *loops* externos que iteram pelas partições independentes seqüencialmente. Esse código transformado melhorou a localidade temporal, pois os resultados calculados são usados imediatamente na mesma iteração.

Assim, mesmo que nosso objetivo seja otimizar para a execução seqüencial, é proveitoso usar a paralelização para encontrar essas operações relacionadas e colocá-las juntas. O algoritmo que usamos aqui é semelhante ao do Algoritmo 11.64, o qual encontra todas as granularidades do paralelismo que começam com o *loop* mais externo. Conforme discutimos na Seção 11.9.9, o algoritmo paraleliza componentes fortemente conectados individualmente, se não pudermos encontrar paralelismo sem sincronização em cada nível. Essa paralelização tende a aumentar a comunicação. Assim, combinamos separadamente os componentes fortemente conectados paralelizados, se eles compartilharem o reúso.

11.10.2 Contração de arranjo

A otimização da contração de arranjo fornece outra ilustração da escolha entre memória e paralelismo, que foi introduzida inicialmente no contexto do paralelismo de comando, na Seção 10.2.3. Assim como o uso de mais registradores permite mais paralelismo de comando, o uso de mais memória permite mais paralelismo de *loop*. Como vimos no exemplo do multigrid da Seção 11.7.1, a expansão de uma variável escalar temporária em um arranjo permite que diferentes iterações contenham diferentes instâncias das variáveis temporárias e executem ao mesmo tempo. Por outro lado, quando temos uma execução seqüencial que opera sobre um elemento do arranjo de cada vez, serialmente, podemos contrair o arranjo, substituí-lo por outra escalar, e fazer com que cada iteração use o mesmo endereço.

No programa multigrid transformado, exibido na Figura 11.24, cada iteração do *loop* interno produz e consome um elemento diferente de *AP*, *AM*, *T* e uma linha de *D*. Se esses arranjos não forem usados fora do extrato do código, as iterações podem reusar seqüencialmente a mesma memória de dados em vez de colocar os valores em diferentes elementos e linhas, respectivamente. A Figura 11.62 mostra o resultado de reduzir a dimensionalidade dos arranjos. Esse código é executado mais rapidamente do que o original, porque lê e escreve menos dados. Especialmente no caso em que um arranjo é reduzido a uma variável escalar, podemos alocar a variável a um registrador e eliminar a necessidade de acessar a memória completamente.

```
for (j = 2, j <= jl, j++)
    for (i = 2, i <= il, i++) {
        AP            = ...;
        T             = 1.0/(1.0 +AP);
        D[2]          = T*AP;
        DW[1,2,j,i]   = T*DW[1,2,j,i];
        for (k=3, k <= kl-1, k++) {
            AM            = AP;
            AP            = ...;
            T             = ...AP —AM*D[k-1]...;
            D[k]          = T*AP;
            DW[1,k,j,i]   = T*(DW[1,k,j,i]+DW[1,k-1,j,i])...;
        }
        ...
        for (k=kl-1, k>=2, k--)
            DW[1,k,j,i] = DW[1,k,j,i] +D[k]*DW[1,k+1,j,i];
    }
```

Figura 11.62 Código da Figura 11.23 após o particionamento (Figura 11.24) e contração de arranjo.

Quando se usa menos memória, menos paralelismo está disponível. As iterações no código transformado da Figura 11.62 compartilham agora dependências de dados e não podem mais ser executadas em paralelo. Para paralelizar o código em *P* processadores, podemos expandir cada uma das variáveis escalares por um fator de *P* e fazer com que cada processador acesse sua própria cópia privada. Assim, a quantidade pela qual a memória é expandida está diretamente correlacionada à quantidade de paralelismo explorado.

Existem três motivos pelos quais é comum encontrar oportunidades para contração de arranjo:

1. Linguagens de programação de alto nível para aplicações científicas, como Matlab e Fortran 90, admitem operações de arranjo. Cada subexpressão de operações de arranjo produz um arranjo temporário. Como os arranjos podem ser grandes, toda operação de arranjo, como multiplicação ou adição, exigiria a leitura e a escrita de muitos endereços da memória, porém relativamente poucas operações aritméticas. É importante que reordenemos as operações de modo que os dados sejam consumidos enquanto são produzidos, e que contraiamos esses arranjos para variáveis escalares.
2. Supercomputadores construídos nas décadas de 1980 e 1990 são todos máquinas de vetor, de modo que muitas aplicações científicas desenvolvidas nessa época foram otimizadas para tais máquinas. Embora existam compiladores vetorizantes, muitos programadores ainda escrevem seu código para operar sobre vetores um de cada vez. O exemplo de código multigrid deste capítulo tem a ver com esse estilo.
3. As oportunidades para contração também são introduzidas pelo compilador. Conforme ilustramos pela variável *T* no exemplo do multigrid, um compilador expandiria os arranjos para melhorar a paralelização. Temos de contraí-los quando a expansão de espaço não for necessária.

EXEMPLO 11.67: A expressão de arranjo $Z = W + X + Y$ é traduzida para

```
for (i=0; i<n; i++) T[i] = W[i] + X[i];
for (i=0; i<n; i++) Z[i] = T[i] + Y[i];
```

A reescrita do código para

```
for (i=0; i<n; i++) { T = W[i] + X[i]; Z[i] = T + Y[i] }
```

pode acelerá-lo consideravelmente. É lógico que, no nível de código C, nem sequer teríamos de usar a variável temporária T, mas poderíamos escrever a atribuição a $Z[i]$ como um único comando. Contudo, estamos tentando aqui modelar o nível de código intermediário no qual um processador de vetor trataria as operações.

ALGORITMO 11.68: Contração de arranjo.

ENTRADA: Um programa transformado pelo Algoritmo 11.64.

SAÍDA: Um programa equivalente com dimensões de arranjo reduzidas.

MÉTODO: Uma dimensão de um arranjo pode ser contraída a um único elemento se

1. Cada partição independente usar apenas um elemento do arranjo,
2. O valor do elemento após a entrada na partição não for usado pela partição, e
3. O valor do elemento não estiver vivo na saída da partição.

Identifique as dimensões contraíveis — aquelas que satisfazem as três condições recém-apresentadas — e as substitua por um único elemento.

O Algoritmo 11.68 considera que o programa primeiro foi transformado pelo Algoritmo 11.64, para colocar todas as operações dependentes em uma partição e executar as partições seqüencialmente. Ele encontra as variáveis de arranjo cujos intervalos vivos dos elementos em diferentes iterações sejam disjuntos. Se essas variáveis não estiverem vivas após o *loop*, ele contrai o arranjo e faz com que o processador opere sobre o mesmo endereço da escalar. Após a contração do arranjo, pode ser preciso expandir os arranjos seletivamente, para acomodar o paralelismo e outras otimizações de localidade.

A análise de valores vivos exigida aqui é mais complexa do que aquela descrita na Seção 9.2.5. Se o arranjo for declarado como uma variável global, ou se for um parâmetro, a análise entre procedimentos será necessária para garantir que o valor na saída não seja usado. Além disso, precisamos computar o tempo de vida de elementos de arranjo individuais; tratar de modo conservador o arranjo como um escalar seria bastante impreciso.

11.10.3 INTERCALAÇÃO DE PARTIÇÃO

Diferentes partições em um *loop* freqüentemente lêem os mesmos dados, ou lêem e escrevem as mesmas linhas de cache. Nesta e nas duas seções seguintes, discutimos como otimizar a localidade quando o reúso é encontrado entre as partições.

Reúso nos blocos mais internos

Adotamos o modelo simples de que os dados podem ser encontrados na cache se forem reusados dentro de um pequeno número de iterações. Se o *loop* mais interno tiver um limite grande ou desconhecido, somente o reúso entre iterações do *loop* mais interno se traduz em um benefício de localidade. A formação de blocos cria *loops* internos com limites pequenos e conhecidos, permitindo o reúso dentro e entre blocos inteiros de computação a serem explorados. Assim, a formação de blocos tem o efeito de aproveitar mais dimensões de reúso.

EXEMPLO 11.69: Considere o código de multiplicação de matriz mostrado na Figura 11.5 e sua versão em blocos da Figura 11.7. A multiplicação de matriz tem reúso ao longo de toda dimensão de seu espaço de iteração tridimensional. No código original, o *loop* mais interno tem n iterações, onde n é desconhecido e pode ser grande. Nosso modelo simples pressupõe que somente os dados reusados entre iterações no *loop* mais interno são encontrados na cache.

Na versão em blocos, os três *loops* mais internos executam um bloco tridimensional de computação, com B iterações em cada lado. O tamanho de bloco B é escolhido pelo compilador para ser pequeno o suficiente, de modo que todas as linhas de cache lidas e escritas dentro do bloco de computação caibam na cache. Assim, os dados reusados entre as iterações no terceiro *loop* mais externo podem ser encontrados na cache.

Referimo-nos ao conjunto mais interno de *loops* com pequenos limites conhecidos como o *bloco mais interno*. É desejável que o bloco mais interno inclua todas as dimensões do espaço de iteração que carregam reúso, se possível. Não é tão importante maximizar os tamanhos de cada lado do bloco. Para o exemplo de multiplicação de matriz, a formação de blocos tridimensional reduz a quantidade de dados acessados para cada matriz por um fator de B^2. Se o reúso estiver presente, é melhor acomodar blocos de dimensão maiores com lados mais curtos do que os blocos de menor dimensão com lados maiores.

Podemos otimizar a localidade do ninho de *loop* totalmente permutável mais interno colocando em blocos o subconjunto de *loops* que compartilham o reúso. Também podemos generalizar a noção de formação de blocos para explorar os reúsos encontrados entre as iterações dos *loops* paralelos externos. Observe que a formação de blocos, principalmente, intercala a execução de um pequeno número de instâncias do *loop* mais interno. Na multiplicação de matriz, cada instância do *loop* mais interno calcula um elemento da resposta do arranjo; existem n^2 deles. A formação de blocos intercala a execução de um bloco de instâncias, calculando B iterações a partir de cada instância de cada vez. De modo semelhante, podemos intercalar iterações em *loops* paralelos para tirar proveito de reúsos entre elas.

A seguir, definimos duas primitivas que podem reduzir a distância entre os reúsos em diferentes iterações. Aplicamos essas primitivas repetidamente, começando do *loop* mais externo até que todos os reúsos sejam movidos adjacentes um ao outro no bloco mais interno.

Intercalando *loops* internos em um *loop* paralelo

Considere o caso em que um *loop* externo paralelizável contém um *loop* interno. Para explorar o reúso pelas iterações do *loop* externo, intercalamos as execuções de um número fixo de instâncias do *loop* interno, como mostra a Figura 11.63. Criando blocos internos bidimensionais, essa transformação reduz a distância entre o reúso de iterações consecutivas do *loop* externo.

```
for (i=0; i<n; i++)           for (ii=0; ii<n; ii+=4)
   for (j=0; j<n; j++)           for (j=0; j<n; j++)
      <S>                           for (i=ii; ii<min(n, ii+4); ii+=4)
                                       <S>
```

          (a) Programa fonte.   (b) Código transformado.

FIGURA 11.63   Intercalando 4 instâncias do *loop* interno.

O passo que transforma um *loop*

```
for (i=0; i<n; i++)
   <S>
```

em

```
for (ii=0; ii<n; ii+=4)
   for (i=ii; ii<min(n, ii+4); ii+=4)
      <S>
```

é conhecido como *mineração aberta* (*stripmining*). No caso em que o *loop* externo da Figura 11.63 tem um pequeno limite conhecido, não precisamos minerá-lo, mas podemos simplesmente permutar os dois *loops* no programa original.

Intercalando comandos em um *loop* paralelo

Considere o caso em que um *loop* paralelizável contém uma seqüência de comandos $s_1, s_2, ..., s_m$. Se alguns desses comandos forem *loops*, os comandos de iterações consecutivas ainda podem ser separados por muitas operações. Podemos explorar o reúso entre as iterações intercalando novamente suas execuções, como mostra a Figura 11.64. Essa transformação *distribui* um *loop* minerando através dos comandos. Novamente, se o *loop* externo tiver um pequeno número fixo de iterações, não precisamos do minerar o *loop*, mas apenas distribuir o *loop* original por todos os comandos.

```
for (i=0; i<n; i++) {          for (ii=0; ii<n; ii+=4) {
    <S1>                           for (i=ii; i<min(n,ii+4); i++)
    <S2>                               <S1>
    ...                            for (i=ii; i<min(n,ii+4); i++)
}                                      <S2>
                                   ...
                               }
```

      (a) Programa fonte.   (b) Código transformado.

FIGURA 11.64   A transformação de intercalação de comando.

Usamos $s_i(j)$ para denotar a execução do comando s_i na iteração j. Em vez da ordem de execução seqüencial original, mostrada na Figura 11.65(a), o código executa na ordem mostrada na Figura 11.65(b).

$s_1(0), \quad s_2(0), \quad ..., \quad s_m(0),$
$s_1(1), \quad s_2(1), \quad ..., \quad s_m(1),$
$s_1(2), \quad s_2(2), \quad ..., \quad s_m(2),$
$s_1(3), \quad s_2(3), \quad ..., \quad s_m(3),$
$s_1(4), \quad s_2(4), \quad ..., \quad s_m(4),$
$s_1(5), \quad s_2(5), \quad ..., \quad s_m(5),$
$s_1(6), \quad s_2(6), \quad ..., \quad s_m(6),$
$s_1(7), \quad s_2(7), \quad ..., \quad s_m(7),$
...,

(a) Ordem original.

$s_1(0), \quad s_1(1), \quad s_1(2), \quad s_1(3),$
$s_2(0), \quad s_2(1), \quad s_2(2), \quad s_2(3),$
...,
$s_m(0), \quad s_m(1), \quad s_m(2), \quad s_m(3),$
$s_1(4), \quad s_1(5), \quad s_1(6), \quad s_1(7),$
$s_2(4), \quad s_2(5), \quad s_2(6), \quad s_2(7),$
...,
$s_m(4), \quad s_m(5), \quad s_m(6), \quad s_m(7),$
...,

(b) Ordem transformada.

FIGURA 11.65   Distribuindo um *loop* extraído por mineração aberta.

EXEMPLO 11.70: Agora, retornamos ao exemplo do multigrid e mostramos como explorar o reúso entre as iterações dos *loops* paralelos externos. Observamos que as referências $DW[1,k,j,i]$, $DW[1,k-1,j,i]$ e $DW[1,k+1,j,i]$ nos *loops* mais internos do código da Figura 11.62 possuem localidade espacial um tanto fraca. A partir da análise de reúso, conforme discutimos na Seção 11.5, o *loop* com índice i carrega localidade espacial e o *loop* com índice k carrega reúso de grupo. O *loop* com índice k já é o mais interno, de modo que estamos interessados em intercalar as operações em DW a partir de um bloco de partições com i valores consecutivos.

Aplicamos a transformação para intercalar comandos no *loop* a fim de obter o código da Figura 11.66; depois, aplicamos a transformação para intercalar os *loops* internos a fim de obter o código da Figura 11.67. Observe que, enquanto intercalamos B iterações do *loop* com índice i, precisamos expandir as variáveis AP, AM, T para os arranjos que contêm B resultados de cada vez.

```
for (j = 2, j <= jl, j++)
    for (ii = 2, ii <= il, ii+=b) {
        for (i = ii; i <= min(ii+b-1,il); i++) {
            ib          = i-ii+1;
            AP[ib]      = ...;
            T           = 1.0/(1.0 +AP[ib]);
            D[2,ib]     = T*AP[ib];
            DW[1,2,j,i] = T*DW[1,2,j,i];
        }
        for (i = ii; i <= min(ii+b-1,il); i++) {
            for (k=3, k <= kl-1, k++)
                ib          = i-ii+1;
                AM          = AP[ib];
                AP[ib]      = ...;
                T           = ...AP[ib]-AM*D[ib,k-1]...;
                D[ib,k]     = T*AP;
                DW[1,k,j,i] = T*(DW[1,k,j,i]+DW[1,k-1,j,i])...;
        }
        ...
        for (i = ii; i <= min(ii+b-1,il); i++)
            for (k=kl-1, k ≥ 2, k-) {
                DW[1,k,j,i] = DW[1,k,j,i] +D[iw,k]*DW[1,k+1,j,i];
                /* Termina código a ser executado pelo processador (j,i) */
            }
    }
}
```

FIGURA 11.66 Fragmento da Figura 11.23 depois do particionamento, contração de arranjo e formação de blocos.

```
for (j = 2, j <= jl, j++)
    for (ii = 2, ii <= il, ii+=b) {
        for (i = ii; i <= min(ii+b-1,il); i++) {
            ib          = i-ii+1;
            AP[ib]      = ...;
            T           = 1.0/(1.0 +AP[ib]);
            D[2,ib]     = T*AP[ib];
            DW[1,2,j,i] = T*DW[1,2,j,i];
        }
        for (k=3, k <= kl-1, k++)
            for (i = ii; i <= min(ii+b-1,il); i++) {
                ib          = i-ii+1;
                AM          = AP[ib];
                AP[ib]      = ...;
                T           = ...AP[ib]-AM*D[ib,k-1]...;
                D[ib,k]     = T*AP;
                DW[1,k,j,i] = T*(DW[1,k,j,i]+DW[1,k-1,j,i])...;
            }
        ...
        for (k=kl-1, k >= 2, k--) {
            for (i = ii; i <= min(ii+b-1,il); i++)
                DW[1,k,j,i] = DW[1,k,j,i] +D[iw,k]*DW[1,k+1,j,i];
            /* Termina código a ser executado pelo processador (j,i) */
        }
    }
}
```

FIGURA 11.67 Fragmento da Figura 11.23 depois do particionamento, contração de arranjo e formação de blocos.

11.10.4 Juntando tudo

O Algoritmo 11.71 otimiza a localidade para um uniprocessador, e o Algoritmo 11.72 otimiza paralelismo e localidade para um multiprocessador.

ALGORITMO 11.71: Otimizar a localidade de dados em um uniprocessador.

ENTRADA: Um programa com acessos de arranjo afins.

SAÍDA: Um programa equivalente que maximiza a localidade de dados.

MÉTODO: Acompanhe esta seqüência de passos:

1. Aplique o Algoritmo 11.64 para otimizar a localidade temporal dos resultados calculados.
2. Aplique o Algoritmo 11.68 para comprimir arranjos onde for possível.
3. Determine o subespaço de iteração que pode compartilhar os mesmos dados ou linhas de cache usando a técnica descrita na Seção 11.5. Para cada comando, identifique aquelas dimensões de *loop* paralelo externo que têm reúso de dados.
4. Para cada *loop* paralelo externo tendo reúso, mova um bloco das iterações para o bloco mais interno, aplicando as primitivas de intercalação repetidamente.
5. Aplique a formação de blocos ao subconjunto de dimensões no ninho de *loop* totalmente permutável mais interno que possui reúso.
6. Coloque ninho de *loop* totalmente permutável externo em níveis mais altos de hierarquias de memória, como a cache de terceiro nível ou a memória física.
7. Expanda as escalares e os arranjos onde for preciso pelos tamanhos dos blocos.

ALGORITMO 11.72: Otimize o paralelismo e a localidade de dados para multiprocessadores.

ENTRADA: Um programa com acessos a arranjo afins.

SAÍDA: Um programa equivalente que maximiza o paralelismo e a localidade de dados.

MÉTODO: Faça o seguinte:

1. Use o Algoritmo 11.64 para paralelizar o programa e criar um programa SPMD.
2. Aplique o Algoritmo 11.71 ao programa SPMD produzido no Passo 1 para otimizar sua localidade.

11.10.5 Exercícios da Seção 11.10

Exercício 11.10.1: Realize a contração de arranjo nas seguintes operações de vetor:

```
for (i=0; i<n; i++) T[i] = A[i] * B[i];
for (i=0; i<n; i++) D[i] = T[i] + C[i];
```

Exercício 11.10.2: Realize a contração de arranjo nas seguintes operações de vetor:

```
for (i=0; i<n; i++) T[i] = A[i] + B[i];
for (i=0; i<n; i++) S[i] = C[i] + D[i];
for (i=0; i<n; i++) E[i] = T[i] * S[i];
```

Exercício 11.10.3: Realize a mineração aberta do *loop* externo

```
for (i=n-1; i >= 0; i--)
    for (j=0; j<n; j++)
```

para faixas (*strips*) de largura 10.

11.11 Outros usos das transformações de afins

Até aqui, focalizamos a arquitetura das máquinas de memória compartilhada, mas a teoria das transformações de *loop* afins tem muitas outras aplicações. Podemos aplicar transformações de afins a outras formas de paralelismo, incluindo máquinas de memória distribuída, instruções de vetor, instruções SIMD (*Single Instruction Multiple Data*), além de máquinas com emissão de múltiplas instruções. A análise de reúso apresentada neste capítulo também é útil para a *pré-busca* de dados, que é uma técnica eficaz para melhorar o desempenho da memória.

11.11.1 Máquinas com memória distribuída

Para máquinas com memória distribuída, em que os processadores se comunicam enviando mensagens entre si, é ainda mais importante atribuir aos processadores unidades de computação grandes e independentes, como aquelas geradas pelo algoritmo de particionamento afim. Além do particionamento da computação, permanecem diversas questões de compilação:

1. *Alocação de dados*. Se os processadores usarem diferentes porções de um arranjo, cada um deles só precisa alocar espaço suficiente para manter a porção utilizada. Podemos usar a projeção para determinar a seção dos arranjos usada em cada processador. A entrada é o sistema de desigualdades lineares que representam os limites de *loop*, as funções de acesso a arranjo e as partições de afins que relacionam as iterações aos IDs de processador. Projetamos os índices de *loop* e encontramos, para cada ID de processador, o conjunto de endereços de arranjo utilizados.

2. *Código de comunicação*. Precisamos gerar código explícito para enviar e receber dados de e para outros processadores. Em cada ponto de sincronização

   (a) Determine os dados residentes em um processador que são necessários para outros processadores.

   (b) Gere o código que encontra todos os dados a serem enviados e os empacote em um buffer.

   (c) De modo semelhante, determine os dados necessários pelo processador, desempacote as mensagens recebidas e mova os dados para os endereços de memória corretos.

Novamente, se todos os acessos forem afins, essas tarefas poderão ser realizadas pelo compilador, usando a estrutura afim.

3. *Otimização*. Não é necessário que todas as comunicações ocorram nos pontos de sincronização. É preferível que cada processador envie os dados assim que estiverem disponíveis, e que cada processador não comece a esperar pelos dados até que eles sejam necessários. Essas otimizações precisam ser balanceadas com o objetivo de não gerar muitas mensagens, pois existe um gasto adicional não trivial associado ao processamento de cada mensagem.

As técnicas descritas aqui também têm outras aplicações. Por exemplo, um sistema embutido de uso especial pode usar co-processadores para desafogar parte de sua computação. Ou, então, em vez de exibir a busca de dados na cache, um sistema embutido pode usar um controlador separado para carregar e descarregar dados para dentro e para fora da cache, ou outros buffers de dados, enquanto o processador opera sobre outros dados. Nesses casos, técnicas semelhantes podem ser usadas para gerar o código para movimentar dados.

11.11.2 Processadores com emissão de múltiplas instruções

Também podemos usar transformações de *loop* afins para otimizar o desempenho de máquinas com emissão de múltiplas instruções. Conforme discutimos na Seção 10.5, o desempenho de um *loop* resultante do software pipelining é limitado por dois fatores: ciclos em restrições de precedência e uso do recurso crítico. Alterando a composição do *loop* mais interno, podemos aperfeiçoar esses limites.

Primeiro, podemos usar transformações de *loop* para criar *loops* paralelizáveis mais internos, eliminando assim os ciclos de precedência completamente. Suponha que um programa tenha dois *loops*, com o externo sendo paralelizável e o interno não. Podemos permutar os dois *loops* para tornar o *loop* interno paralelizável e, assim, criar mais oportunidades para o paralelismo de comando. Observe que não é preciso que as iterações no *loop* mais interno sejam completamente paralelizáveis. É suficiente que o ciclo de dependências no *loop* seja curto o bastante para que todos os recursos de hardware sejam totalmente utilizados.

Também podemos relaxar o limite devido ao uso de recurso, melhorando o equilíbrio de uso dentro de um *loop*. Suponha que um *loop* só use o somador, e outro use apenas o multiplicador. Ou, então, suponha que um *loop* seja limitado pela memória e outro, pela computação. É desejável fundir cada par de *loops* desses exemplos de modo a utilizar todas as unidades funcionais ao mesmo tempo.

11.11.3 Instruções de vetor e SIMD

Além da emissão de múltiplas instruções, existem duas outras formas importantes de paralelismo de instrução: operações de vetor e SIMD. Nos dois casos, a emissão de apenas uma instrução faz com que a mesma operação seja aplicada a um vetor de dados.

Conforme mencionamos anteriormente, muitos dos primeiros supercomputadores usavam instruções de vetor. As operações de vetor são realizadas com pipelining; os elementos no vetor são buscados serialmente e os cálculos sobre diferentes elementos são sobrepostos. Em máquinas de vetor avançadas, as operações de vetor podem ser *encadeadas*: à medida que os elementos dos resultados do vetor são produzidos, eles são imediatamente consumidos pelas operações de outra instrução de vetor, sem ter de esperar que todos os resultados estejam prontos. Além do mais, em máquinas avançadas com hardware do tipo scatter/gather, os elementos dos vetores não precisam ser contíguos; um vetor de índice é usado para especificar onde os elementos estão localizados.

Instruções SIMD especificam que a mesma operação seja realizada em endereços contíguos da memória. Essas instruções carregam dados da memória em paralelo, os armazenam em registradores largos e computam sobre eles usando hardware paralelo. Muitas aplicações de mídia, gráficos e processamento de sinal digital podem beneficiar-se com essas operações. Processadores de mídia inferiores podem obter paralelismo de instrução simplesmente emitindo uma instrução SIMD de cada vez. Processadores superiores podem combinar SIMD com a emissão de múltiplas instruções para obter maior desempenho.

A geração de instruções SIMD e de vetor compartilha muitas semelhanças com a otimização da localidade. À medida que encontramos partições independentes, que operam sobre endereços contíguos da memória, mineramos essas iterações e intercalamos essas operações nos *loops* mais internos.

A geração de instrução SIMD impõe duas dificuldades adicionais. Primeiro, algumas máquinas exigem que os dados SIMD buscados da memória sejam alinhados. Por exemplo, elas poderiam exigir que os operandos SIMD de 256 bytes fossem colocados em endereços múltiplos de 256. Se o *loop* de origem operar apenas sobre um arranjo de dados, podemos gerar um *loop* principal que opera sobre dados alinhados e código extra antes e depois do *loop* para tratar os elementos na fronteira. Contudo, para *loops* que operam sobre mais de um arranjo, talvez não seja possível alinhar todos os dados ao mesmo tempo. Segundo, os dados usados por iterações consecutivas em um *loop* podem não ser contíguos. Alguns exemplos incluem muitos algoritmos importantes de processamento de sinal digital, como decodificadores Viterbi e transformações de Fourier rápidas. Para tirar proveito das instruções SIMD, podem ser necessárias operações adicionais a fim de embaralhar os dados.

11.11.4 Pré-busca

Nenhuma otimização de localidade de dados pode eliminar todos os acessos; inicialmente, os dados usados pela primeira vez precisam ser trazidos da memória. Para ocultar a latência das operações de memória, *instruções de pré-busca* têm sido adotadas em muitos processadores de alto desempenho. A pré-busca é uma instrução de máquina que indica ao processador que certos dados provavelmente serão usados brevemente, e que é desejável carregar os dados na cache se eles ainda não estiverem presentes.

A análise de reúso descrita na Seção 11.5 pode ser empregada para estimar quando as perdas de cache são prováveis. Existem duas considerações importantes ao gerar instruções de pré-busca. Se endereços de memória contíguos tiverem de ser acessados, precisamos emitir apenas uma instrução de pré-busca para cada linha de cache. As instruções de pré-busca devem ser emitidas com antecedência suficiente para que os dados estejam na cache no momento em que forem usados. Contudo, não devemos emitir instruções de pré-busca com muita antecedência. As instruções de pré-busca podem movimentar dados que talvez ainda sejam necessários; além disso, os dados pré-buscados podem ser retirados antes de serem usados.

Exemplo 11.73: Considere o código a seguir:

```
for (i=0; ii<3; i++)
    for (j=0; j<100; j++)
        A[i,j] = ...;
```

Suponha que a máquina alvo tenha uma instrução de pré-busca que possa buscar duas palavras de dados de cada vez, e que a latência de uma instrução de pré-busca gaste aproximadamente o tempo para executar seis iterações do *loop* apresentado. O código de pré-busca para o exemplo anterior aparece na Figura 11.68.

```
for (i=0; ii<3; i++) {
    for (j=0; j<6; j+=2)
        prefetch(&A[i,j]);
    for (j=0; j<94; j+=2) {
        prefetch(&A[i,j+6]);
        A[i,j] = ...;
        A[i,j+1] = ...;
    }
    for (j=94; j<100; j++)
        A[i,j] = ...;
}
```

Figura 11.68 Código modificado para pré-busca de dados.

Desdobramos o *loop* mais interno duas vezes, de modo que uma pré-busca possa ser emitida para cada linha de cache. Usamos o conceito de software pipelining para pré-buscar dados seis iterações antes de serem usados. O prólogo busca os dados usados nas seis primeiras iterações. O *loop* em estado estável pré-busca seis iterações à frente enquanto realiza sua computação. O epílogo não emite pré-buscas, mas simplesmente executa as iterações restantes.

11.12 Resumo do Capítulo 11

- *Paralelismo e localidade de arranjos*. As oportunidades mais importantes para as otimizações de paralelismo e baseadas em localidade vêm dos *loops* que acessam arranjos. Esses *loops* tendem a ter dependências limitadas entre os acessos a elementos de arranjo e a acessar arranjos em um padrão regular, permitindo o uso eficiente da cache para a boa localidade.

- *Acessos afins*. Quase toda teoria e técnicas de paralelismo e otimização de localidade consideram que os acessos aos arranjos são afins: as expressões para os índices de arranjo são funções lineares dos índices de *loop*.

- *Espaços de iteração*. Um ninho de *loop* com d *loops* aninhados define um espaço de iteração com d dimensões. Os pontos no espaço são as tuplas d de valores que os índices de *loop* podem ter durante a execução do ninho de *loop*. No caso de afins, os limites sobre cada índice de *loop* são funções lineares dos índices de *loop* externos, de modo que o espaço de iteração é um poliedro.

- *Eliminação de Fourier-Motzkin*. Uma manipulação importante dos espaços de iteração é reordenar os *loops* que definem o espaço de iteração. Isso exige que um espaço de iteração de poliedro seja projetado para um subconjunto de suas dimensões. O algoritmo de Fourier-Motzkin substitui os limites superior e inferior de determinada variável por desigualdades entre os próprios limites.

- *Dependências de dados e acessos a arranjo*. Um problema central que devemos resolver a fim de manipular os *loops* para otimizações de paralelismo e localidade é se dois acessos a arranjo têm uma dependência de dados (pode ser relativo ao mesmo elemento de arranjo). Quando os acessos e os limites do *loop* são afins, o problema pode ser expresso como se existissem soluções para uma equação de matriz-vetor dentro do poliedro que define o espaço de iteração.

- *Posto da matriz e reúso de dados*. A matriz que descreve um acesso a arranjo pode dizer-nos várias coisas importantes sobre esse acesso. Se o posto da matriz é o maior possível (o menor dentre o número de linhas e número de colunas), o acesso nunca é relativo ao mesmo elemento duas vezes enquanto o *loop* é iterado. Se o arranjo é armazenado por linha (coluna), o posto da matriz com a última (primeira) linha removida nos diz se o acesso tem ou não boa localidade; ou seja, os elementos em uma única linha de cache são acessados quase ao mesmo tempo.

- *Dependência de dados e equações diofantinas*. Só porque dois acessos ao mesmo arranjo são relativos à mesma região do arranjo, isso não significa que eles realmente acessam qualquer elemento em comum. O motivo é que cada um pode saltar alguns elementos; por exemplo, um acessa elementos pares e o outro acessa elementos ímpares. Para ter certeza de que existe uma dependência de dados, devemos solucionar uma equação diofantina (somente soluções inteiras).

- *Solucionando equações lineares diofantinas*. A principal técnica é calcular o máximo divisor comum (MDC) dos coeficientes das variáveis. Somente se o MDC dividir o termo constante haverá soluções inteiras.

- *Restrições de partição de espaço*. Para paralelizar a execução de um ninho de *loop*, precisamos mapear as iterações do *loop* a um espaço de processadores, os quais podem ter uma ou mais dimensões. As restrições de partição de espaço dizem que, se dois acessos em duas iterações diferentes compartilham uma dependência de dados, ou seja, acessam o mesmo elemento do arranjo, eles devem mapear para o mesmo processador. Desde que o mapeamento das iterações para processadores seja afim, podemos formular o problema em termos de matriz-vetor.

- *Transformações de código primitivas*. As transformações usadas para paralelizar programas com acessos a arranjo afins são combinações de sete primitivas: fusão de *loop*, fissão de *loop*, reindexação (soma de uma constante aos índices do *loop*), scaling (multiplicar índices de *loop* por uma constante), reversão (de um índice de *loop*), permutação (da ordem dos *loops*) e skewing (reescrita de *loops* de modo que a linha de passagem pelo espaço de iteração não esteja mais ao longo de um dos eixos).

- *Sincronização de operações paralelas*. Às vezes, pode ser obtido mais paralelismo se inserirmos operações de sincronização entre os passos de um programa. Por exemplo, ninhos de *loop* consecutivos podem ter dependências de dados, mas as sincronizações entre os *loops* podem permitir que os *loops* sejam paralelizados separadamente.

- *Pipelining*. Esta técnica de paralelização permite que os processadores compartilhem dados, passando sincronamente certos dados (tipicamente elementos de arranjo) de um processador para um processador adjacente no espaço do processador. O método pode melhorar a localidade dos dados acessados por cada processador.

- *Restrições de partição de tempo*. Para descobrir oportunidades de pipelining, precisamos descobrir soluções para as restrições de partição de tempo. Estas dizem que, sempre que dois acessos a arranjo puderem referir-se ao mesmo elemento de arranjo, o acesso na iteração que ocorre primeiro deverá ser atribuído a um estágio na linha de montagem que ocorre não depois do estágio ao qual o segundo acesso é atribuído.

- *Solucionando restrições de partição de tempo*. O lema de Farkas provê uma técnica poderosa para encontrar todos os mapeamentos de partição de tempo afins que são permitidos por um determinado ninho de *loop* com acessos a arranjo. A técnica consiste basicamente em substituir a formulação original das desigualdades lineares que expressam as restrições de partição de tempo por seus duais.

- *Formação de blocos*. Esta técnica desmembra cada um dos vários *loops* em um ninho de *loop* em dois *loops* cada. A vantagem é que fazer isso permite que trabalhemos em pequenas seções (blocos) de um arranjo multidimensional, um bloco de cada vez. Isso, por sua vez, melhora a localidade do programa, permitindo que todos os dados necessários residam na cache enquanto se trabalha em um único bloco.

- *Mineração aberta*. Semelhantemente à formação de blocos, esta técnica desmembra apenas um subconjunto dos *loops* de um ninho de *loop* em dois *loops* cada. Uma possível vantagem é que um arranjo multidimensional é acessado uma "faixa" de cada vez, o que pode levar à melhor utilização possível da cache.

11.13 Referências do Capítulo 11

Para discussões detalhadas sobre arquiteturas de multiprocessador, o leitor deverá consultar o texto de Hennessy e Patterson [9].

Lamport [13] e Kuck, Muraoka e Chen [6] introduziram o conceito de análise de dependência de dados. Os primeiros testes de dependência de dados usavam heurísticas para provar que um par de referências é independente, determinando se não existem soluções para equações diofantinas e sistemas de desigualdades lineares de reais: [5, 6, 26]. Maydan, Hennessy e Lam [18] formularam o teste de dependência de dados como programação linear inteira e mostraram que o problema pode ser resolvido com exatidão e eficiência na prática. A análise de dependência de dados descrita aqui é baseada nos trabalhos de Maydan, Hennessy e Lam [18] e Pugh e Wonnacott [23], que, por sua vez, usam técnicas da eliminação de Fourier-Motzkin [7] e do algoritmo de Shostak [25].

As décadas de 1970 e 1980 viram o uso das transformações de *loop* para melhorar a vetorização e paralelização: fusão de *loop* [3], fissão de *loop* [1]. mineração aberta [17] e intercâmbio de *loop* [28]. Na época, ocorreram três projetos experimentais importantes de paralelização/vetorização: o Parafrase, liderado por Kuck, na University of Illinois Urbana-Champaign [21]; o projeto PFC, liderado por Kennedy, na Rice University [4]; e o projeto PTRAN, liderado por Allen, na IBM Research [2].

McKellar e Coffman [19] discutiram inicialmente o uso da formação de blocos para melhorar a localidade dos dados. Lam, Rothbert e Wolf [12] ofereceram a primeira análise empírica profunda sobre formação de blocos em caches para arquiteturas modernas. Wolf e Lam [27] usaram técnicas da álgebra linear para calcular o reúso de dados nos *loops*. Sarkar e Gao [24] introduziram a otimização da contração de arranjo.

Lamport [13] foi o primeiro a modelar *loops* como espaços de iteração e usou o *hyperplaning* (um caso espacial de uma transformação de afins) com vistas a encontrar o paralelismo para multiprocessadores. As transformações de afins têm sua raiz no projeto de algoritmo de arranjo sistólico [11]. Projetados como algoritmos paralelos implementados diretamente em VLSI, os arranjos sistólicos exigem comunicação para serem minimizados junto com a paralelização. As técnicas algébricas foram desenvolvidas para mapear a computação nas coordenadas de espaço e tempo. Os conceitos de escalonamento afim e o uso do lema de Farkas nas transformações de afins foram introduzidos por Feautrier [8]. O algoritmo de transformação de afins descrito aqui é baseado no trabalho de Lim e outros [15, 14, 16].

Porterfield [22] propôs um dos primeiros algoritmos de compilador para a pré-busca de dados. Mowry, Lam e Gupta [20] aplicaram a análise de reúso para minimizar o custo adicional de pré-busca e obter uma melhoria de desempenho geral.

1. ABU-SUFAH, W.; KUCK, D. J. e LAWRIE, D. H. e On the performance enhancement of paging systems through program analysis and transformations, *IEEE Trans. on Computing* C-30:5 (1981), pp. 341-356.
2. ALLEN, F. E.; BURKE, M.; CHARLES, P.; CYTRON, R. e FERRANTE, J. An overview of the PTRAN analysis system for multiprocessing, *J. Parallel and Distributed Computing* 5:5 (1988), pp. 617-640.
3. ALLEN, F. E. e COCKE, J. A catalogue of optimizing transformations, in *Design and Optimization of Compilers* (R. Rustin, ed.), pp. 1-30, Prentice-Hall, 1972.
4. ALLEN, R. e KENNEDY, K. Automatic translation of Fortran programs to vector form, *ACM Transactions on Programming Languages and Systems* 9:4 (1987), pp. 491-542.
5. BANERJEE, U. *Data dependence in ordinary programs*, Dissertação de mestrado, Department of Computer Science, University of Illinois Urbana-Champaign, 1976.
6. BANERJEE, U. *Speedup of Ordinary Programs*, Tese de doutorado, Department of Computer Science, University of Illinois Urbana-Champaign, 1979.
7. DANTZIG, G. e EAVES, B. C. Fourier-Motzkin elimination and its dual, *J. Combinatorial Theory*, A(14) (1973), pp. 288-297.
8. FEAUTRIER, P. Some efficient solutions to the affine scheduling problem: I. One-dimensional time, *International J. Parallel Programming* 21:5 (1992), pp. 313-348.
9. HENNESSY, J. L. e PATTERSON, D. A., *Computer architecture: a quantitative approach*, 3 ed., São Francisco: Kaufman, 2003.
10. KUCK, D. e MURAOKA, Y. CHEN, S. On the number of operations simultaneously executable in Fortran-like programs and their resulting speedup, *IEEE Transactions on Computers* C-21:12 (1972), pp. 1293-1310.
11. KUNG, H. T. e LEISERSON, C. E. Systolic arrays (for VLSI), in Duff, I. S. e G. W. Stewart (eds.), *Sparse Matrix Proceedings* pp. 256-282. Society for Industrial and Applied Mathematics, 1978.
12. LAM, M. S.; ROTHBERG, E. E. e WOLF, M. E. The cache performance and optimization of blocked algorithms, *Proc. Sixth International Conference on Architectural Support for Programming Languages and Operating Systems* (1991), pp. 63-74.

13. LAMPORT, L., The parallel execution of DO loops, *Comm. ACM* 17:2 (1974), pp. 83-93.
14. LIM, A. W.; CHEONG, G. I. e LAM, M. S., An affine partitioning algorithm to maximize parallelism and minimize communication, *Proc. 13th International Conference on Supercomputing* (1999), pp. 228-237.
15. LIM, A. W e LAM, M. S. Maximizing parallelism and minimizing synchronization with affine transforms, *Proc. 24th ACM SIGPLAN-SIGACT Symposium on Principles of Programming Languages* (1997), pp. 201-214.
16. LIM, A. W.; LIAO, S.-W. e LAM, M. S., Blocking and array contraction across arbitrarily nested loops using affine partitioning, *Proc. ACM SIGPLAN Symposium on Principles and Practice of Parallel Programming* (2001), pp. 103-112.
17. LOVEMAN. D. B., "Program improvement by source-to-source transformation", *J. ACM* 24:1 (1977), pp. 121-145.
18. MAYDAN, D. E.; HENNESSY, J. L. e LAM, M. S. An efficient method for exact dependence analysis, *Proc. ACM SIGPLAN 1991 Conference on Programming Language Design and Implementation*, pp. 1-14.
19. MCKELLER, A. C. e COFFMAN, E. G. The organization of matrices and matrix operations in a paged multiprogramming environment, *Comm. ACM*, 12:3 (1969), pp. 153-165.
20. MOWRY, T. C.; LAM, M. S. e GUPTA, A., Design and evaluation of a compiler algorithm for prefetching, *Proc. Fifth International Conference on Architectural Support for Programming Languages and Operating Systems* (1992), pp. 62-73.
21. PADUA, D. A. e WOLFE, M. J. Advanced compiler optimizations for supercomputers, *Comm. ACM*, 29:12 (1986), pp. 1184-1201.
22. PORTERFIELD, A. *Software methods for improving cache performance on supercomputer applications*, Tese de doutorado, Department of Computer Science, Rice University, 1989.
23. PUGH, W. e WONNACOTT, D., Eliminating false positives using the omega test, *Proc. ACM SIGPLAN 1992 Conference on Programming Language Design and Implementation*, pp. 140-151.
24. SARKAR, V. e GAO, G. Optimization of array accesses by collective loop transformations, *Proc. 5th International Conference on Supercomputing* (1991), pp. 194-205.
25. R. SHOSTAK Deciding linear inequalities by computing loop residues, *J. ACM*, 28:4 (1981), pp. 769-779.
26. TOWLE, R. A. *Control and data dependence for program transformation*, Tese de doutorado, Department of Computer Science, University of Illinois Urbana-Champaign, 1976.
27. WOLF, M. E. e LAM, M. S. A data locality optimizing algorithm, *Proc. SIGPLAN 1991 Conference on Programming Language Design and Implementation*, pp. 30-44.
28. WOLFE, M. J. *Techniques for improving the inherent parallelism in programs*, Master's thesis, Department of Computer Science, University of Illinois Urbana-Champaign, 1978.

12
ANÁLISE INTERPROCEDIMENTAL

Neste capítulo, motivamos a importância da análise entre procedimentos discutindo diversos problemas de otimização importantes, que não podem ser resolvidos com a análise intraprocedimental. Começamos descrevendo as formas comuns de análise e explicando as dificuldades em sua implementação. Depois, descrevemos as aplicações da análise interprocedimental. Para linguagens de programação muito utilizadas, como C e Java, a análise de sinônimo (alias) de apontadores é fundamental para qualquer análise interprocedimental. Assim, na maior parte do capítulo, discutimos técnicas necessárias para computar sinônimos de apontadores. Para começar, apresentamos Datalog, uma notação que esconde bastante a complexidade de uma análise de apontadores eficiente. Depois, descrevemos um algoritmo para análise de apontadores e mostramos como usar a abstração dos diagramas de decisão binária (BDDs) para implementar o algoritmo eficientemente.

A maioria das otimizações de compilador, incluindo aquelas descritas nos capítulos 9, 10 e 11, é realizada em um procedimento de cada vez. Essas análises são consideradas intraprocedimentais. Elas pressupõem de modo conservador que os procedimentos ativados podem alterar o estado de todas as variáveis a eles visíveis e podem criar todos os efeitos colaterais possíveis, como modificar qualquer uma das variáveis visíveis ao procedimento ou gerar exceções que causam o desenrolar da pilha de chamada. Assim, a análise intraprocedimental é relativamente simples, apesar de imprecisa. Algumas otimizações não precisam de análise interprocedimental, enquanto outras podem não produzir informações úteis sem ela.

Uma análise interprocedimental atua em um programa inteiro, fluindo informações do chamador (caller) para seus chamados (callee) e vice-versa. Uma técnica relativamente simples, porém útil, é a expansão em linha (inlining) dos procedimentos, ou seja, a substituição de uma chamada de procedimento pelo seu próprio corpo, com modificações adequadas para considerar a passagem de parâmetros e o valor de retorno. Esse método se aplica apenas se soubermos o destino da chamada do procedimento.

Se os procedimentos forem invocados indiretamente por meio de um apontador ou pelo mecanismo de disparo de método predominante na programação orientada por objeto, a análise dos apontadores ou referências de programa pode, em alguns casos, determinar os alvos das invocações indiretas. Se houver um destino único, a expansão em linha pode ser aplicada. Mesmo que um único alvo seja determinado para cada invocação de procedimento, a expansão em linha deve ser aplicada de forma sensata. Em geral, não é possível expandir procedimentos recursivos diretamente e, mesmo sem recursão, a expansão em linha pode aumentar exponencialmente o tamanho do código.

12.1 Conceitos básicos

Nesta seção, apresentamos os grafos de chamada — aqueles que nos dizem que procedimentos podem chamar outros procedimentos e quais são estes. Também apresentamos a idéia de 'sensibilidade de contexto', em que análises de fluxo de dados são necessárias para se tomar conhecimento da seqüência de chamadas de procedimento. Ou seja, a análise sensível ao contexto inclui na pilha (uma sinopse de) a seqüência corrente de registros de ativação, com o ponto corrente no programa, quando se distingue entre diferentes 'posições' no programa.

12.1.1 Grafos de chamada

Um *grafo de chamada* de um programa é um conjunto de nós e arestas tal que

1. Existe um nó para cada procedimento do programa.
2. Existe um nó para cada *ponto de chamada (call site)*, ou seja, uma posição no programa em que um procedimento é invocado.
3. Se o ponto de chamada c puder chamar o procedimento p, então existe uma aresta do nó contendo c para o nó contendo p.

Muitos programas escritos em linguagens como C e Fortran fazem chamadas de procedimento diretamente, de modo que o destino da chamada de cada invocação pode ser determinado estaticamente. Nesse caso, cada ponto de chamada tem uma aresta para um único procedimento no grafo de chamada. Contudo, se o programa incluir o uso de um parâmetro do tipo procedimento ou apontador de função, o destino geralmente não será conhecido até que o programa seja executado e, de fato, poderá variar de uma invocação para outra. Logo, um ponto de chamada pode ser vinculado a muitos ou a todos os procedimentos no grafo de chamada.

Chamadas indiretas são consideradas padrão em linguagens de programação orientadas por objeto. Em particular, quando houver redefinição de métodos em subclasses, um uso do método *m* pode referir-se a um número qualquer de métodos diferentes, dependendo da subclasse do objeto receptor ao qual foi aplicado. O uso de tais invocações de método virtual significa que precisamos conhecer o tipo do receptor antes de determinar que método foi invocado.

Exemplo 12.1: A Figura 12.1 mostra um programa C que declara pf como um apontador global para uma função cujo tipo é 'inteiro para inteiro'. Existem duas funções desse tipo, fun1 e fun2, e uma função principal, main, que não é do tipo ao qual pf aponta. A figura mostra três pontos de chamada, indicados por c1, c2 e c3; os rótulos não fazem parte do programa.

```
             int (*pf)(int);

             int fun1(int x) {
                 if (x < 10)
c1:                  return (*pf)(x+1);
             else
                     return x;
             }

             int fun2(int y) {
                 pf = &fun1;
c2:              return (*pf)(y);
             }

             void main() {
                 pf = &fun2;
c3:              (*pf)(5);
             }
```

Figura 12.1 Um programa com um apontador de função.

A análise mais simples para ver o que pf poderia apontar seria simplesmente observar os tipos de funções. As funções fun1 e fun2 são do mesmo tipo da função para o qual pf aponta, enquanto main não é. Assim, um grafo de chamada conservador aparece na Figura 12.2(a). Uma análise mais cuidadosa do programa observaria que pf aponta para fun2 em main e aponta para fun1 em fun2. Mas não existem outras atribuições para nenhum apontador, de modo que, em particular, não existe um modo de pf apontar para main. Esse raciocínio produz o mesmo grafo de chamada da Figura 12.2(a).

(a)   (b)

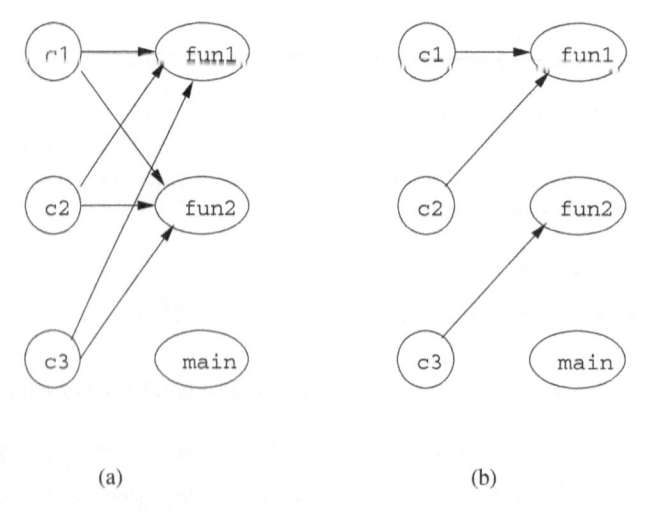

Figura 12.2 Grafos de chamada derivados da Figura 12.1.

Uma análise ainda mais precisa diria que, em c3, só é possível que pf aponte para fun2, porque essa chamada é precedida imediatamente por essa atribuição a pf. De modo semelhante, em c2 só é possível que pf aponte para fun1. Como resultado, a chamada inicial para fun1 pode vir apenas de fun2, e fun1 não muda pf, de modo que, sempre que estivermos dentro de fun1, pf aponta para fun1. Em particular, em c1, podemos estar certos de que pf aponta para fun1. Assim, a Figura 12.2(b) é um grafo de chamada correto mais preciso.

Em geral, a presença de referências ou de apontadores para funções ou métodos requer que obtenhamos uma aproximação estática dos valores potenciais de todos os parâmetros de procedimento, apontadores de função e tipos de objeto receptores. Para fazer uma aproximação precisa, é necessária a análise interprocedimental. A análise é iterativa, começando com os alvos observáveis estaticamente. À medida que mais destinos são descobertos, a análise incorpora as novas arestas no grafo de chamada e repete a descoberta de mais alvos até que a convergência seja alcançada.

12.1.2 Sensibilidade de contexto

A análise interprocedimental é desafiadora, porque o comportamento de cada procedimento depende do contexto em que ele é ativado. O Exemplo 12.2 usa o problema da propagação de constante interprocedimental em um pequeno programa para ilustrar o significado dos contextos.

Exemplo 12.2: Considere o fragmento de programa na Figura 12.3. A função f é invocada em três pontos de chamada: c1, c2 e c3. A constante 0 é passada como parâmetro real em c1, e a constante 243 é passada em c2 e c3 em cada iteração; as constantes 1 e 244 são retornadas, respectivamente. Assim, a função f é invocada com uma constante em cada um dos contextos, mas o valor da constante é dependente do contexto.

```
            for (i = 0; i < n; i++) {
c1:             t1 = f(0);
c2:             t2 = f(243);
c3:             t3 = f(243);
                X[i] = t1+t2+t3;
            }

            int f (int v) {
                return (v+1);
            }
```

Figura 12.3 Um fragmento de programa que ilustra a necessidade da análise sensível ao contexto.

Conforme veremos, não é possível dizer se t1, t2 e t3 receberam valores constantes cada um (e, portanto, o mesmo acontece com $X[i]$), a menos que reconheçamos que, quando ativada no contexto c1, f retorna 1, e quando ativada nos outros dois contextos, f retorna 244. Uma análise simplista concluiria que f pode retornar 1 ou 244 a partir de qualquer chamada.

Uma abordagem simplista, porém extremamente imprecisa para a análise interprocedimental, conhecida como *análise insensível ao contexto*, trata cada comando de chamada e retorno como operações 'goto'. Criamos um *super* grafo de fluxo de controle no qual, além das arestas de fluxo de controle intraprocedimentais normais, arestas adicionais são criadas conectando:

1. Cada ponto de chamada ao início do procedimento que ele chama, e
2. O comando de retorno volta aos pontos de chamada.[1]

Comandos de atribuição são acrescentados para atribuir cada parâmetro real ao seu parâmetro formal correspondente e atribuir o valor retornado à variável que recebe o resultado. Podemos, então, aplicar uma análise padrão, que deverá ser usada, dentro de um procedimento para o super grafo de fluxo de controle, a fim de encontrar resultados interprocedimentais insensíveis ao contexto. Embora sendo simples, esse modelo obscurece o relacionamento mais importante entre valores de entrada e saída nas invocações de procedimento, tornando a análise imprecisa.

Exemplo 12.3: O super grafo de fluxo de controle para o programa da Figura 12.3 é mostrado na Figura 12.4. O bloco B_6 é a função f. O bloco B_3 contém o ponto de chamada c1; ele define o parâmetro formal v como 0 e depois desvia para o início de f, em B_6. De modo semelhante, B_4 e B_5 representam os pontos de chamada c2 e c3, respectivamente. Em B_4, que é alcançado a partir do fim de f (bloco B_6), obtemos o valor de retorno de f e o atribuímos a t1. Depois, associamos o parâmetro formal v a 243 e chamamos f novamente, desviando para B_6. Observe que não existe aresta de B_3 para B_4. O controle deve fluir por f no caminho de B_3 para B_4.

B_5 é semelhante a B_4. Ele recebe o retorno de f, atribui o valor de retorno a t2, e inicia a terceira chamada a f. O bloco B_7 representa o retorno da terceira chamada e a atribuição a $X[i]$.

---

1 O retorno é, na realidade, para o comando seguinte ao ponto de chamada.

Se tratarmos a Figura 12.4 como se fosse o grafo de fluxo de um único procedimento, concluiríamos que, entrando em B_6, v pode ter o valor 0 ou 243. Assim, o máximo que podemos concluir sobre retval é que ele é atribuído com 1 ou 244, mas não a outro valor. De modo semelhante, só podemos concluir a respeito de t1, t2 e t3 que eles podem ser, cada um, 1 ou 244. Assim, $X[i]$ parece ser 3, 246, 489 ou 732. Por outro lado, uma análise sensível ao contexto separaria os resultados de cada um dos contextos de chamada e produziria a resposta intuitiva descrita no Exemplo 12.2: t1 é sempre 1, t2 e t3 são sempre 244, e $X[i]$ é 489.

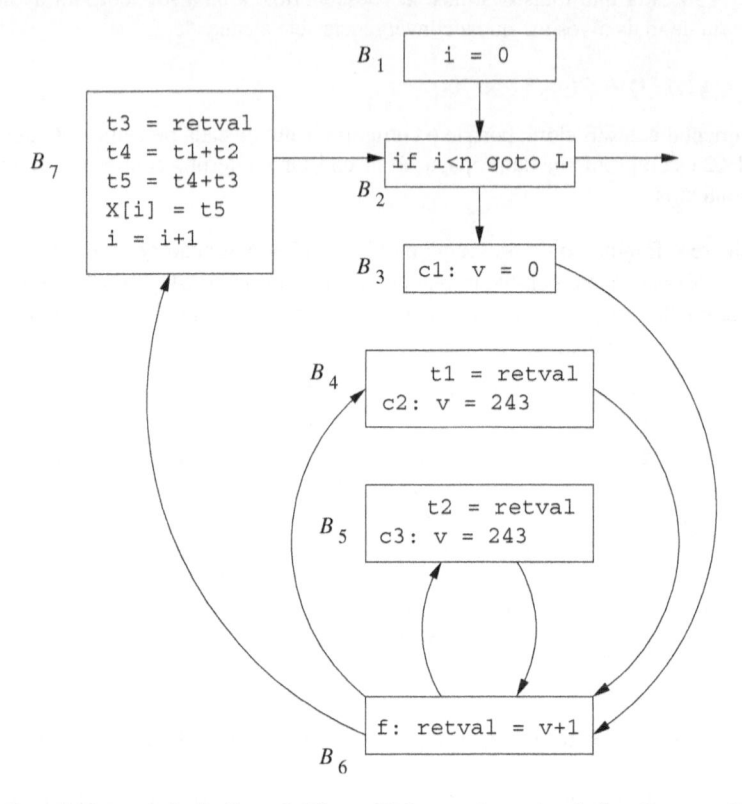

FIGURA 12.4 O grafo de controle de fluxo da Figura 12.3 trata chamadas de função como fluxo de controle.

12.1.3 CADEIAS DE CHAMADAS

No Exemplo 12.2, podemos distinguir entre os contextos simplesmente conhecendo o ponto de chamada que ativa o procedimento f. Em geral, um contexto de chamada é definido pelo conteúdo da pilha de chamada inteira. Nós nos referimos à cadeia de pontos de chamada na pilha como *cadeia de chamadas*.

EXEMPLO 12.4: A Figura 12.5 é uma ligeira modificação da Figura 12.3. Aqui, substituímos as chamadas a f por chamadas a g, que então chama f com o mesmo argumento. Existe um ponto de chamada adicional, c4, onde g chama f.

```
            for (i = 0; i < n; i++) {
    c1:         t1 = g(0);
    c2:         t2 = g(243);
    c3:         t3 = g(243);
                X[i] = t1+t2+t3;
            }

            int g (int v) {
    c4:         return f(v);
            }

            int f (int v) {
                return (v+1);
            }
```

FIGURA 12.5 Fragmento de programa ilustrando cadeias de chamada.

Existem três cadeias de chamada para *f*: (c1, c4), (c2, c4) e (c3, c4). Como podemos ver nesse exemplo, o valor de *v* na função *f* depende não do ponto imediato ou último c4 na cadeia de chamada. Em vez disso, as constantes são determinadas pelo primeiro elemento em cada uma das cadeias de chamada.

O Exemplo 12.4 ilustra que a informação relevante à análise pode ser introduzida mais cedo na cadeia de chamada. Na verdade, às vezes é necessário considerar a cadeia de chamada inteira para calcular a resposta mais precisa, conforme ilustramos no Exemplo 12.5.

EXEMPLO 12.5: Este exemplo ilustra como a habilidade de raciocinar sobre as cadeias de chamada não limitadas pode produzir resultados mais precisos. Na Figura 12.6, vemos que se *g* for chamada com um valor positivo *c*, então *g* será invocada recursivamente *c* vezes. Cada vez que *g* é chamada, o valor de seu parâmetro *v* diminui em 1. Assim, o valor do parâmetro *v* de *g* no contexto cuja cadeia de chamada é c2 (c4) *n* é 243 − *n*. O efeito de *g* é, portanto, incrementar 1 a 0 ou qualquer argumento negativo, e retornar 2 para qualquer argumento 1 ou maior.

```
              for (i = 0; i < n; i++) {
    c1:           t1 = g(0);
    c2:           t2 = g(243);
    c3:           t3 = g(243);
                  X[i] =  t1+t2+t3;
              }

              int g (int v) {
                  if (v > 1) {
    c4:               return g(v-1);
                  } else {
    c5:               return f(v);
                  }
              }

              int f (int v) {
                  return (v+1);
              }
```

FIGURA 12.6 Programa recursivo que exige análise de cadeias de chamada completas.

Existem três cadeias de chamada possíveis para *f*. Se começarmos com a chamada em c1, então *g* chama *f* imediatamente, de modo que (c1, c5) é uma cadeia desse tipo. Se começarmos em c2 ou c3, então chamamos *g* por um total de 243 vezes, e depois chamamos *f*. Essas cadeias de chamada são (c2, c4, c4, ..., c5) e (c3, c4, c4, ..., c5), onde em cada caso existem 242 c4s na seqüência. No primeiro desses contextos, o valor do parâmetro *v* de *f* é 0, enquanto nos outros dois contextos ele é 1.

No projeto de uma análise sensível ao contexto, temos opções de escolha na precisão. Por exemplo, em vez de qualificar os resultados pela cadeia de chamada completa, podemos apenas escolher distinguir entre os contextos por seus *k* pontos de chamadas mais imediatos. Essa técnica é conhecida como análise de contexto limitada a *k*. A análise insensível ao contexto é simplesmente um caso especial da análise de contexto limitada a *k*, onde *k* é 0. Podemos encontrar todas as constantes do Exemplo 12.2 usando uma análise limitada a 1 e todas as constantes do Exemplo 12.4 usando uma análise limitada a 2. Contudo, nenhuma análise limitada a *k* pode encontrar todas as constantes do Exemplo 12.5, desde que a constante 243 fosse substituída por duas constantes diferentes e arbitrariamente grandes.

Em vez de escolher um valor fixo *k*, outra possibilidade é ser totalmente sensível ao contexto para todas as cadeias de chamada *acíclicas*, que são cadeias que não contêm ciclos recursivos. Para cadeias de chamada com recursão, podemos reduzir todos os ciclos recursivos, a fim de limitar o número de contextos diferentes analisados. No Exemplo 12.5, as chamadas iniciadas no ponto de chamada c2 podem ser aproximadas pela cadeia de chamada: (c2, c4*, c5). Observe que, com esse esquema, até mesmo para programas sem recursão, o número de contextos de chamada distintos pode ser exponencial no número de procedimentos do programa.

12.1.4 Análise sensível ao contexto baseada em clonagem

Outra abordagem para a análise sensível ao contexto é clonar o procedimento conceitualmente, um para cada contexto de interesse único. Podemos, então, aplicar ao grafo de chamada clonado uma análise insensível ao contexto. Os exemplos 12.6 e

12.7 mostram uma versão clonada equivalente aos exemplos 12.4 e 12.5, respectivamente. Na realidade, não precisamos clonar o código, mas simplesmente usar uma representação interna eficiente para acompanhar os resultados da análise de cada clone.

EXEMPLO 12.6: A versão clonada da Figura 12.5 aparece na Figura 12.7. Como todo contexto de chamada se refere a um clone distinto, não há confusão. Por exemplo, g1 recebe 0 como entrada e produz 1 como saída, e g2 e g3 recebem 243 como entradas e produzem 244 como saída.

```
            for (i = 0; i < n; i++) {
c1:             t1 = g1(0);
c2:             t2 = g2(243);
c3:             t3 = g3(243);
                X[i] =   t1+t2+t3;
            }
            int g1 (int v) {
c4.1:           return f1(v);
            }
            int g2 (int v) {
c4.2:           return f2(v);
            }
            int g3 (int v) {
c4.3:           return f3(v);
            }
            int f1 (int v) {
                return (v+1);
            }
            int f2 (int v) {
                return (v+1);
            }
            int f3 (int v) {
                return (v+1);
            }
```

FIGURA 12.7 Versão clonada da Figura 12.5.

EXEMPLO 12.7: A versão clonada do Exemplo 12.5 aparece na Figura 12.8. Para o procedimento g, criamos um clone a fim de representar todas as instâncias de g que são chamadas inicialmente a partir dos pontos c1, c2 e c3. Nesse caso, a análise determinaria se a invocação no ponto de chamada c1 retorna 1, supondo que a análise possa inferir que, com $v = 0$, o teste $v > 1$ falha. Contudo, essa análise não trata da recursão bem o suficiente para produzir as constantes para os pontos de chamada c2 e c3.

12.1.5 Análise sensível ao contexto baseada em sumário

A análise interprocedimental baseada em sumário é uma extensão da análise baseada em região. Basicamente, em uma análise baseada em sumário, cada procedimento é representado por uma descrição concisa ('sumário') que encapsula algum comportamento observável do procedimento. A principal finalidade do sumário é evitar a reanálise do corpo de um procedimento em todo ponto de chamada que pode invocar o procedimento.

Primeiro, vamos considerar o caso em que não existe recursão. Cada procedimento é modelado como uma região com um único ponto de entrada, em que cada par chamador-chamado compartilha um relacionamento de região externa-interna. A única diferença da versão intraprocedimental é que, no caso interprocedimental, uma região de procedimento pode ser aninhada dentro de várias regiões externas diferentes.

A análise consiste em duas partes:

1. Uma fase ascendente, que calcula uma função de transferência para resumir o efeito de um procedimento, e
2. Uma fase descendente que propaga a informação do chamador para computar os resultados dos chamados.

Para obter resultados totalmente sensíveis ao contexto, a informação de diferentes contextos de chamada precisa propagar-se para baixo, até os chamados, individualmente. A fim de obter computação mais eficiente, porém menos exata, as informações de todos os chamadores podem ser combinadas, usando um operador meet, depois propagadas até os chamados.

```
                    for (i = 0; i < n; i++) {
c1:                     t1 = g1(0);
c2:                     t2 = g2(243);
c3:                     t3 = g3(243);
                        X[i] =   t1+t2+t3;
                    }

                int g1 (int v) {
                    if (v > 1) {
c4.1:                   return g1(v-1);
                    } else {
c5.1:                   return f1(v);
                    }
                }

                int g2 (int v) {
                    if (v > 1) {
c4.2:                   return g2(v-1);
                    } else {
c5.2:                   return f2(v);
                    }
                }

                int g3 (int v) {
                    if (v > 1) {
c4.3:                   return g3(v-1);
                    } else {
c5.3:                   return f3(v);
                    }
                }

                int f1 (int v) {
                    return (v+1);
                }
                int f2 (int v) {
                    return (v+1);
                }
                int f3 (int v) {
                    return (v+1);
                }
```

FIGURA 12.8 Versão clonada da Figura 12.6.

EXEMPLO 12.8: Para a propagação de constante, cada procedimento é resumido por uma função de transformação que especifica como ela propagaria as constantes pelo seu corpo. No Exemplo 12.2, podemos resumir *f* como uma função que, dada uma constante *c* como um parâmetro real para *v*, retorna a constante *c* + 1. Com base nessa informação, a análise determina que t1, t2 e t3 têm os valores constantes 1, 244 e 244, respectivamente. Observe que essa análise não sofre da imprecisão devida a cadeias de chamada irreconhecíveis.

Lembre-se de que o Exemplo 12.4 estende o Exemplo 12.2, fazendo com que *g* chame *f*. Assim, poderíamos concluir que a função de transferência para *g* é a mesma que a função de transferência para *f*. Novamente, concluímos que t1, t2 e t3 têm os valores constantes 1, 244 e 244, respectivamente.

Agora, vamos considerar qual é o valor do parâmetro *v* na função *f* para o Exemplo 12.2. Como uma primeira tentativa, podemos combinar todos os resultados para todos os contextos de chamada. Como *v* pode ter valores 0 ou 243, podemos simplesmente concluir que *v* não é uma constante. Essa conclusão é justa, porque não há constante que possa substituir *v* no código.

Se quisermos resultados mais precisos, podemos calcular resultados específicos para contextos de interesse. As informações devem ser passadas abaixo do contexto de interesse para determinar a resposta sensível ao contexto. Esse passo é semelhante ao passo descendente na análise baseada em região. Por exemplo, o valor de *v* é 0 no ponto de chamada c1 e 243 nos pontos c2 e c3. Para obter a vantagem da propagação de constante dentro de *f*, precisamos capturar essa distinção criando dois clones, com o primeiro especializado para o valor de entrada 0 e o último com valor 243, como mostra a Figura 12.9.

Com o Exemplo 12.8, vemos que, no fim, se quisermos compilar o código diferentemente nos diferentes contextos, ainda teremos de clonar o código. A diferença é que, na abordagem baseada em clonagem, esta é realizada antes da análise, com base nas cadeias de chamada. Na abordagem baseada em sumário, a clonagem é realizada após a análise, usando os resultados da análise como uma base. Mesmo que a clonagem não seja aplicada, na abordagem baseada em sumário as inferências sobre o efeito de um procedimento chamado são feitas com precisão, sem o problema de caminhos irrealizáveis.

```
                    for (i = 0; i < n; i++) {
    c1:                 t1 = f0(0);
    c2:                 t2 = f243(243);
    c3:                 t3 = f243(243);
                        X[i] = t1+t2+t3;
                    }

                int f0 (int v) {
                    return (1);
                }

                int f243 (int v) {
                    return (244);
                }
```

FIGURA 12.9 Resultado da propagação de todos os argumentos constantes possíveis para a função *f*.

Em vez de clonar uma função, também poderíamos expandir o código em linha. A expansão tem o efeito adicional de também eliminar o custo adicional da chamada de procedimento.

Podemos tratar a recursão calculando a solução ponto fixo. Na presença da recursão, primeiro encontramos os componentes fortemente conectados no grafo de chamada. Na fase ascendente, não visitamos um componente fortemente conectado, a menos que todos os seus sucessores tenham sido visitados. Para um componente não trivial fortemente conectado, calculamos iterativamente as funções de transferência para cada procedimento no componente, até que a convergência seja alcançada, ou seja, atualizamos iterativamente as funções de transferência até que não ocorram mais mudanças.

12.1.6 Exercícios da Seção 12.1

Exercício 12.1.1: Na Figura 12.10 há um programa C com dois apontadores de função, *p* e *q*. *N* é uma constante que poderia ser menor que 10. Observe que o programa resulta em uma seqüência de chamadas infinita, mas isso não tem importância para os propósitos desse problema.

```
            int (*p)(int);
            int (*q)(int);

            int f(int i) {
                if (i < 10)
                    {p = &g; return (*q)(i);}
                else
                    {p = &f; return (*p)(i);}
            }

            int g(int j) {
                if (j < 10)
                    {q = &f; return (*p)(j);}
                else
                    {q = &g; return (*q)(j);}
            }

            void main() {
                p = &f;
                q = &g;
                (*p)((*q)(N));
            }
```

FIGURA 12.10 Programa para o Exercício 12.1.1.

a) Identifique todos os pontos de chamada nesse programa.
b) Em cada ponto de chamada, para o que p pode apontar? Para o que q pode apontar?
c) Desenhe o grafo de chamada para esse programa.
!d) Descreva todas as cadeias de chamada para f e g.

Exercício 12.1.2: Na Figura 12.11 há uma função `id` que é a 'função identidade'; ela retorna exatamente o que é dado como um argumento. Também vemos um fragmento de código que consiste em um desvio e depois a atribuição que soma $x + y$.

a) Examinando o código, o que podemos dizer a respeito do valor de z no fim?
b) Construa o grafo de fluxo para o fragmento de código, tratando as chamadas a `id` como fluxo de controle.
c) Se executarmos a análise de propagação de constante, como na Seção 9.4, no seu grafo de fluxo do item (b), que valores constantes serão determinados?
d) Quais são todos os pontos de chamada da Figura 12.11?
e) Quais são todos os contextos em que `id` é chamado?
f) Reescreva o código da Figura 12.11 clonando uma nova versão de `id` para cada contexto em que ele é chamado.
g) Construa o grafo de fluxo do seu código do item (f), tratando as chamadas como fluxo de controle.
h) Realize uma análise de propagação de constante no seu grafo de fluxo do Item (g). Que valores constantes são determinados agora?

```
int id(int x) { return x;}

        ...
if (a == 1) { x = id(2); y = id(3); }
else        { x = id(3); y = id(2); }
z = x+y;
        ...
```

FIGURA 12.11 Fragmento de código para o Exercício 12.1.2.

12.2 POR QUE ANÁLISE INTERPROCEDIMENTAL?

Dada a dificuldade da análise interprocedimental, resolveremos agora o importante problema de por que e quando queremos usar a análise interprocedimental. Embora usássemos a propagação de constante para ilustrar a análise interprocedimental, essa otimização não é prontamente aplicável nem particularmente benéfica quando ocorre. A maioria dos benefícios da propagação de constante pode ser obtida simplesmente realizando-se a análise intraprocedimental e inserindo chamadas de procedimento a partir das seções de código executadas com mais freqüência.

Contudo, existem muitos motivos pelos quais a análise interprocedimental é essencial. A seguir, descrevemos diversas de suas aplicações importantes.

12.2.1 Invocação de método virtual

Como já dissemos, os programas orientados por objeto possuem muitos métodos pequenos. Se só otimizarmos um método de cada vez, haverá poucas oportunidades de otimização. Solucionando a invocação do método, permitimos a otimização. Uma linguagem como Java carrega dinamicamente suas classes. Como resultado, não sabemos, em tempo de compilação, a qual dos (talvez muitos) métodos chamados m, um uso de 'm' se refere em uma invocação como $x.m()$.

Muitas implementações Java utilizam um compilador *just-in-time* para compilar seus bytecodes em tempo de execução. Uma otimização comum é perfilar a execução e determinar quais são os tipos de receptores comuns. Podemos, então, expandir em linha os métodos que são invocados com mais freqüência. O código inclui uma verificação dinâmica do tipo e executa os métodos expandidos, se o código objeto em tempo de execução tiver o tipo esperado.

Outra abordagem para resolver os usos de um nome de método m é possível desde que todo o código fonte esteja disponível em tempo de compilação. Depois, pode-se realizar uma análise interprocedimental para determinar os tipos de objeto. Se o tipo para uma variável x for único, então um uso de $x.m()$ pode ser resolvido. Sabemos exatamente a que método m se refere nesse contexto. Nesse caso, podemos expandir o código em linha para esse m, e o compilador nem mesmo precisa incluir um teste para saber o tipo de x.

12.2.2 Análise de sinônimo de apontador

Mesmo que não queiramos efetuar versões interprocedimentais das análises de fluxos de dados comuns, como definições de alcance, essas análises podem realmente se beneficiar da análise de apontadores interprocedimental. Todas as análises apresentadas no Capítulo 9 se aplicam apenas às variáveis escalares locais, que não podem ter sinônimos. Contudo, o uso de apontadores é comum, especialmente em linguagens como C. Sabendo que os apontadores podem ser *sinônimos* (podem apontar para o mesmo endereço), podemos melhorar a precisão das técnicas do Capítulo 9.

EXEMPLO 12.9: Considere a seguinte seqüência de três comandos, que poderiam formar um bloco básico:

```
*p = 1;
*q = 2;
x = *p;
```

Sem saber se *p* e *q* podem apontar para o mesmo endereço — ou seja, se eles podem ser sinônimos —, não podemos concluir que *x* é igual a 1 no fim do bloco.

12.2.3 PARALELIZAÇÃO

Conforme discutimos no Capítulo 11, o modo mais eficaz de paralelizar uma aplicação é encontrar uma granularidade grossa do paralelismo, como aquela encontrada nos *loop*s mais externos de um programa. Para essa tarefa, a análise interprocedimental é de grande importância. Existe uma diferença significativa entre otimizações *escalares* (aquelas baseadas em valores de variáveis simples, conforme discutimos no Capítulo 9) e paralelização. Na paralelização, apenas uma dependência de dados espúria pode tornar um *loop* inteiro não paralelizável e reduzir bastante a eficácia da otimização. Essa amplificação de imprecisões não é vista nas otimizações escalares. Na otimização escalar, só é preciso encontrar a maioria das oportunidades de otimização. Perder uma oportunidade ou duas raramente faz muita diferença.

12.2.4 DETECÇÃO DE ERROS DE SOFTWARE E VULNERABILIDADES

A análise interprocedimental não é importante somente para otimização do código. As mesmas técnicas podem ser usadas para analisar o software existente em busca de muitos tipos de erros de codificação. Esses erros podem tornar o software pouco confiável; os erros de codificação que os hackers exploram para obter o controle ou danificar um sistema de computador de alguma outra forma, podem expor riscos significativos de vulnerabilidade de segurança.

A análise estática é útil na detecção de ocorrências de muitos padrões de erro comuns. Por exemplo, um item de dados deve ser protegido por uma fechadura. Como outro exemplo, desativar uma interrupção no sistema operacional deve ser seguido por uma reativação da interrupção. Desde que uma fonte de erros significativa são as inconsistências que se espalham por limites de procedimento, a análise interprocedimental é de grande importância. PREfix e Metal são duas ferramentas práticas que utilizam a análise interprocedimental de modo eficaz para encontrar muitos erros de programação em programas grandes. Essas ferramentas encontram erros estaticamente e podem melhorar bastante a confiabilidade do software. Contudo, essas ferramentas são incompletas e inseguras, no sentido de que podem não encontrar todos os erros, e de que nem todas as advertências relatadas são erros reais. Infelizmente, a análise interprocedimental usada é tão imprecisa que, se as ferramentas tivessem de relatar todos os erros potenciais, o grande número de avisos falsos as tornaria inutilizáveis. Apesar disso, embora essas ferramentas não sejam perfeitas, pode-se ver que seu uso sistemático melhora bastante a confiabilidade do software.

Quando se trata de vulnerabilidades de segurança, é altamente desejável que encontremos todos os erros potenciais em um programa. Em 2006, duas das formas 'mais populares' de intrusões usadas pelos hackers para comprometer um sistema foram:

1. Falta de validação da entrada em aplicações Web. *SQL injection* é uma das formas mais populares dessa vulnerabilidade, por meio da qual os hackers obtêm controle de um banco de dados pela manipulação de entradas aceitas pelas aplicações Web.
2. Estouros de buffer em programas C e C++. Como C e C++ não verificam se os acessos aos arranjos estão nos limites, os hackers podem escrever cadeias bem preparadas em áreas não previstas e com isso obter o controle da execução do programa.

Na seção seguinte, vamos discutir como podemos usar a análise interprocedimental para proteger os programas contra essas vulnerabilidades.

12.2.5 SQL INJECTION

A *SQL injection* refere-se à vulnerabilidade na qual os hackers podem manipular a entrada do usuário em uma aplicação Web e obter acesso não previsto a um banco de dados. Por exemplo, os bancos desejam que seus clientes sejam capazes de fazer transações on-line, desde que forneçam sua senha correta. Uma arquitetura comum para esse sistema é permitir que o cliente entre com cadeias em um formulário Web e, depois, que esse formulário de cadeias faça parte de uma consulta de banco de dados escrita na linguagem SQL. Se os desenvolvedores de sistemas não tiverem cuidado, as cadeias fornecidas pelos clientes podem alterar o significado do comando SQL de maneiras inesperadas.

Exemplo 12.10: Suponha que um banco ofereça aos seus clientes acesso a uma relação

```
AcctData(name, password, balance)
```

Ou seja, essa relação é uma tabela de triplas, cada uma consistindo no nome de um cliente, na senha e no saldo da conta. A intenção é que os clientes possam ver o saldo de sua conta somente se fornecerem seu nome e sua senha correta. O fato de um hacker ver o saldo de uma conta não é o pior que poderia acontecer, mas esse exemplo simples é típico de situações mais complicadas, em que o hacker poderia executar pagamentos a partir de uma conta.

O sistema poderia implementar uma pesquisa de saldo da seguinte forma:

1. Os usuários invocam um formulário Web onde inserem seu nome e senha.
2. O nome é copiado para uma variável *n* e a senha para uma variável *p*.
3. Mais adiante, talvez em algum outro procedimento, a consulta SQL a seguir é executada:

```
SELECT balance FROM AcctData
WHERE name = ':n' and password = ':p'
```

Para os leitores não acostumados com SQL, essa consulta diz: 'Encontre na tabela AcctData uma linha com o primeiro componente (nome) igual à cadeia correntemente na variável *n* e o segundo componente (senha) igual à cadeia correntemente na variável *p*; imprima o terceiro componente (saldo) dessa linha'. Observe que SQL utiliza apóstrofos, e não aspas, para delimitar cadeias, e os sinais de dois pontos antes do *n* e *p* indicam que elas são variáveis da linguagem hospedeira.

Suponha que o hacker, que deseje saber o saldo da conta de Charles Dickens, forneça os seguintes valores para as cadeias *n* e *p*:

```
n = Charles Dickens -- p = who cares
```

O efeito dessas cadeias estranhas é converter a consulta para

```
SELECT balance FROM AcctData
WHERE name = 'Charles Dickens' --   and password = 'who cares'
```

Em muitos sistemas de banco de dados, — é um token que introduz comentário e tem o efeito de transformar em comentário o que vier em seguida nessa linha. Como resultado, a consulta agora pede ao sistema de banco de dados para imprimir o saldo de cada pessoa cujo nome seja 'Charles Dickens', independentemente da senha que aparece com esse nome em uma tripla de nome-senha-saldo. Ou seja, com os comentários eliminados, a consulta é:

```
SELECT balance FROM AcctData
WHERE name ='Charles Dickens'
```

No Exemplo 12.10, as cadeias 'ruins' foram mantidas em duas variáveis, que poderiam ser passadas entre os procedimentos. Contudo, em casos mais realistas, essas cadeias poderiam ser copiadas várias vezes, ou combinadas com outras para formar a consulta completa. Não esperamos detectar erros de codificação que criam vulnerabilidades de *SQL injection* sem realizar uma análise interprocedimental completa do programa inteiro.

12.2.6 Estouro de buffer

Um *ataque de estouro de buffer* ocorre quando dados cuidadosamente preparados, fornecidos pelo usuário, escrevem além do buffer definido e manipulam a execução do programa. Por exemplo, um programa C pode ler uma cadeia *s* do usuário e depois copiá-la para um buffer *b* usando a chamada de função:

```
strcpy(b,s);
```

Se a cadeia *s* for realmente maior do que o buffer *b*, os endereços que não fazem parte de *b* terão seus valores alterados. Isso por si só, provavelmente, fará com que o programa não funcione ou, pelo menos, produza a resposta errada, pois alguns dados usados pelo programa terão sido alterados.

Mas, pior que isso, o hacker que escolheu a cadeia *s* pode obter um valor que fará mais do que causar um erro. Por exemplo, se o buffer estiver na pilha de execução, então ele está perto do endereço de retorno para sua função. Um valor de *s* escolhido maldosamente pode escrever sobre o endereço de retorno, e quando a função retornar, ela vai para um endereço escolhido pelo hacker. Se os hackers tiverem conhecimento detalhado do sistema operacional e hardware hospedeiros, eles podem ser capazes de executar um comando que lhes dará controle da própria máquina. Em algumas situações, eles podem até mesmo ter a capacidade de fazer com que o endereço de retorno falso transfira o controle para o código que faz parte da cadeia *s*, permitindo assim que qualquer tipo de programa seja inserido no código em execução.

Para impedir estouros de buffer, toda operação de escrita de arranjo deve provar estaticamente que se encontra dentro dos limites, ou então uma verificação apropriada de limites de arranjo precisa ser realizada dinamicamente. Como essas verificações de limite precisam ser inseridas a mão em programas C e C++, é fácil esquecer-se de inserir o teste ou obter o teste errado. Foram desenvolvidas ferramentas heurísticas que verificarão se pelo menos algum teste, embora não necessariamente um teste correto, foi realizado antes de um strcpy ser chamado.

A verificação dinâmica de limites é inevitável, pois é impossível determinar estaticamente o tamanho das entradas dos usuários. Tudo o que a análise estática pode fazer é garantir que as verificações dinâmicas tenham sido inseridas corretamente. Assim, uma estratégia razoável é deixar que o compilador insira verificação dinâmica de limites em toda escrita, e usar a análise estática como um meio de otimizar o máximo possível da verificação de limites. Não é mais necessário detectar toda violação potencial; além disso, só precisamos otimizar as regiões do código que são executadas com freqüência.

A inserção de verificação de limites em programas C não é trivial, mesmo que não nos importemos com o custo. Um apontador pode apontar para o meio de algum arranjo, e não sabemos a extensão deste arranjo. Foram desenvolvidas técnicas para acompanhar dinamicamente a extensão do buffer apontado por cada apontador. Essa informação permite que o compilador insira verificações de limites de arranjo para todos os acessos. Não é aconselhável interromper um programa sempre que um estouro de buffer for detectado. Na verdade, os estouros de buffer ocorrem na prática, e um programa provavelmente falharia se desativássemos todos os estouros de buffer. A solução é estender o tamanho do arranjo dinamicamente para acomodar os transbordamentos de buffer.

A análise interprocedimental pode ser usada para acelerar o custo das verificações dinâmicas dos limites de arranjo. Por exemplo, supondo que estejamos interessados apenas em detectar estouros de buffer que envolvam cadeias de entrada do usuário, podemos usar a análise estática para determinar quais variáveis podem manter o conteúdo fornecido pelo usuário. Assim como a SQL injection, poder acompanhar uma entrada enquanto ela é copiada entre os procedimentos é útil na eliminação de verificações de limites desnecessários.

12.3 UMA REPRESENTAÇÃO LÓGICA DO FLUXO DE DADOS

Até este ponto, nossa representação dos problemas de fluxo de dados e soluções pode ser considerada como 'teoria de conjuntos'. Ou seja, representamos informações como conjuntos e calculamos resultados usando operadores como união e interseção. Por exemplo, quando apresentamos o problema das definições de alcance na Seção 9.2.4, calculamos IN[B] e OUT[B] para um bloco B, e os descrevemos como conjuntos de definições. Representamos o conteúdo do bloco B por seus conjuntos gen e kill.

Para lutar contra a complexidade da análise interprocedimental, apresentamos agora uma notação mais genérica e sucinta baseada em lógica. Em vez de dizer algo como 'a definição D está em IN[B]', usaremos uma notação como $in(B,D)$ para denotar a mesma idéia. Isso nos permite expressar 'regras' sucintas sobre a dedução de fatos do programa. Isso também nos permite implementar essas regras de modo eficiente, generalizando a abordagem de vetor de bits para operações de teoria de conjunto. Finalmente, a abordagem lógica nos permite combinar aquilo que parecem ser várias análises independentes em um algoritmo integrado. Por exemplo, na Seção 9.5, descrevemos a eliminação de redundância parcial por uma seqüência de quatro análises de fluxo de dados e dois outros passos intermediários. Na notação lógica, todos esses passos poderiam ser combinados em uma coleção de regras lógicas que são solucionadas simultaneamente.

12.3.1 INTRODUÇÃO À DATALOG

Datalog é uma linguagem que usa uma notação tipo Prolog, mas cuja semântica é muito mais simples do que em Prolog. Para começar, os elementos da Datalog são *átomos* da forma $p(X_1, X_2, ..., X_n)$. Aqui,

1. p é um *predicado* — um símbolo que representa um tipo de comando como 'uma definição alcança o início de um bloco'.
2. $X_1, X_2, ..., X_n$ são termos como variáveis ou constantes. Também permitiremos expressões simples como argumentos de um predicado.[2]

Um *átomo básico* é um predicado com apenas constantes como argumentos. Todo átomo básico declara um fato particular, e seu valor é verdadeiro ou falso. Em geral, é conveniente representar um predicado por uma *relação*, ou tabela dos seus átomos básicos verdadeiros. Cada átomo básico é representado por uma única linha ou *tupla* da relação. As colunas da relação são nomeadas por *atributos*, e cada tupla possui um componente para cada atributo. Os atributos correspondem aos componentes dos átomos básicos representados pela relação. Qualquer átomo básico da relação é verdadeiro, e os átomos básicos ausentes da relação são falsos.

---

2 Formalmente, esses termos são construídos a partir de símbolos de função e complicam consideravelmente a implementação da Datalog. Contudo, usaremos apenas alguns operadores, como adição ou subtração de constantes, em contextos que não trazem complicações.

EXEMPLO 12.11: Vamos supor que o predicado $in(B,D)$ signifique 'a definição D alcança o início do bloco B'. Então, poderíamos supor que, para determinado grafo de fluxo, $in(b_1, d_1)$ é verdadeiro, assim como $in(b_2, d_1)$ e $in(b_2, d_2)$. Também poderíamos supor que, para este grafo de fluxo, todos os outros fatos *in* são falsos. Então, a relação da Figura 12.12 representa o valor desse predicado para esse grafo de fluxo.

B	D
b_1	d_1
b_2	d_1
b_2	d_2

FIGURA 12.12 Representação do valor de um predicado por uma relação.

Os atributos da relação são B e D. As três tuplas da relação são (b_1, d_1), (b_2, d_1) e (b_2, d_2).

Às vezes, também veremos um átomo que é, na realidade, uma comparação entre variáveis e constantes. Um exemplo seria $X \neq Y$ ou $X = 10$. Nestes exemplos, o predicado é o operador de comparação. Ou seja, podemos pensar em $X = 10$ como se fosse escrito na forma de predicado: $equals(X,10)$. Contudo, existe uma importante diferença entre predicados de comparação e os demais. Um predicado de comparação tem sua interpretação padrão, enquanto um predicado comum, como *in*, significa apenas aquilo que ele é definido para significar por um programa Datalog (descrito a seguir).

Um *literal* é um átomo ou um átomo negado. Indicamos a negação com a palavra NOT antecedendo o átomo. Assim, NOT $in(B, D)$ é uma afirmação de que a definição D não alcança o início do bloco B.

12.3.2 REGRAS DA DATALOG

As regras são um meio de expressar inferências lógicas. Na Datalog, as regras também servem para sugerir como uma computação dos fatos verdadeiros precisa ser efetuada. O formato de uma regra é

$$H :- B_1 \& B_2 \& ... \& B_n$$

Os componentes são os seguintes:

- H e $B_1, B_2,..., B_n$ são literais — ou átomos ou átomos negados.
- H é a cabeça e $B_1, B_2, ..., B_n$ formam o *corpo* da regra.
- Cada um dos B_is às vezes é chamado de *submeta* da regra.

Leremos o símbolo :− como 'se'. O significado de uma regra é 'a cabeça é verdadeira se o corpo for verdadeiro'. Mais precisamente, *aplicamos* uma regra a determinado conjunto de átomos básicos como a seguir. Considere todas as substituições possíveis de variáveis da regra por constantes. Se essa substituição fizer toda submeta do corpo verdadeira (supondo que tudo e apenas os átomos básicos dados são verdadeiros), podemos inferir que a cabeça com essa substituição de variáveis por constantes é um fato verdadeiro. Substituições que não tornam todas as submetas verdadeiras não nos dão informações; a cabeça pode ou não ser verdadeira.

Um *programa Datalog* é uma coleção de regras. Esse programa é aplicado aos 'dados', ou seja, a um conjunto de átomos básicos para alguns dos predicados. O resultado do programa é o conjunto dos átomos básicos inferidos pela aplicação de regras até que nenhuma outra inferência possa ser feita.

Convenções de Datalog

Usaremos as seguintes convenções para os programas em Datalog:

1. Variáveis começam com uma letra maiúscula.
2. Todos os outros elementos começam com letras minúsculas ou outros símbolos, como dígitos. Esses elementos incluem predicados e constantes que são argumentos dos predicados.

EXEMPLO 12.12: Um exemplo simples de um programa em Datalog é a computação de caminhos em um grafo, dadas suas arestas (direcionadas). Ou seja, existe um predicado $edge(X, Y)$ que significa que 'existe uma aresta do nó X para o nó Y'. Outro predicado $path(X, Y)$ significa que existe um caminho de X até Y. As regras definindo os caminhos são:

1) $path(X, Y)$:− $edge(X, Y)$
2) $path(X, Y)$:− $path(X, Z)$ & $path(Z, Y)$

A primeira regra diz que uma única aresta é um caminho, ou seja, sempre que substituímos a variável X por uma constante a e a variável Y por uma constante b, e $edge(a, b)$ é verdadeira (existe uma aresta do nó a para o nó b), então $path(a, b)$ também é verdadeiro (existe um caminho de a para b). A segunda regra diz que se há um caminho de algum nó X para algum nó Z e há, também, um caminho de Z para o nó Y, então existe um caminho de X para Y. Essa regra expressa o 'fecho transitivo'. Observe que qualquer caminho pode ser formado seguindo-se as arestas ao longo do caminho e aplicando-se a regra do fecho transitivo repetidamente.

Por exemplo, suponha que os fatos a seguir (átomos básicos) sejam verdadeiros: $edge(1, 2)$, $edge(2, 3)$ e $edge(3, 4)$. Então, podemos usar a primeira regra com três substituições diferentes para inferir $path(1, 2)$, $path(2, 3)$ e $path(3, 4)$. Como um exemplo, substituir $X = 1$ e $Y = 2$ instancia a primeira regra para ser $path(1, 2)$:− $edge(1, 2)$. Como $edge(1, 2)$ é verdadeira, inferimos $path(1, 2)$.

Com esses três fatos $path$, podemos usar a segunda regra várias vezes. Se substituirmos $X = 1$, $Z = 2$ e $Y = 3$, instanciamos a regra para ser $path(1, 3)$:− $path(1, 2)$ & $path(2, 3)$. Como as duas submetas do corpo foram inferidas, elas são conhecidas como sendo verdadeiras, de modo que podemos inferir a cabeça: $path(1, 3)$. Então, a substituição $X = 1$, $Z = 3$ e $Y = 4$ nos permitem inferir a cabeça $path(1, 4)$, ou seja, existe um caminho do nó 1 até o nó 4.

12.3.3 Predicados intensionais e extensionais

Por convenção, programas Datalog distinguem em predicados da seguinte forma:

1. Predicados EDB (*Extensional DataBase*), ou *banco de dados extensional*, são aqueles definidos *a priori*, ou seja, seus fatos verdadeiros são dados por uma relação ou tabela, ou pelo significado do predicado (como seria o caso, por exemplo, para um predicado de comparação).
2. Predicados IDB (*Intensional DataBase*), ou *banco de dados intensional*, são os predicados definidos apenas pelas regras.

Um predicado precisa ser IDB ou EDB, e pode ser apenas um destes. Como resultado, qualquer predicado que aparece na cabeça de uma ou mais regras deve ser um predicado IDB. Predicados que aparecem no corpo podem ser IDB ou EDB. Por exemplo, no Exemplo 12.12, *edge* é um predicado EDB e *path* é um predicado IDB. Lembre-se de que recebemos alguns fatos *edge*, como $edge(1,2)$, mas os fatos *path* foram inferidos pelas regras.

Quando os programas Datalog são usados para expressar algoritmos de fluxo de dados, os predicados EDB são calculados a partir do próprio grafo de fluxo. Os predicados IDB são, então, expressos pelas regras, e o problema de fluxo de dados é solucionado inferindo-se todos os fatos IDB possíveis a partir das regras e dos fatos EDB dados.

Exemplo 12.13: Vamos considerar como as definições de alcance podem ser expressas em Datalog. Primeiro, faz sentido pensar em um nível de comando, em vez de um de bloco; ou seja, a construção de conjuntos *gen* e *kill* a partir de um bloco básico serão integradas com a computação das próprias definições de alcance. Assim, o bloco b_1 sugerido na Figura 12.13 é típico. Observe que identificamos pontos dentro do bloco numerado com 0, 1, ..., n se n for o número de comandos no bloco. A definição de ordem i está 'no' ponto i, e não existe definição no ponto 0.

```
          0
              x = y+z
          1
    b1        *p = u
          2
              x = v
          3
```

Figura 12.13 Um bloco básico com pontos entre os comandos.

Um ponto no programa deve ser representado por um par (b, n), onde b é um nome de bloco e n é um inteiro entre 0 e o número de comandos no bloco b. Nossa formulação requer dois predicados EDB:

1. $def(B, N, X)$ é verdadeiro se e somente se o N-ésimo comando no bloco B puder definir a variável X. Por exemplo, na Figura 12.13 $def(b_1, 1, x)$ é verdadeiro, $def(b_1, 3, x)$ é verdadeiro e $def(b_1, 2, Y)$ é verdadeiro para toda variável Y possível que p possa apontar nesse ponto. Por enquanto, vamos supor que Y pode ser qualquer variável do tipo que p aponta.

2. $succ(B, N, C)$ é verdadeiro se e somente se o bloco C for um sucessor do bloco B no grafo de fluxo, e B tiver N comandos. Ou seja, o controle pode fluir do ponto N de B para o ponto 0 de C. Por exemplo, suponha que b_2 seja um predecessor do bloco b_1 na Figura 12.13, e b_2 tenha cinco comandos. Então, $succ(b_2, 5, b_1)$ é verdadeiro.

Existe um predicado IDB, $rd(B,N,C,M,X)$. Ele deverá ser verdadeiro se e somente se a definição da variável X no comando de ordem M do bloco C alcançar o ponto N do bloco B. As regras definindo o predicado rd estão na Figura 12.14.

1)	$rd(B, N, B, N, X)$	:−	$def(B, N, X)$
2)	$rd(B, N, C, M, X)$	:−	$rd(B, N-1, C, M, X)$ &
			$def(B, N, Y)$ &
			$X \neq Y$
3)	$rd(B, 0, C, M, X)$	:−	$rd(D, N, C, M, X)$ &
			$succ(D, N, B)$

Figura 12.14 Regras para o predicado rd.

A regra (1) diz que, se o N-ésimo comando do bloco B define X, então essa definição de X alcança o N-ésimo ponto de B, ou seja, o ponto imediatamente após o comando. Essa regra corresponde ao conceito de 'gen' em nossa formulação anterior das definições de alcance, baseadas em teoria dos conjuntos.

A regra (2) representa a idéia de que uma definição passa por um comando a menos que ela seja 'morta', e a única maneira de matar uma definição é redefinir sua variável com 100% de certeza. Em detalhes, a regra (2) diz que a definição da variável X a partir do M-ésimo comando do bloco C alcança o ponto N do bloco B se

a) ela alcançar o ponto anterior $N - 1$ de B, e
b) houver pelo menos uma variável Y, diferente de X, que possa ser definida no N-ésimo comando de B.

Finalmente, a regra (3) expressa o fluxo de controle do grafo. Ela diz que a definição de X no M-ésimo comando do bloco C alcança o ponto 0 de B se houver algum bloco D com N comandos, tal que a definição de X alcance o fim de D, e B seja um sucessor de D.

O predicado EDB $succ$ do Exemplo 12.13 pode ser lido claramente a partir do grafo de fluxo. Podemos tanbém obter def a partir do grafo de fluxo, se formos conservadores e considerarmos que um apontador pode apontar para qualquer lugar. Se quisermos limitar o intervalo de um apontador a variáveis do tipo apropriado, poderemos obter a informação de tipo a partir da tabela de símbolos e usar uma relação menor def. Uma opção é tornar def um predicado IDB e defini-lo por regras. Essas regras usarão predicados EDB mais primitivos, que por si sós poderão ser determinados pelo grafo de fluxo e tabela de símbolos.

Exemplo 12.14: Suponha que introduzamos dois novos predicados EDB:

1. $assign(B, N, X)$ é verdadeiro sempre que o N-ésimo comando do bloco B tiver X à esquerda. Observe que X pode ser uma variável ou uma expressão simples com um valor-l, como $*p$.
2. $type(X, T)$ é verdadeiro se o tipo de X for T. Novamente, X pode ser qualquer expressão com um valor-l, e T pode ser qualquer expressão para um tipo válido.

Então, podemos escrever regras para def, tornando-o um predicado IDB. A Figura 12.15 é uma expansão da Figura 12.14, com duas das possíveis regras para def. A regra (4) diz que o N-ésimo comando do bloco B define X, se X for atribuído pelo comando de ordem N. A regra (5) diz que X também pode ser definido pelo N-ésimo comando do bloco B se esse comando tiver uma atribuição a $*P$, e X é qualquer uma das variáveis do tipo para o qual P aponta. Outros tipos de atribuições precisariam de outras regras para def.

1)	$rd(B, N, B, N, X)$	:−	$def(B, N, X)$
2)	$rd(B, N, C, M, X)$	:−	$rd(B, N-1, C, M, X)$ &
			$def(B, N, Y)$ &
			$X \neq Y$
3)	$rd(B, 0, C, M, X)$	:−	$rd(D, N, C, M, X)$ &
			$succ(D, N, B)$
4)	$def(B, N, X)$	:−	$assign(B, N, X)$
5)	$def(B, N, X)$	:−	$assign(B, N, *P)$ &
			$type(X, T)$ &
			$type(P, *T)$

Figura 12.15 Regras para os predicados rd e def.

Como exemplo da maneira pela qual faríamos inferências usando as regras da Figura 12.15, vamos reexaminar o bloco b_1 da Figura 12.13. O primeiro comando atribui um valor à variável x, de modo que o fato $assign(b_1, 1, x)$ estaria no EDB. O terceiro comando também atribui a x, de modo que $assign(b_1, 3, x)$ é outro fato de EDB. O segundo comando atribui indiretamente por meio de p, de modo que um terceiro fato do EDB é $assign(b_1, 2, *p)$. A regra (4) então nos permite inferir $def(b_1, 1, x)$ e $def(b_1, 3, x)$.

Suponha que p seja do tipo apontador-para-inteiro (*int), e x e y sejam inteiros. Então, podemos usar a regra (5), com $B = b_1$, $N = 2$, $P = p$, $T = $ int, e X igual a x ou y, para inferir $def(b_1, 2, x)$ e $def(b_1, 2, y)$. De modo semelhante, podemos inferir a mesma coisa a respeito de qualquer outra variável cujo tipo é inteiro ou conversível em um inteiro.

12.3.4 Execução de programas em Datalog

Todo conjunto de regras da Datalog define relações para seus predicados IDB, como uma função das relações que são dadas para seus predicados EDB. Comece com a suposição de que as relações IDB são vazias, ou seja, os predicados IDB são falsos para todos os argumentos possíveis. Depois, aplique as regras repetidamente, inferindo novos fatos sempre que as regras exigirem que isso seja feito. Quando o processo converge, terminamos, e as relações IDB resultantes formam a saída do programa. Esse processo é formalizado no próximo algoritmo, que é semelhante aos algoritmos iterativos discutidos no Capítulo 9.

ALGORITMO 12.15: Avaliação simples dos programas em Datalog.

ENTRADA: Um programa em Datalog e conjuntos de fatos para cada predicado EDB.

SAÍDA: Conjuntos de fatos para cada predicado IDB.

MÉTODO: Para cada predicado p no programa, seja R_p a relação de fatos que são verdadeiros para esse predicado. Se p for um predicado EDB, então R_p é o conjunto de fatos dados para esse predicado. Se p for um predicado IDB, calcularemos R_p. Execute o algoritmo da Figura 12.16.

```
for (cada predicado IDB p)
        R_p = ∅;
while (ocorrem mudanças em qualquer R_p) {
        considere todas as substituições possíveis de variáveis por constantes
                em todas as regras;
        determine, para cada substituição, se todas as submetas
                do corpo são verdadeiras, usando os R_p s correntes
                para determinar a verdade dos predicados EDB e IDB;
        if (uma substituição torna o corpo de uma regra verdadeiro)
                acrescente a cabeça a R_q se q é o predicado da cabeça;
}
```

FIGURA 12.16   Avaliação de programas Datalog

EXEMPLO 12.16: O programa do Exemplo 12.12 computa caminhos em um grafo. Para aplicar o Algoritmo 12.15, começamos com o predicado EDB *edge* contendo todas as arestas do grafo e com a relação para *path* vazia. Na primeira passada do algoritmo, a regra (2) não produz nada, porque não existem fatos de *path*. Mas a regra (1) faz com que todos os fatos *edge* se tornem fatos *path* também, ou seja, após a primeira passada, conhecemos $path(a,b)$ se e somente se houver uma aresta de a para b.

Na segunda passada, a regra (1) não produz novos fatos *path*, pois a relação EDB *edge* nunca muda. Contudo, agora a regra (2) nos permite reunir dois caminhos de tamanho 1 e criar caminhos de tamanho 2. Ou seja, depois da segunda passada, $path(a,b)$ é verdadeiro se e somente se houver um caminho de tamanho 1 ou 2 de a para b. Da mesma forma, na terceira passada, podemos combinar os caminhos de tamanho 2 ou menos para descobrir todos os caminhos de tamanho 4 ou menos. Na quarta passada, descobrimos caminhos de tamanho até 8 e, em geral, após a passada de ordem i, $path(a,b)$ é verdadeiro se e somente se houver um caminho de a para b de tamanho 2^{i-1} ou menos.

12.3.5 Avaliação incremental de programas Datalog

Existe uma possibilidade de melhoria de eficiência do Algoritmo 12.15. Observe que um novo fato IDB só pode ser descoberto na rodada i se ele for o resultado da substituição de constantes em uma regra, de modo que pelo menos uma das submetas se torna um fato que acabamos de descobrir na passada $i - 1$. A prova dessa afirmação é que, se todos os fatos entre as submetas fossem conhecidos na passada $i - 2$, então o 'novo' fato teria sido descoberto quando fizemos a mesma substituição de constantes na passada $i - 1$.

Para tirar proveito dessa observação, introduza para cada predicado IDB *p* um predicado *newP* que manterá apenas os fatos *p* recém-descobertos da passada anterior. Cada regra que tenha um ou mais predicados IDB entre suas submetas é substituída por uma coleção de regras. Cada regra na coleção é formada substituindo-se exatamente uma ocorrência de algum predicado IDB *q* no corpo por *newQ*. Finalmente, para todas as regras, substituímos o predicado da cabeça *h* por *newH*. Diz-se que as regras resultantes estão na *forma incremental*.

As relações para cada predicado IDB *p* acumulam todos os fatos *p*, como no Algoritmo 12.15. Em uma passada, nós

1. Aplicamos as regras para avaliar os predicados *newP*.
2. Depois, subtraímos *p* de *newP*, para nos certificarmos de que os fatos em *newP* são verdadeiramente novos.
3. Incluímos em *p* os fatos de *newP*.
4. Definimos todas as relações *newX* como ∅ para a próxima passada.

Essas idéias serão formalizadas no Algoritmo 12.18. Contudo, primeiro, daremos um exemplo.

Avaliação incremental dos conjuntos

Também é possível resolver problemas de fluxo de dados baseados em teoria de conjunto incrementalmente. Por exemplo, nas definições de alcance, uma definição só pode ser recém-descoberta como estando em IN[*B*] na *i*-ésima passada se ela tiver acabado de ser descoberta como estando em OUT[*P*] para algum predecessor *P* de *B*. O motivo pelo qual geralmente não tentamos solucionar esses problemas de fluxo de dados de forma incremental é que a implementação de vetor de bits dos conjuntos é muito eficiente. Em geral, é mais fácil percorrer os vetores completos do que decidir se um fato é novo ou não.

EXEMPLO 12.17: Considere o programa Datalog do Exemplo 12.12 novamente. A forma incremental das regras é dada na Figura 12.17. A regra (1) não muda, exceto na cabeça, porque não possui submetas IDB no corpo. Contudo, a regra (2), com duas submetas IDB, torna-se duas regras diferentes. Em cada regra, uma das ocorrências de *path* no corpo é substituída por *newPath*. Juntas, essas regras impõem a idéia de que pelo menos um dos dois caminhos concatenados pela regra deve ter sido descoberto na passada anterior.

$$
\begin{array}{lll}
1) & newPath(X, Y) \; :- & edge(X, Y) \\
2a) & newPath(X, Y) \; :- & path(X, Z) \, \& \\
& & newPath(Z, Y) \\
2b) & newPath(X, Y) \; :- & newPath(X, Z) \, \& \\
& & path(Z, Y)
\end{array}
$$

FIGURA 12.17 Regras incrementais para o programa *path* em Datalog.

ALGORITMO 12.18: Avaliação incremental dos programas em Datalog.

ENTRADA: Um programa Datalog e conjuntos de fatos para cada predicado EDB.

SAÍDA: Conjuntos de fatos para cada predicado IDB.

MÉTODO: Para cada predicado *p* no programa, seja R_p a relação de fatos que são verdadeiros para esse predicado. Se *p* é um predicado EDB, então R_p é o conjunto de fatos dados para esse predicado. Se *p* é um predicado IDB, calcularemos R_p. Além disso, para cada predicado IDB *p*, seja R_{newP} uma relação dos 'novos' fatos para o predicado *p*.

1. Modifique as regras para a forma incremental descrita anteriormente.
2. Execute o algoritmo da Figura 12.18.

12.3.6 REGRAS PROBLEMÁTICAS DO DATALOG

Existem certas regras ou programas Datalog que, tecnicamente, não possuem significado e não devem ser usados. Os dois riscos mais importantes são

1. *Regras inseguras*: aquelas que possuem uma variável na cabeça que não aparece no corpo, restringindo assim essa variável a possuir apenas valores que aparecem no EDB.
2. *Programas não estratificados*: conjuntos de regras que possuem uma recursão envolvendo uma negação.

Vamos elaborar cada um desses riscos.

```
        for (cada predicado IDB p) {
            R_p = ∅;
            R_newP = ∅;
        }
        repeat {
                considere todas as substituições possíveis de variáveis por constantes
                    em todas as regras;
                determine, para cada substituição, se todas as submetas
                    do corpo são verdadeiras, usando os R_ps e R_newPs atuais para
                    determinar a verdade dos predicados EDB e IDB;
                if (uma substituição torna o corpo de uma regra verdadeiro)
                    acrescente a cabeça a R_newH, onde h é o predicado da cabeça;
                for (cada predicado p) {
                    R_newP = R_newP − R_p;
                    R_p = R_p ∪ R_newP;
                }
        } until (todos os R_newPs estarem vazios);
```

FIGURA 12.18 Avaliação dos programas em Datalog.

Segurança da regra

Qualquer variável que apareça na cabeça de uma regra também precisa aparecer no corpo. Além disso, essa aparição deve estar em uma submeta que seja uma IDB comum ou um átomo EDB. Não é aceitável que a variável apareça apenas em um átomo negado, ou somente em um operador de comparação. O motivo para essa política é evitar regras que nos permitam inferir um número infinito de fatos.

EXEMPLO 12.19: A regra

$$p(X, Y) :- q(Z) \ \& \ \text{NOT} \ r(X) \ \& \ X \neq Y$$

é insegura por dois motivos. A variável X aparece apenas na submeta negada $r(X)$ e na comparação $X \neq Y$. Y aparece somente na comparação. A conseqüência é que p é verdadeiro para um número infinito de pares (X, Y), desde que $r(X)$ seja falso e Y seja algo diferente de X.

Datalog estratificado

Para que um programa faça sentido, a recursão e a negação devem ser separadas. O requisito formal é como a seguir. Devemos ser capazes de dividir os predicados IDB em *estratos*, de modo que, se houver uma regra com predicado de cabeça p e uma submeta da forma NOT $q(...)$, então q é um predicado EDB ou IDB em um estrato inferior a p. Desde que essa regra seja satisfeita, podemos avaliar os estratos, primeiro o mais baixo, pelo Algoritmo 12.15 ou 12.18, e depois tratar as relações para os predicados IDB desses estratos como se fossem EDB para o cálculo de estratos mais altos. Contudo, se violarmos essa regra, então o algoritmo iterativo pode deixar de convergir, como podemos ver no exemplo seguinte.

EXEMPLO 12.20: Considere que o programa Datalog consiste na única regra:

$$p(X) :- e(X) \ \& \ \text{NOT} \ p(X)$$

Suponha que e seja um predicado EDB, e somente $e(1)$ seja verdadeiro. O $p(1)$ é verdadeiro?

Esse programa não é estratificado. Qualquer estrato em que colocarmos p, sua regra terá uma submeta que é negada e possuirá um predicado IDB (a saber, o próprio p) que certamente não estará em um estrato inferior a p.

Se aplicarmos o algoritmo iterativo, começamos com $R^p = \emptyset$, de modo que, inicialmente, a resposta é 'não; $p(1)$ não é verdadeiro'. Contudo, a primeira iteração nos permite inferir $p(1)$, porque tanto $e(1)$ quanto NOT $p(1)$ são verdadeiros. Mas, depois, a segunda iteração nos diz que $p(1)$ é falso. Ou seja, substituir 1 por X na regra não nos permite inferir $p(1)$, porque a submeta NOT $p(1)$ é falsa. De modo semelhante, a terceira iteração diz que $p(1)$ é verdadeiro, a quarta diz que é falso, e assim por diante. Concluímos que esse programa não estratificado não faz sentido e não é considerado um programa válido.

12.3.7 EXERCÍCIOS DA SEÇÃO 12.3

! Exercício 12.3.1: Neste problema, vamos considerar uma análise de fluxo de dados de definições de alcance que é mais simples do que a do Exemplo 12.13. Suponha que cada comando por si só seja um bloco, e inicialmente considere que cada comando defina exatamente uma variável. O predicado EDB *pred*(*I*, *J*) significa que o comando *I* é um predecessor do comando *J*. O predicado EDB *defines*(*I*, *X*) significa que a variável definida pelo comando *I* é *X*. Usaremos predicados IDB *in*(*I*, *D*) e *out*(*I*, *D*) significando que a definição *D* alcança o início ou o fim do comando *I*, respectivamente. Observe que uma definição é, na realidade, um número de comando. A Figura 12.19 é um programa Datalog que expressa o algoritmo normal para calcular as definições de alcance.

$$
\begin{align}
1) \quad & kill(I, D) :- \quad defines(I, X) \,\&\, defines(D, X) \\
2) \quad & out(I, I) :- \quad defines(I, X) \\
3) \quad & out(I, D) :- \quad in(I, D) \,\&\, \text{NOT}\, kill(I, D) \\
4) \quad & in(I, D) :- \quad out(J, D) \,\&\, pred(J, I)
\end{align}
$$

FIGURA 12.19 Programa Datalog para uma análise simples de definições de alcance.

Observe que a regra (1) diz que o comando se mata, mas a regra (2) garante que um comando está, de qualquer forma, em seu próprio 'começo'. A regra (3) é a função normal de transferência, e a regra (4) permite a confluência, porque *I* pode ter vários predecessores.

Seu problema é modificar as regras para tratar o caso comum em que uma definição é ambígua, por exemplo, uma atribuição por meio de um apontador. Nessa situação, *defines*(*I*, *X*) pode ser verdadeiro para vários *X*s diferentes e um *I*. Uma definição é mais bem representada por um par (*D*, *X*), onde *D* é um comando, e *X* é uma das variáveis que podem ser definidas em *D*. Como resultado, *in* e *out* tornam-se predicados de três argumentos; por exemplo, *in*(*I*, *D*, *X*) significa que a definição (possível) de *X* no comando *D* alcança o início do comando *I*.

Exercício 12.3.2: Escreva um programa Datalog semelhante à Figura 12.19 para calcular as expressões disponíveis. Além do predicado *defines*, use um predicado *eval*(*I*, *X*, *O*, *Y*) que diz que o comando *I* faz com que a expressão *XOY* seja avaliada. Aqui, *O* é o operador na expressão, por exemplo, +.

Exercício 12.3.3: Escreva um programa Datalog semelhante à Figura 12.19 para calcular variáveis vivas. Além do predicado *defines*, considere um predicado *use*(*I*, *X*) que diz que o comando *I* usa a variável *X*.

Exercício 12.3.4: Na Seção 9.5, definimos um cálculo de fluxo de dados que envolvia seis conceitos: antecipado, disponível, mais cedo (*earliest*), adiável (*postponed*), mais tarde (*latest*) e usado. Suponha que tenhamos escrito um programa Datalog para definir cada um deles em termos de conceitos EDB deriváveis do programa (por exemplo, informação *gen* e *kill*) e outros desses seis conceitos. Quais dos seis dependem de quais outros? Quais dessas dependências são negadas? O programa Datalog resultante seria estratificado?

Exercício 12.3.5: Suponha que o predicado EDB *edge*(*X*, *Y*) consista nos seguintes fatos:

$$
\begin{array}{lll}
edge(1, 2) & edge(2, 3) & edge(3, 4) \\
edge(4, 1) & edge(4, 5) & edge(5, 6)
\end{array}
$$

a) Simule o programa Datalog do Exemplo 12.12 sobre esses dados, usando a estratégia de avaliação simples do Algoritmo 12.15. Mostre os fatos de caminho descobertos em cada passada.
b) Simule o programa Datalog da Figura 12.17 sobre esses dados, como parte da estratégia de avaliação incremental do Algoritmo 12.18. Mostre os fatos *path* descobertos em cada passada.

Exercício 12.3.6: A regra a seguir

$$p(X, Y) :- q(X, Z) \,\&\, r(Z, W) \,\&\, \text{NOT}\, p(W, Y)$$

faz parte de um programa Datalog *P* maior.

a) Identifique a cabeça, o corpo e as submetas dessa regra.
b) Que predicados são, certamente, predicados IDB do programa *P*?
! c) Que predicados são, certamente, predicados EDB de *P*?
d) A regra é segura?
e) *p* é estratificado?

Exercício 12.3.7: Converta as regras da Figura 12.14 para a forma incremental.

12.4 UM ALGORITMO SIMPLES DE ANÁLISE DE APONTADORES

Nesta seção, iniciamos a discussão de uma análise de sinônimo de apontador insensível ao fluxo muito simples, supondo que não existem chamadas de procedimento. Nas seções subseqüentes, mostraremos, primeiro, como tratar procedimentos de forma insensível ao contexto e, depois, sensível ao contexto. A sensibilidade de fluxo aumenta muito a complexidade, e é menos importante para a sensibilidade de contexto em linguagens como Java, nas quais os métodos costumam ser pequenos.

A pergunta fundamental que desejamos fazer na análise de sinônimo de apontadores é se determinado par de apontadores pode ser sinônimo. Um modo de responder a essa pergunta é procurar, para cada apontador, a resposta da pergunta 'para quais objetos esse apontador pode apontar'? Se dois apontadores puderem apontar para o mesmo objeto, então eles podem ser sinônimos.

12.4.1 Por que a análise de apontadores é difícil

A análise de sinônimo de apontador para programas em C é particularmente difícil, porque os programas em C podem realizar computações arbitrárias com apontadores. Na verdade, pode-se ler um inteiro e atribuí-lo a um apontador, o que tornaria esse apontador um sinônimo potencial de todas as outras variáveis de apontadores no programa. Os apontadores em Java, conhecidos como referências, são muito mais simples. Nenhuma aritmética é permitida, e os apontadores só podem apontar para o início de um objeto.

A análise de sinônimo de apontador precisa ser realizada interprocedimentalmente. Sem a análise interprocedimental, deve-se supor que qualquer método chamado poderá alterar o conteúdo de todas as variáveis de apontador acessíveis, tornando assim qualquer análise de sinônimo de apontador intraprocedimental ineficaz.

As linguagens que permitem chamadas de função indiretas apresentam um desafio adicional para a análise de sinônimo de apontador. Em C, pode-se chamar uma função indiretamente ativando-se um apontador de função desreferenciado (dereferenced). Precisamos saber o que o apontador de função pode apontar antes de podermos analisar a função chamada. Nitidamente, depois de analisar a função chamada, podem-se descobrir mais funções às quais o apontador de função pode apontar e, portanto, o processo precisa ser iterado.

Embora a maioria das funções seja chamada diretamente em C, os métodos virtuais em Java fazem com que muitas invocações sejam indiretas. Dada uma invocação x.m() em um programa Java, pode haver muitas classes às quais o objeto x poderia pertencer e que possuem um método chamado m. Quanto mais preciso o nosso conhecimento do tipo real de x, mais preciso é o nosso grafo de chamada. O ideal é que possamos determinar, em tempo de compilação, a classe exata de x e, portanto, saber exatamente a que método m se refere.

Exemplo 12.21: Considere a seguinte seqüência de comandos Java:

```
Object o;
o = new String();
n = o.length();
```

Aqui, o é declarado como sendo um Object. Sem analisar a que o se refere, todos os métodos possíveis chamados 'length' declarados para todas as classes devem ser considerados possíveis alvos. Saber que o aponta para uma String estreitará a análise interprocedimental exatamente para o método declarado para String.

É possível aplicar aproximações para reduzir o número de alvos. Por exemplo, estaticamente, podemos determinar quais são todos os tipos de objetos criados, e podemos limitar a análise a eles. Mas seremos mais precisos se pudermos descobrir o grafo de chamada no ato, com base na análise *aponta-para* obtida ao mesmo tempo. Grafos de chamada mais precisos levam não apenas a resultados mais precisos, mas também podem reduzir bastante o tempo de análise necessário de outra forma.

A análise aponta-para é complicada. Ela não é um desses problemas de fluxo de dados 'fáceis', em que só precisamos simular o efeito de iterar um *loop* de comandos uma vez. Em vez disso, à medida que descobrirmos novos alvos para um apontador, todos os comandos que atribuem o conteúdo deste apontador a outro apontador precisarão ser reanalisados.

Para simplificar, focalizaremos principalmente Java. Começaremos com a análise insensível ao fluxo e insensível ao contexto, supondo por enquanto que nenhum método é chamado no programa. Depois, descrevemos como podemos descobrir o grafo de chamada no ato, enquanto os resultados aponta-para são calculados. Finalmente, descrevemos um modo de tratar a sensibilidade de contexto.

12.4.2 Um modelo de apontadores e referências

Vamos supor que nossa linguagem tenha as seguintes formas de representar e manipular as referências:

1. Certas variáveis de programa são do tipo 'apontador para T', ou 'referência a T', onde T é um tipo. Essas variáveis são estáticas ou residem na pilha em tempo de execução. Nós as chamamos simplesmente de *variáveis*.
2. Existe um heap de objetos. Todas as variáveis apontam para objetos do heap, e não para outras variáveis. Esses objetos serão chamados de objetos do heap.
3. Um objeto do heap pode ter *campos*, e o valor de um campo pode ser uma referência a um objeto do *heap* (mas não a uma variável).

Java é bastante adequada a essa estrutura, e usaremos a sintaxe Java nos exemplos. Observe que C é menos adequada, porque nela as variáveis de apontador podem apontar para outras variáveis de apontador e, em princípio, qualquer valor em C pode ser convertido para um apontador.

Como estamos realizando uma análise insensível, só precisamos declarar que determinada variável *v* pode apontar para determinado objeto do heap *h*; não precisamos resolver a questão de onde no programa *v* pode apontar para *h*, ou em que contextos *v* pode apontar para *h*. Portanto, observe que as variáveis podem ser nomeadas por seu nome completo. Em Java, esse nome pode incorporar o módulo, a classe, o método e o bloco dentro de um método, além do próprio nome da variável. Assim, podemos distinguir muitas variáveis que têm o mesmo identificador.

Objetos do heap não possuem nomes. A aproximação freqüentemente é usada para nomear os objetos, porque uma quantidade ilimitada de objetos pode ser criada dinamicamente. Uma convenção é referir-se aos objetos pelo comando em que eles são criados. Como um comando pode ser executado muitas vezes e criar um novo objeto a cada vez, uma declaração como '*v* pode apontar para *h*' na realidade significa '*v* pode apontar para um ou mais dos objetos criados no comando rotulado com *h*'.

O objetivo da análise é determinar o que cada variável e cada campo de cada objeto do heap pode apontar. Referimo-nos a isso como uma *análise aponta-para*; dois apontadores são sinônimos se seus conjuntos aponta-para se cruzam. Descrevemos aqui uma análise *baseada em inclusão*; ou seja, um comando como v = w faz com que a variável *v* aponte para todos os objetos que *w* aponta, mas não o contrário. Embora essa abordagem possa parecer óbvia, existem outras alternativas no modo como definimos a análise aponta-para. Por exemplo, podemos definir uma análise *baseada em equivalência*, tal que um comando como v = w transformaria variáveis *v* e *w* em uma classe de equivalência, apontando para todas as variáveis para as quais cada classe aponta. Embora essa formulação não aproxime bem os sinônimos, ela oferece uma resposta rápida, e freqüentemente boa, para a pergunta a respeito de quais variáveis apontam para o mesmo tipo de objeto.

12.4.3 Insensibilidade de fluxo

Vamos começar mostrando um exemplo muito simples, para ilustrar o efeito de ignorar o fluxo de controle na análise aponta-para.

Exemplo 12.22: Na Figura 12.20, três objetos, *h*, *i* e *j*, são criados e atribuídos a variáveis *a*, *b* e *c*, respectivamente. Assim, certamente *a* aponta para *h*, *b* aponta para *i*, e *c* aponta para *j* no fim da linha (3).

```
1)   h:   a = new Object();
2)   i:   b = new Object();
3)   j:   c = new Object();
4)        a = b;
5)        b = c;
6)        c = a;
```

Figura 12.20 Código Java para o Exemplo 12.22.

Se você acompanhar os comandos de (4) a (6), descobrirá que, após a linha (4), *a* aponta somente para *i*. Depois da linha (5), *b* aponta somente para *j*, e depois da linha (6), *c* aponta somente para *i*.

Essa análise é sensível ao fluxo porque seguimos o fluxo de controle e calculamos para onde cada variável pode apontar após cada comando. Em outras palavras, além de considerar que informação aponta-para cada comando '*generates*', também consideramos para que informação aponta-para cada comando '*kills*'. Por exemplo, o comando b = c; mata o fato anterior '*b* aponta para *j*' e gera o novo relacionamento '*b* aponta para aquilo que *c* aponta'.

Uma análise insensível de fluxo ignora o fluxo de controle, o que basicamente considera que todo comando no programa pode ser executado em qualquer ordem. Ela calcula apenas um mapa aponta-para global, indicando para o que cada variável pode possivelmente apontar em qualquer ponto da execução do programa. Se uma variável puder apontar para dois objetos diferentes depois de dois comandos diferentes em um programa, simplesmente registramos que ela pode apontar para os dois objetos. Em outras palavras, na análise insensível ao fluxo, uma atribuição não '*kill*' quaisquer relações aponta-para, mas só pode 'generate' mais relações aponta-para. Para computar os resultados insensíveis ao fluxo, acrescentamos repetidamente os efeitos aponta-para de cada comando nos relacionamentos aponta-para até que nenhuma nova relação seja encontrada. Claramente, a falta de sensibilidade de fluxo enfraquece muito os resultados da análise, mas costuma reduzir o tamanho da representação dos resultados e fazer com que o algoritmo convirja mais rapidamente.

Exemplo 12.23: Retornando ao Exemplo 12.22, as linhas (1) a (3) novamente nos dizem que *a* pode apontar para *h*; *b* pode apontar para *i* e *c* pode apontar para *j*. Com as linhas (4) e (5), *a* pode apontar para *h* e *i*, e *b* pode apontar para *i* e *j*. Com a linha (6), *c* pode apontar para *h*, *i* e *j*. Essa informação afeta a linha (5), que por sua vez afeta a linha (4). No fim, chegamos à conclusão inútil de que qualquer coisa pode apontar para qualquer coisa.

12.4.4 A FORMULAÇÃO NO DATALOG

Agora, formalizaremos uma análise de sinônimo de apontador insensível ao fluxo com base na discussão anterior. Vamos ignorar as chamadas de procedimento por enquanto e nos concentrar nos quatro tipos de comandos que podem afetar os apontadores:

1. *Criação de objeto.* `h: T v = new T();` Esse comando cria um novo objeto no heap, e a variável *v* pode apontar para ele.
2. *Comando de cópia.* `v = w;` Aqui, *v* e *w* são variáveis. O comando faz com que *v* aponte para qualquer objeto do heap ao qual *w* aponta correntemente, ou seja, *w* é copiado para *v*.
3. *Armazena campo.* `v.f = w;` O tipo de objeto a que *v* aponta deve ter um campo *f*, e esse campo deve ser de algum tipo de referência. Considere que *v* aponta para o objeto *h* do heap, e considere que *w* aponta para *g*. Esse comando faz com que o campo *f*, em *h*, agora aponte para *g*. Observe que a variável *v* é inalterada.
4. *Carga de campo.* `v = w.f;` Aqui, *w* é uma variável apontando para algum objeto do heap que tem um campo *f*, e *f* aponta para algum objeto do heap *h*. O comando faz com que a variável *v* aponte para *h*.

Observe que os acessos a campos compostos no código fonte, como `v = w.f.g`, serão desmembrados em dois comandos primitivos de carga de campo:

```
v1 = w.f;
v  = v1.g;
```

Agora, vamos expressar a análise formalmente nas regras de Datalog. Primeiro, existem apenas dois predicados IDB que precisamos calcular:

1. $pts(V, H)$ significa que a variável V pode apontar para o objeto H do heap.
2. $hpts(H, F, G)$ significa que o campo F do objeto H do heap pode apontar para o objeto G do heap.

As relações de EDB são construídas a partir do próprio programa. Como o endereço dos comandos em um programa é irrelevante quando a análise é insensível ao fluxo, só precisamos estabelecer no EDB a existência de comandos que têm certos formatos. A seguir, fazemos uma simplificação conveniente. Em vez de definir relações do EDB para manter a informação colhida do programa, usamos um formato de comando entre aspas para sugerir a relação ou relações do EDB que representam a existência desse comando. Por exemplo, "$H: T V = $ new $T()$" é um fato EDB declarando que no comando H existe uma atribuição que faz com que a variável V aponte para um novo objeto do tipo T. Consideramos que, na prática, haveria uma relação EDB correspondente, que seria preenchida com átomos básicos, um para cada comando desse formato no programa.

Com essa convenção, tudo o que precisamos para escrever o programa Datalog é uma regra para cada um dos quatro tipos de comandos. O programa é mostrado na Figura 12.21. A Regra (1) diz que a variável V pode apontar para o objeto H do heap se o comando H for uma atribuição de um novo objeto a V. A Regra (2) diz que, se houver um comando de cópia $V = W$, e W puder apontar para H, então V pode apontar para H.

1) $pts(V,H)$:− "$H: T V = $ new T"

2) $pts(V,H)$:− "$V = W$" &
$pts(W, H)$

3) $hpts(H,F,G)$:− "$V.F = W$" &
$pts(W, G)$ &
$pts(V, H)$

4) $pts(V,H)$:− "$V = W.F$" &
$pts(W, G)$ &
$hpts(G, F, H)$

FIGURA 12.21 Programa Datalog para análise de apontador insensível ao fluxo.

A Regra (3) diz que, se houver um comando da forma `V.F = W`, W puder apontar para G, e V puder apontar para H, então o campo F de H pode apontar para G. Finalmente, a regra (4) diz que, se houver um comando da forma `V = W.F`, W puder apontar para G, e o campo F de G puder apontar para H, então V pode apontar para H. Observe que *pts* e *hpts* são mutuamente recursivos, mas esse programa Datalog pode ser avaliado por qualquer um dos algoritmos iterativos discutidos na Seção 12.3.4.

12.4.5 USANDO INFORMAÇÃO DE TIPO

Como Java é fortemente tipada, as variáveis só podem apontar para tipos que sejam compatíveis com os tipos declarados. Por exemplo, a atribuição de um objeto pertencente a uma superclasse do tipo declarado de uma variável levantaria uma exceção em tempo de execução. Considere o exemplo simples da Figura 12.22, onde *S* é uma subclasse de *T*. Esse programa gerará uma exceção em tempo de execução se *p* for verdadeiro, porque *a* não pode receber um objeto da classe *T*. Assim, estaticamente podemos concluir que, devido à restrição de tipo, *a* só pode apontar para *h* e não para *g*.

```
        S a;
        T b;
        if (p) {
g:          b = new T();
        } else
h:          b = new S();
        }
        a = b;
```

FIGURA 12.22 Programa Java com um erro de tipo.

Assim, introduzimos em nossa análise três predicados EDB que refletem informações de tipo importantes no código que estiver sendo analisado. Usaremos o seguinte:

1. *vType*(*V*, *T*) diz que a variável *V* é declarada para ter tipo *T*.
2. *hType*(*H*, *T*) diz que o objeto *H* do heap é alocado com tipo *T*. O tipo de um objeto criado pode não ser precisamente conhecido se, por exemplo, o objeto for retornado por um método nativo. Esses tipos são modelados de forma conservadora como todos os tipos possíveis.
3. *assignable*(*T*, *S*) significa que um objeto do tipo *S* pode ser atribuído a uma variável com o tipo *T*. Essa informação geralmente é colhida da declaração de subtipos no programa, mas também incorpora informações sobre as classes predefinidas da linguagem. O *assignable*(*T*, *T*) sempre é verdadeiro.

Podemos modificar as regras da Figura 12.21 para permitir inferências apenas se a variável atribuída receber um objeto do heap de um tipo passível de atribuição. As regras aparecem na Figura 12.23.

1) *pts*(*V*,*H*)   :−   "*H*: *T V* = new *T*()"

2) *pts*(*V*,*H*)   :−   "*V*=*W*" &
                           pts(*W*, *H*) &
                           vType(*V*, *T*) &
                           hType(*H*, *S*) &
                           assignable(*T*, *S*)

3) *hpts*(*H*,*F*,*G*)   :−   "*V.F*=*W*" &
                                 pts(*W*, *G*) &
                                 pts(*V*, *H*)

4) *pts*(*V*,*H*)   :−   "*V*=*W*. *F*" &
                           pts(*W*, *G*) &
                           hpts(*G*, *F*, *H*) &
                           vType(*V*, *T*) &
                           hType(*H*, *S*) &
                           assignable(*T*, *S*)

FIGURA 12.23 Incluindo restrições de tipo à análise de apontador insensível ao fluxo.

A primeira modificação é para a Regra (2). As três últimas submetas dizem que só podemos concluir que V pode apontar para *H* se houver tipos *T* e *S* que a variável *V* e o objeto *H* do heap puderem ter respectivamente, assim os objetos de tipo *S* podem ser atribuídos a variáveis que são referências ao tipo *T*. Uma restrição adicional semelhante foi acrescentada à Regra (4). Observe que não existe restrição adicional na Regra (3), porque todos os armazenamentos devem passar pelas variáveis. Qualquer restrição de tipo só pegaria um caso extra, quando o objeto de base fosse uma constante nula.

12.4.6 EXERCÍCIOS DA SEÇÃO 12.4

Exercício 12.4.1: Na Figura 12.24, *h* e *g* são rótulos usados para representar objetos recém-criados, e não fazem parte do código. Você pode supor que os objetos do tipo *T* têm um campo *f*. Use as regras de Datalog desta seção para inferir todos os fatos *pts* e *hpts* possíveis.

```
              h: T a = new T();
              g: T b = new T();
                 T c = a;
                 a.f = b;
                 b.f = c;
                 T d = c.f;
```

FIGURA 12.24 Código para o Exercício 12.4.1.

! Exercício 12.4.2: A aplicação do algoritmo desta seção ao código

```
              g: T a = new T();
              h:   a = new T();
                 T c = a;
```

inferiria que tanto *a* quanto *c* podem apontar para *g* e *h*. Se o código tivesse sido escrito com

```
              g: T a = new T();
              h: T b = new T();
                 T c = b;
```

inferiríamos não que *a* pode apontar para *h*. Sugira uma análise de fluxo de dados intraprocedimental que possa evitar esse tipo de imprecisão.

! Exercício 12.4.3: Podemos estender a análise desta seção para ser interprocedimental se simularmos chamada e retorno como se fossem operações de cópia, como na regra (2) da Figura 12.21. Ou seja, uma chamada copia os parâmetros reais para os seus parâmetros formais correspondentes, e o retorno copia a variável que contém o valor de retorno à variável que recebe o resultado da chamada. Considere o programa da Figura 12.25.

a) Realize uma análise insensível sobre esse código.
b) Algumas das inferências feitas em (a) são realmente 'falsas', no sentido de que não representam nenhum evento que possa ocorrer em tempo de execução. O problema pode ser rastreado para as múltiplas atribuições à variável *b*. Reescreva o código da Figura 12.25 de modo que nenhuma variável seja atribuída mais de uma vez. Reexecute a análise e mostre que cada fato *pts* e *hpts* pode ocorrer em tempo de execução.

```
          t p(t x) {
              h: T a = new T;
                 a.f = x;
                 return a;
          }
          void main() {
              g: T b = new T;
                 b = p(b);
                 b = b.f;
          }
```

FIGURA 12.25 Código de exemplo para a análise de apontador.

12.5 ANÁLISE INTERPROCEDIMENTAL INSENSÍVEL AO CONTEXTO

Agora, vamos considerar as invocações de método. Primeiro, explicamos como a análise aponta-para pode ser usada para calcular um grafo de chamada preciso, que é útil no cálculo de resultados aponta-para precisos. Depois, formalizamos a descoberta no ato do grafo de chamada e mostramos como Datalog pode ser usado para descrever a análise de forma sucinta.

12.5.1 EFEITOS DE UMA INVOCAÇÃO DE MÉTODO

Os efeitos de uma chamada de método como `x = y.n(z)` em Java, nas relações aponta-para, podem ser calculados da seguinte forma:

1. Determine o tipo do objeto receptor, que é o objeto ao qual *y* aponta. Suponha que seu tipo seja *t*. Seja *m* o método chamado *n* na superclasse de *t* mais próxima que tenha um método chamado *n*. Observe que, em geral, o método que é invocado só pode ser determinado dinamicamente.

2. Os parâmetros formais de *m* recebem os objetos apontados pelos parâmetros reais. Os parâmetros reais incluem não apenas os parâmetros passados diretamente, mas também o próprio objeto receptor. Toda invocação de método atribui o objeto receptor à variável `this`.[3] Referimo-nos às variáveis `this` como os parâmetros formais de ordem 0 dos métodos. Em `x = y.n(z)`, existem dois parâmetros formais: o objeto apontado por *y* é atribuído à variável this, e o objeto apontado por *z* é atribuído ao primeiro parâmetro formal declarado de *m*.
3. O objeto retornado de *m* é atribuído à variável do lado esquerdo do comando de atribuição.

Na análise insensível ao contexto, os parâmetros e os valores retornados são modelados por comandos de cópia. A questão interessante que permanece é como determinar o tipo do objeto receptor. Podemos determinar conservadoramente o tipo de acordo com a declaração da variável; por exemplo, se a variável declarada tiver tipo *t*, somente os métodos chamados *n* nos subtipos de *t* podem ser invocados. Infelizmente, se a variável declarada tiver tipo `Object`, todos os métodos que possuem o nome *n* são alvos potenciais. Nos programas da vida real que utilizam muito as hierarquias de objetos e incluem muitas bibliotecas grandes, essa abordagem pode resultar em muitos alvos de chamada ilegítimos, tornando a análise lenta e imprecisa.

Precisamos saber para onde as variáveis podem apontar a fim de calcular os destinos da chamada; porém, a menos que saibamos os destinos da chamada, não poderemos descobrir para onde todas as variáveis podem apontar. Esse relacionamento recursivo requer que descubramos os destinos de chamada de forma direta, enquanto calculamos o conjunto aponta-para. A análise continua até que não sejam mais encontrados destinos de chamada novos e relações aponta-para novas.

EXEMPLO 12.24: No código da Figura 12.26, *r* é um subtipo de *s*, que por sua vez é um subtipo de *t*. Usando apenas a informação de tipo declarada, `a.n()` pode invocar qualquer um dos três métodos declarados com nome *n*, porque *s* e *r* são ambos subtipos do tipo declarado de *a*, *t*. Além disso, parece que *a* pode apontar para os objetos *g*, *h* e *i* após a linha (5).

```
            class t {
1) g:           t n() { return new r(); }
            }
            class s extends t {
2) h:           t n() { return new s(); }
            }
            class r extends s {
3) i:           t n() { return new r(); }
            }
            main () {
4) j:           t a = new t();
5)              a = a.n();
            }
```

FIGURA 12.26 Uma invocação de método virtual.

Analisando os relacionamentos aponta-para, primeiro determinamos que *a* pode apontar para *j*, um objeto do tipo *t*. Assim, o método declarado na linha (1) é um destino de chamada. Analisando a linha (1), determinamos que *a* também pode apontar para *g*, um objeto do tipo *r*. Assim, o método declarado na linha (3) também pode ser um destino de chamada, e *a* agora também pode apontar para *i*, outro objeto do tipo *r*. Como não existem mais destinos de chamada novos, a análise termina sem analisar o método declarado na linha (2) e sem concluir que *a* pode apontar para *h*.

12.5.2 Descoberta de grafo de chamada no Datalog

Para formular as regras de Datalog para a análise interprocedimental insensível ao contexto, apresentamos três predicados EDB, cada um podendo ser obtido facilmente a partir do código fonte:

1. *actual*(*S*, *I*, *V*) diz que *V* é o *I*-ésimo parâmetro real usado no ponto de chamada *S*.
2. *formal*(*M*, *I*, *V*) diz que *V* é o *I*-ésimo parâmetro formal declarado no método *M*.
3. *cha*(*T*, *N*, *M*) diz que *M* é o método chamado quando *N* é invocado em um objeto receptor de tipo *T*. (*cha* significa '*class hierarchy analysis*' — análise de hierarquia de classe).

Cada aresta do grafo de chamada é representada por um predicado IDB *invokes*. À medida que descobrimos mais arestas do grafo de chamada, mais relações aponta-para são criadas enquanto os parâmetros são recebidos e os valores retornados são enviados. Esse efeito é resumido pelas regras mostradas na Figura 12.27.

---

[3] Lembre-se de que as variáveis são distinguidas pelo método ao qual pertencem, de modo que não existe apenas uma variável chamada this, mas uma variável com esse nome para cada método no programa.

1) $invokes(S, M)$:— "$S: V.N(...)$" &
$pts(V, H)$ &
$hType(H, T)$ &
$cha(T, N, M)$

2) $pts(V, H)$:— $invokes(S, M)$ &
$formal(M, I, V)$ &
$actual(S, I, W)$ &
$pts(W, H)$

FIGURA 12.27 Programa Datalog para descoberta de grafo de chamada.

A primeira regra calcula o destino da chamada do ponto de chamada. Ou seja, '$S: V.N(...)$' diz que há um ponto de chamada rotulado com S que invoca o método chamado N no objeto receptor apontado por V. As submetas dizem que, se V puder apontar para o objeto H do heap, que é alocado como tipo T, e M for o método usado quando N é invocado nos objetos de tipo T, então o ponto de chamada S poderá invocar o método M.

A segunda regra diz que, se o ponto S puder chamar o método M, cada parâmetro formal de M poderá apontar para onde o parâmetro real correspondente da chamada puder apontar. A regra para tratar os valores retornados é deixada como um exercício. A combinação dessas duas regras com aquelas explicadas na Seção 12.4 cria uma análise aponta-para insensível ao contexto, que usa um grafo de chamada calculado de forma direta. Essa análise tem o efeito colateral de criar um grafo de chamada usando uma análise aponta-para insensível ao contexto e insensível ao fluxo. Esse grafo de chamada é muito mais preciso do que aquele calculado apenas com base nas declarações de tipo e análise sintática.

12.5.3 Carga dinâmica e reflexão

Linguagens como Java permitem a carga dinâmica de classes. É muito difícil analisar todo o código possível executado por um programa, e por isso é impossível oferecer qualquer aproximação conservadora dos grafos de chamada ou sinônimos de apontador estaticamente. A análise estática só pode prover uma aproximação com base no código analisado. Lembre-se de que todas as análises descritas aqui podem ser aplicadas no nível de bytecode Java, e por isso não é necessário examinar o código fonte. Essa opção é especialmente significativa porque os programas Java costumam usar muitas bibliotecas.

Mesmo se considerarmos que todo o código a ser executado é analisado, existe mais uma complicação que torna a análise conservadora impossível: a reflexão. A reflexão permite que um programa determine dinamicamente os tipos de objetos a serem criados, os nomes de métodos invocados, além dos nomes dos campos acessados. Os tipos, métodos e nomes de campos podem ser computados ou derivados da entrada do usuário, de modo que, em geral, a única aproximação possível é considerar o universo.

EXEMPLO 12.25: O código a seguir mostra um uso comum da reflexão:

```
1)   String className = ...;
2)   Class c = Class.forName(className);
3)   Object o = c.newInstance();
4)   T t = (T) o;
```

O método `forName` da biblioteca `Class` obtém uma cadeia que contém o nome da classe e retorna a classe. O método `newInstance` retorna uma instância dessa classe. Em vez de deixar o objeto o com tipo `Object`, esse objeto é convertido para uma superclasse T de todas as classes esperadas. ∎

Embora muitas aplicações Java usem a reflexão, elas costumam usar idiomas comuns, como aquele mostrado no Exemplo 12.25. Desde que a aplicação não redefina o carregador de classe, podemos saber a classe do objeto se soubermos o valor de `className`. Se o valor de `className` for definido no programa, como as cadeias são imutáveis em Java, saber para onde `className` aponta nos dará o nome da classe. Essa técnica é outro uso da análise aponta-para. Se o valor de `className` for baseado na entrada do usuário, então a análise aponta-para poderá auxiliar a localizar onde o valor foi inserido, e o desenvolvedor poderá ser capaz de limitar o escopo de seu valor.

De modo semelhante, podemos explorar o comando de conversão de tipo, linha (4) no Exemplo 12.25, para aproximar o tipo dos objetos criados dinamicamente. Supondo que o manipulador da exceção de conversão de tipo não tenha sido redefinido, o objeto terá de pertencer a uma subclasse da classe T.

12.5.4 Exercícios para a Seção 12.5

Exercício 12.5.1: Para o código da Figura 12.26,

a) Construa as relações EDB *actual*, *formal* e *cha*.
b) Crie todas as inferências possíveis dos fatos *pts* e *hpts*.

! **Exercício 12.5.2:** Como você incluiria aos predicados EDB e regras da Seção 12.5.2 os predicados e regras adicionais para levar em consideração o fato de que, se uma chamada de método retornar um objeto, então a variável à qual o resultado da chamada é atribuído poderá apontar para qualquer coisa que a variável contendo o valor de retorno puder apontar?

12.6 Análise de apontador sensível ao contexto

Conforme discutimos na Seção 12.1.2, a sensibilidade de contexto pode melhorar bastante a precisão da análise interprocedimental. Apresentamos duas técnicas para a análise interprocedimental: uma baseada na clonagem (Seção 12.1.4) e uma nos sumários (Seção 12.1.5). Qual delas devemos usar?

Existem várias dificuldades no cálculo dos sumários da informação aponta-para. Primeiro, os sumários são grandes. O sumário de cada método deve incluir o efeito de todas as atualizações que a função e todas as suas chamadas podem fazer, em termos dos parâmetros de entrada. Ou seja, um método pode alterar os conjuntos aponta-para de todos os dados alcançáveis pelas variáveis estáticas, parâmetros de entrada e todos os objetos criados pelo método e suas chamadas. Embora tenham sido propostos esquemas complicados, não existe uma solução conhecida que possa ser expandida para programas grandes. Mesmo que os sumários possam ser calculados em um passo ascendente, o cálculo dos conjuntos aponta-para para todos os exponencialmente muitos contextos em um passo descendente típico impõe um problema ainda maior. Essa informação é necessária para as consultas globais, como encontrar no código todos os pontos que estão relacionados a um certo objeto.

Nesta seção, discutimos uma análise sensível ao contexto baseada em clonagem. Uma análise baseada em clonagem simplesmente clona os métodos, um para cada contexto de interesse. Depois, aplicamos a análise insensível ao contexto ao grafo de chamada clonado. Embora essa abordagem pareça ser simples, o mal está nos detalhes de tratamento do grande número de clones. Quantos contextos existem? Mesmo que usemos a idéia de retrair todos os ciclos recursivos, conforme discutimos na Seção 12.1.3, não é raro encontrar 10^{14} contextos em uma aplicação Java. Representar os resultados desses muitos contextos é o desafio.

Separamos a discussão de sensibilidade de contexto em duas partes:

1. Como tratar a sensibilidade de contexto logicamente? Essa parte é fácil, porque simplesmente aplicamos o algoritmo insensível ao contexto no grafo de chamada clonado.
2. Como representar os exponencialmente muitos contextos? Um modo é representar a informação como diagramas de decisão binária (BDDs), uma estrutura de dados altamente otimizada, que foi usada para muitas outras aplicações.

Essa abordagem de sensibilidade de contexto é um excelente exemplo da importância da abstração. Conforme mostraremos, eliminamos a complexidade algorítmica apoiando-nos em anos de trabalho que levaram à abstração do BDD. Podemos especificar uma análise aponta-para sensível ao contexto em apenas algumas linhas de Datalog, que por sua vez tira proveito de muitos milhares de linhas de código existente para manipulação do BDD. Essa abordagem tem diversas vantagens importantes. Primeiro, ela torna possível a fácil expressão de outras análises que usam os resultados da análise aponta-para. Afinal, os resultados dessa análise por si só não são interessantes. Segundo, ela torna muito mais fácil escrever a análise corretamente, porque aproveita muitas linhas de código bem depurado.

12.6.1 Contextos e cadeias de chamada

A análise aponta-para sensível ao contexto, descrita a seguir, considera que um grafo de chamada já foi calculado. Esse passo possibilita uma representação compacta dos muitos contextos de chamada. Para obter o grafo de chamada, primeiro executamos uma análise aponta-para insensível ao contexto, que calcula o grafo de chamada no ato, conforme discutimos na Seção 12.5. Agora, descrevemos como criar um grafo de chamada clonado.

Um contexto é uma representação da cadeia de chamada que forma a história das chamadas de função ativas. Outra forma de ver o contexto é que ele é um sumário da seqüência de chamadas cujos registros de ativação estão atualmente na pilha de execução. Se não houver funções recursivas na pilha, então a cadeia de chamada — a seqüência de endereços a partir dos quais as chamadas na pilha foram feitas — é uma representação completa. Ela também é uma representação aceitável, no sentido de que existe apenas um número finito de contextos diferentes, embora esse número possa ser exponencial no número de funções no programa.

Contudo, se houver funções recursivas no programa, o número de cadeias de chamada possíveis é infinito, e não podemos permitir que todas as cadeias de chamada representem contextos distintos. Existem várias maneiras pelas quais podemos limitar o número de contextos distintos. Por exemplo, podemos escrever uma expressão regular que descreva todas as cadeias de chamada possíveis e converter essa expressão regular em um autômato finito determinístico, usando os métodos da Seção 3.7. Os contextos podem, então, ser identificados com os estados desse autômato.

Aqui, adotaremos um esquema mais simples, que captura a história das chamadas não recursivas, mas considera as chamadas recursivas como sendo 'muito difíceis de desemaranhar'. Começamos encontrando todos os conjuntos mutuamente recursivos de funções no programa. O processo é simples e não será elaborado em detalhes aqui. Pense em um grafo cujos nós representam funções, com uma aresta de p para q se a função p chamar a função q. Os componentes fortemente conectados (SCCs) desse grafo são os conjuntos de funções mutuamente recursivas. Como um caso especial comum, uma função p que chama a si mesma, mas não está em um SCC com nenhuma outra função é um SCC por si só. As funções não recursivas também são SCCs por si sós. Denomine um SCC como *não trivial* se ele tiver mais de um membro (o caso mutuamente recursivo) ou tiver um único membro recursivo. Os SCCs que são funções únicas, não recursivas, são SCCs *triviais*.

Nossa modificação da regra em que qualquer cadeia de chamada é um contexto é a seguinte. Dada uma cadeia de chamada, remova a ocorrência de um ponto de chamada s se

1. s estiver em uma função p.
2. A função q for chamada no ponto s ($q = p$ é possível).
3. p e q estiverem no mesmo componente forte (ou seja, p e q são mutuamente recursivos, ou $p = q$ e p é recursivo).

O resultado é que, quando um membro de um SCC não trivial S é chamado, o ponto de chamada para essa chamada torna-se parte do contexto, mas as chamadas dentro de S para outras funções no mesmo SCC não fazem parte do contexto. Finalmente, quando é feita uma chamada fora de S, registramos esse ponto de chamada como parte do contexto.

EXEMPLO 12.26: Na Figura 12.28 há um esboço de cinco funções com alguns pontos de chamada e chamadas entre elas. Um exame das chamadas mostra que q e r são mutuamente recursivos. Contudo, p, s e t não são recursivos de forma alguma. Assim, nossos contextos serão listas de todos os pontos de chamada, exceto s3 e s5, onde as chamadas recursivas entre q e r ocorrem.

```
void p() {
        h:  a     = new T;
        s1: T b   = q(a);
        s2:         s(b);
}

T   q(T w) {
        s3: c     = r(w);
         i: T d   = new T;
        s4:         t(d);
            return d;
}

T   r(T x) {
        s5: T e   = q(x);
        s6:         s(e);
            return e;
}

void s(T y) {
        s7: T f   = t(y);
        s8:     f = t(f);
}

T   t(T z) {
         j: T g   = new T;
            return g;
}
```

FIGURA 12.28 Funções e pontos de chamada para um exemplo em discussão.

Vamos considerar todas as formas como poderíamos passar de p para t, ou seja, todos os contextos em que ocorrem chamadas a t:

1. p poderia chamar s em s2, e depois s poderia chamar t em s7 ou s8. Assim, duas cadeias de chamada possíveis são (s2, s7) e (s2, s8).
2. p poderia chamar q em s1. Depois, q e r poderiam chamar um ao outro recursivamente algum número de vezes. Poderíamos quebrar o ciclo:
    a) Em s4, onde t é chamado diretamente por q. Essa escolha leva a somente um contexto, (s1, s4).
    b) Em s6, onde r chama s. Aqui, podemos alcançar t ou pela chamada em s7 ou pela chamada em s8. Isso nos dá mais dois contextos, (s1, s6, s7) e (s1, s6, s8).

Assim, existem cinco contextos diferentes em que t pode ser chamado. Observe que todos esses contextos omitem os pontos de chamada recursivos, s3 e s5. Por exemplo, o contexto (s1,s4) na realidade representa o conjunto infinito de cadeias de chamada (s1, s3, (s5, s3)^n, s4) para todo $n \geq 0$.

Agora, descrevemos como derivar o grafo de chamada clonado. Cada método clonado é identificado pelo método no programa M e um contexto C. As arestas podem ser derivadas acrescentando-se os contextos correspondentes a cada uma das arestas no grafo de chamada original. Lembre-se de que existe uma aresta no grafo de chamada original que liga o ponto de chamada S com o método M se o predicado *invokes*(S, M) for verdadeiro. Para acrescentar contextos para identificar os métodos no grafo de chamada clonado, podemos definir um predicado *CSinvokes* correspondente, tal que *CSinvokes*(S, C, M, D) seja verdadeiro se o ponto de chamada S no contexto C chamar o contexto D do método M.

12.6.2 Inclusão de contexto nas regras de Datalog

Para encontrar as relações aponta-para sensíveis ao contexto, podemos simplesmente aplicar a mesma análise aponta-para insensível ao contexto ao grafo de chamada clonado. Como um método no grafo de chamada clonado é representado pelo método original e seu contexto, nós conseqüentemente revisamos todas as regras de Datalog. Para simplificar, as regras a seguir não incluíram a restrição de tipo, e os _s são quaisquer variáveis novas.

1) $pts(V, C, H)$:− "H: T V = new $T()$" & $CSinvokes(H, C, \_, \_)$

2) $pts(V, C, H)$:− "$V=W$" & $pts(W, C, H)$

3) $hpts(H, F, G)$:− "$V.F=W$" & $pts(W, C, G)$ & $pts(V, C, H)$

4) $pts(V, C, H)$:− "$V=W.F$" & $pts(W, C, G)$ & $hpts(G, F, H)$

5) $pts(V, D, H)$:− $CSinvokes(S, C, M, D)$ & $formal(M, I, V)$ & $actual(S, I, W)$ & $pts(W, C, H)$

FIGURA 12.29 Programa Datalog para análise aponta-para sensível ao contexto.

Um argumento adicional, representando o contexto, deve ser dado ao predicado IDB *pts*. O *pts*(V, C, H) diz que a variável V no contexto C pode apontar para o objeto H do heap. Todas as regras são auto-explicativas, talvez com exceção da Regra 5. A Regra 5 diz que, se o ponto de chamada S no contexto C chamar o método M do contexto D, os parâmetros formais no método M do contexto D poderão apontar para os objetos apontados pelos parâmetros reais correspondentes no contexto C.

12.6.3 Observações adicionais sobre sensitividade

O que descrevemos é uma formulação da sensibilidade de contexto que foi mostrada como sendo prática o suficiente para tratar muitos programas Java de grande porte da vida real, usando os truques descritos rapidamente na seção seguinte. Apesar disso, esse algoritmo não pode ainda tratar das maiores das aplicações Java.

Os objetos do heap nessa formulação são nomeados por seu ponto de chamada, mas sem sensibilidade de contexto. Essa simplificação pode causar problemas. Considere o idioma fábrica de objetos, em que todos os objetos do mesmo tipo são alocados pela mesma rotina. O esquema corrente faria com que todos os objetos dessa classe compartilhassem o mesmo nome. É relativamente simples tratar esses casos fazendo essencialmente a expansão em linha do código de alocação. Em geral, é desejável aumentar a sensibilidade de contexto na nomeação de objetos. Embora seja fácil acrescentar a sensibilidade de contexto dos objetos à formulação de Datalog, fazer com que a análise se expanda para programas maiores é outra questão.

Outra importante forma de sensibilidade é a de objeto. Uma técnica sensível ao objeto pode distinguir entre os métodos invocados em diferentes objetos receptores. Considere o cenário de um ponto de chamada em um contexto de chamada no qual uma variável aponta para dois objetos receptores diferentes da mesma classe. Seus campos podem apontar para diferentes objetos. Sem distinguir entre os objetos, uma cópia entre os campos da referência de objeto this criará relacionamentos falsos, a menos que separemos a análise de acordo com os objetos receptores. A sensibilidade de objeto é mais útil do que a sensibilidade de contexto para algumas análises.

12.6.4 Exercícios da Seção 12.6

Exercício 12.6.1: Quais são todos os contextos que seriam distinguidos se aplicássemos os métodos desta seção ao código na Figura 12.30?

```
void p() {
        h:  T a = new T();
        i:  T b = new T();
        c1: T c = q(a,b);
}
T    q(T x, T y) {
        j:  T d = new T();
        c2:     d = q(x,d);
        c3:     d = q(d,y);
        c4:     d = r(d);
            return d;
}
T    r(T z) {
            return z;
}
```

FIGURA 12.30 Código para os Exercícios 12.6.1 e 12.6.2.

! Exercício 12.6.2: Realize uma análise sensível ao contexto do código da Figura 12.30.

! Exercício 12.6.3: Estenda as regras de Datalog desta seção para incorporar a informação de tipo e subtipo, seguindo a técnica da Seção 12.5.

12.7 Implementação em Datalog pelos BDDs

Diagramas de decisão binária (BDDs) são um método para representar funções booleanas por grafos. Como existem 2^{2^n} funções booleanas de n variáveis, nenhum método de representação será muito sucinto em todas as funções booleanas. Contudo, as funções booleanas que aparecem na prática costumam ter muita regularidade. Assim, é comum encontrar um BDD sucinto para as funções que realmente desejamos representar.

As funções booleanas descritas pelos programas Datalog que desenvolvemos para analisar programas não são exceção. Embora BDDs sucintos, representando informações sobre um programa, freqüentemente utilizem heurísticas e/ou técnicas usadas nos pacotes comerciais de manipulação de BDD, a abordagem de BDD tem sido muito bem-sucedida na prática. Em particular, ela é superior aos métodos baseados em sistemas convencionais de gerenciamento de banco de dados, porque estes são projetados para os padrões de dados mais irregulares, que aparecem nos dados comerciais típicos.

Está além do escopo deste livro abordar toda a tecnologia de BDD desenvolvida no decorrer dos anos. Aqui, vamos apresentar a notação do BDD. Depois, sugerimos de que forma se representam dados relacionais como BDDs e como os BDDs poderiam ser manipulados a fim de refletir as operações realizadas para executar programas Datalog por algoritmos como o Algoritmo 12.18. Finalmente, descrevemos como representar os exponencialmente muitos contextos nos BDDs, a chave para o sucesso do uso de BDDs na análise sensível ao contexto.

12.7.1 Diagramas de decisão binária

Um BDD representa uma função booliana por um DAG com raiz definida. Os nós interiores do DAG são rotulados por uma das variáveis da função representada. Na parte inferior há duas folhas, uma rotulada com 0 e a outra rotulada com 1. Cada nó interior possui duas arestas para os filhos; essas arestas são chamadas de 'baixa' e 'alta'. A aresta baixa está associada ao caso em que a variável no nó possui valor 0, e a aresta alta está associada ao caso em que a variável possui valor 1.

Dada uma atribuição verdade para as variáveis, podemos começar na raiz e, em cada nó, digamos, um nó rotulado com x, seguir a aresta baixa ou alta, dependendo se o valor verdade para x for 0 ou 1, respectivamente. Se chegarmos à folha rotulada com 1, então a função representada é verdadeira para essa atribuição verdade; caso contrário, ela é falsa.

EXEMPLO 12.27: Na Figura 12.31, vemos um BDD. Logo veremos a função que ele representa. Observe que rotulamos todas as arestas 'baixas' com 0 e todas as arestas 'altas' com 1. Considere a atribuição verdade para as variáveis $wxyz$ que define $w = x = y = 0$ e $z = 1$. Começando na raiz, como $w = 0$, pegamos a aresta baixa, que nos leva ao nó mais à esquerda, rotulado com x. Como $x = 0$, novamente seguimos a aresta baixa a partir desse nó, que nos leva ao nó mais à esquerda rotulado com y. Como $y = 0$, nosso próximo movimento é para o nó mais à esquerda, rotulado com z. Agora, como $z = 1$, tomamos a aresta alta e acabamos na folha rotulada com 1. Nossa conclusão é que a função é verdadeira para essa atribuição verdade.

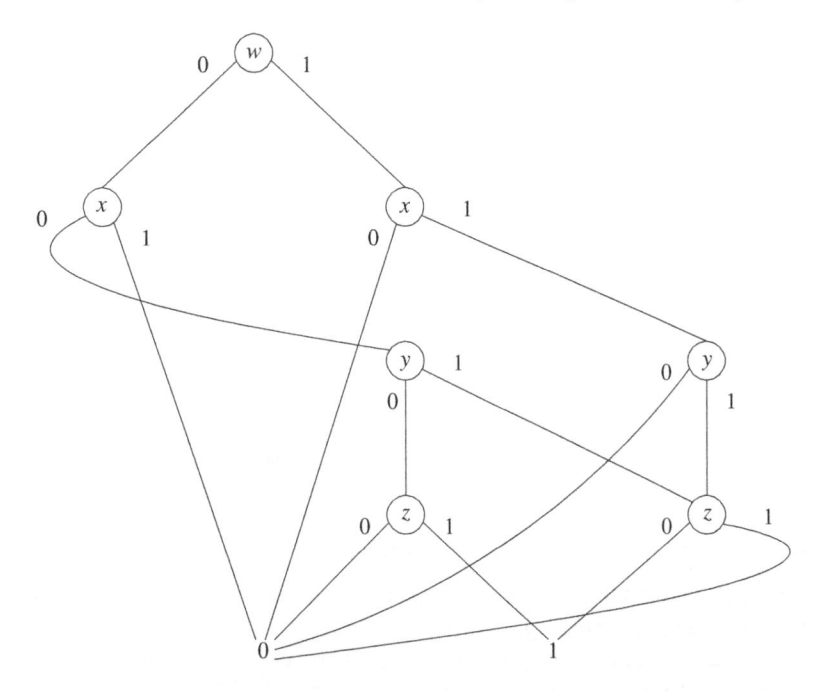

FIGURA 12.31 Um diagrama de decisão binária.

Agora, considere a atribuição verdade $wxyz = 0101$, ou seja, $w = y = 0$ e $x = z = 1$. Novamente, começamos na raiz. Como $w = 0$, de novo nos movimentamos para o nó mais à esquerda, rotulado com x. Mas agora, como $x = 1$, seguimos a aresta alta, que desvia para a folha 0. Ou seja, sabemos não apenas que a atribuição verdade 0101 torna a função falsa, mas, como nunca sequer examinamos y ou z, qualquer atribuição verdade da forma $01yz$ também fará com que a função tenha valor 0. Essa capacidade de 'curto-circuito' é um dos motivos pelos quais os BDDs tendem a ser representações sucintas das funções booleanas.

Na Figura 12.31, os nós interiores estão em postos — cada posto tendo nós com determinada variável como rótulo. Embora esse não seja um requisito absoluto, é conveniente restringir-nos a *BDDs ordenados*. Em um BDD ordenado, existe uma ordem $x_1, x_2, ..., x_n$ para as variáveis, e sempre que houver uma aresta de um nó pai rotulado com x_i para um filho rotulado com x_j, então $i < j$. Veremos que é mais fácil operar sobre BDDs ordenados, e a partir daqui assumimos que todos os BDDs estão ordenados.

Observe também que os BDDs são DAGs e não árvores. Não apenas as folhas 0 e 1 costumam ter muitos pais, mas os nós interiores também podem ter vários pais. Por exemplo, o nó mais à direita rotulado com z da Figura 12.31 tem dois pais. Essa combinação de nós que resultariam na mesma decisão é outro motivo pelo quais os BDDs tendem a ser sucintos.

12.7.2 Transformações em BDDs

Nós nos referimos, na discussão anterior, a duas simplificações nos BDDs que ajudam a torná-los mais sucintos:

1. *Curto-circuito:* Se um nó N tiver suas arestas alta e baixa indo para o mesmo nó M, podemos eliminar N. As arestas que entram em N vão para M, em vez disso.
2. *Intercalação de nós*: Se dois nós N e M tiverem arestas baixas que vão para o mesmo nó e também tiverem arestas altas que vão para o mesmo nó, podemos intercalar N com M. As arestas que entram ou em N ou em M vão para o nó intercalado.

Também é possível executar essas transformações na direção oposta. Em particular, podemos introduzir um nó ao longo de uma aresta de N para M. As duas arestas a partir do nó introduzido vão para M, e a aresta de N agora vai para o nó introduzido. Observe, contudo, que a variável atribuída ao novo nó deve ser uma daquelas que se encontram entre as variáveis de N e M na ordem. A Figura 12.32 mostra as duas transformações esquematicamente.

(a) Curto-circuito (b) Intercalação de nós

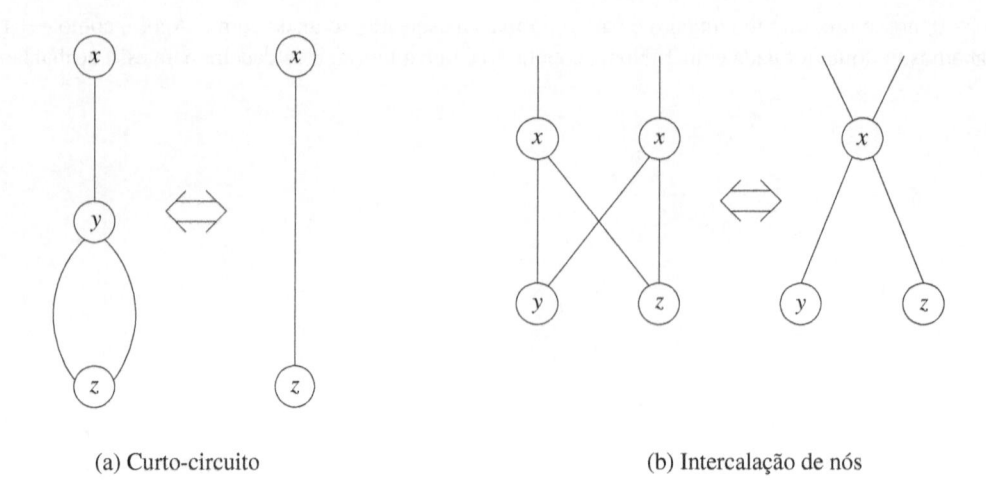

FIGURA 12.32 Transformações em BDDs.

12.7.3 REPRESENTANDO RELAÇÕES POR BDDs

As relações com as quais estivemos tratando possuem componentes que são tirados dos 'domínios'. Um domínio para um componente de uma relação é o conjunto de valores possíveis que as tuplas podem ter nesse componente. Por exemplo, a relação *pts*(*V*, *H*) tem o domínio de todas as variáveis do programa para seu primeiro componente e o domínio de todas os comandos de criação de objeto para o segundo componente. Se um domínio tem mais de 2^{n-1} valores possíveis, mas não mais do que 2^n valores, são necessários *n bits* ou variáveis booleanas para representar valores nesse domínio.

Uma tupla em uma relação pode, assim, ser vista como uma atribuição verdade para as variáveis que representam valores nos domínios para cada um dos componentes da tupla. Podemos ver uma relação como uma função booleana que retorna o valor verdadeiro para todas e somente aquelas atribuições verdade que representam tuplas na relação. Um exemplo deverá clarear essas idéias.

EXEMPLO 12.28: Considere uma relação *r*(*A*, *B*) tal que os domínios de *A* e *B* sejam {*a*, *b*, *c*, *d*}. Codificaremos *a* pelos *bits* 00, *b* por 01, *c* por 10 e *d* por 11. Considere as tuplas da relação *r* como sendo:

A	B
a	b
a	c
d	c

Vamos usar as variáveis booleanas *wx* para codificar o primeiro componente (*A*) e as variáveis *yz* para codificar o segundo componente (*B*). Então, a relação *r* torna-se:

w	x	y	z
0	0	0	1
0	0	1	0
1	1	1	0

Ou seja, a relação *R* foi convertida para a função booleana que é verdadeira para as três atribuições verdade *wxyz* = 0001, 0010 e 1110. Observe que essas três seqüências de bits são exatamente aquelas que rotulam os caminhos da raiz para a folha 1 na Figura 12.31. Ou seja, o BDD nessa figura representa essa relação *r*, se a codificação descrita acima for utilizada.

12.7.4 OPERAÇÕES RELACIONAIS COMO OPERAÇÕES BDD

Agora, vemos como representar relações como BDDs. Mas, para implementar um algoritmo como o Algoritmo 12.18 (avaliação incremental de programas Datalog), precisamos manipular os BDDs de um modo que reflita como as próprias relações são manipuladas. Aqui estão as principais operações sobre relações que precisaremos realizar:

1. *Inicialização*: Precisamos criar um BDD que represente uma única tupla de uma relação. Montaremos estas nos BDDs que representam grandes relações que obtêm a união.
2. *União*: Para obter a união das relações, obtemos o OR lógico das funções booleanas que representam as relações. Essa operação é necessária não apenas para construir relações iniciais, mas também para combinar os resultados de várias regras para o mesmo predicado de cabeça, e para acumular novos fatos ao conjunto de fatos antigos, como no Algoritmo 12.18 incremental.
3. *Projeção*: Quando avaliamos um corpo de regra, precisamos construir a relação de cabeça que é implicada pelas tuplas verdadeiras do corpo. Em termos do BDD que representa a relação, precisamos eliminar os nós que são rotulados pelas variáveis booleanas que não representam componentes da cabeça. Também podemos ter de renomear as variáveis no BDD para que correspondam às variáveis booleanas para os componentes da relação da cabeça.
4. *Junção*: Para encontrar as atribuições de valores a variáveis que tornam um corpo de regra verdadeiro, precisamos 'juntar' as relações correspondentes a cada uma das submetas. Por exemplo, suponha que tenhamos duas submetas $r(A, B)$ & $s(B, C)$. A junção das relações para essas submetas é o conjunto de triplas (a, b, c) tal que (a, b) seja uma tupla na relação para r, e (b, c) seja uma tupla na relação para s. Veremos que, depois de renomear variáveis booleanas nos BDDs, de modo que os componentes para os dois Bs combinem em nomes de variável, a operação nos BDDs é semelhante ao AND lógico, que por sua vez é semelhante à operação OR sobre os BDDs que implementa a união.

BDDs para tuplas únicas

Para inicializar uma relação, precisamos ter um modo de construir um BDD para a função que é verdadeira para uma única atribuição verdade. Suponha que as variáveis booleanas sejam $x_1, x_2, ..., x_n$, e que a atribuição verdade seja $a_1 a_2 ... a_n$, onde cada a_i pode ser 0 ou 1. O BDD terá um nó N_i para cada x_i. Se $a_i = 0$, então a aresta alta de N_i leva à folha 0, e a aresta baixa leva a N_{i+1}, ou à folha 1 se $i = n$. Se $a_i = 1$, então fazemos o mesmo, mas as arestas alta e baixa são invertidas.

Essa estratégia nos dá um BDD que verifica se cada x_i tem o valor correto, para $i = 1, 2, ..., n$. Assim que encontrarmos um valor incorreto, desviamos diretamente para a folha 0. Só acabamos na folha 1 se todas as variáveis tiverem seu valor correto.

Como exemplo, veja a Figura 12.33(b). Esse BDD representa a função que é verdadeira se e somente se $x = y = 0$, ou seja, a atribuição verdade 00.

União

Vejamos em detalhes um algoritmo para obter o OR lógico dos BDDs, ou seja, a união das relações representadas pelos BDDs.

ALGORITMO 12.29: União de BDDs.

ENTRADA: Dois BDDs ordenados com o mesmo conjunto de variáveis, na mesma ordem.

SAÍDA: Um BDD representando a função que é o OR lógico das duas funções booleanas representadas pelos BDDs de entrada.

MÉTODO: Descreveremos um procedimento recursivo para combinar dois BDDs. A indução está no tamanho do conjunto de variáveis que aparecem nos BDDs.

BASE: Zero variáveis. Os BDDs devem ser folhas, rotuladas com 0 ou 1. A saída é a folha rotulada com 1 se qualquer uma das entradas for 1, ou a folha rotulada com 0 se ambas forem 0.

INDUÇÃO: Suponha que existam k variáveis, $y_1, y_2, ..., y_k$ encontradas entre os dois BDDs. Faça o seguinte:

1. Se for preciso, use o curto-circuito inverso para acrescentar uma nova raiz de modo que ambos os BDDs tenham uma raiz rotulada com y_1.
2. Sejam as duas raízes N e M; considere que seus filhos baixos sejam N_0 e M_0, e que seus filhos altos sejam N_1 e M_1. Aplique recursivamente esse algoritmo aos BDDs com raízes em N_0 e M_0. Além disso, aplique recursivamente esse algoritmo aos BDDs com raízes em N_1 e M_1. O primeiro desses BDDs representa a função que é verdadeira para todas as atribuições verdade que possuem $y_1 = 0$ e que tornam um ou ambos os BDDs dados verdadeiros. O segundo representa o mesmo para as atribuições verdade com $y_1 = 1$.
3. Crie um novo nó raiz rotulado com y_1. Seu filho baixo é a raiz do primeiro BDD construído recursivamente, e seu filho alto é a raiz do segundo BDD.
4. Intercale as duas folhas rotuladas com 0 e as duas folhas rotuladas com 1 no BDD combinado que acabou de ser construído.
5. Aplique a intercalação e o curto-circuito onde for possível para simplificar o BDD.

Exemplo 12.30: Na Figura 12.33(a) e (b) existem dois BDDs simples. O primeiro representa a função *x* OR *y*, e o segundo representa a função

NOT *x* AND NOT *y*

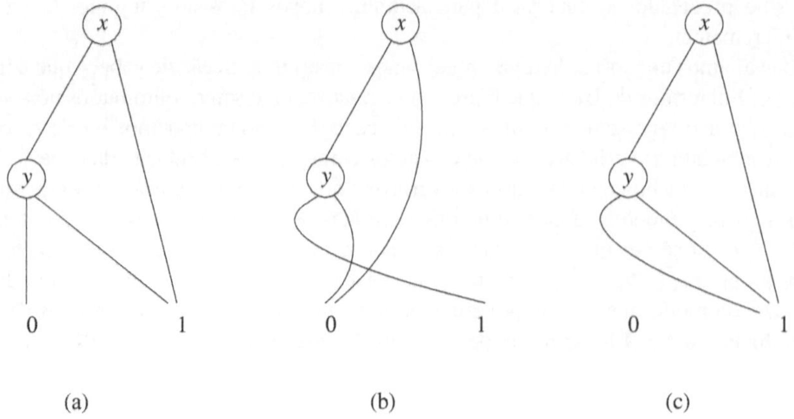

Figura 12.33 Construção do BDD para um OR lógico.

Observe que seu OR lógico é a função 1 que é sempre verdadeira. Para aplicar o Algoritmo 12.29 a esses dois BDDs, consideramos os filhos baixos e os filhos altos das duas raízes; primeiramente, vamos nos dedicar ao último.

O filho alto da raiz na Figura 12.33(a) é 1, e na Figura 12.33(b) é 0. Como esses dois filhos estão no nível de folha, não precisamos inserir nós rotulados com *y* ao longo de cada aresta, embora o resultado fosse o mesmo se tivéssemos escolhido fazer isso. O caso básico para a união de 0 e 1 é produzir uma folha rotulada com 1, que se tornará o filho alto da nova raiz.

Os filhos baixos das raízes na Figura 12.33(a) e (b) são, ambos, rotulados com *y*, de modo que podemos calcular seu BDD de união recursivamente. Esses dois nós têm filhos baixos rotulados com 0 e 1, de modo que a combinação de seus filhos baixos é a folha rotulada com 1. Da mesma forma, seus filhos altos são 1 e 0, de modo que a combinação novamente é a folha 1. Quando acrescentamos uma nova raiz rotulada com *x*, temos o BDD que aparece na Figura 12.33(c).

Ainda não terminamos, porque a Figura 12.33(c) pode ser simplificada. O nó rotulado com *y* tem o nó 1 em ambos os filhos, de modo que podemos remover o nó *y* e fazer com que a folha 1 seja o filho baixo da raiz. Agora, ambos os filhos da raiz são a folha 1; assim, podemos eliminar a raiz, ou seja, o BDD mais simples para a união é a folha 1, sozinha.

12.7.5 Usando BDDs para análise aponta-para

Fazer com que a análise aponta-para insensível ao contexto funcione já é algo não trivial. A ordenação das variáveis BDD pode mudar bastante o tamanho da representação. Muitas considerações, além de tentativa e erro, são necessárias para conseguirmos uma ordenação que permita que a análise termine rapidamente.

É ainda mais difícil fazer com que a análise aponta-para sensível ao contexto seja executada, devido aos exponencialmente muitos contextos no programa. Em particular, se atribuirmos números arbitrariamente para representar contextos em um grafo de chamada, não poderemos tratar nem mesmo programas Java pequenos. É importante que os contextos sejam numerados de maneira que a codificação binária da análise aponta-para possa tornar-se muito compacta. Dois contextos do mesmo método com caminhos de chamada semelhantes compartilham muitas semelhanças; logo, é desejável numerar os *n* contextos de um método consecutivamente. De modo semelhante, como os pares chamador-chamado para o mesmo ponto de chamada compartilham muitas semelhanças, queremos numerar os contextos para que a diferença numérica entre cada par chamador-chamado de um ponto de chamada seja sempre uma constante.

Até mesmo com um esquema de numeração inteligente para os contextos de chamada, ainda é difícil analisar programas Java grandes de modo eficiente. Descobriu-se que o aprendizado de máquina ativo é útil na derivação de uma ordenação de variável eficiente o bastante para tratar aplicações grandes.

12.7.6 Exercícios da Seção 12.7

Exercício 12.7.1: Usando a codificação de símbolos no Exemplo 12.28, desenvolva um BDD que represente a relação constituída pelas tuplas (*b*, *b*), (*c*, *a*) e (*b*, *a*). Você poderá ordenar as variáveis booleanas da maneira que lhe dê o BDD mais sucinto.

! Exercício 12.7.2: Como uma função de *n*, quantos nós existem no BDD mais sucinto que representa a função ou-exclusivo sobre *n* variáveis? Ou seja, a função é verdadeira se um número ímpar das *n* variáveis for verdadeiro e falsa se um número par for verdadeiro.

Exercício 12.7.3: Modifique o Algoritmo 12.29 de modo que produza a interseção (AND lógico) de dois BDDs.

!! Exercício 12.7.4: Encontre algoritmos para realizar as operações relacionais a seguir nos BDDs ordenados que as representam:

a) Projete algumas das variáveis booleanas, ou seja, a função representada deverá ser verdadeira para determinada atribuição verdade a se houver qualquer atribuição verdade para as variáveis ausentes que, juntamente com a, tornam a função original verdadeira.

b) Junte duas relações r e s, combinando uma tupla de r com uma de s sempre que essas tuplas combinarem nos atributos que r e s têm em comum. É realmente suficiente considerar o caso em que as relações têm apenas dois componentes, e uma de cada relação casa, ou seja, as relações são $r(A, B)$ e $s(B, C)$.

12.8 Resumo do Capítulo 12

- *Análise interprocedimental*: Uma análise de fluxo de dados que rastreia informações entre limites de procedimento é considerada interprocedimental. Muitas análises, como a análise aponta-para, só podem ser feitas de uma maneira significativa se forem interprocedimentais.

- *Pontos de chamada*: Os programas chamam procedimentos em certos pontos, denominados pontos de chamada. O procedimento chamado em um ponto pode ser óbvio, ou então pode ser ambíguo, caso a chamada seja indireta por meio de um apontador ou seja uma chamada de um método virtual que possua várias implementações.

- *Grafos de chamada*: Um grafo de chamada para um programa é um grafo bipartido com nós para pontos de chamada e nós para procedimentos. Existe uma aresta de um nó de ponto de chamada para um nó de procedimento se esse procedimento puder ser chamado nesse ponto.

- *Expansão em linha*: Desde que não haja recursão em um programa, por princípio podemos substituir todas as chamadas de procedimento por cópias de seu código, e usar a análise intraprocedimental no programa resultante. Essa análise, com efeito, é interprocedimental.

- *Sensibilidade de fluxo e sensibilidade de contexto*: Uma análise de fluxo de dados que produz fatos que dependem do endereço no programa é considerada sensível ao fluxo. Se a análise produz fatos que dependem do histórico das chamadas de procedimento, ela é considerada sensível ao contexto. Uma análise de fluxo de dados pode ser sensível ao fluxo ou ao contexto, a ambos ou a nenhum deles.

- *Análise sensível ao contexto baseada em clonagem*: Por princípio, quando estabelecemos os diferentes contextos em que um procedimento pode ser chamado, podemos imaginar que existe um clone de cada procedimento para cada contexto. Desse modo, uma análise insensível ao contexto serve como uma análise sensível ao contexto.

- *Análise sensível ao contexto baseada em sumário*: Outra abordagem de análise interprocedimental estende a técnica de análise baseada em região que foi descrita para a análise intraprocedimental. Cada procedimento tem uma função de transferência e é tratado como uma região em cada local onde esse procedimento é chamado.

- *Aplicações da análise interprocedimental*: Uma aplicação importante, que exige análise interprocedimental, é a detecção de vulnerabilidades de software. Estas são freqüentemente caracterizadas por ter dados lidos de um procedimento por uma fonte de entrada não confiável e usados de forma exploratória por outro procedimento.

- *Datalog*: A linguagem Datalog é uma notação simples para as regras if-then que podem ser usadas para descrever análises de fluxo de dados em um alto nível. Coleções de regras do Datalog, ou programas Datalog, podem ser avaliadas usando-se um dos diversos algoritmos padrão.

- *Regras de Datalog*: Uma regra de Datalog consiste em um corpo (antecedente) e uma cabeça (conseqüente). O corpo é um ou mais átomos, e a cabeça é um átomo. Átomos são predicados aplicados aos argumentos que são variáveis ou constantes. Os átomos do corpo são conectados por AND lógico, e um átomo no corpo pode ser negado.

- *Predicados IDB e EDB*: Predicados EDB em um programa Datalog têm seus fatos verdadeiros dados *a priori*. Em uma análise de fluxo de dados, esses predicados correspondem aos fatos que podem ser obtidos do código que estiver sendo analisado. Os predicados IDB são definidos pelas próprias regras e correspondem, em uma análise de fluxo de dados, às informações que estamos tentando extrair do código em análise.

- *Avaliação de programas Datalog*: Aplicamos regras que substituem variáveis por constantes, tornando o corpo verdadeiro. Sempre que fazemos isso, inferimos que a cabeça, com a mesma substituição de variáveis, também é verdadeira. Essa operação é repetida até que nenhum outro fato possa ser inferido.

- *Avaliação incremental de programas Datalog*: Uma melhoria de eficiência é obtida realizando-se a avaliação incremental. Realizamos uma série de passadas. Em uma passada, consideramos apenas as substituições de variáveis por constantes que fazem com que pelo menos um átomo do corpo seja um fato que tenha sido descoberto na passada anterior.

- *Análise de apontador Java*: Podemos modelar a análise de apontador em Java por uma estrutura em que existam variáveis de referência que apontem para objetos do heap, os quais podem ter campos que apontem para outros objetos do heap. Uma análise de apontador insensível ao contexto pode ser escrita como um programa Datalog que infere dois tipos de fatos: uma variável pode apontar para um objeto do heap, ou um campo de um objeto do heap pode apontar para outro objeto do heap.

- *Informação de tipo para melhorar a análise de apontador*: Podemos obter uma análise de apontador mais precisa se tirarmos proveito do fato de que as variáveis de referência só podem apontar para objetos do heap que são do mesmo tipo da variável ou de um subtipo desta.
- *Análise de apontador interprocedimental*: Para tornar a análise interprocedimental, temos de incluir regras que refletem como os parâmetros são passados e os valores de retorno atribuídos a variáveis. Essas regras são basicamente as mesmas usadas para copiar uma variável de referência para outra.
- *Descoberta de grafo de chamada*: Como Java tem métodos virtuais, a análise interprocedimental requer que, primeiro, limitemos quais procedimentos podem ser chamados em determinados pontos de chamada. A principal maneira de descobrir os limites sobre o que pode ser chamado e onde é analisar os tipos de objetos e tirar proveito do fato de que o método corrente referenciado por uma chamada de método virtual precisa pertencer a uma classe apropriada.
- *Análise sensível ao contexto:* Quando os procedimentos são recursivos, temos de condensar a informação contida nas cadeias de chamada para um número finito de contextos. Um modo eficaz de fazer isso é retirando da cadeia de chamada qualquer ponto de chamada em que um procedimento chame outro procedimento (talvez ele mesmo) com o qual seja mutuamente recursivo. Usando essa representação, podemos modificar as regras para análise de apontador intraprocedimental, de modo que o contexto seja transportado em predicados; essa abordagem simula a análise baseada em clonagem.
- *Diagramas de decisão binária*: BDDs são uma representação sucinta de funções booleanas por DAGs com raízes definidas. Os nós interiores correspondem a variáveis booleanas e têm dois filhos, baixo (representando o valor verdade 0) e alto (representando 1). Existem duas folhas rotuladas com 0 e 1. Uma atribuição verdade torna a função representada verdadeira se e somente se, no caminho em que seguimos até o filho baixo, a variável em um nó for 0, e por outro lado, no que seguimos até o filho alto, levar à folha 1.
- *BDDs e relações*: Um BDD pode servir como uma representação sucinta de um dos predicados em um programa Datalog. As constantes são codificadas como atribuições verdade para uma coleção de variáveis booleanas, e a função representada pelo BDD é verdadeira se e somente se as variáveis booleanas representarem um fato verdadeiro para esse predicado.
- *Implementando análise de fluxo de dados pelos BDDs*: Qualquer análise de fluxo de dados que possa ser expressa como regras do Datalog pode ser implementada por manipulações nos BDDs que representam os predicados envolvidos nessas regras. Freqüentemente, essa representação leva a uma implementação mais eficiente da análise de fluxo de dados do que qualquer outra técnica conhecida.

12.9 Referências do Capítulo 12

Alguns dos conceitos básicos na análise interprocedimental podem ser encontrados em [1, 6, 7 e 21]. Callahan e outros [11] descrevem um algoritmo interprocedimental de propagação de constante.

Steensgaard [22] publicou a primeira análise de sinônimo de apontador escalável. Ela é insensível ao contexto, insensível ao fluxo e baseada em equivalência. Uma versão insensível ao contexto da análise aponta-para baseada em inclusão foi derivada por Andersen [2]. Depois, Heintze e Tardieu [15] descreveram um algoritmo eficiente para essa análise. Fähndrich, Rehof e Das [14] apresentaram uma análise sensível ao contexto, insensível ao fluxo e baseada em equivalência, que se expande para programas grandes como gcc. Notável entre as tentativas anteriores de criar uma análise aponta-para sensível ao contexto e baseada em inclusão é Emami, Ghiya e Hendren [13], que é um algoritmo aponta-para baseado em clonagem, sensível ao contexto, sensível ao fluxo, baseado em inclusão.

Diagramas de decisão binária (BDDs) apareceram inicialmente em Bryant [9]. Seu primeiro uso para a análise de fluxo de dados foi feito por Berndl e outros [4]. A aplicação de BDDs para a análise de apontador insensível é relatada por Zhu [25] e Berndl e outros [8]. Whaley e Lam [24] descrevem o primeiro algoritmo sensível ao contexto, sensível ao fluxo e baseado em inclusão que trata de aplicações da vida real. O artigo descreve uma ferramenta chamada bddbddb, que traduz automaticamente a análise descrita em Datalog para código BDD. A sensibilidade de objeto foi introduzida por Milanova, Rountev e Ryder [18].

Para ver uma discussão sobre Datalog, consulte Ullman e Widom [23]. Veja também em Lam e outros [16] uma discussão sobre a conexão da análise de fluxo de dados ao Datalog.

O verificador de código Metal é descrito por Engler e outros [12] e o verificador PREfix foi criado por Bush, Pincus e Sielaff [10]. Ball e Rajamani [4] desenvolveram um mecanismo de análise de programa chamado SLAM, que usa a verificação de modelo e a execução simbólica para simular todos os comportamentos possíveis de um sistema. Ball e outros [5] criaram uma ferramenta de análise estática chamada SDV, baseada no SLAM, para encontrar erros de uso da API nos programas *drivers* de dispositivo em C aplicando BDDs para a verificação de modelo.

Livshits e Lam [17] descrevem como a análise aponta-para sensível ao contexto pode ser usada para encontrar vulnerabilidade da SQL nas aplicações Web em Java. Ruwase e Lam [20] descrevem como registrar extensões de arranjo e inserir verificações de limites dinâmicos automaticamente. Rinard e outros [19] descrevem como estender arranjos dinamicamente para acomodar o conteúdo estourado. Avots e outros [3] estendem para C a análise aponta-para Java sensível ao contexto, e mostram como ela pode ser usada para reduzir o custo da detecção dinâmica de estouros de buffer.

1. ALLEN, F. E. Interprocedural data flow analysis, *Proc. IFIP Congress 1974*, pp. 398-402, North Holland, Amsterdam, 1974.
2. ANDERSEN, L. *Program analysis and specialization for the C programming language*, Tese de doutorado, DIKU, University of Copenhagen, Dinamarca, 1994.
3. AVOTS, D.; DALTON, M.; LIVSHITS, V. B. e LAM, M. S. Improving software security with a C pointer analysis, *ICSE 2005: Proc. 27th International Conference on Software Engineering*, pp. 332-341.
4. BALL, T. e RAJAMANI, S. K. A symbolic model checker for boolean programs, *Proc. SPIN 2000 Workshop on Model Checking of Software*, pp. 113-130.
5. BALL, T.; BOUNIMOVA, E.; COOK, B.; LEVIN, V.; LICHTENBER, J.; MCGARVEY, C.; ONDRUSEK. B.; RAJAMANI, B. e USTUNER, A. Thorough static analysis of device drivers, *EuroSys* (2006), pp. 73-85.
6. BANNING, J. P. An efficient way to find the side effects of procedural calls and the aliases of variables, *Proc. Sixth Annual Symposium on Principles of Programming Languages* (1979), pp. 29-41.
7. BARTH, J. M. A practical interprocedural data flow analysis algorithm, *Comm. ACM* 21:9 (1978), pp. 724-736.
8. BERNDL, M.; LOHTAK, O.; QIAN, F.; HENDREN, L. e UMANEE, N. Points-to analysis using BDDs, *Proc. ACM Sigplan 2003 Conference on Programming Language Design and Implementation*, pp. 103-114.
9. BRYANT, R. E. Graph-based algorithms for Boolean function manipulation, *IEEE Trans. on Computers* C-35:8 (1986), pp. 677-691.
10. BUSH, W. R.; PINCUS, J. D. e SIELAFF, D. J. A static analyzer for finding dynamic programming errors, *Software-Practice and Experience*, 30:7 (2000), pp. 775-802.
11. CALLAHAN, D.; COOPER, K. D.; KENNEDY, K. e TORCZON, L. Interprocedural constant propagation, *Proc. Sigplan 1986 Symposium on Compiler Construction, Sigplan Notices*, 21:7 (1986), pp. 152-161.
12. ENGLER, D.; CHELF, B.; CHOU, A e HALLEM, S. Checking system rules using system-specific, programmer-written compiler extensions, *Proc. Sixth USENIX Conference on Operating Systems Design and Implementation* (2000). pp. 1-16.
13. EMAMI, M.; GHIYA, R. e HENDREN, L. J. Context-sensitive interprocedural points-to analysis in the presence of function pointers, *Proc. Sigplan Conference on Programming Language Design and Implementation* (1994), pp. 224-256.
14. FÄHNDRICH, M.; REHOF, J. e DAS, M. Scalable context-sensitive flow analysis using instantiation constraints, *Proc. Sigplan Conference on Programming Language Design and Implementation* (2000), pp. 253-263.
15. HEINTZE, N. e TARDIEU, O. Ultra-fast aliasing analysis using CLA: a million lines of C code in a second, *Proc. of the Sigplan Conference on Programming Language Design and Implementation* (2001), pp. 254-263.
16. LAM, M. S.; WHALEY, J.; LIVSHITS, V. B.; MARTIN, M. C.; AVOTS, D.; CARBIN, M. e UNKEL, C. Context-sensitive program analysis as database queries, *Proc. 2005 ACM Symposium on Principles of Database Systems*, pp. 1-12.
17. LIVSHITS, V. B. e LAM, M. S. Finding security vulnerabilities in Java applications using static analysis *Proc. 14th Usenix Security Symposium* (2005), pp. 271-286.
18. MILANOVA, A.; ROUNTEV, A. e RYDER, B. G. Parameterized object sensitivity for points-to and side-effect analyses for Java, *Proc. 2002 ACM Sigsoft International Symposium on Software Testing and Analysis*, pp. 1-11.
19. RINARD, M.; CADAR, C.; DUMITRAN, D.; ROY, D. e LEU, T. A dynamic technique for eliminating buffer overflow vulnerabilities (and other memory errors), *Proc. 2004 Annual Computer Security Applications Conference*, pp. 82-90.
20. RUWASE, O. e LAM, M. S. A practical dynamic buffer overflow detector, *Proc. 11th Annual Network and Distributed System Security Symposium* (2004), pp. 159-169.
21. SHARIR, M. e PNUELI, A. Two approaches to interprocedural data flow analysis, in S. Muchnick e N. Jones (eds.) *Program flow analysis: theory and applications*, Capítulo 7, pp. 189-234. Upper Saddle River: Prentice-Hall, 1981.
22. STEENSGAARD, B. Points-to analysis in linear time, *Twenty-Third ACM Symposium on Principles of Programming Languages* (1996).
23. ULLMAN, J. D. e WIDOM, J. *A first course in database systems*, Upper Saddle River: Prentice-Hall, 2002.
24. WHALEY, J. e LAM, M. S. Cloning-based context-sensitive pointer alias analysis using binary decision diagrams, *Proc. ACM Sigplan 2004 Conference on Programming Language Design and Implementation*, pp. 131-144.
25. ZHU, J. Symbolic Pointer Analysis, *Proc. International Conference in Computer-Aided Design* (2002), pp. 150-157.

APÊNDICE

A

UM *FRONT-END* COMPLETO

O *front-end* completo do compilador neste apêndice é baseado no compilador simples descrito informalmente nas seções 2.5 a 2.8. A principal diferença do Capítulo 2 é que o *front-end* gera código de desvio para expressões booleanas, como na Seção 6.6. Começamos com a sintaxe da linguagem fonte, descrita por uma gramática que precisa ser adaptada para a análise descendente.

O código Java para o tradutor consiste em cinco pacotes: `main`, `lexer`, `symbol`, `parser` e `inter`. O pacote `inter` contém classes para as construções da linguagem na sintaxe abstrata. Como o código para o analisador sintático interage com o restante dos pacotes, ele será discutido mais tarde. Cada pacote é armazenado como um diretório separado com um arquivo por classe.

Entrando no analisador sintático, o programa fonte consiste em um fluxo de tokens, de modo que a orientação por objeto tem pouco a fazer em relação ao código para o analisador sintático. Saindo do analisador sintático, o programa fonte consiste em uma árvore de sintaxe, com construções ou nós implementados como objetos. Esses objetos tratam de tudo o que segue: construir um nó da árvore sintática, verificar tipos e gerar código intermediário com três endereços (ver o pacote `inter`).

Orientado por objeto versus orientado por fase

Com uma abordagem orientada por objeto, todo o código para uma construção é coletado na classe para a construção. Alternativamente, com uma abordagem orientada por fase, o código é agrupado por fase, de modo que um procedimento de verificação de tipo teria um *case* para cada construção, e um procedimento de geração de código teria um *case* para cada construção, e assim por diante.

A dificuldade na escolha é que uma abordagem orientada por objeto facilita a mudança ou a inclusão de uma construção, como comandos 'for', e uma abordagem orientada por fase facilita a mudança ou a inclusão de uma fase, como a verificação de tipo. Com objetos, uma construção nova pode ser acrescentada pela escrita de uma classe autocontida, mas uma mudança em uma fase, como a inserção de código para coerções, exige mudanças em todas as classes afetadas. Com fases, uma construção nova pode gerar mudanças entre os procedimentos para as fases.

A.1 A LINGUAGEM FONTE

Um programa na linguagem consiste em um bloco com declarações e comandos opcionais. O token **basic** representa os tipos básicos.

program	→	*block*
block	→	{ *decls stmts* }
decls	→	*decls decl* | ε
decl	→	*type* **id** ;
type	→	*type* [**num**] | **basic**
stmts	→	*stmts stmt* | ε

Tratar atribuições como comandos, em vez de operadores dentro de expressões, simplifica a tradução.

stmt	→	*loc* = *bool* ;
	|	**if** (*bool*) *stmt*
	|	**if** (*bool*) *stmt* **else** *stmt*
	|	**while** (*bool*) *stmt*
	|	**do** *stmt* **while** (*bool*) ;
	|	**break** ;
	|	*block*
loc	→	*loc* [*bool*] | **id**

As produções para as expressões tratam da associatividade e precedência de operadores. Elas usam um não-terminal para cada nível de precedência e um não-terminal, *factor*, para as expressões entre parênteses, identificadores, referências de arranjos e constantes.

bool	→	*bool* || *join* | *join*
join	→	*join* && *equality* | *equality*
equality	→	*equality* == *rel* | *equality* != *rel* | *rel*
rel	→	*expr* < *expr* | *expr* <= *expr* | *expr* >= *expr* | *expr* > *expr* | *expr*
expr	→	*expr* + *term* | *expr* − *term* | *term*
term	→	*term* * *unary* | *term* / *unary* | *unary*
unary	→	! *unary* | − *unary* | *factor*
factor	→	(*bool*) | *loc* | **num** | **real** | **true** | **false**

A.2 Main

A execução começa no método `main` da classe `Main`. O método `main` cria um analisador léxico e um analisador sintático e, depois, chama o método `program` no analisador sintático:

```
1) package main;           // Arquivo Main.java
2) import java.io.*; import lexer.*; import parser.*;
3) public class Main {
4)    public static void main(String[] args) throws IOException {
5)       Lexer lex = new Lexer();
6)       Parser parse = new Parser(lex);
7)       parse.program();
8)       System.out.write('\n');
9)    }
10) }
```

A.3 Analisador léxico

O pacote `lexer` é uma extensão do código para o analisador léxico da Seção 2.6.5. A classe `Tag` define constantes para tokens:

```
1) package lexer;          // Arquivo Tag.java
2) public class Tag {
3)    public final static int
4)       AND   = 256,  BASIC = 257,  BREAK = 258,  DO    = 259,  ELSE  = 260,
5)       EQ    = 261,  FALSE = 262,  GE    = 263,  ID    = 264,  IF    = 265,
6)       INDEX = 266,  LE    = 267,  MINUS = 268,  NE    = 269,  NUM   = 270,
7)       OR    = 271,  REAL  = 272,  TEMP  = 273,  TRUE  = 274,  WHILE = 275;
8) }
```

Três das constantes, `INDEX`, `MINUS` e `TEMP`, não são tokens léxicos; elas serão usadas nas árvores sintáticas.

As classes `Token` e `Num` são como na Seção 2.6.5, com o método `toString` acrescentado:

```
1) package lexer;              // Arquivo Token.java
2) public class Token {
3)     public final int tag;
4)     public Token(int t) { tag = t; }
5)     public String toString() {return "" + (char)tag;}
6) }
```

```
1) package lexer;              // Arquivo Num.java
2) public class Num extends Token {
3)     public final int value;
4)     public Num(int v) { super(Tag.NUM); value = v; }
5)     public String toString() { return "" + value; }
6) }
```

A classe Word gerencia lexemas para palavras reservadas, identificadores e tokens compostos como &&. Ela também é útil para gerenciar a forma escrita dos operadores no código intermediário, como o menos unário; por exemplo, o texto fonte -2 tem a forma intermediária minus 2.

```
1) package lexer;              // Arquivo Word.java
2) public class Word extends Token {
3)     public String lexeme = "";
4)     public Word(String s, int tag)  {super(tag); lexeme = s; }
5)     public String toString() { return lexeme; }
6)     public static final Word
7)         and   = new Word( "&&", Tag.AND ),   or = new Word( "||", Tag.OR ),
8)         eq    = new Word( "==", Tag.EQ ),    ne = new Word( "!=", Tag.NE ),
9)         le    = new Word( "<=", Tag.LE ),    ge = new Word( ">=", Tag.GE ),
10)        minus = new Word( "minus", Tag.MINUS ),
11)        True  = new Word( "true",  Tag.TRUE  ),
12)        False = new Word( "false", Tag.FALSE ),
13)        temp  = new Word( "t",     Tag.TEMP  );
14) }
```

A classe Real é para números de ponto flutuante:

```
1) package lexer;              // Arquivo Real.java
2) public class Real extends Token {
3)     public final float value;
4)     public Real(float v) { super(Tag.REAL); value = v; }
5)     public String toString(){ return "" + value; }
6) }
```

O método principal na classe Lexer, função scan, reconhece números, identificadores e palavras reservadas, conforme discutimos na Seção 2.6.5.

As linhas 9-13 na classe Lexer reservam palavras-chave selecionadas. As linhas 14-16 reservam lexemas para objetos definidos em outras partes. Os objetos Word.True e Word.False são definidos na classe Word. Os objetos para os tipos básicos int, char, bool e float são definidos na classe Type, uma subclasse de Word. A classe Type é faz parte do pacote symbols.

```
1) package lexer;              // Arquivo Lexer.java
2) import java.io.*; import java.util.*; import symbols.*;
3) public class Lexer {
4)     public static int line = 1;
5)     char peek = ' ';
6)     Hashtable words = new Hashtable();
7)     void reserve(Word w) { words.put(w.lexeme, w); }
8)     public Lexer() {
9)         reserve( new Word("if",    Tag.IF)    );
10)        reserve( new Word("else",  Tag.ELSE)  );
11)        reserve( new Word("while", Tag.WHILE) );
12)        reserve( new Word("do",    Tag.DO)    );
13)        reserve( new Word("break", Tag.BREAK) );
```

```
14)         reserve( Word.True );    reserve( Word.False );
15)         reserve( Type.Int  );    reserve( Type.Char  );
16)         reserve( Type.Bool );    reserve( Type.Float );
17)     }
```

A função `readch()` (linha 18) é usada para ler o próximo caractere de entrada na variável peek. O nome readch é reutilizado ou sobrecarregado (linhas 19-24) para auxiliar a reconhecer tokens compostos. Por exemplo, quando a entrada < é vista, a chamada readch('=') lê o próximo caractere em peek e verifica se é =.

```
18)     void readch() throws IOException { peek = (char)System.in.read(); }
19)     boolean readch(char c) throws IOException {
20)         readch();
21)         if( peek != c ) return false;
22)         peek =' ';
23)         return true;
24)     }
```

A função scan começa ignorando espaços em branco (linhas 26-30). Ela reconhece tokens compostos como <= (linhas 31-44) e números como 365 e 3.14 (linhas 45-58), antes de reconhecer palavras (linhas 59-70).

```
25)     public Token scan() throws IOException {
26)         for( ; ; readch() ) {
27)             if( peek == ' ' || peek == '\t' ) continue;
28)             else if( peek == '\n' ) line = line + 1;
29)             else break;
30)         }
31)         switch( peek ) {
32)         case '&':
33)             if( readch('&') ) return Word.and;   else return new Token('&');
34)         case'|':
35)             if( readch('|') ) return Word.or;    else return new Token('|');
36)         case'=':
37)             if( readch('=') ) return Word.eq;    else return new Token('=');
38)         case'!':
39)             if( readch('=') ) return Word.ne;    else return new Token('!');
40)         case'<':
41)             if( readch('=') ) return Word.le;    else return new Token('<');
42)         case'>':
43)             if( readch('=') ) return Word.ge;    else return new Token('>');
44)         }
45)         if( Character.isDigit(peek) ) {
46)            int v = 0;
47)            do {
48)               v = 10*v + Character.digit(peek, 10); readch();
49)            } while( Character.isDigit(peek) );
50)            if( peek != '..' ) return new Num(v);
51)            float x = v; float d = 10;
52)            for(;;) {
53)               readch();
54)               if( ! Character.isDigit(peek) ) break;
55)               x = x + Character.digit(peek, 10) / d; d = d*10;
56)            }
57)            return new Real(x);
58)         }
59)         if( Character.isLetter(peek) ) {
60)            StringBuffer b = new StringBuffer();
61)            do {
62)               b.append(peek); readch();
63)            } while( Character.isLetterOrDigit(peek) );
64)            String s = b.toString();
65)            Word w = (Word)words.get(s);
66)            if( w != null ) return w;
67)            w = new Word(s, Tag.ID);
```

```
68)            words.put(s, w);
69)            return w;
70)        }
```

Finalmente, quaisquer caracteres restantes são retornados como tokens (linhas 71-72).

```
71)        Token tok = new Token(peek); peek = ' ';
72)        return tok;
73)    }
74) }
```

A.4 Tabelas de símbolos e tipos

O pacote `symbols` implementa as tabelas de símbolos e tipos.

A classe `Env` é basicamente inalterada da Figura 2.37. Enquanto a classe `Lexer` mapeia cadeias em palavras, a classe `Env` mapeia tokens de palavra a objetos da classe `Id`, que é definida no pacote `inter` com as classes para as expressões e comandos.

```
1) package symbols;            // Arquivo Env.java
2) import java.util.*; import lexer.*; import inter.*;
3) public class Env {
4)     private Hashtable table;
5)     protected Env prev;
6)     public Env(Env n) { table = new Hashtable(); prev = n; }
7)     public void put(Token w, Id i) { table.put(w, i); }
8)     public Id get(Token w) {
9)         for( Env e = this; e != null; e = e.prev ) {
10)            Id found = (Id)(e.table.get(w));
11)            if( found != null ) return found;
12)        }
13)        return null;
14)    }
15) }
```

Definimos a classe `Type` como sendo uma subclasse de `Word`, porque os nomes de tipo básicos como `int` são simplesmente palavras reservadas, a serem mapeadas de lexemas para objetos apropriados pelo analisador léxico. Os objetos para os tipos básicos são `Type.Int`, `Type.Float`, `Type.Char` e `Type.Bool` (linhas 7-10). Todos eles têm o campo herdado `tag` definido como `Tag.BASIC`, de modo que o analisador sintático os trata da mesma forma.

```
1) package symbols;            // Arquivo Type.java
2) import lexer.*;
3) public class Type extends Word {
4)     public int width = 0;              // width é usado para alocação de memória
5)     public Type(String s, int tag, int w) { super(s, tag); width = w; }
6)     public static final Type
7)        Int   = new Type( "int",   Tag.BASIC, 4 ),
8)        Float = new Type( "float", Tag.BASIC, 8 ),
9)        Char  = new Type( "char",  Tag.BASIC, 1 ),
10)       Bool  = new Type( "bool",  Tag.BASIC, 1 );
```

As funções `numeric` (linhas 11-14) e `max` (linhas 15-20) são úteis para as conversões de tipo.

```
11)    public static boolean numeric(Type p) {
12)        if (p == Type.Char || p == Type.Int || p == Type.Float) return true;
13)        else return false;
14)    }
15)    public static Type max(Type p1, Type p2 ) {
16)        if ( ! numeric(p1) || ! numeric(p2) ) return null;
17)        else if ( p1 == Type.Float || p2 == Type.Float ) return Type.Float;
18)        else if ( p1 == Type.Int   || p2 == Type.Int   ) return Type.Int;
19)        else return Type.Char;
20)    }
21) }
```

As conversões são permitidas entre os tipos 'numéricos' `Type.Char`, `Type.Int` e `Type.Float`. Quando um operador aritmético é aplicado a dois tipos numéricos, o resultado é o 'max' dos dois tipos.

Os arranjos são o único tipo construído na linguagem fonte. A chamada para `super` na linha 7 define o campo `width`, que é essencial para os cálculos de endereço. Ela também define `lexeme` e `tok` para valores default que não são usados.

```
1) package symbols;           // Arquivo Array.java
2) import lexer.*;
3) public class Array extends Type {
4)    public Type of;                      // arranjo *of* type
5)    public int size = 1;                 // número de elementos
6)    public Array(int sz, Type p) {
7)       super("[]", Tag.INDEX, sz*p.width); size = sz;  of = p;
8)    }
9)    public String toString() { return "[" + size + "] " + of.toString(); }
10) }
```

A.5 Código intermediário para expressões

O pacote `inter` contém a hierarquia de classe `Node`. `Node` possui duas subclasses: `Expr` para nós de expressão e `Stmt` para nós de comando. Esta seção apresenta `Expr` e suas subclasses. Alguns dos métodos em `Expr` tratam booleanos e código de desvio; eles serão discutidos na Seção A.6, com as subclasses restantes de `Expr`.

Os nós na árvore sintática são implementados como objetos da classe `Node`. Para o relato de erros, o campo `lexline` (linha 4, arquivo *Node.java*) guarda o número da linha fonte da construção nesse nó. As linhas 7-10 são usadas para emitir código de três endereços.

```
1) package inter;          // Arquivo Node.java
2) import lexer.*;
3) public class Node {
4)    int lexline = 0;
5)    Node()` { lexline = Lexer.line; }
6)    void error(String s) { throw new Error("near line "+lexline+": "+s); }
7)    static int labels = 0;
8)    public int newlabel() { return ++labels; }
9)    public void emitlabel(int i) { System.out.print("L" + i + ":"); }
10)   public void emit(String s) { System.out.println("\t" + s); }
11) }
```

Construções de expressão são implementadas pelas subclasses de `Expr`. A classe `Expr` possui campos `op` e `type` (linhas 4-5, arquivo *Expr.java*), representando o operador e tipo, respectivamente, em um nó.

```
1) package inter;          // Arquivo Expr.java
2) import lexer.*; import symbols.*;
3) public class Expr extends Node {
4)    public Token op;
5)    public Type type;
6)    Expr(Token tok, Type p) { op = tok; type = p; }
```

O método `gen` (linha 7) retorna um 'termo' que pode caber no lado direito de um comando de três endereços. Dada a expressão $E = E_1 + E_2$, o método `gen` retorna um termo $x_1 + x_2$, onde x_1 e x_2 são endereços para os valores de E_1 e E_2, respectivamente. O valor de retorno `this` é apropriado se esse objeto for um endereço; as subclasses de `Expr` tipicamente reimplementam `gen`.

O método `reduce` (linha 8) calcula ou 'reduz' uma expressão a um único endereço, ou seja, retorna uma constante, um identificador ou um nome temporário. Dada a expressão E, o método `reduce` retorna um temporário t contendo o valor de E. Novamente, `this` é um valor de retorno apropriado se esse objeto for um endereço.

Adiamos a discussão dos métodos `jumping` e `emitjumps` (linhas 9-18) até a Seção A.6; eles geram código de desvio para expressões booleanas.

```
7)    public Expr gen() { return this; }
8)    public Expr reduce() { return this; }
9)    public void jumping(int t, int f) { emitjumps(toString(), t, f); }
10)   public void emitjumps(String test, int t, int f) {
11)      if( t != 0 && f != 0 ) {
12)         emit("if " + test + " goto L" + t);
13)         emit("goto L" + f);
14)      }
15)      else if( t != 0 ) emit("if " + test + " goto L" + t);
16)      else if( f != 0 ) emit("iffalse " + test + " goto L" + f);
17)      else ; // nada, porque ambos t e f fall through
18)   }
19)   public String toString() { return op.toString(); }
20) }
```

A classe Id herda as implementações default de gen e reduce na classe Expr, porque um identificador é um endereço.

```
1) package inter;          // Arquivo Id.java
2) import lexer.*; import symbols.*;
3) public class Id extends Expr {
4)    public int offset;    // endereço relativo
5)    public Id(Word id, Type p, int b) { super(id, p); offset = b; }
6) }
```

O nó para um identificador da classe Id é uma folha. A chamada super(id,p) (linha 5, arquivo *Id.java*) guarda id e p nos campos herdados op e type, respectivamente. O campo offset (linha 4) contém o endereço relativo desse identificador.

A classe Op oferece uma implementação de reduce (linhas 5-10, arquivo *Op.java*) que é herdada pelas subclasses Arith para operadores aritméticos, Unary para operadores unários, e Access para acessos a arranjo. Em cada caso, reduce chama gen para gerar um termo, emite uma instrução para atribuir o termo a um novo nome temporário, e retorna o temporário.

```
1) package inter;          // Arquivo Op.java
2) import lexer.*; import symbols.*;
3) public class Op extends Expr {
4)    public Op(Token tok, Type p)  { super(tok, p); }
5)    public Expr reduce() {
6)       Expr x = gen();
7)       Temp t = new Temp(type);
8)       emit( t.toString() + " = " + x.toString() );
9)       return t;
10)   }
11) }
```

A classe Arith implementa operadores binários como + e *. O construtor Arith começa chamando super(tok,null) (linha 6), onde tok é um token representando o operador e null é um marcador de lugar para o tipo. O tipo é determinado na linha 7 usando Type.max, que verifica se os dois operandos podem ser convertidos para um tipo numérico comum; o código para Type.max está na Seção A.4. Se eles puderem ser convertidos, type é definido como o tipo do resultado; caso contrário, um erro de tipo é informado (linha 8). Esse compilador simples verifica tipos, mas não insere conversões de tipo.

```
1) package inter;          // Arquivo Arith.java
2) import lexer.*; import symbols.*;
3) public class Arith extends Op {
4)    public Expr expr1, expr2;
5)    public Arith(Token tok, Expr x1, Expr x2)   {
6)       super(tok, null); expr1 = x1; expr2 = x2;
7)       type = Type.max(expr1.type, expr2.type);
8)       if (type == null ) error("type error");
9)    }
10)   public Expr gen() {
11)      return new Arith(op, expr1.reduce(), expr2.reduce());
12)   }
13)   public String toString() {
```

```
14)         return expr1.toString()+" "+op.toString()+" "+expr2.toString();
15)     }
16) }
```

O método `gen` constrói o lado direito de uma instrução de três endereços, reduzindo as subexpressões para endereços e aplicando o operador aos endereços (linha 11, arquivo *Arith.java*). Por exemplo, suponha que `gen` seja chamado na raiz para `a+b*c`. As chamadas a `reduce` retornam a como o endereço para a subexpressão a e um temporário t como endereço para b*c. Enquanto isso, `reduce` emite a instrução t=b*c. O método `gen` retorna um novo nó `Arith`, com o operador * e endereços a e t como operandos.[1]

Vale a pena observar que os nomes temporários têm tipo como todas as outras expressões. O construtor `Temp`, portanto, é chamado com um tipo como parâmetro (linha 6, arquivo *Temp.java*).[2]

```
1) package inter;              // Arquivo Temp.java
2) import lexer.*; import symbols.*;
3) public class Temp extends Expr {
4)     static int count = 0;
5)     int number = 0;
6)     public Temp(Type p) { super(Word.temp, p); number = ++count; }
7)     public String toString() { return "t" + number; }
8) }
```

A classe `Unary` é o correspondente de um operando da classe `Arith`:

```
1) package inter;              // Arquivo Unary.java
2) import lexer.*; import symbols.*;
3) public class Unary extends Op {
4)     public Expr expr;
5)     public Unary(Token tok, Expr x) {    // trata operador menos, para !, ver Not
6)         super(tok, null);  expr = x;
7)         type = Type.max(Type.Int, expr.type);
8)         if (type == null ) error("type error");
9)     }
10)    public Expr gen() { return new Unary(op, expr.reduce()); }
11)    public String toString() { return op.toString()+" "+expr.toString(); }
12) }
```

A.6 Código de desvio para expressões boolianas

O código de desvio para uma expressão booliana *B* é gerado pelo método `jumping`, que recebe dois rótulos t e f como parâmetros, chamados respectivamente de saídas verdadeira e falsa de *B*. O código contém um desvio para t se *B* for avaliado como verdadeiro, e um desvio para f se *B* for avaliado como falso. Por convenção, o rótulo especial 0 significa que o controle passa por *B* em direção a próxima instrução após o código de *B*.

Começamos com a classe `Constant`. O construtor `Constant` na linha 4 recebe um token tok e um tipo p como parâmetros. Ele constrói uma folha na árvore de sintaxe com o rótulo tok e tipo p. Por conveniência, o construtor `Constant` é sobrecarregado (linha 5) para criar um objeto constante a partir de um inteiro.

```
1) package inter;              // Arquivo Constant.java
2) import lexer.*; import symbols.*;
3) public class Constant extends Expr {
4)     public Constant(Token tok, Type p) { super(tok, p); }
5)     public Constant(int i) { super(new Num(i), Type.Int); }
6)     public static final Constant
7)         True  = new Constant(Word.True,  Type.Bool),
8)         False = new Constant(Word.False, Type.Bool);
```

---

[1] Para o relato de erro, o campo `lexline` na classe Node registra o número corrente da linha léxica quando um nó é construído. Deixamos para o leitor a tarefa de acompanhar os números de linha quando novos nós forem construídos durante a geração de código intermediário.

[2] Uma técnica alternativa poderia ser para o construtor receber um nó de expressão como parâmetro, de modo que possa copiar o tipo e a posição léxica do nó de expressão.

```
 9)     public void jumping(int t, int f) {
10)         if ( this == True && t != 0 ) emit("goto L" + t);
11)         else if ( this == False && f != 0) emit("goto L" + f);
12)     }
13) }
```

O método jumping (linhas 9-12, arquivo *Constant.java*) utiliza dois parâmetros, rotulados com t e f. Se essa constante for o objeto estático True (definido na linha 7) e t não for o rótulo especial 0, então um desvio para t é gerado. Caso contrário, se esse for o objeto False (definido na linha 8) e f for diferente de zero, então um desvio para f é gerado.

A classe Logical oferece alguma funcionalidade comum para as classes Or, And e Not. Os campos x e y (linha 4) correspondem aos operandos de um operador lógico. (Embora a classe Not implemente um operador unário, por conveniência, ela é uma subclasse de Logical.) O construtor Logical(tok,a,b) (linhas 5-10) constrói um nó de sintaxe com operador tok e operandos a e b. Ao fazer isso, ele usa a função check para garantir que tanto a quanto b sejam booleanos. O método gen será discutido no fim desta seção.

```
 1) package inter;            // Arquivo Logical.java
 2) import lexer.*; import symbols.*;
 3) public class Logical extends Expr {
 4)     public Expr expr1, expr2;
 5)     Logical(Token tok, Expr x1, Expr x2) {
 6)         super(tok, null);                       // tipo nulo para começar
 7)         expr1 = x1; expr2 = x2;
 8)         type = check(expr1.type, expr2.type);
 9)         if (type == null ) error("type error");
10)     }
11)     public Type check(Type p1, Type p2) {
12)         if ( p1 == Type.Bool && p2 == Type.Bool ) return Type.Bool;
13)         else return null;
14)     }
15)     public Expr gen() {
16)         int f = newlabel(); int a = newlabel();
17)         Temp temp = new Temp(type);
18)         this.jumping(0,f);
19)         emit(temp.toString() + " = true");
20)         emit("goto L" + a);
21)         emitlabel(f); emit(temp.toString() + " = false");
22)         emitlabel(a);
23)         return temp;
24)     }
25)     public String toString() {
26)         return expr1.toString()+" "+op.toString()+" "+expr2.toString();
27)     }
28) }
```

Na classe Or, o método jumping (linhas 5-10) gera código de desvio para uma expressão booleana $B = B_1 \| B_2$. Por um momento, suponha que nem a saída verdadeira t nem a saída falsa f de B seja o rótulo especial 0. Como B é verdadeiro se B_1 é verdadeiro, a verdadeira saída de B_1 deve ser t, e a saída falsa corresponde à primeira instrução de B_2. As saídas verdadeira e falsa de B_2 são as mesmas de B.

```
 1) package inter;            // Arquivo Or.java
 2) import lexer.*; import symbols.*;
 3) public class Or extends Logical {
 4)     public Or(Token tok, Expr x1, Expr x2) { super(tok, x1, x2); }
 5)     public void jumping(int t, int f) {
 6)         int label = t != 0 ? t : newlabel();
 7)         expr1.jumping(label, 0);
 8)         expr2.jumping(t,f);
 9)         if( t == 0 ) emitlabel(label);
10)     }
11) }
```

No caso geral, t, a verdadeira saída de B pode ser o rótulo especial 0. A variável `label` (linha 6, arquivo *Or.java*) garante que a saída verdadeira de B_1 seja definida corretamente com o fim do código para B. Se t for 0, então `label` é definido como um novo rótulo que é emitido após a geração de código para B_1 e B_2.

O código para a classe And é semelhante ao código para Or.

```
1) package inter;              // Arquivo And.java
2) import lexer.*; import symbols.*;
3) public class And extends Logical {
4)     public And(Token tok, Expr x1, Expr x2) { super(tok, x1, x2); }
5)     public void jumping(int t, int f) {
6)         int label = f != 0 ? f : newlabel();
7)         expr1.jumping(0, label);
8)         expr2.jumping(t,f);
9)         if( f == 0 ) emitlabel(label);
10)    }
11) }
```

A classe Not tem tanto em comum com os outros operadores booleanos que a fazemos uma subclasse de Logical, embora Not implemente um operador unário. A superclasse espera dois operandos, de modo que b aparece duas vezes na chamada a super na linha 4. Somente y (declarado na linha 4, arquivo *Logical.java*) é usado nos métodos das linhas 5-6. Na linha 5, o método jumping simplesmente chama y.jumping com as saídas verdadeira e falsa invertidas.

```
1) package inter;              // Arquivo Not.java
2) import lexer.*; import symbols.*;
3) public class Not extends Logical {
4)     public Not(Token tok, Expr x2) { super(tok, x2, x2); }
5)     public void jumping(int t, int f) { expr2.jumping(f, t); }
6)     public String toString() { return op.toString()+" "+expr2.toString(); }
7) }
```

A classe Rel implementa os operadores <, <=, ==, !=, >= e >. A função check (linhas 5-9) verifica se os dois operandos têm o mesmo tipo e se não são arranjos. Para simplificar, as coerções não são permitidas.

```
1) package inter;              // Arquivo Rel.java
2) import lexer.*; import symbols.*;
3) public class Rel extends Logical {
4)     public Rel(Token tok, Expr x1, Expr x2) { super(tok, x1, x2); }
5)     public Type check(Type p1, Type p2) {
6)         if ( p1 instanceof Array || p2 instanceof Array ) return null;
7)         else if( p1 == p2 ) return Type.Bool;
8)         else return null;
9)     }
10)    public void jumping(int t, int f) {
11)        Expr a = expr1.reduce();
12)        Expr b = expr2.reduce();
13)        String test = a.toString() + " " + op.toString() + " " + b.toString();
14)        emitjumps(test, t, f);
15)    }
16) }
```

O método jumping (linhas 10-15, arquivo *Rel.java*) começa gerando código para as subexpressões x e y (linhas 11-22). Depois, ele chama o método emitjumps definido nas linhas 10-18, arquivo *Expr.java*, na Seção A.5. Se nem t nem f for o rótulo especial 0, então emitjumps executa o seguinte

```
12)         emit("if " + test + " goto L" + t);    // Arquivo Expr.java
13)         emit("goto L" + f);
```

No máximo uma instrução é gerada se t ou f é o rótulo especial 0 (novamente, do arquivo *Expr..java*):

```
15)         else if( t != 0 ) emit("if " + test + " goto L" + t);
16)         else if( f != 0 ) emit("iffalse " + test + " goto L" + f);
17)         else ; // nada, porque ambos t e f fall through
```

Para ver outro uso de `emitjumps`, considere o código para a classe `Access`. A linguagem fonte permite que valores booleanos sejam atribuídos a identificadores e a elementos de arranjo, de modo que uma expressão booleana possa ser um acesso a arranjo. A classe `Access` possui o método `gen` para gerar código 'normal' e o método `jumping` para o código de desvio. O método `jumping` (linha 11) chama `emitjumps` depois de reduzir esse acesso de arranjo a um temporário. O construtor (linhas 6-9) é chamado com um arranjo achatado a, um índice i, e o tipo p de um elemento no arranjo achatado. A verificação de tipo é feita durante o cálculo do endereço de arranjo.

```
1) package inter;              // Arquivo Access..java
2) import lexer.*; import symbols.*;
3) public class Access extends Op {
4)     public Id array;
5)     public Expr index;
6)     public Access(Id a, Expr i, Type p) {   // p é o tipo de elemento após
7)         super(new Word("[]", Tag.INDEX), p);  // achatar o arranjo
8)         array = a; index = i;
9)     }
10)    public Expr gen() { return new Access(array, index.reduce(), type); }
11)    public void jumping(int t,int f) { emitjumps(reduce().toString(),t,f); }
12)    public String toString() {
13)        return array.toString() + " [ " + index.toString() + " ]";
14)    }
15) }
```

O código de desvio também pode ser usado para retornar um valor booleano. A classe `Logical`, anteriormente nesta seção, tem um método `gen` (linhas 15-24) que retorna um `temp` temporário, cujo valor é determinado pelo fluxo de controle pelo código de desvio para essa expressão. Na saída verdadeira dessa expressão booleana, `temp` é atribuído o valor `true`; na saída falsa, `temp` recebe o valor `false`. O temporário é declarado na linha 17. O código de desvio para essa expressão é gerado na linha 18 com a saída verdadeira sendo a próxima instrução e a saída falsa sendo um novo rótulo f. A próxima instrução atribui `true` a `temp` (linha 19), seguido por um desvio para um novo rótulo a (linha 20). O código na linha 21 emite o rótulo f e uma instrução que atribui `false` a `temp`. O fragmento de código termina com o rótulo a, gerado na linha 22. Finalmente, gen retorna `temp` (linha 23).

A.7 Código intermediário para comandos

Cada construção de comando é implementada por uma subclasse de `Stmt`. Os campos para os componentes de uma construção estão na subclasse relevante; por exemplo, a classe `While` possui campos para uma expressão de teste e um subcomando, conforme veremos.

As linhas 3-4 no código a seguir para a classe `Stmt` tratam da construção da árvore de sintaxe. O construtor `Stmt()` não faz nada, porque o trabalho é feito nas subclasses. O objeto estático `Stmt.null` (linha 4) representa uma seqüência vazia de comandos.

```
1) package inter;              // Arquivo Stmt.java
2) public class Stmt extends Node {
3)     public Stmt() { }
4)     public static Stmt Null = new Stmt();
5)     public void gen(int b, int a) {} // chamado com rótulos begin e after
6)     int after = 0;                    // guarda rótulo after
7)     public static Stmt Enclosing = Stmt.null;  // usado para comandos break
8) }
```

As linhas 5-7 tratam a geração do código de três endereços. O método `gen` é chamado com dois rótulos b e a, onde b marca o início do código para esse comando e a marca a primeira instrução após o código para esse comando. O método gen (linha 5) é um marcador de lugar para os métodos `gen` nas subclasses. As subclasses `While` e `Do` guardam seu rótulo a no campo `after` (linha 6), de modo que possa ser usado por qualquer comando break interno para desviar para fora de sua construção envolvente. O objeto `Stmt.Enclosing` é usado durante a análise sintática para acompanhar a construção envolvente. (Para uma linguagem fonte com comandos `continue`, podemos usar a mesma abordagem para acompanhar a construção envolvente de um comando continue.)

O construtor para a classe `If` constrói um nó para um comando `if` (E) S. Os campos `expr` e `stmt` contêm os nós para E e S, respectivamente. Observe que `expr` em letras minúsculas nomeia um campo de classe `Expr`; de modo semelhante, `stmt` nomeia um campo de classe `Stmt`.

```
1) package inter;              // Arquivo If.java
2) import symbols.*;
3) public class If extends Stmt {
4)    Expr expr; Stmt stmt;
5)    public If(Expr x, Stmt s) {
6)       expr = x;   stmt = s;
7)       if( expr.type != Type.Bool ) expr.error("boolean required in if");
8)    }
9)    public void gen(int b, int a) {
10)      int label = newlabel();  // rótulo do código para stmt
11)      expr.jumping(0, a);       // segue se for true, vai para a se for false
12)      emitlabel(label); stmt.gen(label, a);
13)   }
14) }
```

O código para um objeto If consiste em código de desvio para expr seguido pelo código para stmt. Conforme discutimos na Seção A.6, a chamada expr.jumping(0,f) na linha 11 especifica que o controle deve seguir o código de expr se expr for avaliado como true, e deve fluir para o rótulo a em caso contrário.

A implementação da classe Else, que trata de condicionais com partes else, é semelhante a da classe If:

```
1) package inter;              // Arquivo Else.java
2) import symbols.*;
3) public class Else extends Stmt {
4)    Expr expr; Stmt stmt1, stmt2;
5)    public Else(Expr x, Stmt s1, Stmt s2) {
6)       expr = x; stmt1 = s1; stmt2 = s2;
7)       if( expr.type != Type.Bool ) expr.error("boolean required in if");
8)    }
9)    public void gen(int b, int a) {
10)      int label1 = newlabel();   // label1 para stmt1
11)      int label2 = newlabel();   // label2 para stmt2
12)      expr.jumping(0,label2);    // segue para stmt1 se expr for true
13)      emitlabel(label1); stmt1.gen(label1, a); emit("goto L" + a);
14)      emitlabel(label2); stmt2.gen(label2, a);
15)   }
16) }
```

A construção de um objeto While é dividida entre o construtor While(), que cria um nó com filhos nulos (linha 5) e uma função de inicialização init(x,s), que define o filho expr como x e o filho stmt como s (linhas 6-9). A função gen(b,a) para gerar o código de três endereços (linhas 10-16) está no mesmo espírito da função correspondente gen() na classe If. A diferença é que o rótulo a é guardado no campo after (linha 11) e que o código para stmt é seguido por um desvio para b (linha 15) para a próxima iteração do *loop* while.

```
1) package inter;              // Arquivo While.java
2) import symbols.*;
3) public class While extends Stmt {
4)    Expr expr; Stmt stmt;
5)    public While() { expr = null; stmt = null; }
6)    public void init(Expr x, Stmt s) {
7)       expr = x;   stmt = s;
8)       if( expr.type != Type.Bool ) expr.error("boolean required in while");
9)    }
10)   public void gen(int b, int a) {
11)      after = a;                   // guarda rótulo a
12)      expr.jumping(0, a);
13)      int label = newlabel();   // rótulo para comando
14)      emitlabel(label); stmt.gen(label, b);
15)      emit("goto L" + b);
16)   }
17) }
```

A classe Do é muito semelhante à classe While.

```
1) package inter;              // Arquivo Do.java
2) import symbols.*;
3) public class Do extends Stmt {
4)    Expr expr; Stmt stmt;
5)    public Do() { expr = null; stmt = null; }
6)    public void init(Stmt s, Expr x) {
7)       expr = x; stmt = s;
8)       if( expr.type != Type.Bool ) expr.error("boolean required in do");
9)    }
10)   public void gen(int b, int a) {
11)      after = a;
12)      int label = newlabel();   // rótulo para expr
13)      stmt.gen(b,label);
14)      emitlabel(label);
15)      expr.jumping(b,0);
16)   }
17) }
```

A classe Set implementa atribuições com um identificador no lado esquerdo e uma expressão à direita. A maior parte do código na classe Set é para construir um nó e verificar tipos (linhas 5-13). A função gen emite uma instrução de três endereços (linhas 14-16).

```
1) package inter;              // Arquivo Set.java
2) import lexer.*; import symbols.*;
3) public class Set extends Stmt {
4)    public Id id; public Expr expr;
5)    public Set(Id i, Expr x) {
6)       id = i; expr = x;
7)       if ( check(id.type, expr.type) == null ) error("type error");
8)    }
9)    public Type check(Type p1, Type p2) {
10)      if ( Type.numeric(p1) && Type.numeric(p2) ) return p2;
11)      else if ( p1 == Type.Bool && p2 == Type.Bool ) return p2;
12)      else return null;
13)   }
14)   public void gen(int b, int a) {
15)      emit( id.toString() + " = " + expr.gen().toString() );
16)   }
17) }
```

A classe SetElem implementa atribuições a um elemento do arranjo:

```
1) package inter;              // Arquivo SetElem.java
2) import lexer.*; import symbols.*;
3) public class SetElem extends Stmt {
4)    public Id array; public Expr index; public Expr expr;
5)    public SetElem(Access x, Expr y) {
6)       array = x.array; index = x.index; expr = y;
7)       if ( check(x.type, expr.type) == null ) error("type error");
8)    }
9)    public Type check(Type p1, Type p2) {
10)      if ( p1 instanceof Array || p2 instanceof Array ) return null;
11)      else if ( p1 == p2 ) return p2;
12)      else if ( Type.numeric(p1) && Type.numeric(p2) ) return p2;
13)      else return null;
14)   }
15)   public void gen(int b, int a) {
16)      String s1 = index.reduce().toString();
17)      String s2 = expr.reduce().toString();
18)      emit(array.toString() + " [ " + s1 + " ] = " + s2);
19)   }
20) }
```

A classe Seq implementa uma seqüência de comandos. Os testes para comandos nulos nas linhas 6-7 são para evitar rótulos. Observe que nenhum código é gerado para o comando nulo, Stmt.null, pois o método gen na classe Stmt não faz nada.

```
 1) package inter;              // Arquivo Seq.java
 2) public class Seq extends Stmt {
 3)    Stmt stmt1; Stmt stmt2;
 4)    public Seq(Stmt s1, Stmt s2) { stmt1 = s1; stmt2 = s2; }
 5)    public void gen(int b, int a) {
 6)       if ( stmt1 == Stmt.null ) stmt2.gen(b, a);
 7)       else if ( stmt2 == Stmt.null ) stmt1.gen(b, a);
 8)       else {
 9)          int label = newlabel();
10)          stmt1.gen(b,label);
11)          emitlabel(label);
12)          stmt2.gen(label,a);
13)       }
14)    }
15) }
```

Um comando break passa o controle para fora de um comando loop ou switch envolvente. A classe Break usa o campo stmt para guardar a construção do comando envolvente (o analisador sintático garante que Stmt.Enclosing denota o nó da árvore de sintaxe para a construção envolvente). O código para um objeto Break é um desvio para o rótulo stmt.after, que marca a instrução imediatamente após o código para stmt.

```
 1) package inter;              // Arquivo Break.java
 2) public class Break extends Stmt {
 3)    Stmt stmt;
 4)    public Break() {
 5)       if( Stmt.Enclosing == null ) error("unenclosed break");
 6)       stmt = Stmt.Enclosing;
 7)    }
 8)    public void gen(int b, int a) {
 9)       emit( "goto L" + stmt.after);
10)    }
11) }
```

A.8 ANALISADOR SINTÁTICO

O analisador sintático lê um fluxo de tokens e constrói uma árvore de sintaxe chamando as funções construtoras apropriadas das seções A.5-A.7. A tabela de símbolos corrente é mantida como no esquema de tradução da Figura 2.38, da Seção 2.7.

O pacote parser contém uma classe, Parser:

```
 1) package parser;             // Arquivo Parser.java
 2) import java.io.*; import lexer.*; import symbols.*; import inter.*;
 3) public class Parser {
 4)    private Lexer lex;     // analisador léxico para este analisador sintático
 5)    private Token look;    // lookahead tagen
 6)    Env top = null;        // tabela de símbolos corrente ou do topo
 7)    int used = 0;          // memória usada para declarações
 8)    public Parser(Lexer l) throws IOException { lex = l; move(); }
 9)    void move() throws IOException { look = lex.scan(); }
10)    void error(String s) { throw new Error("near line "+lex.line+": "+s); }
11)    void match(int t) throws IOException {
12)       if( look.tag == t ) move();
13)       else error("syntax error");
14)    }
```

Assim como o tradutor de expressão simples da Seção 2.5, a classe Parser possui um procedimento para cada não-terminal. Os procedimentos são baseados em uma gramática formada pela remoção da recursão à esquerda da gramática da linguagem fonte da Seção A.1.

A análise começa com uma chamada ao procedimento program, que chama block() (linha 16) para analisar sintaticamente o fluxo de entrada e construir a árvore de sintaxe. As linhas 17-18 geram código intermediário.

```
15)     public void program() throws IOException {  // program -> block
16)         Stmt s = block();
17)         int begin = s.newlabel();   int after = s.newlabel();
18)         s.emitlabel(begin);   s.gen(begin, after);   s.emitlabel(after);
19)     }
```

O tratamento da tabela de símbolos é mostrado explicitamente no procedimento block.[3] A variável top (declarada na linha 5) contém a tabela de símbolos do topo; a variável savedEnv (linha 21) é um elo para a tabela de símbolos anterior.

```
20)     Stmt block() throws IOException {   // block -> { decls stmts }
21)         match('{');   Env savedEnv = top;   top = new Env(top);
22)         decls();  Stmt s = stmts();
23)         match('}');   top = savedEnv;
24)         return s;
25)     }
```

As declarações resultam em entradas da tabela de símbolos para identificadores (ver linha 36). Embora não aparecendo aqui, as declarações também podem resultar em instruções para reservar áreas de memória para os identificadores em tempo de execução.

```
26)     void decls() throws IOException {
27)         while( look.tag == Tag.BASIC ) {   // D -> type ID ;
28)             Type p = type(); Token tok = look; match(Tag.ID); match(';');
29)             Id id = new Id((Word)tok, p, used);
30)             top.put( tok, id );
31)             used = used + p.width;
32)         }
33)     }
34)     Type type() throws IOException {
35)         Type p = (Type)look;               // espera look.tag == Tag.BASIC
36)         match(Tag.BASIC);
37)         if( look.tag !='[ ' ) return p;    // T -> basic
38)         else return dims(p);                // retorna tipo do arranjo
39)     }
40)     Type dims(Type p) throws IOException {
41)         match('[');   Token tok = look;  match(Tag.NUM);   match(']');
42)         if( look.tag == '[' )
43)             p = dims(p);
44)         return new Array(((Num)tok).value, p);
45)     }
```

O procedimento stmt possui um comando switch com *cases* correspondendo às produções para o não-terminal *Stmt*. Cada *case* constrói um nó para uma construção, usando as funções construtoras discutidas na Seção A.7. Os nós para os comandos while e do são construídos quando o analisador sintático vê a palavra-chave de abertura. Os nós são construídos antes que o comando seja analisado sintaticamente, para permitir que qualquer comando break interno aponte de volta para o seu *loop* envolvente. Os *loops* aninhados são tratados usando a variável Stmt.Enclosing da classe Stmt e savedStmt (declarado na linha 52) para manter o *loop* envolvente corrente.

```
46)     Stmt stmts() throws IOException {
47)         if ( look.tag =='}' ) return Stmt.Null;
48)         else return new Seq(stmt(), stmts());
49)     }
50)     Stmt stmt() throws IOException {
51)         Expr x;   Stmt s, s1, s2;
52)         Stmt savedStmt;              // guarda o loop
53)         switch( look.tag ) {
54)         case ';':
55)             move();
56)             return Stmt.Null;
57)         case Tag.IF:
58)             match(Tag.IF); match('('); x = bool(); match(')');
59)             s1 = stmt();
```

```
60)            if( look.tag != Tag.ELSE ) return new If(x, s1);
61)            match(Tag.ELSE);
62)            s2 = stmt();
63)            return new Else(x, s1, s2);
64)         case Tag.WHILE:
65)            While whilenode = new While();
66)            savedStmt = Stmt.Enclosing; Stmt.Enclosing = whilenode;
67)            match(Tag.WHILE); match('('); x = bool(); match(')');
68)            s1 = stmt();
69)            whilenode.init(x, s1);
70)            Stmt.Enclosing = savedStmt;   // reinicia Stmt.Enclosing
71)            return whilenode;
72)         case Tag.DO:
73)            Do donode = new Do();
74)            savedStmt = Stmt.Enclosing; Stmt.Enclosing = donode;
75)            match(Tag.DO);
76)            s1 = stmt();
77)            match(Tag.WHILE); match('('); x = bool(); match(')'); match(';');
78)            donode.init(s1, x);
79)            Stmt.Enclosing = savedStmt;   // reinicia Stmt.Enclosing
80)            return donode;
81)         case Tag.BREAK:
82)            match(Tag.BREAK); match(';');
83)            return new Break();
84)         case '{':
85)            return block();
86)         default:
87)            return assign();
88)         }
89)      }
```

Por conveniência, o código para atribuições aparece em um procedimento auxiliar, `assign`.

```
 90)    Stmt assign() throws IOException {
 91)       Stmt stmt;   Token t = look;
 92)       match(Tag.ID);
 93)       Id id = top.get(t);
 94)       if( id == null ) error(t.toString() + " undeclared");
 95)       if( look.tag =='=' ) {        // S -> id = E ;
 96)          move();   stmt = new Set(id, bool());
 97)       }
 98)       else {                         // S -> L = E ;
 99)          Access x = offset(id);
100)          match('=');   stmt = new SetElem(x, bool());
101)       }
102)       match(';');
103)       return stmt;
104)    }
```

A análise sintática das expressões aritméticas e booleanas é semelhante. Em cada caso, um nó apropriado da árvore de sintaxe é criado. A geração de código para os dois é diferente, conforme discutimos nas seções A.5-A.6.

```
105)    Expr bool() throws IOException {
106)       Expr x = join();
107)       while( look.tag == Tag.OR ) {
108)          Token tok = look;   move();   x = new Or(tok, x, join());
109)       }
110)       return x;
```

---

[3] Uma alternativa atraente é acrescentar métodos push e pop à classe Env, com a tabela corrente acessível por meio de uma variável estática Env.top.

```
111)        }
112)        Expr join() throws IOException {
113)            Expr x = equality();
114)            while( look.tag == Tag.AND ) {
115)                Token tok = look;   move();   x = new And(tok, x, equality());
116)            }
117)            return x;
118)        }
119)        Expr equality() throws IOException {
120)            Expr x = rel();
121)            while( look.tag == Tag.EQ || look.tag == Tag.NE ) {
122)                Token tok = look;   move();   x = new Rel(tok, x, rel());
123)            }
124)            return x;
125)        }
126)        Expr rel() throws IOException {
127)            Expr x = expr();
128)            switch( look.tag ) {
129)            case'<': case Tag.LE: case Tag.GE: case'>':
130)                Token tok = look;   move();   return new Rel(tok, x, expr());
131)            default:
132)                return x;
133)            }
134)        }
135)        Expr expr() throws IOException {
136)            Expr x = term();
137)            while( look.tag == '+' || look.tag == '-' ) {
138)                Token tok = look;   move();   x = new Arith(tok, x, term());
139)            }
140)            return x;
141)        }
142)        Expr term() throws IOException {
143)            Expr x = unary();
144)            while(look.tag == '*' || look.tag == '/' ) {
145)                Token tok = look;   move();   x = new Arith(tok, x, unary());
146)            }
147)            return x;
148)        }
149)        Expr unary() throws IOException {
150)            if( look.tag == '-' ) {
151)                move();   return new Unary(Word.minus, unary());
152)            }
153)            else if( look.tag == '!' ) {
154)                Token tok = look;   move();   return new Not(tok, unary());
155)            }
156)            else return factor();
157)        }
```

O restante do código no analisador sintático trata 'fatores' nas expressões. O procedimento auxiliar offset gera código para cálculos de endereço de arranjo, conforme discutimos na Seção 6.4.3.

```
158)        Expr factor() throws IOException {
159)            Expr x = null;
160)            switch( look.tag ) {
161)            case'(':
162)                move(); x = bool(); match(')');
163)                return x;
164)            case Tag.NUM:
165)                x = new Constant(look, Type.Int);     move(); return x;
166)            case Tag.REAL:
167)                x = new Constant(look, Type.Float);   move(); return x;
168)            case Tag.TRUE:
169)                x = Constant..True;                    move(); return x;
```

```
170)            case Tag.FALSE:
171)                x = Constant.False;                      move(); return x;
172)            default:
173)                error("syntax error");
174)                return x;
175)            case Tag.ID:
176)                String s = look.toString();
177)                Id id = top.get(look);
178)                if( id == null ) error(look.toString() + " undeclared");
179)                move();
180)                if( look.tag != '[' ) return id;
181)                else return offset(id);
182)            }
183)        }
184)        Access offset(Id a) throws IOException {    // I -> [E] | [E] I
185)            Expr i; Expr w; Expr t1, t2; Expr loc;   // herda id
186)            Type type = a.type;
187)            match('['); i = bool(); match(']');      // primeiro índice, I -> [ E ]
188)            type = ((Array)type).of;
189)            w = new Constant(type.width);
190)            t1 = new Arith(new Token('*'), i, w);
191)            loc = t1;
192)            while( look.tag == '[' ) {        // I multidimensional -> [ E ] I
193)                match('['); i = bool(); match(']');
194)                type = ((Array)type).of;
195)                w = new Constant(type.width);
196)                t1 = new Arith(new Token('*'), i, w);
197)                t2 = new Arith(new Token('+'), loc, t1);
198)                loc = t2;
199)            }
200)            return new Access(a, loc, type);
201)        }
202) }
```

A.9 Criando o *FRONT-END*

O código para os pacotes aparece em cinco diretórios: main, lexer, symbol, parser e inter. Os comandos para criar o compilador variam de um sistema para outro. Os comandos seguintes são de uma implementação do UNIX:

```
javac lexer/*.java
javac symbols/*.java
javac inter/*.java
javac parser/*.java
javac main/*.java
```

O comando javac cria arquivos .class para cada classe. O tradutor pode então ser exercitado digitando-se java main.Main seguido pelo programa fonte a ser traduzido; por exemplo, o conteúdo do arquivo test.

```
1) {                       // Arquivo test
2)   int i; int j; float v; float x; float[100] a;
3)   while( true ) {
4)     do i = i+1; while( a[i] < v);
5)     do j = j-1; while( a[j] > v);
6)     if( i >= j ) break;
7)     x = a[i]; a[i] = a[j]; a[j] = x;
8)   }
9) }
```

Nessa entrada, o *front-end* produz

```
 1) L1:L3:    i = i + 1
 2) L5:       t1 = i * 8
 3)           t2 = a [ t1 ]
 4)           if t2 < v goto L3
 5) L4:       j = j - 1
 6) L7:       t3 = j * 8
 7)           t4 = a [ t3 ]
 8)           if t4 > v goto L4
 9) L6:       iffalse i >= j goto L8
10) L9:       goto L2
11) L8:       t5 = i * 8
12)           x = a [ t5 ]
13) L10:      t6 = i * 8
14)           t7 = j * 8
15)           t8 = a [ t7 ]
16)           a [ t6 ] = t8
17) L11:      t9 = j * 8
18)           a [ t9 ] = x
19)           goto L1
20) L2:
```

Experimente.

B ENCONTRANDO SOLUÇÕES LINEARMENTE INDEPENDENTES

Algoritmo B.1: Encontra um conjunto máximo de soluções linearmente independentes para $A\vec{x} \geq \vec{0}$ e as expressa como linhas da matriz B.

ENTRADA: Uma matriz $m \times n$, A.

SAÍDA: Uma matriz B de soluções linearmente independentes para $A\vec{x} \geq \vec{0}$.

MÉTODO: O algoritmo aparece no pseudocódigo a seguir. Observe que $X[y]$ denota a y-ésima linha da matriz X, $X[y:z]$ denota as linhas y a z da matriz X, e $X[y:z][u:v]$ denota o retângulo de matriz X nas linhas de y a z e colunas de u a v.

$M = A^T$;
$r_0 = 1$;
$c_0 = 1$;
$B = I_{n \times n}$; /* uma matriz identidade n-por-n */

while (**true**) {

    /* **1.** Faça $M[r_0 : r' - 1][c_0 : c' - 1]$ uma matriz diagonal com
           entradas diagonais positivas e $M[r' : n][c_0 : m] = 0$.
           $M[r' : n]$ são soluções. */
    $r' = r_0$;
    $c' = c_0'$;
    while (existe $M[r][c] \neq 0$ tal que
           $r - r'$ e $c - c'$ são ambos ≥ 0) {
        Move pivô $M[r][c]$ para $M[r'][c']$ por troca de linha
           e coluna;
        Troca linha r por linha r' em B;
        if ($M[r'][c'] < 0$) {
            $M[r'] = -1 * M[r']$;
            $B[r'] = -1 * B[r']$;
        }
        for ($row = r_0$ to n) {
            if ($row \neq r'$ e $M[row][c'] \neq 0$ {
                $u = -(M[row][c'] / M[r'][c'])$;
                $M[row] = M[row] + u * M[r']$;
                $B[row] = B[row] + u * B[r']$;
            }
        }
        $r' = r' + 1$;
        $c' = c' + 1$;
    }

    /* **2.** Encontre uma solução além de $M[r' : n]$. Ela deverá ser uma
           combinação não negativa de $M[r_0 : r' - 1][c_0 : m]$ */
    Encontre $k_{r_0}, ..., k_{r'-1} \geq 0$ tal que

$k_{r_0} M[r_0][c' : m] + ... + k_{r'-1} M[r' - 1][c' : m] \geq 0;$
if (existe uma solução não trivial, digamos $k_r > 0$) {
    $M[r] = k_{r_0} M[r_0] + ... + k_{r'-1} M[r' - 1];$
    NoMoreSoln = **false**;
}   **else** /* $M[r' : n]$ são as únicas soluções */
    NoMoreSoln = **true**;

/* **3.** Faça $M[r_0 : r_n - 1][c_0 : m] \geq 0$ */
if (NoMoreSoln) { /* Mova soluções $M[r' : n]$ para $M[r_0 : r_n - 1]$ */
    for ($r = r'$ to n)
        Troque linhas r and $r_0 + r - r'$ em M e B;
    $r_n = r_0 + n - r' + 1;$
else { /* Use adição de linha para encontrar mais soluções */
    $r_n = n + 1;$
    for ($col = c'$ to m)
        if (existir $M[row][col] < 0$ tal que $row \geq r_0$)
            if (existir $M[r][col] > 0$ tal que $r \geq r_0$)
                for ($row = r_0$ to $r_n - 1$)
                      if ($M[row][col] < 0$) {
                          $u = \lceil (- M[row][col] / M[r][col]);$
                          $M[row] = M[row] + u * M[r];$
                          $B[row] = B[row] + u * B[r];$
                      }
            else
                for ($row = r_n - 1$ to r_0 step -1)
                    if ($M[row][col] < 0$ {
                        $r_n = r_n - 1;$
                        Troque $M[row]$ por $M[r_n]$;
                        Troque $B[row]$ por $B[r_n]$;
                    }
}

/* **4.** Faça $M[r_0 : r_n - 1][1 : c_0 - 1] \geq 0$ */
for ($row = r_0$ to $r_n - 1$)
    for ($col = 1$ to $c_0 - 1$)
        if ($M[row][col] < 0$ {
            Escolha um r tal que $M[r][col] > 0$ e $r < r_0$;
            $u = \lceil (- M[row][col] / M[r][col]);$
            $M[row] = M[row] + u * M[r];$
            $B[row] = B[row] + u * B[r];$
        }

/* **5.** Se for preciso, repita com *rows* $M[r_n : n]$ */
if ((NoMoreSoln or $r_n > n$ or $r_n == r_0$) {
    Remova linhas r_n a n de B;
    return B;
}
else {
    $c_n = m + 1;$
    for ($col = m$ to 1 step -1)
        if (não existe $M[r][col] > 0$ tal que $r < r_n$ {
            $c_n = c_n - 1;$
            Troca coluna col por c_n em M;
        }
    $r_0 = r_n;$
    $c_0 = c_n;$
}
}

ÍNDICE REMISSIVO

A
abstração de dados 12
Abu-Sufah, W. 565
ação 37-38, 159, 209-210
aceitação 95
acesso a arranjo afim 489, 502-503, 510-517
acesso à memória não-uniforme 485
acesso dinâmico 512
acesso estático 511
Ada 250
Aho, A. V. 121, 192, 366-367
Aho-Corasick, algoritmo 87-89
alargamento 248-249
alfabeto 75
alfabeto binário 75
algoritmo de fluxo de dados iterativo 382-384, 385, 387, 394-395
algoritmo do trem 309, 312-314
algoritmo euclideano 513
alinhamento 239, 275
Allen, F. E. 442, 565, 602
Allen, R. 565
alocação baseada em região 296
alocação de memória 290
alocação de registrador 324-325, 350-353, 361-362, 448, 465-466
alocação estática 329-330, 333
Alpha 441
altura de semi-reticulado 393, 395
ambiente 16-18
ambiente em tempo de execução 274
Amdahl, lei 485
analisador léxico 5, 120, 133, 188-189, 605-608
analisador sintático 6, 26, 29, 39, 71, 122-193, 617-621
    Ver também analisador sintático ascendente, analisador sintático descendente
analisador sintático ascendente 150-154
    Ver também analisador sintático LR canônico, analisador sintático shift-reduce
analisador sintático de descida recursiva 139-142
analisador sintático descendente 39-44, 138-149
    Ver também analisador sintático preditível, analisador sintático shift-reduce
analisador sintático LL
    Ver analisador sintático previsível
analisador sintático LR canônico 166, 169-170, 181
analisador sintático preditível 41-44, 142-147
analisador sintático shift-reduce 151-154
analisador sintático SLR 161-165, 181
análise 3
análise baseada em equivalência 587
análise baseada em inclusão 587
análise baseada em sumário 572-574
análise de apontador 446, 567, 576-577, 586-596
análise de fluxo de dados 8, 15, 377-442
análise de fluxo de dados conservadora 381
análise interprocedimental 446, 567-603
análise intraprocedimental 567
análise semântica 6
análise sensível ao contexto 593-595
análise simbólica 431-439
análise sintática
    Ver analisador sintático
ancestral 29
Andersen, L. 602-603
aninhamento de loop 489, 496, 499
antidependência 445, 510
anti-simetria 390
Antlr 192, 193
apontador 233, 238, 326, 342, 586-587
    Ver também apontador pendente
apontador de pilha 280
apontador pendente 295
aresta 417-418
aresta crítica 405
aresta cruzada 417
aresta de avanço 417
aresta de recuo 417, 418
armazenamento de campo 588
armazenamento dinâmico 275
    Ver também heap, pilha em tempo de execução
armazenamento estático 275
armazenamento
    Ver armazenamento dinâmico, armazenamento estático
arquitetura 12-14
arquitetura de computador
    Ver arquitetura
arquivo de registrador de rotação 478
arranjo 237-240, 243-246, 341-3 42, 343, 368-369, 446, 482, 578
    Ver também acesso a arranjo afim
árvore 39, 36
árvore de ativação 276-278
árvore de derivação 29-30, 128-130
    Ver também árvore de derivação anotada
árvore de derivação anotada 35
árvore de dominadores 413
árvore sintática 26, 45, 60, 203-206, 229, 235, 617-621
árvore sintática abstrata
    Ver árvore sintática
ASCII 75
assembler 3
assinatura 231
associatividade 31, 78, 178-180, 188, 390
associatividade à direita 31
associatividade à esquerda 31
associatividade de conjunto 292
átomo 578

átomo básico 578
atribuição de registrador 324, 353
atributo 34, 72
    Ver também atributo herdado, atributo principal, atributo sintetizado
atributo herdado 35, 195-196, 197
atributo principal 219
atributo sintetizado 34-36, 195-196
Auslander, M. A. 367
Auto-incremento 462
autômato 93
    Ver também autômato finito determinístico, LR(0) autômato, autômato finito não-determinista
autômato finito determinístico 95-99, 105-106, 109-119, 131
autômato finito não-determinista 94, 97-112, 131, 165
autômato finito
    Ver autômato
avaliação contígua 363-364
avaliação incremental 582-583
Avots, D. 602-603

B

back-end 3, 227
Backus, J. W. 192-193
Backus-Naur, formato
    Ver BNF
Baker, algoritmo 304-305, 308
Baker, H. G. Jr. 319
Ball, T. 602-603
Banerjee, U. 565
Banning, J. P. 603
barramento 483-484
barreira de escrita 310-311
barreira de leitura 310
barreira de transferência 310
Barth, J. M. 603
batida
    Ver relógio
Bauer, F. L. 227
BDD 596-601
BDD ordenado 597
bddbddb 602
Bergin, T. J. 24
Berndl, M. 602-603
Bernstein, D. 480
best-fit 293-294
Birman, A. 192
Bison 192

bit de veneno 449
bloco 18, 55-56, 61
    Ver também bloco básico
bloco básico 333-343, 377, 379-380, 452-455
bloco de saída 425
BNF
    Ver gramática livre de contexto
Bounimova, E. 603
branch-and-bound 516
Brooker, R. A. 227
Bryant, R. E. 602-603
buffer 73-74
buffer de entrada
    Ver buffer
buraco 293
Burke, M. 565
Bush, W. R. 602-603
bytecode 2

C

C 9, 12, 16, 18-19, 243, 298, 567-568
C++ 9, 12, 21, 317
cabeça 27, 126, 579
cabeçalho 418, 423
cache 13, 291, 292, 482, 490-491
cache mapeada diretamente 292, 493
Cadar, C. 603
cadeia 75-76
cadeia de chamada 570-571, 593-595
cadeia de chamada acíclica 571
cadeia vazia 28, 76, 77
Callahan, D. 602-603
caminhamento 36-37
    Ver também caminhamento pós-ordem, caminhamento de pré-ordem
caminhamento de pré-ordem 37, 278
caminhamento pós-ordem 37, 228
    Ver também ordenação em profundidade
caminho acíclico 420
caminho crítico 454
caminho de execução 377, 396
caminho
    Ver caminho acíclico, caminho crítico, caminho de execução, encontro de caminhos, solução, peso de um caminho
campo 240-241, 369, 586
Cantor, D. C. 192
Carbin, M. 603

carga de campo 588
carga dinâmica 592
casamento de padrão de árvores 357-358
CFG
    Ver gramática
Chaitin, G. J. 367
chamada 233, 271-272, 329-332, 342, 343
chamada de função
    Ver chamada
chamada de método
    Ver chamada
chamada de procedimento
    Ver chamada
chamada por nome 20
chamada por referência 21-22
chamada por valor 21
Chandra, A. K. 367
Charles, P. 565
Chelf, B. 603
Chen, S. 480, 565
Cheney, algoritmo 306-308
Cheney, C. J. 319
Cheong, G. I. 566
Chomsky Normal Form 148, 192
Chomsky, N. 192
Chou, A. 603
Chow, F. 367
Church, A. 319
ciclo crítico 474
CISC 13, 322-323
classe 21, 240-241
classe de caractere 81
clonagem 571-572
Cocke, J. 192, 367, 442, 565
Cocke-Younger-Kasami, algoritmo 148, 192
código de destino
    Ver código objeto
código de desvio 261, 611-614
código de três endereços 27, 64, 232-235
código fall 260
código intermediário 6, 59-68, 273, 322, 614-617
código morto 338-340-373
código numérico 230-231, 250
código objeto 228
    Ver também geração de código
coerção 63, 249
Coffman, E. G. 565-566

coleta de lixo 15, 275, 297-318
   Ver também marcar-e-compactar, marcar-e-varrer, coleta de lixo com pausa curta
coleta de lixo baseada em rastreamento 301-302
   Ver também marcar-e-compactar, marcar-e-varrer
coleta de lixo com pausa curta 309-315
coleta de lixo concorrente 315-316
coleta de lixo generativo 309, 312
coleta de lixo incremental 309-311
coleta de lixo no modo pânico 314
coleta de lixo paralela 315-316
coleta de lixo parcial 306, 311-315
coletor de cópia 306-308, 311, 316-317
Collins, G. E. 319
coloração 353
coloração do grafo
   Ver coloração
comando 60-61, 64-65, 615-617
   Ver também comando break, comando continue, comando if, comando switch, comando while
comando break 267
comando continue 267
comando de cópia 345, 588
comando if 256
comando switch 268-270
comando while 256
comentário 49-50
compactação de vizinhança 431
compilação just-in-time 322
Complex Instruction-Set Computer
   Ver CISC
componente fortemente conectado 471, 538
composição 393, 425-426, 435
comunicação 518, 553, 562
comutatividade 78, 390
concatenação 76, 77-78
condição de contorno 388
configuração 159-160
conflito 92, 357-358
   Ver também conflito reduce-reduce, conflito shift-reduce
conflito reduce-reduce 153-154, 188
conflito shift-reduce 153-154, 188
conjunto de destino 311
conjunto de itens 156-157, 165
   Ver também conjunto de itens LR(0)

canônico, conjunto de itens LR(1) canônico
conjunto de itens LR(0) canônico 155, 158
conjunto de itens LR(1) canônico 166-169
conjunto estável 311
conjunto lembrado 313
conjunto parcialmente ordenado
   Ver poset
conjunto potência 391
conjunto raiz 298-299, 312
constante 50-51
constante simbólica 497
construção de subconjunto 97-98
contagem de referência 296, 298, 299-301
contagem de uso 354-352
contração de arranjo 556-557
conversão de tipo 248-249
   Ver também coerção
Cook, B. 603
Cooper, K. D. 367, 603
Corasick, M. J. 120-121
corpo 27, 126, 579
correção de erro 72-73, 122-125, 146-147
Cousot, P. 442
Cousot, R. 442
criação de objeto 588
CUP 192, 193
curto-circuito 597
cutset 406
CYK, algoritmo
   Ver Cocke-Younger-Kasami, algoritmo
Cytron, R. 442, 565

D

dados de tamanho variável 281-282
DAG 229-231, 338-343, 596
Dain, J. 192-193
Dalton, M. 603
Dantzig, G. 565
Das, M. 602-603
Dasgupta 480
Datalog 578-585
Datalog, programa 579
Davidson, E. S. 481
declaração 20, 238, 240
declarações de procedimento aninhado 284-285

decodificação 444
def 384
definição 20
definição de uma variável 379-380
definição dirigida por sintaxe 34-36, 194-202
definição dirigida por sintaxe simples 36
definição L-atribuída 200-201, 212-226
definição regular 78
definição S-atribuída 196, 200, 207
definições de alcance 379-384, 388
dependência circular 196
dependência de dados 445-448, 458, 483, 489-490, 503-504, 510-517
   Ver também antidependência, dependência de saída, dependência verdadeira
dependência de saída 455, 510
dependência relacionada ao armazenamento
   Ver antidependência, dependência de saída
dependência verdadeira 445, 510
DeRemer, F. 192-193
derivação 28-30, 127-128
   Ver também derivação mais à esquerda, derivação mais à direita
derivação canônica
   Ver derivação mais à direita
derivação mais à direita 128
derivação mais à esquerda 128
derramamento de registradores 448
descendente 29
descida recursiva 217-220
descritor de endereço 344, 345-347
descritor de registrador 344, 345-347
desdobramento de constante 340, 398-401
desdobramento de loop 460, 464, 465
deslocamento 241
desvio 325, 334, 349-350
desvio condicional 325, 334
DFA
   Ver autômato finito determinístico
diagrama de decisão binário
   Ver BDD
diagrama de reticulado 391-392
diagrama de transição 83-84, 94
   Ver também autômato
diferenciação de maiúsculas e minúsculas 80

Dijkstra, E. W. 319
diofantina, equação 512-513
display 287-288
distributividade 78
divisão de trechos em compartimentos 293
do-across, loop 466
do-all, loop 462
dominador 413-415, 423, 457
dominador imediato 413-414
domínio de uma análise de fluxo de dados 378, 388
domínio de uma relação 598
Donnelly, C. 193
Dumitran, D. 603

E

Earley, J. 192-193
Eaves, B. C. 565
EDB
    Ver predicado de banco de dados extensional
efeito colateral 195-196, 201-202, 455
elemento bottom 390, 391
elemento top 390, 391
eliminação de redundância parcial 402-412
elo de acesso 279, 284-287
elo de controle 278
else vazio 133-134, 180-181
Emami, M. 602-603
encontro de caminhos, solução 396-397
endereçamento físico 274
endereçamento lógico 274
endereço 232, 239
endereço de base 243
endereço de retorno 279
endereço indexado 326
endereço indireto 326
endereço relativo 236-237, 238, 243-244
Engler, D. 602-603
epílogo 465
eqn 212
equação de fluxo de controle 379, 382
equivalência de tipo 238
equivalência por controle 457
erro de sintaxe 124
erro léxico 124
erro lógico 124
erro semântico 124
Ershov, A. P 273, 367, 442

Ershov, número 359-362
escalonador dinâmico 450, 461
escalonamento 445, 448
escalonamento de código
    Ver escalonamento
escalonamento de lista 453-454
escaneamento 71
    Ver também analisador léxico
escopo 56
escopo dinâmico 20-21
escopo estático 16, 18-19, 283
    Ver também escopo
escopo léxico
    Ver escopo estático
espaço de dados 488-489
espaço de endereçamento 274
espaço de iteração 488-489, 494-500
espaço de processador 484-489, 524-525
espaço em branco 26, 49-50
espaço livre 293
espaço nulo 506-507
espaço
    Ver espaço de dados, espaço de iteração, espaço nulo, espaço de processador
esquema de tradução posfixado 208-209
estado (do armazenamento do programa) 16-18
estado 94, 131
    Ver também estado morto, minimização de estados, estado do analisador sintático
estado de aceitação
    Ver estado final
estado do analisador sintático 154-155
    Ver também conjunto de itens
estado estável 465
estado final 83, 94
estado Free 303
estado inicial 83, 94, 131
estado morto 109, 117
estado Scanned 303
estado Unreached 303
estado Unscanned 303
estouro de buffer 576, 577-578
estreitamento 248-249
estrutura de análise de fluxo de dados 390
estrutura distributiva 394, 400-401
estrutura em bloco
    Ver escopo estático

estrutura monotônica 393-394, 400
estrutura
    Ver classe, registro
estrutura
    Ver estrutura de análise de fluxo de dados, estrutura distributiva, estrutura monotônica
execução com predicado 446, 447
execução especulativa 449-450
expansão de variável modular 476-477
expansão de variável
    Ver expansão de variável modular
expansão em linha 567, 574
expressão 31, 62-63, 65-67
    Ver também expressão aritmética, expressão booliana, expressão infixada, expressão posfixada, expressão prefixada, expressão regular, expressão de tipo
expressão adiável 407, 408, 410-411
expressão afim 431-432, 482
expressão antecipada 406-409, 411
expressão aritmética 31-32, 44, 242-243,
expressão booliana 255-266, 258-262, 263-264
expressão de tipo 237-238, 251-253
expressão disponível 385-388, 409, 411
expressão earliest 408-409, 411
expressão infixada 26-34
expressão invariante de loop 404
expressão latest 408, 411
expressão posfixada 26, 34
expressão prefixada 209-210
expressão regular 75-78, 101-104, 114-115, 120, 133
expressão usada 408, 411

F

Fahndrich, M. 602-603
Farkas, lema 547-549
fase 7-8
fatoração à esquerda 136-137
Feautrier, P. 565
fechamento 76, 77-78, 155, 168
    Ver também fechamento positivo
fechamento de funções de transferência 426
fechamento positivo 76, 79
Feldman, S. I. 273
Fenichel, R. R. 319
Ferrante, J. 442, 565

filho 29
FIRST 141-142
first-fit 293
firstpos 112-113
Fischer, C. N. 367
Fisher, J. A. 480
fissão 531, 532, 533, 535
fissão de loop
    Ver fissão
Flex 120-121
Floyd, R. W. 192-193
fluxo de controle 255-262, 265-267
fluxo para frente 388, 390, 394-395, 420
fluxo para trás 384, 388, 390, 394-395, 421
folha 28, 29
FOLLOW 141-142
followpos 113-114
forma de atribuição simples estática 235-236
forma sentencial 127
    Ver também forma sentencial esquerda, forma sentencial direita
forma sentencial direita 121, 164
forma sentencial esquerda 128
formação de blocos 483, 492-493, 550-552, 557-558
Fortran 74, 244, 488, 556
Fortran H 441
Fourier-Motzkin, algoritmo 498-499
fragmentação 293-295
Fraser, C. W. 367
Frege, G. 319
fronteira
    Ver yield
front-end 3, 26, 227, 621-622
função 18
    Ver também procedimento
função de ordem mais alta 284
função de transferência 378, 381-382, 388, 393-394, 396, 399, 425-426, 435-436
função de transição 94, 96
função identidade 393
fusão 531, 532
fusão de loop
    Ver fusão

G

Ganapathi, M. 366-367
Gao, G. 565-566
Gear, C. W. 442
gen-kill, formato 381
geração de código 7, 321-367, 433-481
    Ver também escalonamento
geração direta de código 219-220, 243-244
gerador de analisador sintático
    Ver Antlr, Bison, CUP, LLgen, Yacc
gerar 381, 385
Geschke, C. M. 442
Ghiya, R. 602-603
Gibson, R. G. 24
Glaeser, C. D. 480-481
Glanville, R. S. 367
GNU 24, 272
Gosling, J. 273
GOTO 157, 159, 167
grafo acíclico direcionado
    Ver DAG
grafo de chamada 567-568, 591, 592
grafo de dependência 198-199
grafo de dependência de dados 452-453
grafo de dependência de programa 535-537
grafo de fluxo 333-337
    Ver também grafo de fluxo redutível, super grafo de fluxo de controle
grafo de fluxo não-redutível
    Ver grafo de fluxo redutível
grafo de fluxo redutível 417, 418, 423-425, 429-430
grafo
    Ver grafo de chamada, DAG, grafo de dependência de dados, grafo de dependência, grafo de fluxo, grafo de dependência de programa
Graham, S. L. 367
gramática 37-32, 125-127-130
    Ver também gramática ambígua, gramática estendida
gramática ambígua 30, 129-130, 133-134, 159, 178-181, 186-188
gramática de atributo 196
gramática estendida 156
gramática livre de Œ 148
gramática livre de contexto
    Ver gramática
gramática LL 142-143
grande-oh 101
granularidade 576
granularidade do paralelismo 485-486
Gross, T. R. 460
Grune, D. 193
Gupta, A. 565-566

H

Hallem, S. 603
Halstead, M. H. 273
handle 150-151
Hanson, D. R. 367
heap 275-276, 289-297, 586-587
Hecht, M. S. 442
Heintze, N. 602-603
Hendren, L. J. 602-603
Hennessy, J. L. 24, 366-367, 480, 565-566
herança 12
Hewitt, C. 320
hierarquia de memória 13, 291-292
Hoare, C. A. R. 193
Hobbs, S. O. 442
Hopcroft, J. E. 120-121, 193
Hopkins, M. E. 367
Hudson, R. L. 319
Hudson, S. E. 193
Huffman, D. A. 120-121
Huskey, H. D. 273

I

IDB
    Ver predicado de banco de dados intensional
identidades algébricas 340-341, 350
identificador 17, 51-52
indempotência (igual potência) 78-390
índice 233
inferência de tipo 247, 250-253
ínfimo 391
Ingerman, P. Z. 193
inicialização 388
instrução de armazenamento 325
instrução de incremento 323
instrução única, dados múltiplos
    Ver SIMD
intercalação 557-560
intercalação de nó 597
interferência de cache 493
interpretador 2
interrupção 334
interseção 386-387, 388, 390-391, 409
intervalo de inicialização 466
invocação de método 21
Irons, E. T. 227
item 155-156
    Ver também item do kernel, conjunto de itens, item válido

item do kernel 157, 173-174
item válido 164

J

Jacobs, C. J. H. 193
Java 2, 9, 12, 16, 21, 48, 243, 567, 586, 592
Jazayeri, M. 227
JFlex 120-121
Johnson, R. K. 442
Johnson, S. C. 192-193, 227, 273, 319-320, 366-367
junção 392, 559
JVM
 Ver máquina virtual Java

K

Kam, J. B. 442
Kasami, T. 192-193, 442
Kennedy, K. 965, 603
Kernighan, B. W. 120-121
Kildall, G. 442
Kleene, fechamento
 Ver fechamento
Kleene, S. C. 120-121
Knoop, J. 442
Knuth, D. E. 120-121, 192-193, 227, 319-320
Knuth-Morris-Pratt, algoritmo 87-89
Korenjak, A. J. 192-193
Kosaraju, S. R. 442
Kuck, D. J. 480, 565
Kung, H. T. 565

L

lado direito
 Ver corpo
lado esquerdo
 Ver cabeça
LALR, analisador sintático 166, 170-176, 181, 183-184
Lam, M. S. 480, 565-566, 602-603
Lamport, L. 319, 480-481, 565
largura de um tipo 239
lastpos 112-113
Lawrie, D. H. 565
lea 293
LeBlanc, R. J. 367
lei
 Ver associatividade, comutatividade, distributividade, idempotência
leiaute de armazenamento 238-239

Leiserson, C. E. 565
Lesk, M. E. 120-121
Leu, T. 603
Levin, V. 603
Lewis, P. M. II 192-193, 227
lex 80, 89-92, 106-107, 120-121, 188-189
lexema 71
Liao, S.-W. 566
liberação de memória 291, 295-296
Lichtenber, J. 603
líder 334
Lieberman, H. 320
Lim, A. W. 565-566
linguagem 28, 76
 Ver também Java, linguagem fonte, linguagem objeto
linguagem Assembly 8, 322-323
linguagem de máquina 322
linguagem de primeira geração 9
linguagem de programação 8-9, 16-22
 Ver também Ada, C, C++, Fortran, Java, ML
linguagem de quarta geração 9
linguagem de quinta geração 9
linguagem de scripting 9
linguagem de segunda geração 9
linguagem de terceira geração 9
linguagem declarativa 9
linguagem fonte 1
linguagem fortemente tipada 247
linguagem funcional 284
linguagem imperativa 9
linguagem insegura 317
linguagem livre de contexto 131, 137-138
linguagem objeto 1
linguagem orientada a objeto
 Ver C, C++, Java
linha de montagem de instruções 443-444
 Ver também de software pipelining
linha de montagem
 Ver linha de montagem de instrução, pipelining, software pipelining
linha
 Ver tupla
lista de livre 293-294, 301
literal 579
Livshits, V. B. 602-603
lixo cíclico 313
lixo flutuante 309
LLgen 192

load, comando 325
loader 3
localidade 292, 482
 Ver também localidade espacial, localidade temporal
localidade de dados 561
 Ver também localidade
localidade espacial 292-293, 298, 487-555
localidade temporal 292-293, 487, 555-556
localização 16-18
Lohtak, O. 603
lookahead 40, 92-93, 110, 174-176
loop 337, 351, 353, 413, 486
 Ver também do-all, loop, loops totalmente permutáveis, loop natural
loop natural 418-419, 423
loops totalmente permutáveis 539, 541-543, 549-550
Loveman, D. B. 566
Lowry, E. S. 366-367, 442
LR(0), autômato 155-156, 158-159, 161
LR, analisador sintático 154-161, 176-178, 208, 223-226
 Ver também analisador sintático LR canônico, analisador sintático LALR, analisador sintático SLR

M

macro 8
mapeamento simbólico 434
máquina de passagem de mensagem 485, 562
máquina de pilha 322
máquina de vetor 556, 562-563
máquina superescalar 444
máquina virtual 2
 Ver também máquina virtual Java
máquina virtual Java 322
marcar-e-compactar 305-308
marcar-e-varrer 301-305, 308
Markstein, P. W. 367
Martin, A. J. 319
Martin, M. C. 603
matar 380, 381, 385
matriz totalmente posicionada 506
máximo divisor comum
 Ver MDC
Maydan, D. E. 565-566
McArthur, R. 273
McCarthy, J. 120-121, 319-320

McClure, R. M. 193
McCullough, W. S. 120-121
McGarvey, C. 603
McKellar, A. C. 565-566
McNaughton, R. 120-121
McNaughton-Yamada-Thompson, algoritmo 120-121
MDC 512-513
Medlock, C. W. 366-367, 442
meet 382, 388, 389-390, 392-393, 399, 426, 436
memoização 515
memória 13, 484-485
    Ver também heap, memória física, armazenamento, memória virtual
memória física 291-292
memória secundária 13
memória virtual 291-292
META 192
Metal 576, 602
método 18
    Ver também procedimento, método virtual
método virtual 568, 574, 586, 590-592
MGU
    Ver Unificador mais geral
Milanova, A. 602-603
Milner, R. 273
minimização de estados 115-118
Minsky, M. 320
ML 248, 284-285
Mock, O. 273
Moore, E. F. 120-121
MOP
    Ver encontro de caminhos, solução
Morel, E. 442
Morris, D. 227
Morris, J. H. 120-121
Moss, J. E. B. 319
Motwani, R. 120-121, 193
movimentação de código 373-374
    Ver também movimentação de código para baixo, expressão invariante de loop, eliminação de redundância parcial, movimentação de código para cima
movimentação de código para baixo 457-458
movimentação de código para cima 457-458
movimento de código tardio
    Ver eliminação de redundância parcial

Mowry, T. C. 565-566
mudador 297
multiplicação de matriz 490-493
multiprocessador 483-484, 562
    Ver também SIMD, Single-Program Multiple Data
multiprocessador simétrico 483-484
Muraoka, Y. 480, 565

N

NAA 433-444
NAC 399
não-terminal 27-28, 29, 126
    Ver também não-terminal marcador
não-terminal marcador 223
Naur, P. 192-193
Neliac 272
next-fit 293-294
NFA
    Ver autômato finito não-determinista
nó 29
nó de entrada 337, 382
nó de saída 382
nome 16-18
núcleo (kernel) 487
nulidade 506
nullable 112-113
NUMA
    Ver acesso à memória não-uniforme

O

Ogden, W. F. 227
Olsztyn, J. 273
Ondrusek, B. 603
ordem lexicográfica 496
ordem parcial 390-391, 393
ordem principal de linha 244, 491
ordem principal por colunas 244
ordenação em profundidade 415
ordenação topológica 200
    Ver também ordenação topológica priorizada
ordenação topológica priorizada 454-455
otimização de código 5, 6-7, 10-11, 234, 368-442, 482-566
otimização de código global
    Ver otimização de código
otimização de código local
    Ver bloco básico
otimização peephole 348-350

otimização
    Ver otimização de código

P

Paakki, J. 227
padrão 71
Padua, D. A. 566
pai 29
palavra de instrução muito longa
    Ver VLIW
palavra reservada
    Ver palavra-chave
palavra-chave 32-33, 84
Panini 192
par de registradores 324
Parafrase 565
paralelismo 12-13, 443-556, 576
paralelismo de tarefa 486
parâmetro 270-271
    Ver também parâmetro real, parâmetro formal, parâmetro de procedimento
parâmetro de procedimento 287
parâmetro formal 21, 590
parâmetro real 21, 278, 590
Parr, T. 193
partição de espaço afim 519-525
particionamento de afim 483
passagem de parâmetro 21-22, 233
passo 7
Patel, J. H. 481
Patterson, D. A. 24, 366-367, 480, 565-566
P-code 246
PDG
    Ver grafo de dependência de programa
Pelegri-Llopart, E. 367
permutação 532, 533
peso de um caminho 514
Peterson, W. W. 442
PFC 565
Phoenix 24
Pierce, B. C. 273
pilha 208, 329, 330-331
    Ver também pilha em tempo de execução
pilha em tempo de execução 274-288, 299
Pincus, J. D. 602-603
pipelining 539-555
Pitts, W. 120-121

Pnueli, A. 603
poliedro convexo 495, 498
poliedro
    Ver poliedro convexo
polimorfismo 250-253
polimorfistmo paramétrico 250
    Ver também polimorfismo
política dinâmica 16
política estática 16
ponto de chamada 567, 595
ponto fixo máximo 395, 397
ponto fixo
    Ver ponto fixo máximo
porção deserto 294
Porterfield, A. 565-566
pós-dominador 457
poset 390
posto de uma matriz 505-506
Pratt, V. R. 120-121
PRE
    Ver eliminação de redundância parcial
pré-busca 293, 449, 563
precedência 31, 77, 178-180, 188
predecessor 336
predicado 578-579
predicado de banco de dados intensional 580
predicado de dados extensional 580
PREfix 576, 602
prefixo 76
prefixo viável 164
pré-processador 2
private 19
procedimento 18, 270-271
produção 27-28, 126, 127
    Ver também produção de erro
produção de erro 125
produção unitária 148
produção-CE 41, 42
produtividade de software 15-16
Proebsting, T. A. 367
profundidade de um grafo de fluxo 418
programa Datalog estratificado 583-584
programa objeto 274-275
programação dinâmica 363-365
    Ver também Cocke-Younger-Kasami, algoritmo
programação linear inteira 511-516
programação linear
    Ver programação linear inteira

projeção 599
prólogo 465
propagação de constante
    Ver desdobramento de constante
propagação de cópia 372-373
propriedade de objeto 296
Prosser, R. T. 442
protected 19
protocolo de cache coerente 483-484
pseudo-registrador 446
PTRAN 565
public 19
Pugh, W. 565, 566
Purify 16, 296

Q
Qian, F. 603
quádrupla 234
Quicksort 276-277, 369-370

R
Rabin, M. O. 120-121
raiz 29
Rajamani, S. K. 602-603
RAM dinâmica 291
RAM estática 291
Randell, B. 319-320
Rau, B. R. 480-481
recuperação de erro 181-182, 189-190
recuperação em nível de frase 125, 147
recuperação no modo pânico 125, 146-147, 181-182
recursão à esquerda 43-44, 45, 135-136, 210-212
recursão de cauda 47
redução 149-150, 208
redução de força 340, 350, 374-375
redução hierárquica 477-478
redução T1-T2 425
Reduced Instruction-Set Computer
    Ver RISC
redundância total 406
reescrita de árvore 353-359
referência
    Ver apontador
reflexão 592-593
reflexividade 390
região 422-431, 436-439, 459-460, 572
região de folha 423
região de loop 423
região do corpo 423

registrador 11, 13, 291-292, 344, 446-447
    Ver também pseudo-registrador, arquivo de registrador rotativo
registrador base 476
registro 237, 240-241, 368
registro de ativação 278-289
regra 579-580
regra do Datalog insegura 593
regra semântica
    Ver definição dirigida por sintaxe
Rehof, J. 602-603
reindexação 531, 532
relação 579, 598
relógio 443
remendo 262-267
Renvoise, C. 442
restrição de dependência de controle 445, 448-449
restrição de partição de espaço 520-525
restrição de partição de tempo 544-549, 623-624
restrição de recurso 445
restrição
    Ver restrição de dependência de controle, dependência de dados, restrição de recurso
reticulado 392
    Ver também semi-reticulado
reticulado produto 392-393
retorno 233, 300, 329-332, 569, 591
reúso de dados 503-510, 557-558
reúso de grupo 504, 508-509
reúso espacial 504, 507-508
reúso próprio 505-508
reúso temporal 504
reúso
    Ver reúso de dados
reversão 532
reversão de loop
    Ver reversão
Rinard, M. 602-603
RISC 13, 322-323
Ritchie, D. M. 273, 319-320
Rodeh, M. 480
Rosen, B. K. 442
Rosenkrantz, D. J. 227
Rothberg, E. E. 565
rótulo 29, 232-234
rótulo de fronteira 294
Rounds, W. C. 227

Rountev, A. 602-603
Roy, D. 603
Russell, L. J. 319-320
Ruwase, O. 602-603
Ryder, B. G. 602-603

S

Samelson, K. 227
Sarkar, V. 565-566
Scaling 531, 532
SCC
　Ver componente fortemente conectado
Scholten, C. S. 319
Schorre, D. V. 193
Schwartz, J. T. 367, 442
Scott, D. 120-121
Scott, M. L. 24
SDD
　Ver definição dirigida por sintaxe
SDT
　Ver tradução dirigida por sintaxe
SDV 602
Sedgewick, R. 369
seguimento 295
segurança quanto ao tipo 12, 297
segurança
　Ver análise de fluxo de dados conservadora
semântica 26
semi-reticulado 390-393
sensibilidade de contexto 569-570, 593-596
sensibilidade de fluxo 586, 587
sensibilidade de objeto 595
sensibilidade
　Ver sensibilidade de contexto, sensibilidade de fluxo
sentença 127
sentinela 74-75
seqüência de chamada 279-281
Sethi, R. 24, 366, 367
Shannon, C. 120-121
Sharir, M. 603
Shostak, R. 565-566
Sielaff, D. J. 602-603
símbolo da gramática 126
símbolo inicial 27-28-125
SIMD 14, 562-563
simulação 14
sincronização 518, 521, 534-535, 552-554

Single-Program Multiple Data 486
sinônimo 22, 446, 567, 575-576
sintaxe 26, 27
　Ver também gramática
síntese 3
síntese de hardware 14
síntese de tipo 247
sistema de tipo seguro 247
Skewing 532-533
SLAM 602
SMP
　Ver multiprocessador simétrico
Sobre Relaxação Sucessiva (SOR) 541
sobrecarga 64, 249-250
software pipelining 462-478, 562
solução ideal, para um problema de fluxo de dados 396-397
SOR
　Ver Sobre Relaxação Sucessiva (SOR)
SPMD
　Ver Single-Program Multiple Data
SQL 14
SQL injection 576-577
SSA
　Ver forma de atribuição simples estática
Stallman, R. 193
Stearns, R. E. 192-193, 227
Steel, T. 273
Steensgaard, B. 602-603
Steffens, E. F. M. 319
Strong, J. 273
subcadeia 76
subexpressão comum 338-339, 371-372, 402-403
sub-meta 579
sucessor 336
super grafo de fluxo de controle 569
supremo 392

T

tabela de reserva de recurso 450-451
　Ver também tabela de reserva de recurso modular
tabela de reserva de recurso modular 467-468, 474
tabela de símbolos 3-4, 7, 55-59, 271, 608-609
tabela de transição 94-95, 118-119
tabela
　Ver relação, tabela de reserva de recurso, tabela de símbolos, tabela de transição

Takizuka, T. 481
Tamura, E. 481
Tardieu, O. 602-603
tempo de compilação 16
tempo de execução 16
tempo de pausa 298
　Ver também coleta de lixo com pausa curta
tempo hierárquico 537-538
terminal 27, 29, 125-126, 195
teste acíclico 514
teste de resíduo de loop 514-515
teste de variáveis independentes 513-514
TeX 212
Thompson, K. 120-121
tipo 588
　Ver também tipo básico, tipo de função, tipo recursivo
tipo básico 237
tipo de função 237, 271
tipo recursivo 237
Tjiang, S. W. K. 366-367
TMG 192
token 26, 27, 49, 71
Tokoro, M. 481
Tokura, N. 442
Torczon, L. 367, 603
Towle, R. A. 566
tradução binária 14
tradução dirigida por sintaxe 26, 33-38, 207-227
transformação 355-357
transformação de afim 488-490, 530-533
transição 131
transitividade 390
tripla 234-235
triplas indiretas 235
Tritter, A. 273
troca de nome de registrador de hardware 447
troca de nome de registrador
　Ver troca de nome de registrador de hardware
tupla 598

U

Ullman, J. D. 120-121, 192-193, 366, 367, 442, 602-603
Umanee, N. 603
UNCOL 272
UNDEF 398

união 76, 77-78, 382-386, 388, 390-391, 409, 599-600
união de blocos livres
unificação 251, 253-255
Unificador mais geral 251
  Ver também unificação
Unkel, C. 603
uso 384
uso antes da definição 380
Ustuner, A. 603

V

valor 16-17
valor L 16, 63
  Ver também localização
valor R 16, 63
variável 17-18
  Ver também não-terminal, variável de referência
variável de classe 16
variável de indução 374-375, 431-432
variável de referência 21, 431-433
variável de tipo 250
variável global 283
variável morta 384
variável parcialmente morta 412
variável privatizável 476
variável usada 335
variável viva 335, 384-385, 388
vazamento de memória 15, 295
verificação de limites 25,
verificação de tipo 15, 63-64, 236, 247-255
verificação estática 63-64, 228
  Ver também verificação de tipo
VLIW 12, 13, 444
Von Neumann, linguagem 9
vulnerabilidade do software 576-578
Vyssotsky, V. 442

W

wavefronting 550
Weber, H. 192-193
Wegman, M. N. 442
Wegner, P. 442
Wegstein, J. 273
Weinberger, P. J. 120-121
Weinstock, C. B. 442
Wexelblat, R. L. 24
Whaley, J. 602-603
Widom, J. 602-603
Wilson, P. R. 319-320
Wirth, N. 192-193, 273
Wolf, M. E. 565, 566
Wolfe, M. J. 566
Wonnacott, D. 565-566
Wood, G. 481
Wulf, W. A. 442

Y

Yacc 183-190, 227
Yamada, H. 120-121
yield 30, 128
Yochelson, J. C. 319
Younger, D. H. 192-193

Z

Zadeck, F. K. 442
Zhu, J. 602-603

Sobre os Autores

Alfred V. Aho é professor de ciência da computação Lawrence Gussman na Columbia University. Ele recebeu vários prêmios, incluindo o Great Teacher Award de 2003 pela Society of Columbia Graduates e a John von Neumann Medal, da Electrical and Electronics Engineers (IEEE). É membro da National Academy of Engineering (NAE) e membro da Association of Computing Machinery (ACM) e IEEE.

Monica S. Lam é professora de ciência da computação na Stanford University, foi cientista-chefe na Tensilica e é presidente fundadora da moka5. Ela liderou o projeto SUIF, que produziu um dos compiladores de pesquisa mais populares, e foi pioneira em diversas técnicas de compilador usadas no setor.

Ravi Sethi iniciou a organização de pesquisa na Avaya e é presidente da Avaya Labs. Anteriormente, foi vice-presidente sênior da Bell Laboratories e diretor técnico de software de comunicações na Lucent Technologies. Lecionou na Pennsylvania State University e na University of Arizona, e também na Princeton University e Rutgers University. É membro da ACM.

Jeffrey D. Ullman é diretor executivo da Gradiance Corp. e professor emérito de ciência da computação na Stanford University. Seus interesses de pesquisa incluem teoria de banco de dados, integração de banco de dados, data mining e educação usando a infra-estrutura da informação. É membro da NAE, da ACM e vencedor do Karlstrom Award e Knuth Prize.